中國國家圖書館編

國家圖書館藏敦煌遺書

第二十二册　北敦〇一四九五號——北敦〇一六〇〇號

北京圖書館出版社

圖書在版編目(CIP)數據

國家圖書館藏敦煌遺書·第二十二册/中國國家圖書館編;任繼愈主編.—北京:北京圖書館出版社,2006.3

ISBN 7-5013-2964-8

Ⅰ.國… Ⅱ.①中…②任… Ⅲ.敦煌學—文獻 Ⅳ.K870.6

中國版本圖書館 CIP 數據核字(2006)第 007300 號

書　　名　國家圖書館藏敦煌遺書·第二十二册
著　　者　中國國家圖書館編　任繼愈主編
責任編輯　徐　蜀　孫　彦
封面設計　李　璀

出　　版　北京圖書館出版社　(100034　北京西城區文津街 7 號)
發　　行　010-66139745　66151313　66175620　66126153
66174391(傳真)　66126156(門市部)
E-mail　cbs@nlc.gov.cn(投稿)　btsfxb@nlc.gov.cn(郵購)
Website　www.nlcpress.com
經　　銷　新華書店
印　　刷　北京文津閣印務有限責任公司

開　　本　八開
印　　張　56
版　　次　2006 年 3 月第 1 版第 1 次印刷
印　　數　1-150 册(套)

書　　號　ISBN 7-5013-2964-8/K·1247
定　　價　990.00 圓

目錄

普使蒙益悲念飴
饍悲持施與
第四願者使我來世佛道成就巍巍堂堂
如星中之月消除生死之雲令无有翳明照世
界行者見道熱得清涼解除垢穢
第五願者使我來世發大精進淨持戒地
令无濁識慎護所受令无缺犯亦令一切戒
行具足堅持不犯至无為道
第六願者若有衆生諸根毀敗盲者使視
聾者能聽瘂者得語僂者能申跛者能行
如是不完具者悉令具足
第七願者使我來世十方世界若有苦惱无
救護者我為此等設大法藥令諸疾病皆
得除愈无復苦患至得佛道
第八願者使我來世以善業因緣為諸愚
冥无量衆生講宣妙法令得度脫入智慧門
普使明了无諸疑惑
第九願者使我來世摧伏惡魔及諸外道
顯揚清淨无上道法使入正真无諸耶僻迴
向菩提八正覺路
第十願者使我來世若有衆生王法所加

BD01495號　灌頂章句拔除過罪生死得度經　（14–1）

顯揚清淨无上道法使入正真无諸耶僻迴
向菩提八正覺路
第十願者使我來世若有衆生王法所加
臨當刑戮无量怖畏愁憂苦惱若復鞭撻
枷鎖其體種種忍懼逼切其身如是无邊
諸苦惱等悉令解脫无有衆難
第十一願者使我來世若有衆生飢渴所惱
令得種種甘美飲食天諸餚饍種種无數
悉以賜與令身充足
第十二願者使我來世若有貧凍裸露衆
生即得衣服窮乏之者施以珍寶倉庫盈溢
无所乏少一切皆受无量快樂乃至无有一人
受苦使諸衆生和顏悅色形貌端嚴人所
喜見琴瑟鼓吹如是无量微上音聲施與
一切无量衆生是為十二微妙上願
佛告文殊師利此藥師琉璃光本願功德
如是我今為汝畧說其國莊嚴之事此藥師
琉璃光如來國土清淨无五濁无愛欲无意
垢以白銀琉璃為地宮殿樓閣悉用七寶亦
如西方无量壽國无有異也有二菩薩一名
日曜二名月淨是二菩薩次補佛處諸善
男子及善女人亦當願生彼國土也文殊師
利白佛言唯願演說藥師琉璃光如來无量
功德饒益衆生令得佛道佛言若有男子女人
所被衆魔未入正道得聞我說藥師琉璃光

BD01495號　灌頂章句拔除過罪生死得度經　（14–2）

男子及善女人亦當願生彼國土也文殊師
利白佛言唯願演說藥師琉璃光如來无量
功德饒益衆生令得佛道佛言若有男子女人
新破衆魔未入正道得聞我說藥師琉璃光
如來名字者魔家眷屬退散馳走如是无量
拔衆生苦我今說之佛告文殊師利世間有人
不解罪福慳貪不知布施今世後世當得其
福世人愚癡但知貪惜寧自割身肉而噉食
之不肯持錢財布施求後世之福世又有人
身不衣食此大慳貪命終以後當墮餓鬼
及在畜生中聞我說是藥師琉璃光如來
名字之時无不解脫憂苦者也皆作信心貪
福畏罪人從索頭與頭索眼與眼乞妻與
妻乞子與子求金銀珍寶皆大布施一時歡
喜即發无上正真道意
佛言若復有人受佛淨戒遵奉明法不解
罪福唯知經不及中義不能分別曉了中
義以自貢高恒當憎憤乃與世間衆魔從
事更作縛著不解行之纏著婦女恩愛之情口
爲說空行在有中不能發覺復不自知但能
論說他人是非如此人輩皆當墮三惡道中
聞我說是藥師琉璃光佛本願功德无不歡
喜念欲捨家行作沙門者也
佛言世間有人好自稱譽皆是貢高當墮
三惡道中後還爲人牛馬奴婢生下賤中人

BD01495 號　灌頂章句拔除過罪生死得度經　（14–3）

論說他人是非如此人輩皆當墮三惡道中
聞我說是藥師琉璃光佛本願功德无不歡
喜念欲捨家行作沙門者也
佛言世間有人好自稱譽皆是貢高當墮
三惡道中後還爲人牛馬奴婢生下賤中人
當乘其力負重而行困苦疲極士夫人身聞
我說是藥師琉璃光如來本願功德者皆當
一心歡喜踊躍更作謙敬即得解脫衆苦之
患長得歡喜聰明智慧遠離惡道得生善處
與善知識共相值遇无復憂苦離諸魔縛佛言
世間愚癡人輩兩舌鬪諍惡口罵詈更相嫌
恨或就山神樹下鬼神日月之神南斗北辰
諸鬼神所作諸呪檇或作名字或作人形像
或作符書以相厭禱呪咀言說聞我說是藥
師琉璃光佛本願功德无不兩作和解俱生
慈心惡意悉滅各各歡喜无復惡念
佛言若四輩弟子比丘比丘尼清信士清信
女常脩月六齋歲三長齋或晝夜精懃
一心苦行願欲往生西方阿弥陁佛國者憶念
晝夜若一日二日三日四日五日六日七日或
復中悔聞我說是琉璃光本願功德盡其
壽命欲終之日有八菩薩
文殊師利菩薩　觀世音菩薩　大勢至菩薩　无盡意菩薩
寶檀華菩薩　藥王菩薩　藥上菩薩　弥勒菩薩
是八菩薩皆當飛往迎其精神不逕八難

BD01495 號　灌頂章句拔除過罪生死得度經　（14–4）

文殊師利菩薩 觀世音菩薩 大勢至菩薩 无盡意菩薩
寶檀華菩薩 藥王菩薩 藥上菩薩 弥勒菩薩
是八菩薩皆當飛往迎其精神不逕八難
生蓮華中自然音樂而相娛樂
佛言假使壽命自欲盡時臨終之日得聞
我說是琉璃光佛本願功德者命終皆得上
生天上不復逕歷三惡道中天上福盡若下生
人間當為帝王家作子或生豪姓長者居士
富貴家生皆當端政聰明智慧高才勇猛若
是女人化成男子无復憂苦患難者也
佛語文殊師利我稱譽顯說琉璃光佛至真
等正覺本所脩集无量行願功德如是文殊師
利從坐而起長跪叉手白佛言世尊佛去世後
當以此法開化十方一切眾生使其受持是經
典者若有男子女人愛樂是經受持讀誦
宣通之者復能尊念若一日二日三日四日五
日乃至七日憶念不忘能以好素帛書取是
經五色雜綵作囊盛之者是時當有天諸
善神四天大王龍神八部常來營衛愛敬
此經能日日作礼持是經者不墮橫死所在
安隱惡氣消滅諸魔鬼神亦不中害佛言
如是如是如汝所說文殊師利言天尊所說
言无不善
佛告文殊若有善男子善女人等發心造立
藥師琉璃光如來形象供養礼拜懸雜色旛

BD01495號　灌頂章句拔除過罪生死得度經　（14–5）

言无不善
佛告文殊若有善男子善女人等發心造立
藥師琉璃光如來形像供養礼拜懸雜色旛
蓋燒香散華歌詠讚嘆圍遶百匝還坐本
處端坐思惟念藥師琉璃光佛无量功德若
有男子女人七日七夜菜食長齋供養礼拜
藥師琉璃光佛求心中所願者无不獲得求長
壽得長壽求富饒得富饒求安隱得安隱
求男女得男女求官位得官位若命過以後欲
生妙樂天上者亦當礼敬琉璃光佛至真等
正覺若欲上生卅三天者亦當礼敬必得往
生若欲與明師世世相值者亦當礼敬琉璃光
佛佛告文殊若欲生十方妙樂國土者亦當礼
敬琉璃光佛若欲得生兜率天上見弥勒
者亦當礼敬琉璃光佛若欲遠諸耶道亦當
礼敬琉璃光佛若夜惡夢鳥鳴百怪蜚尸
耶忤魍魎鬼神之所嬈者亦當礼敬琉璃光
佛若為水火之所焚漂亦當礼敬琉璃光佛若
入山谷為虎狼熊羆蒺蔾諸狩鳥龍蚖虵
蝮蝎種種雜類若有惡心來相向者心中當存
念琉璃光佛山中諸難不能為害若他方怨
賊偷竊惡人怨家債主欲來侵陵心當存念
琉璃光佛則不為害以善男女等礼敬琉璃
光如來功德所致華報如是況果報也是故
吾今勸諸四輩礼事琉璃光佛至真等正覺

BD01495號　灌頂章句拔除過罪生死得度經　（14–6）

琉璃光佛則不為害以善男女等礼敬琉璃
光如來功德所致華報如是況果報也是故
吾今勸諸四輩礼事琉璃光佛至真等正覺
佛告文殊我但為汝略說琉璃光佛礼敬功
德若使我廣說是琉璃光佛无量功德與一
切人求心中所願者從一劫至一劫故不周遍
其世間人若有着林痿黄困篤惡病連年
累月不差者聞我說是琉璃光佛名字之
時横病之厄无不除愈唯宿殃不請耳
佛告文殊若有男子女人受三自歸若五戒
若十戒若善信菩薩廿四戒若沙門二百五
十戒若比丘尼五百戒若菩薩戒若破是諸
戒若能至心懺悔者復聞我說琉璃光佛
終不墮三惡道中必得解脫若人愚癡不受
父母師長教誨不信佛不信經戒不信聖僧
應墮三惡道中者亡失人種受畜生身聞
我說是琉璃光佛善願功德即得解脫
佛告文殊世有惡人雖受佛禁戒觸事違犯
或煞无道偷竊他人財寶欺詐妄語婬他婦
女飲酒鬪乱兩舌惡口罵詈毀人犯戒為惡復
祠祀鬼神有如是過罪當墮地獄中若當屠
割若炮銅柱若鐵鉤出[illegible]若洋銅灌口者聞
我說是藥師琉璃光佛无不即得解脫者也
佛告文殊其世間人豪貴下賤不信佛不信
經道不信沙門不信有須陁洹不信有斯陁

祠祀鬼神有如是過罪當墮地獄中若當屠
割若炮銅柱若鐵鉤出[illegible]若洋銅灌口者聞
我說是藥師琉璃光佛无不即得解脫者也
佛告文殊其世間人豪貴下賤不信佛不信
經道不信沙門不信有須陁洹不信有斯陁
含不信有阿那含不信有阿羅漢不信有辟
支佛不信有十住菩薩不信有三世之事不
信有十方諸佛不信有本師釋迦文佛不信
人死神明更生善者受福惡者受殃有如是
之罪應墮三惡道中聞我說是藥師琉璃光佛
名字之者一切過罪自然消滅
佛告文殊若有善男子善女人聞我說是藥
師琉璃光佛至真等正覺其誰不發无上正
真道意後皆當得作佛人居世間仕官不遷
治生不得飢寒困厄亡失財產无復方計聞我
說是藥師瑠璃光佛各各得心中所願者仕
官皆得高遷財物自然長益飲食充饒皆得
富貴若為縣官之所拘録惡人侵枉若為怨
家所得便者心當存念琉璃光佛若他婦女產
生難者皆當念是瑠璃光佛兒則易生身體平
正无諸疾痛六情完具聰明智慧壽命得長不
遭枉横善神擁護不為惡鬼舐其頭也
佛說是語時阿難在右邊佛顧語阿難言
汝信我為文殊師利說往昔東方過十恒河
沙世界有佛名藥師瑠璃光本願功德者不

遭枉橫善神擁護不為惡鬼試其頭也
佛說是語時阿難在右邊佛顧語阿難言
汝信我為文殊師利說往昔東方過十恒河
沙世界有佛名藥師瑠璃光本願功德者不
阿難白佛言唯天中天佛之所言何敢不信耶
佛復語阿難言世間人雖有眼耳鼻舌身意
人常用是六事以自迷惑但信世間魔耶之言
不信至真至誠度世苦切之語如是人輩難可
開化阿難白佛言世尊世人多有惡逆下賤之者
若聞佛說是經開人耳目破治人病除人陰冥
使覩光明解人疑結去人重罪千劫万劫无復
憂患皆因佛說是藥師瑠璃光本願功德
悉令安隱得其福也
佛言阿難汝口為言善而汝內心狐疑不信
我言阿難汝莫作是念以自毀敗佛言阿難
我見汝心我知汝意汝知之不阿難即以頭面
著地長跪白佛言審如天中天所說我造次
聞佛說是藥師瑠璃光極大尊貴智慧巍巍
難可度量我心有小疑耳敢不首伏佛言汝智
慧狹劣少見少聞汝聞我說深妙之法无上
空義應生信敬貴重之心必當得至无上正
真道也
文殊師利問佛言世尊佛說是藥師琉璃光如
來无量功德如是不審誰肯信此言者佛荅
文殊言唯有百億諸菩薩摩訶薩當信是言

慧狹劣少見少聞汝聞我說深妙之法无上
空義應生信敬貴重之心必當得至无上正
真道也
文殊師利問佛言世尊佛說是藥師琉璃光如
來无量功德如是不審誰肯信此言者佛荅
文殊言唯有百億諸菩薩摩訶薩當信是言
耳唯有十方三世諸佛當信是言
佛言我說是藥師瑠璃光如來本願功德
難可得見何況得聞亦難得說亦難得書寫
亦難得讀文殊師利若有善男子善女人
能信是經受持讀誦書著竹帛復能為他
人解說中義此皆先世以發道意今復得
聞此微妙法開化十方无量眾生當知此人
必當得至无上正真道也
佛告阿難我作佛以來從生死復至生死
勤苦累劫无所不逕无所不歷无所不作无
所不為如是不可思議況復瑠璃光佛本願
功德者乎汝所以有疑者亦復如是阿難汝
聞佛所說汝諦信之莫作疑惑佛語至誠无
有虛僞亦无二言佛為信者施不為疑者說
阿難汝莫作小疑以毀大乘之業汝却後亦
當發摩訶衍心莫以小道毀汝功德阿難白佛
言唯天中天我從今日以去无復尒心唯佛自
當知我心耳
佛語阿難此經能照諸天宮殿若三灾起

言唯天中天我從今日以去无復尒心唯佛自
當知我心耳
佛語阿難此經能照諸天宮殿若三災起
時中有天人發心念此瑠璃光佛本願功德
經者皆得離於彼處之難是經能除水涸不調
是經能除他方逆賊悉令消滅四方夷狄各
還正治不相嬈惱國土交通人民歡喜是經能
除穀貴飢凍是經能滅惡星變怪是經能除
疫毒之病是經能救三惡道苦地獄餓鬼
畜生等苦若人得聞此經典者无不解脫
厄難者也
尒時衆中有一菩薩名曰救脫從坐而起整
衣服叉手合掌而白佛言我等今日聞佛世
尊演說過去東方過十恒河沙世界有佛号
瑠璃光佛一切衆會靡不歡喜救脫菩薩
又白佛言若族姓男女其有危羸著牀痛惱
无救護者我今當勸請諸衆僧七日七夜齋
戒一心受持八禁六時行道卌九遍讀是經典
勸然七層之燈亦勸懸五色雜綵續命神
幡阿難問救脫菩薩言續命幡燈法則云
何救脫菩薩語阿難言神幡五色卌九尺燈
亦復尒七層之燈一層七燈燈如車輪若遭
厄難閉在牢獄枷鎖著身亦應造立五色
神幡然卌九燈應放雜類衆生至卌九可
得過度危厄之難不為諸橫惡鬼所持

BD01495號　灌頂章句拔除過罪生死得度經　（14–11）

厄難閉在牢獄枷鎖著身亦應造立五色
神幡然卌九燈應放雜類衆生至卌九可
得過度危厄之難不為諸橫惡鬼所持
救脫菩薩語阿難言若天王大臣及諸輔
相王子妃主中宮綵女若為病苦所惱亦應造立
五色繒幡然燈續明救諸生命散雜色華
燒衆名香王當放赦厄之人徒鎖解脫
王得其福天下太平雨澤以時人民歡樂惡
龍攝毒无病苦者四方夷狄不生逆害國土
通同慈心相向无諸怨害四海歌詠稱王之德
乘此福祿在意所生見佛聞法信受教誨
從是福報至无上道
阿難又問救脫菩薩言命可續也救脫菩
薩答阿難言我聞世尊說有諸橫勸造幡
蓋令其脩福又言阿難昔沙弥救蟻已脩福
故盡其壽命不更苦患身體安寧福德力強使
之然也阿難因復問救脫菩薩言橫有幾種
世尊說言橫乃无數略而言之大橫有九一者
橫病二者橫有口舌三者橫遭縣官四者身
羸无福又持戒不完橫為鬼神之所得便
五者橫為劫賊所剝六者橫為水火焚漂七
者橫為雜類禽獸所噉八者橫為怨讎符書
厭禱耶神牽引未得其福但受其殃先亡
牽引亦名橫死九者有病不治又不脩福湯
藥不慎針灸失度不值良醫為病所困於

BD01495號　灌頂章句拔除過罪生死得度經　（14–12）

竊无福又恃武不究橫為鬼神之所得便
五者橫為劫賊所剥六者橫為水火焚漂七
者橫為雜類禽獸所噉八者橫為怨讎符書
厭禱耶神牽引未得其福但受其殃先亡
牽引亦名橫死九者有病不治又不脩福湯
藥不慎針灸失度不值良醫為病所困於
是滅亡又信世間妖孽之師為作恐動寒
熱言語妄發禍福所犯者多心不自正不能
自定卜問覓禍煞賭狗牛羊種種衆生解
奏神明呼諸耶妖魍魎鬼神請乞福祚欲望長
生終不能得愚癡迷惑信耶倒見死入地
獄展轉其中无解脫時是名九橫
救脫菩薩語阿難言其世間人瘦黃之病困
篤著牀求生不得求死不得考楚万端此病
人者或其前世造作惡業罪過所招殃咎所
引故使然也救脫菩薩語阿難言閻羅王
者主領世間名藉之記若人為惡作諸非法
无孝順心造作五逆破滅三寶无君臣法又
有衆生不持五戒不信正法設有受者多所
毀犯於是地下鬼神及伺候者奏上五官五
官料簡除死定生或注錄精神未判是非若
已定者奏上閻羅〻〻監察隨罪輕重考而治
之世間瘦黃之病困篤不死一絕一生猶其罪
福未得料簡錄其精神在彼王所或七日五七

BD01495號　灌頂章句拔除過罪生死得度經　（14-13）

人者或其前世造作惡業罪過所招殃咎所
引故使然也救脫菩薩語阿難言閻羅王
者主領世間名藉之記若人為惡作諸非法
无孝順心造作五逆破滅三寶无君臣法又
有衆生不持五戒不信正法設有受者多所
毀犯於是地下鬼神及伺候者奏上五官五
官料簡除死定生或注錄精神未判是非若
已定者奏上閻羅〻〻監察隨罪輕重考而治
之世間瘦黃之病困篤不死一絕一生猶其罪
福未得料簡錄其精神在彼王所或七日五七
日三七日乃至七七日名藉定者放其精神
還其身中如從夢中見其善惡其人若明了
者信驗罪福是故我今勸諸四輩造續命
神幡然卌九燈放諸生命以此幡燈放生功
德拔彼精神令得度苦今世後世不遭厄難

BD01495號　灌頂章句拔除過罪生死得度經　（14-14）

故如来說諸心皆為非心是名為心所以者
何須菩提過去心不可得現在心不可得未
来心不可得須菩提於意云何若有人滿三
千大千世界七寶以用布施是人以是因緣
得福多不如是世尊此人以是因緣得福甚
多須菩提若福德有實如来不說得福德多
以福德无故如来說得福德多
須菩提於意云何佛可以具足色身見不不
也世尊如来不應以具足色身見何以故如
来說具足色身即非具足色身是名具足色
身須菩提於意云何如来可以具足諸相見
不不也世尊如来不應以具足諸相見何以
故如来說諸相具足即非具足是名諸相具
是須菩提汝勿謂如来作是念我當有所說
法莫作是念何以故若人言如来有所說法
即為謗佛不能解我所說故須菩提說法者
无法可說是名說法須菩提白佛言世尊佛
得阿耨多羅三藐三菩提為无所得耶如是
如是須菩提我於阿耨多羅三藐三菩提乃
至无有少法可得是名阿耨多羅三藐三菩
是復次須菩提是法平等无有高下是名可

BD01496號　金剛般若波羅蜜經　（3–1）

无法可說是名說法須菩提白佛言世尊佛
得阿耨多羅三藐三菩提為无所得耶如是
如是須菩提我於阿耨多羅三藐三菩提乃
至无有少法可得是名阿耨多羅三藐三菩
提復次須菩提是法平等无有高下是名阿
耨多羅三藐三菩提以无我无人无衆生无
壽者脩一切善法則得阿耨多羅三藐三菩
提須菩提所言善法者如来說非善法是名
善法須菩提若三千大千世界中所有諸須
弥山王如是等七寶聚有人持用布施若人
以此般若波羅蜜經乃至四句偈等受持為
他人說於前福德百分不及一百千万億分
乃至筭數譬喻所不能及
須菩提於意云何汝等勿謂如来作是念我
當度衆生須菩提莫作是念何以故實无有
衆生如来度者若有衆生如来度者如来則
有我人衆生壽者須菩提如来說有我者則
非有我而凡夫之人以為有我須菩提凡夫
者如来說則非凡夫須菩提於意云何可以
三十二相觀如来不須菩提言如是如是以
三十二相觀如来佛言須菩提若以三十二
相觀如来者轉輪聖王則是如来須菩提白佛
言世尊如我解佛所說義不應以三十二相觀
如来尒時世尊而說偈言
若以色見我以音聲求我是人行邪道不能見如来

BD01496號　金剛般若波羅蜜經　（3–2）

他人說於前福德百分不及一百千万億分
乃至筭數譬喻所不能及
須菩提於意云何汝等勿謂如來作是念我
當度衆生須菩提莫作是念何以故實无有
衆生如來度者若有衆生如來度者如來則
有我人衆生壽者須菩提如來說有我者則
非有我而凡夫之人以為有我須菩提凡夫
者如來說則非凡夫須菩提於意云何可以
三十二相觀如來不須菩提言如是如是以
三十二相觀如來佛言須菩提若以三十二
相觀如來者轉輪聖王則是如來須菩提白佛
言世尊如我解佛所說義不應以三十二相觀
如來尒時世尊而說偈言
若以色見我　以音聲求我　是人行邪道　不能見如來
須菩提汝若作是念如來不以具足相故得
阿耨多羅三藐三菩提須菩提莫作是念如

BD01496 號　金剛般若波羅蜜經　（3–3）

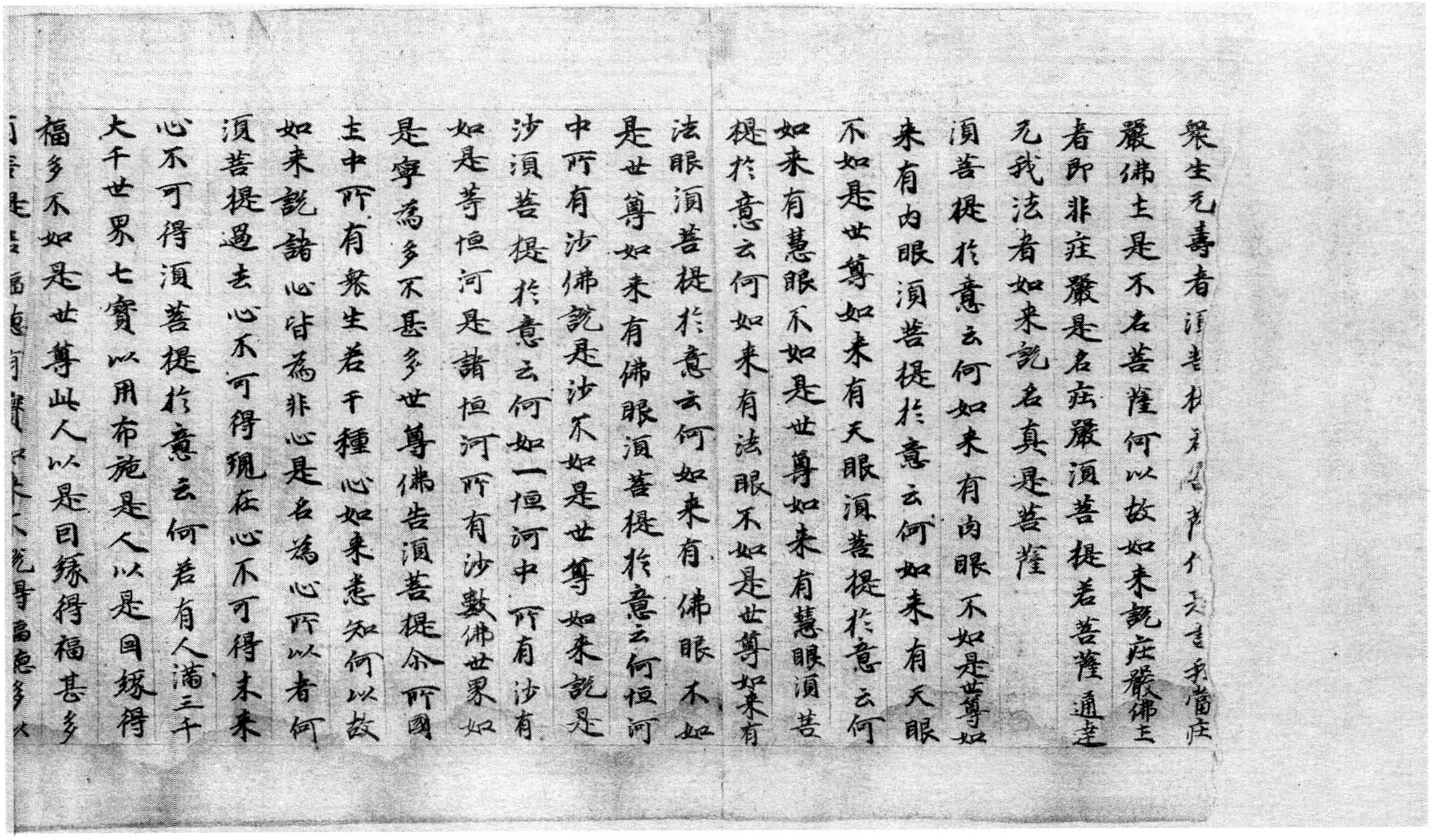

衆生无壽者須菩提若菩薩作是言我當庄
嚴佛土是不名菩薩何以故如來說庄嚴佛土
者即非庄嚴是名庄嚴須菩提若菩薩通達
无我法者如來說名真是菩薩
須菩提於意云何如來有肉眼不如是世尊如
來有肉眼須菩提於意云何如來有天眼
不如是世尊如來有天眼須菩提於意云何
如來有慧眼不如是世尊如來有慧眼須菩
提於意云何如來有法眼不如是世尊如來有
法眼須菩提於意云何如來有佛眼不如
是世尊如來有佛眼須菩提於意云何恒河
中所有沙佛說是沙不如是世尊如來說是
沙須菩提於意云何如一恒河中所有沙有
如是等恒河是諸恒河所有沙數佛世界如
是寧為多不甚多世尊佛告須菩提尒所國
土中所有衆生若干種心如來悉知何以故
如來說諸心皆為非心是名為心所以者何
須菩提過去心不可得現在心不可得未來
心不可得須菩提於意云何若有人滿三千
大千世界七寶以用布施是人以是因緣得
福多不如是世尊此人以是因緣得福甚多
須菩提若福德有實如來不說得福德多

BD01497 號　金剛般若波羅蜜經　（2–1）

須菩提過去心不可得現在心不可得未來
心不可得須菩提於意云何若有人滿三千
大千世界七寶以用布施是人以是因緣得
福多不如是世尊此人以是因緣得福甚多
須菩提若福德有實如來不說得福德多以
福得无故如來說得福德多
須菩提於意云何佛可以具足色身見不不
也世尊如來不應以具足色身見何以故如
來說具足色身即非具足色身是名具足色
身須菩提於意云何如來可以具足諸相見
不不也世尊如來不應以具足諸相見何以故
如來說諸相具足即非具足是名諸相具足須
菩提汝勿謂如來作是念我當有所說法莫
作是念何以故若人言如來有所說法即為
謗佛不能解我所說故須菩提說法者无法
可說是名說法
須菩提白佛言世尊佛得阿耨多羅三藐三
菩提為无所得耶如是如是須菩提我於阿
耨多羅三藐三菩提乃至无有少法可得是
名阿耨

BD01497 號　金剛般若波羅蜜經　（2–2）

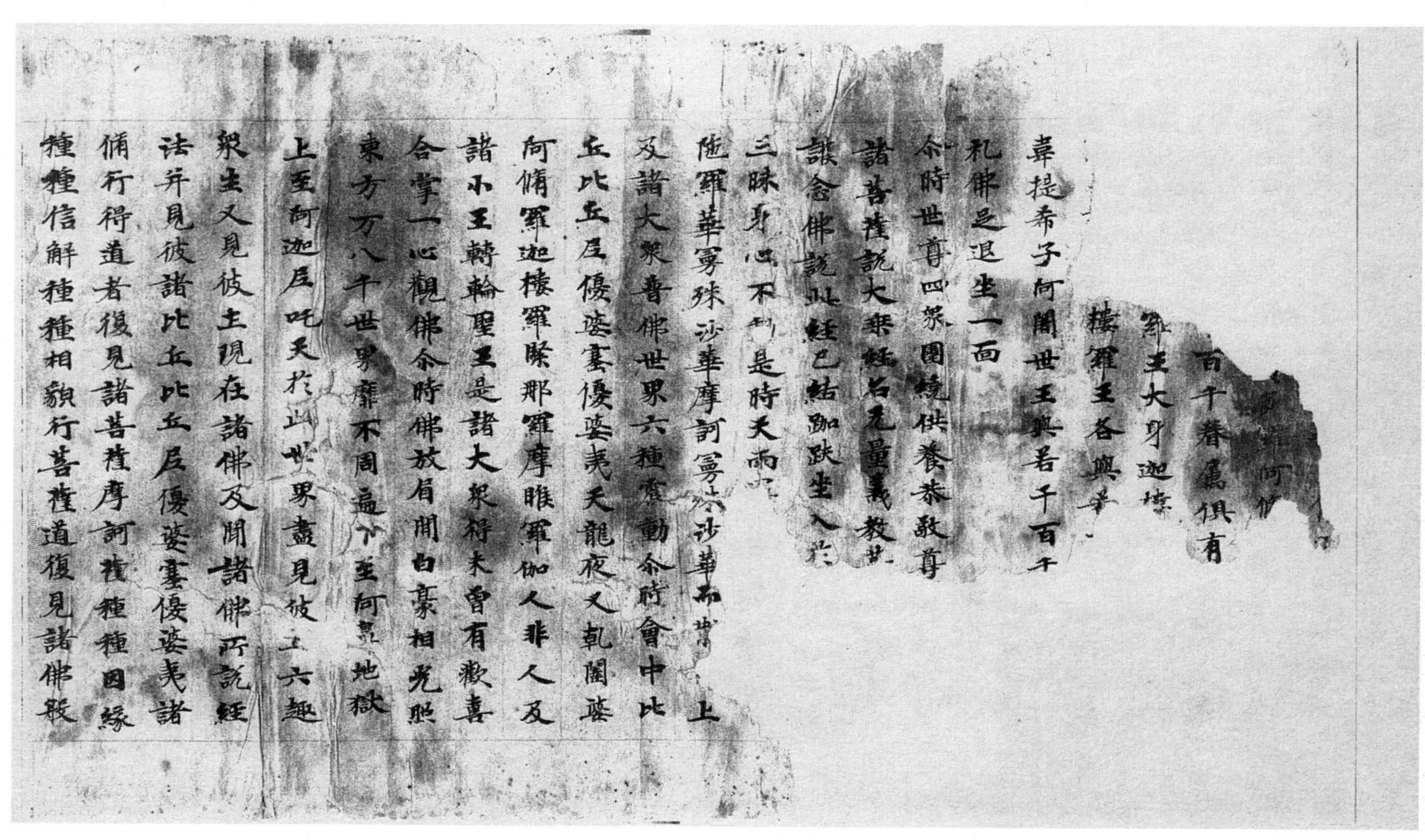
百千眷屬俱有
羅王大身迦樓
樓羅王各與若
韋提希子阿闍世王與若干百千
礼佛足退坐一面
尓時世尊四眾圍遶供養恭敬尊
諸菩薩說大乘經名无量義教菩
護念佛說此經已結加趺坐入於
三昧身心不動是時天雨
陁羅華曼殊沙華摩訶曼殊沙華而散[illegible]上
及諸大眾普佛世界六種震動尓時會中比
丘比丘尼優婆塞優婆夷天龍夜叉乾闥婆
阿脩羅迦樓羅緊那羅摩睺羅伽人非人及
諸小王轉輪聖王是諸大眾得未曾有歡喜
合掌一心觀佛尓時佛放眉間白毫相光照
東方万八千世界靡不周遍下至阿鼻地獄
上至阿迦尼吒天於此世界盡見彼土六趣
眾生又見彼土現在諸佛及聞諸佛所說經
法并見彼諸比丘比丘尼優婆塞優婆夷諸
脩行得道者復見諸菩薩摩訶薩種種因緣
種種信解種種相貌行菩薩道復見諸佛般

BD01498 號　妙法蓮華經卷一　（22–1）

合掌一心觀佛尒時佛放眉間白毫相光照
東方万八千世界靡不周遍下至阿鼻地獄
上至阿迦尼吒天於此世界盡見彼土六趣
衆生又見彼土現在諸佛及聞諸佛所說經
法并見彼諸比丘比丘尼優婆塞優婆夷諸
脩行得道者復見諸菩薩摩訶薩種種因緣
種種信解種種相貌行菩薩道復見諸佛般
涅槃者復見諸佛般涅槃後以佛舍利起七
寶塔尒時弥勒菩薩作是念今者世尊現神
變相以何因緣而有此瑞今佛世尊入于三
昧是不可思議現希有事當以問誰誰能荅
者復作此念是文殊師利法王之子已曾親
近供養過去无量諸佛必應見此希有之相
我今當問尒時比丘比丘尼優婆塞優婆夷
及諸天龍鬼神等咸作此念是佛光明神通
之相今當問誰尒時弥勒菩薩欲自決疑又
觀四衆比丘比丘尼優婆塞優婆夷及諸天
龍鬼神等衆會之心而問文殊師利言以何
因緣而有此瑞神通之相放大光明照于東
方万八千土悉見彼佛國界莊嚴於是弥勒
菩薩欲重宣此義以偈問曰
文殊師利　導師何故　眉間白毫　大光普照
雨曼陁羅　曼殊沙華　栴檀香風　悅可衆心
以是因緣　地皆嚴淨　而此世界　六種震動
時四部衆　咸皆歡喜　身意快然　得未曾有

BD01498號　妙法蓮華經卷一　（22–2）

文殊師利　導師何故　眉間白毫　大光普照
雨曼陁羅　曼殊沙華　栴檀香風　悅可衆心
以是因緣　地皆嚴淨　而此世界　六種震動
時四部衆　咸皆歡喜　身意快然　得未曾有
眉間光明　照于東方　万八千土　皆如金色
從阿鼻獄　上至有頂　諸世界中　六道衆生
生死所趣　善惡業緣　受報好醜　於此悉見
又覩諸佛　聖主師子　演說經典　微妙第一
其聲清淨　出柔軟音　教諸菩薩　无數億万
梵音深妙　令人樂聞　各於世界　講說正法
種種因緣　以无量喻　照明佛法　開悟衆生
若人遭苦　厭老病死　為說涅槃　盡諸苦際
若人有福　曾供養佛　志求勝法　為說緣覺
若有佛子　脩種種行　求无上慧　為說淨道
文殊師利　我住於此　見聞若斯　及千億事
如是衆多　今當略說　我見彼土　恒沙菩薩
種種因緣　而求佛道　或有行施　金銀珊瑚
真珠摩尼　車璖馬瑙　金剛諸珍　奴婢車乘
寶飾輦輿　歡喜布施　迴向佛道　願得是乘
三界第一　諸佛所歎　或有菩薩　駟馬寶車
欄楯華蓋　軒飾布施　復見菩薩　身肉手足
及妻子施　求无上道　又見菩薩　頭目身體
欣樂施與　求佛智慧　文殊師利　我見諸王
往詣佛所　問无上道　便捨樂土　宮殿臣妾
剃除鬚髮　而被法服　或見菩薩　而作比丘
獨處閑靜　樂誦經典　又見菩薩　勇猛精進

BD01498號　妙法蓮華經卷一　（22–3）

往詣佛所　問无上道　便捨樂土　宮殿臣妾
剃除鬚髮　而被法服　或見菩薩　而作比丘
獨處閑靜　樂誦經典　又見菩薩　勇猛精進
入於深山　思惟佛道　又見離欲　常處空閑
深脩禪定　得五神通　又見菩薩　安禪合掌
以千万偈　讚諸法王　復見菩薩　智深志固
能問諸佛　聞悉受持　又見佛子　定慧具足
以无量喻　為衆講法　欣樂說法　化諸菩薩
破魔兵衆　而擊法鼓　又見菩薩　寂然宴默
天龍恭敬　不以為喜　又見菩薩　處林放光
濟地獄苦　令入佛道　又見佛子　未嘗睡眠
經行林中　懃求佛道　又見具戒　威儀无缺
淨如寶珠　以求佛道　又見佛子　住忍辱力
增上慢人　惡罵捶打　皆悉能忍　以求佛道
又見菩薩　離諸戲笑　及癡眷屬　親近智者
一心除亂　攝念山林　億千万歲　以求佛道
或見菩薩　餚饍飲食　百種湯藥　施佛及僧
名衣上服　價直千万　或无價衣　施佛及僧
千万億種　栴檀寶舍　衆妙卧具　施佛及僧
清淨園林　華菓茂盛　流泉浴池　施佛及僧
如是等施　種種微妙　歡喜无猒　求无上道
或有菩薩　說寂滅法　種種教詔　无數衆生
或見菩薩　觀諸法性　无有二相　猶如虛空
又見佛子　心无所著　以此妙慧　求无上道
文殊師利　又有菩薩　佛滅度後　供養舍利

BD01498號　妙法蓮華經卷一　（22–4）

或見菩薩　觀諸法性　无有二相　猶如虛空
又見佛子　心无所著　以此妙慧　求无上道
文殊師利　又有菩薩　佛滅度後　供養舍利
又見佛子　造諸塔廟　无數恒沙　嚴飾國界
寶塔高妙　五千由旬　縱廣正等　二千由旬
一一塔廟　各千幢幡　珠交露幔　寶鈴和鳴
諸天龍神　人及非人　香華伎樂　常以供養
文殊師利　諸佛子等　為供舍利　嚴飾塔廟
國界自然　殊特妙好　如天樹王　其華開敷
佛放一光　我及衆會　見此國界　種種殊妙
諸佛神力　智慧希有　放一淨光　照无量國
我等見此　得未曾有　佛子文殊　願決衆疑
四衆欣仰　瞻仁及我　世尊何故　放斯光明
佛子時答　決疑令喜　何所饒益　演斯光明
佛坐道場　所得妙法　為欲說此　為當授記
示諸佛土　衆寶嚴淨　及見諸佛　此非小緣
文殊當知　四衆龍神　瞻察仁者　為說何等
尒時文殊師利語弥勒菩薩摩訶薩及諸大
士善男子等如我惟忖今佛世尊欲說大法
雨大法雨吹大法螺擊大法鼓演大法義諸
善男子我於過去諸佛曾見此瑞放斯光已
即說大法是故當知今佛現光亦復如是欲
令衆生咸得聞知一切世間難信之法故現
斯瑞諸善男子如過去无量无邊不可思議
阿僧祇劫尒時有佛号日月燈明如來應供

BD01498號　妙法蓮華經卷一　（22–5）

令衆生咸得聞知一切世間難信之法故現
斯瑞諸善男子如過去无量无邊不可思議
阿僧祇劫尒時有佛号日月燈明如來應供
正遍知明行足善逝世間解无上士調御丈
夫天人師佛世尊演說正法初善中善後善
其義深遠其語巧妙純一无雜具足清白梵
行之相為求聲聞者說應四諦法度生老病
死究竟涅槃為求辟支佛者說應十二因緣
法為諸菩薩說應六波羅蜜令得阿耨多羅
三藐三菩提成一切種智次復有佛亦名日
月燈明次復有佛亦名日月燈明如是二万
佛皆同一字号日月燈明又同一姓姓頗羅
墮弥勒當知初佛後佛皆同一字名日月燈
明十号具足所可說法初中後善其最後佛
未出家時有八王子一名有意二名善意三名
无量意四名寶意五名增意六名除疑意七
名響意八名法意是八王子威德自在各領
四天下是諸王子聞父出家得阿耨多羅三
藐三菩提悉捨王位亦隨出家發大乘意常
脩梵行皆為法師已於千万佛所殖諸善本
是時日月燈明佛說大乘經名无量義教菩
薩法佛所護念說是經已即於大衆中結加
趺坐入於无量義處三昧身心不動是時天
雨曼陁羅華摩訶曼陁羅華曼殊沙華摩訶
曼殊沙華而散佛上及諸大衆普佛世界六

BD01498號　妙法蓮華經卷一　（22–6）

雨曼陁羅華摩訶曼陁羅華曼殊沙華摩訶
曼殊沙華而散佛上及諸大衆普佛世界六
種震動尒時會中比丘比丘尼優婆塞優婆
夷天龍夜叉乾闥婆阿脩羅迦樓羅緊那羅
摩睺羅伽人非人及諸小王轉輪聖王等是
諸大衆得未曾有歡喜合掌一心觀佛尒時
如來放眉間白豪相光照東方万八千佛土
靡不周遍如今所見是諸佛土弥勒當知尒
時會中有二十億菩薩樂欲聽法是諸菩薩
見此光明普照佛土得未曾有欲知此光所
為因緣時有菩薩名曰妙光有八百弟子是
時日月燈明佛從三昧起因妙光菩薩說大
乘經名妙法蓮華教菩薩法佛所護念六十
小劫不起于座時會聽者亦坐一處六十小
劫身心不動聽佛所說謂如食頃是時衆中
无有一人若身若心而生懈惓日月燈明佛
於六十小劫說是經已即於梵魔沙門婆羅
門及天人阿脩羅衆中而宣此言如來於今
日中夜當入无餘涅槃時有菩薩名曰德藏
日月燈明佛即授其記告諸比丘是德藏菩
薩次當作佛号曰淨身多陁阿伽度阿羅訶
三藐三佛陁佛授記已便於中夜入无餘涅
槃佛滅度後妙光菩薩持妙法蓮華經滿八
十小劫為人演說日月燈明佛八子皆師妙
光妙光教化令其堅固阿耨多羅三藐三菩

BD01498號　妙法蓮華經卷一　（22–7）

十小劫為人演說日月燈明佛八子皆師妙
光妙光教化令其堅固阿耨多羅三藐三菩
提是諸王子供養無量百千万億佛已皆成
佛道其最後成佛者名曰然燈八百弟子中
有一人号曰求名貪著利養雖復讀誦眾經
而不通利多所忘失故号求名是人亦以種
諸善根因緣故得值無量百千万億諸佛供
養恭敬尊重讚歎弥勒當知尒時妙光菩薩
豈異人乎我身是也求名菩薩汝身是也今
見此瑞與本無異是故惟忖今日如來當說
大乘經名妙法蓮華教菩薩法佛所護念尒
時文殊師利於大眾中欲重宣此義而說偈言
我念過去世　無量無數劫　有佛人中尊　号日月燈明
世尊演說法　度無量眾生　無數億菩薩　令入佛智慧
佛未出家時　所生八王子　見大聖出家　亦隨修梵行
時佛說大乘　經名無量義　於諸大眾中　而為廣分別
佛說此經已　即於法座上　跏趺坐三昧　名無量義處
天雨曼陀華　天鼓自然鳴　諸天龍鬼神　供養人中尊
一切諸佛土　即時大震動　佛放眉間光　現諸希有事
此光照東方　万八千佛土　示一切眾生　生死業報處
有見諸佛土　以眾寶莊嚴　瑠璃頗梨色　斯由佛光照
及見諸天人　龍神夜叉眾　乾闥婆那羅　各供養其佛
又見諸如來　自然成佛道　身色如金山　端嚴甚微妙
如淨瑠璃中　內現真金像　世尊在大眾　敷演深法義
一一諸佛土　聲聞眾無數　因佛光所照　悉見彼大眾

BD01498號　妙法蓮華經卷一　（22–8）

如淨瑠璃中　內現真金像　世尊在大眾　敷演深法義
一一諸佛土　聲聞眾無數　因佛光所照　悉見彼大眾
或有諸比丘　在於山林中　精進持淨戒　猶如護明珠
又見諸菩薩　行施忍辱等　其數如恒沙　斯由佛光照
又見諸菩薩　深入諸禪定　身心寂不動　以求無上道
又見諸菩薩　知法寂滅相　各於其國土　說法求佛道
尒時四部眾　見日月燈佛　現大神通力　其心皆歡喜
各各自相問　是事何因緣　天人所奉尊　適從三昧起
讚妙光菩薩　汝為世間眼　一切所歸信　能奉持法藏
如我所說法　唯汝能證知　世尊既讚歎　令妙光歡喜
說是法華經　滿六十小劫　不起於此座　所說上妙法
是妙光法師　悉皆能受持　佛說是法華　令眾歡喜已
尋即於是日　告於天人眾　諸法實相義　已為汝等說
我今於中夜　當入於涅槃　汝一心精進　當離於放逸
諸佛甚難值　億劫時一遇　世尊諸子等　聞佛入涅槃
各各懷悲惱　佛滅一何速　聖主法之王　安慰無量眾
我若滅度時　汝等勿憂怖　是德藏菩薩　於無漏實相
心已得通達　其次當作佛　号曰為淨身　亦度無量眾
佛此夜滅度　如薪盡火滅　分布諸舍利　而起無量塔
比丘比丘尼　其數如恒沙　倍復加精進　以求無上道
是妙光法師　奉持佛法藏　八十小劫中　廣宣法華經
是諸八王子　妙光所開化　堅固無上道　當見無數佛
供養諸佛已　隨順行大道　相繼得成佛　轉次而授記
最後天中天　号曰然燈佛　諸仙之道師　度脫無量眾
是妙光法師　時有一弟子　心常懷懈怠　貪著於名利

BD01498號　妙法蓮華經卷一　（22–9）

是諸八王子　妙光所開化　堅固无上道　當見无數佛
供養諸佛已　隨順行大道　相繼得成佛　轉次而授記
最後天中天　号曰然燈佛　諸仙之道師　度脫无量衆
是妙光法師　時有一弟子　心常懷懈怠　貪著於名利
求名利无猒　多遊族姓家　棄捨所習誦　廢忘不通利
以是因緣故　号之為求名　亦行衆善業　得見无數佛
供養於諸佛　隨順行大道　具六波羅蜜　今見釋師子
其後當作佛　号名曰弥勒　廣度諸衆生　其數无有量
彼佛滅度後　懈怠者汝是　妙光法師者　今則我身是
我見燈明佛　本光瑞如此　以是知今佛　欲說法華經
今相如本瑞　是諸佛方便　今佛放光明　助發實相義
諸人今當知　合掌一心待　佛當雨法雨　充足求道者
諸求三乘人　若有疑悔者　佛當為除斷　令盡无有餘

妙法蓮華經方便品第二

尒時世尊從三昧安詳而起告舍利弗諸佛
智慧甚深无量其智慧門難解難入一切聲
聞辟支佛所不能知所以者何佛曾親近百
千万億无數諸佛盡行諸佛无量道法勇猛
精進名稱普聞成就甚深未曾有法隨宜所
說意趣難解舍利弗吾從成佛已來種種因
緣種種譬喻廣演言教无數方便引導衆生
令離諸著所以者何如來方便知見波羅蜜
皆已具足舍利弗如來知見廣大深遠无量
无礙力无所畏禪定解脫三昧深入无際成
就一切未曾有法舍利弗如來能種種分別

BD01498號　妙法蓮華經卷一　（22–10）

无礙力无所畏禪定解脫三昧深入无際成
就一切未曾有法舍利弗如來能種種分別
巧說諸法言辭柔軟悅可衆心舍利弗取要
言之无量无邊未曾有法佛悉成就止舍利
弗不須復說所以者何佛所成就第一希有
難解之法唯佛與佛乃能究盡諸法實相所
謂諸法如是相如是性如是體如是力如是
作如是因如是緣如是果如是報如是本末
究竟等尒時世尊欲重宣此義而說偈言
世雄不可量　諸天及世人　一切衆生類　无能知佛者
佛力无所畏　解脫諸三昧　及佛諸餘法　无能測量者
本從无數佛　具足行諸道　甚深微妙法　難見難可了
於无量億劫　行此諸道已　道場得成果　我已悉知見
如是大果報　種種性相義　我及十方佛　乃能知是事
是法不可示　言辭相寂滅　諸餘衆生類　无有能得解
除諸菩薩衆　信力堅固者　諸佛弟子衆　曾供養諸佛
一切漏已盡　住是最後身　如是諸人等　其力所不堪
假使滿世間　皆如舍利弗　盡思共度量　不能測佛智
正使滿十方　皆如舍利弗　及餘諸弟子　亦滿十方刹
盡思共度量　亦復不能知　辟支佛利智　无漏最後身
亦滿十方界　其數如竹林　斯等共一心　於億无量劫
欲思佛實智　莫能知少分　新發意菩薩　供養无數佛
了達諸義趣　又能善說法　如稻麻竹葦　充滿十方刹
一心以妙智　於恒河沙劫　咸皆共思量　不能知佛智
不退諸菩薩　其數如恒沙　一心共思求　亦復不能知

BD01498號　妙法蓮華經卷一　（22–11）

了達諸義趣　又能善說法　如稻麻竹葦　充滿十方刹
一心以妙智　於恒河沙劫　咸皆共思量　不能知佛智
不退諸菩薩　其數如恒沙　一心共思求　亦復不能知
又告舍利弗　无漏不思議　甚深微妙法　我今已具得
唯我知是相　十方佛亦然　舍利弗當知　諸佛語无異
於佛所說法　當生大信力　世尊法久後　要當說真實
告諸聲聞衆　及求緣覺乘　我令脫苦縛　逮得涅槃者
佛以方便力　示以三乘教　衆生處處著　引之令得出
尒時大衆中有諸聲聞漏盡阿羅漢阿若憍
陳如等千二百人及發聲聞辟支佛心比丘
比丘尼優婆塞優婆夷各作是念今者世尊
何故慇懃稱歎方便而作是言佛所得法甚
深難解有所言說意趣難知一切聲聞辟支
佛所不能及佛說一解脫義我等亦得此法
到於涅槃而今不知是義所趣尒時舍利弗
知四衆心疑自亦未了而白佛言世尊何因
何緣慇懃稱歎諸佛第一方便甚深微妙難
解之法我自昔來未曾從佛聞如是說今者
四衆咸皆有疑唯願世尊敷演斯事世尊何
故慇懃稱歎甚深微妙難解之法尒時舍利
弗欲重宣此義而說偈言
慧日大聖尊　久乃說是法　自說得如是　力无畏三昧
禪定解脫等　不可思議法　道場所得法　无能發問者
我意難可測　亦无能問者　无問而自說　稱歎所行道
智慧甚微妙　諸佛之所得　无漏諸羅漢　及求涅槃者
今皆墮疑網　佛何故說是　其求緣覺者　比丘比丘尼

BD01498號　妙法蓮華經卷一　（22–12）

我意難可測　亦无能問者　无問而自說　稱歎所行道
智慧甚微妙　諸佛之所得　无漏諸羅漢　及求涅槃者
今皆墮疑網　佛何故說是　其求緣覺者　比丘比丘尼
諸天龍鬼神　及乾闥婆等　相視懷猶豫　瞻仰兩足尊
是事為云何　願佛為解說　於諸聲聞衆　佛說我第一
我今自於智　疑惑不能了　為是究竟法　為是所行道
佛口所生子　合掌瞻仰待　願出微妙音　時為如實說
諸天龍神等　其數如恒沙　求佛諸菩薩　大數有八万
又諸万億國　轉輪聖王至　合掌以敬心　欲聞具足道
尒時佛告舍利弗止止不須復說若說是事
一切世間諸天及人皆當驚疑舍利弗重白
佛言世尊唯願說之唯願說之所以者何是
會无數百千万億阿僧祇衆生曾見諸佛諸
根猛利智慧明了聞佛所說則能敬信尒時
舍利弗欲重宣此義而說偈言
法王无上尊　唯說願勿慮　是會无量衆　有能敬信者
佛復止舍利弗若說是事一切世間天人阿
脩羅皆當驚疑增上慢比丘將墜於大坑尒
時世尊重說偈言
止止不須說　我法妙難思　諸增上慢者　聞必不敬信
尒時舍利弗重白佛言世尊唯願說之唯願
說之今此會中如我等比百千万億世世已
曾從佛受化如此人等必能敬信長夜安隱
多所饒益尒時舍利弗欲重宣此義而說偈言
无上兩足尊　願說第一法　我為佛長子　唯垂分別說

BD01498號　妙法蓮華經卷一　（22–13）

多所饒益尒時舍利弗欲重宣此義而說偈言
无上兩足尊　願說第一法　我爲佛長子　唯垂分別說
是會无量衆　能敬信此法　佛已曾世世　教化如是等
皆一心合掌　欲聽受佛語　我等千二百　及餘求佛者
願爲此衆故　唯垂分別說　是等聞此法　則生大歡喜
尒時世尊告舍利弗汝已慇勤三請豈得不
說汝今諦聽善思念之吾當爲汝分別解說
說此語時會中有比丘比丘尼優婆塞優婆
夷五千人等即從座起礼佛而退所以者何
此輩罪根深重及增上慢未得謂得未證謂
證有如此失是以不住世尊默然而不制止
尒時佛告舍利弗我今此衆无復枝葉純有
貞實舍利弗如是增上慢人退亦佳矣汝今
善聽當爲汝說舍利弗言唯然世尊願樂欲
聞佛告舍利弗如是妙法諸佛如來時乃說
之如優曇鉢華時一現耳舍利弗汝等當信
佛之所說言不虛妄舍利弗諸佛隨宜說法
意趣難解所以者何我以无數方便種種因
緣譬喻言辭演說諸法是法非思量分別之
所能解唯有諸佛乃能知之所以者何諸佛
世尊唯以一大事因緣故出現於世舍利弗
云何名諸佛世尊唯以一大事因緣故出現
於世諸佛世尊欲令衆生開佛知見使得清
淨故出現於世欲示衆生佛之知見故出現於
世欲令衆生悟佛知見故出現於世欲令衆

BD01498 號　妙法蓮華經卷一　（22–14）

於世諸佛世尊欲令衆生開佛知見使得清
淨故出現於世欲示衆生佛之知見故出現於
世欲令衆生悟佛知見故出現於世欲令衆
生入佛知見道故出現於世舍利弗是爲諸
佛以一大事因緣故出現於世佛告舍利弗
諸佛如來但教化菩薩諸有所作常爲一事
唯以佛之知見示悟衆生舍利弗如來但以
一佛乘故爲衆生說法无有餘乘若二若三
舍利弗一切十方諸佛法亦如是舍利弗過
去諸佛以无量无數方便種種因緣譬喻言
辭而爲衆生演說諸法是法皆爲一佛乘故
是諸衆生從諸佛聞法究竟皆得一切種智
舍利弗未來諸佛當出於世亦以无量无數
方便種種因緣譬喻言辭而爲衆生演說諸
法是法皆爲一佛乘故是諸衆生從佛聞法
究竟皆得一切種智舍利弗現在十方无量
百千万億佛土中諸佛世尊多所饒益安樂
衆生是諸佛亦以无量无數方便種種因緣
譬喻言辭而爲衆生演說諸法是法皆爲一
佛乘故是諸衆生從佛聞法究竟皆得一切
種智舍利弗是諸佛但教化菩薩欲以佛之
知見示衆生故欲以佛之知見悟衆生故欲
令衆生入佛之知見故舍利弗我今亦復如
是知諸衆生有種種欲深心所著隨其本性
以種種因緣譬喻言辭方便力故而爲說法

BD01498 號　妙法蓮華經卷一　（22–15）

令衆生入佛之知見故。舍利弗，我今亦復如
是，知諸衆生有種種欲，深心所著，隨其本性，
以種種因緣、譬喻言辭、方便力故而為說法。
舍利弗，如此皆為得一佛乘一切種智故。舍
利弗，十方世界中尚无二乘，何况有三。舍利
弗，諸佛出於五濁惡世，所謂劫濁、煩惱濁、衆
生濁、見濁、命濁。如是，舍利弗，劫濁亂時，衆生
垢重，慳貪嫉妬，成就諸不善根故，諸佛以方
便力，於一佛乘分別說三。舍利弗，若我弟子
自謂阿羅漢、辟支佛者，不聞不知諸佛如來
但教化菩薩事，此非佛弟子，非阿羅漢，非辟
支佛。又舍利弗，是諸比丘、比丘尼自謂已得
阿羅漢，是最後身，究竟涅槃，便不復志求阿
耨多羅三藐三菩提，當知此輩皆是增上慢
人。所以者何？若有比丘實得阿羅漢，若不信
此法，无有是處，除佛滅度後現前无佛。所以
者何？佛滅度後，如是等經受持讀誦解義者
是人難得，若遇餘佛，於此法中便得決了。舍
利弗，汝等當一心信解受持佛語，諸佛如來
言无虛妄，无有餘乘，唯一佛乘。爾時世尊欲
重宣此義而說偈言：

比丘比丘尼 有懷增上慢 優婆塞我慢 優婆夷不信
如是四衆等 其數有五千 不自見其過 於戒有缺漏
護惜其瑕疵 是小智已出 衆中之糟糠 佛威德故去
斯人尠福德 不堪受是法 此衆无枝葉 唯有諸貞實

BD01498號　妙法蓮華經卷一　（22–16）

護惜其瑕疵 是小智已出 衆中之糟糠 佛威德故去
斯人尠福德 不堪受是法 此衆无枝葉 唯有諸貞實
舍利弗善聽 諸佛所得法 无量方便力 而為衆生說
衆生心所念 種種所行道 若干諸欲性 先世善惡業
佛悉知是已 以諸緣譬喻 言辭方便力 令一切歡喜
或說脩多羅 伽陀及本事 本生未曾有 亦說於因緣
譬喻并祇夜 優波提舍經 鈍根樂小法 貪著於生死
於諸无量佛 不行深妙道 衆苦所惱亂 為是說涅槃
我設是方便 令得入佛慧 未曾說汝等 當得成佛道
所以未曾說 說時未至故 今正是其時 決定說大乘
我此九部法 隨順衆生說 入大乘為本 以故說是經
有佛子心淨 柔軟亦利根 无量諸佛所 而行深妙道
為此諸佛子 說是大乘經 我記如是人 來世成佛道
以深心念佛 脩持淨戒故 此等聞得佛 大喜充遍身
佛知彼心行 故為說大乘 聲聞若菩薩 聞我所說法
乃至於一偈 皆成佛无疑 十方佛土中 唯有一乘法
无二亦无三 除佛方便說 但以假名字 引導於衆生
說佛智慧故 諸佛出於世 唯此一事實 餘二則非真
終不以小乘 濟度於衆生 佛自住大乘 如其所得法
定慧力莊嚴 以此度衆生 自證无上道 大乘平等法
若以小乘化 乃至於一人 我則墮慳貪 此事為不可
若人信歸佛 如來不欺誑 亦无貪嫉意 斷諸法中惡
故佛於十方 而獨无所畏 我以相嚴身 光明照世間
无量衆所尊 為說實相印 舍利弗當知 我本立誓願
欲令一切衆 如我等无異 如我昔所願 今者已滿足

BD01498號　妙法蓮華經卷一　（22–17）

若人信歸佛 如來不欺誑 亦无貪嫉意 斷諸法中惡
故佛於十方 而獨无所畏 我以相嚴身 光明照世間
无量衆所尊 爲說實相印 舍利弗當知 我本立誓願
欲令一切衆 如我等无異 如我昔所願 今者已滿足
化一切衆生 皆令入佛道 若我遇衆生 盡教以佛道
无智者錯亂 迷惑不受教 我知此衆生 未曾脩善本
堅著於五欲 癡愛故生惱 以諸欲因緣 墜墮三惡道
輪迴六趣中 備受諸苦毒 受胎之微形 世世常增長
薄德少福人 衆苦所逼迫 入邪見稠林 若有若无等
依止此諸見 具足六十二 深著虛妄法 堅受不可捨
我慢自矜高 諂曲心不實 於千万億劫 不聞佛名字
亦不聞正法 如是人難度 是故舍利弗 我爲設方便
說諸盡苦道 示之以涅槃 我雖說涅槃 是亦非真滅
諸法從本來 常自寂滅相 佛子行道已 來世得作佛
我有方便力 開示三乘法 一切諸世尊 皆說一乘道
今此諸大衆 皆應除疑惑 諸佛語无異 唯一无二乘
過去无數劫 无量滅度佛 百千万億種 其數不可量
如是諸世尊 種種緣譬喻 无數方便力 演說諸法相
是諸世尊等 皆說一乘法 化无量衆生 令入於佛道
又諸大聖主 知一切世間 天人羣生類 深心之所欲
更以異方便 助顯第一義 若有衆生類 值諸過去佛
若聞法布施 或持戒忍辱 精進禪智等 種種脩福德
如是諸人等 皆已成佛道 諸佛滅度已 若人善軟心
如是諸衆生 皆已成佛道 諸佛滅度已 供養舍利者
起万億種塔 金銀及頗梨 車璖與馬瑙 玫瑰瑠璃珠
清淨廣嚴飾 莊挍於諸塔 或有起石廟 栴檀及沈水

BD01498號 妙法蓮華經卷一 （22–18）

如是諸人等 皆已成佛道 諸佛滅度已 若人善軟心
如是諸衆生 皆已成佛道 諸佛滅度已 供養舍利者
起万億種塔 金銀及頗梨 車璖與馬瑙 玫瑰瑠璃珠
清淨廣嚴飾 莊挍於諸塔 或有起石廟 栴檀及沈水
木榓并餘材 塼瓦泥土等 若於曠野中 積土成佛廟
乃至童子戲 聚沙爲佛塔 如是諸人等 皆已成佛道
若人爲佛故 建立諸形像 刻彫成衆相 皆已成佛道
或以七寶成 鍮石赤白銅 白鑞及鈆錫 鐵木及與泥
或以膠漆布 嚴飾作佛像 如是諸人等 皆已成佛道
綵畫作佛像 百福莊嚴相 自作若使人 皆已成佛道
乃至童子戲 若草木及筆 或以指爪甲 而畫作佛像
如是諸人等 漸漸積功德 具足大悲心 皆已成佛道
……无量衆 若人於塔廟 寶像及畫像
敬心而供養 若使人作樂 擊鼓吹角貝
琵琶鐃銅鈸 如是衆妙音 盡持以供養
……歌唄頌佛德 乃至一小音 皆已成佛道
心 乃至以一華 供養於畫像 漸見无數佛
拜 或復但合掌 乃至舉一手 或復小低頭
漸見无量佛 自成无上道 廣度无數衆
无 如薪盡火滅 若人散亂心 入於塔廟中
佛 皆已成佛道 於諸過去佛 在世或滅後
……皆已成佛道 未來諸世尊 其數无有量
亦方便說法 一切諸如來 以无量方便
入佛无漏智 若有聞法者 无一不成佛
我所行佛道 普欲令衆生 亦同得此道

BD01498號 妙法蓮華經卷一 （22–19）

亦方便說法　一切諸如來　以无量方便
入佛无漏智　若有聞法者　无一不成佛
我所行佛道　普欲令眾生　亦同得此道
雖說百千億　无數諸法門　其實為一乘
知法常无性　佛種從緣起　是故說一乘
世間相常住　於道場知已　導師方便說
現在十方佛　其數如恒沙　出現於世間
亦說如是法　知第一寂滅　以方便力故
其實為佛乘　知眾生諸行　深心之所念
欲性精進力　及諸根利鈍　以種種因緣
隨應方便說　今我亦如是　安隱眾生故
宣示於佛道　我以智慧力　知眾生性欲
皆令得歡喜　舍利弗當知　我以佛眼觀
貧窮无福慧　入生死險道　相續苦不斷
如犛牛愛尾　以貪愛自蔽　盲瞑无所見
及與斷苦法　深入諸邪見　以苦欲捨苦
而起大悲心　我始坐道場　觀樹亦經行
思惟如是事　我所得智慧　微妙最第一
著樂癡所盲　如斯之等類　云何而可度
及諸天帝釋　護世四天王　及大自在天
眷屬百千万　恭敬合掌禮　請我轉法輪
若但讚佛乘　眾生沒在苦　不能信是法
墜於三惡道　我寧不說法　疾入於涅槃
所行方便力　我今所得道　亦應說三乘
十方佛皆現　梵音慰喻我　善哉釋迦文

BD01498號　妙法蓮華經卷一　（22–20）

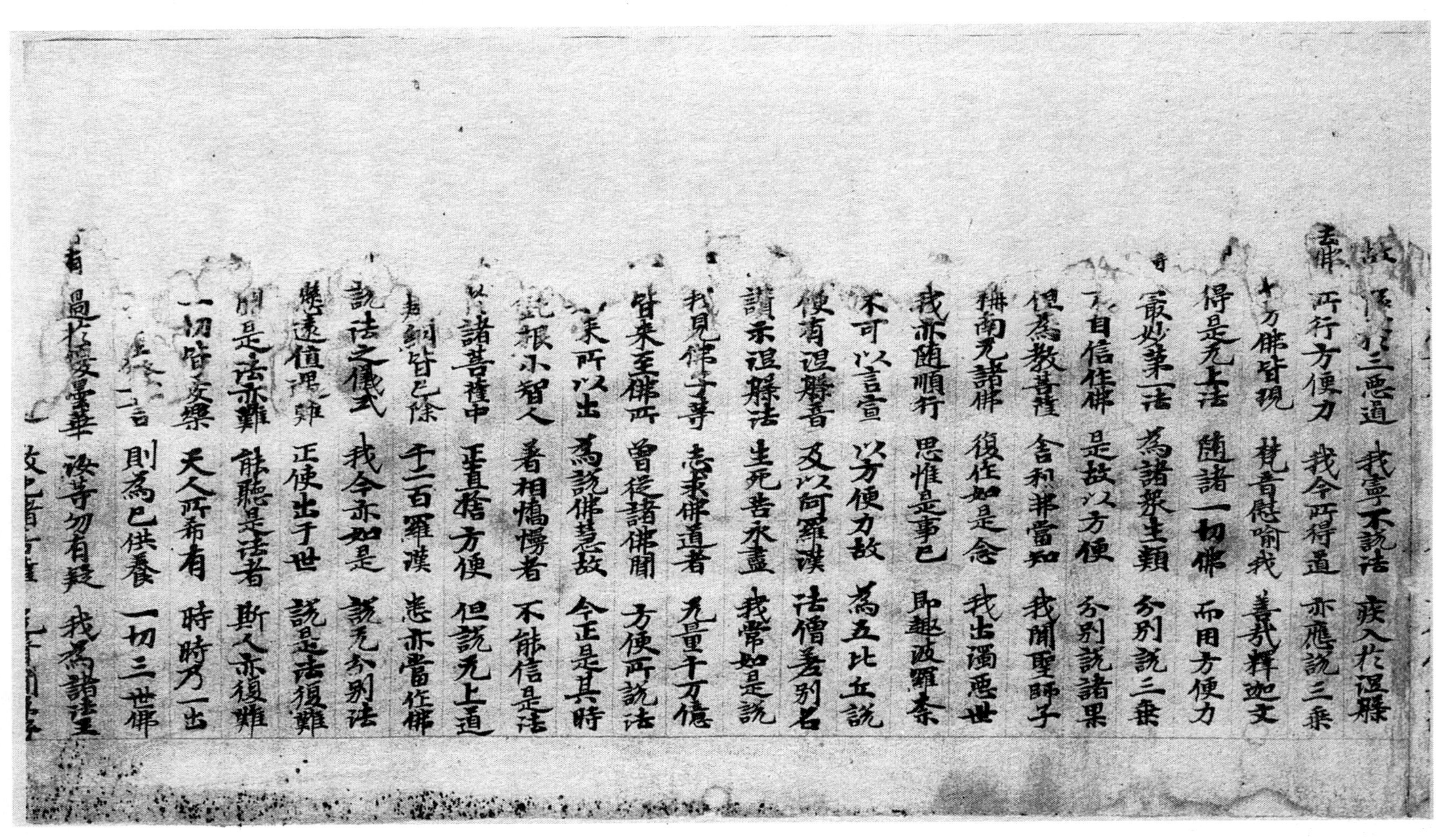

墜於三惡道　我寧不說法　疾入於涅槃
所行方便力　我今所得道　亦應說三乘
十方佛皆現　梵音慰喻我　善哉釋迦文
得是无上法　隨諸一切佛　而用方便力
最妙第一法　為諸眾生類　分別說三乘
不自信作佛　是故以方便　分別說諸果
但為教菩薩　舍利弗當知　我聞聖師子
稱南无諸佛　復作如是念　我出濁惡世
我亦隨順行　思惟是事已　即趣波羅奈
不可以言宣　以方便力故　為五比丘說
便有涅槃音　及以阿羅漢　法僧差別名
讚示涅槃法　生死苦永盡　我常如是說
我見佛子等　志求佛道者　无量千万億
皆來至佛所　曾從諸佛聞　方便所說法
如來所以出　為說佛慧故　今正是其時
鈍根小智人　著相憍慢者　不能信是法
於諸菩薩中　正直捨方便　但說无上道
疑網皆已除　千二百羅漢　悉亦當作佛
說法之儀式　我今亦如是　說无分別法
懸遠值遇難　正使出于世　說是法復難
聞是法亦難　能聽是法者　斯人亦復難
一切皆愛樂　天人所希有　時時乃一出
乃至發一言　則為已供養　一切三世佛
過於優曇華　汝等勿有疑　我為諸法王

BD01498號　妙法蓮華經卷一　（22–21）

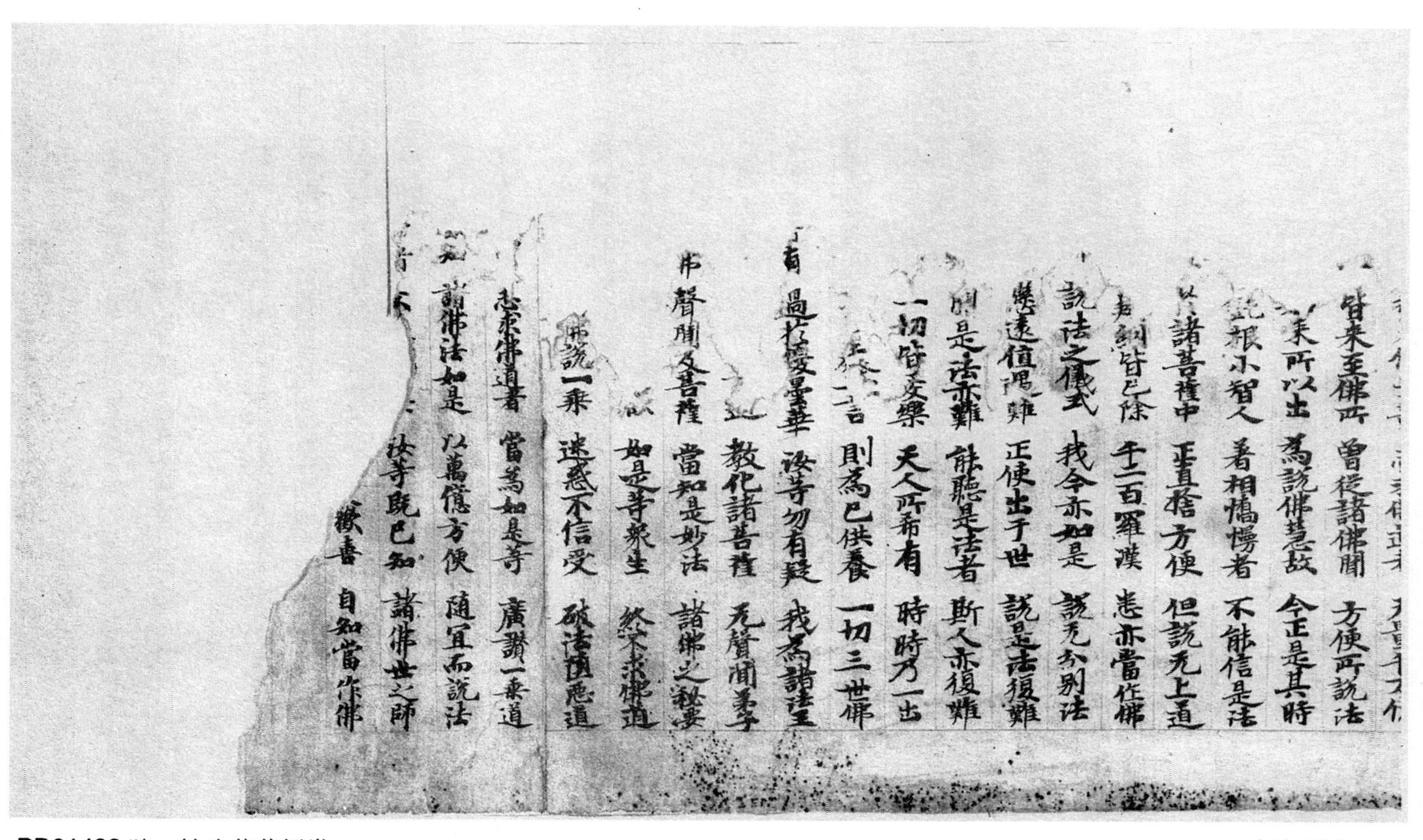
皆來至佛所　曾從諸佛聞　方便所說法
未所以出　為說佛慧故　今正是其時
鈍根小智人　著相憍慢者　不能信是法
以諸菩薩中　正直捨方便　但說無上道
劍皆已除　千二百羅漢　悉亦當作佛
說法之儀式　我今亦如是　說無分別法
懸遠值遇難　正使出于世　說是法復難
聞是法亦難　能聽是法者　斯人亦復難
一切皆愛樂　天人所希有　時時乃一出
乃至發一言　則為已供養　一切三世佛
過於優曇華　汝等勿有疑　我為諸法王
教化諸菩薩　無聲聞弟子
聲聞及菩薩　當知是妙法　諸佛之祕要
如是等眾生　終不求佛道
佛說一乘　迷惑不信受　破法墮惡道
志求佛道者　當為如是等　廣讚一乘道
諸佛法如是　以萬億方便　隨宜而說法
汝等既已知　諸佛世之師
歡喜　自知當作佛

BD01498 號　妙法蓮華經卷一　（22–22）

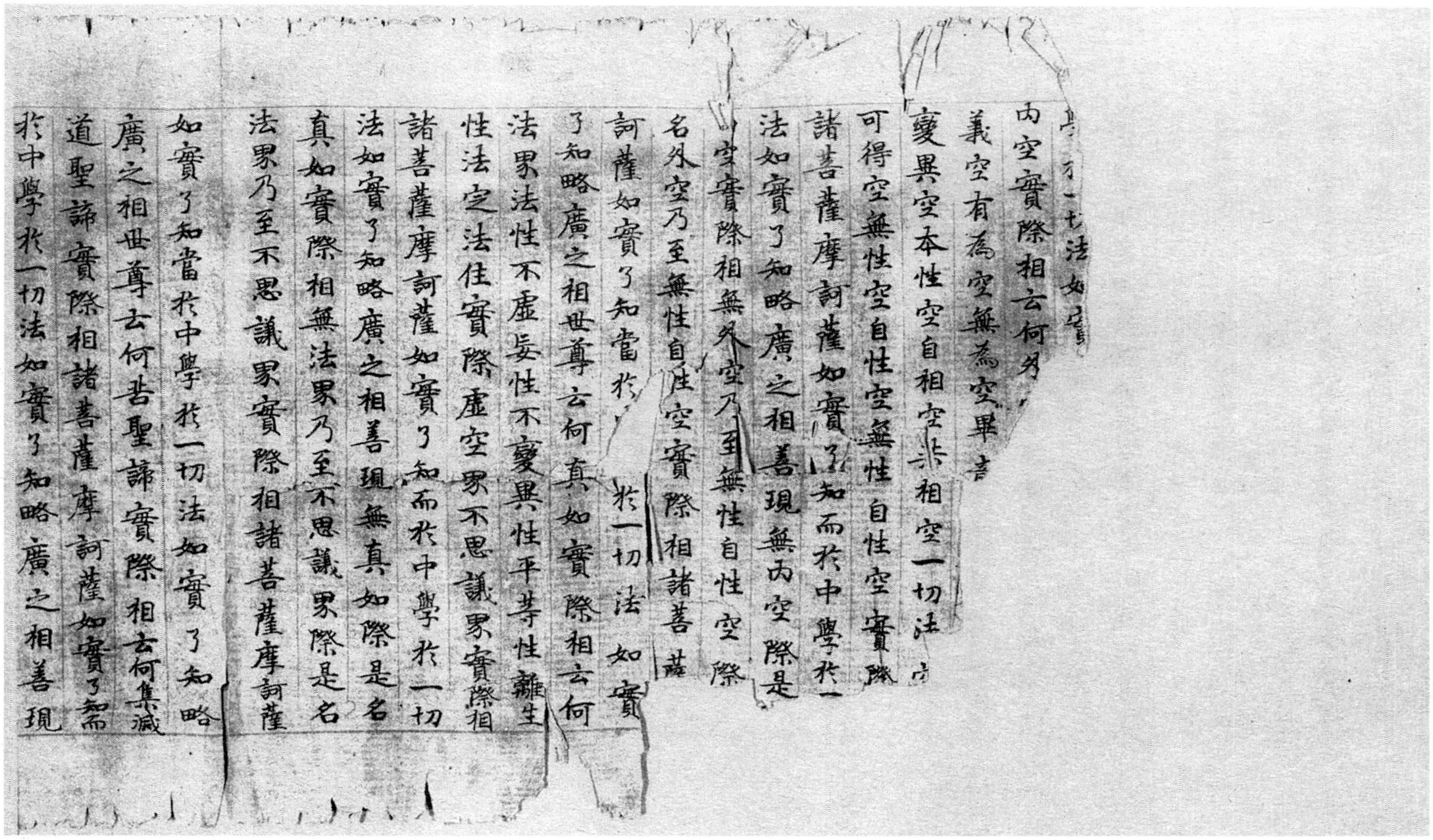

學一切法如實
內空實際相云何外
義空有為空無為空畢竟
變異空本性空自相空共相空一切法
可得空無性空自性空無性自性空實際
諸菩薩摩訶薩如實了知而於中學於一
法如實了知略廣之相善現無內空際是
空實際相無外空乃至無性自性空際
名外空乃至無性自性空實際相諸菩薩
訶薩如實了知當於　於一切法如實
了知略廣之相世尊云何真如實際相云何
法界法性不虛妄性不變異性平等性離生
性法定法住實際虛空界不思議界實際相
諸菩薩摩訶薩如實了知而於中學於一切
法如實了知略廣之相善現無真如際是名
真如實際相無法界乃至不思議界際是名
法界乃至不思議界實際相諸菩薩摩訶薩
如實了知當於中學於一切法如實了知略
廣之相世尊云何苦聖諦實際相云何集滅
道聖諦實際相諸菩薩摩訶薩如實了知而
於中學於一切法如實了知略廣之相善現

BD01499 號　大般若波羅蜜多經卷三五八　（7–1）

如實了知當於中學於一切法如實了知略
廣之相世尊云何苦聖諦實際相云何集滅
道聖諦實際相諸菩薩摩訶薩如實了知而
於中學於一切法如實了知略廣之相善現
無苦聖諦際是名苦聖諦實際相無集滅道
聖諦際是名集滅道聖諦實際相諸菩薩摩
訶薩如實了知當於中學於一切法如實了
知略廣之相世尊云何四靜慮實際相云何
四無量四無色定實際相諸菩薩摩訶薩如
實了知而於中學於一切法如實了知略廣
之相善現無四靜慮際是名四靜慮實際相
無四無量四無色定際是名四無量四無色
定實際相諸菩薩摩訶薩如實了知當於中
學於一切法如實了知略廣之相世尊云何
八解脫實際相云何八勝處九次第定十遍
處實際相諸菩薩摩訶薩如實了知而於中
學於一切法如實了知略廣之相善現無八
解脫際是名八解脫實際相無八勝處九次
第定十遍處際是名八勝處九次第定十遍
處實際相諸菩薩摩訶薩如實了知當於中
學於一切法如實了知略廣之相世尊云何
四念住實際相云何四正斷四神足五根五
力七等覺支八聖道支實際相諸菩薩摩訶
薩如實了知而於中學於一切法如實了知
略廣之相善現無四念住際是名四念住實
際相無四正斷乃至八聖道支際是名四正
斷乃至八聖道支實際相諸菩薩摩訶薩如
實了知當於中學於一切法如實了知略廣

BD01499號　大般若波羅蜜多經卷三五八　（7–2）

略廣之相善現無四念住際是名四念住實
際相無四正斷乃至八聖道支際是名四正
斷乃至八聖道支實際相諸菩薩摩訶薩如
實了知當於中學於一切法如實了知略廣
之相世尊云何空解脫門實際相云何無相
無願解脫門實際相諸菩薩摩訶薩如實了
知而於中學於一切法如實了知略廣之相
善現無空解脫門際是名空解脫門實際相
無無相無願解脫門際是名無相無願解脫
門實際相諸菩薩摩訶薩如實了知當於中
學於一切法如實了知略廣之相
世尊云何五眼實際相云何六神通實際相
諸菩薩摩訶薩如實了知而於中學於一切
法如實了知略廣之相善現無五眼際是名
五眼實際相無六神通際是名六神通實際
相諸菩薩摩訶薩如實了知當於中學於一
切法如實了知略廣之相世尊云何佛十力
實際相云何四無所畏四無礙解大慈大悲
大喜大捨十八佛不共法實際相諸菩薩摩
訶薩如實了知而於中學於一切法如實了
知略廣之相善現無佛十力際是名佛十力
實際相無四無所畏乃至十八佛不共法際
是名四無所畏乃至十八佛不共法實際相
諸菩薩摩訶薩如實了知當於中學於一切
法如實了知略廣之相世尊云何無忘失法
實際相云何恒住捨性實際相諸菩薩摩訶
薩如實了知而於中學於一切法如實了知
[illegible]

BD01499號　大般若波羅蜜多經卷三五八　（7–3）

諸菩薩摩訶薩如實了知當於中學於一切
法如實了知略廣之相世尊云何無忘失法
實際相云何恒住捨性實際相諸菩薩摩訶
薩如實了知而於中學於一切法如實了知
略廣之相善現無無忘失法際是名無忘失
法實際相無恒住捨性際是名恒住捨性實
際相諸菩薩摩訶薩如實了知當於中學於
一切法如實了知略廣之相世尊云何一切
智實際相云何道相智一切相智實際相諸
菩薩摩訶薩如實了知而於中學於一切法
如實了知略廣之相善現無一切智際是名
一切智實際相無道相智一切相智際是名
道相智一切相智實際相諸菩薩摩訶薩如
實了知當於中學於一切法如實了知略廣
之相世尊云何一切陁羅尼門實際相云何
一切三摩地門實際相諸菩薩摩訶薩如實
了知而於中學於一切法如實了知略廣之
相善現無一切陁羅尼門際是名一切陁羅
尼門實際相無一切三摩地門際是名一切
三摩地門實際相諸菩薩摩訶薩如實了知
當於中學於一切法如實了知略廣之相
世尊云何預流果實際相云何一來不還阿
羅漢果實際相諸菩薩摩訶薩如實了知而
於中學於一切法如實了知略廣之相善現
無預流果際是名預流果實際相無一來不
還阿羅漢果際是名一來不還阿羅漢果實
際相諸菩薩摩訶薩如實了知當於中學於
一切法如實了知略廣之相世尊云何一

BD01499號　大般若波羅蜜多經卷三五八　（7-4）

無預流果際是名預流果實際相無一來不
還阿羅漢果際是名一來不還阿羅漢果實
際相諸菩薩摩訶薩如實了知當於中學於
一切法如實了知略廣之相世尊云何獨覺
菩提實際相諸菩薩摩訶薩如實了知而於
中學於一切法如實了知略廣之相善現無
獨覺菩提際是名獨覺菩提實際相諸菩薩
摩訶薩如實了知當於中學於一切法如實
了知略廣之相世尊云何一切菩薩摩訶薩
行實際相諸菩薩摩訶薩如實了知而於中
學於一切法如實了知略廣之相善現無一
切菩薩摩訶薩行際是名一切菩薩摩訶薩
行實際相諸菩薩摩訶薩如實了知當於中
學於一切法如實了知略廣之相世尊云何
諸佛無上正等菩提實際相諸菩薩摩訶薩
如實了知而於中學於一切法如實了知略
廣之相善現無諸佛無上正等菩提際是名
諸佛無上正等菩提實際相諸菩薩摩訶薩
如實了知當於中學於一切法如實了知略
廣之相
復次善現若菩薩摩訶薩如實了知色法界
相如實了知受想行識法界相是菩薩摩訶
薩於一切法如實了知略廣之相善現若菩薩
摩訶薩如實了知眼處法界相如實了知耳
鼻舌身意處法界相是菩薩摩訶薩於一切
法如實了知略廣之相善現若菩薩摩訶薩
如實了知色處法界相如實了知聲香味觸
法處法界相是菩薩摩訶薩於一切法如實

BD01499號　大般若波羅蜜多經卷三五八　（7-5）

薩於一切法如實了知略廣之相善現若菩薩
摩訶薩如實了知眼處法界相如實了知耳
鼻舌身意處法界相是菩薩摩訶薩於一切
法如實了知略廣之相善現若菩薩摩訶薩
如實了知色處法界相如實了知聲香味觸
法處法界相是菩薩摩訶薩於一切法如實
了知略廣之相善現若菩薩摩訶薩如實了
知眼界法界相如實了知耳鼻舌身意界法
界相是菩薩摩訶薩於一切法如實了知略
廣之相善現若菩薩摩訶薩如實了知色界
法界相如實了知聲香味觸法界法界相是
菩薩摩訶薩於一切法如實了知略廣之相
善現若菩薩摩訶薩如實了知眼識界法界
相如實了知耳鼻舌身意識界法界相是菩
薩摩訶薩於一切法如實了知略廣之相善
現若菩薩摩訶薩如實了知眼觸法界相如
實了知耳鼻舌身意觸法界相是菩薩摩訶
薩於一切法如實了知略廣之相善現若菩
薩摩訶薩如實了知眼觸為緣所生諸受法
界相如實了知耳鼻舌身意觸為緣所生諸
受法界相是菩薩摩訶薩於一切法如實了
知略廣之相善現若菩薩摩訶薩如實了知
地界法界相如實了知水火風空識界法界
相是菩薩摩訶薩於一切法如實了知略廣
之相善現若菩薩摩訶薩如實了知無明法
界相如實了知行識名色六處觸受愛取有
生老死愁歎苦憂惱法界相是菩薩摩訶薩
於一切法如實了知略廣之相

BD01499 號　大般若波羅蜜多經卷三五八　（7–6）

相是菩薩摩訶薩於一切法如實了知略廣
之相善現若菩薩摩訶薩如實了知無明法
界相如實了知行識名色六處觸受愛取有
生老死愁歎苦憂惱法界相是菩薩摩訶薩
於一切法如實了知略廣之相
善現若菩薩摩訶薩如實了知布施波羅蜜
多法界相如實了知淨戒安忍精進靜慮般
若波羅蜜多法界相是菩薩摩訶薩於一切
法如實了知略廣之相善現若菩薩摩訶薩
如實了知內空法界相如實了知外空內外
空空空大空勝義空有為空無為空畢竟
空無際空散空無變異空本性空自相空共相
空一切法空不可得空無性空自性空無性
自性空法界相是菩薩摩訶薩於一切法如
實了知略廣之相善現若菩薩摩訶薩如實
了知真如法界相如實了知法界法性不虛
妄性不變異性平等性離生性法定法住實
際虛空界不思議界法界相是菩薩摩訶薩
於一切法如實了知略廣之相善現若菩薩
摩訶薩如實了知苦聖諦法界相如實了知
集滅道聖諦法界相是菩薩摩訶薩於一切
法如實了知略廣之相善現若菩薩摩訶薩
如實了知四靜慮法界相如實了知四無量
四無色定法界相是菩薩摩訶薩於一切法
如實了知各

BD01499 號　大般若波羅蜜多經卷三五八　（7–7）

BD01499 號背　勘記　　（1–1）

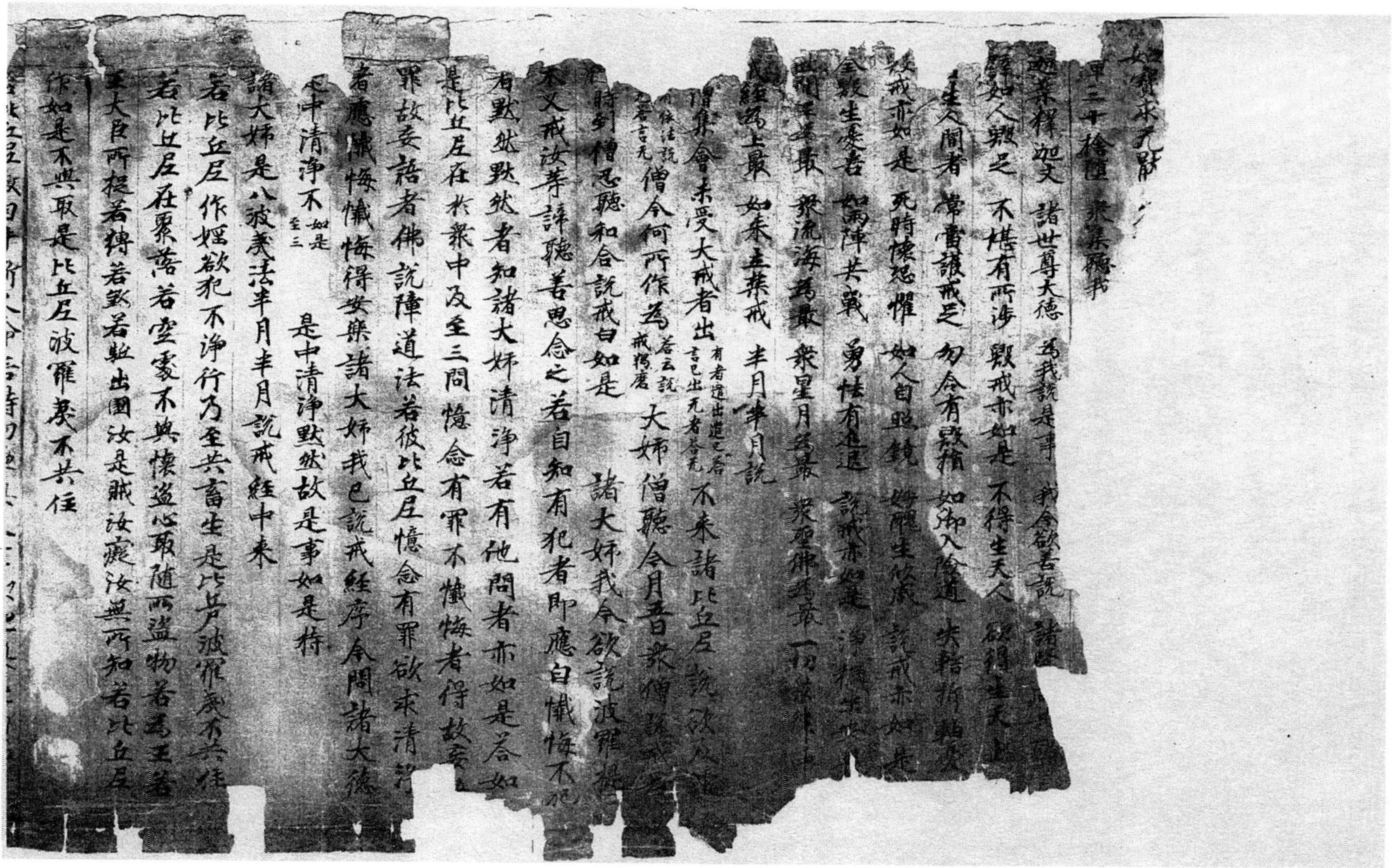

BD01500 號　四分比丘尼戒本　　（26–1）

若比丘尼作婬欲犯不淨行乃至共畜生是比丘尼波羅夷不共住
若比丘尼在聚落若空處不與懷盜心取隨所盜物若為王若
王大臣所捉若殺若縛若驅出國汝是賊汝癡汝無所知若比丘尼
作如是不與取是比丘尼波羅夷不共住
若比丘尼故自手斷人命若持刀授與人若歎死譽死勸死咄
人用此惡活為寧死不生作如心念無數方便歎死譽
死勸死是比丘尼波羅夷不共住　若比丘尼實無所知自
歎譽言我得過人法入聖智勝法我知是我見是彼於異時
若問若不問欲求清淨故作如是言諸大姊我實不知不見而
言我知我見虛誑妄語除增上慢是比丘尼波羅夷不共住
若比丘尼染污心男子從腋已下膝已上身相觸若捉若摩若
牽若推若上摩若下摩若舉若下若捉若捺是比丘尼波羅夷不
共住是身相觸也　若比丘尼染污心知男子染污心受
手捉衣入屏處共立共語共行或身相倚或共期是比丘尼波
羅夷不共住　犯此八事故
若比丘尼知比丘尼犯波羅夷不自舉語眾人不白大眾若於
異時比丘尼或終或眾中舉或休道或入外道眾後作言我
先知有如是如是罪是比丘尼波羅夷不共住覆藏重罪故
若比丘尼知比丘僧為作舉如法如律如佛所教不順從不懺
悔僧未與作共住而順從諸比丘尼語言大姊此比丘為僧所
舉如法如律如佛所教不順從不懺悔僧未與作共住汝莫
順從如是比丘尼諫彼比丘尼時是事堅持不捨彼比丘尼應
乃至第二第三諫令捨此事故若乃至三諫捨者善若不捨
者是比丘尼波羅夷不共住犯隨舉　諸大姊我已說八波羅
夷法若比丘尼犯一一波羅夷法不得與諸比丘尼共住如前
後亦如是是比丘尼得波羅夷罪不應共住今問諸大姊是
中清淨不　如是至三　諸大姊是中清淨

BD01500 號　四分比丘尼戒本　（26–2）

乃至第二第三諫令捨此事故若乃至三諫捨者善若不捨
者是比丘尼波羅夷不共住犯隨舉　諸大姊我已說八波羅
夷法若比丘尼犯一一波羅夷法不得與諸比丘尼共住如前
後亦如是是比丘尼得波羅夷罪不應共住今問諸大姊是
中清淨不　如是至三　諸大姊是中清淨
若比丘尼若王若大臣若婆羅門若居士居士婦遣
使為比丘尼送衣價持如是衣價與某甲比丘尼
彼使至比丘尼所語言阿姨為汝送衣價受取
是比丘尼語彼使如是言我不應受此衣價我
若須衣合時清淨當受彼使語比丘尼言阿
姨有執事人不須衣比丘尼應言有若僧伽
藍民若優婆塞此是比丘尼執事人常為比丘尼執
事彼使往至執事人所與衣價已還到比丘尼
所如是言阿姨所示某甲執事人我已與衣
價大姊知時往彼當得衣比丘尼若須衣者
當往執事人所二反三反語言我須衣若
二反三反為作憶念得衣者善若不得衣
四反五反六反在前默然立令彼憶念若四反
五反六反在前默然住得衣者善若不得衣
過是求得衣者尼薩耆波逸提若不得衣隨
彼使所來處若自往若遣使往語言汝先遣使
持衣價與某甲比丘尼是比丘尼竟不得衣汝
還取莫使失此是時若比丘尼自取金銀若錢
若教人取若口可受者尼薩耆波逸提
若比丘尼種種買賣寶物者尼薩耆波逸提

BD01500 號　四分比丘尼戒本　（26–3）

還取莫使失此是時若比丘尼自取金銀若錢
若教人取若口可受者尼薩耆波逸提
若比丘尼種種買賣物者尼薩耆波逸提
若比丘尼種種販賣者尼薩耆波逸提
若比丘尼鉢減五綴不漏更求新鉢為好故尼薩
耆波逸提是比丘尼當持此鉢於尼衆中捨從
次第貿至下坐以下坐鉢與此比丘尼言妹持此
鉢乃至破此是時
若比丘尼自求縷使非親里織師織作衣者尼
薩耆波逸提
若比丘尼居士居士婦使織師為比丘尼織作衣彼
比丘尼先不受自恣請便往到彼所語織師言
此衣為我織極好織令廣長堅緻齊整好我
當少多與汝價若比丘尼與價乃至一食直得
衣者尼薩耆波逸提
若比丘尼與比丘尼衣已後瞋恚若自奪若教
人奪取還我衣來不與汝是比丘尼應還衣
彼取衣者尼薩耆波逸提
若比丘尼有諸病畜藥酥油生酥蜜石蜜得
食殘宿乃至七日得服若過七日服尼薩耆波
逸提
若比丘尼十日未滿夏三月若有急施衣比丘尼知
是急施衣應受受已乃至衣時應畜若過
畜者尼薩耆波逸提
若比丘尼知物向僧自求入已者尼薩耆波逸
提
若比丘尼欲索是更索彼者尼薩耆波逸提

BD01500號　四分比丘尼戒本　（26–4）

是急施衣應受受已乃至衣時應畜若過
畜者尼薩耆波逸提
若比丘尼知物向僧自求入已者尼薩耆波逸
提
若比丘尼欲索是更索彼者尼薩耆波逸提
若比丘尼知檀越所為僧施異迴作餘用者尼薩
耆波逸提
若比丘尼所為施物異自求為僧迴作餘用
者尼薩耆波逸提
若比丘尼檀越所施物異迴作餘用老薩耆
波逸提
若比丘尼檀越所為施物異自求為僧迴作
餘用者尼薩耆波逸提
若比丘尼畜長鉢者尼薩耆波逸提
若比丘尼多畜好色器者尼薩耆波逸提
若比丘尼許他比丘尼病衣後不與者尼薩
耆波逸提
若比丘尼以非時衣受作時衣者尼薩耆波
逸提
若比丘尼與比丘尼貿易衣後瞋恚還自奪
取若使人奪妹還我衣來我不與汝汝衣
屬汝我衣還我者尼薩耆波逸提
若比丘尼乞重衣齊價直四張氎過者尼薩
耆波逸提
若比丘尼欲乞輕衣極重價直兩張半氎過
者尼薩耆波逸提
諸大姊我已說三十尼薩耆波逸提法今問諸
大姊是中清淨不如是諸大姊是中清淨默

BD01500號　四分比丘尼戒本　（26–5）

若波逸提
若比丘尼欲乞輕衣極重價直兩張半氎過
者尼薩耆波逸提
諸大姊我已說三十尼薩耆波逸提法今問諸
大姊是中清淨不如是三諸大姊是中清淨默
然故是事如是持
諸大姊是一百七十八波逸提法半月半月說
戒經中來
若比丘尼故妄語者波逸提
若比丘尼毀呰語者波逸提
若比丘尼兩舌語者波逸提
若比丘尼與男子同室宿者波逸提
若比丘尼共未受大戒女人同一室宿若過
三宿波逸提
若比丘尼與未受戒人共誦法者波逸提
若比丘尼知他有麁惡罪向未受大戒人說
除僧羯磨波逸提
若比丘尼向未受大戒人說過人法言我知是
我見是實者波逸提
若比丘尼與男子說法過五六語除有知
女人波逸提
若比丘尼自手掘地若教人掘者波逸提 十
若比丘尼壞鬼神村波逸提
若比丘尼妄作異語惱他者波逸提
若比丘尼嫌罵他者波逸提
若比丘尼取僧繩床若木床若臥具坐褥露
地自敷若教人敷捨去不自舉不教人舉波
逸提

BD01500號　四分比丘尼戒本　（26–6）

若比丘尼取僧繩床若木床若臥具坐褥露
地自敷若教人敷捨去不自舉不教人舉波
逸提
若比丘尼於僧房中敷僧臥具自敷若教人
敷在中若坐若臥從彼處捨去不自舉不教
人舉者波逸提
若比丘尼知比丘尼先住處後來於中間敷臥
具止宿念言彼若嫌迮者自當避我去作
如是因緣非餘非威儀波逸提
若比丘尼瞋他比丘尼不喜僧房中自牽出
若教人牽出者波逸提
若比丘尼若在重閣上脫脚繩床若木床若
坐若臥波逸提
若比丘尼知水有虫若自用澆泥若草若教人
澆者波逸提
若比丘尼作大房戶扉窗牖及餘莊飾具
指授覆苫齊二三節若過者波逸提 廿
若比丘尼施一食處無病比丘尼應一食若過
受者波逸提
若比丘尼別衆食除餘時波逸提餘時者
病時作衣時施衣時行道時船上時大會
時沙門施食時此是時
若比丘尼至檀越家殷勤請與餅麨飯比丘尼
欲須者當二三鉢應受持至寺內分與餘比
丘尼食若比丘尼無病過三鉢受持至寺中
不分與餘尼比丘尼食者波逸提
若比丘尼非時噉食者波逸提
若比殘藏宿食噉者波逸提

BD01500號　四分比丘尼戒本　（26–7）

不分與餘尼比丘尼食者波逸提
若比丘尼非時噉食者波逸提
若比丘尼殘宿食噉者波逸提
若比丘尼不受食及藥著口中除水楊枝波逸提
若比丘尼先受請已若前食後食行詣餘家
不屬餘比丘尼除餘時波逸提餘時者病時作
衣時施衣時此是時
若比丘尼食家中有寶強安坐者波逸提
若比丘尼食家中有寶在屏處坐者波逸提
若比丘尼獨與男子露地一處共坐者波逸提 三十
若比丘尼語比丘尼如是語大姊共汝至聚落
當與汝食彼比丘尼竟不教與是比丘尼食
如是言大姊去我與汝一處共坐共語不樂
我獨坐獨語樂以是因緣非餘方便遣去波
逸提
若比丘尼請比丘尼四月與藥無病比丘尼應
受若過受除常請更請分請盡形請
波逸提
若比丘尼往觀軍陣除時因緣波逸提
若比丘尼有因緣至軍中若二宿三宿過者波逸提
若比丘尼軍中住若二宿三宿或時觀軍陣鬪戰
若觀遊軍象馬勢力波逸提
若比丘尼飲酒者波逸提
若比丘尼水中戲者波逸提
若比丘尼以指相擊攊者波逸提
若比丘尼不受諫者波逸提
若比丘尼恐怖他比丘尼者波逸提 四十

若比丘尼以指相擊攊者波逸提
若比丘尼不受諫者波逸提
若比丘尼恐怖他比丘尼者波逸提 四十
若比丘尼半月洗浴無病比丘尼應受若過受
除餘時波逸提餘時者熱時病時作時風
雨時遠行來時此是時
若比丘尼無病為炙身故露地然火若教人
然除時波逸提
若比丘尼藏他比丘尼若衣若坐具針筒自藏
教人藏下至戲笑者波逸提
若比丘尼淨施比丘尼式叉摩那尼沙彌沙
彌尼衣後不問主取著者波逸提
若比丘尼知水有蟲飲者波逸提
若比丘尼得新衣當作三種染壞色青黑木
蘭若比丘尼得衣不作三種染壞色青黑木蘭
新衣持者波逸提
若比丘尼故斷畜生命者波逸提
若比丘尼知水有蟲飲者波逸提
若比丘尼故惱他比丘尼乃至少時不樂波逸提
若比丘尼知比丘尼有麁惡罪覆藏者波逸提
若比丘尼知僧諍事如法懺悔已後更發舉者
波逸提
若比丘尼知是賊伴共期一道行乃至一聚落波
逸提
若比丘尼作如是語我知佛所說法行婬欲非是
障道法彼比丘尼諫此比丘尼言大姊莫作是
語莫謗世尊謗世尊者不善世尊不作是語世尊無
[illegible]

障道法彼比丘尼諫此比丘尼言大姊莫作是
語莫謗世尊謗世尊者不善世尊不作是語世尊無
數方便說婬欲是障道法犯婬者是障道
法彼比丘尼諫此比丘尼時堅持不捨彼比丘尼
乃至三諫令捨是事乃至三諫時捨者善不
捨者波逸提
若比丘尼知如是語人未作法如是邪見而不捨
若畜同一羯磨同一止宿波逸提
若比丘尼知沙彌尼作如是語我知佛所說法行
婬欲非障道法彼比丘尼諫此沙彌尼言汝莫作
是語莫謗世尊謗世尊不善世尊不作
是語沙彌尼世尊無數方便說欲婬是障道
法犯婬欲者是障道法彼比丘尼諫此沙彌尼
時堅持不捨彼比丘尼應乃至三諫呵捨此事
故乃至三諫時若捨者善不捨者彼比丘尼
應語是沙彌尼言汝自今已去非佛弟子不
得隨餘比丘尼行如諸沙彌尼得與比丘尼二三宿
汝今無是事汝去滅去不須此中住若比丘尼
知是被擯沙彌尼若畜共同止宿者波逸提
若比丘尼如法諫時作如是語我今不學是戒
乃至問有智慧持律者當難問波逸提若為
求解應當難問
若比丘尼說戒時作如是語大姊用是雜碎戒為說
是戒時令人惱愧懷疑輕毀戒故波逸提
若比丘尼說戒時作如是語大姊我今始知是戒半
月半月說戒經中來餘比丘尼知是比丘尼若二若
三說戒坐中何況多彼比丘尼無知無解若犯

若比丘尼說戒時作如是語大姊我今始知是戒半
月半月說戒經中來餘比丘尼知是比丘尼若二若
三說戒坐中何況多彼比丘尼無知無解若犯
罪應如法治更重增無知法大姊汝無利得
不善汝說戒時不用心念不一心兩耳聽法
彼無知故波逸提
若比丘尼共同羯磨已後作如是說諸比丘尼
隨親厚以眾僧物與者波逸提
若比丘尼僧斷事時不與欲而起去者波逸提
若比丘尼與欲竟後更呵者波逸提
若比丘尼比丘尼共鬪諍後聽此語已欲向彼說
者波逸提
若比丘尼瞋恚故不喜打彼比丘尼波逸提
若比丘尼瞋恚故不喜以手搏比丘尼者波逸提
若比丘尼瞋恚故不喜以無根僧伽婆尸沙法謗
者波逸提
若比丘尼刹利水澆頭王王未出未藏寶若入宮過門
閾者波逸提
若比丘尼若寶及寶莊飾具自捉若教人捉除
僧伽藍中及寄宿處波逸提若僧伽藍中若
寄宿處若寶若以寶莊飾具自捉若教
人捉若識者當取如是因緣非餘
若比丘尼非時入聚落又不囑比丘尼者波逸提
若比丘尼作繩床若木床足應高如來八指除入
陛孔上截竟者過波逸提
若比丘尼持兜羅綿貯作繩床木床若臥具坐具
波逸提

若比丘尼作繩牀若木牀足應高如來八指除入
梐孔上若截竟過者波逸提
若比丘尼持兜羅綿貯作繩牀木牀若卧具坐具
波逸提
若比丘尼噉蒜者波逸提 七十
若比丘尼剃三處毛者波逸提
若比丘尼以水作淨應齊兩指各一節若過者波
逸提
若比丘尼以胡膠作男根者波逸提
若比丘尼共相拍者波逸提
若比丘尼無病時供給水以扇扇者波逸
提
若比丘尼乞生穀者波逸提
若比丘尼在生草上大小便者波逸提
若比丘尼夜便大小便器中晝不看牆外弃
者波逸提
若比丘尼往觀看伎樂者波逸提
若比丘尼入村內與男子在屏處共立共語者
波逸提 八十
若比丘尼與男子共入屏障處者波逸提
若比丘尼入村內巷陌中遣伴遠去在屏處
與男子共立耳語者波逸提
若比丘尼入白衣家內坐不語主人捨去者波逸
提
若比丘尼入白衣家內不語主人輙坐牀者波
逸提
若比丘尼入白衣家內不語主人輙自敷坐宿
者波逸提

BD01500 號　四分比丘尼戒本

（26–12）

若比丘尼入白衣家內不語主人輙坐牀者波
逸提
若比丘尼入白衣家內不語主人輙自敷坐宿
者波逸提
若比丘尼與男子共入闇室中者波逸提
若比丘尼不審諦受師語便向人說者波逸提
若比丘尼有小因緣事便呪詛墮三惡道不生
佛法中若汝有如是事亦墮三惡道不生佛法
中若我有如是事亦墮三惡道不生佛中者
波逸提
若比丘尼共鬪諍不善憶持諍事推胸啼哭者
波逸提
若比丘尼無病二人共牀卧者波逸提 九十
若比丘尼共同一褥一被卧除時者波逸提
若比丘尼知先住後至知後至先住為惱彼故
在前誦經問義教授者波逸提
若比丘尼同活比丘尼病不瞻視者波逸提
若比丘尼安居初聽餘比丘尼在房中安牀後
瞋恚駈出者波逸提
若比丘尼春夏冬一切時人間遊行除餘因緣
者波逸提
若比丘尼夏安居訖不去者波逸提
若比丘尼邊界有疑恐怖處人間遊行者波逸提
若比丘尼於界內有疑恐怖處在人間遊行波逸提
若比丘尼親近居士居士兒共住作不隨順行餘比
丘尼諫此比丘尼言妹汝莫親近居士居士兒共
住作不隨順行大姊可別住若別住於佛法中
有增益安樂住彼比丘尼諫此比丘尼時堅持不捨

BD01500 號　四分比丘尼戒本

（26–13）

丘尼諫此比丘尼言妹汝莫親近居士居士兒共
住作不隨順行大姊可別住若別住於佛法中
有增益安樂住彼比丘尼諫比丘尼時堅持不捨
彼比丘尼應三諫捨此事故乃至三諫捨此事
者善若捨者波逸提
若比丘尼往觀王宮文飾畫堂園林浴池者波逸提 百一
若比丘尼露身形在河水泉流水池水中浴者波逸提
若比丘尼作浴衣應量作應量作者長佛六磔
手廣二磔手半若過者波逸提
若比丘尼縫僧伽梨過五日者波逸提
若比丘尼過五日不看僧伽梨波逸提
若比丘尼與眾僧衣作留難者波逸提
若比丘尼不問主便著他衣者波逸提
若比丘尼持沙門衣施與外道白衣者波逸提
若比丘尼作如是意眾僧說如法分衣遮令不分
恐弟子不得者波逸提
若比丘尼作如是意令眾僧令不得出迦絺那衣
後當出欲令五事久得放捨者波逸提
若比丘尼作如是意遮比丘尼僧不出迦絺那衣
欲令五事久得放捨者波逸提 百十
若比丘尼餘比丘尼語言為我滅此諍事而不
與作方便令滅者波逸提
若比丘尼自手持食與白衣入外道食者波逸提
若比丘尼為白衣使者波逸提
若比丘尼自手紡縷者波逸提
若比丘尼入白衣舍內在小林大床若坐若臥者
波逸提

BD01500號　四分比丘尼戒本　（26–14）

若比丘尼[illegible]逸提
若比丘尼自手紡縷者波逸提
若比丘尼入白衣舍內在小林大床若坐若臥者
波逸提
若比丘尼至白衣舍語主人敷座止宿明日不辭
主人而去者波逸提
若比丘尼自誦習俗呪術者波逸提
若比丘尼教人誦習世俗呪術者波逸提
若比丘尼知女人妊身度與受具足戒者波逸提
若比丘尼知婦女乳兒與受具足戒者波逸提 一百二十
若比丘尼知年不滿二十與受具足戒者波逸提
若比丘尼年十八童女不與二歲學戒年滿二十便
與受具足戒者波逸提
若比丘尼年十八童女與二歲學戒不與六法滿
二十便與受具足戒者波逸提
若比丘尼年十八童女與二學歲戒與六法滿二
十眾僧不聽便與受具足戒者波逸提
若比丘尼度僧嫁婦女年十歲與二歲學戒年
滿十二聽與受具足戒若減十二與受具足戒者
波逸提
若比丘尼度他小年曾嫁婦女與二歲學戒
年滿十二不白眾僧便與受具足戒波逸提
若比丘尼知如是人與受具足戒者波逸提
若比丘尼多度弟子不教二歲學不以二法攝
取者波逸提
若比丘尼不二歲隨和上尼者波逸提
若比丘尼僧不聽（僧不）而授人具足戒者波逸提 一百卅
若比丘尼年未滿十二歲授人具足戒者波逸提

BD01500號　四分比丘尼戒本　（26–15）

而畜者波逸提
若比丘尼不二歲隨和上尼者波逸提
若比丘尼僧不聽而授人具足戒者波逸提 一百卅
若比丘尼年未滿十二歲授人具足戒者波逸提
若比丘尼年滿十二歲衆僧不聽便授人具足戒
者波逸提
若比丘尼僧不聽授人具足戒便言衆僧有
愛有恚有怖有癡欲聽者便聽不欲聽者
便不聽如是語者波逸提
若比丘尼父母夫主不聽與受具足戒波逸提
若比丘尼知女人與童男男子相敬愛愁
憂瞋恚女人度令出家授具足戒者波逸提
若比丘尼語式叉摩那言汝妹捨是學是當
與汝受具足戒若不方便與受具足戒者波逸
提
若比丘尼語式叉摩那言持衣來與我我當
與汝受具足戒而不方便與受具足戒者波
逸提
若比丘尼不滿一歲授人具足戒者波逸提
若比丘尼與人受具足戒已經宿方往比丘僧中
與受具足戒者波逸提
若比丘尼不病不往受教授者波逸提 一百卌
若比丘尼半月應往比丘僧中求教授若不求
者波逸提
若比丘尼僧夏安居竟應往比丘僧中說三
事自恣見聞疑若不往者波逸提
若比丘尼在無比丘處夏安居者波逸提
若比丘尼知有比丘僧伽藍不白而入者波逸提

若比丘尼僧夏安居竟應往比丘僧中說三
事自恣見聞疑若不往者波逸提
若比丘尼在無比丘處夏安居者波逸提
若比丘尼知有比丘僧伽藍不白而入者波逸提
若比丘尼罵比丘者波逸提
若比丘尼喜鬪諍不善憶持諍事後瞋恚
不喜罵比丘尼衆者波逸提
若比丘尼身生癰及種種瘡不白衆及餘人
輒使男子破若裹者波逸提
若比丘尼先受請若足食已後食飯麨乾
飯魚及肉者波逸提
若比丘尼於食家生嫉妬心者波逸提
若比丘尼以香塗摩身者波逸提 一百五十
若比丘尼以胡麻滓塗摩身者波逸提
若比丘尼使比丘尼塗摩身者波逸提
若比丘尼使式叉摩那塗摩身者波逸提
若比丘尼使沙彌尼塗摩身者波逸提
若比丘尼使白衣婦女塗摩身者波逸提
若比丘尼著貯跨衣者波逸提
若比丘尼畜婦女莊嚴身具除時因緣波逸提
若比丘尼著革屣持蓋行除時因緣波逸提
若比丘尼無病乘乘行除時因緣波逸提
若比丘尼不著僧祇支入村者波逸提 一百六十
若比丘尼向暮至白衣家先不被喚者波逸提
若比丘尼向暮開僧伽藍門不屬授餘比丘尼
而出去者波逸提
若比丘尼日沒開僧伽藍門不屬授而出者波逸提

若比丘尼向暮開僧伽藍門不屬授餘比丘尼
而出去者波逸提
若比丘尼日沒開僧伽藍門不屬授而出者波逸提
若比丘尼不前安居不後安居者波逸提
若比丘尼知女人常漏大小便涕唾常出者與受
具足戒者波逸提
若比丘尼二形人與受具足戒者波逸提
若比丘尼知二道合者與受具足戒波逸提
若比丘尼知有負債難者、病難者與受具足
戒波逸提
若比丘尼學世俗伎術以自活命者波逸提
若比丘尼以世俗伎術教授白衣者波逸提 一百七十
若比丘尼被擯不者去波逸提
若比丘尼欲問比丘義先不求而問者波逸提
若比丘尼知先住後至後至先住欲惱彼故在前
經行若立若坐若臥者波逸提
若比丘尼在有比丘僧伽藍內起塔者波逸提
若比丘尼見新受戒比丘應起迎送恭敬禮
拜問訊請與坐不者除因緣波逸提
若比丘尼為好故搖身趨行者波逸提
若比丘尼作婦女莊嚴香塗摩身者波逸提
若比丘尼使外道女香塗摩身者波逸提
諸大姊我已說一百七十八波逸提法今問諸
大姊是中清淨不 如是三說 諸大姊是中清淨
默然故是事如是持
諸大姊是八波羅提提舍尼法半月半月說
戒經中來

BD01500號　四分比丘尼戒本 (26–18)

默然故是事如是持
諸大姊是八波羅提提舍尼法半月半月說
戒經中來
若比丘尼無病乞蘇而食者犯應懺悔可呵
法應向餘比丘尼說言大姊我犯可呵法所不
應為我今向大姊懺悔是名悔過法
若比丘尼不病乞油而食者犯應懺悔可呵法
應向餘比丘尼說言大姊我犯可呵法所不應
為我今向大姊懺悔是名悔過法
若比丘尼不病乞蜜食者犯應懺悔可呵法
應向餘比丘尼說言大姊我犯可呵法所不應
為我今向大姊懺悔是名悔過法
若比丘尼不病乞黑石蜜食者犯應懺悔可呵
法應向餘比丘尼說言大姊我犯可呵法所
不應為我今向大姊懺悔是名悔過法
若比丘尼不病乞乳而食者犯應懺悔可呵
法應向餘比丘尼說言大姊我犯可呵法所不
應為我今向大姊懺悔是名悔過法
若比丘尼不病乞酪而食者犯應懺悔可呵
法應向餘比丘尼說言大姊我犯可呵法所
不應為我今向大姊懺悔是名悔過法
若比丘尼不病乞魚食者犯應懺悔可呵法應
向餘比丘尼說言大姊我犯可呵法所不應為
我今向大姊懺悔是名悔過法
若比丘尼不病乞肉食者犯應懺悔可呵法
應向餘比丘尼說言大姊我犯可呵法所不應為
我今向大姊懺悔是名悔過法

BD01500號　四分比丘尼戒本 (26–19)

若比丘尼不病乞肉食者犯應懺悔可呵法
應向餘比丘尼言說大姊我犯可呵法所不應為
我今向大姊懺悔是名悔過法
諸大姊我已說八波羅提提舍尼法今問
諸大姊是中清淨不如是三 諸大姊是中清淨
默然故是事如是持
諸大姊是眾學戒法半月半月說戒經中來
當齊整著涅槃僧應當學
當齊整著三衣 應 當 學
不得反抄衣入白衣舍應當學
不得反抄衣入白衣舍坐應當學
不得衣纏頸入白衣舍 應 當 學
不得衣纏頸入白衣舍坐應當學
不得覆頭入白衣舍 應 當 學
不得覆頭入白衣舍坐應當學
不得跳行入白衣舍應當學
不得跳行入白衣舍坐應當學 十
不得白衣舍內蹲坐 應 當 學
不得叉腰行入白衣舍應當學
不得叉腰入白衣舍坐應當學
不得搖身行入白衣舍應當學
不得搖身行入白衣舍坐應當學
不得掉臂行入白衣舍應當學
不得掉臂行入白衣舍坐應當學
好覆身入白衣舍應當學
好覆身入白衣舍坐應當學
不得左右顧視行入白衣舍應當學 二十
不得左右顧視行入白衣舍坐應當學

BD01500 號　四分比丘尼戒本　（26–20）

好覆身入白衣舍坐應當學
不得左右顧視行入白衣舍應當學 二十
不得左右顧視行入白衣舍坐應當學
靜默入白衣舍應當學
靜默入白衣舍坐應當學
不得戲笑行入白衣舍應學當
不得戲笑行入白衣舍坐應當學
用意受食應當學
平鉢受食應當學
平鉢受羹應當學
羹飯等食應當學
以次食應當學 卅
不得挑鉢中而食應當學
不得自為己索羹飯應當學
不得飯以覆羹更望得應當學
不得視比坐鉢中食應當學
當繫鉢想食應當學
不得大摶飯食應當學
不得大張口待飯食應當學
不得含飯語應當學
不得摶飯擲口中應當學
不得遺落飯食應當學 卌
不得頰食食應當學
不得嚼飯作聲食應當學
不得噏大飯食應當學
不得舌舐食應當學
不得振手食應當學

BD01500 號　四分比丘尼戒本　（26–21）

不得頰食食應當學
不得嚼飯作聲食應當學
不得翕大飯食應當學
不得舌舐食應當學
不得振手食應當學
不得把散飯食應當學
不得污手捉飯器應當學
不得洗鉢水棄白衣舍應當學
不得生草菜上大小便洟唾除病應當學
不得淨水中大小便洟唾除病應當學 五十
不得立大小便除病應當學
不得與反抄衣不恭敬人說法除病應當學
不得為衣纏頸者說法除病應當學
不得為覆頭者說法除病應當學
不得為裹頭者說法除病應當學
不得為叉腰者說法除病應當學
不得為著革屣者說法除病應當學
不得為著木屐者說法除病應當學
不得騎乘者說法除病應當學
不得在佛塔中止宿除為守護應當學 六十
不得藏財物置佛塔中除為堅牢應當學
不得著革屣入佛塔中應當學
不得手捉革屣入佛塔中應當學
不得著革屣繞佛塔行應當學
不得著富羅入佛塔中應當學
不得手捉富羅入佛塔中應當學
不得塔下坐食留草及污地應當學
不得擔死屍從塔下過應當學
不得塔下埋死屍應當學
不得在塔下燒死屍應當學 七十

BD01500號　四分比丘尼戒本　（26-22）

不得手捉富羅入佛塔中應當學
不得塔下坐食留草及污地應當學
不得擔死屍從塔下過應當學
不得塔下埋死屍應當學
不得在塔下燒死屍應當學 七十
不得向塔燒死屍應當學
不得佛塔四邊燒死屍臭氣來入應當學
不得持死人衣及牀從塔下過除浣染香熏應當學
不得佛塔下大小便應當學
不得向佛塔大小便應當學
不得遶佛塔四邊大小便使臭氣來入應當學
不得持佛像至大小便處應當學
不得在佛塔下嚼楊枝應當學
不得向佛塔嚼楊枝應當學
不得佛塔四邊嚼楊枝應當學 八十
不得在佛塔下洟唾應當學
不得向佛塔洟唾應當學
不得塔四邊洟唾應當學
不得向塔舒腳坐應當學
不得安佛塔在下房己在上房住應當學
人坐己立不得為說法除病應當學
人臥己坐不得為說法除病應當學
人在坐己在非坐不得為說法除病應當學
人在高己在下坐不得為說法除病應當學
人在前己在後行不得為說法除病應當學 九十
人在高經行處己在下經行處不應為說法除病應當學
人在道己在非道不應為說法除病應當學
不攜手在道行應當學
不得上樹過人除時因緣應當學
不得絡囊盛鉢貫杖頭著肩上而行應當學
人持杖不恭敬說不應為說法除病應當學

BD01500號　四分比丘尼戒本　（26-23）

不携手在道行，應當學。
不得上樹過人，除時因緣，應當學。
不得絡囊盛鉢貫杖頭著肩上而行，應當學。
人持杖不恭敬，不應為說法，除病，應當學。
人持劍不應為說法，除病，應當學。
人持鉾不應為說法，除病，應當學。
人持刀不應為說法，除病，應當學。
人持蓋不應為說法，除病，應當學。
諸大姊，我已說眾學戒法，今問諸大姊，是中清淨不？（如是至三）
諸大姊是中清淨，默然故，是事如是持。
諸大姊，是七滅諍法，半月半月說，戒經中來。
若比丘尼有諍事起，即應除滅。
應與現前毗尼，當與現前毗尼。
應與憶念毗尼，當與憶念毗尼。
應與不癡毗尼，當與不癡毗尼。
應與自言治，當與自言治。
應與覓罪相，當與覓罪相。
應與多人語，當與多人語。
應與如草覆地，當與如草覆地。
諸大姊，我已說七滅諍法，今問諸大姊，是中清淨
不？（如是至三）諸大姊是中清淨，默然故，是事如是持。
諸大姊，我已說戒經序，已說八波羅夷法，已說十
七僧伽婆尸沙法，已說三十尼薩耆波逸提法，已說
一百七十八波逸提法，已說八波羅提提舍尼法，已說眾學
戒法，已說七滅諍法。此是佛所說戒經，半月半月說戒
經中來。若更有餘佛法，是中皆共和合，應當學。
忍辱第一道，佛說無為最，出家惱他人，不名為沙門。
此是毗婆尸如來無所著等正覺說是戒經。
譬如明眼人，能避險惡道，世有聰明人，能遠離諸惡。
此是尸棄如來無所著等正覺說是戒經。

BD01500號　四分比丘尼戒本　（26–24）

此是毗婆尸如來無所著等正覺說是戒經。
譬如明眼人，能避險惡道，世有聰明人，能遠離諸惡。
此是尸棄如來無所著等正覺說是戒經。
不謗亦不嫉，當奉行於戒，飲食知止足，常樂在空閑，
心定樂精進，是名諸佛教。
此是毗葉羅如來無所著等正覺說是戒經。
譬如蜂採花，不壞色與香，但取其味去，比丘入聚然。
不違戾他事，不觀作不作，但自觀身行，若正若不正。
此是拘樓孫如來無所著等正覺說是戒經。
心莫作放逸，聖法當勤學，如是無憂愁，心定入涅槃。
此是拘那含牟尼如來無所著等正覺說是戒
經。
一切惡莫作，當奉行諸善，自淨其志意，是則諸佛教。
此是迦葉如來無著等正覺說是戒經。
善護於口言，自淨其志意，身莫作諸惡，此三業道淨，
能得如是行，是大仙人道。
此是釋迦牟尼如來無所著等正覺於十二年中
為無事僧說是戒經，從是已後廣分別說。諸
比丘尼自為樂法樂沙門者，有慚有愧樂學戒者，
當於中學。
明人能護戒，能得三種樂，名譽及利養，死得生天上。
當觀如是處，有智勤護戒，戒淨有智慧，便得第一道。
如過去諸佛，及以未來者，現在諸世尊，能勝一切憂，
皆共尊敬戒，此是諸佛法。若有自為身，欲求於佛道，
當尊重正法，此是諸佛教。七佛為世尊，滅除諸結使，
說是七戒經，諸縛得解脫，已入於涅槃，諸戲永滅盡。
尊行大仙說，聖賢稱譽戒，弟子之所行，入寂滅涅槃。
世尊涅槃時，興起於大悲，集諸比丘眾，與如是教戒：
莫謂我涅槃，淨行者無護，我今說戒經，亦善說毗尼，
我雖般涅槃，當視如世尊。此經久住世，佛法得熾盛，

BD01500號　四分比丘尼戒本　（26–25）

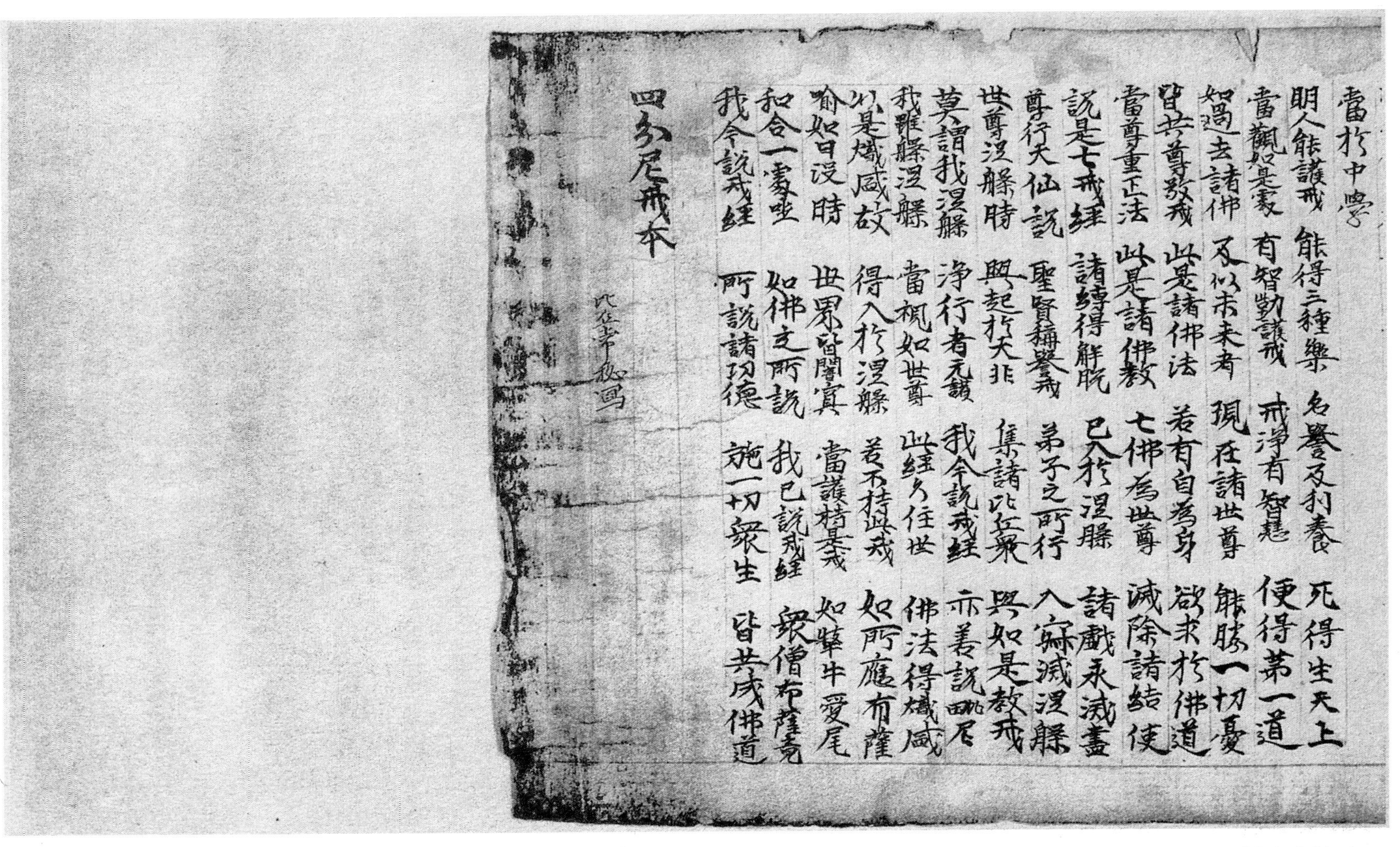

當於中學

明人能護戒　能得三種樂　名譽及利養　死得生天上

當觀如是處　有智勤護戒　戒淨有智慧　便得第一道

如過去諸佛　及以未來者　現在諸世尊　能勝一切憂

皆共尊敬戒　此是諸佛法　若有自為身　欲求於佛道

當尊重正法　此是諸佛教　七佛為世尊　滅除諸結使

說是七戒經　諸縛得解脫　已入於涅槃　諸戲永滅盡

尊行大仙說　聖賢稱譽戒　弟子之所行　入寂滅涅槃

世尊涅槃時　興起於大悲　集諸比丘衆　與如是教戒

莫謂我涅槃　淨行者無護　我今說戒經　亦善說毗尼

我雖般涅槃　當視如世尊　此經久住世　佛法得熾盛

以是熾盛故　得入於涅槃　若不持此戒　如所應布薩

喻如日沒時　世界皆闇冥　當護持是戒　如犛牛愛尾

和合一處坐　如佛之所說　我已說戒經　衆僧布薩竟

我今說戒經　所說諸功德　施一切衆生　皆共成佛道

四分尼戒本　比丘尼[illegible]寫

BD01500 號　四分比丘尼戒本　（26–26）

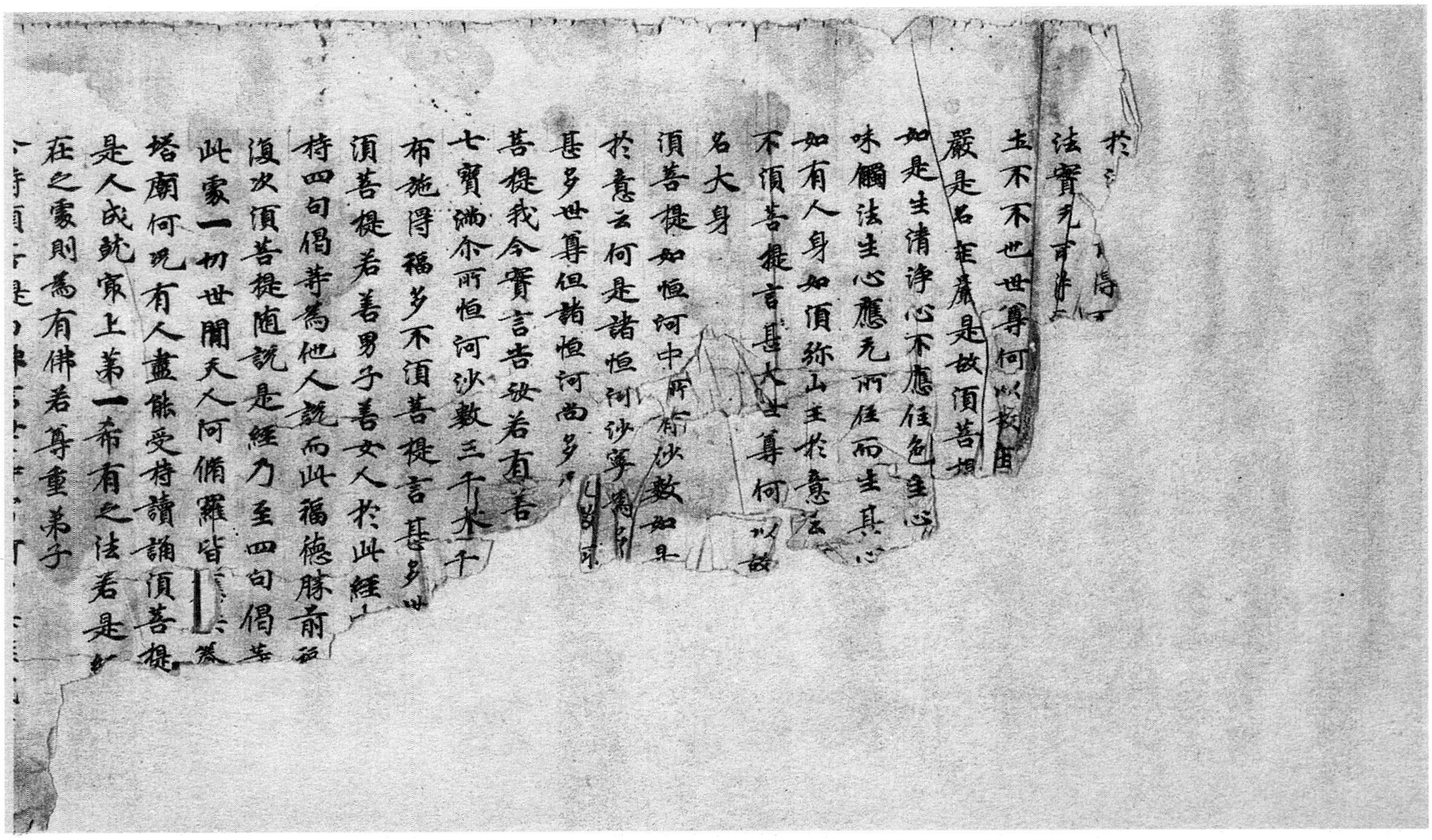

於

法實无所得

土不　不也世尊何以故

嚴是名莊嚴　是故須菩提

如是生清淨心　不應住色生心

味觸法生心　應无所住而生其心

如有人身如須弥山王　於意云

不須菩提言甚大　世尊何以故

名大身

須菩提　如恒河中所有沙數　如是

於意云何　是諸恒河沙寧為多

甚多世尊　但諸恒河尚多

菩提　我今實言告汝　若有善

七寶滿尒所恒河沙數三千大千

布施得福多不　須菩提言　甚多

須菩提　若善男子善女人　於此經中

持四句偈等　為他人說　而此福德勝前

復次須菩提　隨說是經　乃至四句偈等

此處一切世間天人阿修羅　皆

塔廟　何況有人盡能受持讀誦　須菩提

是人成就最上第一希有之法　若是

在之處　則為有佛　若尊重弟子

BD01501 號　金剛般若波羅蜜經　（11–1）

復次須菩提隨說是經乃至四句偈等
此處一切世間天人阿脩羅皆應供養如
塔廟何況有人盡能受持讀誦須菩提
是人成就冣上第一希有之法若是經
在之處則為有佛若尊重弟子
尒時須菩提白佛言世尊當何名此經我等
云何奉持佛告須菩提是經名為金剛般若
波羅蜜以是名字汝當奉持所以者何須菩
提佛說般若波羅蜜則非般若波羅蜜須
菩提於意云何如來有所說法不須菩提白佛
言世尊如來无所說須菩提於意云何三千
大千世界所有微塵是為多不須菩提言甚
多世尊須菩提諸微塵如來說非微塵是
名微塵如來說世界非世界是名世界須菩
提於意云何可以三十二相見如來不不也
世尊何以故如來說三十二相即是非相是
名三十二相須菩提若有善男子善女人以
恒河沙等身命布施若復有人於此經中乃
至受持四句偈等為他人說其福甚多
尒時須菩提聞說是經深解義趣涕淚悲泣
而白佛言希有世尊佛說如是甚深經典我
從昔來所得慧眼未曾得聞如是之經世尊
若復有人得聞是經信心清淨則生實相當
知是人成就第一希有功德世尊是實相者
則是非相是故如來說名實相世尊我今得
聞如是經典信解受持不足為難若當來世
後五百歲其有眾生得聞是經信解受持是
人則為第一希有何以故此人无我相人相

BD01501 號　金剛般若波羅蜜經　（11–2）

則是非相是故如來說名實相世尊我今得
聞如是經典信解受持不足為難若當來世
後五百歲其有眾生得聞是經信解受持是
人則為第一希有何以故此人无我相人相
眾生相壽者相所以者何我相即是非相人
相眾生相壽者相即是非相何以故離一切
諸相則名諸佛佛告須菩提如是如是若復
有人得聞是經不驚不怖不畏當知是人甚
為希有何以故須菩提如來說第一波羅蜜
非第一波羅蜜是名第一波羅蜜須菩提忍
辱波羅蜜如來說非忍辱波羅蜜何以故須
菩提如我昔為歌利王割截身體我於尒時
无我相无人相无眾生相无壽者相何以故
我於往昔節節支解時若有我相人相眾生
相壽者相應生瞋恨須菩提又念過去於五
百世作忍辱仙人於尒所世无我相无人相
无眾生相无壽者相是故須菩提菩薩應
離一切相發阿耨多羅三藐三菩提心不應
住色生心不應住聲香味觸法生心應生无所
住心若心有住則為非住是故佛說菩薩心
不應住色布施須菩提菩薩為利益一切眾
生應如是布施如來說一切諸相即是非相
又說一切眾生則非眾生須菩提如來是真
語者實語者如語者不誑語者不異語者須
菩提如來所得法此法无實无虛須菩提若
菩薩心住於法而行布施如人入闇則无所
見若菩薩心不住法而行布施如人有目日

BD01501 號　金剛般若波羅蜜經　（11–3）

世尊如來不應以具足諸相見何以故如來
說諸相具足即非具足是名諸相具足須菩
提汝勿謂如來作是念我當有所說法莫作
是念何以故若人言如來有所說法即為
謗佛不能解我所說故須菩提說法者无法
可說是名說法
須菩提白佛言世尊佛得阿耨多羅三藐三
菩提為无所得耶如是如是須菩提我於阿
耨多羅三藐三菩提乃至无有少法可得是
名阿耨多羅三藐三菩提復次須菩提是法
平等无有高下是名阿耨多羅三藐三菩提
以无我无人无衆生无壽者脩一切善法則
得阿耨多羅三藐三菩提須菩提所言善法
者如來說非善法是名善法
須菩提若三千大千世界中所有諸須弥山
王如是等七寶聚有人持用布施若人以此
般若波羅蜜經乃至四句偈等受持讀誦為他
人說於前福德百分不及一百千万億分乃至
筭數譬喻所不能及
須菩提於意云何汝等勿謂如來作是念我
當度衆生須菩提莫作是念何以故實无有
衆生如來度者若有衆生如來度者如來則
有我人衆生壽者須菩提如來說有我者則
非有我而凡夫之人以為有我須菩提凡夫者
如來說則非凡夫是名凡夫
須菩提於意云何可以三十二相觀如來不
須菩提言如是如是以三十二相觀如來佛
告須菩提若以三十二相觀如來者轉輪聖

BD01501 號　金剛般若波羅蜜經　（11–8）

須菩提於意云何可以三十二相觀如來不
須菩提言如是如是以三十二相觀如來佛
告須菩提若以三十二相觀如來者轉輪聖
王則是如來須菩提白佛言世尊如我解佛
所說義不應以三十二相觀如來尒時世尊
而說偈言
若以色見我　以音聲求我　是人行邪道　不能見如來
須菩提汝若作是念如來不以具足相故得阿
耨多羅三藐三菩提須菩提莫作是念如來
不以具足相故得阿耨多羅三藐三菩提須
菩提汝若作是念發阿耨多羅三藐三菩提
心者說諸法斷滅相莫作是念何以故發阿
耨多羅三藐三菩提心者於法不說斷滅相
須菩提若菩薩以滿恒河沙等世界七寶布
施若復有人知一切法无我得成於忍此菩
薩勝前菩薩所得功德須菩提以諸菩薩
不受福德故須菩提白佛言世尊云何菩薩
不受福德須菩提菩薩所作福德不應貪著
是故說不受福德
須菩提若有人言如來若來若去若坐若卧
是人不解我所說義何以故如來者无所從來
亦无所去故名如來
須菩提若善男子善女人以三千大千世界
碎為微塵於意云何是微塵衆寧為多不甚
多世尊何以故若是微塵衆實有者佛則不
說是微塵衆所以者何佛說微塵衆則非微
塵衆是名微塵衆世尊如來所說三千大千

BD01501 號　金剛般若波羅蜜經　（11–9）

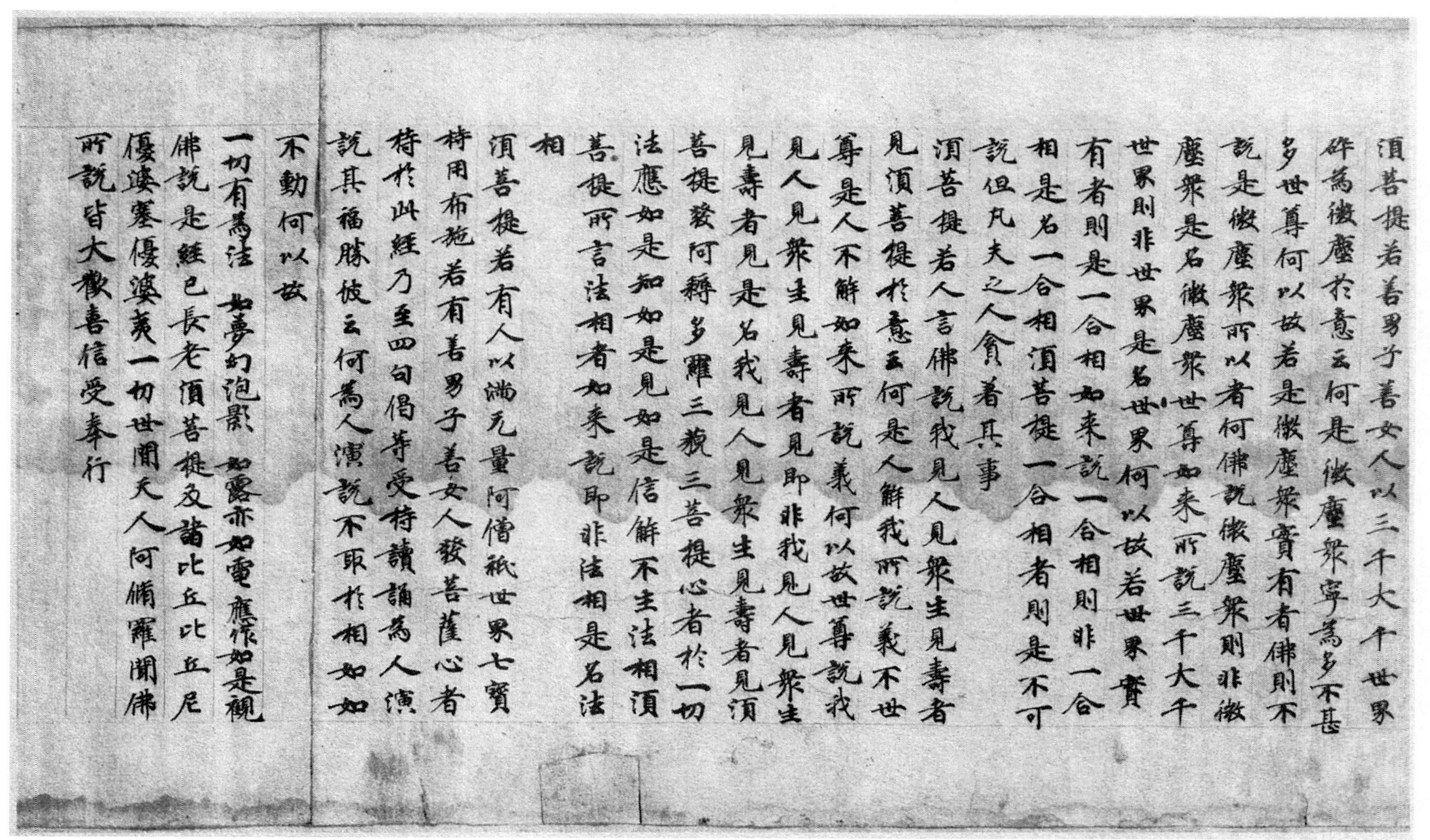

須菩提若善男子善女人以三千大千世界
碎為微塵於意云何是微塵衆寧為多不甚
多世尊何以故若是微塵衆實有者佛則不
說是微塵衆所以者何佛說微塵衆則非微
塵衆是名微塵衆世尊如來所說三千大千
世界則非世界是名世界何以故若世界實
有者則是一合相如來說一合相則非一合
相是名一合相須菩提一合相者則是不可
說但凡夫之人貪著其事
須菩提若人言佛說我見人見衆生見壽者
見須菩提於意云何是人解我所說義不世
尊是人不解如來所說義何以故世尊說我
見人見衆生見壽者見即非我見人見衆生
見壽者見是名我見人見衆生見壽者見須
菩提發阿耨多羅三藐三菩提心者於一切
法應如是知如是見如是信解不生法相須
菩提所言法相者如來說即非法相是名法
相
須菩提若有人以滿无量阿僧祇世界七寶
持用布施若有善男子善女人發菩薩心者
持於此經乃至四句偈等受持讀誦為人演
說其福勝彼云何為人演說不取於相如如
不動何以故
一切有為法　如夢幻泡影　如露亦如電　應作如是觀
佛說是經已長老須菩提及諸比丘比丘尼
優婆塞優婆夷一切世間天人阿脩羅聞佛
所說皆大歡喜信受奉行

BD01501 號　金剛般若波羅蜜經　（11–10）

菩提所言法相者如來說即非法相是名法
相
須菩提若有人以滿无量阿僧祇世界七寶
持用布施若有善男子善女人發菩薩心者
持於此經乃至四句偈等受持讀誦為人演
說其福勝彼云何為人演說不取於相如如
不動何以故
一切有為法　如夢幻泡影　如露亦如電　應作如是觀
佛說是經已長老須菩提及諸比丘比丘尼
優婆塞優婆夷一切世間天人阿脩羅聞佛
所說皆大歡喜信受奉行
金剛般若波羅蜜經

BD01501 號　金剛般若波羅蜜經　（11–11）

佛告諸比丘大通智勝佛壽五百卌万億那
由他劫其佛本坐道場破魔軍已垂得阿
耨多羅三藐三菩提而諸佛法不現在前如
是一小劫乃至十小劫結跏趺坐身心不動
而諸佛法猶不在前尒時忉利諸天先為彼
佛於菩提樹下敷師子坐高一由旬佛於此
坐當得阿耨多羅三藐三菩提適坐此座時
諸梵天王雨衆天華面百由旬香風來吹去
萎華更雨新者如是不絕滿十小劫供養於
佛乃至滅度常雨此華四王諸天為供養佛
常擊天鼓其餘諸天作天伎樂滿十小劫至
于滅度亦復如是諸比丘大通智勝佛過十
小劫諸佛之法乃現在前成阿耨多羅三藐
三菩提其佛未出家時有十六子其第一者
名曰智積諸子各有種種珍異翫好之具聞
父得成阿耨多羅三藐三菩提皆捨所珍往
詣佛所諸母涕泣而隨送之其祖轉輪聖王
与一百大臣及餘百千万億人民皆共圍繞
隨至道場咸欲親近大通智勝如來供養恭
敬尊重讚嘆到已頭面礼足繞佛畢已一心
合掌瞻仰尊顏以偈頌曰
大威德世尊　為度衆生故　於无量億劫　尒乃得成佛

BD01502號　妙法蓮華經卷三　（4-1）

与一百大臣及餘百千万億人民皆共圍繞
隨至道場咸欲親近大通智勝如來供養恭
敬尊重讚嘆到已頭面礼足繞佛畢已一心
合掌瞻仰尊顏以偈頌曰
大威德世尊　為度衆生故　於无量億劫　尒乃得成佛
諸願已具足　善哉吉无上
世尊甚希有　一坐十小劫　身體及手足　靜然安不動
其心常憺怕　未曾有散亂　究竟永寂滅　安住无漏法
今者見世尊　安隱成佛道　我等得善利　稱慶大歡喜
衆生常苦惱　盲瞑无導師　不識苦盡道　不知求解脫
長夜增惡趣　減損諸天衆　從冥入於冥　永不聞佛名
今佛得最上　安隱无漏道　我等及天人　為得最大利
是故咸稽首　歸命无上尊
尒時十六王子偈讚佛已勸請世尊轉於法
輪咸作是言世尊說法多所安隱憐愍饒益
諸天人民重說偈言
世雄无等倫　百福自莊嚴　得无上智慧　願為世間說
度脫於我等　及諸衆生類　為分別顯示　令得是智慧
若我等得佛　衆生亦復然
世尊知衆生　深心之所念　亦知所行道　又知智慧力
欲樂及脩福　宿命所行業　世尊悉知已　當轉无上輪
佛告諸比丘大通智勝佛得阿耨多羅三藐
三菩提時十方各五百万億諸佛世界六種震
動其國中間幽冥之處日月威光所不能照
而皆大明其中衆生各得相見咸作是言
此中云何忽生衆生又其國界諸天宮殿乃

BD01502號　妙法蓮華經卷三　（4-2）

三菩提時十方各五百万億諸佛世界六種震
動其國中間幽冥之處日月威光所不能照
而皆大明其中衆生各得相見咸作是言
此中云何忽生衆生又其國界諸天宮殿乃
至梵宮六種震動大光普照遍滿世界勝諸
天光尒時東方五百万億諸國土中梵天宮
殿光明照曜倍於常明諸梵天王各作是念
今者宮殿光明昔所未有以何因緣而現此
相是時諸梵天王即各相詣共議此事而彼
衆中有一大梵天王名救一切為諸梵衆而
說偈言
我等諸宮殿　光明昔未有　此是何因緣　宜各共求之
為大德天生　為佛出世間　而此大光明　遍照於十方
尒時五百万億國土諸梵天王與宮殿俱各
以衣裓盛諸天華共詣西方推尋是相見大
通智勝如來處于道場菩提樹下坐師子坐
諸天龍王乾闥婆緊那羅摩睺羅伽人非人
等恭敬圍繞及見十六王子請佛轉法輪即
時諸梵天王頭面礼佛繞百千迊即以天華
而散佛上其所散華如須弥山并以供養佛菩
提樹其菩提樹高十由旬華供養已各以宮
殿奉上彼佛而作是言唯見哀愍饒益我
等所獻宮殿願垂納處時諸梵天王即於佛
前一心同聲以偈頌曰
世尊甚希有　難可得值遇　具无量功德　能救護一切
天人之大師　哀愍於世間　十方諸衆生　普皆蒙饒益

相是時諸梵天王即各相詣共議此事而彼
衆中有一大梵天王名救一切為諸梵衆而
說偈言
我等諸宮殿　光明昔未有　此是何因緣　宜各共求之
為大德天生　為佛出世間　而此大光明　遍照於十方
尒時五百万億國土諸梵天王與宮殿俱各
以衣裓盛諸天華共詣西方推尋是相見大
通智勝如來處于道場菩提樹下坐師子坐
諸天龍王乾闥婆緊那羅摩睺羅伽人非人
等恭敬圍繞及見十六王子請佛轉法輪即
時諸梵天王頭面礼佛繞百千迊即以天華
而散佛上其所散華如須弥山并以供養佛菩
提樹其菩提樹高十由旬華供養已各以宮
殿奉上彼佛而作是言唯見哀愍饒益我
等所獻宮殿願垂納處時諸梵天王即於佛
前一心同聲以偈頌曰
世尊甚希有　難可得值遇　具无量功德　能救護一切
天人之大師　哀愍於世間　十方諸衆生　普皆蒙饒益
我等所從來　五百万億國　捨深禪定樂　為供養佛故
我等先世福　宮殿甚嚴飾　今以奉世尊　唯願哀納受
尒時諸梵天王偈讚佛已各作是言唯願世

者信解无量佛慧是為四梵天菩薩有四法
不斷佛種何等為四一者不退本願二者言
必施行三者大欲精進四者深心行於佛道
是為菩薩有四法不斷佛種說是諸四法時
三万二千天及人皆發阿耨多羅三藐三菩
提心五千人得无生法忍十方諸來菩薩供
養於佛所散天華周遍三千大千世界積至
于膝
尒時網明菩薩問思益梵天言佛說汝於正
問菩薩中為最第一何謂菩薩所問為正問
耶梵天言網明若菩薩以彼我問名為耶問
分別法問名為耶問若无彼我問名為正問
不分別法問名為正問又網明以生故問名為
耶問以滅故問名為耶問以住故問名為耶
問若不以生故問不以滅故問不以住故問
名為正問又網明若菩薩為垢故問名為
耶問為淨故問名為耶問為生死故問名為
耶問為出生死故問名為耶問為涅槃故問
名為耶問若不為垢淨故問不為生死出生
死故問不為涅槃故問名為正問所以者何法
位中无垢无淨无生死无涅槃又網明若菩薩

BD01503 號　思益梵天所問經卷一　（4–1）

耶問為出生死故問名為耶問為涅槃故問
名為耶問若不為垢淨故問不為生死出生
死故問不為涅槃故問名為正問所以者何法
位中无垢无淨无生死无涅槃又網明若菩薩
為見故問為斷故問為證故問為脩故問
為得故問為果故問名為耶問若无見无斷
无證无脩无得无果故問名為正問又網明
是善是不善名為耶問是世間法是出世間
法是有罪法是无罪法是有漏法是无漏法
是有為法是无為法如是等二法隨所依而
問者名為耶問若不見二不見不二問名為
正問又網明若菩薩分別佛問名為耶問分
別法問分別僧分別衆生分別佛國分別諸
乘問名為耶問若於法不作一異問者名為
正問又網明一切法正一切法耶網明言梵天
何謂一切法正一切法耶梵天言於諸法性
无心故一切法名為正若无心法中以心分
別觀者一切法名為耶一切法離相名為正
若不信解是離相是即分別諸法若分別諸
法則入增上慢隨所分別皆名為耶網明言
何謂為諸法正性梵天言諸法離自性離欲
際是名正性網明言少有能解如是正性梵
天言是正性不一不多網明若有善男子善
女人能如是知諸法正性若已知若今知若
當知是人无有法已得无有法今得无有法
當得所以者何佛說无得无分別名為所作

BD01503 號　思益梵天所問經卷一　（4–2）

天言是正性不一不多網明若有善男子善
女人能如是知諸法正性若已知若今知若
當知是人无有法已得无有法今得无有法
當得所以者何佛說无得无分別名爲所作
已辯相若人聞是諸法正性懃行精進是名
如說脩行不從一地至一地若不從一地至一
地是人不在生死不在涅槃所以者何諸
佛不得生死不得涅槃網明言佛不爲度生
死故說法耶梵天言佛所示法有度生死耶
網明言无也梵天言以是因緣當知佛不令
衆生出生死入涅槃但爲度妄想分別生死
涅槃二相者耳此中實无度生死至涅槃者
所以者何諸法平等无有往來生死无入涅
槃尒時世尊讚思益梵天言善哉善哉說
諸法正性應如汝所說是法時二千比丘不
受諸法漏盡心得解脫佛告梵天我不得生
死不得涅槃如來雖說生死實无有人往來
生死雖說涅槃實无有人得滅度者若有入
此法門者是人非生死相非滅度相尒時會中
五百比丘從坐而起作是言我等空脩梵行
今實見有滅度者而言无有滅度我等何用
脩道求智慧爲尒時網明菩薩白佛言世尊
若有於法生見則於其人佛不出世世尊若
有決定見涅槃者是人不度生死所以者何
涅槃名爲除滅諸相遠離一切動念戲論世
尊是諸比丘於佛正法出家而今墮於外道

BD01503號　思益梵天所問經卷一　（4–3）

若有於法生見則於其人佛不出世世尊若
有決定見涅槃者是人不度生死所以者何
涅槃名爲除滅諸相遠離一切動念戲論世
尊是諸比丘於佛正法出家而今墮於外道
耶見見涅槃決定相譬如從麻出油從酪出
蘇世尊若人於諸法滅相中求涅槃者我說
是輩皆爲增上慢人世尊正行道者於法不
作生不作滅无得无果網明謂梵天言是五
百比丘從坐起者汝當爲作方便引導其心
入此法門令得信解離諸耶見梵天言善男
子縱使令去至恒河劫不能得出如此法門
譬如癡人畏於虛空捨空而走在所至處
不離虛空此諸比丘亦復如是雖復遠去不
出空相不出无相相不出无作相又如一人
求索虛空東西馳走言我欲得空我欲得空
是人但說虛空名字而不得空於空中行而
不見空此諸比丘亦復如是欲求涅槃行涅
槃中而不得涅槃所以者何涅槃者但有名
字猶如虛空但有名字不可得取涅槃亦復
如是但有名字而不可得尒時五百比丘聞
說是法不受諸法漏盡心得解脫得阿羅漢
道作是言世尊若有人於諸法畢竟滅相中
求涅槃者則於其人佛不出世世尊我等今

BD01503號　思益梵天所問經卷一　（4–4）

菩薩无數　志固精進　於佛智慧　皆不退轉
佛滅度後　正法當住　四十小劫　像法亦尒
我諸弟子　威德具足　其數五百　皆當授記
於未來世　咸得成佛　我及汝等　宿世因緣
吾今當說　汝等善聽

妙法蓮華經化城喻品第七

佛告諸比丘乃往過去无量无邊不可思議阿僧祇劫尒時有佛名大通智勝如來應供正遍知明行足善逝世間解无上士調御丈夫天人師佛世尊其國名好成劫名大相諸比丘彼佛滅度已來甚大久遠譬如三千大千世界所有地種假使有人磨以為墨過於東方千國土乃下一點大如微塵又過千國土復下一點如是展轉盡地種墨於汝等意云何是諸國土若算師若算師弟子能得邊際知其數不不也世尊諸比丘是人所經國土若點不點盡末為塵一塵一劫彼佛滅度已來復過是數无量无邊百千萬億阿僧祇劫我以如來知見力故觀彼久遠猶若今日尒時世尊欲重宣此義而說偈言

我念過去世　无量无邊劫　有佛兩足尊　名大通智勝
如人以力磨　三千大千土　盡此諸地種

BD01504號　妙法蓮華經卷三　（2–1）

夫天人師佛世尊其國名好成劫名大相諸比丘彼佛滅度已來甚大久遠譬如三千大千世界所有地種假使有人磨以為墨過於東方千國土乃下一點大如微塵又過千國土復下一點如是展轉盡地種墨於汝等意云何是諸國土若算師若算師弟子能得邊際知其數不不也世尊諸比丘是人所經國土若點不點盡末為塵一塵一劫彼佛滅度已來復過是數无量无邊百千萬億阿僧祇劫我以如來知見力故觀彼久遠猶若今日尒時世尊欲重宣此義而說偈言

我念過去世　无量无邊劫　有佛兩足尊　名大通智勝
如人以力磨　三千大千土　盡此諸地種　皆悉以為墨
過於千國土　乃下一塵點　如是展轉點　盡此諸塵墨
如是諸國土　點與不點等　復盡末為塵　一塵為一劫
此諸微塵數　其劫復過是　彼佛滅度來　如是无量劫
如來无礙智　知彼佛滅度　及聲聞菩薩　如見今滅度
諸比丘當知　佛智淨微妙　无漏无所礙　通達无量劫

佛告諸比丘大通智勝佛壽五百四十万億那由他劫其佛本坐道場破魔軍已垂得阿耨

BD01504號　妙法蓮華經卷三　（2–2）

養三寶及施於我廣備法會設諸食…
列香光既供養已所有供養貲之乖直復為
供養我當終身常住於此擁護是人令无惱
乏隨所希求悉皆稱意亦當時時給濟貴之
不應慳惜獨為己身常讀是經供養不絕當
以此福普施一切迴向菩提願出生死速得解
脫尒時世尊讚言善哉吉祥天女汝能如是
流布此經不可思議自他俱益
金光明最勝王經堅牢地神品第十八
尒時堅牢地神即於衆中從座而起合掌恭敬
而白佛言世尊是金光明最勝王經若現在
世若未來世若在城邑聚落王宮樓觀及
阿蘭若山澤空林有此經王流布之處世尊
我當往詣其所供養恭敬擁護流通若有方
處為說法師敷置高座演說經者我以神力
不現本身在於座所頂戴其足我得聞法深
心歡喜得食法味增益威光慶悅无量自身
既得如是利益亦令大地深十六万八千踰
繕那至金剛輪際令其地味悉皆增益乃至
四海所有土地亦使肥濃田疇沃壤倍勝常
日亦復令此贍部洲中江河池沼所有諸樹
藥草藂林種種花果根莖枝葉及諸苗稼
形相可愛衆所樂觀色香具足皆堪受用若諸

BD01505號　金光明最勝王經卷八　（5–1）

心歡喜得食法味增益威光慶悅无量自身
既得如是利益亦令大地深十六万八千踰
繕那至金剛輪際令其地味悉皆增益乃至
四海所有土地亦使肥濃田疇沃壤倍勝常
日亦復令此贍部洲中江河池沼所有諸樹
藥草藂林種種花果根莖枝葉及諸苗稼
形相可愛衆所樂觀色香具足皆堪受用若諸
有情受用如是勝飲食已長命色力諸根安
隱增益光輝无諸痛惱心慧勇健无不堪能
又此大地凡有所須百千事業悉皆周備世
尊以是因緣諸贍部洲安隱豐樂人民熾盛
无諸衰惱所有衆生皆受安樂既受如是
身心快樂於此經王深加愛敬所在之處皆
願受持供養恭敬尊重讚歎又復於彼說法
大師法座之處悉皆往彼為諸衆生勸請說是
最勝經王何以故世尊由說此經我之自身幷
諸眷屬咸蒙利益光輝氣力勇猛威勢顏容
端正倍勝於常世尊我堅牢地神蒙法味已
令贍部洲縱廣七千踰繕那地皆沃壤乃至
如前所有衆生皆受安樂是故世尊時彼衆
生為報我恩應作是念我當必定聽受是經
恭敬供養尊重讚歎作是念已即從住處城
邑聚落舍宅空地詣法會所頂礼法師聽受
是經既聽受已各還本處心生慶喜共作是
言我等今者得聞甚深无上妙法即是攝受
不可思議功德之聚由經力故我等當值无
量无邊百千俱胝那庾多佛承事供養永離
三塗極苦之處復於來世百千生中常生天

BD01505號　金光明最勝王經卷八　（5–2）

是經[illegible]
言我等今者得聞甚深无上妙法即是攝受
不可思議功德之聚由經力故我等當值无
量无邊百千俱胝那庾多佛承事供養永離
三塗極苦之處復於來世百千生中常生天
上及在人間受諸勝樂時彼諸人各還本處
為諸人衆說是經王若一喻一品一昔因緣
一如來名一菩薩名一四句頌或復一句為
諸衆生說是經典乃至首題名字世尊隨諸
衆生所住之處其地悉皆沃壤肥濃過於餘
處凡是土地所生之物悉得增長滋茂廣大
令諸衆生受於快樂多饒財珎好行惠施心
常堅固深信三寶作是語已尒時世尊告堅
牢地神曰若有衆生聞是金光明最勝經王
乃至一句命終之後當得往生三十三天及
餘天處若有衆生為欲供養是經王故莊嚴
宅宇乃至張一傘蓋懸一繒幡由是因緣六
天之上如念受生七寶妙宮隨意受用各各
自然有七千天女共相娛樂日夜常受不可
思議殊勝之樂作是語已尒時堅牢地神白
佛言世尊以是因緣若有四衆昇於法座說
是法時我當晝夜擁護是人自隱其身在於
座所頂戴其足世尊如是經典為彼衆生已
於百千佛所種善根者於贍部洲流布不滅
是諸衆生聽斯經者於未來世无量百千俱
胝那庾多劫天上人中常受勝樂得遇諸佛
速成阿耨多羅三藐三菩提不歷三塗生死
之苦尒時堅牢地神白佛言世尊我有心呪

BD01505號　金光明最勝王經卷八　（5-3）

是諸衆生聽斯經者於未來世无量百千俱
胝那庾多劫天上人中常受勝樂得遇諸佛
速成阿耨多羅三藐三菩提不歷三塗生死
之苦尒時堅牢地神白佛言世尊我有心呪
能利人天安樂一切若有男子女人及諸四
衆欲得親見我真身者應當至心持此陀羅
尼隨其所願皆悉遂心所謂資財珎寶伏藏
及求神通長年妙藥并療衆病降伏怨敵制
諸異論當於淨室安置道場洗浴身已著鮮
潔衣踞草座上於有舍利尊像之前或有舍
利制底之所燒香散花飲食供養於白月八
日布灑星合即可誦此請召之呪
怛姪他　只里只里　主嚕主嚕　句嚕句嚕
拘柱拘柱　覩柱覩柱　縛（上）訶　縛訶
伐捨　伐捨　伐捨　莎訶
世尊此之神呪若有四衆誦一百八遍請召
於我我為是人即來赴請又復世尊若有衆
生欲得見我現身共語者亦應如前安置法
式誦此神呪
怛姪他　頞祈泥（去）　頞力剎泥　室尸達哩
訶訶　呬呬　盧嚕　伐臘莎訶
世尊若人持此呪時應一百八遍并誦前呪
我必現身隨其所願悉得成就終不虛然若
欲誦此呪時先誦護身呪曰
怛姪他　你室里　末捨羯徵捺徵姪徵
勃地（上）　勃地蘿　底徵婢徵矩徵句徵
佉婆（上）　只里　莎訶
世尊誦此呪時取五色線誦呪二十一遍作

BD01505號　金光明最勝王經卷八　（5-4）

生欲得見我現身共語者亦應如前安置法
式誦此神呪
怛姪他 頞 析 泥去 頡力剎泥室尸達哩
訶 訶 呬 呬 區 噜 伐攞莎訶
世尊若人持此呪時應一百八遍并誦前呪
我必現身隨其所願悉得成就終不虛然若
欲誦此呪時先誦護身呪曰
怛 姪 他 你 室 里 末捨羯徵捺徵姪徵
勁地上 勁 地 𠰒 底徵婢徵短句徵
佉婆上 只 里 莎訶
世尊誦此呪時取五色線誦呪二十一遍作
二十一結繫在右髆肘後即便護身無有所
懼若有至心誦此呪者所求必遂我不妄語
我以佛法僧寶而為要契證知是實
尒時世尊告地神曰善哉善哉汝能以是實
語神呪護此經王及說法者以是因緣令汝
獲得無量福報
金光明最勝王經僧慎尒耶藥叉大將品第十九
尒時僧慎尒耶藥叉大將并與二十八部藥
叉諸神於大衆中皆從座起偏袒右肩右
膝著地合掌向佛白言世尊此金光明最勝
經王若現在世及未來世所在宣揚流布之
處若於城邑聚落山澤空林或王宮殿或僧

BD01505號 金光明最勝王經卷八 （5–5）

摩地門慶喜聲香味觸法處聲香味觸
處性空何以故以聲香味觸法處性空與一切
陁羅尼門一切三摩地門無二無二分故慶
喜由此故說以色處等無二為方便無生為
方便無所得為方便迴向一切智智脩習一
切陁羅尼門一切三摩地門世尊云何以眼
處無二為方便無生為方便無所得為方便
迴向一切智智脩習菩薩摩訶薩行慶喜眼
處眼處性空何以故以眼處性空與彼菩薩
摩訶薩行無二無二分故世尊云何以耳鼻
舌身意處無二為方便無生為方便無所得
為方便迴向一切智智脩習菩薩摩訶薩行
慶喜耳鼻舌身意處耳鼻舌身意處性空何
以故以耳鼻舌身意處性空與彼菩薩摩訶
薩行無二無二分故慶喜由此故說以眼處
等無二為方便無生為方便無所得為方便
迴向一切智智脩習菩薩摩訶薩行世尊云
何以色處無二為方便無生為方便無所得
為方便迴向一切智智脩習菩薩摩訶薩行
慶喜色處色處性空何以故以色處性空與
彼菩薩摩訶薩行無二無二分故世尊云何

BD01506號 大般若波羅蜜多經卷一一三 （3–1）

何以色處無二為方便無生為方便無所得
為方便迴向一切智智脩習菩薩摩訶薩行
慶喜色處色處性空何以故以色處性空與
彼菩薩摩訶薩行無二無二分故世尊云何
以聲香味觸法處無二為方便無生為方便
無所得為方便迴向一切智智脩習菩薩摩
訶薩行慶喜聲香味觸法處聲香味觸法處
性空何以故以聲香味觸法處性空與彼菩
薩摩訶薩行無二無二分故慶喜由此故說
以色處等無二為方便無生為方便無所得
為方便迴向一切智智脩習菩薩摩訶薩行
世尊云何以眼處無二為方便無生為方便無
所得為方便迴向一切智智脩習無上正等
菩提慶喜眼處眼處性空何以故以眼處
性空與彼無上正等菩提無二無二分故世
尊云何以耳鼻舌身意處無二為方便無生
為方便無所得為方便迴向一切智智脩習
無上正等菩提慶喜耳鼻舌身意處耳鼻舌
身意處性空何以故以耳鼻舌身意處性空
與彼無上正等菩提無二無二分故慶喜由
此故說以眼處等無二為方便無生為方便
無所得為方便迴向一切智智脩習無上正
等菩提世尊云何以色處無二為方便無生
為方便無所得為方便迴向一切智智脩習
無上正等菩提慶喜色處色處性空何以故
以色處性空與彼無上正等菩提無二無二
分故世尊云何以聲香味觸法處無二為方

BD01506號　大般若波羅蜜多經卷一一三　（3–2）

性空與彼無上正等菩提無二無二分故世
尊云何以耳鼻舌身意處無二為方便無生
為方便無所得為方便迴向一切智智脩習
無上正等菩提慶喜耳鼻舌身意處耳鼻舌
身意處性空何以故以耳鼻舌身意處性空
與彼無上正等菩提無二無二分故慶喜由
此故說以眼處等無二為方便無生為方便
無所得為方便迴向一切智智脩習無上正
等菩提世尊云何以色處無二為方便無生
為方便無所得為方便迴向一切智智脩習
無上正等菩提慶喜色處色處性空何以故
以色處性空與彼無上正等菩提無二無二
分故世尊云何以聲香味觸法處無二為方
便無生為方便無所得為方便迴向一切智
智脩習無上正等菩提慶喜聲香味觸法處
聲香味觸法處性空何以故以聲香味觸法
處性空與彼無上正等菩提無二無二分故
慶喜由此故說以色處等無二為方便無生
為方便無所得為方便迴向一切智智脩習
無上正等菩提
世尊云何以眼界無二為方便無生為方便
無所得為方便迴向一切智智脩習
安忍精進靜慮般
性空何以故以眼
進靜慮

BD01506號　大般若波羅蜜多經卷一一三　（3–3）

至於佛前、
所願住立一面尒時佛告阿難汝於
作佛号山海慧自在通王如來應供正遍
明行足善逝世間解无上士調御丈夫
師佛世尊當供養六十二億諸佛護
藏然後得阿耨多羅三藐三菩提教化二
千万億恒河沙諸菩薩等令成阿耨多羅
藐三菩提國名常立勝幡其土清淨瑠璃爲
地劫名妙音遍滿其佛壽命无量千万
僧祇劫若人於千万億无量阿僧祇劫
數校計不能得知正法住世倍於壽命
法住世復倍正法阿難是山海慧自在通王
佛爲十方无量千万億恒河沙等諸佛如來
所共讚歎稱其功德尒時世尊欲重宣此義
而說偈言
我今僧中說　阿難持法者　當供養諸佛　然後成正覺
号曰山海慧　自在通王佛　其國土清淨　名常立勝幡
教化諸菩薩　其數如恒沙　佛有大威德　名聞滿十方
壽命无有量　以愍衆生故　正法倍壽命　像法復倍是
如恒河沙等　无數諸衆生　於此佛法中　種佛道因緣
尒時會中新發意菩薩八千人咸作是念我等
尚不聞諸大菩薩得如是記有何因緣而諸聲
聞得如是決尒時世尊知諸菩薩心之所念而

BD01507 號　妙法蓮華經卷四　（24–1）

如恒河沙等　无數諸衆生　於此佛法中　種佛道因緣
尒時會中新發意菩薩八千人咸作是念我等
尚不聞諸大菩薩得如是記有何因緣而諸聲
聞得如是決尒時世尊知諸菩薩心之所念而
告之曰諸善男子我與阿難等於空王佛所同
時發阿耨多羅三藐三菩提心阿難常樂多
聞我常勤精進是故我已得成阿耨多羅
三藐三菩提而阿難護持我法亦護將來
諸佛法藏教化成就諸菩薩衆其本願如
是故獲斯記阿難面於佛前自聞授記及國
土莊嚴所願具足心大歡喜得未曾有即時
憶念過去无量千万億諸佛法藏通達无礙
如今所聞亦識本願尒時阿難而說偈言
世尊甚希有　令我念過去　无量諸佛法　如今日所聞
我今无復疑　安住於佛道　方便爲侍者　護持諸佛法
尒時佛告羅睺羅汝於來世當得作佛号蹈
七寶華如來應供正遍知明行足善逝世間
解无上士調御丈夫天人師佛世尊當供養
十世界微塵等數諸佛如來常爲諸佛而作
長子猶如今也是蹈七寶華佛國土莊嚴壽
命劫數所化弟子正法像法亦如山海慧自
在通王如來无異亦爲此佛而作長子過是
已後當得阿耨多羅三藐三菩提尒時世尊
欲重宣此義而說偈言
我爲太子時　羅睺爲長子　我今成佛道　受法爲法子

BD01507 號　妙法蓮華經卷四　（24–2）

在通王如来无異亦為此佛而作長子過是
已後當得阿耨多羅三藐三菩提尒時世尊
欲重宣此義而說偈言

我為太子時 羅睺為長子 我今成佛道 受法為法子
於未来世中 見无量億佛 皆為其長子 一心求佛道
羅睺羅密行 唯我能知之 現為我長子 以示諸衆生
无量億千万 功德不可數 安住於佛法 以求无上道

尒時世尊見學无學二千人其意柔軟寂然
清淨一心觀佛告阿難汝見是學无學二千
人不唯然已見阿難是諸人等當供養五十
世界微塵數諸佛如来恭敬尊重護持法藏
末後同時於十方國各得成佛皆同一号名
曰寶相如来應供正遍知明行足善逝世間
解无上士調御丈夫天人師佛世尊壽命一劫
國土莊嚴聲聞菩薩正法像法皆悉同等
尒時世尊欲重宣此義而說偈言

是二千聲聞 今於我前住 悉皆與受記 未来當成佛
所供養諸佛 如上說塵數 護持其法藏 後當成正覺
各於十方國 悉同一名号 俱時坐道場 以證无上慧
皆名為寶相 國土及弟子 正法與像法 悉等无有異
咸以諸神通 度十方衆生 名聞普周遍 漸入於涅槃

尒時學无學 二千人聞佛 授記歡喜踊躍
而說偈言

世尊慧燈明 我聞授記音 心歡喜充滿 如甘露見灌

妙法蓮華經法師品苐十

BD01507號　妙法蓮華經卷四　（24–3）

尒時學无學二千人聞佛授記歡喜踊躍
而說偈言

世尊慧燈明 我聞授記音 心歡喜充滿 如甘露見灌

妙法蓮華經法師品苐十

尒時世尊因藥王菩薩告八万大士藥王汝
見是大衆中无量諸天龍王夜叉乾闥婆阿
脩羅迦樓羅緊那羅摩睺羅伽人與非人及
比丘比丘尼優婆塞優婆夷求聲聞者求辟
支佛者求佛道者如是等類咸於佛前聞妙
法華經一偈一句乃至一念隨喜者我皆與受
記當得阿耨多羅三藐三菩提佛告藥王
又如来滅度之後若有人聞妙法華經乃至
一偈一句一念隨喜者我亦與受阿耨多羅
三藐三菩提記若復有人受持讀誦解說書
寫妙法華經乃至一偈於此經卷敬視如佛
種種供養華香瓔珞末香塗香繒蓋幢
幡衣服伎樂乃至合掌恭敬藥王當知是諸
人等已曾供養十万億佛於諸佛所成就大
願愍衆生故生此人間藥王若有人問何等
衆生於未来世當得作佛應示是諸人等於
未来世必得作佛何以故若善男子善女人
於法華經乃至一句受持讀誦解說書寫種
種供養經卷華香瓔珞末香塗香燒香繒
蓋幢幡衣服伎樂合掌恭敬是人一切世間
所應瞻奉應以如来供養而供養之當知此

BD01507號　妙法蓮華經卷四　（24–4）

於法華經乃至一句受持讀誦解說書寫種
種供養經卷華香瓔珞末香塗香燒香繒
蓋幢幡衣服伎樂合掌恭敬是人一切世間
所應瞻奉應以如來供養而供養之當知此
人是大菩薩成就阿耨多羅三藐三菩提哀
愍衆生願生此間廣演分別妙法華經何況
盡能受持種種供養者藥王當知是人自捨
清淨業報於我滅度後愍衆生故生於惡世
廣演此經若是善男子善女人我滅度後能
竊為一人說法華經乃至一句當知是人則如
來使如來所遣行如來事何況於大衆中
廣為人說藥王若有惡人以不善心於一劫中
現於佛前常毀罵佛其罪尚輕若人以一惡
言毀呰在家出家讀誦法華經者其罪甚重
藥王其有讀誦法華經者當知是人以佛莊
嚴而自莊嚴則為如來肩所荷擔其所至方
應隨向礼一心合掌恭敬供養尊重讚歎華
香瓔珞末香塗香燒香繒蓋幢幡衣服餚
饌作諸伎樂人中上供而供養之應持天寶
而以散之天上寶聚應以奉獻所以者何是人
歡喜說法須臾聞之即得究竟阿耨多羅三
藐三菩提故尒時世尊欲重宣此義而說偈言
若欲住佛道　成就自然智　常當勤供養　受持法華者
其有欲疾得　一切種智慧　當受持是經　并供養持者
若有能受持　妙法華經者　當知佛所使　愍念諸衆生
諸有能受持　妙法華經者　捨於清淨土　愍衆故生此

BD01507號　妙法蓮華經卷四　（24–5）

若欲住佛道　成就自然智　常當勤供養　受持法華者
其有欲疾得　一切種智慧　當受持是經　并供養持者
若有能受持　妙法華經者　當知佛所使　愍念諸衆生
諸有能受持　妙法華經者　捨於清淨土　愍衆故生此
當知如是人　自在所欲生　能於此惡世　廣說无上法
應以天華香　及天寶衣服　天上妙寶聚　供養說法者
吾滅後惡世　能持是經者　當合掌礼敬　如供養世尊
上饌衆甘美　及種種衣服　供養是佛子　兾得須臾聞
若能於後世　受持是經者　我遣在人中　行於如來事
若於一劫中　常懷不善心　作色而罵佛　獲无量重罪
其有誦讀持　是法華經者　須臾加惡言　其罪復過彼
有人求佛道　而於一劫中　合掌在我前　以无數偈讚
由是讚佛故　得无量功德　歎美持經者　其福復過彼
於八十億劫　以最妙色聲　及與香味觸　供養持經者
如是供養已　若得須臾聞　則應自欣慶　我今獲大利
藥王今告汝　我所說諸經　而於此經中　法華最第一
尒時佛復告藥王菩薩摩訶薩我所說經典
无量千億已說今說當說而於其中此法華
經最為難信難解藥王此經是諸佛秘要之
藏不可分布妄授與人諸佛世尊之所守護從
昔已來未曾顯說而此經者如來現在猶多
怨嫉況滅度後藥王當知如來滅後其能
書持讀誦供養為他人說者如來則為以衣
覆之又為他方現在諸佛之所護念是人有
大信力及志願力諸善根力當知是人與如
來共宿則為如來手摩其頭藥王在在處
[illegible]

BD01507號　妙法蓮華經卷四　（24–6）

大信力及志願力諸善根力當知是人與如
来共宿則為如来手摩其頭藥王在在處
處若說讀若誦若書若經卷所住處皆應
起七寶塔極令高廣嚴飾不須復安舍利
所以者何此中已有如来全身此塔應以一切
華香瓔珞繒蓋幢幡伎樂歌頌供養恭
敬尊重讃歎若有人得見此塔礼拜供養當
知是等皆近阿耨多羅三藐三菩提藥王多
有人在家出家行菩薩道若不能得見聞
讀誦書持供養是法華經者當知是人未善
行菩薩道若有得聞是經典者乃能善行菩
薩之道其有衆生求佛道者若見若聞是法
華經聞已信解受持者當知是人得近阿耨
多羅三藐三菩提藥王譬如有人渴乏須水於
彼高原穿鑿求之猶見乾土知水尚遠施功
不已轉見濕土遂漸至泥其心決定知水必近菩
薩亦復如是若未聞未解未能脩習是法華
經當知是人去阿耨多羅三藐三菩提尚遠
若得聞解思惟脩習必知得近阿耨多羅三
藐三菩提所以者何一切菩薩阿耨多羅三
藐三菩提皆屬此經此經開方便門示真實
相是法華經藏深固幽遠无人能到今佛
教化成就菩薩而為開示藥王若有菩薩聞
是法華經驚疑怖畏當知是為新發意菩
薩若聲聞人聞是經驚疑怖畏當知是為增
上慢者藥王若有善男子善女人如来滅後欲

BD01507號　妙法蓮華經卷四　（24–7）

薩若聲聞人聞是經驚疑怖畏當知是為增
上慢者藥王若有善男子善女人如来滅後欲
為四衆說是法華經者云何應說是善男子
善女人入如来室著如来衣坐如来座尒乃應
為四衆廣說斯經如来室者一切衆生中大慈
悲心是如来衣者柔和忍辱心是如来座者
一切法空是安住是中然後以不懈怠心為諸
菩薩及四衆廣說是法華經藥王我於餘
國遣化人為其集聽法衆亦遣化比丘比丘
尼優婆塞優婆夷聽其說法是諸化人聞法
信受隨順不逆若說法者在空閑處我時廣遣
天龍鬼神乾闥婆阿脩羅等聽其說法我雖
在異國時時令說法者得見我身若於此經
忘失句逗我還為說令得具足尒時世尊欲
重宣此義而說偈言
欲捨諸懈怠　應當聽此經　是經難得聞　信受者亦難
如人渴須水　穿鑿於高原　猶見乾燥土　知去水尚遠
漸見濕土泥　決定知近水　藥王汝當知　如是諸人等
不聞法華經　去佛智甚遠　若聞是深經　決了聲聞法
是諸經之王　聞已諦思惟　當知此人等　近於佛智慧
若人說此經　應入如来室　著於如来衣　而坐如来座
處衆无所畏　廣為分別說　大慈悲為室　柔和忍辱衣
諸法空為座　處此為說法　若說此經時　有人惡口罵
加刀杖瓦石　念佛故應忍　我千万億土　現淨堅固身
於无量億劫　為衆生說法　若我滅度後　能說此經者
我遣化四衆　比丘比丘尼　及清信士女　供養於法師

BD01507號　妙法蓮華經卷四　（24–8）

加刀杖瓦石　念佛故應忍　我千万億土　現淨堅固身
於无量億劫　為衆生說法　若我滅度後　能說此經者
我遣化四衆　比丘比丘尼　及清信士女　供養於法師
引導諸衆生　集之令聽法　若人欲加惡　刀杖及瓦石
則遣變化人　為之作衛護　若說法之人　獨在空閑處
寂漠无人聲　誦讀此經典　我尒時為現　清淨光明身
若忘失章句　為說令通利　若人具是德　或為四衆說
空處誦讀經　皆得見我身　若人在空閑　我遣天龍王
夜叉鬼神等　為作聽法衆　是人樂說法　分別无罣礙
諸佛護念故　能令大衆喜　若親近法師　速得菩薩道
隨順是師學　得見恒沙佛
妙法蓮華經見寶塔品第十一
尒時佛前有七寶塔高五百由旬縱廣二百
五十由旬從地踊出住在空中種種寶物而
莊校之五千欄楯龕室千万无數幢幡以為
嚴飾垂寶瓔珞寶鈴万億而懸其上四面皆
出多摩羅跋栴檀之香充遍世界其諸幡蓋
以金銀琉璃車𤦲馬瑙真珠玫瑰七寶合成
高至四天王宮三十三天雨天曼陁羅華供養
寶塔餘諸天龍夜叉乾闥婆阿脩羅迦樓
羅緊那羅摩睺羅伽人非人等千万億衆以
一切華香瓔珞幡蓋伎樂供養寶塔恭敬尊
重讚歎尒時寶塔中出大音聲歎言善哉
善哉釋迦牟尼世尊能以平等大慧教菩薩
法佛所護念妙法華經為大衆說如是如是釋
迦牟尼世尊如所說者皆是真實尒時四衆

BD01507號　妙法蓮華經卷四　（24–9）

善哉釋迦牟尼世尊能以平等大慧教菩薩
法佛所護念妙法華經為大衆說如是如是釋
迦牟尼世尊如所說者皆是真實尒時四衆
見大寶塔住在空中又聞塔中所出音聲皆
得法喜怪未曾有從座而起恭敬合掌却
住一面尒時有菩薩摩訶薩名大樂說知一切
世間天人阿脩羅等心之所疑而白佛言世
尊以何因緣有此寶塔從地踊出又於其中
發是音聲尒時佛告大樂說菩薩此寶塔
中有如來全身乃往過去東方无量千万億
阿僧祇世界國名寶淨彼中有佛号曰多寶
其佛行菩薩道時作大誓願若我成佛滅度
之後於十方國土有說法華經處我之塔廟
為聽是經故踊現其前為作證明讚言善
哉彼佛成道已臨滅度時於天人大衆中告諸
比丘我滅度後欲供養我全身者應起一大
塔其佛神通願力十方世界在在處處若有
說法華經者彼之寶塔皆踊出其前全身
在於塔中讚言善哉善哉大樂說今多寶如
來塔聞說法華經故從地踊出讚言善哉善
哉是時大樂說菩薩以如來神力故白佛言
世尊我等願欲見此佛身佛告大樂說菩薩
摩訶薩是多寶佛有深重願若我寶塔為
聽法華經故出於諸佛前時其有欲以我身示
四衆者彼佛分身諸佛在於十方世界說法盡
還集一處然後我身乃出現耳大樂說我分

BD01507號　妙法蓮華經卷四　（24–10）

聽法華經故出於諸佛前時其有欲以我身示
四衆者彼佛分身諸佛在於十方世界說法盡
還集一處然後我身乃出現耳大樂說我分
身諸佛在於十方世界說法者今應當集大
樂說白佛言世尊我等亦願欲見世尊分身
諸佛礼拜供養尒時佛放白豪一光即見東
方五百万億那由他恒河沙等國土諸佛彼諸
國土皆以頗梨為地寶樹寶衣以為莊嚴无
數千万億菩薩充滿其中遍張寶幔寶網
羅上彼國諸佛以大妙音而說諸法及見无
量万億菩薩遍滿諸國為衆說法南西北方
四維上下白豪相光所照之處亦復如是尒時
十方諸佛各告衆菩薩言善男子我今應
往娑婆世界釋迦牟尼佛所并供養多寶
如來寶塔時娑婆世界即變清淨瑠璃為地
寶樹莊嚴黃金為繩以界八道无諸聚落村
營城邑大海江河山川林藪燒大寶香曼陁
羅華遍布其地以寶網幔羅覆其上懸諸
寶鈴唯留此會衆移諸天人置於他土是時
諸佛各將一大菩薩以為侍者至娑婆世界各
到樹下一一寶樹高五百由旬枝葉華菓次第
莊嚴諸寶樹下皆有師子之座高五由旬亦
以大寶而挍飾之尒時諸佛各於此座結跏
趺坐如是展轉遍滿三千大千世界而於釋
迦牟尼佛一方所分之身猶故未盡時釋迦
牟尼佛欲容受所分身諸佛故八方各更變

以大寶而挍飾之尒時諸佛各於此座結跏
趺坐如是展轉遍滿三千大千世界而於釋
迦牟尼佛一方所分之身猶故未盡時釋迦
牟尼佛欲容受所分身諸佛故八方各更變
二百万億那由他國皆令清淨无有地獄餓鬼
畜生及阿脩羅又移諸天人置於他土所化
之國亦以瑠璃為地寶樹莊嚴樹高五百由
旬枝葉華菓次第嚴飾樹下皆有寶師子
座高五由旬種種諸寶以為莊挍亦无大海
江河及目真隣陁山摩訶目真隣陁山鐵圍
山大鐵圍山須弥山等諸山王通為一佛國土
寶地平正寶交露幔遍覆其上懸諸幡
蓋燒大寶香諸天寶華遍布其地釋迦牟
尼佛為諸佛當來坐故復於八方各變二百
万億那由他國皆令清淨无有地獄餓鬼畜
生及阿脩羅又移諸天人置於他土所化之國
亦以瑠璃為地寶樹莊嚴樹高五百由旬枝
葉華菓次第莊嚴樹下皆有寶師子座高
五由旬亦以大寶而挍飾之亦无大海江河及目
真隣陁山摩訶目真隣陁山鐵圍山大鐵圍
山須弥山等諸山王通為一佛國土寶地平
正寶交露幔遍覆其上懸諸幡蓋燒大寶
香諸天寶華遍布其地尒時東方釋迦牟尼
所分之身百千万億那由他恒河沙等國土中
諸佛各各說法來集於此如是次第十方諸
佛皆悉來集坐於八方尒時一一方四百万億

所分之身百千万億那由他恒河沙等國土中諸佛各各說法來集於此如是次第十方諸佛皆悉來集坐於八方尒時一一方四百万億那由他國土諸佛如來遍滿其中是時諸佛各在寶樹下坐師子座皆遣侍者問訊釋迦牟尼佛各賫寶華滿掬而告之言善男子汝往詣耆闍崛山釋迦牟尼佛所如我辭曰少病少惱氣力安樂及菩薩聲聞衆悉安隱不以此寶華散佛供養而作是言彼某甲佛與欲開此寶塔諸佛遣使亦復如是尒時釋迦牟尼佛見所分身佛悉已來集各各坐於師子之座皆聞諸佛與欲同開寶塔即從座起住虛空中一切四衆起立合掌一心觀佛於是釋迦牟尼佛以右指開七寶塔戶出大音聲如却關鑰開大城門即時一切衆會皆見多寶如來於寶塔中坐師子座全身不散如入禪定又聞其言善哉善哉釋迦牟尼佛快說是法華經我為聽是經故而來至此尒時四衆等見過去无量千万億劫滅度佛說如是言歎未曾有以天寶華聚散多寶佛及釋迦牟尼佛上尒時多寶佛於寶塔中分半座與釋迦牟尼佛而作是言釋迦牟尼佛可就此座即時釋迦牟尼佛入其塔中坐其半座結跏趺坐尒時大衆見二如來在七寶塔中師子座上結跏趺坐各作是念佛座高遠唯願如來以神通力令我等輩俱處虛空

BD01507 號　妙法蓮華經卷四　（24–13）

就此座即時釋迦牟尼佛入其塔中坐其半座結跏趺坐尒時大衆見二如來在七寶塔中師子座上結跏趺坐各作是念佛座高遠唯願如來以神通力令我等輩俱處虛空即時釋迦牟尼佛以神通力接諸大衆皆在虛空以大音聲普告四衆誰能於此娑婆國土廣說妙法華經今正是時如來不久當入涅槃佛欲以此妙法華經付囑有在尒時世尊欲重宣此義而說偈言

聖主世尊　雖久滅度　在寶塔中　尚為法來
諸人云何　不勤為法　此佛滅度　无央數劫
處處聽法　以難遇故　彼佛本願　我滅度後
在在所往　常為聽法　又我分身　无量諸佛
如恒沙等　來欲聽法　及見滅度　多寶如來
各捨妙土　及弟子衆　天人龍神　諸供養事
令法久住　故來至此　為坐諸佛　以神通力
移无量衆　令國清淨　諸佛各各　詣寶樹下
如清淨池　蓮華莊嚴　其寶樹下　諸師子座
佛坐其上　光明嚴飾　如夜闇中　然大炬火
身出妙香　遍十方國　衆生蒙熏　喜不自勝
譬如大風　吹小樹枝　以是方便　令法久住
告諸大衆　我滅度後　誰能護持　讀誦斯經
今於佛前　自說誓言　其多寶佛　雖久滅度
以大誓願　而師子吼　多寶如來　及與我身
所集化佛　當知此意　諸佛子等　誰能護法
當發大願　令得久住　其有能護　此經法者

BD01507 號　妙法蓮華經卷四　（24–14）

以大誓願　而師子吼　多寶如來　及與我身
所集化佛　當知此意　諸佛子等　誰能護法
當發大願　令得久住　其有能護　此經法者
則為供養　我及多寶　此多寶佛　處於寶塔
常遊十方　為是經故　亦復供養　諸來化佛
庄嚴光飾　諸世界者　若說此經　則為見我
多寶如來　及諸化佛　諸善男子　各諦思惟
此為難事　宜發大願　諸餘經典　數如恒沙
雖說此等　未足為難　若接須彌　擲置他方
无數佛土　亦未為難　若以足指　動大千界
遠擲他國　亦未為難　若立有頂　為眾演說
无量餘經　亦未為難　若佛滅後　於惡世中
能說此經　是則為難　假使有人　手把虛空
而以遊行　亦未為難　於我滅後　若自書持
若使人書　是則為難　若以大地　置足甲上
昇於梵天　亦未為難　佛滅度後　於惡世中
暫讀此經　是則為難　假使劫燒　擔負乾草
入中不燒　亦未為難　我滅度後　若持此經
為一人說　是則為難　若持八万　四千法藏
十二部經　為人演說　令諸聽者　得六神通
雖能如是　亦未為難　於我滅後　聽受此經
問其義趣　是則為難　若人說法　令千万億
无量无數　恒沙眾生　得阿羅漢　具六神通
雖有是益　亦未為難　於我滅後　若能奉持
如斯經典　是則為難　我為佛道　於无量土
從始至今　廣說諸經　而於其中　此經第一
若有能持　則持佛身　諸善男子　於我滅後

BD01507號　妙法蓮華經卷四　（24–15）

如斯經典　是則為難　我為佛道　於无量土
從始至今　廣說諸經　而於其中　此經第一
若有能持　則持佛身　諸善男子　於我滅後
誰能護持　讀誦此經　今於佛前　自說誓言
此經難持　若暫持者　我則歡喜　諸佛亦然
如是之人　諸佛所歎　是則勇猛　是則精進
是名持戒　行頭陁者　則為疾得　无上佛道
能於來世　讀持此經　是真佛子　住淳善地
佛滅度後　能解其義　是諸天人　世間之眼
於恐畏世　能須臾說　一切天人　皆應供養

妙法蓮華經提婆達多品第十二

尒時佛告諸菩薩及天人四眾　吾於過去无
量劫中求法華經无有懈惓　於多劫中常作
國王發願求於无上菩提心不退轉　為欲滿
足六波羅蜜勤行布施心无悋惜　象馬七珎
國城妻子奴婢僕從頭目髓腦身肉手足不
惜軀命　時世人民壽命无量　為於法故捐捨
國位委政太子　擊鼓宣令四方求法　誰能為
我說大乘者　吾當終身供給走使　時有仙人
來白王言　我有大乘名妙法華經　若不違我當
為宣說　王聞仙言歡喜踊躍　即隨仙人供給
所須　採菓汲水拾薪設食　乃至以身而為床
座　身心无惓　于時奉事經於千歲　為於法故
精勤給侍　令无所乏　尒時世尊欲重宣此義
而說偈言
我念過去劫　為求大法故　雖作世國王　不貪五欲樂

BD01507號　妙法蓮華經卷四　（24–16）

精勤給侍令无所乏尒時世尊欲重宣此義
而說偈言
我念過去劫　為求大法故　雖作世國王　不貪五欲樂
搥鍾告四方　誰有大法者　若為我解說　身當為奴僕
時有阿私仙　來白於大王　我有微妙法　世間所希有
若能脩行者　吾當為汝說　時王聞仙言　心生大喜悅
即便隨仙人　供給於所須　採薪及菓蓏　隨時恭敬與
情存妙法故　身心无懈惓　普為諸衆生　勤求於大法
亦不為己身　及以五欲樂　故為大國王　勤求獲此法
遂致得成佛　今故為汝說
佛告諸比丘尒時王者則我身是時仙人者今
提婆達多是由提婆達多善知識故令我具
足六波羅蜜慈悲喜捨三十二相八十種好紫
摩金色十力四无所畏四攝法十八不共神通
道力成等正覺廣度衆生皆因提婆達
多善知識故告諸四衆提婆達多却後過
无量劫當得成佛号曰天王如來應供正遍
知明行足善逝世間解无上士調御丈夫天
人師佛世尊世界名天道時天王佛住世二十
中劫廣為衆生說於妙法恒河沙衆生得阿
羅漢果无量衆生發緣覺心恒河沙衆生發
无上道心得无生忍至不退轉時天王佛般涅
槃後正法住世二十中劫全身舍利起七寶塔
高六十由旬縱廣四十由旬諸天人民悉以雜
華末香燒香塗香衣服瓔珞幢幡寶蓋
伎樂歌頌礼拜供養七寶妙塔无量衆生

BD01507號　妙法蓮華經卷四　（24–17）

華末香燒香塗香衣服瓔珞幢幡寶蓋
伎樂歌頌礼拜供養七寶妙塔无量衆生
得阿羅漢无量衆生悟辟支佛不可思議
衆生發菩提心至不退轉佛告諸比丘未來
世中若有善男子善女人聞妙法華經提婆
達多品淨心信敬不生疑惑者不墮地獄餓
鬼畜生生十方佛前所生之處常聞此經若
生人天中受勝妙樂若在佛前蓮華化生於
時下方多寶世尊所從菩薩名曰智積白多
寶佛當還本土釋迦牟尼佛告智積曰善
男子且待須臾此有菩薩名文殊師利可與
相見論說妙法可還本土尒時文殊師利坐千
葉蓮華大如車輪俱來菩薩亦坐寶華從於
大海娑竭龍宮自然踊出住虛空中詣靈鷲
山從蓮華下至於佛所頭面敬礼二世尊足
脩敬已畢往智積所共相慰問却坐一面智
積菩薩問文殊師利仁往龍宮所化衆生其
數幾何文殊師利言其數无量不可稱計非
口所宣非心所測且待須臾自當有證所言未
竟无數菩薩坐寶蓮華從海踊出詣靈鷲
山住在虛空此諸菩薩皆是文殊師利之所
化度具菩薩行皆共論說六波羅蜜本聲
聞人在虛空中說聲聞行今皆脩行大乘空
義文殊師利謂智積曰於海教化其事如是尒
時智積菩薩以偈讚曰
大智德勇健　化度无量衆　今此諸大會　及我皆已見

BD01507號　妙法蓮華經卷四　（24–18）

義文殊師利謂智積曰於海教化其事如是尒
時智積菩薩以偈讃曰
大智德勇健 化度无量衆 今此諸大會 及我皆已見
演暢實相義 開闡一乘法 廣度諸群生 令速成菩提
文殊師利言我於海中唯常宣說妙法華經
智積問文殊師利言此經甚深微妙諸經中
寶世所希有頗有衆生勤加精進脩行此經
速得佛不文殊師利言有娑竭羅龍王女年
始八歲智慧利根善知衆生諸根行業得陁
羅尼諸佛所說甚深秘藏悉能受持深入禪
定了達諸法於剎那頃發菩提心得不退轉
辯才无礙慈念衆生猶如赤子功德具足心
念口演微妙廣大慈悲仁讓志意和雅能至
菩提智積菩薩言我見釋迦如來於无量劫
難行苦行積功累德求菩薩道未曾止息
觀三千大千世界乃至无有如芥子許非是
菩薩捨身命處為衆生故然後乃得成菩提
道不信此女於須臾頃便成正覺言論未訖
時龍王女忽現於前頭面礼敬却住一面以偈
讃曰
深達罪福相 遍照於十方 微妙淨法身 具相三十二
以八十種好 用莊嚴法身 天人所戴仰 龍神咸恭敬
一切衆生類 无不宗奉者 又聞成菩提 唯佛當證知
我闡大乘教 度脫苦衆生
時舍利弗語龍女言汝謂不久得无上道是
事難信所以者何女身垢穢非是法器云何

BD01507 號　妙法蓮華經卷四　（24–19）

我闡大乘教 度脫苦衆生
時舍利弗語龍女言汝謂不久得无上道是
事難信所以者何女身垢穢非是法器云何
能得无上菩提佛道懸曠經无量劫勤苦
積行具脩諸度然後乃成又女人身猶有五
障一者不得作梵天王二者帝釋三者魔王
四者轉輪聖王五者佛身云何女身速得成
佛尒時龍女有一寶珠價直三千大千世界
持以上佛佛即受之龍女謂智積菩薩尊者
舍利弗言我獻寶珠世尊納受是事疾不荅
言甚疾女言以汝神力觀我成佛復速於此
當時衆會皆見龍女忽然之間變成男子
具菩薩行即往南方无垢世界坐寶蓮華
成等正覺三十二相八十種好普為十方一切
衆生演說妙法尒時娑婆世界菩薩聲聞
天龍八部人與非人皆遥見彼龍女成佛普
為時會人天說法心大歡喜悉遥敬礼无量
衆生聞法解悟得不退轉无量衆生得受
道記无垢世界六反震動娑婆世界三千衆
生住不退地三千衆生發菩提心而得受記
智積菩薩及舍利弗一切衆會嘿然信受
妙法蓮華經持品第十三
尒時藥王菩薩摩訶薩及大樂說菩薩摩
訶薩與二万菩薩眷屬俱皆於佛前作是誓
言唯願世尊不以為慮我等於佛滅後當奉
持讀誦說此經典後惡世衆生善根轉少多

BD01507 號　妙法蓮華經卷四　（24–20）

尒時藥王菩薩摩訶薩及大樂說菩薩摩
訶薩與二万菩薩眷属俱皆於佛前作是誓
言唯願世尊不以為慮我等於佛滅後當奉
持讀誦說此經典後惡世衆生善根轉少多
增上慢貪利供養增不善根遠離解脫雖
難可教化我等當起大忍力讀誦此經持說
書寫種種供養不惜身命尒時衆中五百
阿羅漢得受記者白佛言世尊我等亦自
誓願於異國土廣說此經復有學无學八
千人得受記者從座而起合掌向佛作是誓
言世尊我等亦當於他國土廣說此經所以
者何是娑婆國中人多弊惡懷增上慢功德
淺薄瞋濁諂曲心不實故尒時佛姨母摩訶
波闍波提比丘尼與學无學比丘尼六千人俱
座而起一心合掌瞻仰尊顏目不暫捨於時
世尊告憍曇弥何故憂色而視如來汝心將
无謂我不說汝名授阿耨多羅三藐三菩提
記耶憍曇弥我先惣說一切聲聞皆已授記
今汝欲知記者將來之世當於六万八千億
諸佛法中為大法師及六千學无學比丘尼
俱為法師汝如是漸漸具菩薩道當得作佛
号一切衆生憙見如來應供正遍知明行足
善逝世間解无上士調御丈夫天人師佛世尊
憍曇弥是一切衆生憙見佛及六千菩薩轉
次授記得阿耨多羅三藐三菩提尒時羅睺
羅母耶輸陁羅比丘尼作是念世尊於授記
中獨不說我名佛告耶輸陁羅汝於來世百

BD01507號　妙法蓮華經卷四　（24–21）

次授記得阿耨多羅三藐三菩提尒時羅睺
羅母耶輸陁羅比丘尼作是念世尊於授記
中獨不說我名佛告耶輸陁羅汝於來世百
千万億諸佛法中脩菩薩行為大法師漸
具佛道於善國中當得作佛号具足千万光
相如來應供正遍知明行足善逝世間解无上士
調御丈夫天人師佛世尊佛壽无量阿僧祇劫
尒時摩訶波闍波提比丘尼及耶輸陁羅比丘
尼并其眷属皆大歡喜得未曾有即於佛前
而說偈言
世尊導師　安隱天人　我等聞記　心安具足
諸比丘尼說是偈已白佛言世尊我等亦能
於他方國土廣宣此經尒時世尊視八十万
億那由他諸菩薩摩訶薩是諸菩薩皆是
阿惟越致轉不退法輪得諸陁羅尼即從座
起至於佛前一心合掌而作是念若世尊告勑
我等持說此經者當如佛教廣宣斯法復作
是念佛今嘿然不見告勑我當云何時諸菩
薩敬順佛意并欲自滿本願便於佛前作師
子吼而發誓言世尊我等於如來滅後周旋
往反十方世界能令衆生書寫此經受持讀
誦解說其義如法脩行正憶念皆是佛之威
力唯願世尊在於他方遙見守護即時諸菩
薩俱同發聲而說偈言
唯願不為慮　於佛滅度後　恐怖惡世中　我等當廣說

BD01507號　妙法蓮華經卷四　（24–22）

誦解說其義如法脩行正憶念皆是佛之威
力唯願世尊在於他方遙見守護即時諸菩
薩俱同發聲而說偈言
唯願不為慮　於佛滅度後　恐怖惡世中　我等當廣說
有諸无智人　惡口罵詈等　及加刀杖者　我等皆當忍
惡世中比丘　耶智心諂曲　未得謂為得　我慢心充滿
或有阿練若　納衣在空閑　自謂行真道　輕賤人間者
貪著利養故　與白衣說法　為世所恭敬　如六通羅漢
是人懷惡心　常念世俗事　假名阿練若　好出我等過
而作如是言　此諸比丘等　為貪利養故　說外道論議
自作此經典　誑惑世間人　為求名聞故　分別於是經
常在大眾中　欲毀我等故　向國王大臣　婆羅門居士
及餘比丘眾　誹謗說我惡　謂是耶見人　說外道論議
我等敬佛故　悉忍是諸惡　為斯所輕言　汝等皆是佛
如此輕慢言　皆當忍受之　濁劫惡世中　多有諸恐怖
惡鬼入其身　罵詈毀辱我　我等敬信佛　當著忍辱鎧
為說是經故　忍此諸難事　我不愛身命　但惜无上道
我等於來世　護持佛所囑　世尊自當知　濁世惡比丘
不知佛方便　隨宜所說法　惡口而顰蹙　數數見擯出
遠離於塔寺　如是等眾惡　念佛告勅故　皆當忍是事
諸聚落城邑　其有求法者　我皆到其所　說佛所囑法
我是世尊使　處眾无所畏　我當善說法　願佛安隱住
我於世尊前　諸來十方佛　發如是誓言　佛自知我心

妙法蓮華經卷第四

BD01507 號　妙法蓮華經卷四　（24–23）

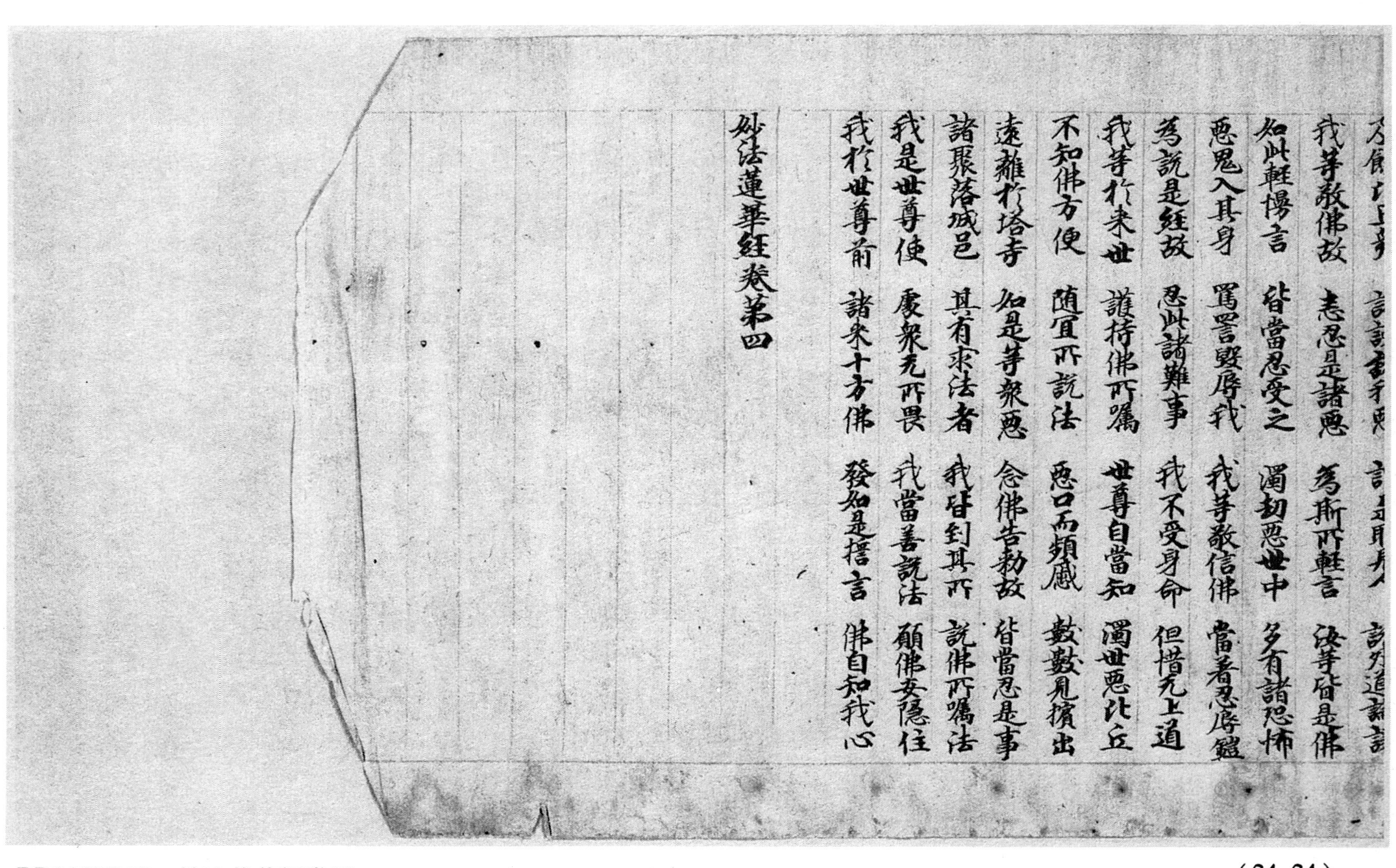

及餘比丘眾　誹謗說我惡　謂是耶見人　說外道論議
我等敬佛故　悉忍是諸惡　為斯所輕言　汝等皆是佛
如此輕慢言　皆當忍受之　濁劫惡世中　多有諸恐怖
惡鬼入其身　罵詈毀辱我　我等敬信佛　當著忍辱鎧
為說是經故　忍此諸難事　我不愛身命　但惜无上道
我等於來世　護持佛所囑　世尊自當知　濁世惡比丘
不知佛方便　隨宜所說法　惡口而顰蹙　數數見擯出
遠離於塔寺　如是等眾惡　念佛告勅故　皆當忍是事
諸聚落城邑　其有求法者　我皆到其所　說佛所囑法
我是世尊使　處眾无所畏　我當善說法　願佛安隱住
我於世尊前　諸來十方佛　發如是誓言　佛自知我心

妙法蓮華經卷第四

BD01507 號　妙法蓮華經卷四　（24–24）

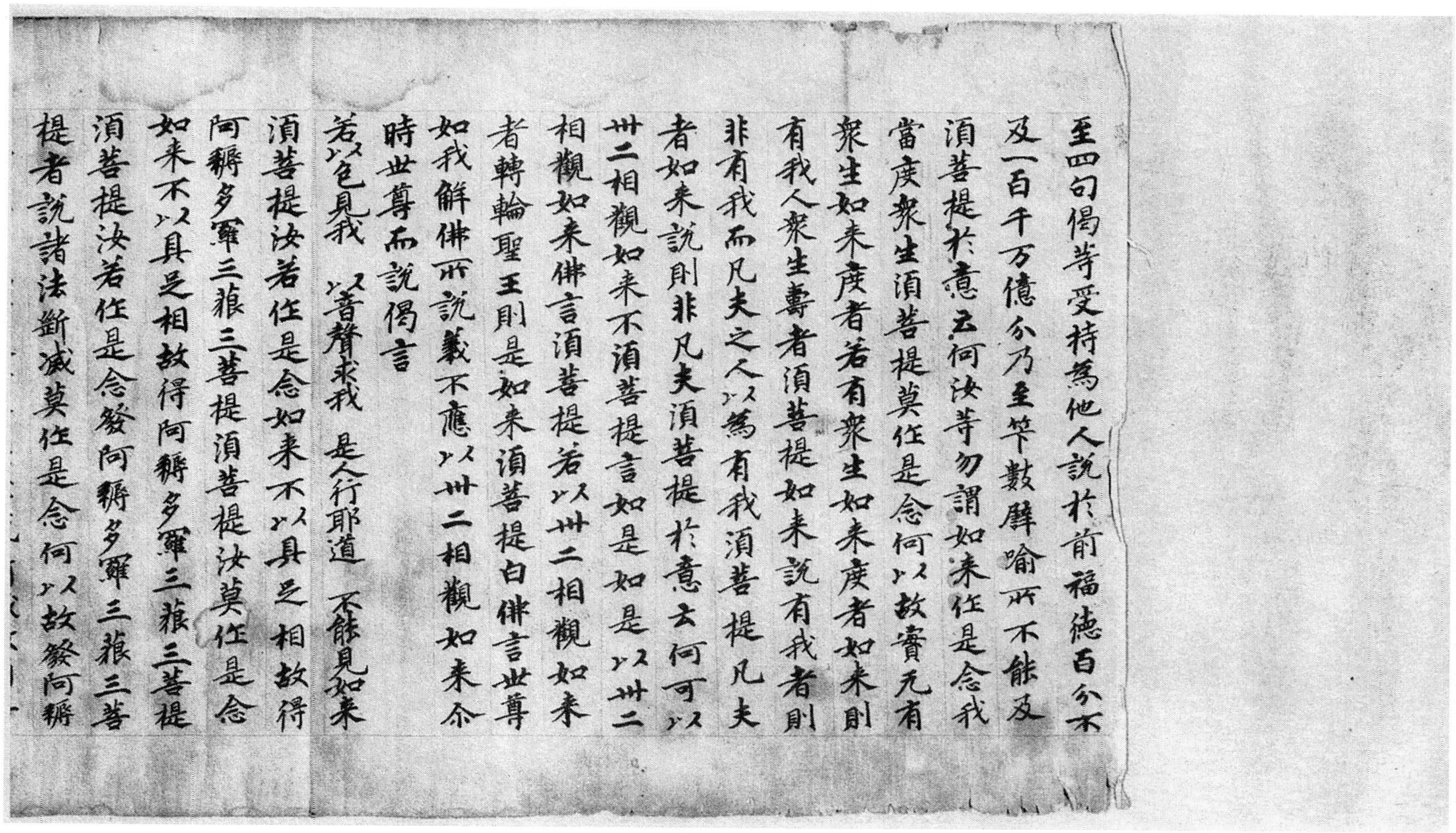

至四句偈等受持爲他人說於前福德百分不
及一百千万億分乃至筭數譬喻所不能及
須菩提於意云何汝等勿謂如來作是念我
當度衆生須菩提莫作是念何以故實无有
衆生如來度者若有衆生如來度者如來則
有我人衆生壽者須菩提如來說有我者則
非有我而凡夫之人以爲有我須菩提凡夫
者如來說則非凡夫須菩提於意云何可以
卅二相觀如來不須菩提言如是如是以卅二
相觀如來佛言須菩提若以卅二相觀如來
者轉輪聖王則是如來須菩提白佛言世尊
如我解佛所說義不應以卅二相觀如來尒
時世尊而說偈言
若以色見我　以音聲求我　是人行耶道　不能見如來
須菩提汝若作是念如來不以具足相故得
阿耨多羅三藐三菩提須菩提汝莫作是念
如來不以具足相故得阿耨多羅三藐三菩提
須菩提汝若作是念發阿耨多羅三藐三菩
提者說諸法斷滅莫作是念何以故發阿耨

BD01508號　金剛般若波羅蜜經　（2–1）

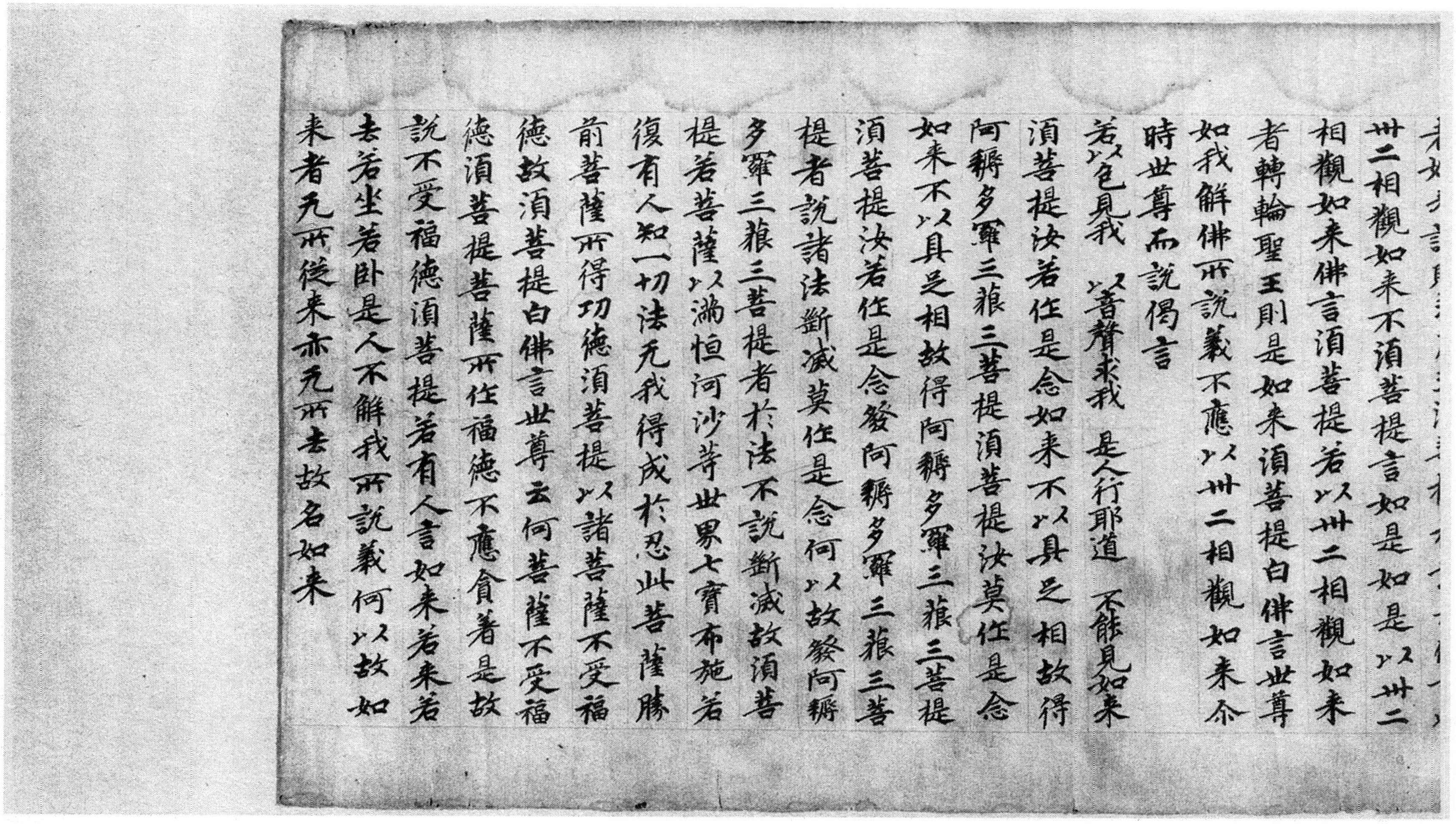

卅二相觀如來不須菩提言如是如是以卅二
相觀如來佛言須菩提若以卅二相觀如來
者轉輪聖王則是如來須菩提白佛言世尊
如我解佛所說義不應以卅二相觀如來尒
時世尊而說偈言
若以色見我　以音聲求我　是人行耶道　不能見如來
須菩提汝若作是念如來不以具足相故得
阿耨多羅三藐三菩提須菩提汝莫作是念
如來不以具足相故得阿耨多羅三藐三菩提
須菩提汝若作是念發阿耨多羅三藐三菩
提者說諸法斷滅莫作是念何以故發阿耨
多羅三藐三菩提者於法不說斷滅故須菩
提若菩薩以滿恒河沙等世界七寶布施若
復有人知一切法无我得成於忍此菩薩勝
前菩薩所得功德須菩提以諸菩薩不受福
德故須菩提白佛言世尊云何菩薩不受福
德須菩提菩薩所作福德不應貪著是故
說不受福德須菩提若有人言如來若來若
去若坐若卧是人不解我所說義何以故如
來者无所從來亦无所去故名如來

BD01508號　金剛般若波羅蜜經　（2–2）

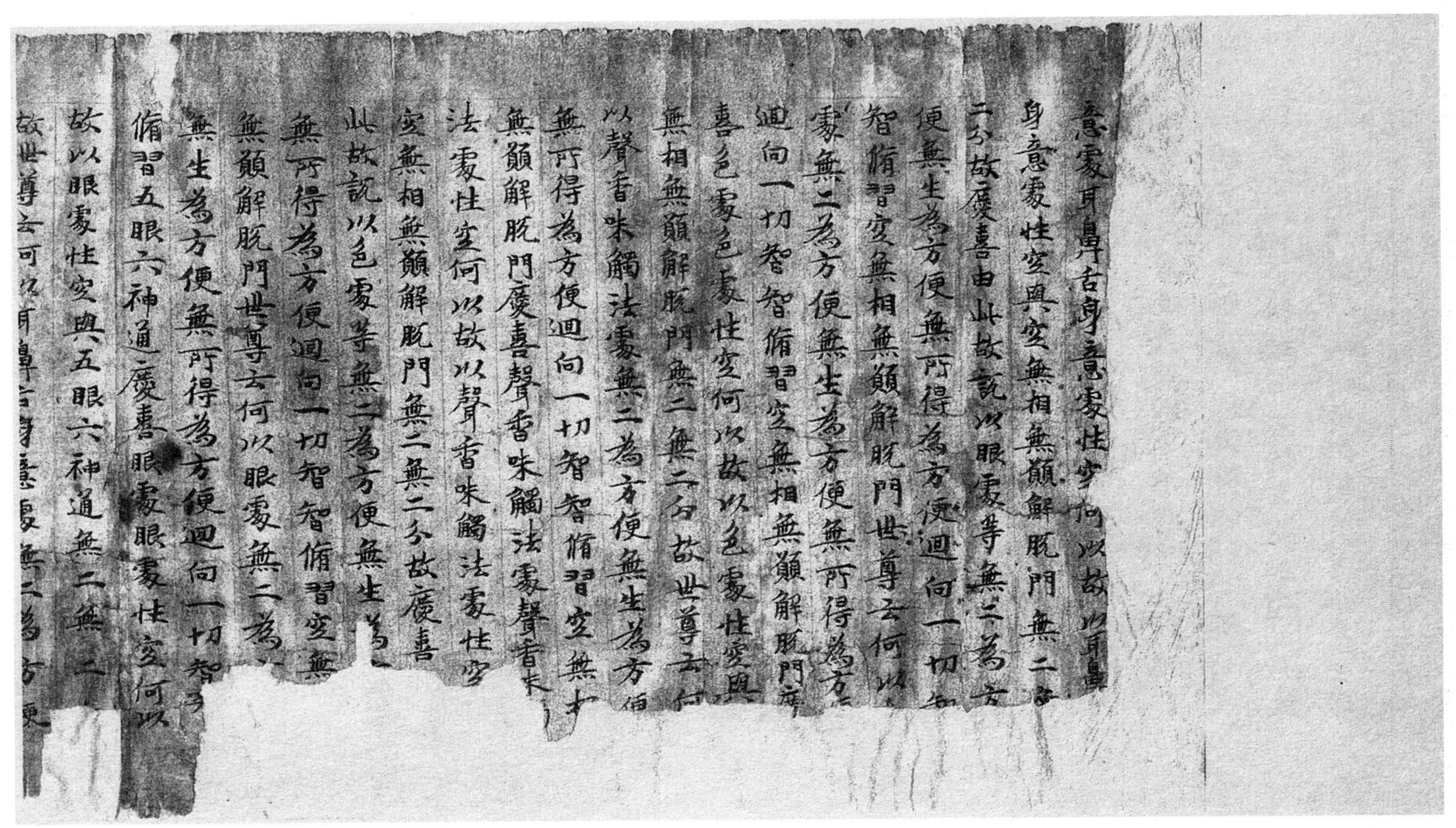

BD01509 號　大般若波羅蜜多經卷一一三　　（2–1）

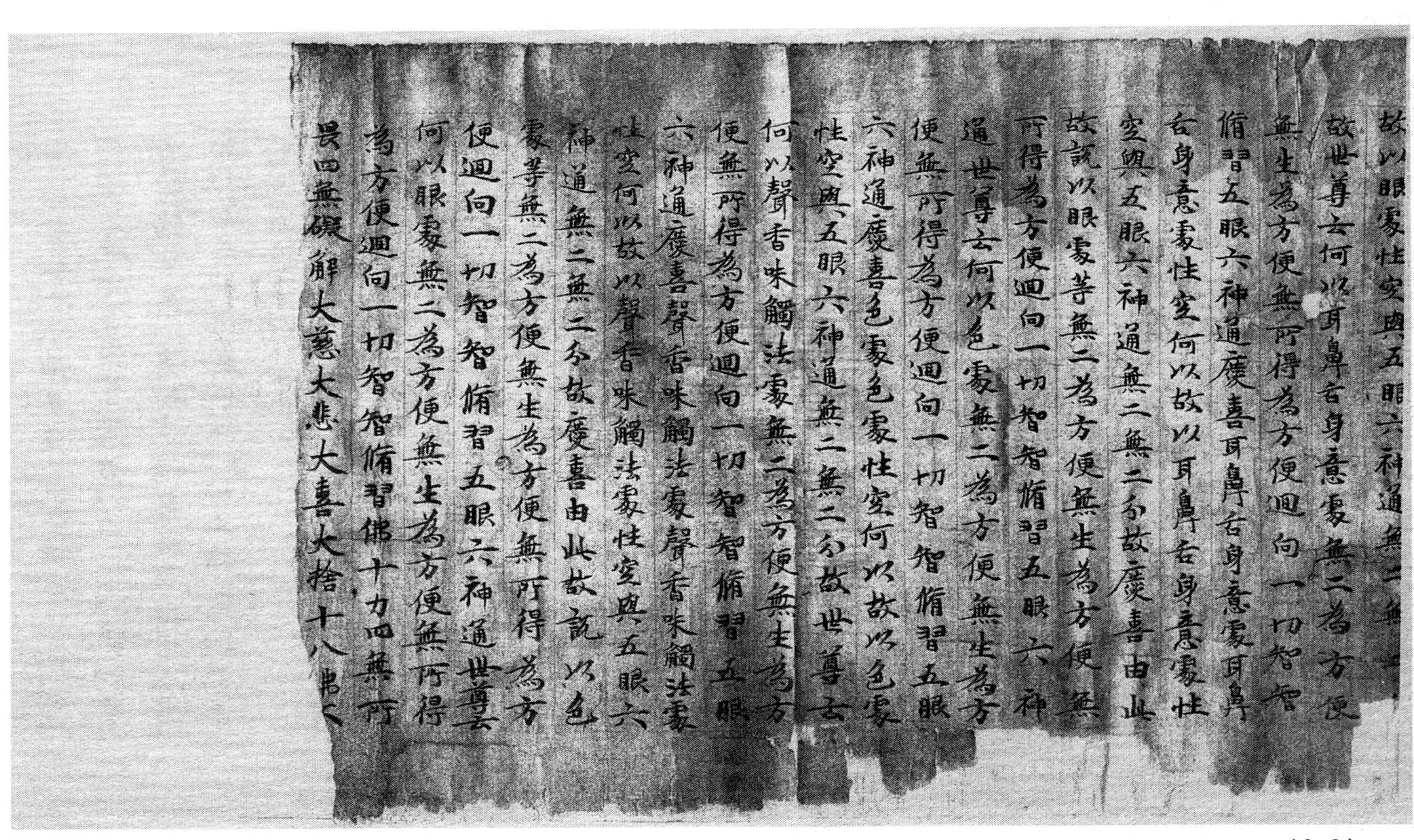

BD01509 號　大般若波羅蜜多經卷一一三　　（2–2）

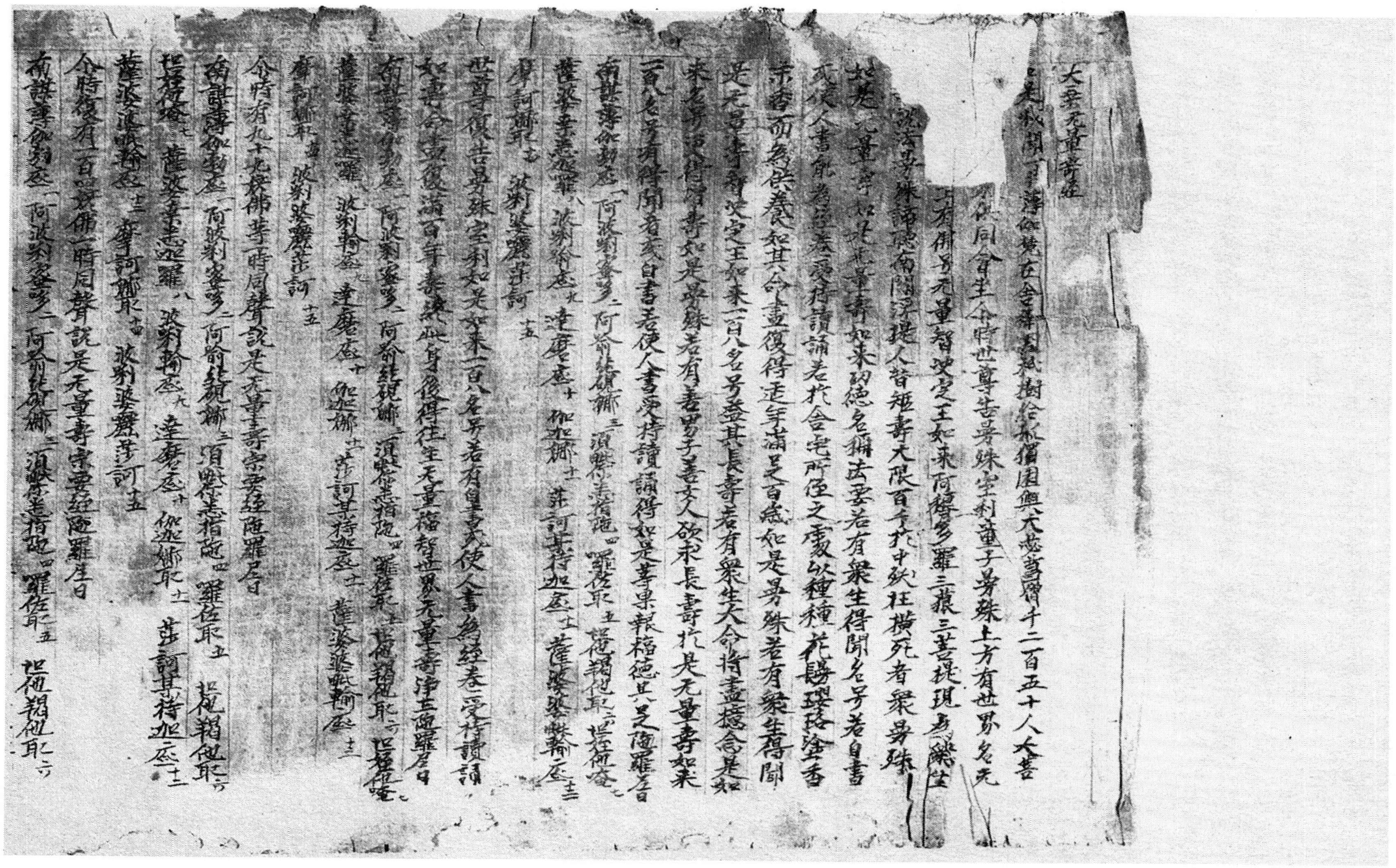

BD01510號　無量壽宗要經　（6–1）

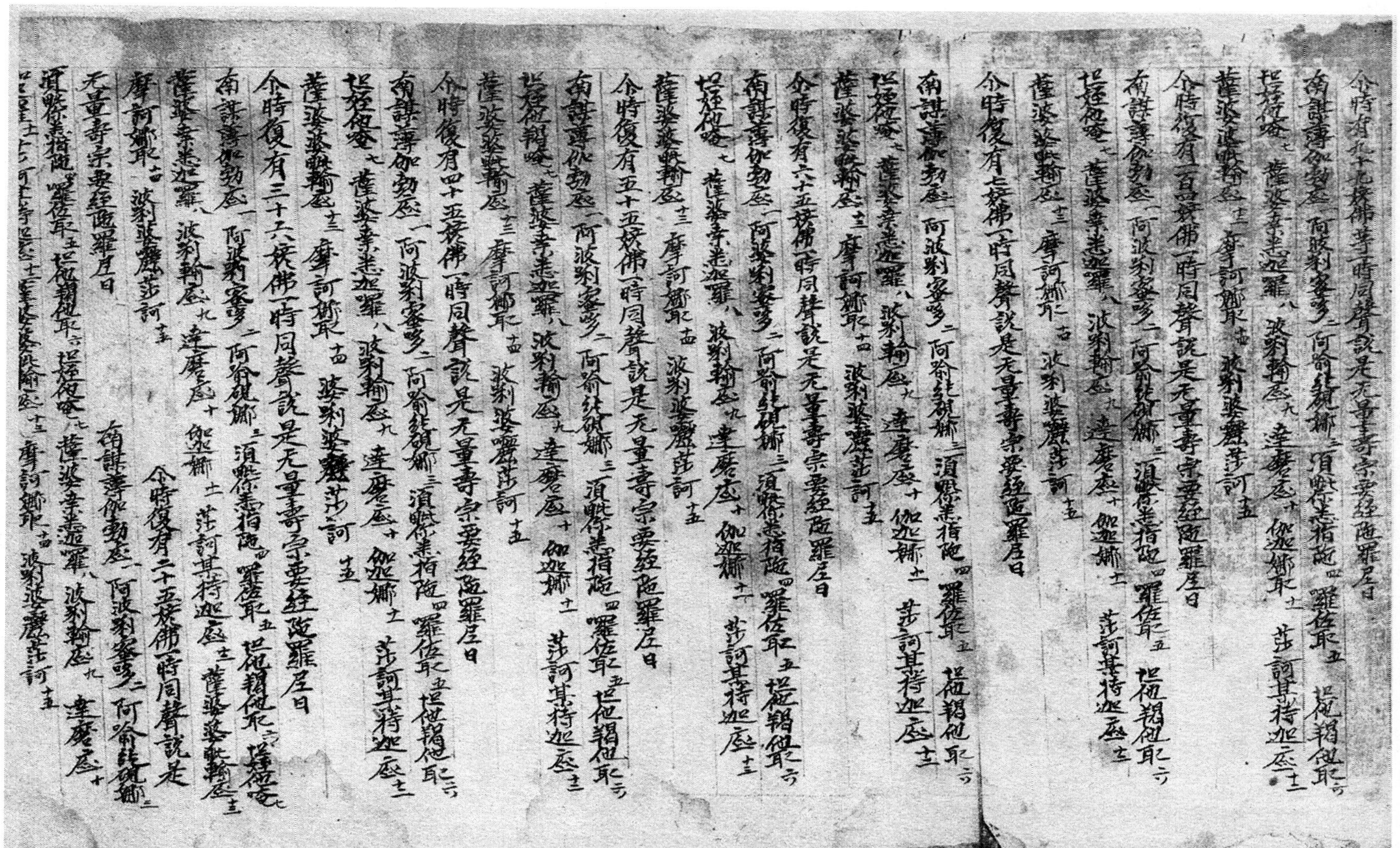

BD01510號　無量壽宗要經　（6–2）

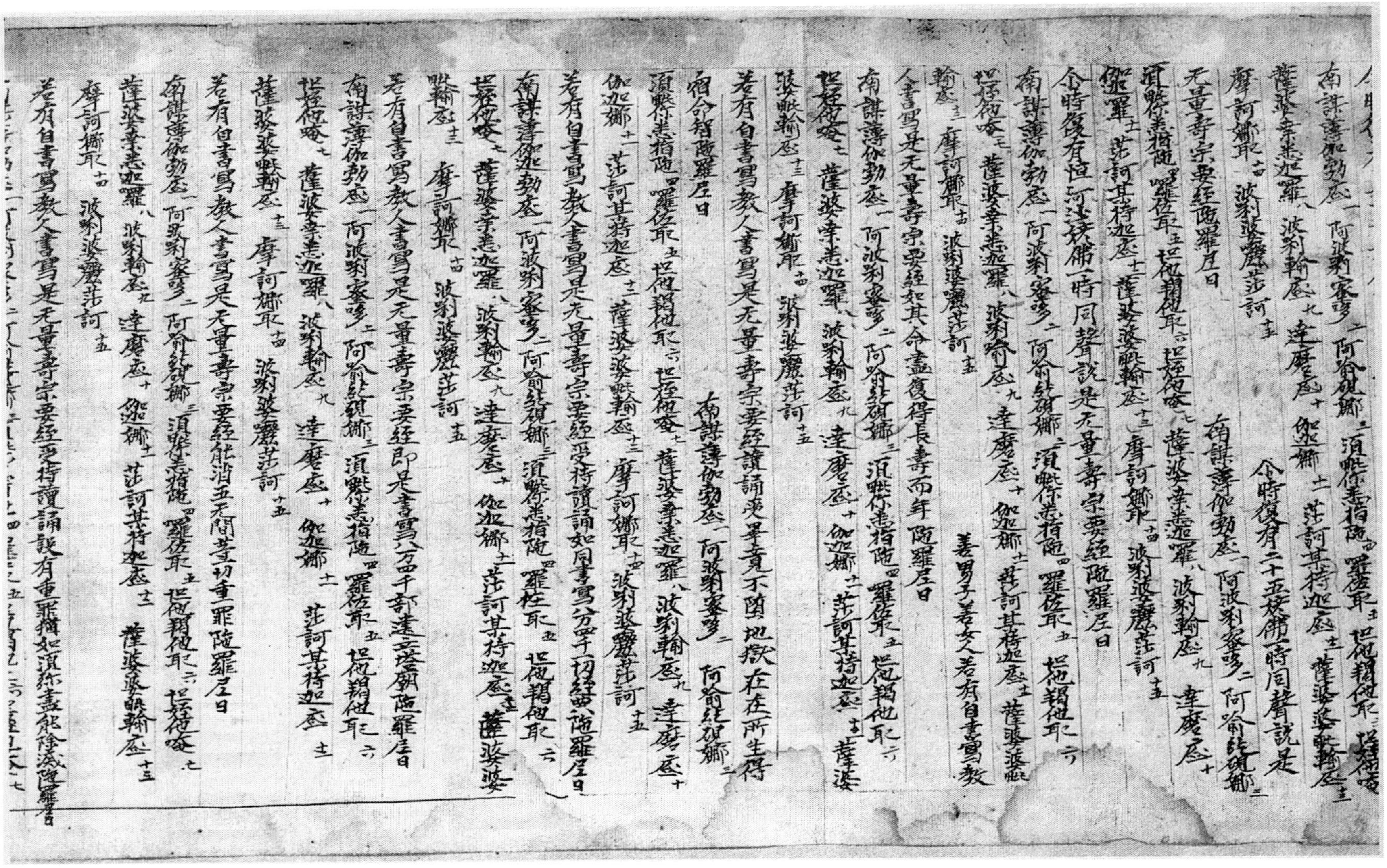

BD01510號　無量壽宗要經　（6–3）

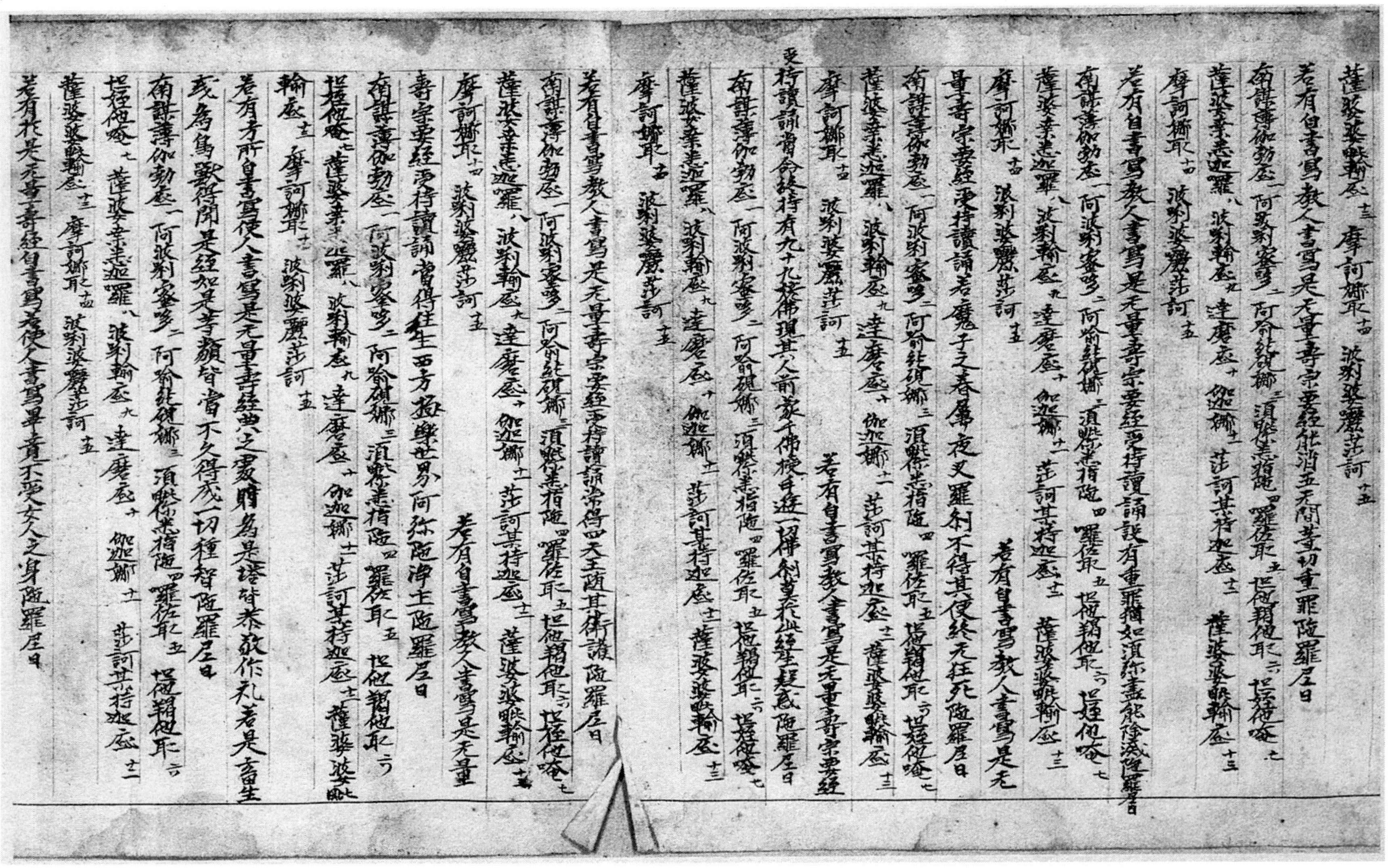

BD01510號　無量壽宗要經　（6–4）

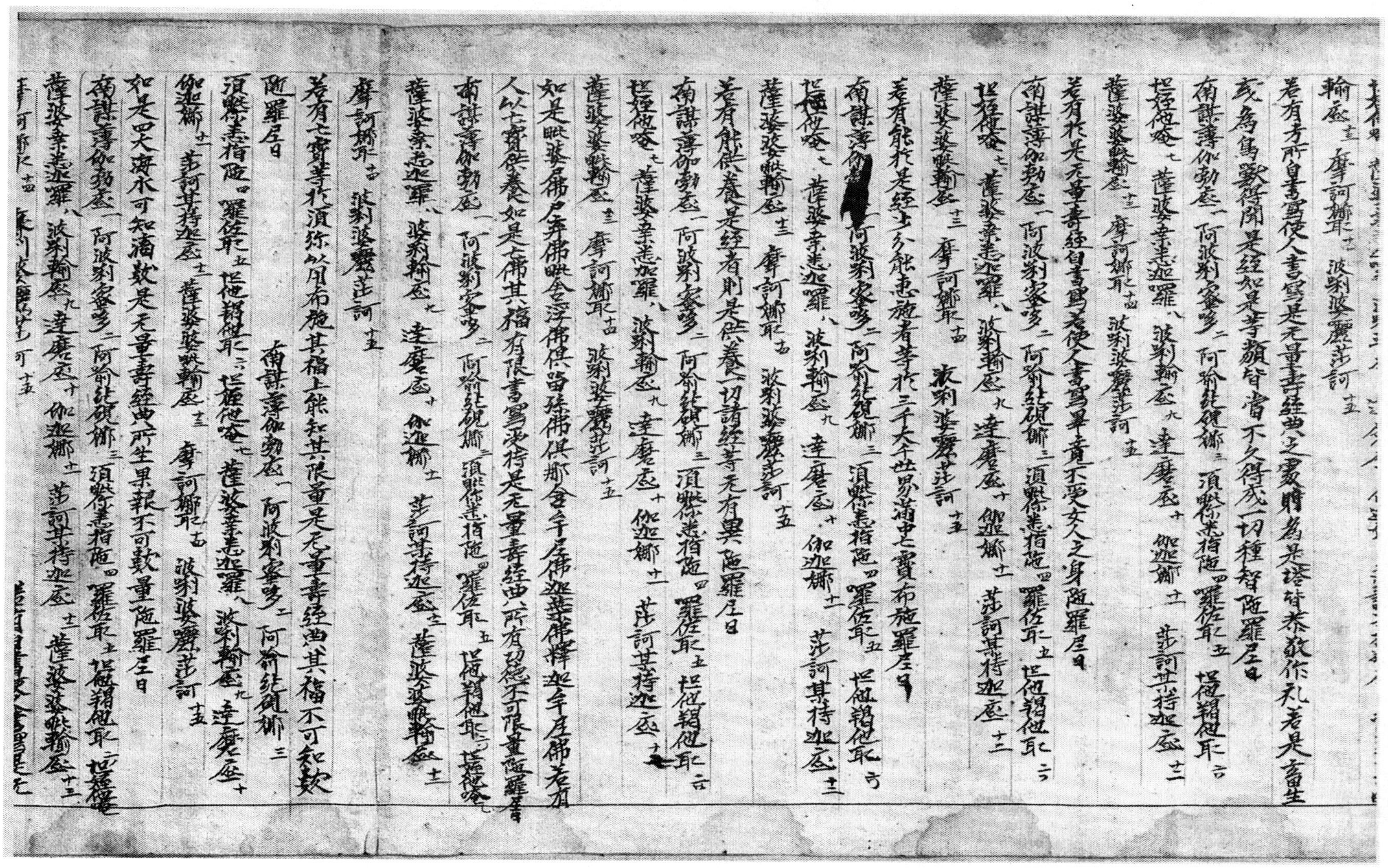

輪底十三 摩訶娜耶十四 波唎婆𠺕莎訶十五
若有方所自書寫使人書寫是无量壽經典之處則為是塔皆應恭敬作禮若是畜生
飛鳥獸得聞是經知是等類皆當不久得成一切種智陁羅尼曰
南謨薄伽勃底一 阿波唎蜜多二 阿喻紇硯那三 須毗你悉指陁四 囉佐耶五 怛他羯他耶六
怛姪他唵七 薩婆桑悉迦囉八 波唎輸底九 達摩底十 伽伽那十一 娑訶娑持迦底十二
薩婆婆毗輸底十三 摩訶娜耶十四 波唎婆𠺕莎訶十五
若有於是无量壽經自書寫使人書寫畢竟不受女人之身陁羅尼曰
南謨薄伽勃底一 阿波唎蜜多二 阿喻紇硯那三 須毗你悉指陁四 囉佐耶五 怛他羯他耶六
怛姪他唵七 薩婆桑悉迦囉八 波唎輸底九 達摩底十 伽伽那十一 娑訶娑持迦底十二
薩婆婆毗輸底十三 摩訶娜耶十四 波唎婆𠺕莎訶十五
若有能於是經少分能志施者等於三千大千世界滿中七寶布施陁羅尼曰
南謨薄伽勃底一 阿波唎蜜多二 阿喻紇硯那三 須毗你悉指陁四 囉佐耶五 怛他羯他耶六
怛姪他唵七 薩婆桑悉迦囉八 波唎輸底九 達摩底十 伽伽那十一 娑訶娑持迦底十二
薩婆婆毗輸底十三 摩訶娜耶十四 波唎婆𠺕莎訶十五
若有能供養是經者則是供養一切諸經等无有異陁羅尼曰
如是毗婆尸佛尸棄佛毗舍浮佛俱留孫佛俱那含牟尼佛迦葉佛釋迦牟尼佛若有
人以七寶供養如是七佛其福有限書寫受持是无量壽經典所有功德不可限量陁羅尼
南謨薄伽勃底一 阿波唎蜜多二 阿喻紇硯那三 須毗你悉指陁四 囉佐耶五 怛他羯他耶六 怛姪他
唵七 薩婆桑悉迦囉八 波唎輸底九 達摩底十 伽伽那十一 娑訶娑持迦底十二 薩婆婆毗輸底十三
摩訶娜耶十四 波唎婆𠺕莎訶十五
若有七寶等於須弥以用布施其福上能知其限量是无量壽經典其福不可知數
陁羅尼曰 南謨薄伽勃底一 阿波唎蜜多二 阿喻紇硯那三
須毗你悉指陁四 囉佐耶五 怛他羯他耶六 怛姪他唵七 薩婆桑悉迦囉八 波唎輸底九 達摩底十
伽伽那十一 娑訶娑持迦底十二 薩婆婆毗輸底十三 摩訶娜耶十四 波唎婆𠺕莎訶十五
如是四大海水可知滴數是无量壽經典所生果報不可數量陁羅尼曰
南謨薄伽勃底一 阿波唎蜜多二 阿喻紇硯那三 須毗你悉指陁四 囉佐耶五 怛他羯他耶六 怛姪他唵七
薩婆桑悉迦囉八 波唎輸底九 達摩底十 伽伽那十一 娑訶娑持迦底十二 薩婆婆毗輸底十三
摩訶娜耶十四 波唎婆𠺕莎訶十五 若有自書寫使人書寫是无

BD01510號　無量壽宗要經　（6–5）

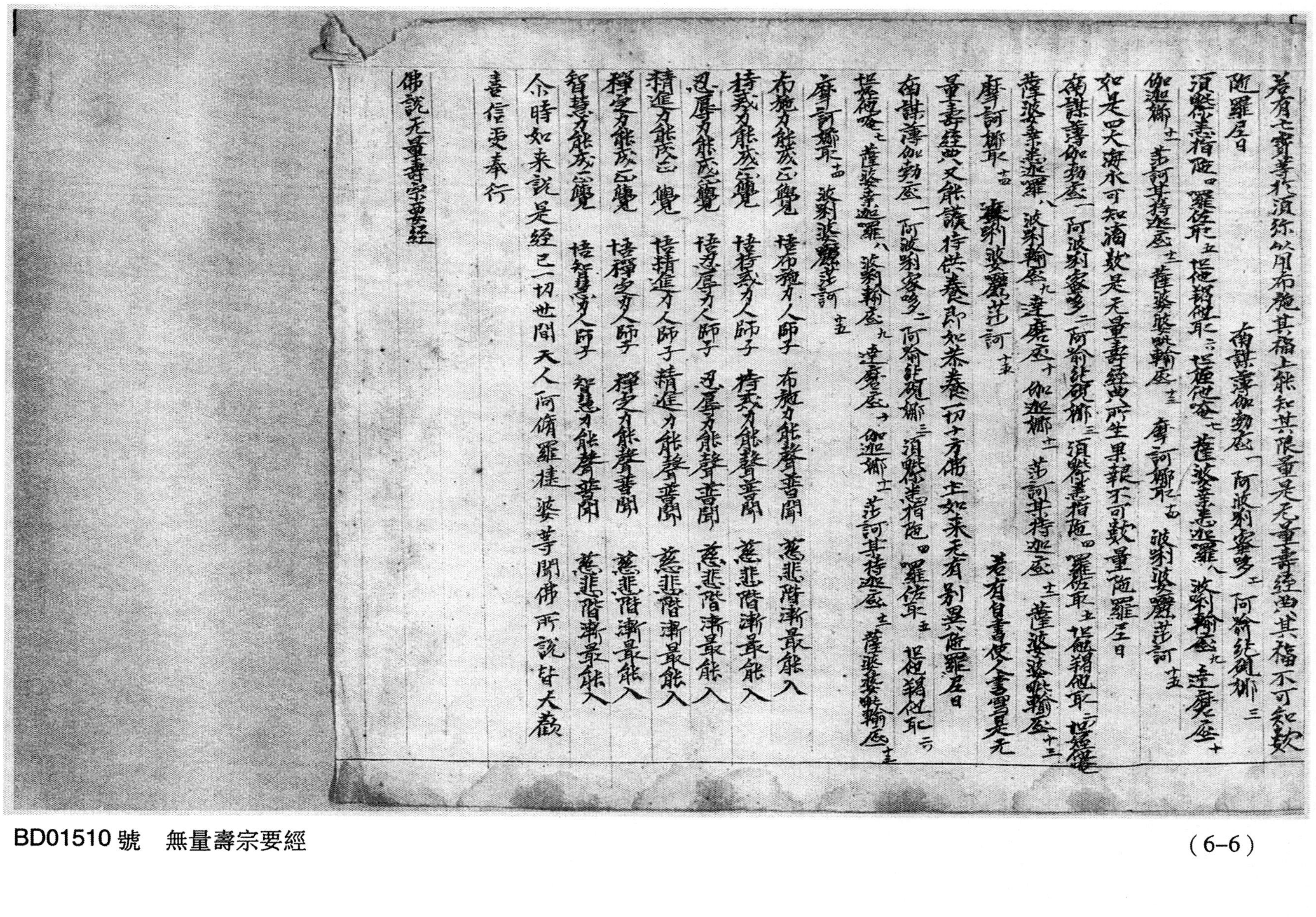

若有七寶等於須弥以用布施其福上能知其限量是无量壽經典其福不可知數
陁羅尼曰 南謨薄伽勃底一 阿波唎蜜多二 阿喻紇硯那三
須毗你悉指陁四 囉佐耶五 怛他羯他耶六 怛姪他唵七 薩婆桑悉迦囉八 波唎輸底九 達摩底十
伽伽那十一 娑訶娑持迦底十二 薩婆婆毗輸底十三 摩訶娜耶十四 波唎婆𠺕莎訶十五
如是四大海水可知滴數是无量壽經典所生果報不可數量陁羅尼曰
南謨薄伽勃底一 阿波唎蜜多二 阿喻紇硯那三 須毗你悉指陁四 囉佐耶五 怛他羯他耶六 怛姪他唵七
薩婆桑悉迦囉八 波唎輸底九 達摩底十 伽伽那十一 娑訶娑持迦底十二 薩婆婆毗輸底十三
摩訶娜耶十四 波唎婆𠺕莎訶十五 若有自書使人書寫是无
量壽經典又能讀持供養即如恭養一切十方佛土如來无有別異陁羅尼曰
南謨薄伽勃底一 阿波唎蜜多二 阿喻紇硯那三 須毗你悉指陁四 囉佐耶五 怛他羯他耶六
怛姪他唵七 薩婆桑悉迦囉八 波唎輸底九 達摩底十 伽伽那十一 娑訶娑持迦底十二 薩婆婆毗輸底十三
摩訶娜耶十四 波唎婆𠺕莎訶十五
布施力能成正覺 悟布施力人師子 布施力能聲普聞 慈悲階漸最能入
持戒力能成正覺 悟持戒力人師子 持戒力能聲普聞 慈悲階漸最能入
忍辱力能成正覺 悟忍辱力人師子 忍辱力能聲普聞 慈悲階漸最能入
精進力能成正覺 悟精進力人師子 精進力能聲普聞 慈悲階漸最能入
禪定力能成正覺 悟禪定力人師子 禪定力能聲普聞 慈悲階漸最能入
智慧力能成正覺 悟智慧力人師子 智慧力能聲普聞 慈悲階漸最能入
尒時如來說是經已一切世間天人阿脩羅揵闥婆等聞佛所說皆大歡
喜信受奉行
佛說无量壽宗要經

BD01510號　無量壽宗要經　（6–6）

我說王法論　利安諸有情　為斷世間疑　滅除衆過失
一切諸天主　及以人中王　當生歡喜心　合掌聽我說
往昔諸天衆　集在金剛山　四王從座起　請問於大梵
梵王最勝尊　天中大自在　願哀愍我等　為斷諸疑惑
云何處人世　而得名為天　復以何因緣　号名曰天子
云何生人間　獨得為人主　云何在天上　復得作天王
如是護世間　問彼梵王已　尒時梵天主　即便為彼說
護世汝當知　為利有情故　問我治國法　我說應善聽
由先善業力　生天得作王　若在於人中　統領為人主
諸天共加護　然後入母胎　既至母胎中　諸天復守護
雖生在人世　尊勝故名天　由諸天護持　亦得名天子
三十三天主　分力助人王　及一切諸天　亦資自在力
除滅諸非法　惡業令不生　教有情修善　使得生天上
人及脩羅衆　并揵闥婆等　羅刹旃茶羅　悉皆資半力
父母資半力　令捨惡修善　諸天共護持　示其善惡報
若造善惡業　令於現世中　諸天共護持　示其善惡報
國王造惡業　王捨不禁制　斯非順正理　治擯當如法
若見惡不遮　非法便滋長　遂令王國內　奸詐日增多
王見國中人　造惡不遮止　三十三天衆　咸生忿怒心
因此損國政　諂偽行世間　被他怨敵侵　破壞其國土
居家及資具　積財皆散失　種種諂誑生　更互相侵奪
由正法得王　而不行其法　國人皆破散　如象踏蓮池
惡風起无恒　暴雨非時下　妖星多變怪　日月蝕无光

BD01511 號　金光明最勝王經卷八　（5–1）

若見惡不遮　非法便滋長　遂令王國內　奸詐日增多
王見國中人　造惡不遮止　三十三天衆　咸生忿怒心
因此損國政　諂偽行世間　被他怨敵侵　破壞其國土
居家及資具　積財皆散失　種種諂誑生　更互相侵奪
由正法得王　而不行其法　國人皆破散　如象踏蓮池
惡風起无恒　暴雨非時下　妖星多變怪　日月蝕无光
五穀衆花果　苗實皆不成　國土遭飢饉　由王捨正法
若王捨正法　以惡法化人　諸天處本宮　見已生憂惱
彼諸天王衆　共作如是言　此王作非法　惡黨相親附
王位不久安　諸天皆忿恨　由彼懷忿故　其國當敗亡
以非法教人　流行於國內　鬪諍多奸偽　疾疫生衆苦
天主不護念　餘天咸捨棄　國內當滅亡　王身受苦厄
父母及妻子　兄弟并姊妹　俱遭愛別離　乃至身亡殁
變怪流星墮　二日俱時出　他方怨賊來　國人遭喪亂
國所重大臣　枉橫而身死　所愛象馬等　亦復皆散失
處處有兵戈　人多非法死　惡鬼來入國　疾疫遍流行
國中最大臣　及以諸輔相　其心懷諂佞　並悉行非法
見行非法者　而生於愛敬　於行善法人　苦楚而治罰
由愛敬惡人　治罰善人故　星宿及風雨　皆不以時行
有三種過生　正法當隱沒　衆生无光色　地肥皆下流
由敬惡輕善　復有三種過　非時降霜雹　飢疫皆流行
穀稼諸果實　滋味皆損減　於其國土中　衆生多疾病
國中諸樹木　先生甘美果　由斯皆損減　苦澁无滋味
先有妙園林　可愛遊戲處　忽然皆枯悴　見者生憂惱
稻麥諸果實　美味漸消亡　食時心不喜　何能長諸大
衆生光色減　勢力盡衰微　食噉雖復多　不能令飽足
於其國界中　所有衆生類　少力无勢　所作不堪能

BD01511 號　金光明最勝王經卷八　（5–2）

穀稼諸果實 滋味皆損減 於其國土中 衆生多疾病
國中諸樹木 先生甘美果 由斯皆損減 苦澁无滋味
先有妙園林 可愛遊戲處 忽然皆枯悴 見者生憂惱
稻麥諸果實 美味漸消亡 食時心不喜 何能長諸大
衆生光色減 勢力盡衰微 食噉雖復多 不能令飽足
於其國界中 所有衆生類 少力无勇勢 所作不堪能
國人多疾患 衆苦逼其身 鬼魅遍流行 隨處生羅剎
若王作非法 親近於惡人 令三種世間 因斯受衰損
如是无邊過 出在於國中 皆由見惡人 棄捨不治擯
由諸天加護 得作於國王 而不以正法 守護於國界
若人脩善行 當得生天上 若造惡業者 死必墮三塗
若王見國人 縱其造過失 三十三天衆 皆生熱惱心
不順諸天教 及以父母言 此是非法人 非王非孝子
若於自國中 見行非法者 如法當治罰 不應生捨棄
是故諸天衆 皆護持此王 以滅諸惡法 能脩善根故
王於此世中 必招於現報 由於善惡業 行捨勸衆生
為示善惡報 故得作人王 諸天共護持 一切咸隨喜
由自利利他 治國以正法 見有諂佞者 應當如法治
假使失王位 及以害命緣 終不行非法 見惡而捨棄
害中極重者 無過失國位 皆由諂佞人 為此當治罰
若有諂誑人 當失於國位 由斯損王政 如象入花園
天主皆瞋恨 阿蘇羅亦然 不以法治國
是故應如法 治罰於惡人 以善化衆生 不順於非法
寧捨於身命 不隨非法友 於親及非親 平等觀一切
若為正法王 國內无偏黨 法王有名稱 普聞三界中
三十三天衆 歡喜作是言 贍部洲法王 彼即是我子
以善化衆生 正法治於國 勸行於正法 當令生我宮
天及諸天子 及以蘇羅衆 因王正法化 常得心歡喜

BD01511號　金光明最勝王經卷八

（5–3）

是故諸天衆 皆護持此王 以滅諸惡法 能脩善根故
王於此世中 必招於現報 由於善惡業 行捨勸衆生
為示善惡報 故得作人王 諸天共護持 一切咸隨喜
由自利利他 治國以正法 見有諂佞者 應當如法治
假使失王位 及以害命緣 終不行非法 見惡而捨棄
害中極重者 無過失國位 皆由諂佞人 為此當治罰
若有諂誑人 當失於國位 由斯損王政 如象入花園
天主皆瞋恨 阿蘇羅亦然 不以法治國
是故應如法 治罰於惡人 以善化衆生 不順於非法
寧捨於身命 不隨非法友 於親及非親 平等觀一切
若為正法王 國內无偏黨 法王有名稱 普聞三界中
三十三天衆 歡喜作是言 贍部洲法王 彼即是我子
以善化衆生 正法治於國 勸行於正法 當令生我宮
天及諸天子 及以蘇羅衆 因王正法化 常得心歡喜
天衆皆歡喜 共護於人王 衆星依位行 日月无乖度
和風常應節 甘雨順時行 苗實皆善成 人无飢饉者
一切諸天衆 充滿於自宮 是故汝人王 忘身弘正法
應尊重法寶 由斯衆安樂 常當親正法 功德自莊嚴
眷屬常歡喜 能遠離諸惡 以法化衆生 恒令得安隱
令彼一切人 脩行於十善 率土常豐樂 國土得安寧
王以法化人 善調於惡行 當得好名稱 安樂諸衆生
尒時大衆一切人王及諸大衆聞佛說此古昔
人王治國要法得未曾有皆大歡喜信受奉持

金光明最勝王經卷第八

BD01511號　金光明最勝王經卷八

（5–4）

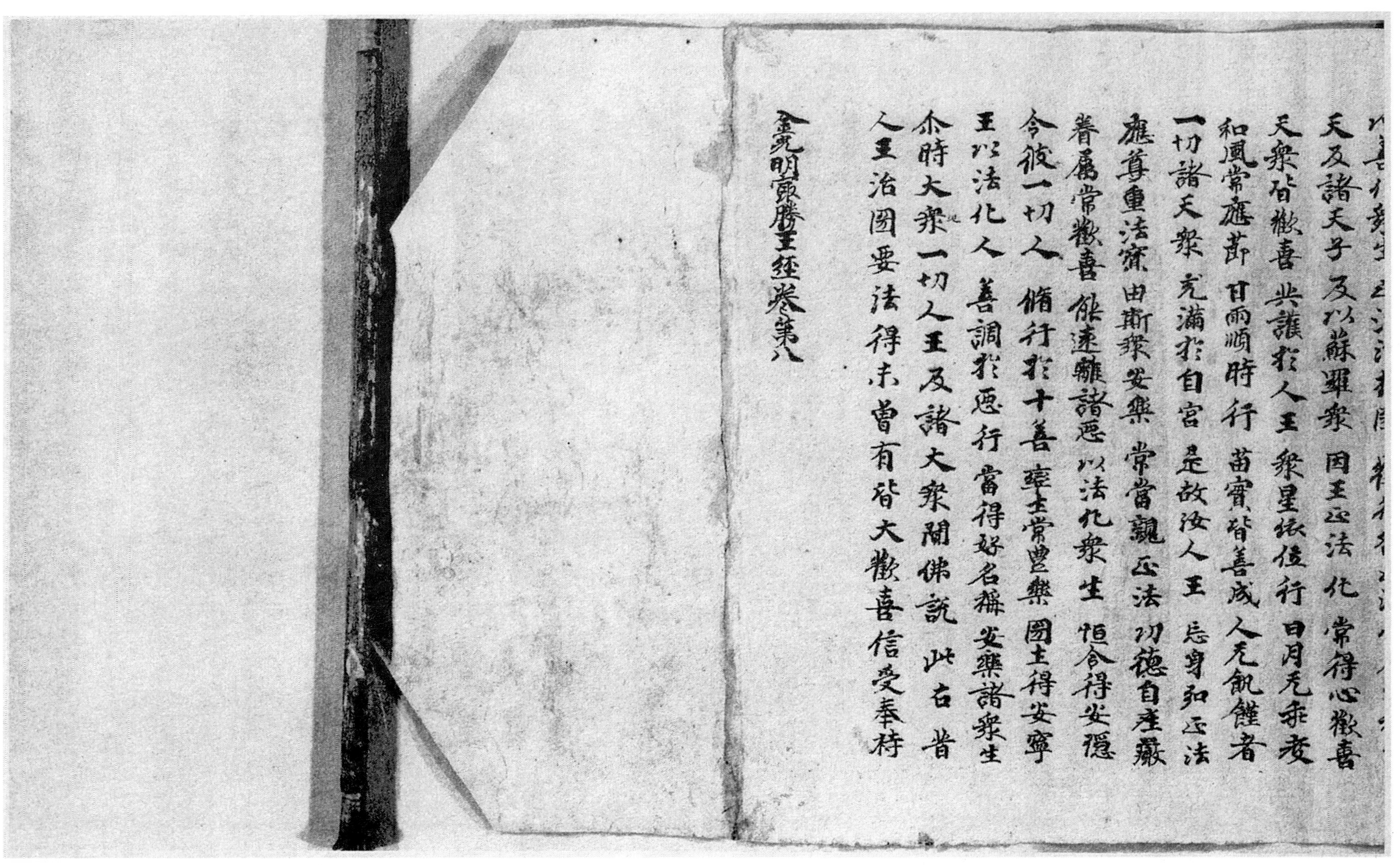
天及諸天子　及以蘇羅衆　國王正法化　常得心歡喜
天衆皆歡喜　共護於人王　衆星依位行　日月无乖度
和風常應節　甘雨順時行　苗實皆善成　人无飢饉者
一切諸天衆　充滿於自宮　是故汝人王　忘身弘正法
應尊重法寶　由斯衆安樂　常當親正法　功德自莊嚴
眷屬常歡喜　能遠離諸惡　以法化衆生　恒令得安隱
令彼一切人　脩行於十善　率土常豐樂　國土得安寧
王以法化人　善調於惡行　當得好名稱　安樂諸衆生
尒時大衆一切人王及諸大衆聞佛說此古昔
人王治國要法得未曾有皆大歡喜信受奉持
金光明最勝王經卷第八

BD01511號　金光明最勝王經卷八　（5–5）

相何以故若
…思量須菩提
…不也世尊須菩
量不不也
提南西北方四維上…
世尊須菩提菩薩无住相布…德亦復如
是不可思量須菩提菩薩但應如所教住
須菩提於意云何可以身相見如來不不也
世尊不可以身相得見如來何以故如來所說
身相即非身相佛告須菩提凡所有相皆是
虛妄若見諸相非相…如來
須菩提白佛言世尊頗有衆生得聞如是言
說章句生實信不佛告須菩提莫作是說如
來滅後後五百歲有持戒脩福者於此章句
能生信心以此為實當知是人不於一佛二
佛三四五佛而種善根已於无量千万佛所
種諸善根聞是章句乃至一念生淨信者須
菩提如來悉知悉見是諸衆生得如是无量
福德何以故是諸衆生无復我相人相衆生
相壽者相无法相亦无非法相何以故是諸
衆生若心取相則為著我人衆生壽者若取
法相即著我人衆生壽者何以故若取非法
相即著我人衆生壽者是故不應取法不應
取非法以是義故如來常說汝等比丘知我

BD01512號　金剛般若波羅蜜經　（13–1）

相壽者相无法相亦无非法相何以故是諸
衆生若心取相則為著我人衆生壽者若取
法相即著我人衆生壽者何以故若取非法
相即着我人衆生壽者是故不應取法不應
取非法以是義故如来常說汝等比丘知我
說法如筏喻者法尚應捨何況非法
須菩提於意云何如来得阿耨多羅三藐三
菩提耶如来有所說法耶須菩提言如我解
佛所說義无有定法名阿耨多羅三藐三菩
提亦无有定法如来可說何以故如来所說法
皆不可取不可說非法非非法所以者何一切
賢聖皆以无為法而有差別
須菩提於意云何若人滿三千大千世界七寶
以用布施是人所得福德寧為多不須菩提
言甚多世尊何以故是福德即非福德性是
故如来說福德多若復有人於此經中受持
乃至四句偈等為他人說其福勝彼何以故
須菩提一切諸佛及諸佛阿耨多羅三藐三
菩提法皆從此經出須菩提所謂佛法者
即非佛法
須菩提於意云何須陀洹能作是念我得須
陀洹果不須菩提言不也世尊何以故須陀洹
名為入流而无所入不入色聲香味觸法是
名須陀洹須菩提於意云何斯陀含能作
是念我得斯陀含果不須菩提言不也世尊
何以故斯陀含名一往来而實无往来是名
斯陀含須菩提於意云何阿那含能作是念

BD01512 號　金剛般若波羅蜜經

（13–2）

是念我得斯陀含果不須菩提言不也世尊
何以故斯陀含名一往来而實无往来是名
斯陀含須菩提於意云何阿那含能作是念
我得阿那含果不須菩提言不也世尊何以
故阿那含名為不来而實无来是故名阿那
含須菩提於意云何阿羅漢能作是念我得
阿羅漢道不須菩提言不也世尊何以故實
无有法名阿羅漢世尊若阿羅漢作是念我
得阿羅漢道即為着我人衆生壽者世尊佛
說我得无諍三昧人中最為第一是第一離
欲阿羅漢我不作是念我是離欲阿羅漢世
尊我若作是念我得阿羅漢道世尊則不說
須菩提是樂阿蘭那行者以須菩提實无
所行而名須菩提是樂阿蘭那行
佛告須菩提於意云何如来昔在然燈佛所
於法有所得不世尊如来在然燈佛所於法實
无所得須菩提於意云何菩薩莊嚴佛土不不
也世尊何以故莊嚴佛土者則非莊嚴是名莊嚴
是故須菩提諸菩薩摩訶薩應如是生清淨
心不應住色生心不應住聲香味觸法生心應无
所住而生其心須菩提譬如有人身如須弥
山王於意云何是身為大不須菩提言甚大
世尊何以故佛說非身是名大身須菩提如
恒河中所有沙數如是沙等恒河於意云
何是諸恒河沙寧為多不須菩提言甚多世
尊但諸恒河尚多无數何況其沙須菩提我
今實言告汝若有善男子善女人以七寶滿尒

BD01512 號　金剛般若波羅蜜經

（13–3）

恒河中所有沙數如是沙等恒河於意云
何是諸恒河沙寧為多不須菩提言甚多世
尊但諸恒河尚多无數何況其沙須菩提我
今實言告汝若有善男子善女人以七寶滿尒
所恒河沙數三千大千世界以用布施得福多
不須菩提言甚多世尊佛告須菩提若善
男子善女人於此經中乃至受持四句偈等為
他人說而此福德勝前福德復次須菩提隨說
是經乃至四句偈等當知此處一切世間天人
阿脩羅皆應供養如佛塔廟何況有人盡
能受持讀誦須菩提當知是人成就最上
第一希有之法若是經典所在之處則為
有佛若尊重弟子
尒時須菩提白佛言世尊當何名此經我等
云何奉持佛告須菩提是經名為金剛般若
波羅蜜以是名字汝當奉持所以者何須菩
提佛說般若波羅蜜則非般若波羅蜜須
菩提於意云何如来有所說法不須菩提白佛
言世尊如来无所說須菩提於意云何三千大
千世界所有微塵是為多不須菩提言甚多
世尊須菩提諸微塵如来說非微塵是名
微塵如来說世界非世界是名世界須菩提
於意云何可以三十二相見如来不不也世尊
不可以三十二相得見如来何以故如来說三
十二相即是非相是名三十二相
須菩提若有善男子善女人以恒河沙等身
命布施若復有人於此經中乃至受持四句偈

BD01512號　金剛般若波羅蜜經　（13–4）

十二相即是非相是名三十二相
須菩提若有善男子善女人以恒河沙等身
命布施若復有人於此經中乃至受持四句偈
等為他人說其福甚多
尒時須菩提聞說是經深解義趣涕淚悲泣
而白佛言希有世尊佛說如是甚深經典我
從昔来所得慧眼未曾得聞如是之經世尊若
復有人得聞是經信心清淨則生實相當知是
人成就第一希有功德世尊是實相者則是
非相是故如来說名實相世尊我今得聞如
是經典信解受持不足為難若當来世後五
百歲其有眾生得聞是經信解受持是人則
為第一希有何以故此人无我相人相眾生相壽
者相所以者何我相即是非相人相眾生相壽
者相即是非相何以故離一切諸相則名諸佛
佛告須菩提如是如是若復有人得聞是經不
驚不怖不畏當知是人甚為希有何以故須
菩提如来說第一波羅蜜非第一波羅蜜是名
第一波羅蜜
須菩提忍辱波羅蜜如来說非忍辱波羅蜜
何以故須菩提如我昔為歌利王割截身體
我於尒時无我相无人相无眾生相无壽者
相何以故我於往昔節節支解時若有我相
人相眾生相壽者相應生瞋恨須菩提又念
過去於五百世作忍辱仙人於尒所世无我相
无人相无眾生相无壽者相是故須菩提菩
薩應離一切相發阿耨多羅三藐三菩提心

BD01512號　金剛般若波羅蜜經　（13–5）

過去於五百世作忍辱仙人於尒所世无我相
无人相无衆生相无壽者相是故須菩提菩
薩應離一切相發阿耨多羅三藐三菩提心
不應住色生心不應住聲香味觸法生心應
生无所住心若心有住則為非住是故佛說
菩薩心不應住色布施須菩提菩薩為利益
一切衆生應如是布施如来說一切諸相即是
非相又說一切衆生則非衆生
須菩提如来是真語者實語者如語者不誑
語者不異語者須菩提如来所得法此法无實
无虛須菩提若菩薩心住於法而行布施如人
入闇則无所見若菩薩心不住法而行布施如
人有目日光明照見種種色
須菩提當来之世若有善男子善女人能於
此經受持讀誦則為如来以佛智慧悉知是
人悉見是人皆得成就无量无邊功德
須菩提若有善男子善女人初日分以恒河
沙等身布施中日分復以恒河沙等身布施
後日分亦以恒河沙等身布施如是无量百千
万億劫以身布施若復有人聞此經典信心
不逆其福勝彼何況書寫受持讀誦為人解
說須菩提以要言之是經有不可思議不可
稱量无邊功德如来為發大乘者說為發最
上乘者說若有人能受持讀誦廣為人說如
来悉知是人悉見是人皆得成就不可量不可
稱无有邊不可思議功德如是人等則為荷
擔如来阿耨多羅三藐三菩提何以故須菩

来悉知是人悉見是人皆得成就不可量不可
稱无有邊不可思議功德如是人等則為荷
擔如来阿耨多羅三藐三菩提何以故須菩
提若樂小法者著我見人見衆生見壽者見
則於此經不能聽受讀誦為人解說須菩提
在在處處若有此經一切世間天人阿脩羅所
應供養當知此處則為是塔皆應恭敬作礼
圍遶以諸華香而散其處
復次須菩提善男子善女人受持讀誦此經若
為人輕賤是人先世罪業應墮惡道以今世
人輕賤故先世罪業則為消滅當得阿耨
多羅三藐三菩提須菩提我念過去无量阿
僧祇劫於然燈佛前得值八百四千万億那
由他諸佛悉皆供養承事无空過者若復有
人於後末世能受持讀誦此經所得功德於
我所供養諸佛功德百分不及一千万億分乃
至筭數譬喻所不能及須菩提若善男子
善女人於後末世有受持讀誦此經所得功
德我若具說者或有人聞心則狂亂狐疑不
信須菩提當知是經義不可思議果報亦不可
思議尒時須菩提白佛言世尊善男子善女人
發阿耨多羅三藐三菩提心云何應住云何降
伏其心佛告須菩提善男子善女人發阿耨
多羅三藐三菩提者當生如是心我應滅度
一切衆生滅度一切衆生已而无有一衆生實
滅度者何以故若菩薩有我相人相衆生相
壽者相則非菩薩所以者何須菩提實无

多羅三藐三菩提者當生如是心我應滅度
一切衆生滅度一切衆生已而无有一衆生實
滅度者何以故若菩薩有我相人相衆生相
壽者相則非菩薩所以者何須菩提實无
有法發阿耨多羅三藐三菩提者
須菩提於意云何如來於然燈佛所有法得
阿耨多羅三藐三菩提不不也世尊如我解
佛所說義佛於然燈佛所无有法得阿耨多
羅三藐三菩提佛言如是如是須菩提實无
有法如來得阿耨多羅三藐三菩提須菩提
若有法如來得阿耨多羅三藐三菩提者然
燈佛則不與我受記汝於來世當得作佛号
釋迦牟尼以實无有法得阿耨多羅三藐三
菩提是故然燈佛與我受記作是言汝於來
世當得作佛号釋迦牟尼何以故如來者即
諸法如義若有人言如來得阿耨多羅三藐
三菩提須菩提實无有法佛得阿耨多羅三
藐三菩提須菩提如來所得阿耨多羅三藐
三菩提於是中无實无虛是故如來說一切法
皆是佛法須菩提所言一切法者即非一切法是
故名一切法須菩提譬如人身長大須菩提言世
尊如來說人身長大則為非大身是名大身
須菩提菩薩亦如是若作是言我當滅度无量
衆生則不名菩薩何以故須菩提實无有法
名為菩薩是故佛說一切法无我无人无衆
生无壽者須菩提若菩薩作是言我當莊
嚴佛土者不名菩薩何以故如來說莊嚴佛

BD01512號　金剛般若波羅蜜經　（13–8）

名為菩薩是故佛說一切法无我无人无衆
生无壽者須菩提若菩薩作是言我當莊
嚴佛土者不名菩薩何以故如來說莊嚴佛
土者即非莊嚴是名莊嚴須菩提若菩薩
通達无我法者如來說名真是菩薩
須菩提於意云何如來有肉眼不如是世尊
如來有肉眼須菩提於意云何如來有天眼
不如是世尊如來有天眼須菩提於意云何
如來有慧眼不如是世尊如來有慧眼須菩
提於意云何如來有法眼不如是世尊如來
有法眼須菩提於意云何如來有佛眼不如
是世尊如來有佛眼須菩提於意云何恒河
中所有沙佛說是沙不如是世尊如來說是
沙須菩提於意云何如一恒河中所有沙有
如是等恒河是諸恒河所有沙數佛世界如
是寧為多不甚多世尊佛告須菩提尒所國
土中所有衆生若干種心如來悉知何以故
如來說諸心皆為非心是名為心所以者何須
菩提過去心不可得現在心不可得未來心
不可得須菩提於意云何若有人滿三千大
千世界七寶以用布施是人以是因緣得福
多不如是世尊此人以是因緣得福甚多須
菩提若福德有實如來不說得福德多
以福德无故如來說得福德多
須菩提於意云何佛可以具足色身見不不
也世尊如來不應以具足色身見何以故如來
說具足色身即非具足色身是名具足色

BD01512號　金剛般若波羅蜜經　（13–9）

須菩提於意云何佛可以具足色身見不不
也世尊如來不應以具足色身見何以故如來
說具足色身即非具足色身是名具足色
身須菩提於意云何如來可以具足諸相見
不不也世尊如來不應以具足諸相見何以
故如來說諸相具足即非具足是名諸相具
足須菩提汝勿謂如來作是念我當有所說
法莫作是念何以故若人言如來有所說法即
為謗佛不能解我所說故須菩提說法者无
法可說是名說法
須菩提白佛言世尊佛得阿耨多羅三藐三
菩提為无所得耶如是如是須菩提我於阿
耨多羅三藐三菩提乃至无有少法可得是
名阿耨多羅三藐三菩提復次須菩提是法
平等无有高下是名阿耨多羅三藐三菩提
以无我无人无衆生无壽者脩一切善法則得
阿耨多羅三藐三菩提須菩提所言善法
者如來說非善法是名善法須菩提若三千
大千世界中所有諸須弥山王如是等七寶聚
有人持用布施若人以此般若波羅蜜經乃至
四句偈等受持讀誦為他人說於前福百分不
及一百千万億分乃至筭數譬喻所不能及
須菩提於意云何汝等勿謂如來作是念我
當度衆生須菩提莫作是念何以故實无有
衆生如來度者若有衆生如來度者如來則
有我人衆生壽者須菩提如來說有我者則
非有我而凡夫之人以為有我須菩提凡夫者

BD01512 號　金剛般若波羅蜜經　（13–10）

當度衆生須菩提莫作是念何以故實无有
衆生如來度者若有衆生如來度者如來則
有我人衆生壽者須菩提如來說有我者則
非有我而凡夫之人以為有我須菩提凡夫者
如來說則非凡夫
須菩提於意云何可以卅二相觀如來不須菩
提言如是如是以卅二相觀如來佛言須菩
提若以卅二相觀如來者轉輪聖王則是如
來須菩提白佛言世尊如我解佛所說義不
應以卅二相觀如來尒時世尊而說偈言
若以色見我　以音聲求我　是人行邪道　不能見如來
須菩提汝若作是念如來不以具足相故得
阿耨多羅三藐三菩提須菩提莫作是念如
來不以具足相故得阿耨多羅三藐三菩提
須菩提汝若作是念發阿耨多羅三藐三菩
提者說諸法斷滅相莫作是念何以故發阿耨
多羅三藐三菩提者於法不說斷滅相須菩
提若菩薩以滿恒河沙等世界七寶布施若
復有人知一切法无我得成於忍此菩薩勝前
菩薩所得功德須菩提以諸菩薩不受福
德故須菩提白佛言世尊云何菩薩不受福
德須菩提菩薩所作福德不應貪著是故說
不受福德須菩提若有人言如來若來若去
若坐若卧是人不解我所說義何以故如來者
无所從來亦无所去故名如來
須菩提若善男子善女人以三千大千世界碎
為微塵於意云何是微塵衆寧為多不甚

BD01512 號　金剛般若波羅蜜經　（13–11）

无所從来亦无所去故名如来
須菩提若善男子善女人以三千大千世界碎
為微塵於意云何是微塵衆寧為多不甚
多世尊何以故若是微塵衆實有者佛則不
說是微塵衆所以者何佛說微塵衆則非微
塵衆是名微塵衆世尊如来所說三千大千
世界則非世界是名世界何以故若世界實有
者則是一合相如来說一合相則非一合相是
名一合相須菩提一合相者則是不可說但凡
夫之人貪著其事須菩提若人言佛說我見
人見衆生見壽者見須菩提於意云何是人
解我所說義不世尊是人不解如来所說義
何以故世尊說我見人見衆生見壽者見即
非我見人見衆生見壽者見是名我見人見
衆生見壽者見須菩提發阿耨多羅三藐三
菩提心者於一切法應如是知如是見如是信
解不生法相須菩提所言法相者如来說即
非法相是名法相須菩提若有人以滿无量阿
僧祇世界七寶持用布施若有善男子善女
人發菩薩心者持於此經乃至四句偈等受持
讀誦為人演說其福勝彼云何為人演說不
取於相如如不動何以故
一切有為法　如夢幻泡影　如露亦如電　應作如是觀
佛說是經已長老須菩提及諸比丘比丘尼優
婆塞優婆夷一切世間天人阿脩羅聞佛
所說皆大歡喜信受奉持
金剛般若波羅蜜經

BD01512號　金剛般若波羅蜜經　（13–12）

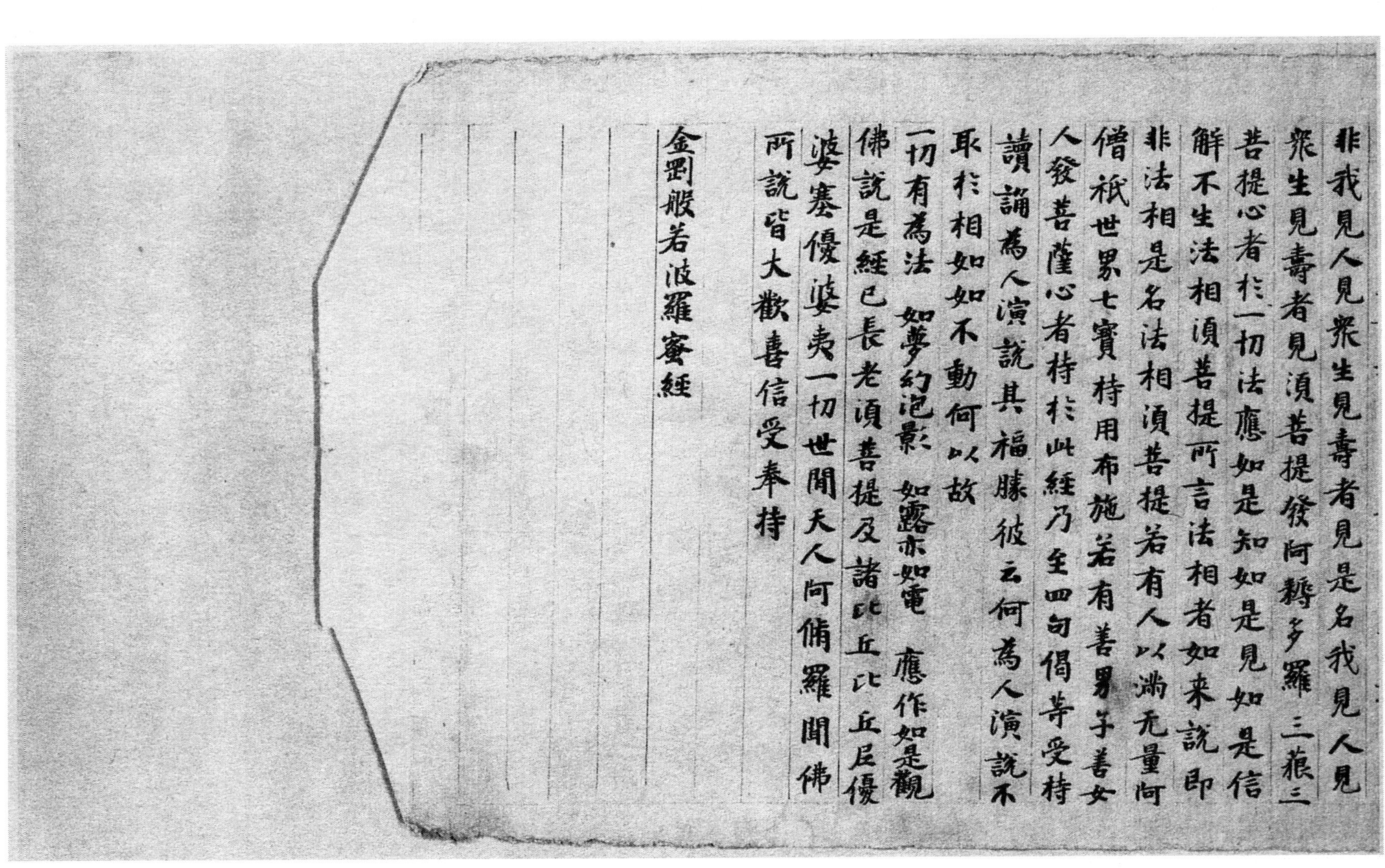

非我見人見衆生見壽者見是名我見人見
衆生見壽者見須菩提發阿耨多羅三藐三
菩提心者於一切法應如是知如是見如是信
解不生法相須菩提所言法相者如来說即
非法相是名法相須菩提若有人以滿无量阿
僧祇世界七寶持用布施若有善男子善女
人發菩薩心者持於此經乃至四句偈等受持
讀誦為人演說其福勝彼云何為人演說不
取於相如如不動何以故
一切有為法　如夢幻泡影　如露亦如電　應作如是觀
佛說是經已長老須菩提及諸比丘比丘尼優
婆塞優婆夷一切世間天人阿脩羅聞佛
所說皆大歡喜信受奉持
金剛般若波羅蜜經

BD01512號　金剛般若波羅蜜經　（13–13）

二分故世尊云何以耳鼻舌身意處無二為
方便無生為方便無所得為方便迴向一切
智智脩習無忘失法恒住捨性慶喜耳鼻舌
身意處耳鼻舌身意處性空何以故以耳鼻
舌身意處性空與無忘失法恒住捨性無二
無二分故慶喜由此故說以眼處等無二為
方便無生為方便無所得為方便迴向一切
智智脩習無忘失法恒住捨性世尊云何以色
處無二為方便無生為方便無所得為方便
迴向一切智智脩習無忘失法恒住捨性慶
喜色處色處性空何以故以色處性空與無
忘失法恒住捨性無二無二分故世尊云何
以聲香味觸法處無二為方便無生為方
便無所得為方便迴向一切智智脩習無忘失
法恒住捨性慶喜聲香味觸法處聲香味觸
法處性空何以故以聲香味觸法處性空
與無忘失法恒住捨性無二無二分故慶
喜由此故說以色處等無二為方便無生為
方便無所得為方便迴向一切智智脩習無
忘失法恒住捨性世尊云何以眼處無二
為方便無生為方便無所得為方便迴向一

BD01513號　大般若波羅蜜多經卷一一三　（2–1）

智智脩習無忘失法恒住捨性世尊云何以色
處無二為方便無生為方便無所得為方便
迴向一切智智脩習無忘失法恒住捨性慶
喜色處色處性空何以故以色處性空與無
忘失法恒住捨性無二無二分故世尊云何
以聲香味觸法處無二為方便無生為方
便無所得為方便迴向一切智智脩習無忘失
法恒住捨性慶喜聲香味觸法處聲香味觸
法處性空何以故以聲香味觸法處性空
與無忘失法恒住捨性無二無二分故慶
喜由此故說以色處等無二為方便無生為
方便無所得為方便迴向一切智智脩習無
忘失法恒住捨性世尊云何以眼處無二
為方便無生為方便無所得為方便迴向一
切智智道相智一切相智慶喜
眼處眼處性空何以故以眼處性空與一
切智道相智一切相智無二無二分故世尊
云何以耳鼻舌身意處無二為方便無生為
方便無所得為方便迴向一切智智脩習一
切智道相智一切相智慶喜耳鼻舌身意處
耳鼻舌身意處性空何以故以耳鼻舌身意

BD01513號　大般若波羅蜜多經卷一一三　（2–2）

如等與名俱自性空故自性空中若真如等
若名俱无所有都不可得諸菩薩摩訶薩
名亦復如是唯客所攝由斯故説諸菩薩摩
訶薩但有假名都无自性舍利子如斷界乃至
无為界名唯客所攝所以者何斷界等非名
名非斷界等斷界等中无名名中无斷界等
非合非散但假施設何以故以斷界等與名
俱自性空故自性空中若斷界等若名俱无
所有都不可得諸菩薩摩訶薩名亦復如是
唯客所攝由斯故説諸菩薩摩訶薩但有假
名都无自性舍利子如苦集滅道聖諦名唯
客所攝所以者何苦聖諦等非名名非苦聖
諦等苦聖諦等中无名名中无苦聖諦等非
合非散但假施設何以故以苦聖諦等與名
俱自性空故自性空中若苦聖諦等若名俱
无所有都不可得諸菩薩摩訶薩名亦復如
是唯客所攝由斯故説諸菩薩摩訶薩但有
假名都无自性舍利子如四念住乃至八聖道
支名唯客所攝所以者何四念住等非名
名非四念住等四念住等中无名名中无四
念住等非合非散但假施設何以故以四念住

BD01514號　大般若波羅蜜多經卷四九七　（2–1）

唯客所攝由斯故説諸菩薩摩訶薩但有假
名都无自性舍利子如苦集滅道聖諦名唯
客所攝所以者何苦聖諦等非名名非苦聖
諦等苦聖諦等中无名名中无苦聖諦等非
合非散但假施設何以故以苦聖諦等與名
俱自性空故自性空中若苦聖諦等若名俱
无所有都不可得諸菩薩摩訶薩名亦復如
是唯客所攝由斯故説諸菩薩摩訶薩但有
假名都无自性舍利子如四念住乃至八聖道
支名唯客所攝所以者何四念住等非名
名非四念住等四念住等中无名名中无四
念住等非合非散但假施設何以故以四念住
等與名俱自性空故自性空中若四念住
等若名俱无所有都不可得諸菩薩摩訶薩
名亦復如是唯客所攝由斯故説諸菩薩摩
訶薩但有假名都无自性舍利子如四靜慮
四无量四无色定名唯客所攝所以者何四
靜慮等非名名非四靜慮等四靜慮等中无
名名中无四靜慮等非合非散但假施設何

BD01514號　大般若波羅蜜多經卷四九七　（2–2）

第四百九十七卷

BD01514號背　勘記　（1–1）

兑

般若波羅蜜多清淨善現內空无可說事故
不可說外空乃至无性自性空无可說事故
不可說由此般若波羅蜜多清淨佛言善現
真如不可說故般若波羅蜜多清淨法界法
性不虛妄性不變異性平等性離生性法定
法住實際虛空界不思議界不可說故般若
波羅蜜多清淨世尊云何真如不可說故般
若波羅蜜多清淨法界乃至不思議界不可
說故般若波羅蜜多清淨善現真如无可說
事故不可說由此般若波羅蜜多清淨佛言善
現苦聖諦不可說故般若波羅蜜多清淨集
滅道聖諦不可說故般若波羅蜜多清淨世
尊云何苦聖諦不可說故般若波羅蜜多清
淨集滅道聖諦不可說故般若波羅蜜多清
淨善現苦聖諦無可說事故不可說集滅道
聖諦无可說事故不可說由此般若波羅蜜
多清淨
佛言善現四靜慮不可說故般若波羅蜜多
清淨四无量四无色定不可說故般若波羅蜜
多清淨世尊云何四靜慮不可說故般若波
羅蜜多清淨四无量四无色定不可說故波
若波羅蜜多清淨善現四靜慮无可說事故

BD01515號　大般若波羅蜜多經（兑廢稿）卷二九四　（2–1）

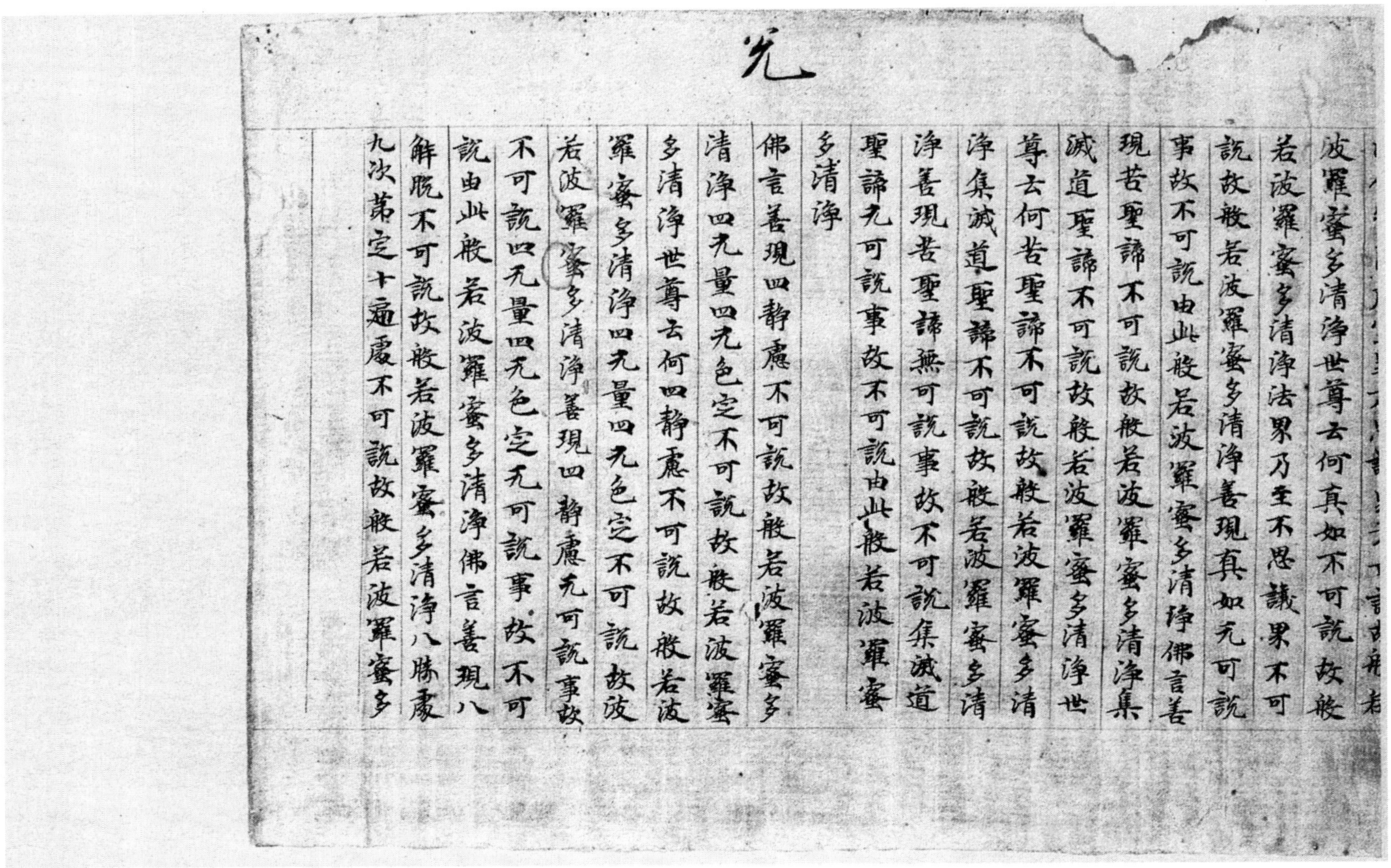

兑

波羅蜜多清淨世尊云何真如不可說故般
若波羅蜜多清淨法界乃至不思議界不可
說故般若波羅蜜多清淨善現真如无可說
事故不可說由此般若波羅蜜多清淨佛言善
現苦聖諦不可說故般若波羅蜜多清淨集
滅道聖諦不可說故般若波羅蜜多清淨世
尊云何苦聖諦不可說故般若波羅蜜多清
淨集滅道聖諦不可說故般若波羅蜜多清
淨善現苦聖諦無可說事故不可說集滅道
聖諦无可說事故不可說由此般若波羅蜜
多清淨
佛言善現四靜慮不可說故般若波羅蜜多
清淨四无量四无色定不可說故般若波羅蜜
多清淨世尊云何四靜慮不可說故般若波
羅蜜多清淨四无量四无色定不可說故波
若波羅蜜多清淨善現四靜慮无可說事故
不可說四无量四无色定无可說事故不可
說由此般若波羅蜜多清淨佛言善現八
解脫不可說故般若波羅蜜多清淨八勝處
九次第定十遍處不可說故般若波羅蜜多

BD01515 號　大般若波羅蜜多經（兑廢稿）卷二九四　（2–2）

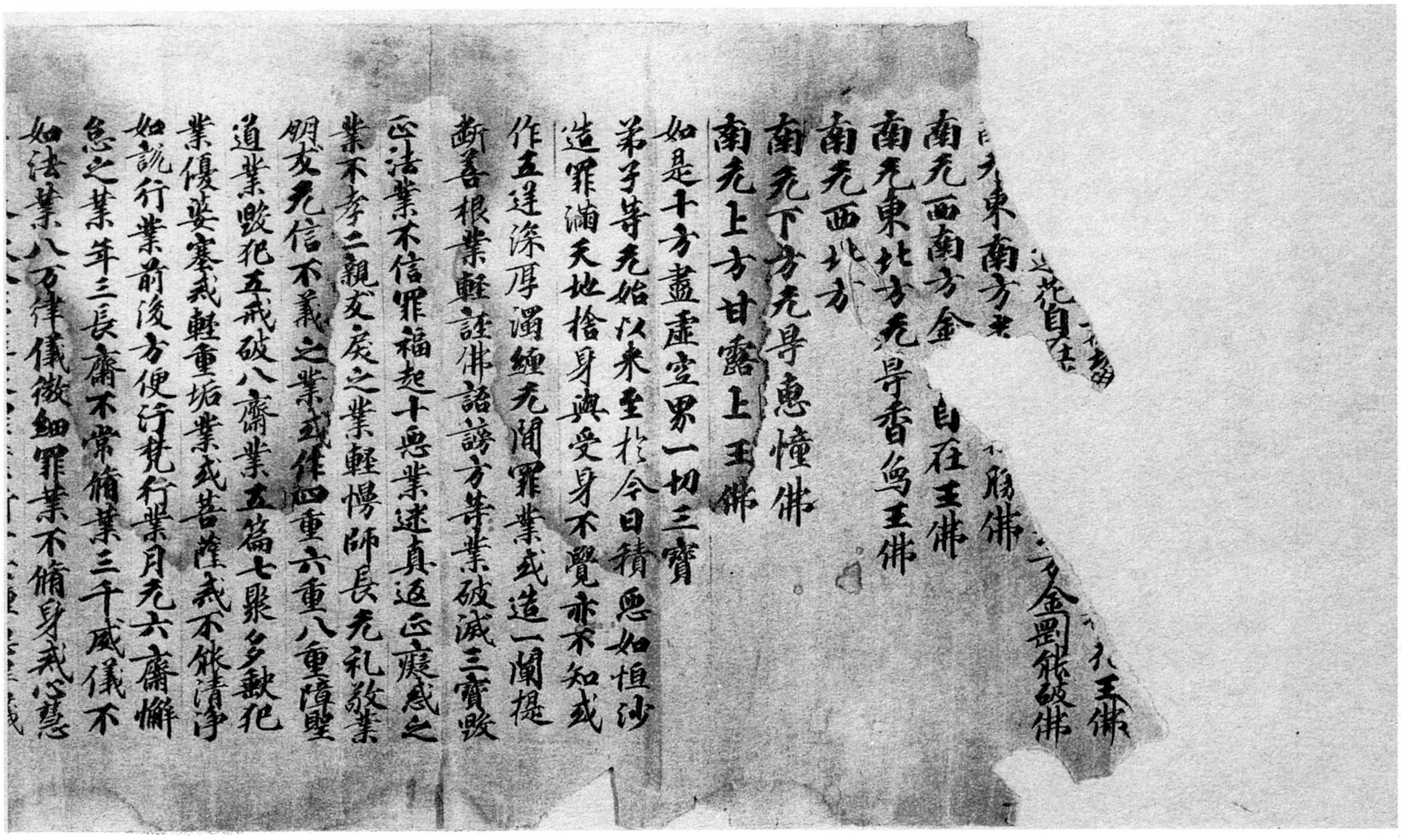

[illegible]逆花自在[illegible]王佛
[illegible]东南方[illegible]勝佛[illegible]金剛能破佛
南无西南方金[illegible]自在王佛
南无東北方无㝵香象王佛
南无西北方
南无下方无㝵惠幢佛
南无上方甘露上王佛
如是十方盡虛空界一切三寶
弟子等无始以來至於今日積惡如恒沙
造罪滿天地捨身與受身不覺亦不知或
作五逆深厚濁纏无間罪業或造一闡提
斷善根業輕誣佛語謗方等業破滅三寶毀
正法業不信罪福起十惡業迷真返正癡惑之
業不孝二親反戾之業輕慢師長无礼敬業
朋友无信不義之業或作四重六重八重障聖
道業毀犯五戒破八齋業五篇七聚多缺犯
業優婆塞戒輕重垢業或菩薩戒不能清淨
如說行業前後方便汙梵行業月无六齋懈
怠之業年三長齋不常脩業三千威儀不
如法業八万律儀微細罪業不脩身戒心慧

BD01516 號　佛名經（十六卷本）卷九　（17–1）

道業毀犯五戒破八齋業五篇七聚多犯
業優婆塞戒輕重垢業或菩薩戒不能清淨
如說行業前後方便行梵行業月无六齋懈
怠之業年三長齋不常脩業三千威儀不
如法業八万律儀微細罪業不脩身戒心慧
之業春秋八王造衆罪業行十六種惡律儀
業於苦衆生无慈愍業不矜不念无矜愍
業不拔不濟不救護業心懷嫉忌无度彼業
不拔不濟不救護業心懷嫉忌无怨親境不
平等業耽荒五欲不猒離業或因衣食
園林池浴生蕩逸業或以盛年放恣情
欲造衆罪業或善有漏迴向三有障出世
業如是等業无量无邊今日發露向十方佛
尊法聖衆皆悉懺悔
願弟子等承是懺悔无明諸業所生福善
願生生世世滅五逆罪除闡提惑如是輕重
諸罪從今以去乃至道場誓不更犯恒習出世
清淨善法精持律行守護威儀如渡海者
愛惜浮囊六度四等常標行首戒定慧品轉
得增明速成如來卅二相八十種好十力无畏
大悲三念常樂妙智八自在我　作礼一拜
南无然法輪威德佛　南无山峯勝威德佛
南无普精進炬光明雲佛
南无三昧賢寶天冠光明佛
南无勝寶光佛　南无法炬寶帳聲佛
南无樂法光明師子佛　南无莊嚴相月幢佛
南无光明山雷電雲佛　南无无垢幢佛

BD01516號　佛名經（十六卷本）卷九　（17–2）

南无三昧賢寶天冠光明佛
南无勝寶光佛　南无法炬寶帳聲佛
南无樂法光明師子佛　南无莊嚴相月幢佛
南无光明山雷電雲佛　南无无垢幢佛
南无无㝵法虛空光明佛
南无快智花敷身佛　南无世間妙光明聲佛
南无法三昧光明聲佛
從此以上七千五百佛十二部經一切賢聖
南无法聲多藏佛　南无法大海聲佛
南无三世相鏡像威德佛
南无高法輪光明佛
南无法界師子光佛　南无盧舍那勝須彌佛
南无一切三昧海師子佛　南无普光慧然燈佛
南无法界城然燈佛　南无普門吼光王佛
南无賢首佛　南无普光音佛
南无胎王佛　南无法界燈佛
南无虛空山照佛　南无阿尼羅有眼佛
南无龍自在王佛　南无普照勝須弥王佛
南无无㝵虛空智難都幢王佛
南无普智光明照十方吼佛
南无雲王吼聲佛　南无不空見佛
南无普照佛　南无寶聲佛
南无妙聲佛
南无金色寶作界妙山佛
南无金閻浮幢于遮那光明佛
南无金色百光明佛　南无寶稱佛
南无不空稱佛　南无日愛佛

BD01516號　佛名經（十六卷本）卷九　（17–3）

南无金色寶作界妙山佛
南无金閻浮幢手遊那光明佛
南无金色百光明佛　南无寶稱佛
南无不空稱佛　南无日受佛
南无成就智義佛　南无普賢佛
南无无垢光明難都王佛
南无寶炎佛　南无日月佛
南无海勝佛　南无法幢佛
南无无邊功德佛　南无寶藏佛
南无无垢面佛　南无无量壽花佛
南无寶聚佛　南无智起佛
南无普護佛
尒時憂波摩那比丘從坐而起偏袒右肩
右膝著地白佛言世尊世尊數佛過去
佛告優波摩那比丘辟如恒河沙世界下至
水際上盡有頂滿中微塵比丘有人於中取
尒所微塵過恒河沙世界下一微塵如是過恒
河沙世界復下一塵如是盡尒所微塵比丘
於意云何若著微塵若不著微塵是微
塵數可知數不比丘不也世尊佛告比丘彼
微塵可知其數而彼過去同名釋迦牟尼佛已
入涅槃者不可數知比丘我知彼過去諸佛如
現前見彼諸佛母同名摩訶摩耶父同名輸
頭檀王城同名迦毗羅彼諸佛第一聲聞弟子
同名舍利弗目揵連侍者弟子同名阿難何
况種種異名母異名父異名城異名弟子

頭檀王城同名迦毗羅彼諸佛第一聲聞弟子
同名舍利弗目揵連侍者弟子同名阿難何
况種種異名母異名父異名城異名弟子
異名侍者比丘彼若干世界彼人於何等世
界著微塵何等世界不著微塵彼諸世界
若著微塵不著微塵下至水際上至有頂
比丘復有第二人取一微塵過彼若干微塵
數世界尒數佛國土阿僧祇億百千万那由
他世界為一步比丘彼人如是過百千万億那
由他阿僧祇劫行乃下一塵如是盡諸微塵
比丘如是若干世界滿中微塵復更著十方
世界比丘復過是世界著微塵彼諸世界下
至水際上至有頂滿中微塵比丘於意云何
彼微塵可知數不比丘言不也世尊佛告比
丘彼諸微塵可知其數彼同名母同名父同
名弟子同名侍者同名釋迦牟尼佛不可知
數如釋迦牟尼不勝憶佛亦如是盧舍那佛
亦如是无垢勝眼佛亦如是无垢光明眼佛
亦如是光明清淨王佛亦如是善无垢清淨
佛亦如是成就无邊功德勝王佛亦如是寶
光明佛亦如是寂脩佛亦如是聲德佛亦
如是波頭摩勝佛亦如是日月佛亦如是普
寶蓋佛亦如是比丘汝當歸命如是等阿
僧祇同名佛
南无普照佛　南无藥王佛
南无弥留燈王佛　南无寶莊嚴佛

寶蓋佛亦如是比丘汝當歸命如是等阿
僧祇同名佛
南无普照佛　南无藥王佛
南无弥留燈王佛　南无寶莊嚴佛
南无智成就佛　南无寶蓋佛
南无放炎佛　南无物成就佛
南无稱佛　南无三昧勝佛
南无寶観佛　南无寶雞都佛
南无尸羅施佛　南无婆羅王佛
南无寶雞兜王佛　南无大嚴佛
南无山自在王佛　南无稱陁佛
南无見義佛　南无自在幢佛
南无大弥留佛　南无无光勝佛
南无大莊嚴佛　南无大智幢佛
南无日藏佛　南无无畏上勝山王佛
南无梵自在佛　南无餘依止默聲王佛
南无智雞兜佛　南无智炬住持佛
南无一切世間佛　南无法照佛
南无无垢光佛　南无普光佛
南无一切勝佛　南无寂静妙聲佛
南无普明佛　南无勝山王師子佛
南无奮迅境界聲佛　南无地住持佛
南无功德王光佛　南无住持智達燎佛
南无樂說勝王佛
南无金色波頭摩成王佛
南无難勝佛　南无寶作佛

BD01516號　佛名經（十六卷本）卷九　（17-6）

南无功德王光佛　南无住持智達燎佛
南无樂說勝王佛
南无金色波頭摩成王佛
南无難勝佛　南无寶作佛
南无无量聲佛　南无親光佛
南无龍天佛　南无天力佛
南无師子佛　南无離諍光佛
南无世天佛　南无勝積佛
從此以上七千六百佛十二部經一切賢聖
南无人王佛　南无花王佛
南无花勝佛　南无發精進佛
南无因陁羅雞兜佛　南无清淨无垢光佛
南无菩提寶華不斷絶光明王佛
南无薝蔔上佛　南无意福德日王佛
南无觀聲王佛　南无无垢威德佛
南无功德寶集佛　南无成就意佛
南无成就勝佛　南无斯何佛
南无威德佛
南无阿輸迦世界賢妙勝佛
若善男子善女人受持是佛名必得不
退菩提
南无難陁世界稱檀勝佛
若善男子善女人受持是佛名畢竟清
淨心
南无跋陁世界寂滅佛　南无意智雞兜佛
南无世界破魔力佛　南无滿月世界无畏佛
南无離兜意勝世界寶杖佛

BD01516號　佛名經（十六卷本）卷九　（17-7）

淨心
南无跋陁世界寂滅佛　南无意智難覺佛
南无世界破魔方佛　南无滿月世界无憂佛
南无難覺意勝世界寶杖佛
南无語吼聲勝世界華勝佛
南无差摩世界三奮迅佛
南无廣世界樹提勝佛
南无月勝世界金剛功德身佛
南无過去无量无邊海勝佛
善男子稱彼佛名得畢竟不退菩提心
南无弥留勝王佛
彼佛初成佛第一會八十億百千万那由他
聲聞衆第二會七十那由他第四會廿五
億百千万那由他如是菩薩无量无邊百
千万億那由他
南无師子妙聲王佛
彼如來初會有九十億聲聞第二會九
十億第三會九十三億第四會九十九億
如是菩薩摩訶薩衆无量无邊
南无華勝佛
彼佛初會八十億聲聞菩薩僧亦如是
南无妙行佛　南无无量大莊嚴佛
彼佛初會八十億聲聞第二會七十億乃
至第十會亦如是菩薩僧亦如是无量
无邊
南无放實佛
彼佛初會有九十億聲聞如是第二乃

BD01516號　佛名經（十六卷本）卷九　（17–8）

至第十會亦如是菩薩僧亦如是无量
无邊
南无放實佛
彼佛初會有九十億聲聞如是第二乃
至第十亦如是菩薩摩訶薩僧无量无邊
南无一切光明佛
彼佛初會有那由他億聲聞菩薩僧亦如
是
南无无量光明佛
彼佛初會聲聞有九十六億第二會九
十四億第三會九十二億菩薩僧亦如是
南无聲德佛
彼佛初會聲聞有八十億第二會七十億
第三會六十億菩薩僧亦如是應當歸命
如是等
復次比丘應當敬礼
南无清淨无垢世界菩薩佛謂文殊師利
現在普見如來國土中　復次比丘應敬
礼四大士菩薩佛一名光明憶現在東方无
畏如來佛國土中第二名智勝現在南
方智衆如來佛國土中第三名寂根現在
西方智山如來國土中第四名願意成就
現在北方那羅延如來佛國土中復次摩
訶男比丘重聞如來世尊過去幾佛入涅
槃佛告摩訶男汝今諦聽當爲汝說比丘
東方恒河沙世界南方恒河沙世界西方恒
河沙北方恒河沙世界上下四維恒河

BD01516號　佛名經（十六卷本）卷九　（17–9）

槃佛告摩訶男汝今諦聽當為汝說比丘
東方恒河沙世界南方恒河沙世界西方恒
河沙世界北方恒河沙世界上下四維恒河
沙世界彼一切世界下至水際上盡有頂滿
中微塵比丘於意云何彼如是微塵可知
數不比丘言不也世尊佛告比丘如是同
名釋迦牟尼佛過去入涅槃我知過去諸
佛如現在前彼諸佛母同名摩訶摩耶父
同名輸頭檀王城同名迦毗羅彼佛第一
聲聞弟子同名舍利弗目揵連侍者弟
子同名阿難陀何況種種異名異名異
名城異名弟子異名侍者異名比丘彼若
千世界彼人於何等世界著微塵何等世
界不著微塵彼諸世界若著微塵及不
著者下至水際上至有頂比丘復有第二
取彼微塵彼若千微塵數世界尒所佛
國土阿僧祇億百千万那由他世界過尒
所世界為一步比丘彼人復過若千微塵
數世界一步彼人如是過百千万億那由
他阿僧祇行乃下一塵如是盡諸微塵比
丘如是若千世界若著微塵及不著者滿
中微塵復更著十方世界比丘復過是世
界若著微塵及不著者彼諸世界下至水
際上至有頂滿中微塵比丘於意云何彼
諸微塵可知數不比丘言不也世尊佛告
比丘彼諸微塵可知其數彼同名釋迦牟

BD01516號　佛名經(十六卷本)卷九　(17-10)

界若著微塵及不著者彼諸世界下至水
際上至有頂滿中微塵比丘於意云何彼
諸微塵可知數不比丘言不也世尊佛告
比丘彼諸微塵可知其數彼同名釋迦牟
尼佛母同名摩訶摩耶父同名輸頭檀城
同名迦毗羅第一弟子同名舍利弗目揵
連侍者弟子同名阿難陀不可知數復次
比丘復有第三人取彼尒所世界微塵過
彼尒所微塵數世界為過若千百千万
億那由他阿僧祇行乃下一塵如是盡
諸微塵復有第四人彼若千微塵數世
界若著若不著下至水際上至有頂滿中
微塵比丘於意云何彼微塵可知數不比
丘言不也世尊佛告比丘彼若千微塵可
知其數然彼同名釋迦牟尼佛母同名同名
父世界同名弟子同名侍者同名佛不可知
數比丘如是第五人第六第七第八第九
第十人復次比丘復有第十一人是人彼若
千微塵中取一微塵破為十方若千世界
微塵數分如是餘微塵亦悉破為若千世
界微塵數分比丘於意云何彼微塵可
知數不比丘言不也世尊佛告比丘復有
人彼若千微塵佛國土為一步如是速疾
神通行東方世界无量无邊劫行如是
東方世界下一微塵東方盡如是微塵
若著微塵及不著者下至水際上至有
頂滿中微塵如是南方乃至十方下至水

BD01516號　佛名經(十六卷本)卷九　(17-11)

東方世界下一微塵東方盡如是微塵
若著微塵及不著者下至水際上至有
頂滿中微塵如是南方乃至十方下至水
際上至有頂滿中微塵比丘於意云何
彼微塵可知數不比丘言不也世尊佛告
比丘若干微塵分可知其數然現今在世
同名釋迦牟尼佛入涅槃不可數知母同
名摩訶摩耶父同名輸頭檀城同名迦毗
羅弟子同名舍利弗目揵連侍者弟子
同名阿難陀何況種種異名比丘我若干
微塵數劫住世說一同名釋迦牟尼佛不可
窮盡如是同名然燈佛同名提波延佛同名
燈光明佛同名一切勝佛同名彌佛同名毗
波頭摩同名毗婆尸佛同名尸棄佛同名毗
舍浮佛同名拘留孫佛同名拘那含佛同名
迦葉佛如是等異名母乃至異名侍者入涅
槃我知彼佛如現在前應當敬禮如是等佛
次禮十二部尊經大藏法輪
南无有三力經　南无造浴佛時經
南无憂多羅經　南无有五力經
南无河中大聚沫經　南无首達經
南无四性長者難經　南无析佛經
南无舍利弗誨疾經　南无四无畏經
南无車匿本末經　南无舍利弗經
南无四不可得經　南无百六十二品經
南无四飯經　南无賴吒和羅經

BD01516號　佛名經（十六卷本）卷九　（17–12）

南无四不可得經　南无百六十二品經
南无四飯經　南无賴吒和羅經
南无不退轉經　南无寶積經
南无枚鉢經　南无梵魔難經
南无梵皇經　南无寶結經
南无寶施女經　南无蓋達王經
南无天上釋爲故世在人中經
南无道德舍利日經
南无隨迦羅門菩薩經
南无中要語章經
次禮十方諸大菩薩摩訶薩
南无喜根菩薩　南无上寶月菩薩
南无不虛德菩薩　南无龍德菩薩
南无文殊師利菩薩　南无妙音菩薩
南无雲音菩薩　南无勝意菩薩
南无照照菩薩　南无勇衆菩薩
南无勝衆菩薩　南无威儀菩薩
南无師子菩薩　南无上意菩薩
南无益意菩薩　南无增意菩薩
南无寶明菩薩　南无慧頂菩薩
南无樂說頂菩薩　南无有德菩薩
南无觀世自在王菩薩　南无陀羅尼自在王菩薩
南无大自在王菩薩　南无无憂德菩薩
南无不虛見菩薩　南无離惡道菩薩
南无一切勇健菩薩　南无破闇菩薩
南无一切德寶菩薩　南无花威德菩薩

BD01516號　佛名經（十六卷本）卷九　（17–13）

南无大自在王菩薩　南无无畏德菩薩
南无不霊見菩薩　南无離惡道菩薩
南无一切勇健菩薩　南无破闇菩薩
南无功德寶菩薩　南无花威德菩薩
次礼聲聞緣覺一切賢聖
南无畢陵伽婆蹉　南无薄拘羅
南无摩訶拘絺羅　南无難陀
從此以上七千七百佛十二部經一切賢聖
南无孫陀羅難陀　南无富樓那
南无弥多羅尼子　南无須菩提
南无阿難羅睺羅
礼三寶已次復懺悔
弟子今以懇相懺悔一切諸業今當次第
更復一一別相懺悔若懇若別若麁若細
若輕若重若說若不說品類相從顛皆消
滅別相懺者先懺身三次懺口四其餘諸
障次第稽顙身三業者第一煞害如經所
明恕己可為喻勿煞勿行杖雖復禽獸之
殊保命畏死其事是一若尋此衆生无始
以來或是我父母兄弟六親眷屬以業因
緣輪迴六道出生入死改形易報不復相
識而今興害食噉其肉傷慈之甚是故佛
言設得餘食當如飢世食子肉相何况食
噉此魚肉耶又言為利煞衆生以錢納衆生
肉二俱是惡業死墮叫呼地獄故知煞害及以
食噉罪深河海過重丘岳然弟子等无始以

BD01516號　佛名經（十六卷本）卷九　（17–14）

噉此魚肉耶又言為利煞衆生以錢納衆生
肉二俱是惡業死墮叫呼地獄故知煞害及以
食噉罪深河海過重丘岳然弟子等无始以
來不遇善友皆為此業是故經言殺害之
罪能令衆生墮於地獄餓鬼受苦若在畜
生則受虎豹豺狼鷹鷂等身或受毒虵蝮蝎
等身常懷惡心或受麞鹿羆熊等身常
懷恐怖若生人中得二種果報一者多病二
者短命煞害食噉既有如是无量種種諸
惡果報是故弟子至到稽顙歸依於佛
南无東方滅諸怖畏佛　南无南方日月燈明佛
南无西方覺華光佛　南无北方發功德佛
南无東南方除衆感冥佛
南无西南方无生自在佛
南无西北方大神通王佛
南无東北方空離垢心佛
南无下方同像空无佛
南无上方瑠璃藏勝佛
如是十方盡虚空一切三寶
弟子自從无始以來至於今日有此心識常
懷慘毒无慈愍心或因貪起煞因瞋因癡
及以慢煞或興惡方便誓煞願煞及以呪煞
或破決湖池焚燒山野田獵魚捕或因風放火
飛鷹放犬惱害一切如是等罪今悉懺悔或
以檻弶坑撥杖戟弓弩彈射飛鳥走獸之
類或以罘網罾鈎撈漉水性魚鼈黿鼉蝦

BD01516號　佛名經（十六卷本）卷九　（17–15）

飛鷹放犬惱害一切如是等罪今悉懺悔或
以檻穽撥撥杈戟弓弩彈射飛鳥走獸之
類或以罘網罾鈎斫漉水性魚鼈黿鼉鰕
蜆螺蚌濕居之屬使水陸之與空行藏竄
无地或畜養雞豬牛羊犬豕鵝鴨之屬自
供庖廚或貨他宰煞使其哀聲未盡毛羽
脫落鱗甲傷毀身首分離骨肉銷碎剝裂屠
割炮燒煮炙楚毒酸切橫加无辜但取一
時之快口得味甚宜不過三寸舌根而已然
罪報殃累永劫如是等罪今日至誠皆悉
懺悔
又復无始以來至于今日或復興師相伐
壃場交諍兩陣相向更相煞害或自煞教
煞聞煞歡喜或習屠膾債為刑戮烹宰
他命行於不慈或恣忿揮戈擧刃或斬或刺
或推著坑塹或以水沉溺或塞穴壞巢土石
磓碑或以車馬雷轢踐蹋一切衆生如是等
罪无量无邊今日發露皆悉懺悔
又復无始以來或墮胎破卵毒藥蠱道傷
煞衆生墾土掘地種殖田園養蠶煮繭傷煞
滋甚或打撲蚊蚋掐嚙蚤虱或燒除糞掃
開決溝渠枉害一切或噉菓實或用穀米或
水或菜橫煞衆生或然雉薪或露燈燭燒
諸虫類或食醬酢不著搖動或寫湯水澆
煞虫蟻如是乃至行住坐卧四威儀中恒
常傷煞飛空著地細微衆生弟子允夫

BD01516 號　佛名經（十六卷本）卷九　（17–16）

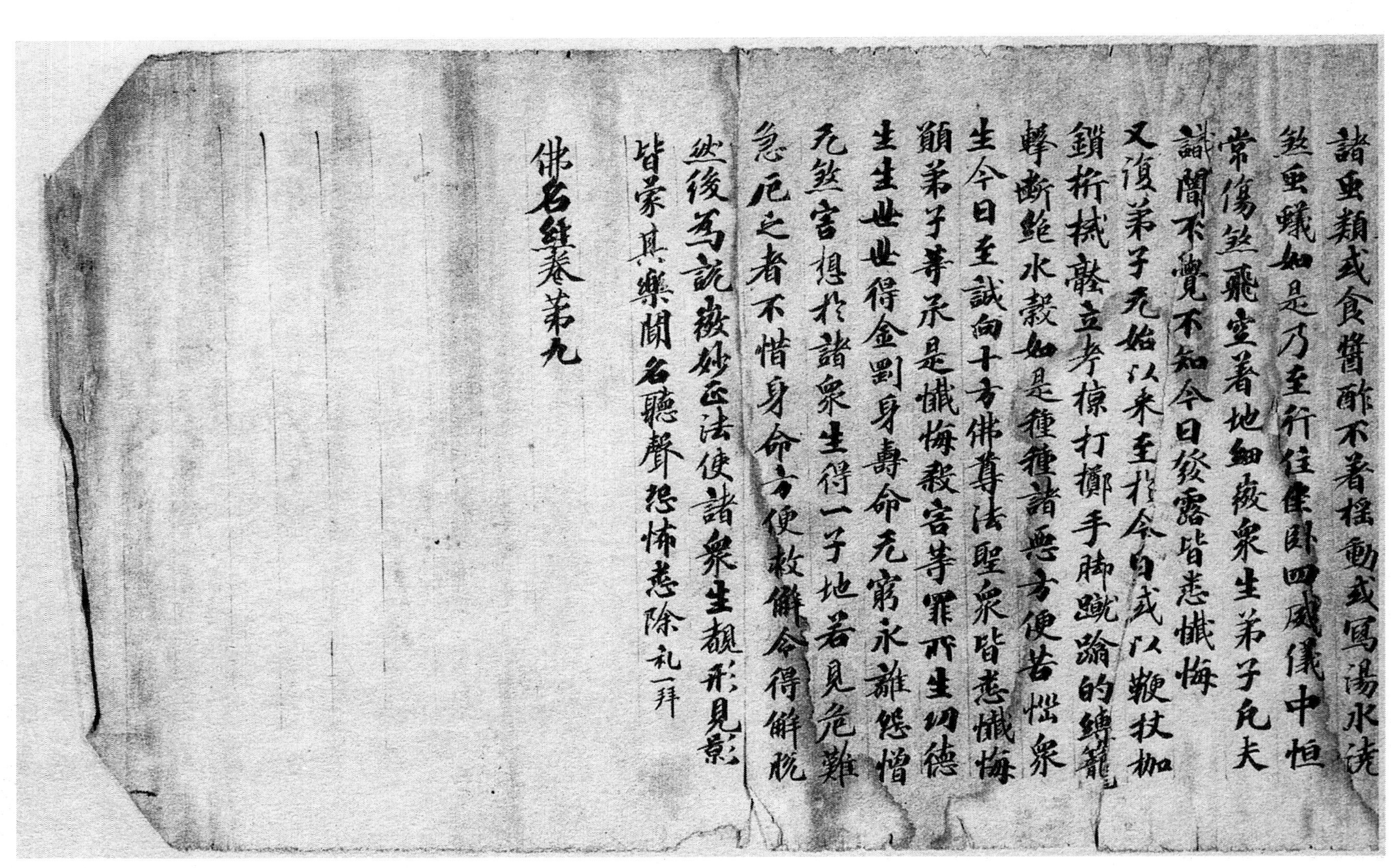

諸虫類或食醬酢不著搖動或寫湯水澆
煞虫蟻如是乃至行住坐卧四威儀中恒
常傷煞飛空著地細微衆生弟子允夫
諸闇不覺不知今日發露皆悉懺悔
又復弟子无始以來至於今日或以鞭杖枷
鎖桁械壓立拷掠打擲手腳蹴蹹的縛籠
繫斷絶水穀如是種種諸惡方便苦惱衆
生今日至誠向十方佛尊法聖衆皆悉懺悔
願弟子等承是懺悔殺害等罪所生功德
生生世世得金剛身壽命无窮永離怨憎
无煞害想於諸衆生得一子地若見危難
急厄之者不惜身命方便救解令得解脫
然後爲說微妙正法使諸衆生覩形見影
皆蒙其樂聞名聽聲恐怖悉除 礼一拜
佛名經卷第九

BD01516 號　佛名經（十六卷本）卷九　（17–17）

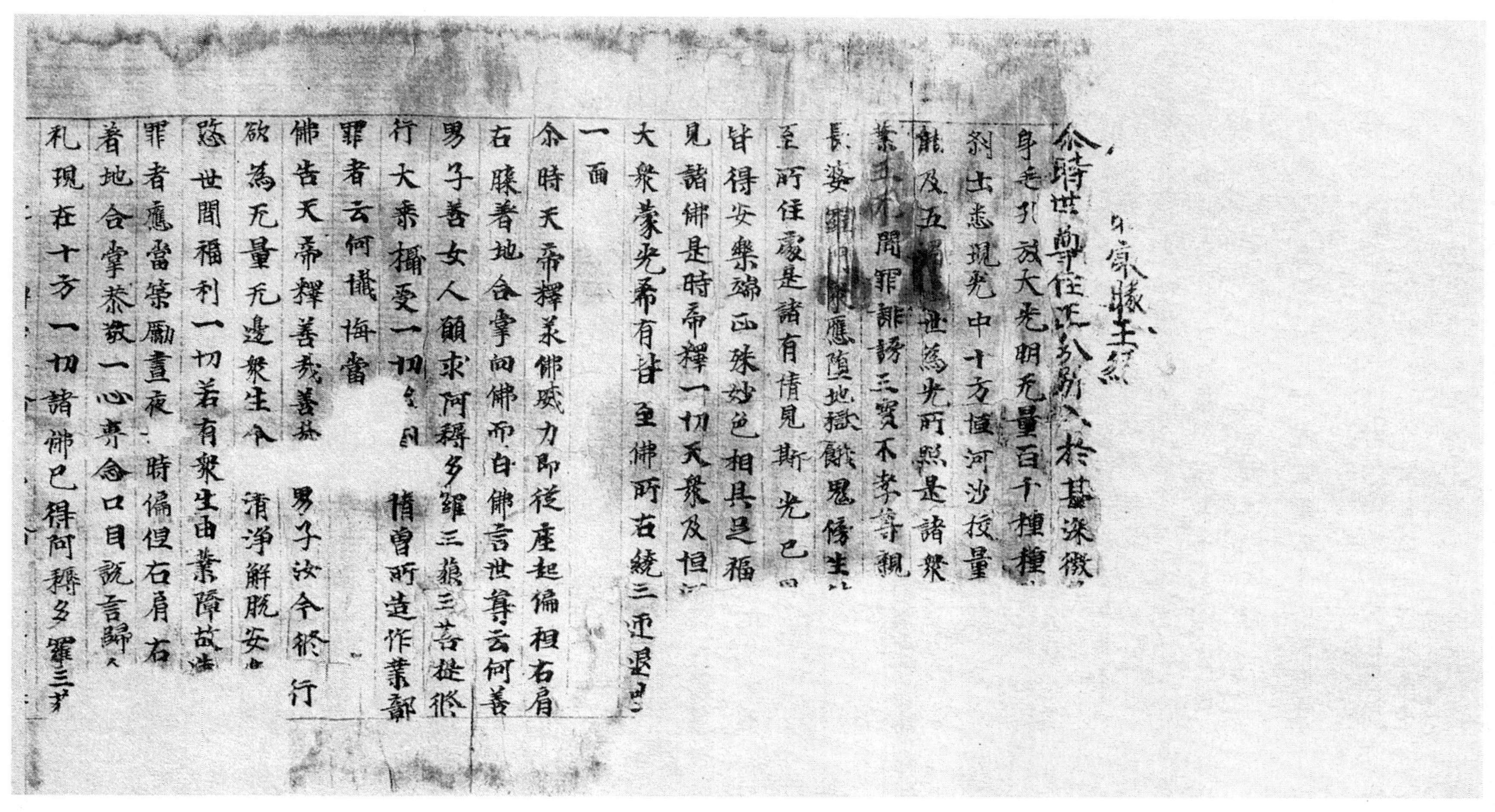
最勝王經
爾時世尊住正分別入於甚深微
身毛孔放大光明无量百千種種
剎土悉現光中十方恒河沙无量
能及五[illegible]世為光所照是諸衆
業五無間罪誹謗三寶不孝尊親
長娑羅門[illegible]應墮地獄餓鬼傍生
至所住處是諸有情見斯光已
皆得安樂端正殊妙色相具足福
見諸佛是時帝釋一切天衆及恒河
大衆蒙光希有皆至佛所右繞三匝退
一面
爾時天帝釋承佛威力即從座起偏袒右肩
右膝著地合掌向佛而白佛言世尊云何善
男子善女人願求阿耨多羅三藐三菩提修
行大乘攝受一切[illegible]有情曾所造作業障
罪者云何懺悔當[illegible]
佛告天帝釋善哉善哉善男子汝今修行
欲為无量无邊衆生令清淨解脫安樂
愍世間福利一切若有衆生由業障故造
罪者應當策勵晝夜六時偏袒右肩右
著地合掌恭敬一心專念口自說言歸命
礼現在十方一切諸佛已得阿耨多羅三藐

BD01517 號　金光明最勝王經卷三　（14–1）

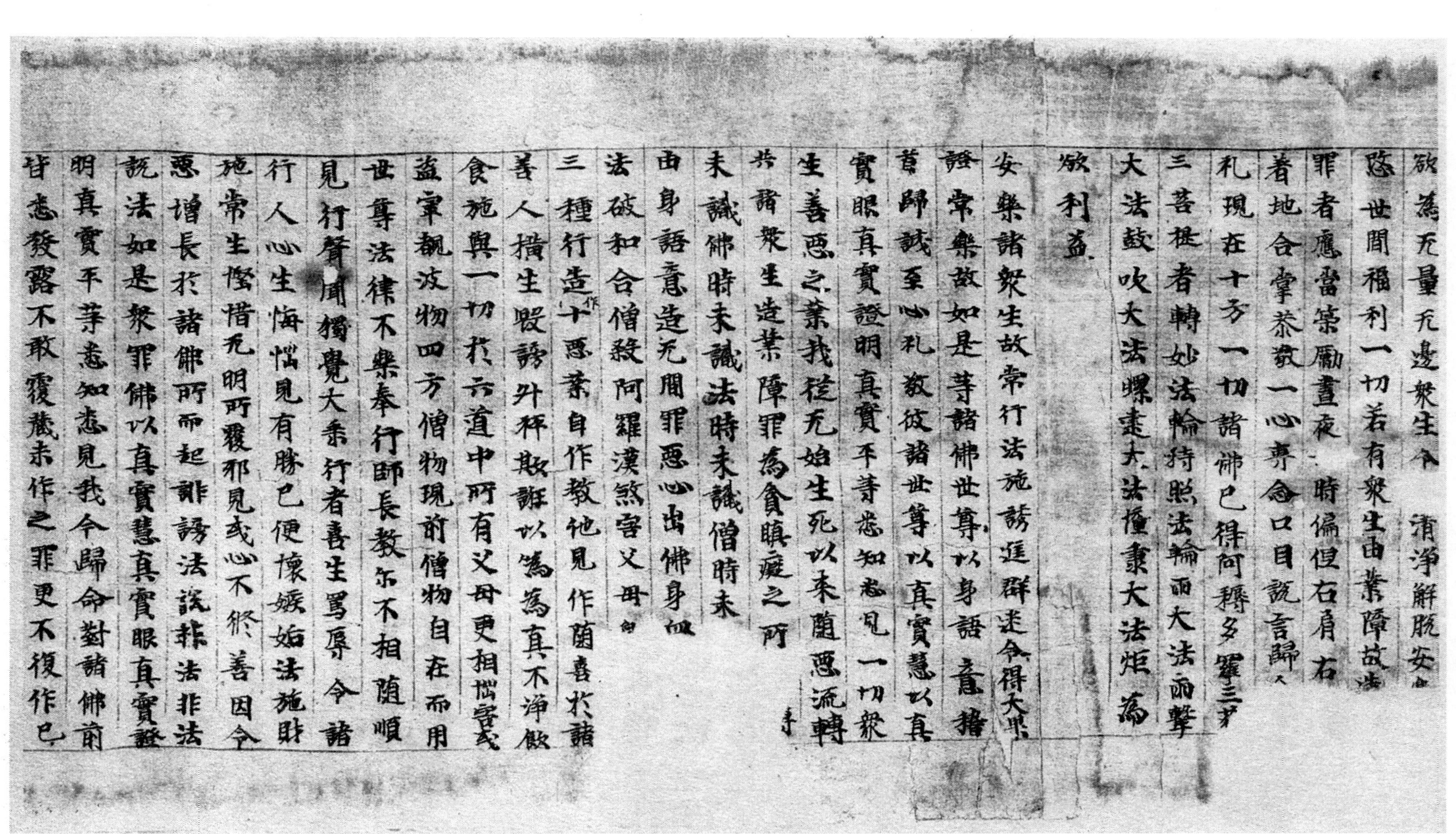
欲為无量无邊衆生令清淨解脫安樂
愍世間福利一切若有衆生由業障故造
罪者應當策勵晝夜六時偏袒右肩右
著地合掌恭敬一心專念口自說言歸命
礼現在十方一切諸佛已得阿耨多羅三藐
三菩提者轉妙法輪持照法輪雨大法雨擊
大法鼓吹大法螺建大法幢秉大法炬為
欲利益
安樂諸衆生故常行法施誘進群迷令得大果
證常樂故如是等諸佛世尊以身語意稽
首歸誠至心礼敬彼諸世尊以真實慧以真
實眼真實證明真實平等悉知悉見一切衆
生善惡之業我從无始生死以來隨惡流轉
共諸衆生造業障罪為貪瞋癡之所
未識佛時未識法時未識僧時未
由身語意造无間罪惡心出佛身血
法破和合僧殺阿羅漢殺害父母
三種行造十惡業自作教他見作隨喜於諸
善人橫生毀謗斗秤欺誑以僞為真不淨飲
食施與一切於六道中所有父母更相惱害或
盜窣覩波物四方僧物現前僧物自在而用
世尊法律不樂奉行師長教示不相隨順
見行聲聞獨覺大乘行者喜生罵辱令諸
行人心生悔惱見有勝己便懷嫉妬法施財
施常生慳悋无明所覆邪見惑心不修善因令
惡增長於諸佛所而起誹謗法說非法非法
說法如是衆罪佛以真實慧真實眼真實證
明真實平等悉知悉見我今歸命對諸佛前
皆悉發露不敢覆藏未作之罪更不復作已

BD01517 號　金光明最勝王經卷三　（14–2）

惡增長於諸佛所而起誹謗法說非法非法
說法如是衆罪佛以真實慧真實眼真實證
明真實平等悉知悉見我今歸命對諸佛前
皆悉發露不敢覆藏未作之罪更不復作已
作之罪今皆懺悔所作業障應墮惡道地獄
傍生餓鬼之中阿蘇羅衆及八難處願我此
生所有業障皆得消滅所有惡報未來不受
亦如過去諸大菩薩修菩提行所有業障悉
已懺悔我之業障今亦懺悔皆悉發露不敢
覆藏已作之罪願得除滅未來之惡更不造敢
亦如未來諸大菩薩修菩提行所有業障悉已懺悔我
之業障今亦懺悔皆悉發露不敢覆藏已作
之罪願得除滅未來之惡更不敢造亦如現
在十方世界諸大菩薩修菩提行所有業障
悉已懺悔我之業障今亦懺悔皆悉發露不
敢覆藏已作之罪願得除滅未來之惡更不敢
造善男子以是因緣若有造罪一剎那中不得
覆藏何況一日一夜乃至多時若有犯罪欲求
清淨心懷愧恥信於未來必有惡報生大
恐怖應如是懺如人被火燒頭燒衣救令速
滅火若未滅心不得安若人犯罪亦復如是
即應懺悔令速除滅若有願生富樂之家多
饒財寶復欲發意修習大乘亦應懺悔滅除
業障欲生豪貴婆羅門種剎帝利家及轉
輪王七寶具足亦應懺悔滅除業障
善男子若有欲生四大王衆三十三天夜摩
天覩史多天樂變化天他化自在天亦應懺
悔滅除業障若欲生梵衆梵輔大梵天少光
无量光極光淨天少淨无量淨遍淨天无雲福

BD01517號　金光明最勝王經卷三　（14–3）

善男子若有欲生四大王衆三十三天夜摩
天覩史多天樂變化天他化自在天亦應懺
悔滅除業障若欲生梵衆梵輔大梵天少光
无量光極光淨天少淨无量淨遍淨天无雲福
生廣果无煩无熱善現天善見色究竟天亦
應懺悔滅除業障若欲求預流果一來果
不還果阿羅漢果亦應懺悔滅除業障若
欲願求三明六通聲聞獨覺自在菩提至究
竟地求一切智淨智不思議智不動智三藐
三菩提正遍知者亦應懺悔滅除業障何以
故善男子一切諸法從因緣生如來所說異
相生異相滅因緣異故如是過去諸法皆已
滅盡所有業障无覆遺餘是諸行法未得
現生而今得生未來業障更不復起何以故
善男子一切法空如來所說无有我人衆生
壽者亦无生滅亦无行法善男子一切諸法
皆依於本亦不可說何以故過一切相故若
有善男子善女人如是入於微妙真理生信敬
心是名无衆生而有於本以是義故說於懺
悔滅除業障
善男子若人成就四法能除業障永得清淨
云何為四一者不起邪心正念成就二者於甚
深理不生誹謗三者於初行菩薩起一切智
心四者於諸衆生起慈无量是謂為四爾時
世尊而說頌言
專心護三業　不誹謗深法　作一切智相　慈心淨業障
善男子有四業障難可滅除云何為四一者
於菩薩律儀犯極重惡二者於大乘經心生
誹謗三者於自身中善根不能增長四者貪著三

BD01517號　金光明最勝王經卷三　（14–4）

專心護三乘　不誹謗深法　作一切智相　慈心淨業障
善男子有四業障難可滅除云何為四一者
於菩薩律儀犯極重惡二者於大乘經心生
誹謗三者於自善根不能增長四者貪著三
有无出離心復有四種對治業障云何為四一
者於十方世界一切如來至心親近說一切罪
二者為一切眾生勸請諸佛說深妙法三
者隨喜一切眾生所有功德四者所有一切
功德善根悉皆迴向阿耨多羅三藐三菩提
尒時天帝釋白佛言世尊世間所有　男子
女人於大乘行有能行者有不行者云何能
得隨喜一切眾生功德善根佛言善男子若
有眾生雖於大乘未能脩習然於晝夜六時
偏袒右肩右膝著地合掌恭敬一心專念作
隨喜時得福无量應作是言十方世界一
切眾生現在脩行施戒心慧我今皆悉深生
隨喜由作如是隨喜福故必當獲得尊重殊
勝无上无等最妙之果如是過去未來一切眾
生所有善根皆悉隨喜又於現在初行菩薩
發菩提心所有功德過百大劫行菩薩行有
大功德獲无生忍至不退轉一生補處如是
一切功德之藴皆悉至心隨喜讚歎過去未
來一切菩薩所有功德隨喜讚歎亦復如是
復於現在十方世界一切諸佛應正遍知證
妙菩提為度无邊諸眾生故轉无上法輪行
无礙法施擊法鼓吹法螺建法幢雨法雨哀
愍勸化一切眾生咸令信受皆蒙法施悉得
充足无盡安樂又復所有菩薩聲聞獨覺

BD01517 號　金光明最勝王經卷三　（14–5）

妙菩提為度无邊諸眾生故轉无上法輪行
无礙法施擊法鼓吹法螺建法幢雨法雨哀
愍勸化一切眾生咸令信受皆蒙法施悉得
充足无盡安樂又復所有菩薩聲聞獨覺
功德積集善根若有眾生未具如是諸功德
者悉令具足我皆隨喜如是過去未來諸佛
菩薩聲聞獨覺所有功德亦皆至心隨喜讚
歎善男子如是隨喜當得无量功德之聚如
恒河沙三千大千世界所有眾生皆斷煩惱
成阿羅漢若有善男子善女人盡其形壽常
以上妙衣服飲食卧具醫藥而為供養如是
功德不及如前隨喜功德千分之一何以故供
養功德有數有量不攝一切諸功德故隨喜
功德无量无數能攝三世一切功德是故若人
欲求增長勝善根者應脩如是隨喜功德
若有女人願轉女身為男子者亦應脩習隨
喜功德必得隨心現成男子尒時天帝釋白
佛言世尊已知隨喜功德勸請功德唯願為
說欲令未來一切菩薩當轉法輪現在菩
薩正脩行故佛告帝釋若有善男子善女人
願求阿耨多羅三藐三菩提者應當脩行聲
聞獨覺大乘之道是人當於晝夜六時如前
威儀一心專念作如是言我今歸依十方一切
諸佛世尊已得阿耨多羅三藐三菩提未轉
无上法輪欲捨報身入涅槃者我皆至誠頂
礼勸請轉大法輪雨大法雨然大法燈照明
理趣施无礙法莫般涅槃久住於世度脫安
樂一切眾生如前所說乃至无盡安樂我今
以此勸請功德迴向阿耨多羅三藐三菩提

BD01517 號　金光明最勝王經卷三　（14–6）

理趣施无礙法莫般涅槃久住於世度脫安
樂一切衆生如前所說乃至无盡安樂我今
以此勸請功德迴向阿耨多羅三藐三菩提
如過去未來現在諸大菩薩勸請功德迴向
菩提我亦如是勸請功德迴向无上正等菩
提善男子假使有人以三千大千世界滿中
七寶供養如來若復有人勸請如來轉大法
輪所得功德其福勝彼何以故彼是財施此
是法施善男子且置三千大千世界七寶布
施若人以滿恒河沙數大千世界七寶供養
一切諸佛勸請功德亦勝於彼由其法施有五
勝利云何為五一者法施兼利自他財施不
尒二者法施能令衆生出於三界財施之福
不出欲界三者法施能淨法身財施但唯增
長於色四者法施无窮財施有盡五者法施
能斷无明財施唯伏貪愛是故善男子勸
請功德无量无邊難可譬喻如我昔行菩
薩道時勸請諸佛轉大法輪由彼善根是故今日
一切帝釋諸梵王等勸請於我轉大法輪善
男子請轉法輪為欲度脫安樂諸衆生故我
於往昔為菩提行勸請如來久住於世莫般
涅槃依此善根我得十力四无所畏四无礙
辯大慈大悲證得无數不共之法我當入於无
餘涅槃我之正法久住於世我法身者清淨
无比種種妙相无量智慧无量自在无量功
德難可思議一切衆生皆蒙利益百千万
劫說不能盡法身攝藏一切諸法一切諸法
不攝法身法身常住不墮常見雖復斷滅亦
非斷見能破衆生種種異見能生衆生種

BD01517號　金光明最勝王經卷三　（14–7）

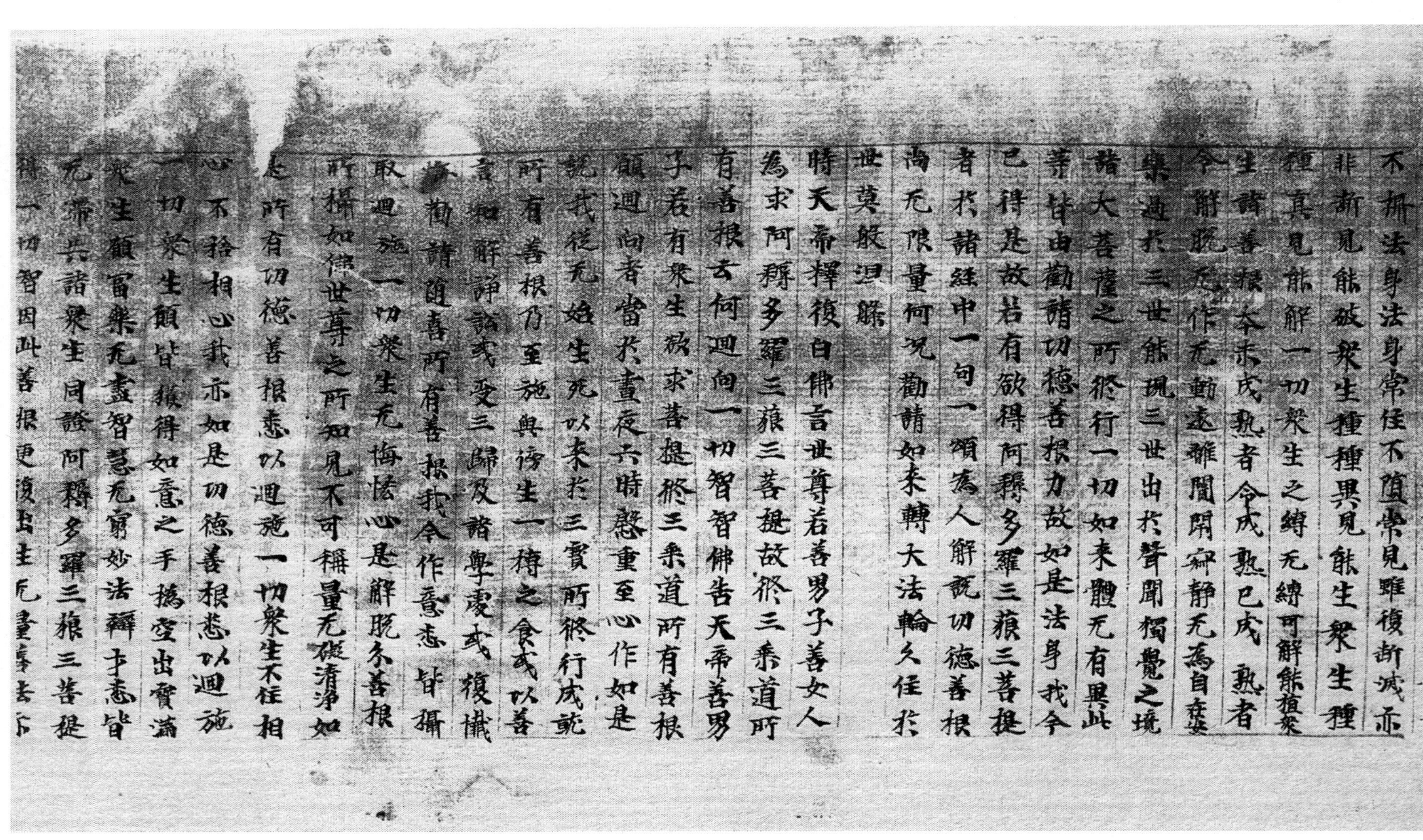
不攝法身法身常住不墮常見雖復斷滅亦
非斷見能破衆生種種異見能生衆生種
種真見能解一切衆生之縛无縛可解能植衆
生諸善根本未成熟者令成熟已成熟者
令解脫无作无動遠離閙閑寂靜无為自在安
樂過於三世能現三世出於聲聞獨覺之境
諸大菩薩之所修行一切如來體无有異此
等皆由勸請功德善根力故如是法身我今
已得是故若有欲得阿耨多羅三藐三菩提
者於諸經中一句一頌為人解說功德善根
尚无限量何況勸請如來轉大法輪久住於
世莫般涅槃
時天帝釋復白佛言世尊若善男子善女人
為求阿耨多羅三藐三菩提故修三乘道所
有善根云何迴向一切智智佛告天帝善男
子若有衆生欲求菩提修三乘道所有善根
願迴向者當於晝夜六時慇重至心作如是
說我從无始生死以來於三寶所修行成就
所有善根乃至施與傍生一摶之食或以善
言和解諍訟或受三歸及諸學處或復懺
悔勸請隨喜所有善根我今作意悉皆攝
取迴施一切衆生无悔悋心是解脫分善根
所攝如佛世尊之所知見不可稱量无礙清淨如
是所有功德善根悉以迴施一切衆生不住相
心不捨相心我亦如是功德善根悉以迴施
一切衆生願皆獲得如意之手㩲空出寶滿
衆生願富樂无盡智慧无窮妙法辯才悉皆
无滯共諸衆生同證阿耨多羅三藐三菩提
得一切智因此善根更復出生无量善法

BD01517號　金光明最勝王經卷三　（14–8）

心不捨相心我亦如是功德善根悉以迴施
一切衆生願皆獲得如意之手撝空出寶滿
衆生願富樂无盡智慧无窮妙法辯才悉皆
无滯共諸衆生同證阿耨多羅三藐三菩提
得一切智因此善根更復出生无量善法亦
皆迴向无上菩提又如過去諸大菩薩修行
之時功德善根悉皆迴向一切種智現在未
來亦復如是然我所有功德善根亦皆迴向
阿耨多羅三藐三菩提是諸善根願共一切
衆生俱成正覺如餘諸佛坐於道場菩提樹
下不可思議无礙清淨住於无盡法藏陀羅
尼首楞嚴定破魔波旬无量兵衆　應見覺
知應可通達如是一切一刹那中悉皆照了
於後夜中獲甘露法證甘露義我及衆生願
皆同證如是妙覺猶如
无量壽佛　勝光佛　妙光佛　阿閦佛
功德善光佛　師子光明佛　百光明佛　網光明佛
寶相佛　寶焰佛　焰明佛　焰盛光明佛
吉祥上王佛　微妙聲佛　妙莊嚴佛　法幢佛
上勝身佛　可愛色佛　光明遍照佛　梵淨王佛
上性佛
如是等如來應正遍知過去未來及以現在
所現應化得阿耨多羅三藐三菩提轉无上
法輪為度衆生我亦如是廣說如上
善男子若有淨信男子女人於此金光明最
勝王經滅業障品受持讀誦憶念不忘為他
廣說得无量无邊大功德聚譬如三千大
千世界所有衆生一時皆得成就人身得人
身已成獨覺道若有男子女人盡其形壽恭敬

BD01517號　金光明最勝王經卷三　（14–9）

女人於此金光明最
勝王經滅業障品受持讀誦憶念不忘為他
廣說得无量无邊大功德聚譬如三千大
千世界所有衆生一時皆得成就人身得人
身已成獨覺道若有男子女人盡其形壽恭敬
尊重四事供養一一獨覺各施七寶如須彌
山此諸獨覺入涅槃後皆以珎寶起塔供養
其塔高廣十二踰繕那以諸花香寶幢幡
蓋常為供養善男子於意云何是人所獲功
德寧為多不天帝釋言甚多世尊善男子
若復有人於此金光明微妙經典衆經之王
滅業障品受持讀誦憶念不忘為他廣說所獲
功德於前所說供養功德百分不及一百千万
億分乃至校量譬喻所不能及何以故是善
男子善女人住正行中勸請十方一切諸佛
轉无上法輪皆為諸佛歡喜讚歎善男子如
我所說一切施中法施為勝是故善男子於
三寶所設諸供養不可為比勸受三歸持一
切戒无有毀犯三業不可為比一切世界
一切衆生隨力隨能隨所願樂於三乘中勸
發菩提心不可為比於三世中一切世界所
有衆生皆得无礙速令成就无量功德不
可為比三世刹土一切衆生令无障礙得三
菩提不可為比三世刹土一切衆生勸令速
出四惡道苦不可為比三世刹土一切衆生
勸令除滅極重惡業不可為比一切苦惱勸
令解脫不可為比一切怖畏苦惱逼切皆令
得解脫不可為比三世佛前一切衆生所有功
德勸令隨喜發菩提願不可為比勸除惡行

BD01517號　金光明最勝王經卷三　（14–10）

令解脫不可為比一切怖畏苦惱遍切皆令
得解不可為比三世佛前一切衆生所有切
德勸令隨喜發菩提願不可為比勸除惡行
罵辱之業一切切德皆願成就所在生中勸
請供養尊重讚歎一切三寶勸請衆生淨修
福行成滿菩提不可為比是故當知勸請一
切世界三世三寶勸請滿足六波羅蜜勸請
轉於无上法輪勸請住世經无量劫演說无
量甚深妙法切德甚深无能比者
尒時天帝釋及恒河女神无量梵王四大天
衆從座而起偏袒右肩右膝著地合掌頂礼
白佛言世尊我等皆得聞是金光明最勝王
經今悉受持讀誦通利為他廣說依此法住
何以故世尊我等欲求阿耨多羅三藐三菩
提隨順此義種種勝相如法行故尒時梵
王及天帝釋等於說法處皆以種種曼陁羅
花而散佛上三千大千世界地皆大動一切
天鼓及諸音樂不鼓自鳴放金色光遍滿世
界出妙音聲時天帝釋白佛言世尊此等皆
是金光明經威神之力慈悲普救種種利益
種種增長菩薩善根滅諸業障佛言如是如是
如汝所說何以故善男子我念往昔過无量
百千阿僧祇劫有佛名寶王大光照如來應
正遍知出現於世住世六百八十億劫尒時
寶王大光照如來為欲度脫人天釋梵沙門
婆羅門一切衆生令安樂故當出現時初會
說法度百千億万衆皆得阿羅漢果諸漏
已盡三明六通自在无礙於第二會復度九

BD01517號　金光明最勝王經卷三　（14–11）

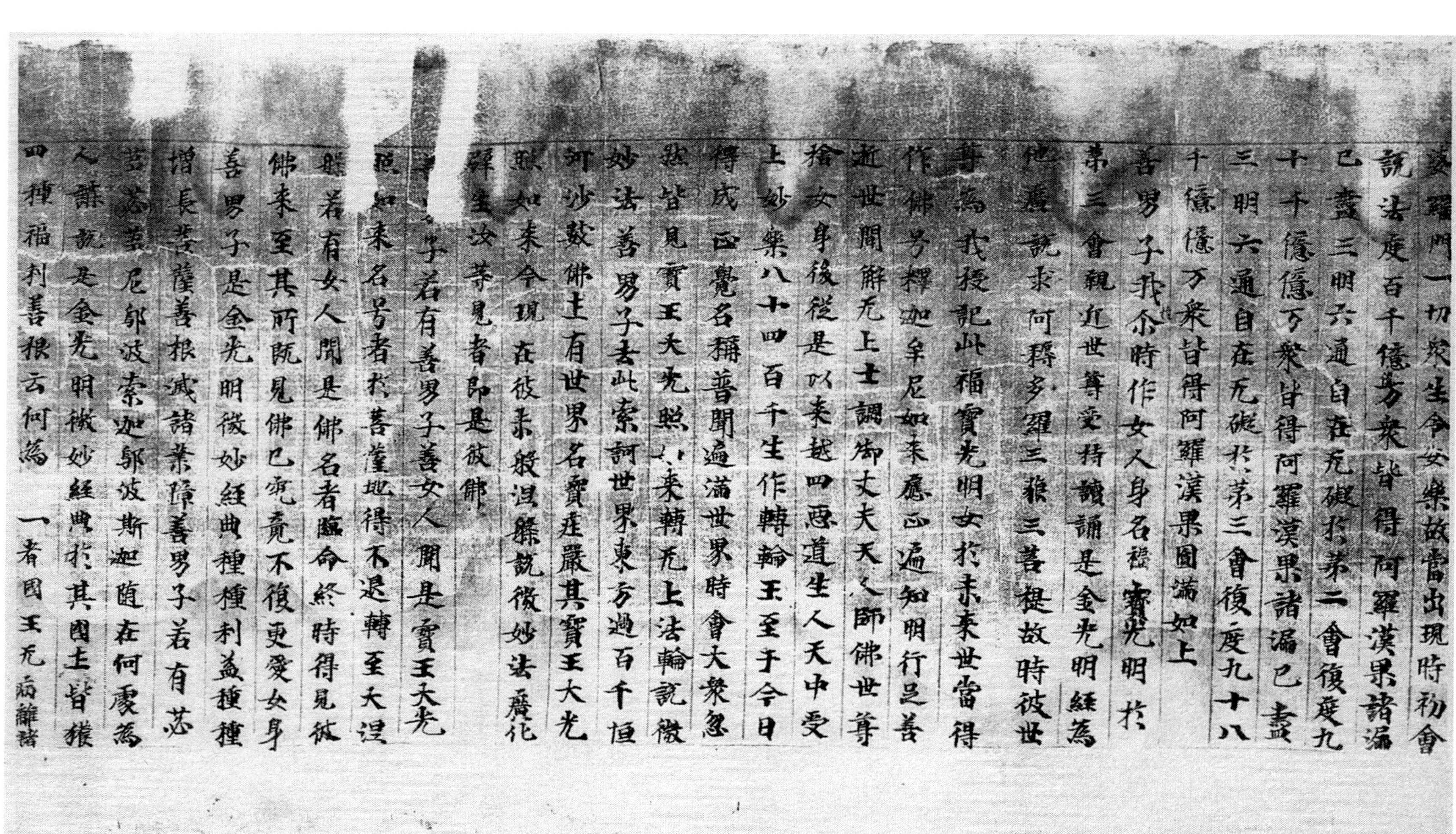
婆羅門一切衆生令安樂故當出現時初會
說法度百千億万衆皆得阿羅漢果諸漏
已盡三明六通自在无礙於第二會復度九
十千億億万衆皆得阿羅漢果諸漏已盡
三明六通自在无礙於第三會復度九十八
千億億万衆皆得阿羅漢果圓滿如上
善男子我尒時作女人身名福寶光明於
第三會親近世尊受持讀誦是金光明經為
他廣說求阿耨多羅三藐三菩提故時彼世
尊為我授記此福寶光明女於未來世當得
作佛号釋迦牟尼如來應正遍知明行足善
逝世間解无上士調御丈夫天人師佛世尊
捨女身後從是以來越四惡道生人天中受
上妙樂八十四百千生作轉輪王至于今日
得成正覺名稱普聞遍滿世界時會大衆忽
然皆見寶王大光照如來轉无上法輪說微
妙法善男子去此索訶世界東方過百千恒
河沙數佛土有世界名寶莊嚴其寶王大光
照如來今現在彼未般涅槃說微妙法廣化
群生汝等見者即是彼佛
善男子若有善男子善女人聞是寶王大光
照如來名号者於菩薩地得不退轉至大涅
槃若有女人聞是佛名者臨命終時得見彼
佛來至其所既見佛已究竟不復更受女身
善男子是金光明微妙經典種種利益種種
增長菩薩善根滅諸業障善男子若有苾
芻苾芻尼鄔波索迦鄔波斯迦隨在何處為
人講說是金光明微妙經典於其國土皆獲
四種福利善根云何為四　一者國王无病離諸

BD01517號　金光明最勝王經卷三　（14–12）

增長菩薩善根滅諸業障善男子若有苾
芻苾芻尼鄔波索迦鄔波斯迦隨在何處為
人講說是金光明微妙經典於其國土皆獲
四種福利善根云何為四　一者國王無病離諸
灾厄二者壽命長遠無有障礙三者無諸怨
敵兵衆勇健四者安隱豐樂正法流通何以
故如是人王常為釋梵四王藥叉之衆共守
護故
尒時世尊告天衆曰善男子是事實不是時
無量釋梵四王及藥叉衆俱時同聲荅世尊
言如是如是若有國土宣讀誦此妙經王
是諸國主我等四王常來擁護行住共俱其
王若有一切灾障及諸怨敵我等四王皆使
消殄憂愁疾疫亦令除差增益壽命感應禎
祥所願遂心恒生歡喜我等亦能令其國
中所有軍兵悉皆勇健佛言善哉善哉善男
子如汝所說汝當修行何以故是諸國王如法
行時一切人民隨王修習如法行者汝等皆蒙
色力勝利宮殿光明眷屬強盛時釋梵等白
佛言如是世尊佛言若讀誦此妙經典流通
之處於其國中大臣輔相有四種益云何為
四一者更相親穆尊重愛念二者常為人王
心所愛重亦為沙門婆羅門大國小國之
所尊敬三者輕財重法不求世利嘉名普暨
衆所欽仰四者壽命延長安隱快樂是名四
益若有國土宣說是經沙門婆羅門得四種
勝利云何為四一者衣服飲食臥具醫藥無
所乏少二者皆得安心思惟讀誦三者依於
山林得安樂住四者隨心所願皆得滿足是

BD01517 號　金光明最勝王經卷三　（14–13）

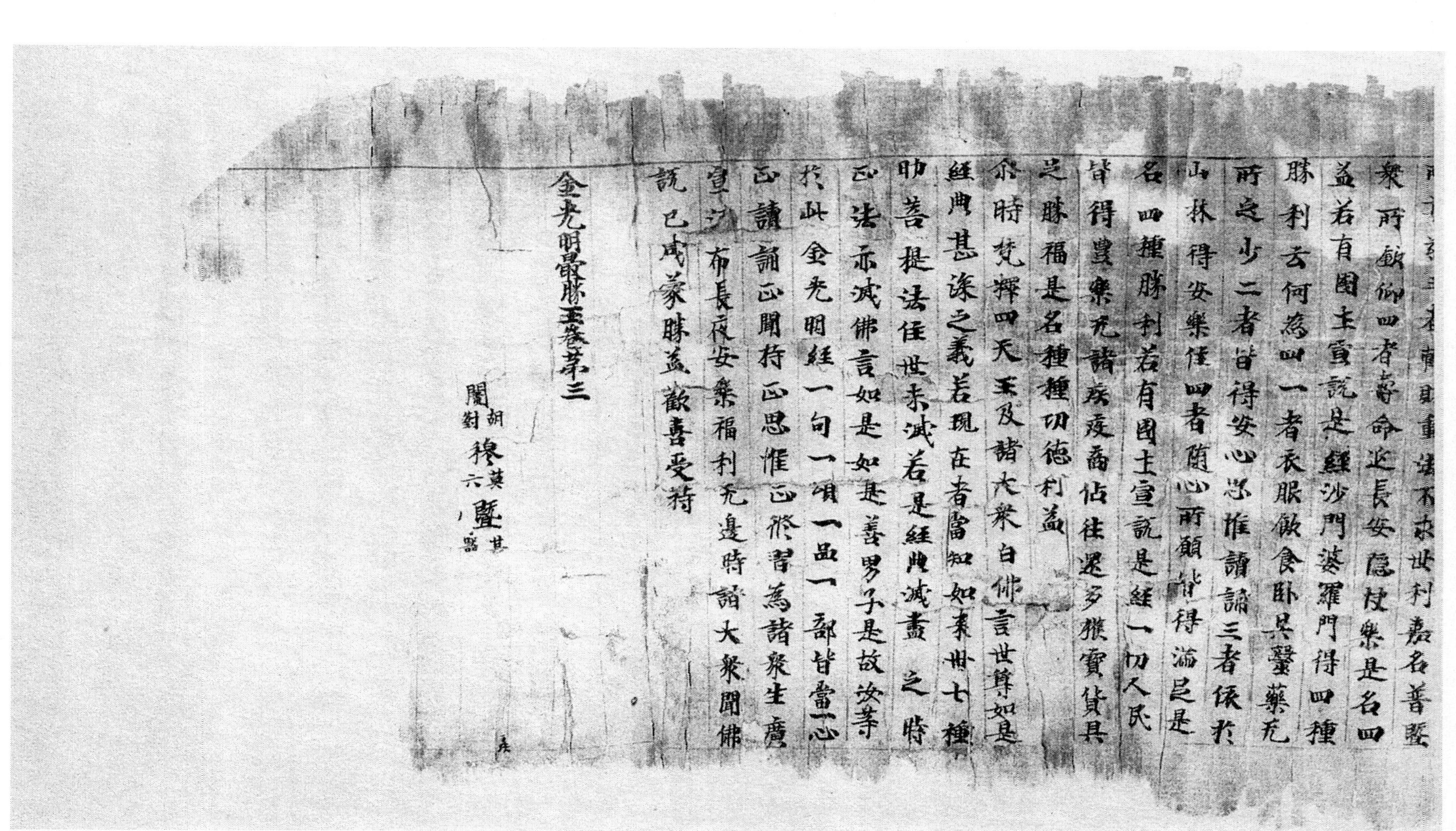
所尊敬三者輕財重法不求世利嘉名普暨
衆所欽仰四者壽命延長安隱快樂是名四
益若有國土宣說是經沙門婆羅門得四種
勝利云何為四一者衣服飲食臥具醫藥無
所乏少二者皆得安心思惟讀誦三者依於
山林得安樂住四者隨心所願皆得滿足是
名四種勝利若有國土宣說是經一切人民
皆得豐樂無諸疾疫商估往還多獲寶貨具
足勝福是名種種功德利益
尒時梵釋四天王及諸大衆白佛言世尊如是
經典甚深之義若現在者當知如來卅七種
助菩提法住世未滅若是經典滅盡之時
正法亦滅佛言如是如是善男子是故汝等
於此金光明經一句一頌一品一部皆當一心
正讀誦正聞持正思惟正修習為諸衆生廣
宣流布長夜安樂福利無邊時諸大衆聞佛
說已咸蒙勝益歡喜受持

金光明最勝王經卷苐三

閻對　胡　穆六　英　[illegible]

BD01517 號　金光明最勝王經卷三　（14–14）

切大衆而白佛言世尊
若佛聽者乃敢諮請佛
爲解說悅可衆心於是網明既蒙聽許心大
歡喜即白佛言世尊如来身相超百千万日
月光明我自惟念若有衆生能見佛身甚爲
希有我復惟念若有衆生能見佛身皆是如
来威神之力佛告網明如是如是如汝所言若
佛不加威神衆生无有能見佛身亦无能問
網明當知如来有光名寂莊嚴若有衆生
遇斯光者能見佛身不壞眼根又如来光名
无畏辯若有衆生遇斯光者能問如来其辯
无盡又如来光名集諸善根若有衆生遇斯
光者能問如来轉輪聖王行業因緣又如来
光名淨莊嚴若有衆生遇斯光者能問
天帝釋行業因緣又如来光名得自在若有
衆生遇斯光者能問如来梵天王行業因緣又
如来光名離煩惱若有衆生遇斯光者能
問如来聲聞乘所行之道又如来光名善速
離若有衆生遇斯光者能問如来辟支佛乘
所行之道又如来光名益一切智若有衆生
遇斯光者能問如来大乘佛事又如来光名

BD01518 號　思益梵天所問經卷一　（6–1）

如来光名離煩惱若有衆生遇斯光者能
問如来聲聞乘所行之道又如来光名善速
離若有衆生遇斯光者能問如来辟支佛乘
所行之道又如来光名益一切智若有衆生
遇斯光者能問如来大乘佛事又如来光名
爲往益佛来去時足下光明衆生遇者命終
生天又如来光名一切莊嚴若佛入城放斯光
明衆生遇者得歡喜樂一切嚴飾之具莊嚴
其城城中寶藏從地踊出又如来光名爲
震動佛以此光能動无量无邊世界又如来
光名爲生樂佛以此光能滅地獄衆生苦惱
又如来光名爲上慈佛以此光能令畜生不
相惱害又如来光名爲涼樂佛以此光能滅
餓鬼飢渴熱惱又如来光名爲明淨佛以此
光使盲者得視又如来光名爲聽聰佛以此
光能令衆生聾者得聽又如来光名爲慚愧
佛以此光能令衆生狂者得正又如来光名爲
止息佛以此光能令衆生捨十不善道安
住十善道又如来光名爲離惡佛以此光能
令耶見衆生皆得正見又如来光名爲能捨
佛以此光能破衆生慳貪之心令行布施又
如来光名无悔熱佛以此光能令毀禁衆生
皆得持戒又如来光名爲安利佛以此光能
令瞋恨衆生皆得忍辱又如来光名爲勤脩
佛以此光能令懈怠衆生皆得精進又如来
光名爲一心佛以此光能令妄念衆生皆得

BD01518 號　思益梵天所問經卷一　（6–2）

令瞋恨衆生皆得忍辱又如来光名爲懃脩
佛以此光能令懈怠衆生皆得精進又如来
光名爲一心佛以此光能令妄念衆生皆得
禪定又如来光名爲能解佛以此光能令愚
癡衆生皆得智慧又如来光名爲清淨佛以
此光能令不信衆生皆得淨信又如来光名
爲能持佛以此光能令少聞衆生皆得多聞
又如来光名爲威儀佛以此光能令无慙衆
生皆得慙愧又如来光名爲安隱佛以此光
能令多欲衆生斷除婬欲又如来光名爲歡
喜佛以此光能令多愁衆生斷除瞋恚又如
来光名爲照明佛以此光能令多癡衆生斷
除愚癡又如来光名爲遍行佛以此光能令
等分衆生斷除等分又如来光名亦一切色
佛以此光能令衆生皆見佛身無量種色網
明當知如来若以一劫若減一劫說此光明
力用名号不可窮盡尒時網明菩薩白佛言
未曾有也世尊如来身者即是无量光明之
藏說法方便亦不可思議世尊我自昔来未
曾聞此光明名号如我解佛所說義若有菩
薩聞斯光明名号信心清淨皆得如是光明之
身世尊唯願今日請放諸光令他方菩薩善問
難者見斯光已發心来至娑婆世界尒時世
尊受網明菩薩請已即放光明照於三千大
千世界普及十方无量佛土於是諸方无量

BD01518 號　思益梵天所問經卷一　（6–3）

難者見斯光已發心来至娑婆世界尒時世
尊受網明菩薩請已即放光明照於三千大
千世界普及十方无量佛土於是諸方无量
百千万億菩薩見斯光已皆来至此娑婆世
界尒時東方過七十二恒河沙佛土有國名
清潔佛号日月光如来應供正遍知今現在
世其佛國土有菩薩梵天名曰思益住不退
轉見此光已到日月光佛所頭面作礼白佛
言世尊我欲詣娑婆世界釋迦牟尼佛所奉
見供養親近諮受彼佛亦復欲見我等其佛
告言梵天便往今正是時彼娑婆國有若干
千億諸菩薩集汝應以十法遊於彼土何等
爲十於毀於譽心无增減聞善聞惡心无分
別於諸愚智等以悲心於上中下衆生之類
意常平等於輕毀供養心无有二於他闕失
莫見其過見種種乘皆是一乘聞三惡道勿
得驚畏於諸菩薩生如来想佛出五濁生希
有想梵天汝當以此十法遊彼世界思益梵
天白佛言世尊我不敢於如来前作師子吼
我所能行佛自知之今當以此十法於彼世
界一心脩行尒時日月光佛國有諸菩薩白
佛言世尊我得大利不生是如惡衆生中其
佛告言善男子勿作是語所以者何若菩薩
於此國中百千劫淨脩梵行不如彼土從旦
至食无瞋导心其福爲勝即時有万二千菩
薩與思益梵天俱共發来而作是言我等亦

BD01518 號　思益梵天所問經卷一　（6–4）

佛告言善男子勿作是語所以者何若菩薩
於此國中百千劫淨脩梵行不如彼土從旦
至食无瞋㝵心其福為勝即時有万二千菩
薩與思益梵天俱共發來而作是言我等亦
欲以此十法遊彼世界見釋迦牟尼佛於是思
益梵天與万二千菩薩俱於彼佛土忽然不
現譬如壯士屈申臂頃到娑婆世界釋迦牟
尼佛所却住一面尒時佛告網明菩薩汝見
是思益梵天不唯然已見網明當知思益梵
天於諸正問菩薩中為最第一於諸善分別
諸法菩薩中為最第一於諸說隨宜經意菩
薩中為最第一於諸慈心菩薩中為最第一
於諸悲心菩薩中為最第一於諸喜心菩薩
中為最第一於諸捨心菩薩中為最第一於
諸軟語菩薩中為最第一於諸不瞋㝵菩薩
中為最第一於諸光意問訊菩薩中為最第
一於諸決疑菩薩中為最第一尒時思益梵
天與万二千菩薩俱頭面礼佛足右繞三迊
合掌向佛以偈讚言

世尊大名稱　普聞於十方　所在諸如來　无不稱歎者
有諸餘淨國　无三惡道名　捨如是妙土　慈悲故生此
佛智无減少　與諸如來等　以大慈本願　處斯穢惡土
若人於淨國　持戒滿一劫　此土須臾間　行慈為最勝
若人於此土　起身口意罪　應墮三惡趣　現世受得除
生此土菩薩　不應懷憂怖　設有惡道罪　頭痛則除滅
此土諸菩薩　若能守護法　世世所生處　不失於正念
[illegible]

BD01518號　思益梵天所問經卷一　（6–5）

中為最第一於諸光意問訊菩薩中為最第
一於諸決疑菩薩中為最第一尒時思益梵
天與万二千菩薩俱頭面礼佛足右繞三迊
合掌向佛以偈讚言

世尊大名稱　普聞於十方　所在諸如來　无不稱歎者
有諸餘淨國　无三惡道名　捨如是妙土　慈悲故生此
佛智无減少　與諸如來等　以大慈本願　處斯穢惡土
若人於淨國　持戒滿一劫　此土須臾間　行慈為最勝
若人於此土　起身口意罪　應墮三惡趣　現世受得除
生此土菩薩　不應懷憂怖　設有惡道罪　頭痛則除滅
此土諸菩薩　若能守護法　世世所生處　不失於正念
若人欲斷歸　滅煩惱業罪　於此土護法　增益一切智
淨土多億劫　受持法解說　於此娑婆界　從旦至食勝
我見喜樂國　及見安樂土　此中无苦惱　亦无苦惱名
於彼作功德　未足以為奇　於此煩惱處　能忍不可事
亦教他此法　其福為最勝　我礼无上尊　大悲救苦者
[illegible]　十方世界中

BD01518號　思益梵天所問經卷一　（6–6）

[illegible]白佛言世
久知如是之事何不先制將无世尊欲令衆
生入阿鼻獄辟如多人欲至他方迷失正路
隨逐耶道是諸人等不知迷故皆謂是道復
不見人可[illegible]生如是迷於佛[illegible]不見
正真[illegible]言比丘此是犯
戒此是持戒當如是制何以故如來正覺是
真實者知見正道唯有如來天中之天能說
十善增上功德及其義味是故啓請應先制
戒佛言善男子若言如來能爲衆生宣說十
善增上功德是[illegible]如來視諸衆生如羅睺羅
云何難言將无世尊欲令衆生入於地獄我
見一人有墮阿鼻地獄因緣尚爲是人住世
一劫若減一劫我於衆生有大慈悲何緣當誑
如子想者令入地獄善男子如王國內有
納衣者見衣有孔然後方補如來亦尒見諸
衆生有入阿鼻地獄因緣即以戒善而爲補
之善男子辟如轉輪聖王先爲衆生說十善
法其後漸漸有行惡者王即隨事漸漸而斷

BD01519號　大般涅槃經（北本）卷四　（14–1）

[illegible]
納衣者見衣有孔然後方補如來亦尒見諸
衆生有入阿鼻地獄因緣即以戒善而爲補
之善男子辟如轉輪聖王先爲衆生說十善
法其後漸漸有行惡者王即隨事漸漸而斷
斷諸惡已然後自行聖王之法善男子我亦
如是雖有所說不得先制要因比丘漸行非
法然後方乃隨事制之樂法衆生隨教脩行
如是等衆乃能得見如來法身如轉輪王所
有輪寶不可思議如來亦尒不可思議法僧
二寶亦不可思議能說法者及聞法者皆不
可思議是名善解因緣義也菩薩如是分別
開示四種相義是名大乘大涅槃中因緣義
也復次自正者所謂得是大般涅槃正他者
我爲比丘說言如來常存不變隨問荅者迦
葉因汝所問故得廣爲菩薩摩訶薩比丘比
丘尼優婆塞優婆夷說是甚深微妙義理因
緣義者聲聞緣覺不解如是甚深之義不聞
伊字三點而成解脫涅槃摩訶般若成祕密
藏我今於此闡揚分別爲諸聲聞開發慧眼
假使有人作如是言如是四事云何爲一非
虛妄耶即應反質是虛空无所有不動无㝵
如是四事有何等異是豈得名爲虛妄不
也世尊如是諸句即是一義所謂空義自正
正他能隨問荅解因緣義亦復如是即大涅

BD01519號　大般涅槃經（北本）卷四　（14–2）

如是四事有何等異是故得名為虛妄不
也世尊如是諸句即是一義所謂空義自正
正他能隨問荅解因緣義亦復如是即大涅
槃等无无異佛告迦葉若有善男子善女人
作如是言如來无常云何當知是无常耶如
佛所言滅諸煩惱名為涅槃猶如火滅悉无
所有滅諸煩惱亦復如是故名涅槃云何如
來為常住法不變易耶如佛言曰離諸有者
乃名涅槃是涅槃中无有諸有云何如來為
常住法不變易耶如衣壞盡不名為物涅槃
亦尒滅諸煩惱不名為物云何如來為常住
法不變易耶如佛言曰離欲寂滅名曰涅槃
如人斬首則无有首離欲寂滅亦復如是空
无所有故名涅槃云何如來為常住法不變
易耶如佛言曰
辟如熱鐵　搥打星流　散已尋滅　莫知所在
得正解脫　亦復如是　已度婬欲　諸欲淤泥
得无動處　不知所至
云何如來為常住法不變易耶迦葉若有人
作如是難者名為耶難迦葉汝亦不應作是
憶想謂如來性是滅盡也迦葉滅煩惱者不
名為物何以故永畢竟故是故名常是句寂
靜為无有上滅盡諸相无有遺餘是句鮮白
常住无退是故涅槃名曰常住如來亦尒常
住无變言星流者謂煩惱也散已尋滅莫知

靜為无有上滅盡諸相无有遺餘是句鮮白
常住无退是故涅槃名曰常住如來亦尒常
住无變言星流者謂煩惱也散已尋滅莫知
所在者謂諸如來煩惱滅已不在五趣是故
如來是常住法无有變易復次迦葉諸佛所
師所謂法也是故如來恭敬供養以法常故
諸佛亦常迦葉菩薩復白佛言若煩惱火滅
如來亦滅是則如來无常住處如彼迸鐵赤
色滅已莫知所至如來煩惱亦復如是滅无
所至又如彼鐵熱與赤色滅已无有如來亦
尒滅已无常滅煩惱火便入涅槃當知如來
即是无常善男子所言鐵者名諸凡夫凡夫
之人雖滅煩惱已復生故名无常如來不
尒滅已復生是故名常迦葉復言如鐵色滅
還置火中赤色復生如來若尒應還生結若
結還生即是无常佛言迦葉汝今不應作如
是言如來无常何以故如來是常善男子如
彼燃木滅已有灰煩惱滅已便有涅槃壞衣
斬首破瓶等喻亦復如是如是等物各有名
字名曰壞衣斬首破瓶迦葉如鐵冷已可使
還熱如來不尒斷煩惱已畢竟清涼煩惱熾
火更不復生迦葉當知无量衆生猶如彼鐵
我以无漏智慧熾火燒彼衆生諸煩惱結迦
葉復言善哉善哉我今諦知如來所說諸佛
是常佛言迦葉譬如聖王素在後宮或時遊

我以无漏智慧熾火燒彼衆生諸煩惱結迦
葉復言善哉善哉我今諦知如來所説諸佛
是常佛言迦葉譬如聖王素在後宮或時遊
觀在於後薗王雖不在諸婇女中亦不得言
聖王命終善男子如來亦尒雖不現於閻浮
提界入涅槃中不名无常如來出於无量煩惱
入于涅槃安樂之處遊諸覺華歡娛受樂
迦葉復問如佛言曰我已久度煩惱大海若
佛已度煩惱海者何緣復共耶輸陁羅生羅
睺羅以是因緣當知如來未度煩惱諸結大
海唯願如來説其因緣佛告迦葉汝不應言
如來久度煩惱大海何緣復共耶輸陁羅生
羅睺羅以是因緣當知如來未度煩惱諸結
大海善男子是大涅槃能建大義汝等今當
至心諦聽廣為人説莫生驚疑若有菩薩摩
訶薩住大涅槃須弥山王如是高廣悉能令
入葶藶子稃其諸衆生依須弥者亦不迫迮
无來往想如本不異唯應度者見是菩薩以
須弥山内葶藶稃復還安止本所住處善男
子復有菩薩摩訶薩住大涅槃能以三千大千
世界置葶藶稃其中衆生亦无迫迮及往
來想如本不異唯應度者見是菩薩以此三
千大千世界置葶藶稃復還安止本所住處
善男子復有菩薩摩訶薩住大涅槃能以三
千大千世界内一毛孔乃至本處亦復如是

BD01519號　大般涅槃經（北本）卷四

（14–5）

千大千世界置葶藶稃復還安止本所住處
善男子復有菩薩摩訶薩住大涅槃能以三
千大千世界内一毛孔乃至本處亦復如是
善男子復有菩薩摩訶薩住大涅槃斷取十方
三千大千諸佛世界置於針鋒如貫棗葉擲
著他方異佛世界其中所有一切衆生不覺
往返爲在何處唯應度者乃能見之乃至本
處亦復如是善男子復有菩薩摩訶薩住大
涅槃斷取十方三千大千諸佛世界置於右
掌如陶家輪擲置他方微塵世界无一衆生
有往來想唯應度者乃見之耳乃至本處亦
復如是善男子復有菩薩摩訶薩住大涅槃
斷取一切十方无量諸佛世界悉内己身其
中衆生悉无迫迮亦无往返及住處想唯應
度者乃能見之乃至本處亦復如是善男子
復有菩薩摩訶薩住大涅槃以十方世界内一
塵中其中衆生亦无迫迮往返之想唯應度
者乃能見之乃至本處亦復如是善男子是
菩薩摩訶薩住大涅槃則能示現種種无量
神通變化是故名曰大般涅槃是菩薩摩訶
薩所可示現如是无量神通變化一切衆生
无能測量汝今云何能知如來習近愛欲生
羅睺羅善男子我佛世尊久住如是大般涅
槃種種示現神通變化於此三千大千世界

BD01519號　大般涅槃經（北本）卷四

（14–6）

羅睺羅善男子我佛世尊久住如是大般涅
槃種種示現神通變化於此三千大千世界
百億日月百億閻浮提種種示現如首楞嚴
經中廣說我於三千大千世界或閻浮提示
現涅槃亦不畢竟取於涅槃或閻浮提示入
母胎令其父母生我子想而我此身畢竟不
從婬欲和合而得生也我已從无量劫來
離於婬欲我今此身即是法身隨順世間示
現入胎善男子此閻浮提林微尼園示現從
母摩耶而生生已即能東行七步唱如是言
我於人天阿脩羅中最尊最上父母人天見
已驚喜生希有心而諸人等謂是嬰兒而我
此身无量劫來久離是法如是身者即是法
身非是肉血筋脈骨髓之所成立隨順世間
眾生法故示為嬰兒南行七步示現欲為无
量眾生作上福田西行七步示現生盡永斷
老死是最後身北行七步示現已度諸有生
死東行七步示為眾生而作導首四維七步
示現斷滅種種煩惱四魔種性成於如來應
正遍知上行七步示現不為不淨之物之所
染汙猶如虛空下行七步示現法雨滅地獄
火令彼眾生受安隱樂毀禁戒者示作霜雹
於閻浮提生七日已又示剃髮諸人皆謂我
是嬰兒初始剃髮一切人天魔王波旬沙門

於閻浮提生七日已又示剃髮諸人皆謂我
是嬰兒初始剃髮一切人天魔王波旬沙門
婆羅門无有能見我頂相者況有持刀臨之
剃髮若有持刀至我頂者无有是處我久已
於无量劫中剃除鬚髮為欲隨順世間法故
亦現剃髮我既生已父母將我入天祠中以
我示於摩醯首羅摩醯首羅即見我時合掌
恭敬立在一面我已久於无量劫中捨離如
是入天祠法為欲隨順世間法故示現如是
我於閻浮提示現穿耳一切眾生實无有能
穿我耳者隨順世間眾生法故示現如是復
以諸寶作師子璫用莊嚴耳然我已於无量
劫中離莊嚴具為欲隨順世間法故作是示
現亦入學堂脩學書疏然我已於无量劫中
具足成就遍觀三界所有眾生无有堪任為
我師者為欲隨順世間法故示入學堂故名
如來應正遍知習學乘象騀馬捔力種種伎
藝亦復如是於閻浮提而復示現為王太子
眾生皆見我為太子於五欲中歡娛受樂然
我已於无量劫中捨離如是五欲之樂為欲
隨順世間法故示如是相相師占我若不出
家當為轉輪聖王王閻浮提一切眾生皆信
是言然我已於无量劫中捨轉輪王位為法
輪王於閻浮提現離婇女五欲之樂見老病

是言然我已於无量劫中捨轉輪王位為法
輪王於閻浮提現離婇女五欲之樂見老病
死及沙門已出家修道衆生皆謂悉達太子
初始出家然我已於无量劫中出家學道隨
順世法故亦如是我於閻浮提亦現出家受
具足戒精懃脩道得須陁洹果斯陁含果阿
那含果阿羅漢果衆人皆謂是阿羅漢果易
得不難然我已於无量劫中成阿羅漢果為
欲度脫諸衆生故坐於道場菩提樹下以草
為坐摧伏衆魔衆皆謂我始於道場菩提樹
下降伏魔官然我已於无量劫中久降伏已
為欲降伏剛強衆生故現是化我又亦現大
小便利出息入息衆皆謂我有大小便利出
息入息然我是身所得果報悉无如是大小
便利出入息等隨順世閒故亦如是我又亦
現受人信施然我是身都无飢渴隨順世法
故亦如是我又亦同諸衆生故現有睡眠然
我已於无量劫中具足无上深妙智慧遠離
三有進止威儀頭痛腹痛背痛木鎗洗足洗
手洗面漱口嚼楊枝等衆皆謂我有如是事
然我此身都无此事我足清淨猶如蓮華口
氣淨潔如優鉢羅香一切衆生謂我是人我
實非人我又亦現受糞掃衣浣濯縫打然我
久已不須是衣衆人皆謂羅睺羅者是我之

BD01519號　大般涅槃經（北本）卷四

（14–9）

實非人我又亦現受糞掃衣浣濯縫打然我
久已不須是衣衆人皆謂羅睺羅者是我之
子輸頭檀王是我之父摩耶夫人是我之母
處在世閒受諸快樂離如是事出家學道衆
人復言是王太子瞿曇大姓遠離世樂求出
世法然我久離世閒婬欲如是等事悉是示
現一切衆生咸謂是人然我實非善男子我
雖在此閻浮提中數數示現入於涅槃然我
實不畢竟涅槃而諸衆生皆謂如來真實滅
盡而如來性實不永滅是故當知是常住法
不變易法善男子大涅槃者即是諸佛如來
法界我又亦現閻浮提中出於世閒衆生皆
謂我始成佛然我已於无量劫中所作已辦
隨順世法故復示現於閻浮提初出成佛我
又亦現於閻浮提不持禁戒犯四重罪衆人
皆見謂我實犯然我已於无量劫中堅持禁
戒无有漏缺我又亦現於閻浮提為一闡提
衆人皆見是一闡提然我實非一闡提也一
闡提者云何能成阿耨多羅三藐三善提我
又亦現於閻浮提破和合僧衆生皆謂我是
破僧我觀人天无有能破和合僧者我又亦
現於閻浮提護持正法衆人皆謂我是護法
悉生驚怖諸佛法尒不應驚怖我有示現於
閻浮提為魔波旬衆人皆謂我是波旬然我

BD01519號　大般涅槃經（北本）卷四

（14–10）

現於閻浮提護持正法眾人皆謂我是護法
悉生驚怖諸佛法尒不應驚怪我有示現於
閻浮提為魔波旬眾人皆謂我是波旬然我
久於無量劫中離於魔事清淨無染猶如蓮
華我又示現於閻浮提女身成佛眾人皆言
甚奇女人能成阿耨多羅三藐三菩提如來
畢竟不受女身為欲調伏無量眾生故現女
像憐愍一切諸眾生故而復示現種種色像
我又示現閻浮提中生於四趣然我久已斷
諸趣因以業因故墮于四趣為度眾生故生
是中我又示現閻浮提中作梵天王令事梵
者安住正法然我實非而諸眾生咸皆謂我
為真梵天示現天像遍諸天廟亦復如是我
又示現於閻浮提入婬女舍然我實無貪欲
之想清淨不汙猶如蓮華為諸貪婬嗜色眾
生於四衢道宣說妙法然我實無欲穢之心
眾人謂我守護女人我又示現於閻浮提入
青衣舍為教諸婢令住正法然我實無如是
惡業墮在青衣我又示現閻浮提中而作博
士為教童矇令住正法我又示現於閻浮提
入諸酒會博弈之處示受種種勝負鬬諍為
欲拔濟彼諸眾生而我實無如是惡業而諸
眾生皆謂我作如是之業我又示現久住冢
間作大鷲身度諸飛鳥而諸眾生皆謂我是
真實鷲身然我久已離於是業為欲度彼諸

BD01519號　大般涅槃經（北本）卷四　（14–11）

眾生皆謂我作如是之業我又示現久住冢
間作大鷲身度諸飛鳥而諸眾生皆謂我是
真實鷲身然我久已離於是業為欲度彼諸
鳥鷲故示如是耳我又示現閻浮提中作大
長者為欲安立無量眾生住於正法又復示
作諸王大臣王子輔相於是眾中各為第一為
脩正法故住王位我又示現閻浮提中疫
病劫起多有眾生為病所惱先施醫藥然後
為說微妙正法令其安住無上菩提眾人皆
謂是病劫起又復示現閻浮提中飢餓劫起
隨其所須供給飲食然後為說微妙正法令
其安住無上菩提又復示現閻浮提中刀兵
劫起即為說法令離怨害使得安住無上菩
提又復示現為計常者說無常想計樂想者
為說苦想計我想者說無我想計淨想者說
不淨想若有眾生貪著三界即為說法令離
是處度眾生故為說無上微妙法藥為斷一
切煩惱樹故種殖無上法藥之樹為欲拔濟
諸外道故說於正法雖復示現為眾生師而
心初無眾生師想為欲拔濟諸下賤故現入
其中而為說法非是惡業受是身也如來正
覺如是安住於大涅槃是故名為常住無變
如閻浮提東弗于逮西瞿耶尼北鬱單曰亦
復如是如四天下三千大千世界亦尒廿五

BD01519號　大般涅槃經（北本）卷四　（14–12）

其中[illegible]
覺如是安住於大涅槃是故名為常住无變
如閻浮提東弗于逮西瞿耶尼北欝單曰亦
復如是如四天下三千大千世界亦尒廿五
有如首楞嚴經中廣說以是故名大般涅槃
若有菩薩摩訶薩安住如是大般涅槃能示
如是神通變化而无所畏迦葉以是緣故汝
不應言羅睺羅者是佛之子何以故我於往
昔无量劫中已離欲有是故如來名曰常住
无有變易迦葉復言如來云何名曰常住如
佛言曰如燈滅已无有方所如來亦尒既滅
度已亦无方所佛言迦葉善男子汝今不應
作如是言燈滅盡已无有方所如來亦尒既
滅度已无有方所善男子譬如男女然燈之
時燈爐大小悉滿中油隨有油在其明猶存
若油盡已明亦俱盡其明滅者喻煩惱滅明
雖滅盡燈爐猶存如來亦尒煩惱雖滅法身
常存善男子於意云何明與燈爐為俱滅不
迦葉荅言不也世尊雖不俱滅然是无常若
以法身喻燈爐者燈爐无常法身亦尒應是无
常善男子汝今不應作如是難如世間言器
如來世尊无上法器而器无常非如來也一
切法中涅槃為常如來體之故名為常復次
善男子言燈滅者即是羅漢所證涅槃以
滅貪愛諸煩惱故喻之燈滅阿那含者名曰

BD01519號　大般涅槃經（北本）卷四　（14–13）

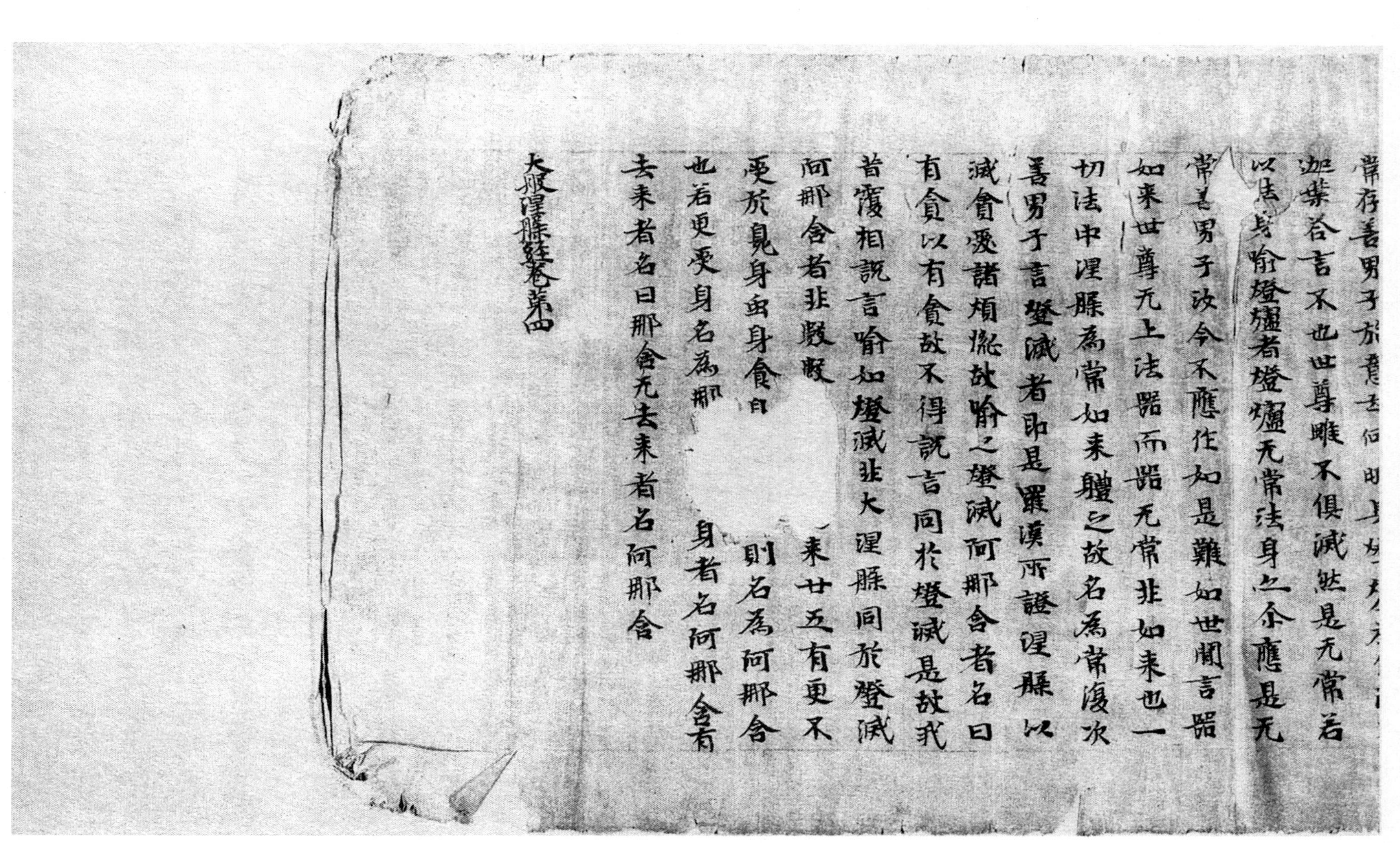
常存善男子於意云何明[illegible]
迦葉荅言不也世尊雖不俱滅然是无常若
以法身喻燈爐者燈爐无常法身亦尒應是无
常善男子汝今不應作如是難如世間言器
如來世尊无上法器而器无常非如來也一
切法中涅槃為常如來體之故名為常復次
善男子言燈滅者即是羅漢所證涅槃以
滅貪愛諸煩惱故喻之燈滅阿那含者名曰
有貪以有貪故不得說言同於燈滅是故我
昔覆相說言喻如燈滅非大涅槃同於燈滅
阿那含者非數數[illegible]來廿五有更不
受於臭身虫身食自[illegible]則名為阿那含
也若更受身名為那[illegible]身者名阿那含有
去來者名曰那含无去來者名阿那含
大般涅槃經卷第四

BD01519號　大般涅槃經（北本）卷四　（14–14）

土是不名菩薩何以
莊嚴佛土者是〻
土者即非莊嚴是
通達无我法者如
菩提於意云何如來有
有肉眼須菩提於意云何如
有天眼須菩提於意云何如
慧眼須菩提於意云
如
如是世尊如來有法眼不如是世
提於意云何如來有佛眼不如
須菩提於意云何恒河沙中
不如是世尊如來說是沙須
一恒河中所有沙有如是等恒
沙數佛世界如是寧為多不甚多世尊佛告
須菩提介所國土中所有衆生若干種心如來悉知
何以故如來說諸心皆為非心是名為心所以者何須
菩提過去心不可得現在心不可得未來心不可得須菩
提於意云何若有人滿三千大千世界七寶以用
施是以是因緣得福甚多須菩提若福德有
實如來說得福德多以福德无故如來說得福

BD01520號　金剛般若波羅蜜經　（4–1）

何以故如來說諸心皆為非心是名為心所以者何須
菩提過去心不可得現在心不可得未來心不可得須菩
提於意云何若有人滿三千大千世界七寶以用
施是以是因緣得福甚多須菩提若福德有
實如來說得福德多以福德无故如來說得福
德多
須菩提於意云何佛可以具足色身見不不也世
尊如來應以具足色身見何以故如來說具足
色身即非具足色身是名具足色身須菩提
於意云何如來可以具足諸相見不不也世尊如來
不應以具足諸相見何以故如來說諸相具足即
非是名諸相具足
須菩提汝勿謂如來作是念我當有所說法莫
作是念何以故若人言如來有所說法即為謗
佛不能解我所說故須菩提說法者无法可說
是名說
須菩提白佛言世尊佛得阿耨多羅三藐三
菩提為无所得耶如是如是須菩提我於阿
耨多羅三藐三菩提乃至无有小法可得是名
阿耨多羅三藐三菩提復次須菩提是法平等
无有高下是名阿耨多羅三藐三菩提以无我
无人无衆生无壽者脩一切善法則得阿耨
多羅三藐三菩提須菩提所言善法者如來
說非善法是名善法
須菩提若三千大千世界中所有諸須弥山
王如是等七寶聚有人持用布施若人以

BD01520號　金剛般若波羅蜜經　（4–2）

多羅三藐三菩提須菩提所言善法者如来
說非善法是名善法
須菩提若三千大千世界中所有諸須弥山
王如是等七寶聚有人持用布施若人以
此般若波羅蜜經乃至四句偈等受持讀誦
為他人說於前福德百分不及一百千万億分乃
筭數譬喻所不能及
須菩提於意云何汝等勿謂如来作是念我當
度衆生須菩提莫作是念何以故實无有衆
生如来度者若有衆生如来度者如来則有我
人衆生壽者須菩提如来說有我者則非有我
而凡夫之人以為有我須菩提凡夫者如来說
則非凡夫
須菩提於意云何可以三十二相觀如来不須
菩提言如是如是以三十二相觀如来佛言須
菩提若以三十二相觀如来者轉輪聖王則
是如来須菩提白佛言世尊如我解佛所
說義不應以三十二相觀如来尒時世尊而說
偈言
若以色身見我　以音聲求我　是人行耶道不能
見如来
須菩提汝若作是念如来不以具足相故得
阿耨多羅三藐三菩提須菩提汝若作是
念發阿耨多羅三藐三菩提者說諸斷滅
相須菩提莫作是念何以故發阿耨多羅三藐
三菩提者於法不說斷滅相須菩提若菩
薩以滿恒河沙等世界七寶布施若復有人

BD01520號　金剛般若波羅蜜經　（4–3）

須菩提於意云何可以三十二相觀如来不須
菩提言如是如是以三十二相觀如来佛言須
菩提若以三十二相觀如来者轉輪聖王則
是如来須菩提白佛言世尊如我解佛所
說義不應以三十二相觀如来尒時世尊而說
偈言
若以色身見我　以音聲求我　是人行耶道不能
見如来
須菩提汝若作是念如来不以具足相故得
阿耨多羅三藐三菩提須菩提汝若作是
念發阿耨多羅三藐三菩提者說諸斷滅
相須菩提莫作是念何以故發阿耨多羅三藐
三菩提者於法不說斷滅相須菩提若菩
薩以滿恒河沙等世界七寶布施若復有人
知一切法无我得成於忍此菩薩所得功德
須菩提以諸菩薩不受福德故須菩提白
佛言世尊云何菩薩不受福德須菩提
菩薩所作福德不應貪著是故說不受福
德

BD01520號　金剛般若波羅蜜經　（4–4）

頭髮蓬亂　殘害兇險　飢渴所逼　叫喚馳走
夜叉餓鬼　諸惡鳥獸　飢急四向　窺看窗牖
如是諸難　恐畏无量　是朽故宅　屬于一人
其人近出　未久之間　於後宅舍　忽然火起
四面一時　其焰俱熾　棟梁椽柱　爆聲震裂
摧折墮落　牆壁崩倒　諸鬼神等　揚聲大叫
鵰鷲諸鳥　鳩槃荼等　周章惶怖　不能自出
惡獸毒蟲　藏竄孔穴　毗舍闍鬼　亦住其中
薄福德故　為火所逼　共相殘害　飲血噉肉
野干之屬　並已前死　諸大惡獸　競来食噉
臭烟熢㶿　四面充塞　蜈蚣蚰蜒　毒蛇之類
為火所燒　爭走出穴　鳩槃荼鬼　隨取而食
又諸餓鬼　頭上火然　飢渴熱惱　周章悶走
其宅如是　甚可怖畏　毒害火災　眾難非一
是時宅主　在門外立　聞有人言　汝諸子等
先因遊戲　来入此宅　稚小无知　歡娛樂著
長者聞已　驚入火宅　方宜救濟　令无燒害
告喻諸子　說眾患難　惡鬼毒蟲　災火蔓莚
眾苦次第　相續不絕　毒蛇蚖蝮　及諸夜叉

BD01521 號　妙法蓮華經卷二　（3–1）

是時宅主　在門外立　聞有人言　汝諸子等
先因遊戲　来入此宅　稚小无知　歡娛樂著
長者聞已　驚入火宅　方宜救濟　令无燒害
告喻諸子　說眾患難　惡鬼毒蟲　災火蔓莚
眾苦次第　相續不絕　毒蛇蚖蝮　及諸夜叉
鳩槃荼鬼　野干狐狗　鵰鷲鵄梟　百足之屬
飢渴惱急　甚可怖畏　此苦難處　況復大火
諸子无知　雖聞父誨　猶故樂著　嬉戲不已
是時長者　而作是念　諸子如此　益我愁惱
今此舍宅　无一可樂　而諸子等　耽湎嬉戲
不受我教　將為火害　即便思惟　設諸方便
告諸子等　我有種種　珍玩之具　妙寶好車
羊車鹿車　大牛之車　今在門外　汝等出来
吾為汝等　造作此車　隨意所樂　可以遊戲
諸子聞說　如此諸車　即時奔競　馳走而出
到於空地　離諸苦難　長者見子　得出火宅
住於四衢　坐師子座　而自慶言　我今快樂
此諸子等　生育甚難　愚小无知　而入險宅
多諸毒蟲　魑魅可畏　大火猛焰　四面俱起
而此諸子　貪樂嬉戲　我已救之　令得脫難
是故諸人　我今快樂
尒時諸子　知父安坐　皆詣父所　而白父言
願賜我等　三種寶車　如前所許　諸子出来
當以三車　隨汝所欲　今正是時　唯垂給與
長者大富　庫藏眾多　金銀琉璃　車璖馬瑙
以眾寶物　造諸大車　裝校嚴飾　周帀欄楯
四面懸鈴　金繩交絡　真珠羅網　張施其上

BD01521 號　妙法蓮華經卷二　（3–2）

願賜我等 三種寶車 如前所許 諸子出來
當以三車 隨汝所欲 今正是時 唯垂給與
長者大富 庫藏衆多 金銀瑠璃 車𤦲馬瑙
以衆寶物 造諸大車 裝挍嚴飾 周帀欄楯
四面懸鈴 金繩交絡 真珠羅網 張施其上
金華諸瓔 處處垂下 衆綵雜飾 周帀圍繞
柔耎繒纊 以為茵蓐 上妙細疊 價直千億
鮮白淨潔 以覆其上 有大白牛 肥壯多力
形體姝好 以駕寶車 多諸儐從 而侍衛之
以是妙車 等賜諸子 諸子是時 歡喜踊躍
乘是寶車 遊於四方 嬉戲快樂 自在无礙
告舍利弗 我亦如是 衆聖中尊 世間之父
一切衆生 皆是吾子 深著世樂 无有慧心
三界无安 猶如火宅 衆苦充滿 甚可怖畏
常有生老 病死憂患 如是等火 熾然不息
如来已離 三界火宅 寂然閑居 安處林野
今此三界 皆是我有 其中衆生 悉是吾子
而今此處 多諸患難 唯我一人 能為救護
雖復教詔 而不信受 於諸欲染 貪著深故
是以方便 為說三乘 令諸衆生 知三界苦

BD01521號 妙法蓮華經卷二 (3-3)

界及身觸身觸為緣所生諸受無願有願相
可得以有所得為方便說身界寂靜不寂靜
相可得說觸界身識界及身觸身觸為緣所
生諸受寂靜不寂靜相可得以有所得 為方
便說身界遠離不遠離相可得說觸界身識
界及身觸身觸為緣所生諸受遠離不遠離
相可得以有所得為方便說意界常無 常相
可得說法界意識界及意觸意觸為緣所生
諸受常無常相可得以有所得為方便說意
界樂苦相可得說法界意識界及意觸意觸
為緣所生諸受樂苦相可得以有所得 為方
便說意界我無我相可得說法界意識界及
意觸意觸為緣所生諸受我無我相可得以
有所得為方便說意界淨不淨 相可得說法
界意識界及意觸意觸為緣所生諸受淨不
淨相可得以有所得為方便說意界空不空
相可得說法界意識界及意觸意觸為緣所
生諸受空不空相可得以有所得為方便說
意界無相有相相可得說法界意識界及意

BD01522號 大般若波羅蜜多經卷四五 (3-1)

淨相可得以有所得為方便說意界空不空
相可得說法界意識界及意觸意觸為緣所
生諸受空不空相可得以有所得為方便說
意界無相有相相可得說法界意識界及意
觸意觸為緣所生諸受無相有相相可得以
有所得為方便說意界無願有願相可得說
法界意識界及意觸意觸為緣所生諸受無
願有願相可得以有所得為方便說意界寂
靜不寂靜相可得說法界意識界及意觸意
觸為緣所生諸受寂靜不寂靜相可得以有
所得為方便說意界遠離不遠離相可得說
法界意識界及意觸意觸為緣所生諸受遠
離不遠離相可得
以有所得為方便說地界常無常相可得說
水火風空識界常無常相可得以有所得為
方便說地界樂苦相可得說水火風空識界樂
苦相可得以有所得為方便說地界我無我
相可得說水火風空識界我無我相可得以
有所得為方便說地界淨不淨相可得說水
火風空識界淨不淨相可得以有所得為方
便說地界空不空相可得說水火風空識界
空不空相可得以有所得為方便說地界无
相有相相可得說水火風空識界無相有
相相可得以有所得為方便說地界無願有
願相可得說水火風空識界無願有願相可
得以有所得為方便說地界寂靜不寂靜相
可得說水火風空識界寂靜不寂靜相可

BD01522號　大般若波羅蜜多經卷四五　（3–2）

空不空相可得以有所得為方便說地界无
相有相相可得說水火風空識界無相有
相相可得以有所得為方便說地界無願有
願相可得說水火風空識界無願有願相可
得以有所得為方便說地界寂靜不寂靜相
可得說水火風空識界寂靜不寂靜相可
得以有所得為方便說地界遠離不遠離相
可得說水火風空識界遠離不遠離相可得
以有所得為方便說苦聖諦常無常相可得
說集滅道聖諦常無常相可得以有所得為
方便說苦聖諦樂苦相可得說集滅道聖諦
樂苦相可得以有所得為方便說苦聖諦我
無我相可得說集滅道聖諦我無我相可
得以有所得為方便說苦聖諦淨不淨相可得
說集滅道聖諦淨不淨相可得以有所得為
方便說苦聖諦空不空相可得說集滅道聖
諦空不空相可得以有所得為方便說苦聖
諦無相有相相可得說集滅道聖諦無相有
相相可得以有所得為方便說苦聖諦無願
有願相可得說集滅道聖諦無願有願相可
得以有所得為方便說苦聖諦寂靜不寂靜
相可得說集滅道聖諦寂靜不寂靜相可得
以有所得為方便說苦聖諦遠離不遠離相

BD01522號　大般若波羅蜜多經卷四五　（3–3）

妙法蓮華經五百弟子受記品第八 四

尒時富樓那弥多羅尼子從佛聞是智慧方便隨宜說法又聞授諸大弟子阿耨多羅三藐三菩提記復聞宿世因緣之事復聞諸佛有大自在神通之力得未曾有心淨踊躍即從座起到於佛前頭面礼足却住一面瞻仰尊顏目不蹔捨而作是念世尊甚奇特所為希有隨順世間若干種性以方便知見而為說法拔出衆生處處貪著我等於佛功德言不能宣唯佛世尊能知我等深心本願

尒時佛告諸比丘汝等見是富樓那弥多羅尼子不我常稱其於說法人中最為第一亦常歎其種種功德精勤護持助宣我法能於四衆示教利喜具足解釋佛之正法而大饒益同梵行者自捨如來无能盡其言論之辯汝等勿謂富樓那但能護持助宣我法亦於過去九十億諸佛所護持助宣佛之正法於彼說法人中亦最第一又於諸佛所說空法明了通達得四无礙智常能審諦清淨說法无有疑惑具足菩薩神通之力隨其壽命常

BD01523號　妙法蓮華經卷四　（2–1）

尊顏目不蹔捨而作是念世尊甚奇特所為希有隨順世間若干種性以方便知見而為說法拔出衆生處處貪著我等於佛功德言不能宣唯佛世尊能知我等深心本願

尒時佛告諸比丘汝等見是富樓那弥多羅尼子不我常稱其於說法人中最為第一亦常歎其種種功德精勤護持助宣我法能於四衆示教利喜具足解釋佛之正法而大饒益同梵行者自捨如來无能盡其言論之辯汝等勿謂富樓那但能護持助宣我法亦於過去九十億諸佛所護持助宣佛之正法於彼說法人中亦最第一又於諸佛所說空法明了通達得四无礙智常能審諦清淨說法无有疑惑具足菩薩神通之力隨其壽命常脩梵行彼佛世人咸皆謂之實是聲聞而富樓那以斯方便饒益无量百千衆生又化无量阿僧祇人令立阿耨多羅三藐三菩提為淨佛土故常作佛事教化衆生

諸比丘富樓那亦於七佛說法人中而得第一今於我所說法人中亦為第一於賢劫中當來諸佛說法人中亦復第一而皆護持助宣佛法

BD01523號　妙法蓮華經卷四　（2–2）

藐三[illegible]從此
者即非佛法
須菩提於意云何須陁[illegible]
須陁洹果不須菩提言[illegible]
陁洹名為入流而无所入不[illegible]
是名須陁洹須菩提於意[illegible]
是念我得斯陁含果不[illegible]言不也世尊
何以故斯陁含名一往來而實无往來是名
斯陁含須菩提於意[illegible]那含能作是
念我得阿那含果不須菩提言不也世尊何
以故阿那含名為不來而實无來是故名阿
那含須菩提於意云何阿羅漢能作是念
我得阿羅漢道不須菩提言不也世尊何以
故實无有法名阿羅漢世尊若阿羅漢作是
念我得阿羅漢道即為著我人衆生壽者
世尊佛說我得无諍三昧人中最為弟一是
弟一離欲阿羅漢我不作是念我是離欲阿
羅漢世尊我若作是念我得阿羅漢道世尊
則不說須菩提是樂阿蘭那行者以須菩提
實无所行而名須菩提是樂阿蘭那行

BD01524 號　金剛般若波羅蜜經　（12–1）

羅漢世尊我若作是念我得阿羅漢道世尊
則不說須菩提是樂阿蘭那行者以須菩提
實无所行而名須菩提是樂阿蘭那行
佛告須菩提於意云何如來昔在燃燈佛所
於法有所得不世尊如來在燃燈佛所於法
實无所得須菩提於意云何菩薩莊嚴佛
土不不也世尊何以故莊嚴佛土者則非莊嚴
是名莊嚴是故須菩提諸菩薩摩訶薩應
如是生清淨心不應住色生心不應住聲香
味觸法生心應无所住而生其心須菩提譬如
有人身如須弥山王於意云何是身為大不須
菩提言甚大世尊何以故佛說非身是名大身
須菩提如恒河中所有沙數如是沙等恒河
於意云何是諸恒河沙寧為多不須菩提言
甚多世尊但諸恒河尚多无數何況其沙須菩
提我今實言告汝若有善男子善女人以七
寶滿尒所恒河沙數三千大千世界以用布施
得福多不須菩提言甚多世尊佛告須菩
提若善男子善女人於此經中乃至受持四
句偈等為他人說而此福德勝前福德復次
須菩提隨說是經乃至四句偈等當知此處
一切世間天人阿脩羅皆應供養如佛塔廟
何況有人盡能受持讀誦須菩提當知是
人成就最上第一希有之法若是經典在所

BD01524 號　金剛般若波羅蜜經　（12–2）

須菩提隨說是經乃至四句偈等當知此處
一切世間天人阿脩羅皆應供養如佛塔廟
何况有人盡能受持讀誦須菩提當知是
人成就最上第一希有之法若是經典在所
之處則為有佛若尊重弟子
尒時須菩提白佛言世尊當何名此經我等
云何奉持佛告須菩提是經名為金剛般若
波羅蜜以是名字汝當奉持所以者何須菩
提佛說般若波羅蜜則非般若波羅蜜須
菩提於意云何如來有所說法不須菩提白
佛言世尊如來无所說須菩提於意云何三
千大千世界所有微塵是為多不須菩提言
甚多世尊須菩提諸微塵如來說非微塵
是名微塵如來說世界非世界是名世界須菩
提於意云何可以三十二相見如來不不也世尊
不可以三十二相得見如來何以故如來說三
十二相即是非相是名三十二相須菩提若
有善男子善女人以恒河沙等身命布施
若復有人於此經中乃至受持四句偈等
為他人說其福甚多
尒時須菩提聞說是經深解義趣涕淚悲
泣而白佛言希有世尊佛說如是甚深經典
我從昔來所得慧眼未曾得聞如是之經
世尊若復有人得聞是經信心清淨則生實
相當知是人成就第一希有功德世尊是實

BD01524號　金剛般若波羅蜜經　（12–3）

泣而白佛言希有世尊佛說如是甚深經典
我從昔來所得慧眼未曾得聞如是之經
世尊若復有人得聞是經信心清淨則生實
相當知是人成就第一希有功德世尊是實
相者則是非相是故如來說名實相世尊我
今得聞如是經典信解受持不足為難若當
來世後五百歲其有衆生得聞是經信解
受持是人則為第一希有何以故此人无我相
人相衆生相壽者相所以者何我相即是非相
人相衆生相壽者相即是非相何以故離一切
諸相則名諸佛
佛告須菩提如是如是若復有人得聞是經
不驚不怖不畏當知是人甚為希有何以故
須菩提如來說第一波羅蜜非第一波羅蜜
是名第一波羅蜜
須菩提忍辱波羅蜜如來說非忍辱波羅
蜜何以故須菩提如我昔為歌利王割截身
體我於尒時无我相无人相无衆生相无壽者
相何以故我於往昔節節支解時若有我相
人相衆生相壽者相應生瞋恨須菩提又念
過去於五百世作忍辱仙人於尒所世无我相
无人相无衆生相无壽者相是故須菩提菩
薩應離一切相發阿耨多羅三藐三菩提
心不應住色生心不應住聲香味觸法生心
應生无所住心若心有住則為非住是故佛

BD01524號　金剛般若波羅蜜經　（12–4）

薩應離一切相發阿耨多羅三藐三菩提
心不應住色生心不應住聲香味觸法生心
應生无所住心若心有住則爲非住是故佛
說菩薩心不應住色布施須菩提菩薩爲
利益一切衆生應如是布施如來說一切諸相
即是非相又說一切衆生則非衆生須菩提
如來是真語者實語者如語者不誑語者
不異語者須菩提如來所得法此法无實无虛
須菩提若菩薩心住於法而行布施如人入
闇則无所見若菩薩心不住法而行布施如
人有目日光明照見種種色須菩提當來之
世若有善男子善女人能於此經受持讀誦
則爲如來以佛智慧悉知是人悉見是人皆
得成就无量无邊功德
須菩提若有善男子善女人初日分以恒河
沙等身布施中日分復以恒河沙等身布施
後日分亦以恒河沙等身布施如是无量百千
万億劫以身布施若復有人聞此經典信心
不逆其福勝彼何況書寫受持讀誦爲人
解說須菩提以要言之是經有不可思議不
可稱量无邊功德如來爲發大乘者說爲發
冣上乘者說若有人能受持讀誦廣爲人
說如來悉知是人悉見是人皆得成就不可
量不可稱无有邊不可思議功德如是人等

BD01524 號　金剛般若波羅蜜經　（12–5）

冣上乘者說若有人能受持讀誦廣爲人
說如來悉知是人悉見是人皆得成就不可
量不可稱无有邊不可思議功德如是人等
則爲荷擔如來阿耨多羅三藐三菩提何以
故須菩提若樂小法者著我見人見衆生見
壽者見則於此經不能聽受讀誦爲人解說
須菩提在在處處若有此經一切世間天人阿
脩羅所應供養當知此處則爲是塔皆應
恭敬作礼圍繞以諸華香而散其處
復次須菩提善男子善女人受持讀誦此經
若爲人輕賤是人先世罪業應墮惡道以今
世人輕賤故先世罪業則爲消滅當得阿耨
多羅三藐三菩提須菩提我念過去无量阿
僧祇劫於燃燈佛前得值八百四千万億那
由他諸佛悉皆供養承事无空過者若復
有人於後末世能受持讀誦此經所得功德
於我所供養諸佛功德百分不及一千万億
分乃至筭數譬喻所不能及須菩提若善男
子善女人於後末世有受持讀誦此經所得
功德我若具說者或有人聞心則狂亂狐疑不
信須菩提當知是經義不可思議果報亦不
可思議
尒時須菩提白佛言世尊善男子善女人發
阿耨多羅三藐三菩提心云何應住云何降
伏其心佛告須菩提善男子善女人發阿耨

BD01524 號　金剛般若波羅蜜經　（12–6）

可思議
尒時須菩提白佛言世尊善男子善女人發
阿耨多羅三藐三菩提心云何應住云何降
伏其心佛告須菩提善男子善女人發阿耨
多羅三藐三菩提者當生如是心我應滅度
一切衆生滅度一切衆生已而无有一衆生實
滅度者何以故若菩薩有我相人相衆生相
壽者相則非菩薩所以者何須菩提實无有
法發阿耨多羅三藐三菩提心者須菩提
於意云何如来於燃燈佛所有法得阿耨多
羅三藐三菩提不不也世尊如我解佛所說
義佛於燃燈佛所无有法得阿耨多羅三藐
三菩提佛言如是如是須菩提實无有法如来
得阿耨多羅三藐三菩提須菩提若有法如
来得阿耨多羅三藐三菩提燃燈佛則不與
我受記汝於来世當得作佛号釋迦牟尼以
實无有法得阿耨多羅三藐三菩提是故燃
燈佛與我受記作是言汝於来世當得作佛
号釋迦牟尼何以故如来者即諸法如義若
有人言如来得阿耨多羅三藐三菩提須菩
提實无有法佛得阿耨多羅三藐三菩提須
菩提如来所得阿耨多羅三藐三菩提於是中
无實无虛是故如来說一切法皆是佛法須菩
提所言一切法者即非一切法是故名一切法須
[illegible]

菩提如来所得阿耨多羅三藐三菩提於是中
无實无虛是故如来說一切法皆是佛法須菩
提所言一切法者即非一切法是故名一切法須
菩提譬如人身長大須菩提言世尊如来說
人身長大則爲非大身是名大身須菩提菩
薩亦如是若作是言我當滅度无量衆生
則不名菩薩何以故須菩提實无有法名爲
菩薩是故佛說一切法无我无人无衆生无壽
者須菩提若菩薩作是言我當莊嚴佛土
是不名菩薩何以故如来說莊嚴佛土者即
非莊嚴是名莊嚴須菩提若菩薩通達无
我法者如来說名真是菩薩
須菩提於意云何如来有肉眼不如是世尊如
来有肉眼須菩提於意云何如来有天眼不
如是世尊如来有天眼須菩提於意云何如
来有慧眼不如是世尊如来有慧眼須菩提
於意云何如来有法眼不如是世尊如来有
法眼須菩提於意云何如来有佛眼不如是
世尊如来有佛眼須菩提於意云何如恒河
中所有沙佛說是沙不如是世尊如来說是
沙須菩提於意云何如一恒河中所有沙有如
是等恒河是諸恒河所有沙數佛世界如是
寧爲多不甚多世尊佛告須菩提尒所國
土中所有衆生若干種心如来悉知何以故如
来說諸心皆爲非心是名爲心所以者何須

是等恒河是諸恒河所有沙數佛世界如是
寧爲多不甚多世尊佛告須菩提介所國
土中所有衆生若干種心如来悉知何以故如
来說諸心皆爲非心是名爲心所以者何須
菩提過去心不可得現在心不可得未来心
不可得須菩提於意云何若有人滿三千大
千世界七寳以用布施是人以是因緣得福多
不如是世尊此人以是因緣得福甚多須菩
提若福德有實如来不說得福德多以福
德无故如来說得福德多
須菩提於意云何佛可以具足色身見不不
也世尊如来不應以具足色身見何以故如来
說具足色身即非具足色身是名具足色身
須菩提於意云何如来可以具足諸相見不不
也世尊如来不應以具足諸相見何以故如来
說諸相具足即非具足是名諸相具足須
菩提汝勿謂如来作是念我當有所說法莫
作是念何以故若人言如来有所說法即爲
謗佛不能解我所說故須菩提說法者无
法可說是名說法須菩提白佛言世尊佛得
阿耨多羅三藐三菩提爲无所得耶如是如
是須菩提我於阿耨多羅三藐三菩提乃至
无有少法可得是名阿耨多羅三藐三菩提
復次須菩提是法平等无有高下是名阿耨

BD01524號　金剛般若波羅蜜經

(12–9)

阿耨多羅三藐三菩提爲无所得耶如是如
是須菩提我於阿耨多羅三藐三菩提乃至
无有少法可得是名阿耨多羅三藐三菩提
復次須菩提是法平等无有高下是名阿耨
多羅三藐三菩提以无我无人无衆生无壽者
脩一切善法則得阿耨多羅三藐三菩提須
菩提所言善法者如来說非善法是名善
法須菩提若三千大千世界中所有諸須弥山
王如是等七寳聚有人持用布施若人以此般
若波羅蜜經乃至四句偈等受持讀誦爲
他人說於前福德百分不及一百千万億分乃
至竿數譬喻所不能及
須菩提於意云何汝等勿謂如来作是念
我當度衆生須菩提莫作是念何以故實
无有衆生如来度者若有衆生如来度者
如来則有我人衆生壽者須菩提如来說
有我者則非有我而凡夫之人以爲有我須
菩提凡夫者如来說則非凡夫須菩提於
意云何可以三十二相觀如来不須菩提言
如是如是以三十二相觀如来佛言須菩提若
以三十二相觀如来者轉輪聖王則是如来須
菩提白佛言世尊如我解佛所說義不應以
三十二相觀如来介時世尊而說偈言
若以色見我 以音聲求我 是人行邪道 不能見如来
須菩提汝若作是念如来不以具足相故得

BD01524號　金剛般若波羅蜜經

(12–10)

三十二相觀如來介時世尊而說偈言
若以色見我 以音聲求我 是人行邪道 不能見如來
須菩提汝若作是念如來不以具足相故得
阿耨多羅三藐三菩提須菩提莫作是念
如來不以具足相故得阿耨多羅三藐三菩
提須菩提汝若作是念發阿耨多羅三藐
三菩提者說諸法斷滅莫作是念何以故
發阿耨多羅三藐三菩提者於法不說斷
滅相須菩提若菩薩以滿恒河沙等世界七
寶布施若復有人知一切法无我得成於忍
此菩薩勝前菩薩所得功德須菩提以諸菩
薩不受福德故須菩提白佛言世尊云何菩
薩不受福德須菩提菩薩所作福德不應貪
著是故說不受福德須菩提若有人言如來
若來若去若坐若卧是人不解我所說義何
以故如來者无所從來亦无所去故名如來須菩
提若善男子善女人以三千大千世界碎為微
塵於意云何是微塵衆寧為多不甚多世
尊何以故若是微塵衆實有者佛則不說
是微塵衆所以者何佛說微塵衆則非微
塵衆是名微塵衆世尊如來所說三千大千
世界則非世界是名世界何以故若世界實
有者則是一合相如來說一合相則非一合相是名
一合相須菩提一合相者則是不可說但凡夫之
人貪著其事須菩提若人言佛說我見人

世界則非世界是名世界何以故若世界實有
者則是一合相如來說一合相則非一合相是名
一合相須菩提一合相者則是不可說但凡夫之
人貪著其事須菩提若人言佛說我見人
見衆生見壽者見須菩提於意云何是人
解我所說義不世尊是人不解如來所說義
何以故世尊說我見人見衆生見壽者見即
非我見人見衆生見壽者見是名我見人見
衆生見壽者見須菩提發阿耨多羅三藐
三菩提心者於一切法應如是知如是見如是
信解不生法相須菩提所言法相者如來即
非法相是名法相須菩提若有人以滿无量
阿僧祇世界七寶持用布施若有善男子
善女人發菩薩心者持於此經乃至四句偈等
受持讀誦為人演說其福勝彼云何為人
演說不取於相如如不動何以故
一切有為法 如夢幻泡影 如露亦如電 應作如是觀
佛說是經已長老須菩提及諸比丘比丘尼
優婆塞優婆夷一切世間天人阿脩羅聞佛
所說皆大歡喜信受奉行

受寄准行程

BD01524 號背　殘文書　（1–1）

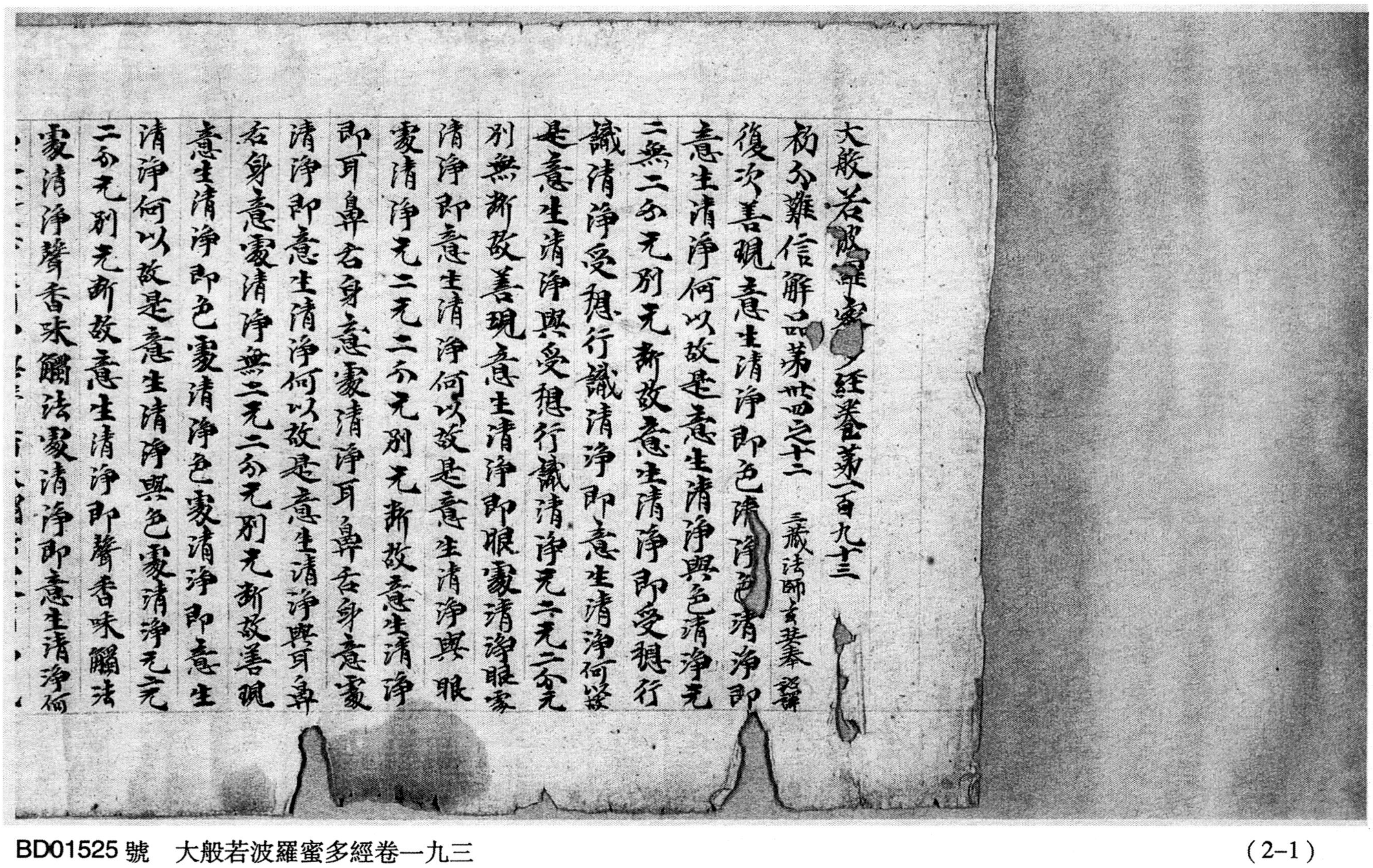

大般若波羅蜜多經卷第一百九十三
初分難信解品第卅四之十二　三藏法師玄奘奉　詔譯
復次善現意生清淨即色清淨色清淨即
意生清淨何以故是意生清淨與色清淨无
二無二分无別无斷故意生清淨即受想行
識清淨受想行識清淨即意生清淨何以
是意生清淨與受想行識清淨无二无二分无
別無斷故善現意生清淨即眼處清淨眼處
清淨即意生清淨何以故是意生清淨與眼
處清淨无二无二分无別无斷故意生清淨
即耳鼻舌身意處清淨耳鼻舌身意處
清淨即意生清淨何以故是意生清淨與耳鼻
舌身意處清淨無二无二分无別无斷故善現
意生清淨即色處清淨色處清淨即意生
清淨何以故是意生清淨與色處清淨无二
二分无別无斷故意生清淨即聲香味觸法
處清淨聲香味觸法處清淨即意生清淨何

BD01525 號　大般若波羅蜜多經卷一九三　（2–1）

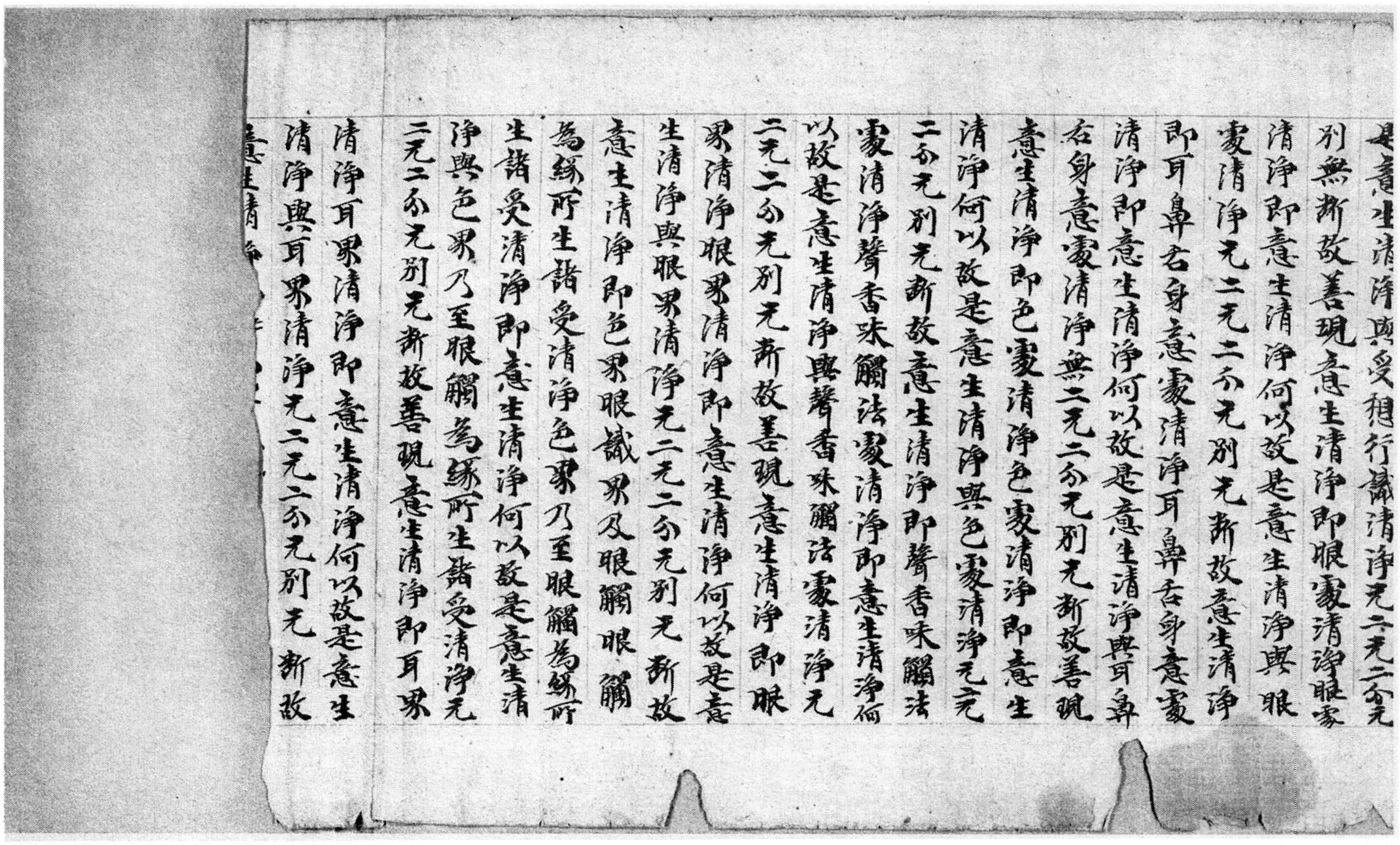

是意生清淨與受想行識清淨无二无二分无
別無斷故善現意生清淨即眼處清淨眼處
清淨即意生清淨何以故是意生清淨與眼
處清淨无二无二分无別无斷故意生清淨
即耳鼻舌身意處清淨耳鼻舌身意處
清淨即意生清淨何以故是意生清淨與耳鼻
舌身意處清淨無二无二分无別无斷故善現
意生清淨即色處清淨色處清淨即意生
清淨何以故是意生清淨與色處清淨无无
二分无別无斷故意生清淨即聲香味觸法
處清淨聲香味觸法處清淨即意生清淨何
以故是意生清淨與聲香味觸法處清淨无
二无二分无別无斷故善現意生清淨即眼
界清淨眼界清淨即意生清淨何以故是意
生清淨與眼界清淨无二无二分无別无斷故
意生清淨即色界眼識界及眼觸眼觸
為緣所生諸受清淨色界乃至眼觸為緣所
生諸受清淨即意生清淨何以故是意生清
淨與色界乃至眼觸為緣所生諸受清淨无
二无二分无別无斷故善現意生清淨即耳界
清淨耳界清淨即意生清淨何以故是意生
清淨與耳界清淨无二无二分无別无斷故
意生清

BD01525 號　大般若波羅蜜多經卷一九三　（2–2）

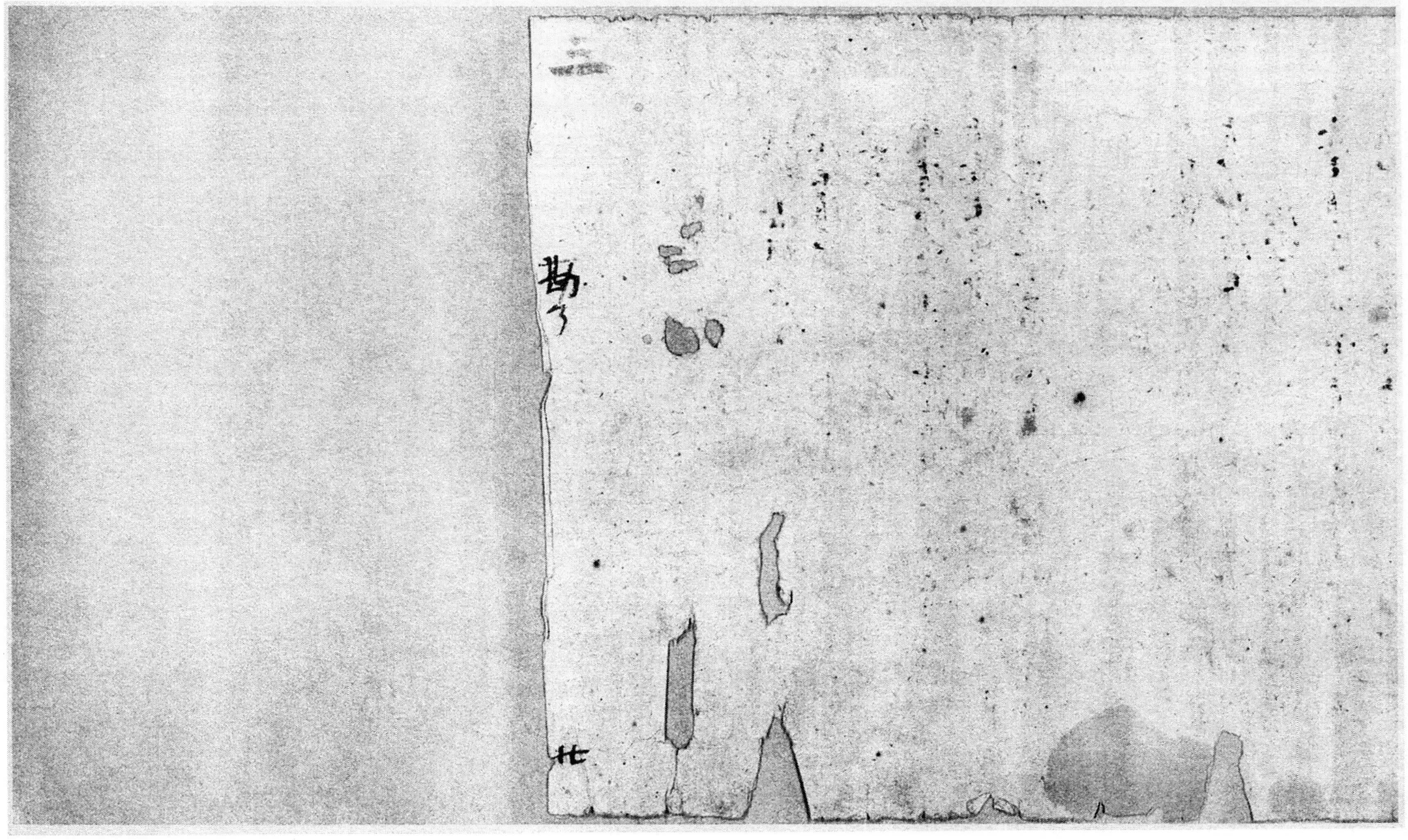

勘

廿

BD01525 號背　勘記　（2–1）

第四袟全

BD01525 號背　勘記　（2–2）

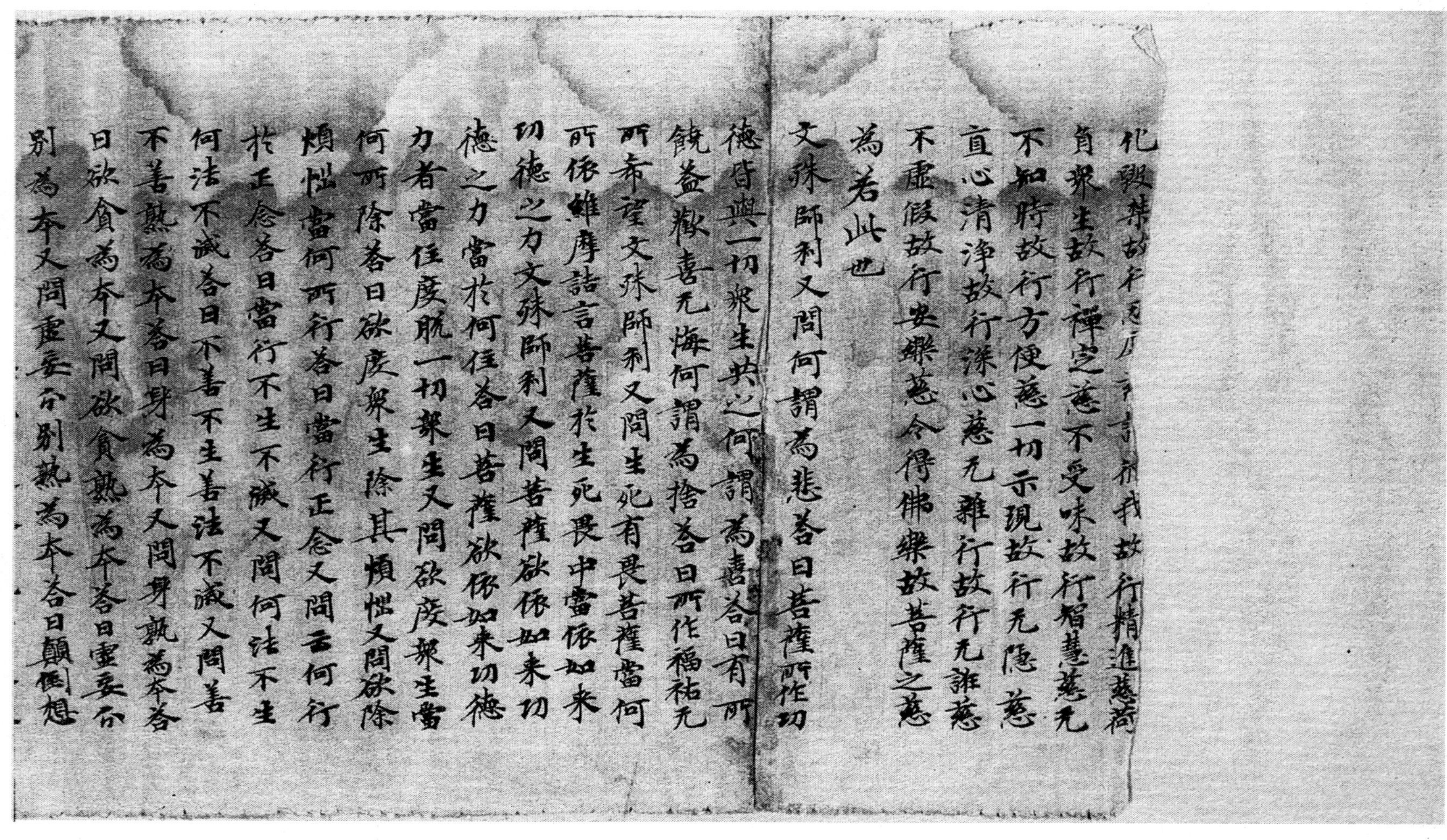

化毀禁故行忍辱慈護彼我故行精進慈荷
負衆生故行禪定慈不受味故行智慧慈无
不知時故行方便慈一切示現故行无隱慈
直心清淨故行深心慈无雜行故行无誑慈
不虛假故行安樂慈令得佛樂故菩薩之慈
為若此也
文殊師利又問何謂為悲答曰菩薩所作功
德皆與一切衆生共之何謂為喜答曰有所
饒益歡喜无悔何謂為捨答曰所作福祐无
所希望文殊師利又問生死有畏菩薩當何
所依維摩詰言菩薩於生死畏中當依如來
功德之力文殊師利又問菩薩欲依如來功
德之力當於何住答曰菩薩欲依如來功德
力者當住度脫一切衆生又問欲度衆生當
何所除答曰欲度衆生除其煩惱又問欲除
煩惱當何所行答曰當行正念又問云何行
於正念答曰當行不生不滅又問何法不生
何法不滅答曰不善不生善法不滅又問善
不善孰為本答曰身為本又問身孰為本答
曰欲貪為本又問欲貪孰為本答曰虛妄分
別為本又問虛妄分別孰為本答曰顛倒想

BD01526 號　維摩詰所說經卷中　（3–1）

於正念答曰當行不生不滅又問何法不生
何法不滅答曰不善不生善法不滅又問善
不善孰為本答曰身為本又問身孰為本答
曰欲貪為本又問欲貪孰為本答曰虛妄分
別為本又問虛妄分別孰為本答曰顛倒想
為本又問顛倒想孰為本答曰无住為本又
問无住孰為本答曰无住則无本文殊師利
從无住本立一切法
時維摩詰室有一天女見諸大人聞所說法
便現其身即以天華散諸菩薩大弟子上華
至諸菩薩即皆墮落至大弟子便著不墮一
切弟子神力去華不能令去尒時天問舍利
弗何故去華答曰此華不如法是以去之天
曰勿謂此華為不如法所以者何是華无所
分別仁者自生分別想耳若於佛法出家有
所分別為不如法若无所分別是則如法觀諸
菩薩華不著者以斷一切分別想故譬如人
畏時非人得其便如是弟子畏生死故色聲
香味觸得其便已離畏者一切五欲无能為
也結習未盡華著身耳結習盡者華不著也
舍利弗言天止此室其已久如答曰我止此
室如耆年解脫舍利弗言止此久耶天曰耆
年解脫亦何如久舍利弗默然不答天曰如
何耆舊大智而默答曰解脫者无所言說故
吾於是不知所云天曰言說文字皆解脫相
所以者何解脫者不內不外不在兩間文字
亦不內不外不在兩間是故舍利弗无離文

BD01526號　維摩詰所說經卷中　（3–2）

何耆舊大智而默答曰解脫者无所言說故
吾於是不知所云天曰言說文字皆解脫相
所以者何解脫者不內不外不在兩間文字
亦不內不外不在兩間是故舍利弗无離文
字說解脫也所以者何一切諸法皆是解脫
相舍利弗言不復以離婬怒癡為解脫乎天
曰佛為增上慢人說離婬怒癡為解脫耳若
无增上慢者佛說婬怒癡性即是解脫舍利
弗言善哉善哉天女汝何所得以何為證辯
乃如是天曰无得无證故辯如是所以者何
若有得有證者則於佛法為增上慢
舍利弗問天汝於三乘為何志求天曰以聲
聞法化衆生故我為聲聞以因緣法化衆生
故我為辟支佛以大悲化衆生故我為大乘
舍利弗如人入瞻蔔林唯嗅瞻蔔不嗅餘香
如是若入此室但聞佛功德之香不樂聞聲
聞辟支佛功德香也舍利弗其有釋梵四天
王諸天龍鬼神等入此室者聞斯上人講說
正法皆樂佛功德之香發心而出舍利弗吾
止此室十有二年初不聞說聲聞辟支佛法
但聞菩薩大慈大悲不可思議諸佛之法舍
利弗此室常現八未曾有難得之法何等為
八此室常以金色光照晝夜无異不以日月
所照為明是為一未曾有難得之法此室入
者不為諸垢之所

BD01526號　維摩詰所說經卷中　（3–3）

提在在處處若有此經一切世間天人阿脩
羅所應供養當知此處則為是塔皆應恭敬
作礼圍繞以諸華香而散其處
復次須菩提善男子善女人受持讀誦此經
若為人輕賤是人先世罪業應墮惡道以今
世人輕賤故先世罪業則為消滅當得阿耨
多羅三藐三菩提須菩提我念過去无量阿
僧祇劫於然燈佛前得值八百四千萬億那
由他諸佛悉皆供養承事无空過者若復有
人於後末世能受持讀誦此經所得功德於我
所供養諸佛功德百分不及一千萬億分乃至
筭數譬喻所不能及須菩提若善男子善女
人於後末世有受持讀誦此經所得功德我
若具說者或有人聞心則狂乱狐疑不信須
菩提當知是經義不可思議果報亦不可思議
尒時須菩提白佛言世尊善男子善女人發
阿耨多羅三藐三菩提心云何應住云何降伏
其心佛告須菩提善男子善女人發阿耨多

BD01527 號　金剛般若波羅蜜經　（7–1）

菩提當知是經義不可思議果報亦不可思議
尒時須菩提白佛言世尊善男子善女人發
阿耨多羅三藐三菩提心云何應住云何降伏
其心佛告須菩提善男子善女人發阿耨多
羅三藐三菩提者當生如是心我應滅度一
切衆生滅度一切衆生已而无有一衆生實滅
度者何以故若菩薩有我相人相衆生相
壽者相則非菩薩所以者何須菩提實无有
法發阿耨多羅三藐三菩提者須菩提於意
云何如來於然燈佛所有法得阿耨多羅三
藐三菩提不不也世尊如我解佛所說義佛
於然燈佛所無有法得阿耨多羅三藐三
菩提佛言如是如是須菩提實無有法如來
得阿耨多羅三藐三菩提須菩提若有法如
來得阿耨多羅三藐三菩提者然燈佛則不與
我受記汝於來世當得作佛号釋迦牟尼以
實無有法得阿耨多羅三藐三菩提是故
然燈佛與我受記作是言汝於來世當得作
佛号釋迦牟尼何以故如來者即諸法如義
若有人言如來得阿耨多羅三藐三菩提須
菩提實无有法佛得阿耨多羅三藐三菩
提須菩提如來所得阿耨多羅三藐三菩提
於是中无實無虚是故如來說一切法皆是佛
法須菩提所言一切法者即非一切法是故名
一切法須菩提譬如人身長大須菩提言世
尊如來說人身長大則為非大身是名大身須

BD01527 號　金剛般若波羅蜜經　（7–2）

於是中无實無虛是故如来說一切法皆是佛
法須菩提所言一切法者即非一切法是故名
一切法須菩提譬如人身長大須菩提言世
尊如来說人身長大則為非大身是名大身須
菩提菩薩亦如是若作是言我當滅度无量
衆生則不名菩薩何以故須菩提實無有法
名為菩薩是故佛說一切法无我無人无衆生
無壽者須菩提若菩薩作是言我當莊嚴
佛土是不名菩薩何以故如来說莊嚴佛
土者即非莊嚴是名莊嚴須菩提若菩薩通
達無我法者如来說名真是菩薩
須菩提於意云何如来有肉眼不如是世尊
如来有肉眼須菩提於意云何如来有天眼
不如是世尊如来有天眼須菩提於意云何
如来有慧眼不如是世尊如来有慧眼須菩
提於意云何如来有法眼不如是世尊如来
有法眼須菩提於意云何如来有佛眼不如
是世尊如来有佛眼須菩提於意云何恒河
中所有沙佛說是沙不如是世尊如来說是
沙須菩提於意云何如一恒河中所有沙有如
是等恒河是諸恒河所有沙數佛世界如是
寧為多不甚多世尊佛告須菩提尒所國
土中所有衆生若干種心如来悉知何以故如
来說諸心皆為非心是名為心所以者何
須菩提過去心不可得現在心不可得未来
心不可得須菩提於意云何若有人滿三千

BD01527號　金剛般若波羅蜜經　（7–3）

土中所有衆生若干種心如来悉知何以故如
来說諸心皆為非心是名為心所以者何
須菩提過去心不可得現在心不可得未来
心不可得須菩提於意云何若有人滿三千
大千世界七寶以用布施是人以是因緣得
福多不如是世尊此人以是因緣得福甚多須
菩提若福德有實如来不說得福德多以
福德無故如来說得福德多
須菩提於意云何佛可以具足色身見不不
也世尊如来不應以具足色身見何以故如来
說具足色身即非具足色身是名具足色身
須菩提於意云何如来可以具足諸相見不不
也世尊如来不應以具足諸相見何以故如来
說諸相具足即非具足是名諸相具足須菩提
汝勿謂如来作是念我當有所說法莫作是
念何以故若人言如来有所說法即為謗佛
不能解我所說故須菩提說法者無法可
說是名說法須菩提白佛言世尊佛得阿
耨多羅三藐三菩提為无所得耶如是如是
須菩提我於阿耨多羅三藐三菩提乃至无
有少法可得是名阿耨多羅三藐三菩提復
次須菩提是法平等无有高下是名阿耨多
羅三藐三菩提以无我无人无衆生無壽者
脩一切善法則得阿耨多羅三藐三菩提須
菩提所言善法者如来說非善法是名善法
須菩提若三千大千世界中所有諸須弥山

BD01527號　金剛般若波羅蜜經　（7–4）

次須菩提是法平等無有高下是名阿耨多
羅三藐三菩提以無我無人無衆生無壽者
修一切善法則得阿耨多羅三藐三菩提須
菩提所言善法者如來說非善法是名善法
須菩提若三千大千世界中所有諸須弥山
王如是等七寶聚有人持用布施若人以此
般若波羅蜜經乃至四句偈等受持讀誦
為他人說於前福德百分不及一百千萬億分
乃至筭數譬喻所不能及
須菩提於意云何汝等勿謂如來作是念我
當度衆生須菩提莫作是念何以故實無
有衆生如來度者若有衆生如來度者如來
則有我人衆生壽者須菩提如來說有我者
則非有我而凡夫之人以為有我須菩提凡夫
者如來說則非凡夫須菩提於意云何可以
三十二相觀如來不須菩提言如是如是以三
十二相觀如來佛言須菩提若以三十二相觀
如來者轉輪聖王則是如來須菩提白佛
言世尊如我解佛所說義不應以三十二相
觀如來尒時世尊而說偈言
若以色見我　以音聲求我　是人行邪道　不能見如來
須菩提汝若作是念如來不以具足相故得
阿耨多羅三藐三菩提須菩提莫作是念如
來不以具足相故得阿耨多羅三藐三菩提
須菩提汝若作是念阿耨多羅三藐三菩
提者說諸法斷滅相莫作是念何以故發阿

BD01527 號　金剛般若波羅蜜經　（7–5）

阿耨多羅三藐三菩提須菩提莫作是念如
來不以具足相故得阿耨多羅三藐三菩提
須菩提汝若作是念阿耨多羅三藐三菩
提者說諸法斷滅相莫作是念何以故發阿
耨多羅三藐三菩提者於法不說斷滅相須
菩提若菩薩以滿恒河沙等世界七寶布施
若復有人知一切法無我得成於忍此菩薩勝
前菩薩所得功德須菩提以諸菩薩不受福德
故須菩提白佛言世尊云何菩薩不受福德
須菩提菩薩所作福德不應貪著是故說
不受福德須菩提若有人言如來若來若去
若坐若卧是人不解我所說義何以故如來
者無所從來亦無所去故名如來
須菩提若善男子善女人以三千大千世界碎
為微塵於意云何是微塵衆寧為多不甚
多世尊何以故若是微塵衆實有者佛則
不說是微塵衆所以者何佛說微塵衆則非
微塵衆是名微塵衆世尊如來所說三千大千
世界則非世界是名世界何以故若世界實有
者則是一合相如來說一合相則非一合相是名
一合相須菩提一合相者則是不可說但凡
夫之人貪著其事須菩提若人言佛說我
見人見衆生見壽者見須菩提於意云何
是人解我所說義不世尊是人不解如來所
說義何以故世尊說我見人見衆生見壽者
見即非我見人見衆生見壽者見是名我見

BD01527 號　金剛般若波羅蜜經　（7–6）

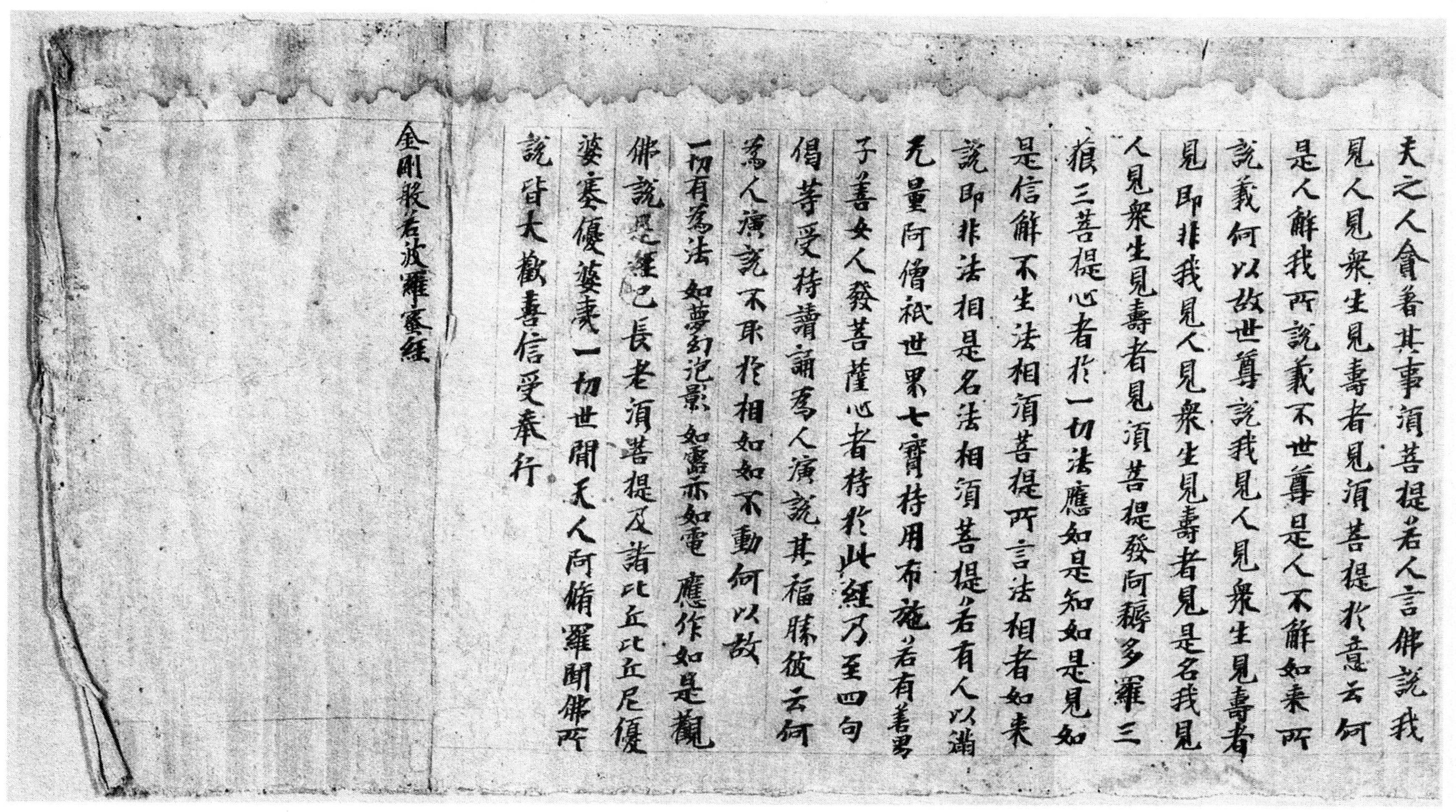
夫之人貪著其事須菩提若人言佛說我
見人見衆生見壽者見須菩提於意云何
是人解我所說義不世尊是人不解如來所
說義何以故世尊說我見人見衆生見壽者
見即非我見人見衆生見壽者見是名我見
人見衆生見壽者見須菩提發阿耨多羅三
藐三菩提心者於一切法應如是知如是見如
是信解不生法相須菩提所言法相者如來
說即非法相是名法相須菩提若有人以滿
无量阿僧祇世界七寶持用布施若有善男
子善女人發菩薩心者持於此經乃至四句
偈等受持讀誦為人演說其福勝彼云何
為人演說不取於相如如不動何以故
一切有為法　如夢幻泡影　如露亦如電　應作如是觀
佛說是經已長老須菩提及諸比丘比丘尼優
婆塞優婆夷一切世間天人阿脩羅聞佛所
說皆大歡喜信受奉行
金剛般若波羅蜜經

BD01527 號　金剛般若波羅蜜經　（7–7）

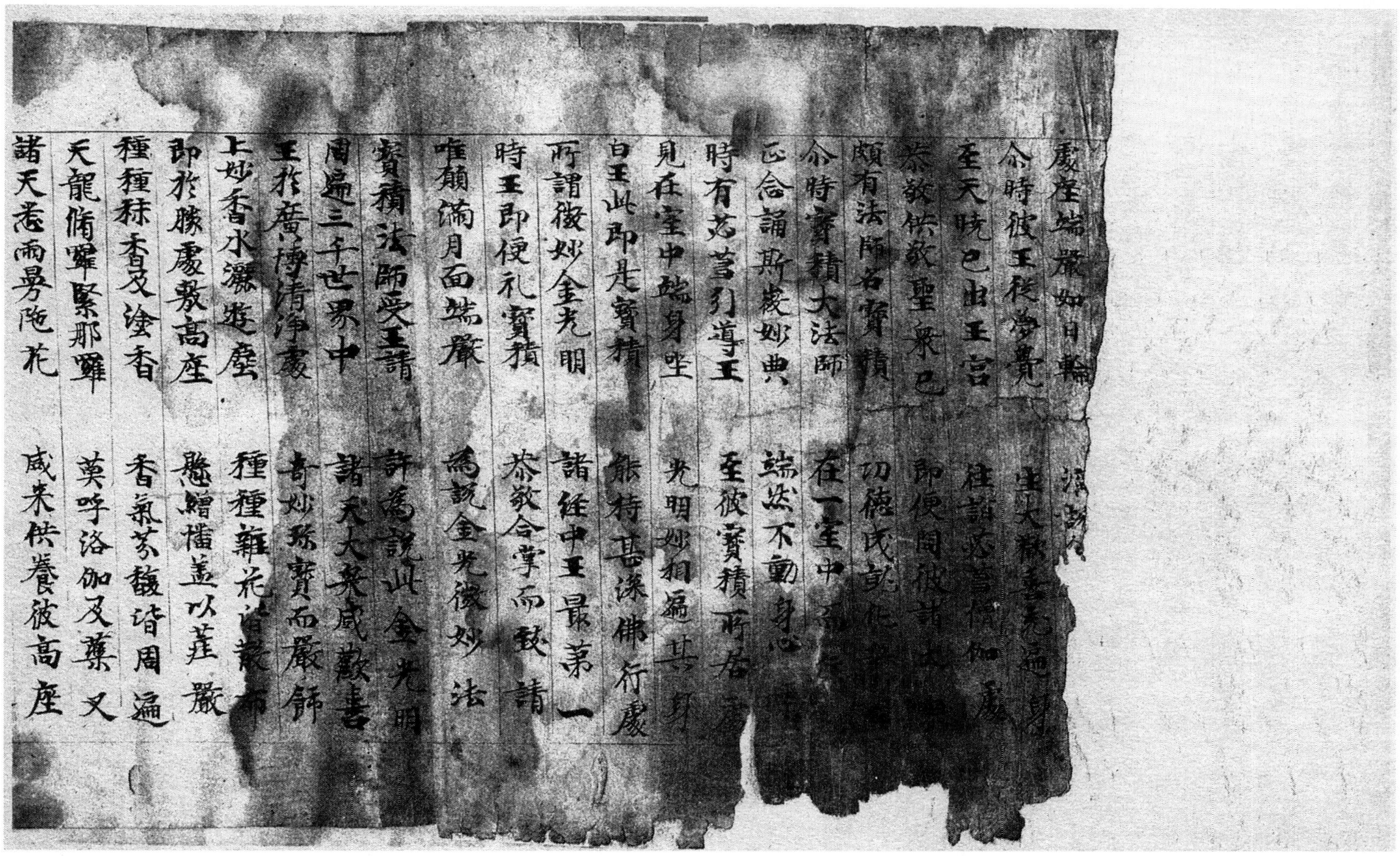

處座端嚴如日輪　流輝[illegible]
尒時彼王從夢覺　生大歡喜光遍身
至天曉已出王宮　往詣苾芻僧伽處
恭敬供敬聖衆已　即便問彼諸大[illegible]
頗有法師名寶積　功德成就化[illegible]
尒時寶積大法師　在一室中而[illegible]
正念誦斯微妙典　端然不動身心[illegible]
時有苾蒭引導王　至彼寶積所居[illegible]
見在室中端身坐　光明妙相遍其身
白王此即是寶積　能持甚深佛行處
所謂微妙金光明　諸經中王最第一
時王即便礼寶積　恭敬合掌而致請
唯願滿月面端嚴　為說金光微妙法
寶積法師受王請　許為說此金光明
周遍三千世界中　諸天大衆咸歡喜
王於廣博清淨處　奇妙珍寶而嚴飾
上妙香水灑遊塵　種種雜花皆散布
即於勝處敷高座　懸繒幡蓋以莊嚴
種種抹香及塗香　香氣芬馥皆周遍
天龍脩羅緊那羅　莫呼洛伽及藥叉
諸天悉雨曼陀花　咸來供養彼高座

BD01528 號　金光明最勝王經卷九　（17–1）

種種秣香及塗香　香氣芬馥皆周遍
天龍脩羅緊那羅　莫呼洛伽及藥叉
諸天悉雨曼陁花　咸來供養彼高座
復有千萬億諸天　樂聞正法俱來集
法師初從本座起　咸悉供養以天花
是時寶積大法師　淨洗浴已著鮮衣
詣彼大眾法座所　合掌虔心而礼敬
天主天眾及天女　悉皆共散曼陁花
百千天樂難思議　住在空中出妙響
尒時寶積大法師　即昇高座跏趺坐
念彼十方諸剎土　百千萬億大慈尊
遍及一切苦眾生　皆起平等慈悲念
為彼請主善生故　演說微妙金光明
王既得聞如是法　合掌一心唱隨喜
聞法希有淚交流　身心大喜皆充遍
于時國主善生王　為欲供養此經故
手持如意末尼寶　發願咸為諸眾生
今可於斯贍部洲　普雨七寶瓔珞具
所有匱乏資財者　皆得隨心受安樂
即便遍雨於七寶　悉皆充足四洲中
瓔珞嚴身隨所須　衣服飲食皆无乏
尒時國主善生王　見此四洲雨珎寶
咸持供養寶髻佛　所有遺教苾芻僧
應知過去善生王　即我釋迦牟尼是
為於昔時捨大地　及諸珎寶滿四洲
昔時寶積大法師　為彼善生說妙法

BD01528 號　金光明最勝王經卷九　（17–2）

為於昔時捨大地　及諸珎寶滿四洲
昔時寶積大法師　為彼善生說妙法
因彼開演經王故　東方現成不動佛
以我曾聽此經王　合掌一言稱隨喜
及施七寶諸功德　獲此最勝金剛身
金光百福相莊嚴　所有見者皆歡喜
一切有情无不愛　俱胝天眾亦同然
過去曾經九十九　俱胝億劫作輪王
亦於小國為人王　復經无量百千劫
於无量劫為帝釋　亦復曾為大梵王
供養十力大慈尊　彼之數量難窮盡
我昔聞經隨喜善　所有福聚量難知
由斯福故證菩提　獲得法身真妙智
尒時大眾聞是說已歎未曾有皆願奉持金
光明經流通不絕
金光明最勝王經諸天藥叉護持品第廿二
尒時世尊告大吉祥天女曰若有淨信善男子
善女人欲於過去未來現在諸佛以不可
思議廣大微妙供養之具而為奉獻及欲解
了三世諸佛甚深行處是人應當決定至心
隨是經王所在之處城邑聚落或山澤中廣
為眾生敷演流布其聽法者應除亂想攝耳
用心世尊即為彼天及諸大眾說伽他曰
若欲於諸佛　不思議供養　復了諸如來　甚深境界者
若見演說此　最勝金光明　應親詣彼方　至其所住處
此經難思議　能生諸功德　无邊大苦海　解脫諸有情

BD01528 號　金光明最勝王經卷九　（17–3）

若見演說此　最勝金光明　應觀諸彼方　至其所住處
此經難思議　能生諸功德　無邊大苦海　解脫諸有情
我觀此經王　初中後皆善　甚深不可測　譬喻無能比
假使恒河沙　大地塵海水　虛空諸山石　無能喻少分
欲入深法界　應先聽是經　法性之制底　甚深善安住
於斯制底內　見我牟尼尊　悅意妙音聲　演說斯經典
由此俱胝劫　數量難思議　生在人天中　常受勝妙樂
若聽是經者　應作如是心　我得不思議　無邊功德蘊
假使大火聚　滿百踰繕那　為聽此經王　直過無辭苦
既至彼住處　得聞如是經　能滅於罪業　及除諸惡夢
惡星諸變怪　蠱道邪魅等　得聞是經時　諸惡皆捨離
應嚴勝高座　淨妙若蓮花　法師處其上　猶如大龍坐
於斯安坐已　說此甚深經　書寫及誦持　并為解其義
法師捨此座　往詣餘方所　於此高座中　神通非一相
或見法師像　猶在高座上　或時見世尊　及以諸菩薩
或作普賢像　或如妙吉祥　或見慈氏尊　身處於高座
或見希奇相　及以諸天像　暫得覩容儀　忽然還不現
成就諸吉祥　所作皆隨意　功德悉圓滿　世尊如是說
最勝有名稱　能滅諸煩惱　他國賊皆除　戰時常得勝
惡夢悉皆無　及消諸毒害　所作三業罪　經力能除滅
於此贍部洲　名稱咸充滿　所有諸怨結　悉皆相捨離
設有怨敵至　聞名便退散　不假動兵戈　兩陣生歡喜
梵王帝釋主　護世四天王　及金剛藥叉　正了知大將
無熱池龍王　及以娑揭羅　緊那羅樂神　蘇羅金翅王
大辯才天女　并大吉祥天　斯等上首天　各領諸天眾
常供養諸佛　法寶不思議　恒生歡喜心　於經起恭敬
斯等諸天眾　皆悉共思惟　遍觀脩福者　共作如是說

BD01528號　金光明最勝王經卷九　（17–4）

大辯才天女　并大吉祥天　斯等上首天　各領諸天眾
常供養諸佛　法寶不思議　恒生歡喜心　於經起恭敬
斯等諸天眾　皆悉共思惟　遍觀脩福者　共作如是說
應觀此有情　咸是大福德　善根精進力　當來生我天
為聽甚深經　敬心來至此　供養法制底　尊重正法故
憐愍於眾生　而作大饒益　於此深經典　能為法寶器
入此法門者　能入於法性　於此金光明　至心應聽受
是人曾供養　無量百千佛　由彼諸善根　得聞此經典
如是諸天王　天女大辯才　并彼吉祥天　及以四王眾
無數藥叉眾　勇猛有神通　各於其四方　常來相擁護
日月天帝釋　風水火諸神　吠率怒大自　閻羅辯才等
一切諸護世　勇猛具威神　擁護持經者　晝夜常不離
大力藥叉王　那羅延自在　正了知為首　二十八藥叉
餘藥叉百千　神通有大力　恒於恐怖處　常來護此人
金剛藥叉王　并五百眷屬　諸大菩薩眾　常來護此人
寶王藥叉王　及以滿賢王　曠野金毗羅　賓度羅黃色
此等藥叉王　各五百眷屬　見聽此經者　皆來共擁護
彩軍乾闥婆　葦王常戰勝　珠頸及青頸　并勃里沙王
大最勝大黑　蜜跋拏雞舍　半之迦羊足　及以大婆伽
小渠并護法　及以獼猴王　針毛及日支　賓頭皆來護
大渠諸神眾　稱禮欲中勝　舍羅及雪山　及以娑多山
皆有大神通　雄猛具大力　見持此經者　皆來相擁護
阿那婆答多　及以娑揭羅　目真醫羅葉　難陀小難陀
於百千龍中　神通具威德　共護持經人　晝夜常不離
婆稚羅睺羅　毗摩質多羅　母旨苦跋羅　大肩及歡喜
及餘蘇羅王　并無數天眾　大力有勇健　皆來護是人

BD01528號　金光明最勝王經卷九　（17–5）

阿那婆答多[illegible]
於百千龍中　神通具威德　共護持經人　晝夜常不離
婆稚羅睺羅　毗摩質多羅　母旨睒跋羅　大肩及歡喜
及餘蘇羅王　并无數天衆　大力有勇健　皆來護是人
訶利底母神　五百藥叉衆　於彼人睡覺　常來相擁護
旃荼旃荼利　藥叉旃稚女　昆帝拘吒齒　吸衆生精氣
如是諸神衆　大力有神通　常護持經者　晝夜恒不離
上首辯才天　无量諸天女　吉祥天為首　并餘諸眷屬
此大地神女　果實園林神　樹神江河神　制底諸神等
如是諸天神　心生大歡喜　彼皆來擁護　讀誦此經人
見有持經者　增壽令色力　威光及福德　妙相以莊嚴
星宿現災變　困厄當此人　夢見惡瑞祥　皆悉令除滅
此大地神女　堅固有威力　由此經力故　法味常充足
地肥若流下　過百踰繕那　地神令味上　滋潤於大地
此地厚六十　八億踰繕那　及至金剛際　地味皆令上
由聽此經王　獲大功德蘊　能使諸天衆　悉蒙其利益
復令諸天衆　威力有光明　歡喜常安樂　捨離於衰相
於此南洲內　林果苗稼神　由此經威力　心常得歡喜
苗稼皆成就　處處有妙花　果實並滋繁　充滿於大地
所有諸果樹　及以衆園林　悉皆生妙花　香氣常芬馥
衆草諸樹木　咸出微妙花　及生甘美果　隨處皆充遍
於此贍部洲　无量諸龍女　心生大歡喜　皆共入池中
種植鉢頭摩　及以分陀利　青白二蓮花　池中皆遍滿
由此經威力　虛空淨无翳　雲霧皆除遣　宜闇悉光明
日出放千光　无垢燄清淨　由此經王力　流暉遶四天
此經威德力　資助於天子　皆用贍部金　而作宮殿
日天子初出　見此洲歡喜　常以大光明　周遍皆照耀

BD01528號　金光明最勝王經卷九　（17–6）

日出放千光　无垢燄清淨　由此經王力　流暉遶四天
此經威德力　資助於天子　皆用贍部金　而作宮殿
日天子初出　見此洲歡喜　常以大光明　周遍皆照耀
於斯大地內　所有蓮花池　日光照及時　无不盡開發
於此贍部洲　田疇諸果藥　悉皆令善熟　充滿於大地
由此經威力　日月所照處　星辰不失度　風雨皆順時
遍此贍部洲　國土咸豐樂　隨有此經處　殊勝倍餘方
若此金光明　經典流布處　有能講誦者　悉得如上福
尒時大吉祥天日女及諸天等聞佛所說皆大歡
喜於此經王及受持者一心擁護令无憂
惱常得安樂
金光明最勝王經授記品第廿三
尒時如來於大衆中廣說法已欲為妙幢菩
薩及其二子銀幢銀光授阿耨多羅三藐三
菩提記時有十千天子最勝光明為上首
俱從三十三天來至佛所頂礼佛足却坐一
面聽佛說法尒時佛告妙幢菩薩言汝於來世
過无量无數百千万億那庾多劫已於金光
明世界當成阿耨多羅三藐三菩提号金寶
山王如來應正遍知明行足善逝世間解无上
士調御丈夫天人師佛世尊出現於世時此如
來般涅槃後所有教法亦皆滅盡時彼
長子名曰銀幢即於此界次補佛處世界尒
時轉名淨幢當得作佛名曰金幢光如來應
正遍知明行足善逝世間解无上士調御丈夫
天人師佛世尊時此如來般涅槃後所有
教法亦皆滅盡次子銀光即補佛處還於此

BD01528號　金光明最勝王經卷九　（17–7）

正遍知明行足善逝世間解无上士調御丈夫
天人師佛世尊時此如来般涅槃後所有
教法亦皆滅盡次子銀光即補佛處還於此
界當得作佛号曰金光明如来應正遍知明
行足善逝世間解无上士調御丈夫天人師
佛世尊是時十千天子聞三大士得授記已復
聞如是最勝王經心生歡喜清淨无垢猶如
虚空尒時如来知是十千天子善根成熟即
便與授大菩提記汝等天子於當来世過
无量无數百千万億那庾多劫於最勝因陁
羅高幢世界得成阿耨多羅三藐三菩提同
一種姓又同一名号曰面目清淨優鉢羅香
山十号具足如是次第十千諸佛出現於世
尒時菩提樹神白佛言世尊是十千天子從
三十三天為聽法故来詣佛所云何如来便
與授記當得成佛世尊我未曾聞是諸天子
具足修習六波羅蜜多難行苦行捨於手足
頭目髓腦眷屬妻子象馬車乘奴婢僕使宮
殿園林金銀琉璃硨磲碼碯珊瑚虎魄璧玉
珂貝飲食衣服卧具醫藥如餘无量百千菩
薩以諸供具供養過去无數百千万億那庾
多佛如是菩薩各經无量无邊劫數然後方
得受菩提記世尊是諸天子以何因緣脩何
勝行種何善根從彼天来暫時聞法便得授
記唯願世尊為我解說斷除疑網佛告地神
善女天如汝所說皆從勝妙善根因緣勤苦

BD01528號　金光明最勝王經卷九

（17–8）

勝行種何善根從彼天来暫時聞法便得授
記唯願世尊為我解說斷除疑網佛告地神
善女天如汝所說皆從勝妙善根因緣勤苦
修已方得授記此諸天子於妙天宮捨五欲
樂故来聽是金光明經既聞法已於是經中
心生慇重如淨瑠璃无諸瑕穢復得聞此三
大菩薩授記之事亦由過去久修正行誓願
因緣是故我今皆與授記於未来世當成阿
耨多羅三藐三菩提時彼樹神聞佛說已歡
喜信受

金光明最勝王經除病品第廿四

佛告菩提樹神善女天諦聽諦聽善思念之
是十千天子本願因緣今為汝說善女天過
去无量不可思議阿僧企耶劫尒時有佛出
現於世名曰寶髻如来應正遍知明行足善
逝世間解无上士調御丈夫天人師佛世尊
善女天時彼世尊般涅槃後正法滅已於像
法中有王名曰天自在光常以正法化於人民
猶如父母是王國中有一長者名曰持水
善解醫明妙通八術衆生病苦四大不調咸
能救療善女天尒時持水長者唯有一子名
曰流水顔容端正人所樂觀受性聰敏妙閑
諸論書畫筭印无不通達時王國內有无量
百千諸衆生類皆遇疫疾衆苦所逼乃至无
有歡樂之心善女天尒時長者子流水見是
无量百千衆生受諸病苦起大悲心作如是

BD01528號　金光明最勝王經卷九

（17–9）

百千諸衆生類皆遇疫疾衆苦所逼乃至无
有歡樂之心善女天尓時長者子流水見是
无量百千衆生受諸病苦起大悲心作如是
念无量衆生為諸極苦之所逼迫我父長者
雖善醫方妙通八術能療衆病四大增損然
已衰邁老耄虛羸要假扶策方能進步不
復能往城邑聚落救諸病苦今有无量百千
衆生遇重病无能救者我今當至大醫父所諮
問治病醫方秘法若得解已當往城邑聚落之
所救諸衆生種種疾病令於長夜得受安
樂時長者子作是念已即詣父所稽首礼足
合掌恭敬却住一面即以伽他請其父曰
慈父當哀愍 我欲救衆生 今請諸醫方 幸願為我說
云何身衰壞 諸大有增損 復在何時中 能生諸疾病
云何噉飲食 得受於安樂 能使內身中 火勢不衰損
衆生有四病 風黃熱痰癊 及以總集病 云何而療治
何時風病起 何時熱病起 何時動痰癊 何時總集生
時彼長者子聞請已 復以伽他而答冂曰
我今依古仙 所有療病法 次第為汝說 善聽救衆生
三月是春時 三月名夏時 三月名秋分 三月謂冬時
此據一年中 三三而別說 二二為一節 便成歲六時
初二是花時 三四名熱際 五六名雨際 七八謂秋時
九十是寒時 後二名氷雪 既知如是際 授藥勿令差
當隨此時中 調息於飲食 入腹令消散 衆病則不生
節氣若變改 四大有推移 此時无藥資 必生於病苦
醫人解四時 復知其六節 明閑身七界 食藥使无差

BD01528 號　金光明最勝王經卷九　（17–10）

節氣若變改 四大有推移 此時无藥資 必生於病苦
醫人解四時 復知其六節 明閑身七界 食藥使无差
謂味界血肉 膏骨及髓腦 病入此中時 知其可療不
病有四種別 謂風熱痰癊 及以總集病 應知發動時
春中痰癊動 夏內風病生 秋時黃熱增 冬節三俱起
春食澁熱辛 夏膩熱醎醋 秋時冷甜膩 冬酸澁膩甜
於此四時中 服藥及飲食 若依如是味 衆病无由生
食後病由癊 食消時由熱 消後起由風 准時須識病
既識病源已 隨病而設藥 假令患狀殊 先須療其本
風病服油膩 患熱利為良 癊病應變吐 總集須三藥
風熱癊俱有 是名為總集 雖知病起時 應觀其本性
如是觀知已 順時而授藥 飲食藥无差 斯名善醫者
復應知八術 總攝諸醫方 於此若明閑 可療衆生病
謂針刺傷破 身疾并鬼神 惡毒及孩童 延年增氣力
先觀彼形色 語言及性行 然後問其夢 知風熱癊殊
乾瘦少頭髮 其心无定住 多語夢飛行 斯人是風性
少年生白髮 多汗及多瞋 聰明夢見火 斯人是熱性
心定身平整 慮審頭津膩 夢見水白物 是癊性應知
總集性俱有 或二或具三 隨有一偏增 應知是其性
既知本性已 准病而授藥 驗其无死相 方名可救人
諸根倒取境 尊醫人起慢 親友生瞋恚 是死相應知
左眼白色變 舌黑鼻梁欹 耳輪无舊處 下脣垂向下
訶梨勒一種 具足有六味 能除一切病 无忌藥中王
又三果三辛 諸藥中易得 沙糖蜜蘇乳 此能療衆病
自餘諸藥物 隨病可增加 先起慈愍心 莫規於財利
我已為汝說 療疾中要事 以此救衆生 當獲无邊果

BD01528 號　金光明最勝王經卷九　（17–11）

又三果三華　諸藥中易得　沙糖蜜蘇乳　此能療衆病
自餘諸藥物　隨病可增加　先起慈愍心　莫規於財利
我已為汝說　療疾中要事　以此救衆生　當獲无邊果
善女天尒時長者子流水親問其父八術之要
四大增損時節不同餌藥方法既善了知
自忖堪能救療衆病即便遍至城邑聚落所
在之處隨有百千万億病苦衆生皆至其所
善言慰喻作如是語我是醫人我是醫人善
知方藥今為汝等療治衆病悉令除愈善女
天尒時衆人聞長者子善言慰喻許為治病
時有无量百千衆生遇極重病聞是語已身
心踊躍得未曾有以此因緣所有病苦悉得蠲
除氣力充實平復如本善女天尒時復有
无量百千衆生病苦深重難療治者即共往
詣長者子所重請醫療時長者子即以妙藥
令服皆蒙除差善女天是長者子於此國內百
千万億衆生病苦悉得除差

金光明最勝王經長者子流水品第廿五

尒時佛告菩提樹神善女天尒時長者子流水
於往昔時在天自在光王國內療諸衆生所
有病苦令得平復受安隱樂時諸衆生以
病除故多修福業廣行惠施以自歡娛即共
往詣長者子所咸生尊敬作如是言善哉善哉
大長者子善能滋長福德之事增益我等
安隱壽命仁今實是大力醫王慈悲菩薩妙
閑醫藥善療衆生无量病苦如是稱歎周

BD01528號　金光明最勝王經卷九　（17-12）

往詣長者子所咸生尊敬作如是言善哉善哉
大長者子善能滋長福德之事增益我等
安隱壽命仁今實是大力醫王慈悲菩薩妙
閑醫藥善療衆生无量病苦如是稱歎周
遍城邑善女天時長者子妻名水肩藏有其
二子一名水滿二名水藏是時流水將其二子漸
次遊行城邑聚落過空澤中深險之處見
諸禽獸豺狼狐玃鵰鷲之屬食血肉者悉皆
奔飛一向而去時長者子作如是念此諸禽獸
何因緣故一向飛走我當隨後暫往觀之
即便隨去見有大池名曰野生其水將盡於
此池中多有衆魚流水見已生大悲心時有樹
神示現半身作如是語善哉善哉善男子
汝有實義名流水者可愍此魚應與其水有
二因緣名為流水一能流水二能與水汝今應
當隨名而作是時流水問樹神言此魚頭數
為有幾何樹神答曰數滿十千善女天時長
者子聞是數已倍益悲心時此大池為日所
暴餘水无幾是十千魚將入死門旋身婉轉
見是長者心有所希隨逐瞻視目未曾捨時
長者子見是事已馳趣四方欲覓於水竟不
能得復望一邊見有大樹即便昇上析取枝葉
為作蔭涼復更推求是池中水從何　處
來尋覓不見一大河名曰水生時此河邊有
諸漁人為取魚故於河上流懸險之　處
決棄其水不令下過於所決處卒難修補便

BD01528號　金光明最勝王經卷九　（17-13）

來尋覓不見一大河名曰水生時此河邊有
諸漁人為取魚故於河上流懸險之處
決棄其水不令下過於所決處卒難修補便
作是念此崖深峻設百千人時經三月亦未能
斷况我一身而堪濟辦時長者子速還本
城至大王所頭面禮足却住一面合掌恭敬作
如是言我為大王國土人民治種種病悉令
安隱漸次遊行至某空澤見有一池名曰野
生其水欲涸有十千魚為日所暴將死不久
唯願大王慈悲愍念與二十大象暫往負
水濟彼魚命如我與諸病人壽命尒時大王
即勅大臣速疾與此醫王大象時彼大臣奉
王勅已白長者子善哉大士仁今自可至象
廄中意選取二十大象利益衆生令得安樂
是時流水及其二子將二十大象又從酒家
多借皮囊往決水處以囊盛水象負至池
寫置池中水即弥滿還復如故善女天時長
者子於池四邊周旋而視時彼衆魚亦復隨
逐循岸而行時長者子復作是念衆魚何故
隨我而行必為飢火之所惱逼復欲從我求
索於食我今當與尒時長者子流水告其子
言汝取一象最力大者速至家中啓父長者
中所有可食之物乃至父母食噉之分及妻
子奴婢之分悉皆收取即可持來尒 時
二子受父教已乘最大象速往家中至祖父
所說如上事收取家中可食之物置於象上

二子受父教已乘最大象速往家中至祖父
所說如上事收取家中可食之物置於象上
疾還父所至彼池邊是時流水見其子來身
心喜躍遂取餅食遍散池中魚得食已悉皆
飽足便作是念我今施食令魚得命願於來
世當施法食充濟无邊復更思惟我先曾於
空閑林處見一苾芻讀大乘經說十二緣生甚
深法要又經中說若有衆生臨命終時得
聞寶髻如來名者即生天上我今當為是十
千魚演說甚深十二緣起亦當稱說寶髻佛
名然贍部洲有二種人一者深信大乘二者
不信毀呰亦當為彼增長信心時長者子作
如是念我入池中可為衆魚說深妙法作是
念已即便入水唱言南謨過去寶髻如來應
正遍知明行足善逝世間解无上士調御丈夫
天人師佛世尊此佛往昔修菩薩行時作是
誓願於十方界所有衆生臨命終時聞我
名者命終之後得生三十三天尒時流水復
為池魚演說如是甚深妙法此有故彼有此
生故彼生所謂无明緣行行緣識識緣名色
名色緣六處六處緣觸觸緣受受緣愛愛緣
取取緣有有緣生生緣老死憂悲苦惱此滅
故彼滅所謂无明滅則行滅行滅則識滅識滅
則名色滅名色滅則六處滅六處滅則觸滅
觸滅則受滅受滅則愛滅愛滅則取滅 取
滅則有滅有滅則生滅生滅則老死滅老死滅

則名色滅名色滅則六處滅六處滅則觸滅
觸滅則受滅受滅則愛滅愛滅則取滅取
滅則有滅有滅則生滅生滅則老死滅老死滅
則憂悲苦惱滅如是純極苦蘊悉皆除滅說
是法已復為宣說十二緣起相應陀羅尼曰
怛姪他 毗折你毗折你 毗折你
僧娑枳你 僧塞枳你 僧塞枳你
毗尒你 毗尒你 毗尒你莎訶
怛姪他那弭你那弭你 那弭你
敎雉你敎雉你 敎雉你
颯鉢哩設你颯鉢哩設你 颯鉢哩設你莎訶
怛姪他 薛達你薛達你 薛達你
窒里瑟你窒里瑟你 窒里瑟你
鄔波地你鄔波地你 鄔波地你莎訶
怛姪他 婆毗你婆毗你 婆毗你
闍底你 闍底你 闍底你
闍摩你你 闍摩你你 闍摩你你莎訶
尒時世尊為諸大衆說長者子昔緣之時諸
人天衆歎未曾有時四大天王各於其處異
口同音作如是說
善哉釋迦尊 說妙法明呪 生福除衆惡 十二支相應
我等亦說呪 擁護如是法 若有生違逆 不善隨順者
頭破作七分 猶如蘭香梢 我等於佛前 共說其呪曰
怛姪他呬里 謎 揭勝 健陀 哩
旃荼里 地 𪓔 騷代𪓔石 呬代𪓔
補𠸪布𪓔 矩矩末底 崎囉末底 達地目契
……

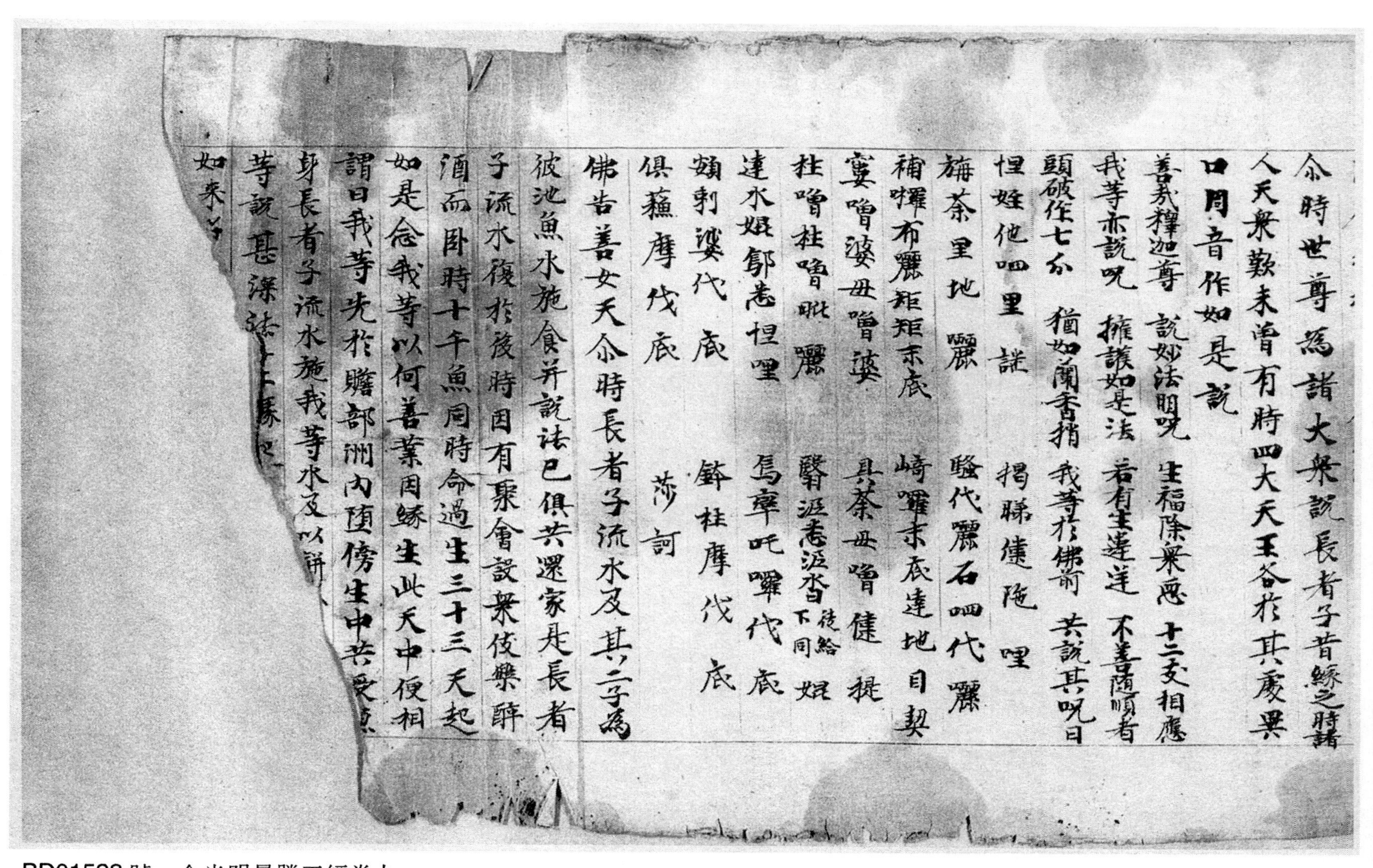
尒時世尊為諸大衆說長者子昔緣之時諸
人天衆歎未曾有時四大天王各於其處異
口同音作如是說
善哉釋迦尊 說妙法明呪 生福除衆惡 十二支相應
我等亦說呪 擁護如是法 若有生違逆 不善隨順者
頭破作七分 猶如蘭香梢 我等於佛前 共說其呪曰
怛姪他呬里 謎 揭勝 健陀 哩
旃荼里 地 𪓔 騷代𪓔石 呬代𪓔
補𠸪布𪓔 矩矩末底 崎囉末底 達地目契
窶噌婆毋噌婆 具荼毋噌健 提
拄噌拄噌毗𪓔 毉沍悉沍杳 徒給下同 娼
達水娼鄔悉怛哩 烏嚓吒囉代底
頞剃婆代底 鉢拄摩伐底
俱蘊摩伐底 莎訶
佛告善女天尒時長者子流水及其二子為
彼池魚水施食并說法已俱共還家是長者
子流水復於後時因有衆會設衆伎樂醉
酒而臥時十千魚同時命過生三十三天起
如是念我等以何善業因緣生此天中便相
謂曰我等先於贍部洲内墮傍生中共受魚
身長者子流水施我等水及以餅……
等說甚深法十二緣起……
如來……

BD01528號背　墨筆塗畫　　（1–1）

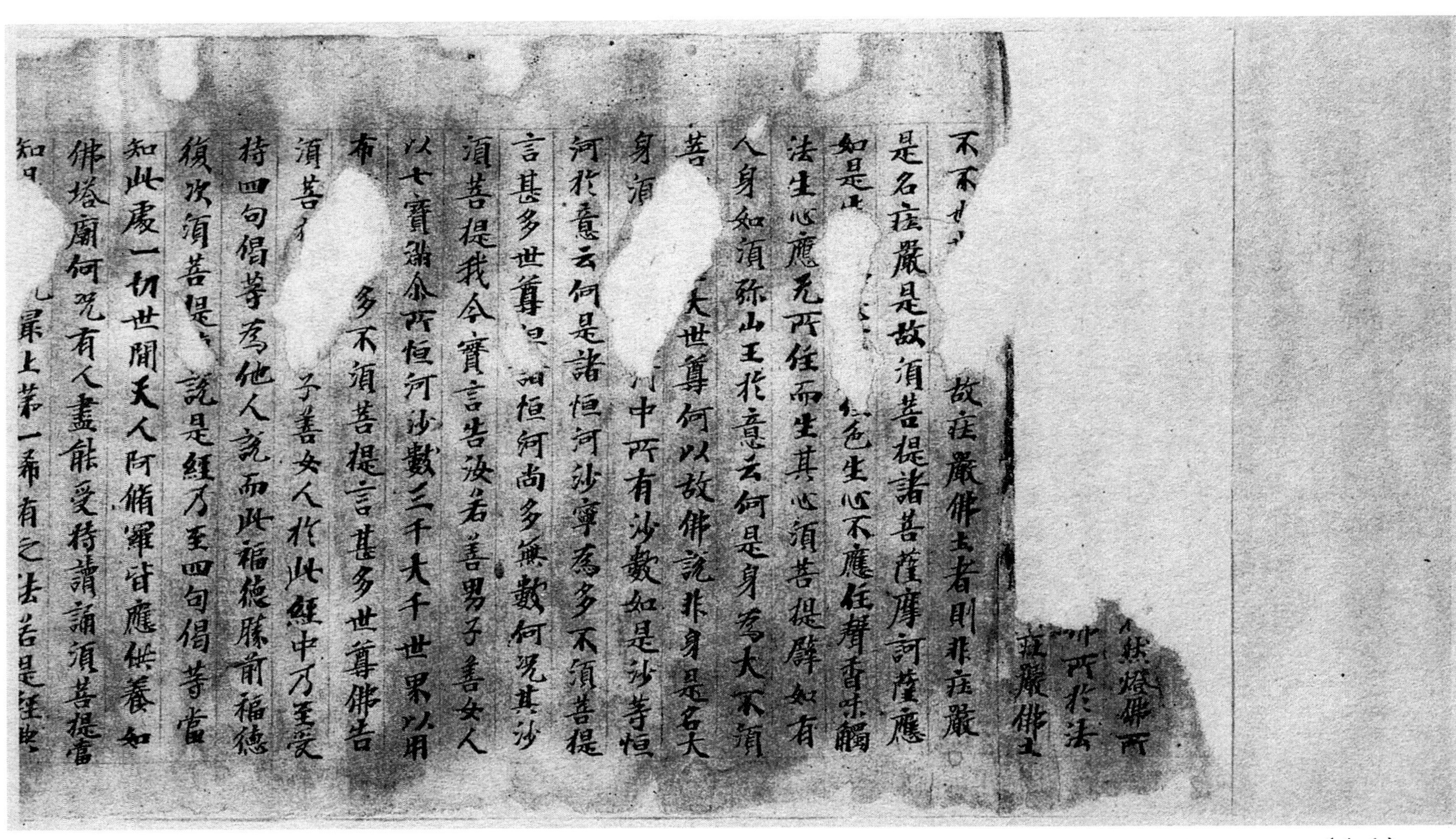
然燈佛所
所於法
莊嚴佛土
不不世……故莊嚴佛土者則非莊嚴
是名莊嚴是故須菩提諸菩薩摩訶薩應
如是……色生心不應住聲香味觸
法生心應無所住而生其心須菩提譬如有
人身如須彌山王於意云何是身為大不須
菩……大世尊何以故佛說非身是名大
身須……中所有沙數如是沙等恒
河於意云何是諸恒河沙寧為多不須菩提
言甚多世尊但諸恒河尚多無數何況其沙
須菩提我今實言告汝若善男子善女人
以七寶滿爾所恒河沙數三千大千世界以用
布……多不須菩提言甚多世尊佛告
須菩……子善女人於此經中乃至受
持四句偈等為他人說而此福德勝前福德
復次須菩提……說是經乃至四句偈等當
知此處一切世間天人阿脩羅皆應供養如
佛塔廟何況有人盡能受持讀誦須菩提當
知……最上第一希有之法若是經典

BD01529號　金剛般若波羅蜜經　　（4–1）

持四句偈等為他人說而此福德勝前福德
復次須菩提[illegible]說是經乃至四句偈等當
知此處一切世間天人阿脩羅皆應供養如
佛塔廟何況有人盡能受持讀誦須菩提當
知[illegible]最上第一希有之法若是經典
所在之處[illegible]有佛若尊重弟子
尒時須菩提白佛言世尊當何名此經我等
云何奉持佛告須菩提是經名為金剛般若
波羅蜜以是名字汝當奉持所以者何須
菩提說般若波羅蜜則非般若波羅蜜須菩
提[illegible]如來有所說法不須菩提白佛
言世尊如來無所說須菩提於意云何三千
大千世界所有微塵是為多不須菩提言甚
多世尊須菩提諸微塵如來說非微塵是名
微塵如來說世界非世界是名世界須菩提
於[illegible]以三十二相見如來不不也世尊
不可以三[illegible]得見如來何以故如來說三
十二相即是非相是名三十二相須菩提若
有善男子善女人以恒河沙等身命布施若
復有人於此經中乃至受持四句偈等為他人
說其福甚多
尒時[illegible]提聞說是經深解義趣涕淚悲泣
而白佛言[illegible]有世尊佛說如是甚深經典我
從昔來所得慧眼未曾得聞如是之經世尊
若復有人得聞是經信心清淨則生實相當

BD01529號　金剛般若波羅蜜經　（4–2）

而白佛言[illegible]有世尊佛說如是甚深經典我
從昔來所得慧眼未曾得聞如是之經世尊
若復有人得聞是經信心清淨則生實相當
知是人成就第一希有功德世尊是實相者
則是非相是故如來說名實相世尊我今得
聞如是經[illegible]信解受持不足為難若當來
世後五百歲其有眾生得聞是經信解受持
是人則為第一希有何以故此人无我相人相
眾生相壽者相所以者何我相即是非相人
相眾生相壽者相即是非相何以故離一切
諸相[illegible]諸佛
佛告須菩提如是如是若復有人得聞是經
不[illegible]畏當知是人甚為希有何以故
須菩提如來說第一波羅蜜非第一波羅蜜
是名第一波羅蜜
須菩提[illegible]辱波羅蜜如來說非忍辱波羅蜜
何以故須[illegible]如我昔為歌利王割截身體
我於尒時無我相无人相无眾生相無壽者相
何以故我於往昔節節支解時若有我相
人相眾生相壽者相應生瞋恨須菩提又念
過去於五百世作忍辱仙人於尒所世無我相
[illegible]相無壽者相是故須菩提菩
[illegible]何耨多羅三藐三菩提心
[illegible]聲香味觸法生心應
[illegible]為非住是故佛說
[illegible]須菩提菩薩為利

BD01529號　金剛般若波羅蜜經　（4–3）

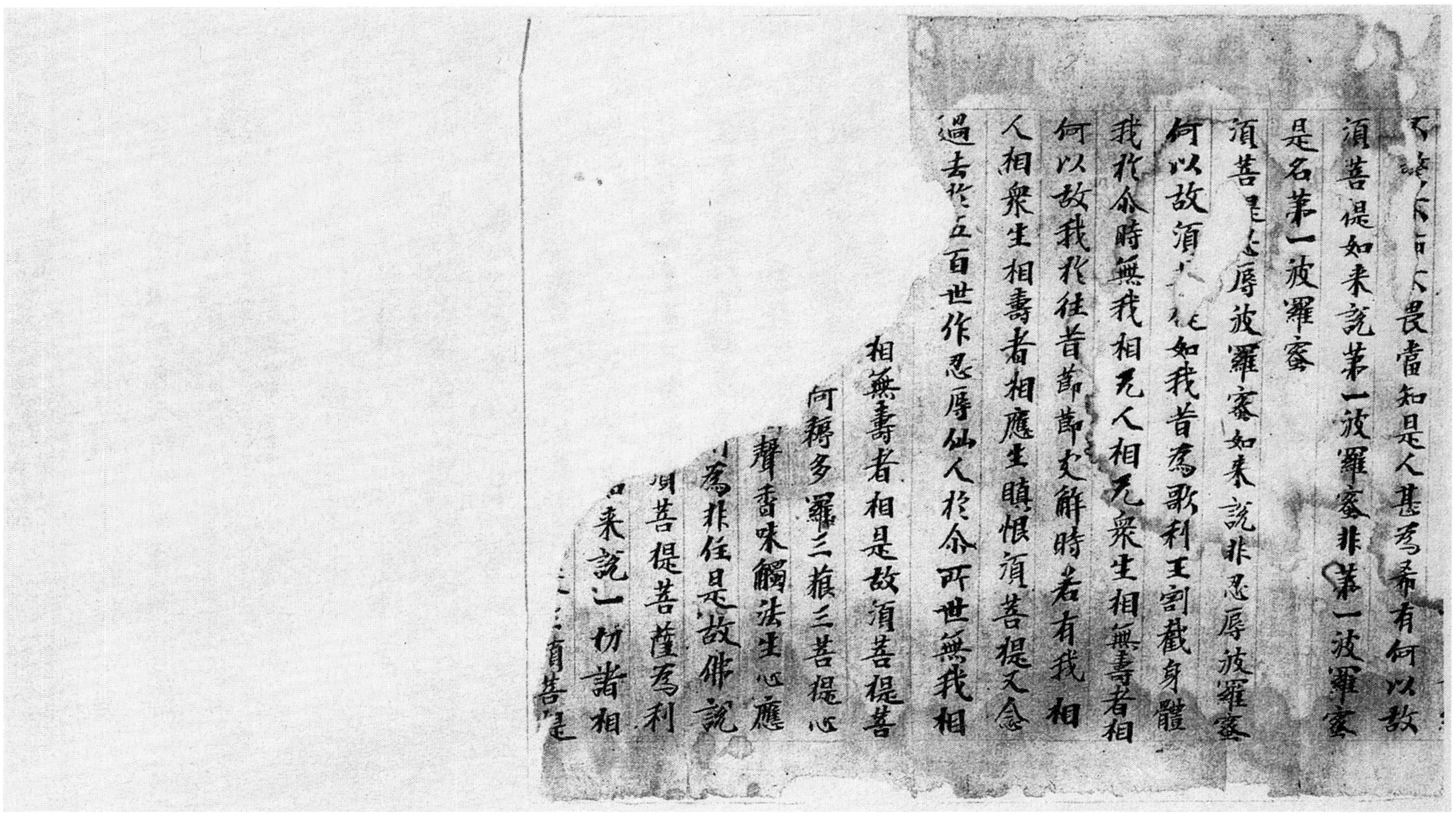

不[illegible]畏當知是人甚為希有何以故
須菩提如来說第一波羅蜜非第一波羅蜜
是名第一波羅蜜
須菩提忍辱波羅蜜如来說非忍辱波羅蜜
何以故須[illegible]如我昔為歌利王割截身體
我於尒時無我相无人相无衆生相無壽者相
何以故我於往昔節節支解時若有我相
人相衆生相壽者相應生瞋恨須菩提又念
過去於五百世作忍辱仙人於尒所世無我相
相無壽者相是故須菩提菩
何耨多羅三藐三菩提心
聲香味觸法生心應
[illegible]為非住是故佛說
[illegible]菩提菩薩為利
[illegible]来說一切諸相
[illegible]菩提

BD01529號　金剛般若波羅蜜經　（4–4）

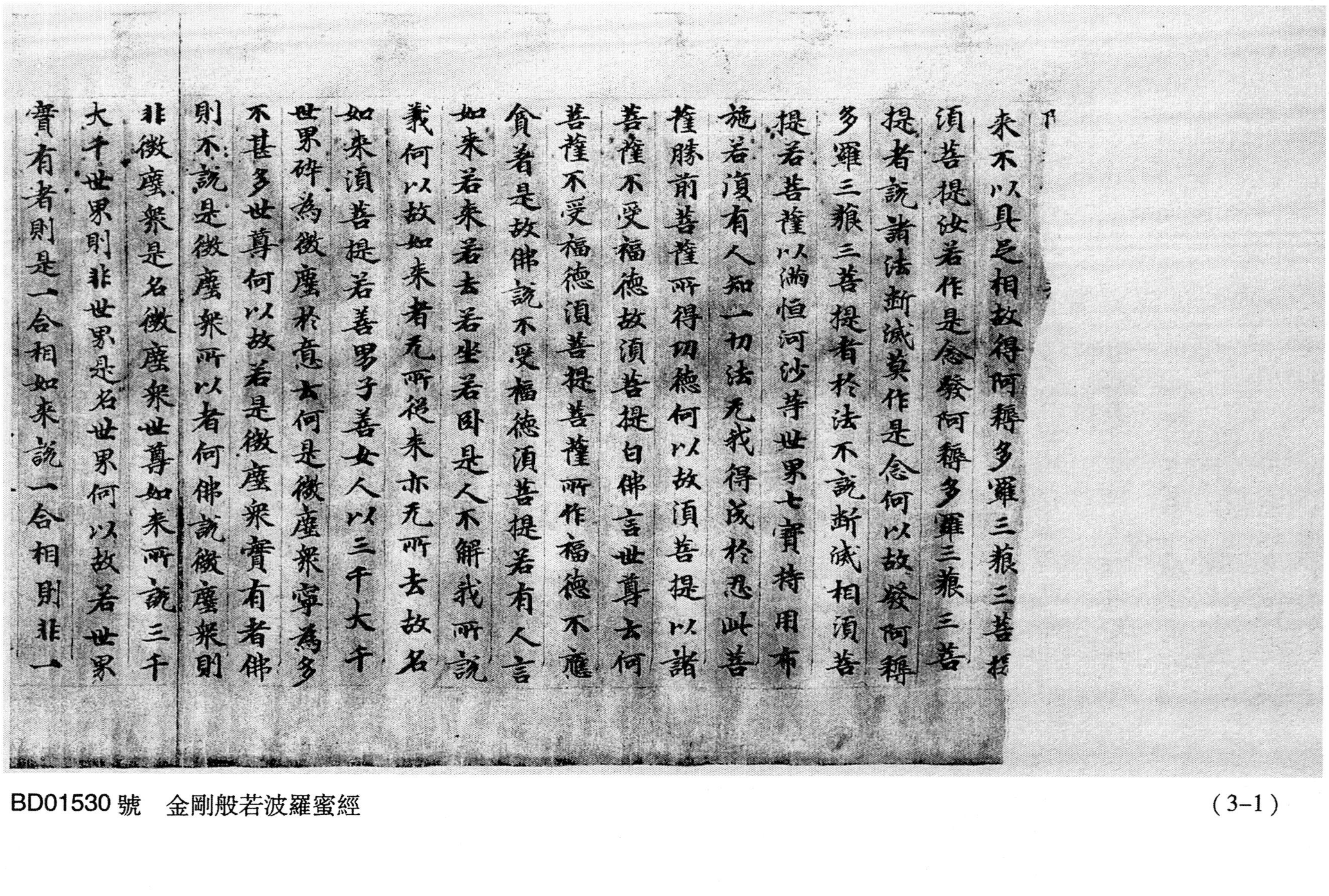

来不以具足相故得阿耨多羅三藐三菩提
須菩提汝若作是念發阿耨多羅三藐三菩
提者說諸法斷滅莫作是念何以故發阿耨
多羅三藐三菩提者於法不說斷滅相須菩
提若菩薩以滿恒河沙等世界七寶持用布
施若復有人知一切法无我得成於忍此菩
薩勝前菩薩所得功德何以故須菩提以諸
菩薩不受福德故須菩提白佛言世尊云何
菩薩不受福德須菩提菩薩所作福德不應
貪著是故佛說不受福德須菩提若有人言
如来若来若去若坐若卧是人不解我所說
義何以故如来者无所從来亦无所去故名
如来須菩提若善男子善女人以三千大千
世界碎為微塵於意云何是微塵衆寧為多
不甚多世尊何以故若是微塵衆實有者佛
則不說是微塵衆所以者何佛說微塵衆則
非微塵衆是名微塵衆世尊如来所說三千
大千世界則非世界是名世界何以故若世界
實有者則是一合相如来說一合相則非一

BD01530號　金剛般若波羅蜜經　（3–1）

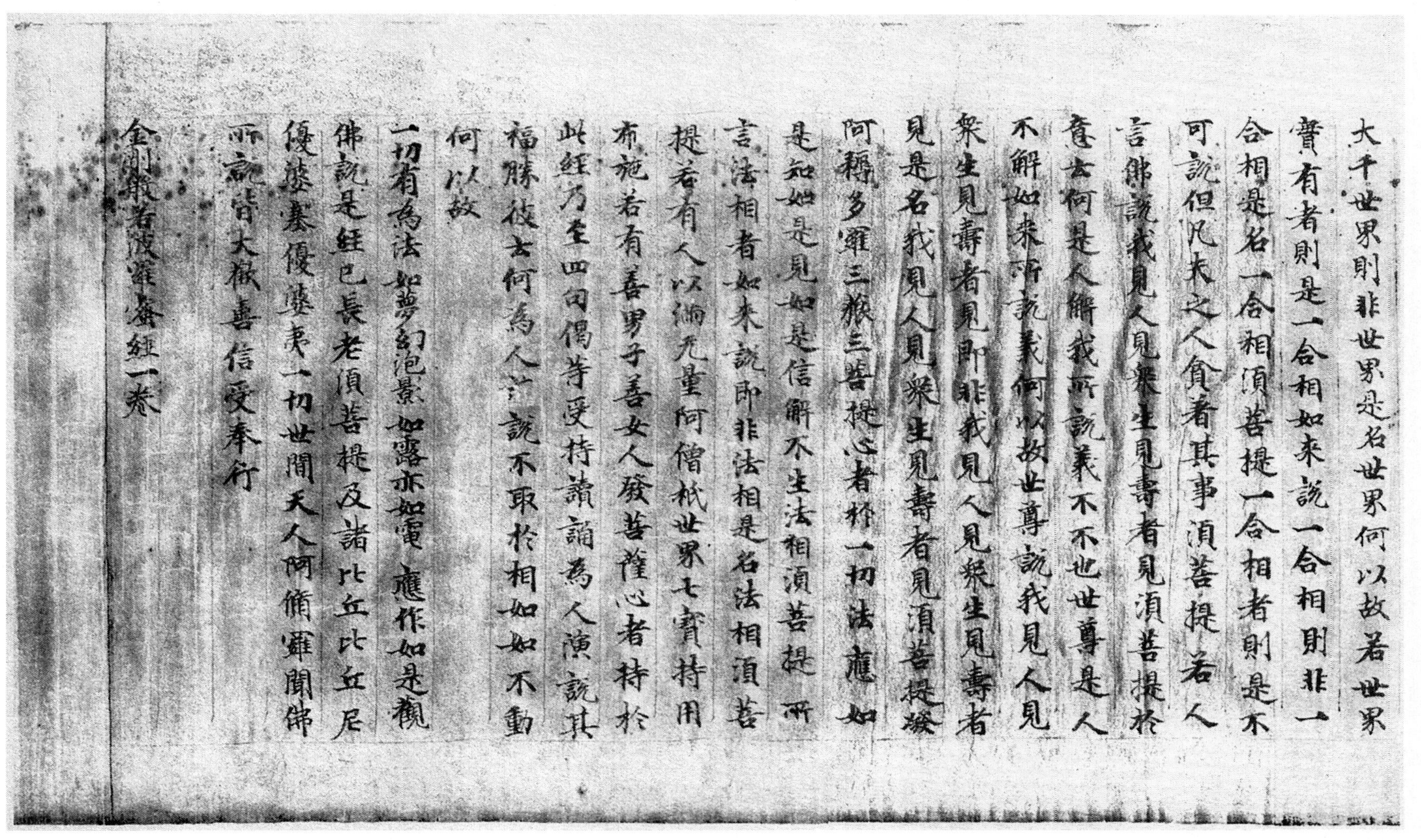
大千世界則非世界是名世界何以故若世界
實有者則是一合相如來說一合相則非一
合相是名一合相須菩提一合相者則是不
可說但凡夫之人貪著其事須菩提若人
言佛說我見人見衆生見壽者見須菩提於
意云何是人解我所說義不不也世尊是人
不解如來所說義何以故世尊說我見人見
衆生見壽者見即非我見人見衆生見壽者
見是名我見人見衆生見壽者見須菩提發
阿耨多羅三藐三菩提心者於一切法應如
是知如是見如是信解不生法相須菩提所
言法相者如來說即非法相是名法相須菩
提若有人以滿无量阿僧祇世界七寶持用
布施若有善男子善女人發菩薩心者持於
此經乃至四句偈等受持讀誦為人演說其
福勝彼云何為人演說不取於相如如不動
何以故
一切有為法 如夢幻泡影 如露亦如電 應作如是觀
佛說是經已長老須菩提及諸比丘比丘尼
優婆塞優婆夷一切世間天人阿脩羅聞佛
所說皆大歡喜信受奉行
金剛般若波羅蜜經一卷

BD01530 號　金剛般若波羅蜜經　（3–2）

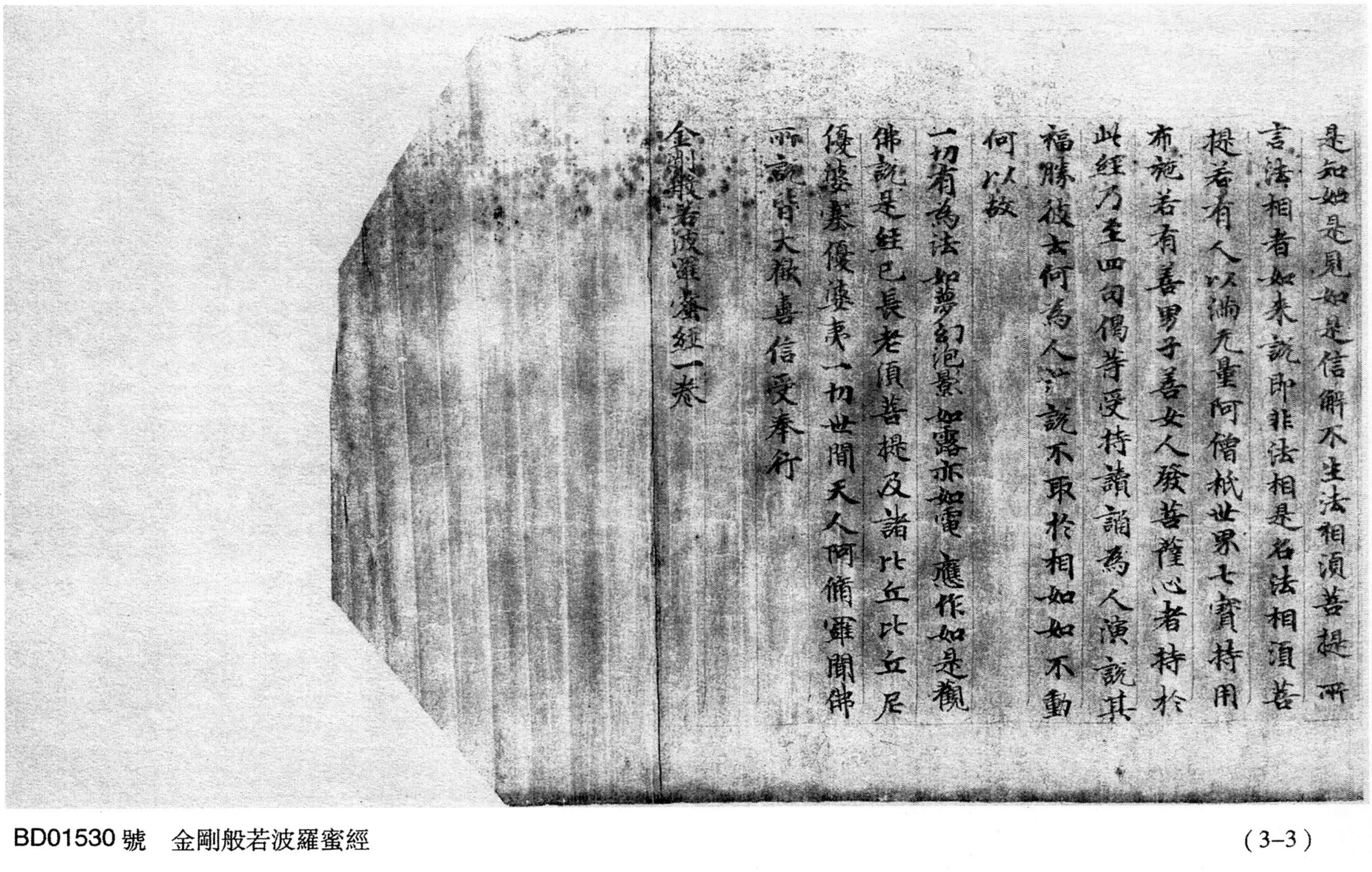

是知如是見如是信解不生法相須菩提所
言法相者如來說即非法相是名法相須菩
提若有人以滿无量阿僧祇世界七寶持用
布施若有善男子善女人發菩薩心者持於
此經乃至四句偈等受持讀誦為人演說其
福勝彼云何為人演說不取於相如如不動
何以故
一切有為法 如夢幻泡影 如露亦如電 應作如是觀
佛說是經已長老須菩提及諸比丘比丘尼
優婆塞優婆夷一切世間天人阿脩羅聞佛
所說皆大歡喜信受奉行
金剛般若波羅蜜經一卷

BD01530 號　金剛般若波羅蜜經　（3–3）

僧坊以四事供養衆僧所以者何是善男子
善女人受持讀誦是經典者為已起塔造立
僧坊供養衆僧則為以佛舍利起七寶塔高
廣漸小至于梵天懸諸幡蓋及衆寶鈴華
香瓔珞抹香塗香燒香衆鼓伎樂簫笛箜篌
種種儛戲以妙音聲歌唄讚頌則為於无量千
万億劫作是供養已阿逸多若我滅後聞是
經典有能受持若自書若教人書則為起立
僧坊以赤栴檀作諸殿堂三十有二高八多
羅樹高廣嚴好百千比丘於其中止園林流
池經行禪窟衣服飲食牀蓐湯藥一切樂具
充滿其中如是僧坊堂閣若干百千万億其
數无量以此現前供養於我及比丘僧是故
我說如來滅後若有受持讀誦為他人說若
自書若教人書供養經卷不須復起塔寺及
造僧坊供養衆僧况復有人能持是經兼行
布施持戒忍辱精進一心智慧其德最勝无
量无邊譬如虛空東西南北四維上下無量

BD01531 號　妙法蓮華經（八卷本）卷六　（11-1）

自書若教人書供養經卷不須復起塔寺及
造僧坊供養衆僧况復有人能持是經兼行
布施持戒忍辱精進一心智慧其德最勝无
量无邊譬如虛空東西南北四維上下無量
无邊是人功德亦復如是无量无邊疾至一
切種智若人讀誦受持是經為他人說若自
書若教人書復能起塔及造僧坊供養讚歎
聲聞衆僧亦以百千万億讚歎之法讚歎菩
薩功德又為他人種種因緣隨義解說此法
華經復能清淨持戒與柔和者而共同止忍
辱无瞋志念堅固常貴坐禪得諸深定精進
勇猛攝諸善法利根智慧善荅問難阿逸多
若我滅後諸善男子善女人受持讀誦是經
典者復有如是諸善功德當知是人已趣道
場近阿耨多羅三藐三菩提坐道樹下阿逸
多是善男女若坐若立若行處此中便應起
塔一切天人皆應供養如佛之塔尒時世尊
欲重宣此義而說偈言
若我滅度後　能奉持此經　斯人福无量　如上之所說
是則為具足　一切諸供養　以舍利起塔　七寶而莊嚴
表刹甚高廣　漸小至梵天　寶鈴千万億　風動出妙音
又於无量劫　而供養此塔　華香諸瓔珞　天衣衆伎樂
燃香油穌燈　周匝常照明　惡世法末時　能持是經者
則為已如上　具足諸供養　若能持此經　則如佛現在
以牛頭栴檀　起僧坊供養　堂有三十二　高八多羅樹

BD01531 號　妙法蓮華經（八卷本）卷六　（11-2）

[illegible]
燃香油蘇燈　周匝常照明　惡世法末時　能持是經者
則為已如上　具足諸供養　若能持此經　則如佛現在
以牛頭栴檀　起僧坊供養　堂有三十二　高八多羅樹
上饌妙衣服　牀卧皆具足　百千衆住處　園林諸浴池
經行及禪窟　種種皆嚴妙　若有信解心　受持讀誦書
若復教人書　及供養經卷　散華香末香　以須曼瞻蔔
阿提目多伽　薰油常燃之　如是供養者　得无量功德
如虛空无邊　其福亦如是　況復持此經　兼布施持戒
忍辱樂禪定　不瞋不惡口　恭敬於塔寺　謙下諸比丘
遠離自高心　常思惟智慧　有問難不瞋　隨順為解說
若能行是行　功德不可量　若見此法師　成就如是德
應以天華散　天衣覆其身　頭面接足礼　生心如佛想
又應作是念　不久詣道樹　得无漏无為　廣利諸人天
其所住止處　經行若坐卧　乃至說一偈　是中應起塔
莊嚴令妙好　種種以供養　佛子住此地　則是佛受用
常住於其中　經行及坐卧
妙法蓮華經隨喜功德品第十八
介時弥勒菩薩摩訶薩白佛言世尊若有善
男子善女人聞是法華經隨喜者得幾所福
而說偈言
世尊滅度後　其有聞是經　若能隨喜者　為得幾所福
介時佛告弥勒菩薩摩訶薩阿逸多如來滅
後若比丘比丘尼優婆塞優婆夷及餘智者
若長若幼聞是經隨喜已從法會出至於餘
處若在僧坊若空閑地若城邑巷陌聚落田

BD01531號　妙法蓮華經（八卷本）卷六　（11–3）

介時佛告弥勒菩薩摩訶薩阿逸多如來滅
後若比丘比丘尼優婆塞優婆夷及餘智者
若長若幼聞是經隨喜已從法會出至於餘
處若在僧坊若空閑地若城邑巷陌聚落田
里如其所聞為父母宗親善友知識隨力演
說是諸人等聞已隨喜復行轉教餘人聞已
亦隨喜轉教如是展轉至第五十阿逸多其
第五十善男子善女人隨喜功德我今說之
汝當善聽若四百万億阿僧祇世界六趣四
生衆生卵生胎生濕生化生若有形无形有
想无想非有想非无想无足二足四足多足
如是等在衆生數者有人求福隨其所欲娛樂
之具皆給與之一一衆生與滿閻浮提金銀
瑠璃車璖馬瑙珊瑚虎珀諸妙珎寶及象馬
車乘七寶所成宮殿樓閣等是大施主如是
布施滿八十年已而作是念我已施衆生娛
樂之具隨意所欲然此衆生皆已衰老年
過八十髮白面皺將死不久我當以佛法而
訓導之即集此衆生宣布法化示教利喜一
時皆得須陁洹道斯陁含道阿那含道阿羅
漢道盡諸有漏於深禪定皆得自在具八解
脫於汝意云何是大施主所得功德寧為
多不弥勒白佛言世尊是人功德甚多无量
无邊若是施主但施衆生一切樂具功德无
量何況令得阿羅漢果佛告弥勒我今分明

BD01531號　妙法蓮華經（八卷本）卷六　（11–4）

多不弥勒白佛言世尊是人功德甚多无量
无邊若是施主但施衆生一切樂具功德无
量何况令得阿羅漢果佛告弥勒我今分明
語汝是人以一切樂具施於四百万億阿僧
祇世界六趣衆生又令得阿羅漢果所得功
德不如是第五十人聞法華經一偈隨喜功
德百分千分百千万億分不及其一乃至筭
數譬喻所不能知阿逸多如是第五十人展
轉聞法華經隨喜功德尚无量无邊阿僧祇
何况最初於會中聞而隨喜者其福復无量
无邊阿僧祇不可得比又阿逸多若人為是
經故往詣僧坊若坐若立須臾聽受緣是功
德轉身所生得好上妙象馬車乘珎寶輦轝
及乘天宮若復有人於講法處坐更有人來
勸令坐聽若分座令坐是功德轉身得帝
釋坐處若梵王坐處若轉輪聖王所坐之處
阿逸多若復有人語餘人言有經名法華可
共往聽即受其教乃至須臾間聞是人功德
轉身得與陁羅尼菩薩共生一處利根智慧
百千万世終不瘖瘂口氣不臭舌常无病口
亦无病齒不垢黑不黃不踈亦不缺落不差
不曲脣不下垂亦不褰縮不麁澁不瘡緊
亦不缺壞亦不喎邪不厚不大亦不黧黑无
諸可惡鼻不匾虒亦不曲戾面色不黑亦不
狹長亦不窊曲无有一切不可喜相脣舌牙

BD01531號　妙法蓮華經（八卷本）卷六　（11–5）

不曲脣不下垂亦不褰縮不麁澁不瘡緊
亦不缺壞亦不喎邪不厚不大亦不黧黑无
諸可惡鼻不匾虒亦不曲戾面色不黑亦不
狹長亦不窊曲无有一切不可喜相脣舌牙
齒悉皆嚴好鼻脩高直面貌圓滿眉高而
長額廣平正人相具足世世所生見佛聞法信
受教誨阿逸多汝且觀是勸於一人令往聽
法功德如此何况一心聽說讀誦而於大衆
為人分別如說脩行尒時世尊欲重宣此義
而說偈言
若人於法會　得聞是經典　乃至於一偈　隨喜為他說
如是展轉教　至于第五十　最後人獲福　今當分別之
如有大施主　供給无量衆　具滿八十歲　隨意之所欲
見彼衰老相　髮白而面皺　齒踈形枯竭　念其死不久
我今應當教　令得於道果　即為方便說　涅槃真實法
世皆不牢固　如水沫泡炎　汝等咸應當　疾生猒離心
諸人聞是法　皆得阿羅漢　具足六神通　三明八解脫
最後第五十　聞一偈隨喜　是人福勝彼　不可為譬喻
如是展轉聞　其福尚无量　何况於法會　初聞隨喜者
若有勸一人　将引聽法華　言此經深妙　千万劫難遇
即受教往聽　乃至須臾聞　斯人之福報　今當分別說
世世无口患　齒不踈黃黑　脣不厚褰缺　无有可惡相
舌不乾黑短　鼻高脩且直　額廣而平正　面目悉端嚴
為人所喜見　口氣无臭穢　優鉢華之香　常從其口出
若故詣僧坊　欲聽法華經　須臾聞歡喜　今當說其福

BD01531號　妙法蓮華經（八卷本）卷六　（11–6）

舌不乾黑短　鼻高脩且直　額廣而平正　面目悉端嚴
爲人所喜見　口氣无臭穢　優鉢華之香　常從其口出
若故詣僧坊　欲聽法華經　須臾聞歡喜　今當說其福
後生天人中　得妙象馬車　珎寶之輦轝　及乘天宮殿
若於講法處　勸人坐聽法　是福因緣得　釋梵轉輪座
何況一心聽　解說其義趣　如說而脩行　其福不可限
妙法蓮華經法師功德品第十九
尒時佛告常精進菩薩摩訶薩若善男子善
女人受持是法華經若讀若誦若解說若書
冩是人當得八百眼功德千二百耳功德八
百鼻功德千二百舌功德八百身功德千二
百意功德以是功德莊嚴六根皆令清淨是
善男子善女人父母所生清淨肉眼見於三
千大千世界內外所有山林河海下至阿鼻
地獄上至有頂亦見其中一切衆生及業因
緣果報生處悉見悉知尒時世尊欲重宣此
義而說偈言
若於大衆中　以无所畏心　說是法華經　汝聽其功德
是人得八百　功德殊勝眼　以是莊嚴故　其目甚清淨
父母所生眼　悉見三千界　內外弥樓山　須弥及鐵圍
并諸餘山林　大海江河水　下至阿鼻獄　上至有頂處
其中諸衆生　一切皆悉見　雖未得天眼　肉眼力如是
復次常精進若善男子善女人受持此經若
讀若誦若解說若書冩得千二百耳功德以
是清淨耳聞三千大千世界下至阿鼻地獄

BD01531號　妙法蓮華經（八卷本）卷六　（11–7）

其中諸衆生　一切皆悉見　雖未得天眼　肉眼力如是
復次常精進若善男子善女人受持此經若
讀若誦若解說若書冩得千二百耳功德以
是清淨耳聞三千大千世界下至阿鼻地獄
上至有頂其中內外種種語言音聲象聲馬
聲牛聲車聲啼哭聲愁歎聲螺聲鼓聲鍾聲
鈴聲咲聲語聲男聲女聲童子聲童女聲法
聲非法聲苦聲樂聲凡夫聲聖人聲喜聲不
喜聲天聲龍聲夜叉聲乾闥婆聲阿脩羅聲
迦樓羅聲緊那羅聲摩睺羅伽聲火聲水聲
風聲地獄聲畜生聲餓鬼聲比丘聲比丘尼聲
聲聞聲辟支佛聲菩薩聲佛聲以要言之
三千大千世界中一切內外所有諸聲雖未
得天耳以父母所生清淨常耳皆悉聞知如
是分別種種音聲而不壞耳根尒時世尊欲
重宣此義而說偈言
父母所生耳　清淨无濁穢　以此常耳聞　三千世界聲
象馬車牛聲　鍾鈴螺鼓聲　琴瑟箜篌聲　簫笛之音聲
清淨好歌聲　聽之而不著　无數種人聲　聞悉能解了
又聞諸天聲　微妙之歌音　及聞男女聲　童子童女聲
山川嶮谷中　迦陵頻伽聲　命命等諸鳥　悉聞其音聲
地獄衆苦痛　種種楚毒聲　餓鬼飢渴逼　求索飲食聲
諸阿脩羅等　居在大海邊　自共言語時　出于大音聲
如是說法者　安住於此間　遙聞是衆聲　而不壞耳根
十方世界中　禽獸鳴相呼　其說法之人　於此悉聞之
其諸梵天上　光音及遍淨　乃至有頂天　言語之音聲

BD01531號　妙法蓮華經（八卷本）卷六　（11–8）

諸阿脩羅等 居在大海邊 自共言語時 出于大音聲
如是說法者 安住於此間 遥聞是衆聲 而不壞耳根
十方世界中 禽獸鳴相呼 其說法之人 於此悉聞之
其諸梵天上 光音及遍淨 乃至有頂天 言語之音聲
法師住於此 悉皆得聞之 一切比丘衆 及諸比丘尼
若讀誦經典 若為他人說 法師住於此 悉皆得聞之
復有諸菩薩 讀誦於經法 若為他人說 撰集解其義
如是諸音聲 悉皆得聞之 諸佛大聖尊 教化衆生者
於諸大會中 演說微妙法 持此法華者 悉皆得聞之
三千大千界 内外諸音聲 下至阿鼻獄 上至有頂天
皆聞其音聲 而不壞耳根 其耳聰利故 悉能分別知
持是法華者 雖未得天耳 但用所生耳 功德已如是
復次常精進若善男子善女人受持是經 若
讀若誦若解說若書寫成就八百鼻功德以
是清淨鼻根聞於三千大千世界上下内外種
種諸香須曼那華香闍提華香末利華香
瞻蔔華香波羅羅華香赤蓮華香青蓮華香
白蓮華香華樹香果樹香栴檀香沉水香多摩
羅跋香多伽羅香及千万種和香若末若丸
若塗香持是經者於此間住悉能分別又復
別知衆生之香為香馬香牛羊等香男香女
香童子香童女香及草木藂林香若近若遠
所有諸香悉皆得聞分別不錯持是經者雖
住於此亦聞天上諸天之香波利質多羅鞠
鞞陁羅樹香及曼陁羅華香摩訶曼陁羅華
香曼殊沙華香摩訶曼殊沙華香栴檀沉

BD01531號　妙法蓮華經（八卷本）卷六　（11–9）

所有諸香悉皆得聞分別不錯持是經者雖
住於此亦聞天上諸天之香波利質多羅鞠
鞞陁羅樹香及曼陁羅華香摩訶曼陁羅華
香曼殊沙華香摩訶曼殊沙華香栴檀沉
水種種末香諸雜華香如是等天香和合所
出之香无不聞知又聞諸天身香釋提桓因
在勝殿上五欲娱樂嬉戲時香若在妙法堂
上為忉利諸天說法時香若於諸園遊戲時
香及餘天等男女身香皆悉遥聞如是展轉
乃至梵世上至有頂諸天身香亦皆聞之并
聞諸天所燒之香及聲聞香辟支佛香菩薩
香諸佛身香亦皆遥聞知其所在雖聞此香
然於鼻根不壞不錯若欲分別為他人說憶
念不謬尒時世尊欲重宣此義而說偈言
是人鼻清淨 於此世界中 若香若臭物 種種悉聞知
須曼那闍提 多摩羅栴檀 沉水及桂香 種種華果香
及知衆生香 男子女人香 說法者遠住 聞香知所在
大勢轉輪王 小轉輪及子 群臣諸宫人 聞香知所在
身所著珎寶 及地中寶藏 轉輪王寶女 聞香知所在
諸人嚴身具 衣服及瓔珞 種種所塗香 聞則知其身
諸天若行坐 遊戲及神變 持是法華者 聞香悉能知
諸樹華果實 及蘇油香氣 持經者住此 悉知其所在
諸山深嶮處 栴檀樹華敷 衆生在中者 聞香皆能知
鐵圍山大海 地中諸衆生 持經者聞香 悉知其所在
阿脩羅男女 及其諸眷屬 鬪諍遊戲時 聞香皆能知

BD01531號　妙法蓮華經（八卷本）卷六　（11–10）

念不謬介時世尊欲重宣此義而說偈言
是人鼻清淨 於此世界中 若香若臭物 種種悉聞知
須曼那闍提 多摩羅栴檀 沉水及桂香 種種華果香
及知衆生香 男子女人香 說法者遠住 聞香知所在
大勢轉輪王 小轉輪及子 群臣諸宮人 聞香知所在
身所著珎寶 及地中寶藏 轉輪王寶女 聞香知所在
諸人嚴身具 衣服及瓔珞 種種所塗香 聞則知其身
諸天若行坐 遊戲及神變 持是法華者 聞香悉能知
諸樹華果實 及蘇油香氣 持經者住此 悉知其所在
諸山深嶮處 栴檀樹華敷 衆生在中者 聞香皆能知
鐵圍山大海 地中諸衆生 持經者聞香 悉知其所在
阿脩羅男女 及其諸眷屬 鬪諍遊戲時 聞香皆能知
曠野嶮隘處 師子象虎狼 野牛水牛等 聞香知所在
若有懷任者 未辯其男子 无根及非人 聞香悉能知
以聞香力故 知其初懷任 成就不成就 安樂產福子
以聞香力故 知男女所念 染欲癡恚心 亦知脩善者
地中衆伏藏 金銀諸珎寶 銅器之
種種諸瓔珞 无能識其價 聞
天上諸華等 曼陀曼殊沙
天上諸宮殿 上中下差

BD01531號　妙法蓮華經（八卷本）卷六　（11–11）

見如來不不也
如來何以故如來所說
佛告須菩提凡所有相皆是
諸相非相則見如來
須菩提白佛言世尊頗有衆生得聞如是言
說章句生實信不佛告須菩提莫作是說
如來滅後後五百歲有持戒脩福者於此章
句能生信心以此為實當知是人不於一佛二
佛三四五佛而種善根已於无量千万佛所
種諸善根聞是章句乃至一念生淨信者
須菩提如來悉知悉見是諸衆生得如是无量
福德何以故是諸衆生无復我相人相衆生
相壽者相无法相亦无非法相何以故是諸
衆生若心取相則為着我人衆生壽者若取
法相即着我人衆生壽者何以故若取非法
相即着我人衆生壽者是故不應取法不應
取非法以是義故如來常說汝等比丘知我
說法如筏喻者法尚應捨何況非法
須菩提於意云何如來得阿耨多羅三藐三
菩提耶如來有所說法耶須菩提言如我解
佛所說義无有定法名阿耨多羅三藐三菩
提亦无有定法如來可說何以故如來所說

BD01532號　金剛般若波羅蜜經　（12–1）

說法如栰喻者法尚應捨何况非法
須菩提於意云何如来得阿耨多羅三藐三
菩提耶如来有所說法耶須菩提言如我解
佛所說義无有定法名阿耨多羅三藐三菩
提亦无有定法如来可說何以故如来所說
法皆不可取不可說非法非非法所以者何
一切賢聖皆以无為法而有差別
須菩提於意云何若人滿三千大千世界七
寶以用布施是人所得福德寧為多不須菩
提言甚多世尊何以故是福德即非福德性
是故如来說福德多若復有人於此經中受
持乃至四句偈等為他人說其福勝彼何以
故須菩提一切諸佛及諸佛阿耨多羅三藐
三菩提法皆從此經出須菩提所謂佛法者
即非佛法
須菩提於意云何須陁洹能作是念我得須
陁洹果不須菩提言不也世尊何以故須陁
洹名為入流而无所入不入色聲香味觸法
是名須陁洹須菩提於意云何斯陁含能作
是念我得斯陁含果不須菩提言不也世尊
何以故斯陁含名一往来而實无往来是名
斯陁含須菩提於意云何阿那含能作是念
我得阿那含果不須菩提言不也世尊何以
故阿那含名為不来而實无来是故名阿那
含須菩提於意云何阿羅漢能作是念我得
阿羅漢道不須菩提言不也世尊何以故實
无有法名阿羅漢世尊若阿羅漢作是念我
得阿羅漢道即為着我人衆生壽者世尊佛

阿羅漢道不須菩提言不也世尊何以故實
无有法名阿羅漢世尊若阿羅漢作是念我
得阿羅漢道即為着我人衆生壽者世尊佛
說我得无諍三昧人中最為第一是第一離
欲阿羅漢我不作是念我是離欲阿羅漢
世尊我若作是念我得阿羅漢道世尊則不
說須菩提是樂阿蘭那行者以須菩提實无
所行而名須菩提是樂阿蘭那行
佛告須菩提於意云何如来昔在然燈佛所
於法有所得不世尊如来在然燈佛所於法
實无所得 須菩提於意云何菩薩莊嚴佛土
不不也世尊何以故莊嚴佛土者則非莊嚴
是名莊嚴是故須菩提諸菩薩摩訶薩應
如是生清淨心不應住色生心不應住聲香
味觸法生心應无所住而生其心須菩提譬
如有人身如須弥山王於意云何是身為大
不須菩提言甚大世尊何以故佛說非身是
名大身
須菩提如恒河中所有沙數如是沙等恒河
於意云何是諸恒河沙寧為多不須菩提言
甚多世尊但諸恒河尚多无數何况其沙須
菩提我今實言告汝若有善男子善女人以
七寶滿尒所恒河沙數三千大千世界以用
布施得福多不須菩提言甚多世尊佛告
菩提若善男子善女人於此經中乃至受持
四句偈等為他人說而此福德勝前福德
復次須菩提隨說是經乃至四句偈等當知
此處一切世間天人阿脩羅皆應供養如佛

菩提若善男子善女人於此經中乃至受持
四句偈等為他人說而此福德勝前福德
復次須菩提隨說是經乃至四句偈等當知
此處一切世間天人阿脩羅皆應供養如佛
塔廟何況有人盡能受持讀誦須菩提當知
是人成就最上第一希有之法若是經典所
在之處則為有佛若尊重弟子
尒時須菩提白佛言世尊當何名此經我等
云何奉持佛告須菩提是經名為金剛般若
波羅蜜以是名字汝當奉持所以者何須菩
提佛說般若波羅蜜則非般若波羅蜜須
菩提於意云何如來有所說法不須菩提
白佛言世尊如來无所說須菩提於意云
何三千大千世界所有微塵是為多不須
菩提言甚多世尊須菩提諸微塵如來
說非微塵是名微塵如來說世界非世界
是名世界須菩提於意云何可以三十二相
見如來不不也世尊何以故如來說三十二相
即是非相是名三十二相須菩提若有善男子
善女人以恒河沙等身命布施若復有
人於此經中乃至受持四句偈等為他人說
其福甚多
尒時須菩提聞說是經深解義趣涕淚
悲泣而白佛言希有世尊佛說如是甚深經
典我從昔來所得慧眼未曾得聞如是之經世
尊若復有人得聞是經信心清淨則生實
相當知是人成就第一希有功德世尊是實
相者則是非相是故如來說名實相世尊我

典我從昔來所得慧眼未曾得聞如是之經世
尊若復有人得聞是經信心清淨則生實
相當知是人成就第一希有功德世尊是實
相者則是非相是故如來說名實相世尊我
今得聞如是經典信解受持不足為難若當
來世後五百歲其有眾生得聞是經信解
受持是人則為第一希有何以故此人无我相人
相眾生相壽者相所以者何我相即是非相
人相眾生相壽者相即是非相何以故離一切
諸相則名諸佛佛告須菩提如是如是若復
有人得聞是經不驚不怖不畏當知是人
甚為希有何以故須菩提如來說第一波羅
蜜非第一波羅蜜是名第一波羅蜜
須菩提忍辱波羅蜜如來說非忍辱波羅
蜜何以故須菩提如我昔為歌利王割截身
體我於尒時无我相无人相无眾生相无壽
者相何以故我於往昔節節支解時若有我
相人相眾生相壽者相應生瞋恨須菩提又
念過去於五百世作忍辱仙人於尒所世无我
相无人相无眾生相无壽者相是故須菩提
菩薩應離一切相發阿耨多羅三藐三菩提
心不應住色生心不應住聲香味觸法生心
應生无所住心若心有住則為非住是故佛
說菩薩心不應住色布施須菩提菩薩為
利益一切眾生應如是布施如來說一切諸相
即是非相又說一切眾生則非眾生須菩提
如來是真語者實語者如語者不誑語者
不異語者須菩提如來所得法此法无實无

利益一切衆生應如是布施如來說一切諸相
即是非相又說一切衆生則非衆生須菩提
如來是真語者實語者如語者不誑語者
不異語者須菩提如來所得法此法无實无
虛須菩提若菩薩心住於法而行布施如人
闇則无所見若菩薩心不住法而行布施如
人有目日光明照見種種色
須菩提當來之世若有善男子善女人能
於此經受持讀誦則為如來以佛智慧悉知
是人悉見是人皆得成就无量无邊功德須
菩提若有善男子善女人初日分以恒河沙
等身布施中日分復以恒河沙等身布施後
日分亦以恒河沙等身布施如是无量百千万
億劫以身布施若復有人聞此經典信心不逆
其福勝彼何況書寫受持讀誦為人解說
須菩提以要言之是經有不可思議不可稱
量无邊功德如來為發大乘者說為發最上
乘者說若有人能受持讀誦廣為人說如來
悉知是人悉見是人皆得成就不可量不可稱
无有邊不可思議功德如是人等則為荷擔
如來阿耨多羅三藐三菩提何以故須菩提
若樂小法者著我見人見衆生見壽者見則
於此經不能聽受讀誦為人解說須菩提
在在處處若有此經一切世間天人阿脩羅
所應供養當知此處則為是塔皆應恭敬作
礼圍遶以諸華香而散其處復次須菩提善
男子善女人受持讀誦此經若為人輕賤是人
先世罪業應墮惡道以今世人輕賤故先世

所應供養當知此處則為是塔皆應恭敬作
礼圍遶以諸華香而散其處復次須菩提善
男子善女人受持讀誦此經若為人輕賤是人
先世罪業應墮惡道以今世人輕賤故先世
罪業則為消滅當得阿耨多羅三藐三菩提
須菩提我念過去无量阿僧祇劫於然燈佛
前得值八百四千万億那由他諸佛悉皆供
養承事无空過者若復有人於後末世能
受持讀誦此經所得功德於我所供養諸佛
功德百分不及一千万億分乃至算數譬喻所
不能及須菩提若善男子善女人於後末世
有受持讀誦此經所得功德我若具說者或
有人聞心則狂亂狐疑不信須菩提當知是
經義不可思議果報亦不可思議
尒時須菩提白佛言世尊善男子善女人發
阿耨多羅三藐三菩提心云何應住云何降
伏其心佛告須菩提善男子善女人發阿耨
多羅三藐三菩提者當生如是心我應滅度
一切衆生滅度一切衆生已而无有一衆生實
滅度者何以故若菩薩有我相人相衆生
相壽者相則非菩薩所以者何須菩提實无
有法發阿耨多羅三藐三菩提者須菩提
於意云何如來於然燈佛所有法得阿耨多
羅三藐三菩提不不也世尊如我解佛所說
義佛於然燈佛所无有法得阿耨多羅三
藐三菩提佛言如是如是須菩提實无有法如
來得阿耨多羅三藐三菩提須菩提若有法
如來得阿耨多羅三藐三菩提然燈佛則不

藐三菩提佛言如是如是須菩提實无有法如
來得阿耨多羅三藐三菩提須菩提若有法
如來得阿耨多羅三藐三菩提然燈佛則不
與我受記汝於來世當得作佛号釋迦牟尼
以實无有法得阿耨多羅三藐三菩提是故
然燈佛與我受記作是言汝於來世當得作
佛号釋迦牟尼何以故如來者即諸法如義
若有人言如來得阿耨多羅三藐三菩提須
菩提實无有法佛得阿耨多羅三藐三菩提
須菩提如來所得阿耨多羅三藐三菩提於
是中无實无虛是故如來說一切法皆是佛
法須菩提所言一切法者即非一切法是故名
一切法須菩提譬如人身長大須菩提言
世尊如來說人身長大則為非大身是名大
身須菩提菩薩亦如是若作是言我當滅
度无量衆生則不名菩薩何以故須菩提實无
有法名為菩薩是故佛說一切法无我无人无衆生
无壽者須菩提若菩薩作是言我當莊嚴佛
土是不名菩薩何以故如來說莊嚴佛土者
即非莊嚴是名莊嚴須菩提若菩薩通達
无我法者如來說名真是菩薩
須菩提於意云何如來有肉眼不如是世尊
如來有肉眼須菩提於意云何如來有天眼
不如是世尊如來有天眼須菩提於意云何
如來有慧眼不如是世尊如來有慧眼須菩
提於意云何如來有法眼不如是世尊如來
有法眼須菩提於意云何如來有佛眼不如

BD01532號　金剛般若波羅蜜經　（12–8）

如來有慧眼不如是世尊如來有慧眼須菩
提於意云何如來有法眼不如是世尊如來
有法眼須菩提於意云何如來有佛眼不如
是世尊如來有佛眼須菩提於意云何恒河
中所有沙佛說是沙不如是世尊如來說是
沙須菩提於意云何如一恒河中所有沙有
如是等恒河是諸恒河所有沙數佛世界如
是寧為多不甚多世尊佛告須菩提尒所
國土中所有衆生若干種心如來悉知何以故
如來說諸心皆為非心是名為心所以者何
須菩提過去心不可得現在心不可得未來
心不可得
須菩提於意云何若有人滿三千大千世界
七寶以用布施是人以是因緣得福多不如
是世尊此人以是因緣得福甚多須菩提若
福德有實如來不說得福德多以福德无故
如來說得福德多須菩提於意云何佛可
以具足色身見不不也世尊如來不應以具
足色身見何以故如來說具足色身即非
具足色身是名具足色身須菩提於意云
何如來可以具足諸相見不不也世尊如來
不應以具足諸相見何以故如來說諸相具
足即非具足是名諸相具足須菩提汝勿謂
如來作是念我當有所說法莫作是念何
以故若人言如來有所說法即為謗佛不能
解我所說故須菩提說法者无法可說是
名說法
須菩提白佛言世尊佛得阿耨多羅三藐三

BD01532號　金剛般若波羅蜜經　（12–9）

解我所說故須菩提說法者无法可說是
名說法
須菩提白佛言世尊佛得阿耨多羅三藐三
菩提為无所得耶如是如是須菩提我於阿
耨多羅三藐三菩提乃至无有少法可得是
名阿耨多羅三藐三菩提復次須菩提是法
平等无有高下是名阿耨多羅三藐三菩提
以无我无人无衆生无壽者脩一切善法則
得阿耨多羅三藐三菩提須菩提所言善法
者如來說非善法是名善法
須菩提若三千大千世界中所有諸須弥山
王如是等七寶聚有人持用布施若人以此
般若波羅蜜經乃至四句偈等受持為他人
說於前福德百分不及一百千万億分乃至
筭數譬喻所不能及須菩提於意云何汝
等勿謂如來作是念我當度衆生須菩提莫作
是念何以故實无有衆生如來度者若有衆
生如來度者如來則有我人衆生壽者須菩
提如來說有我者則非有我而凡夫之人以
為有我須菩提凡夫者如來說則非凡夫
須菩提於意云何可以三十二相觀如來不
須菩提言如是如是以三十二相觀如來佛
言須菩提若以三十二相觀如來者轉輪聖
王則是如來須菩提白佛言世尊如我解佛
所說義不應以三十二相觀如來尒時世尊
而說偈言
若以色見我以音聲求我是人行邪道不能見
如來須菩提汝若作是念如來不以具足相故得

BD01532號　金剛般若波羅蜜經　（12–10）

所說義不應以三十二相觀如來尒時世尊
而說偈言
若以色見我以音聲求我是人行邪道不能見
如來須菩提汝若作是念如來不以具足相故得
阿耨多羅三藐三菩提須菩提莫作是念如
來不以具足相故得阿耨多羅三藐三菩提須
菩提汝若作是念發阿耨多羅三藐三菩
提者說諸法斷滅相莫作是念何以故發阿耨
多羅三藐三菩提者於法不說斷滅相須菩
提若菩薩以滿恒河沙等世界七寶布施若
復有人知一切法无我得成於忍此菩薩勝
前菩薩所得功德須菩提以諸菩薩不受福
德故須菩提白佛言世尊云何菩薩不受福
德須菩提菩薩所作福德不應貪着是故
說不受福德
須菩提若有人言如來若來若去若坐若卧
是人不解我所說義何以故如來者无所從
來亦无所去故名如來須菩提若善男子
善女人以三千大千世界碎為微塵於意云何
是微塵衆寧為多不甚多世尊何以故若是
微塵衆實有者佛則不說是微塵衆所以
者何佛說微塵衆則非微塵衆是名微塵衆
世尊如來所說三千大千世界則非世界是名
世界何以故若世界實有則是一合相如來說
一合相則非一合相是名一合相須菩提一合相
者則是不可說但凡夫之人貪着其事須
菩提若人言佛說我見人見衆生見壽者
見須菩提於意云何是人解我所說義不世

BD01532號　金剛般若波羅蜜經　（12–11）

一合相則非一合相是名一合相須菩提一合相
者則是不可說但凡夫之人貪着其事須
菩提若人言佛說我見人見衆生見壽者
見須菩提於意云何是人解我所說義不世
尊是人不解如來所說義何以故世尊說我
見人見衆生見壽者見即非我見人見衆生
見壽者見是名我見人見衆生見壽者見須
菩提發阿耨多羅三藐三菩提心者於一切法
應如是知如是見如是信解不生法相須菩提
所言法相者如來說即非法相是名法相
須菩提若有人以滿无量阿僧祇世界七寶
持用布施若有善男子善女人發菩薩心者
持於此經乃至四句偈等受持讀誦為人演
說其福勝彼云何為人演說不取於相如如
不動何以故
一切有為法　如夢幻泡影　如露亦如電　應作如是觀
佛說是經已長老須菩提及諸比丘比丘尼
優婆塞優婆夷一切世間天人阿脩羅聞佛
聞佛所說皆大歡喜信受奉行
金剛般若波羅蜜經

BD01532號　金剛般若波羅蜜經　（12–12）

臾聞　則應自欣慶　我今獲大利
藥王今告汝　我所說諸經　而於此經中　法華最第一
尒時佛復告藥王菩薩摩訶薩我所說經典
无量千億已說今說當說而於其中此法華
經最為難信難解藥王此經是諸佛祕要之
藏不可分布妄授與人諸佛世尊之所守護
從昔已來未曾顯說而此經者如來現在猶
多怨嫉況滅度後藥王當知如來滅後其能
書持讀誦供養為他人說者如來則為以衣
覆之又為他方現在諸佛之所護念是人有
大信力及志願力諸善根力當知是人與如
來共宿則為如來手摩其頭藥王在在處處
若說若讀若誦若書若經卷所住之處皆應
起七寶塔極令高廣嚴飾不須復安舍利所以
者何此中已有如來全身此塔應以一切華
香瓔珞繒蓋幢幡伎樂歌頌供養恭敬尊重
讚歎若有人得見此塔礼拜供養當知是等
皆近阿耨多羅三藐三菩提藥王多有人在
家出家行菩薩道若不能得見聞讀誦書持
供養是法華經者當知是人未善行菩薩道
若有得聞是經典者乃能善行菩薩之道其

BD01533號　妙法蓮華經卷四　（3–1）

香瓔珞繒蓋幢幡妓樂歌頌供養恭敬尊重
讚歎若有人得見此塔礼拜供養當知是等
皆近阿耨多羅三藐三菩提藥王多有人在
家出家行菩薩道若不能得見聞讀誦書持
供養是法華經者當知是人未善行菩薩道
若有得聞是經典者乃能善行菩薩之道其
有衆生求佛道者若見若聞是法華經聞已
信解受持者當知是人得近阿耨多羅三藐
三菩提藥王譬如有人渴乏須水於彼高原
穿鑿求之猶見乾土知水尚遠施功不已轉
見濕土遂漸至泥其心決定知水必近菩薩亦
復如是若未聞未解未能修習是法華經當
知是人去阿耨多羅三藐三菩提尚遠若得
聞解思惟修習必知得近阿耨多羅三藐三
菩提所以者何一切菩薩阿耨多羅三藐
三菩提皆屬此經此經開方便門示真實相
是法華經藏深固幽遠无人能到今佛教化
成就菩薩而為開示藥王若有菩薩聞是法
華經驚疑怖畏當知是為新發意菩薩若聲
聞人聞是經驚疑怖畏當知是為增上慢者
藥王若有善男子善女人如來滅後欲為四
衆說是法華經者云何應說是善男子善女
人入如來室著如來衣坐如來座尒乃應為
四衆廣說斯經如來室者一切衆生中大慈
悲心是如來衣者柔和忍辱心是如來座者
[illegible]中然後以不懈怠心為

BD01533號　妙法蓮華經卷四　（3–2）

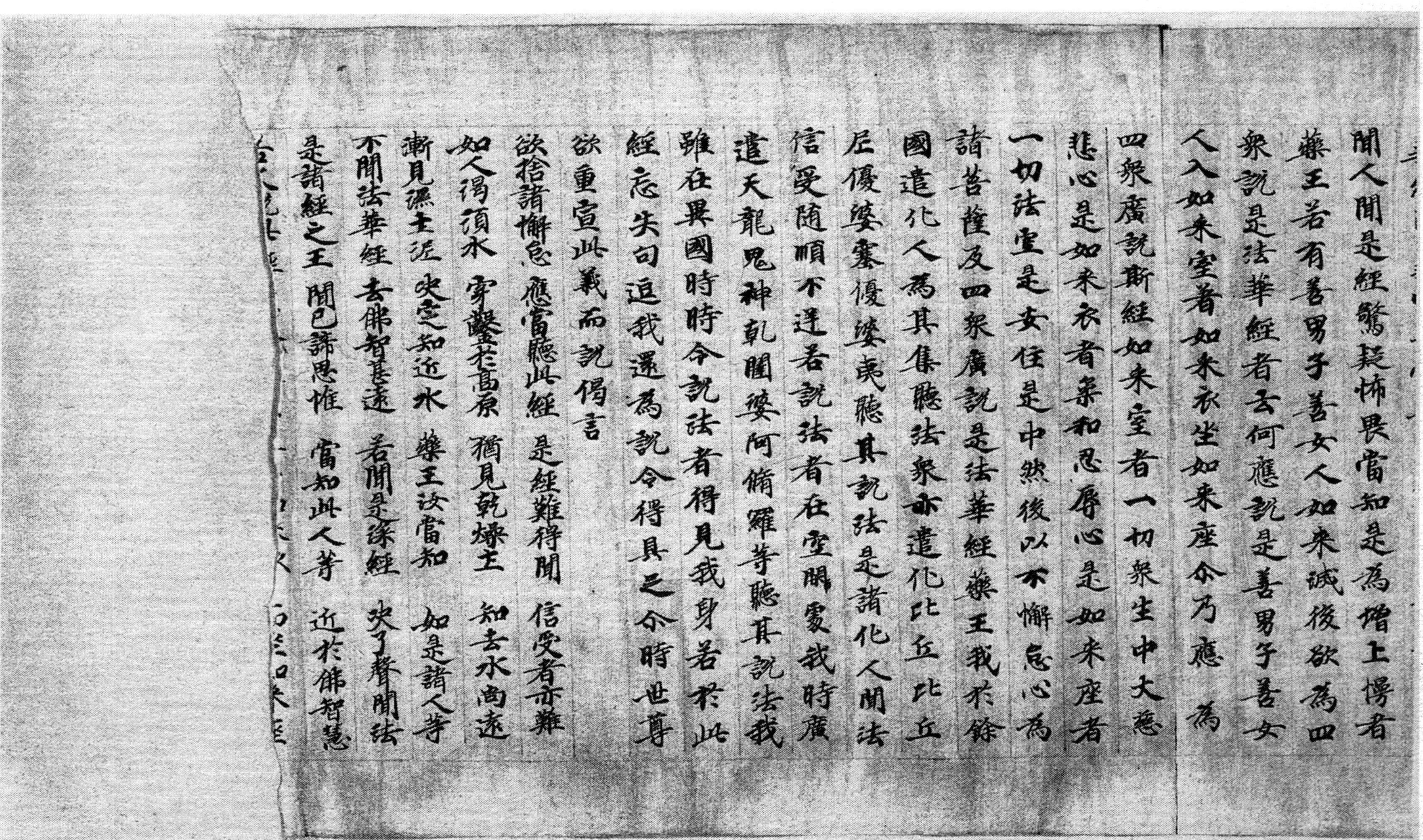

聞人聞是經驚疑怖畏當知是為增上慢者
藥王若有善男子善女人如來滅後欲為四
衆說是法華經者云何應說是善男子善女
人入如來室著如來衣坐如來座尒乃應為
四衆廣說斯經如來室者一切衆生中大慈
悲心是如來衣者柔和忍辱心是如來座者
一切法空是安住是中然後以不懈怠心為
諸菩薩及四衆廣說是法華經藥王我於餘
國遣化人為其集聽法衆亦遣化比丘比丘
尼優婆塞優婆夷聽其說法是諸化人聞法
信受隨順不逆若說法者在空閑處我時廣
遣天龍鬼神乾闥婆阿脩羅等聽其說法我
雖在異國時時令說法者得見我身若於此
經忘失句逗我還為說令得具足尒時世尊
欲重宣此義而說偈言
欲捨諸懈怠　應當聽此經　是經難得聞　信受者亦難
如人渴須水　穿鑿於高原　猶見乾燥土　知去水尚遠
漸見濕土泥　決定知近水　藥王汝當知　如是諸人等
不聞法華經　去佛智甚遠　若聞是深經　決了聲聞法
是諸經之王　聞已諦思惟　當知此人等　近於佛智慧

BD01533號　妙法蓮華經卷四　（3–3）

薩善千善[illegible]
[illegible]菩薩大香象菩
[illegible]勢菩薩越三界菩薩常悲菩薩寶掌
菩薩至光英菩薩炎熾妙菩薩寶月菩薩大力
菩薩无量慧菩薩跋陁和菩薩師子吼菩薩
師子作菩薩師子奮迅菩薩滿願菩薩寶積
菩薩弥勒菩薩文殊師利法王子等百千眷
屬俱復有無量百千欲界諸天子等各與眷
屬俱賫諸天上微妙香華作天伎樂住虛空
中諸天龍夜叉乾闥婆迦樓羅緊那羅摩睺
羅伽人非人等各與若千百千眷屬俱各礼
佛足退坐一面
尒時如來大衆圍繞供養恭敬尊重讚嘆尒
時阿難承佛威神於晨朝時入王舍城次第
乞食尒時城中有一婆羅門子孝養父母其
家窶貧家計蕩盡檐負老母亦次第行乞若
得好食香美菓菰仰奉於母若得惡食薑菜
乾菓而自食之阿難見之心生歡喜偈讚此人
善哉善哉善男子供養父母奇特難及 有
一梵志是六師徒黨其人聡辯志能通達四
違陁典應數等計占相吉凶陰陽效變豫知
人心亦是大衆唱導之師多人瞻奉執着耶
論爲利養故殘滅正法心懷嫉妬毀佛法衆
語阿難言汝師瞿曇諸釋種子自言善好有
大功德唯有空名而無實行汝師瞿曇實是
惡人適生一七其母命終豈非惡人也踰出

違陁典應數等計占相吉凶陰陽效變豫知
人心亦是大衆唱導之師多人瞻奉執着耶
論爲利養故殘滅正法心懷嫉妬毀佛法衆
語阿難言汝師瞿曇諸釋種子自言善好有
大功德唯有空名而無實行汝師瞿曇實是
惡人適生一七其母命終豈非惡人也踰出
宮城父王苦惱生狂癡心迷悶躃地以水灑
面經於七日方能醒悟云何令日生失我所天
舉聲大哭悲淚而言國是汝有吾唯有汝一
子云何捨我入於深山汝師瞿曇不知恩分而
不顧錄遂前而去是故當知是不孝之人
父王爲立宮殿納取瞿夷而不行婦人之礼
令其愁毒是故當知無恩分人阿難聞是語
已心生慚愧乞食已還詣佛所頭面礼足却
住一面合掌白佛言世尊佛法之中頗有孝
養父母不耶佛語阿難誰教汝令發是問諸
天神耶人耶非人耶汝爲自以智力問於如
來耶阿難言亦無諸天龍鬼神人及非人來見
教也向者乞食道逢六師徒黨薩遮尼乾見
數罵辱阿難即以上事向如來說尒時世尊
熙怡微咲從其面門放五色光遍於東方無
量百千萬億佛土彼有世界名曰上勝其佛
号曰喜王如來應供正遍知明行足善逝世
間解無上士調御丈夫天人師佛世尊國名
嚴盛其土平正琉璃爲地黃金爲繩以界道
側七寶行樹其樹皆高盡一前道華菓枝葉
次第莊嚴微風吹動出微妙音衆樂聞[illegible]

量百千萬億佛土彼有世界名曰上勝其佛
号曰善王如来應供正遍知明行足善逝世
間解無上士調御丈夫天人師佛世尊國名
嚴盛其土平正琉璃為地黄金為繩以界道
側七寶行樹其樹皆高盡一前道華菓枝葉
次第莊嚴微風吹動出微妙音衆生樂聞无
有厭足處處皆有流泉浴池其水清淨金沙布
地八功德水盈滿其中其池四邊有妙香華
波頭摩華分陁利華跋師迦華青黄赤白大如
車輪而覆其上其池水中異類諸鳥相和而
鳴出微妙音甚可愛樂有七寶船亦在其中
而諸衆生自在遊戲其樹林間敷師子坐高
一由旬亦以七寶而挍飾之復以天衣重敷
其上燒天寶香諸天寶華遍布其地喜王如
来而坐其上結跏趺坐彼國菩薩無量億千
前後圍繞却住一面合掌向於如来異口同
音俱發聲言唯願世尊哀慈憐愍以何因緣
有此光明青黄赤白其色暉豔難可得喻從
西方来照此大衆其有遇斯光者心意泰然
唯願世尊斷我疑網佛言諸善男子諦聽諦
聽善思念之吾當為汝分別解說西方去此
无量百千諸佛世界有世界名娑婆其中有
佛号曰釋迦牟尼如来應供正遍知明行足
善逝世間解无上士調御丈夫天人師佛世
尊大衆圍繞今欲為諸大衆說大方便大報
恩經為欲饒益一切諸衆生故為欲拔出一切
衆生耶疑毒箭故為欲令初發意菩薩堅固

佛号曰釋迦牟尼如来應供正遍知明行足
善逝世間解无上士調御丈夫天人師佛世
尊大衆圍繞今欲為諸大衆說大方便大報
恩經為欲饒益一切諸衆生故為欲拔出一切
衆生耶疑毒箭故為欲令初發意菩薩堅固
菩提不退轉故為令一切聲聞辟支佛究竟
一乘道故為諸大菩薩速成菩提報佛恩故
欲令一切衆生念重恩故欲令衆生越於苦
海故欲令衆生孝養父母故以是因緣故放
斯光明令時大衆中有十千菩薩一一菩薩皆
是大衆唱導之師即從坐起偏袒右肩右膝
著地叉手合掌而白佛言唯願世尊加威神
力令我等輩得往娑婆世界親近供養釋迦
牟尼如来并欲聽大方便佛報恩微妙經典
尒時彼佛告諸菩薩言善男子汝往娑婆世
界若見彼佛應生供養恭敬難遭之想何以
故釋迦如来於无量百千萬億阿僧祇劫難
行苦行發大悲願若我得成佛時當於穢惡
國土山陵堆埠瓦礫荊棘其中衆生具足煩
惱五逆十惡於中成佛而利益之使斷一切
苦積一切樂成就法身永盡无餘其佛本願
如是汝等今往當如佛住住如佛住諸菩薩
衆俱發聲言如世尊勅一一菩薩各將无量
百千萬億諸菩薩衆以為眷屬前後圍繞往
詣娑婆世界所經國土六種震動大光普照
虛空神天雨曼陁羅華摩訶曼陁羅華放大
光明由之感動娑婆世界復有无量百千萬種

百千萬億諸菩薩眾以為眷屬前後圍繞往
詣娑婆世界所經國土六種震動大光普照
虛空神天雨曼陀羅華摩訶曼陀羅華放大
光明神足感動恒沙世界復有无量百千萬種
諸天伎樂於虛空中不鼓自鳴是諸菩薩等
往詣耆闍崛山到如來所頭面禮足繞佛三
匝却住一面
尒時如來復放一光直照南方過八十萬億
諸佛國土有世界名日光德彼中有佛号日
思惟相如來應供正遍知明行足善逝世間
解无上士調御丈夫天人師佛世尊國名善
淨其土平正琉璃為地黃金為繩以界道側
七寶行樹其樹皆高盡一箭道華菓枝葉次
第莊嚴微風吹動出微妙音眾生樂聞无有
厭足處處皆有流泉浴池其池清淨金沙布
地八功德水盈滿其中其池四邊有妙香華
波頭摩華分陀利華跋師迦華青黃赤白大
如車輪而覆其上其池水中異類諸鳥相和
悲鳴出微妙音甚可愛樂有七寶船亦在其
中而諸眾生自在遊戲其樹林間敷師子座
高一由旬亦以七寶而校飾之復以天衣重
敷其上燒天寶香諸天寶華遍布其地思惟
相如來而坐其上結跏趺坐彼國菩薩无量
億千前後圍繞却住一面合掌向於如來異
口同音俱發聲言唯願世尊哀愍憐愍以何
因緣有此光明青黃赤白其色暉麗難可得
喻從北方來照此大眾其有遇斯光者心意

BD01534號　大方便佛報恩經卷一　（9–5）

相如來而坐其上結跏趺坐彼國菩薩无量
億千前後圍繞却住一面合掌向於如來異
口同音俱發聲言唯願世尊哀愍憐愍以何
因緣有此光明青黃赤白其色暉麗難可得
喻從北方來照此大眾其有遇斯光者心意
泰然唯願世尊斷我疑網佛言諸善男子諦
聽諦聽善思念之吾當為汝分別說之北方
去此无量百千諸佛世界有世界名娑婆其
中有佛号曰釋迦牟尼如來應供正遍知明
行足善逝世間解无上士調御丈夫天人
師佛世尊大眾圍繞今欲為諸大眾說大方
便佛報恩經為欲饒益一切諸眾生故為欲
拔出一切眾生耶疑毒箭故為欲令初發意
菩薩堅固菩提不退轉故為欲令一切聲聞
辟支佛究竟一乘道故為諸大菩薩速成菩
提報佛恩故欲令一切眾生念重恩故欲令
眾生越於苦海故欲令眾生孝養父母故以
是因緣故放斯光明
尒時大眾中有十千菩薩一一菩薩皆是大
眾唱導之師即從坐起偏袒右肩右膝著地
叉手合掌而白佛言唯願世尊加威神力令
我等輩得往娑婆世界親近供養釋迦牟尼
如來并欲聽大方便佛報恩微妙經典
尒時彼佛告諸菩薩言善男子汝往娑婆世
界若見彼佛應生供養恭敬難遭之想何以
故釋迦如來於无量百千萬億阿僧祇劫難
行苦行發大悲願若我得成佛時當於穢惡

BD01534號　大方便佛報恩經卷一　（9–6）

尒時彼佛告諸菩薩言善男子汝往娑婆世
界若見彼佛應生供養恭敬難遭之想何以
故釋迦如来於无量百千萬億阿僧祇劫難
行苦行發大悲願若我得成佛時當於穢惡
国土山陵堆埠瓦礫荊蕀其中衆生具足煩
惱五逆十惡於中成佛而利益之使斷一切苦
獲一切樂成就法身永盡无餘其佛本願如
是汝等今往當如佛住住如佛住諸菩薩衆
俱發聲言如世尊勅一一菩薩各將无量百千
萬億諸菩薩衆以為眷屬前後圍繞往詣
娑婆世界所經国土皆六種震動大光普照
虛空神天雨曼陁羅華摩訶曼陁羅華放大
光明神足感動恒沙世界復有无量百千
種諸天伎樂於虛空中不鼓自鳴是諸菩薩等
往詣耆闍崛山到如来所頭面礼足繞佛三
迊却住一面
尒時如来復放大光直照西方過无量百千
萬億諸佛国土有世界名淨住其佛号日月
燈光如来應供正遍知明行足善逝世間解
无上士調御丈夫天人師佛世尊国名妙喜其
土平正琉璃為地黃金為繩以界道側七
寶行樹其樹皆高盡一箭道華菓枝葉次第
莊嚴微風吹動出微妙音衆生樂聞无有猒
足處處皆有流泉浴池其池清淨金沙布地
八功德水盈滿其中其池四邊有妙香華波
頭摩華分陁利華跋師迦華青黃赤白大如

BD01534號　大方便佛報恩經卷一　（9–7）

莊嚴微風吹動出微妙音衆生樂聞无有猒
足處處皆有流泉浴池其池清淨金沙布地
八功德水盈滿其中其池四邊有妙香華波
頭摩華分陁利華跋師迦華青黃赤白大如
車輪而覆其上其池水中異類諸鳥相和悲
鳴出微妙音甚可愛樂有七寶床亦在其中
而諸衆生自在遊戲其樹林間敷師子座高
一由旬亦以七寶而校飾之復以天衣重敷其
上燒天寶香諸天寶華遍布其地日月燈
光如来而坐其上結跏趺坐彼国菩薩无量
億千前後圍繞却住一面合掌向於如来異
口同音俱發聲言唯願世尊哀慈憐愍何
因緣有此光明青黃赤白其色暉曜難可得
喻從東方来照此大衆其有遇斯光者心意
泰然唯願世尊斷我疑網佛言諸善男子諦
聽諦聽善思念之吾當為汝分別解說東方去
此无量百千諸佛世界有世界号名娑婆其
中有佛号曰釋迦牟尼如来應供正遍知明
行足善逝世間解无上士調御丈夫天人師
佛世尊大衆圍繞今欲為諸大衆說大方便
大報恩經為欲饒益一切諸衆生故為欲拔
出一切衆生邪疑毒箭故為欲令初發意菩
薩堅固菩提不退轉故為令一切聲聞辟支
佛究竟一乘道故為諸大菩薩速成菩提報
佛恩故欲令一切衆生念重恩故欲令衆生
越於苦海故欲令衆生孝養父母故以是因

BD01534號　大方便佛報恩經卷一　（9–8）

口同音俱發聲言唯願世尊哀慈憐愍為
因緣有此光明青黃赤白其色暉艷難可得
喻從東方來照此大衆其有遇斯光者心意
泰然唯願世尊斷我疑網佛言諸善男子諦
聽諦聽善思念之吾當為汝分別解說東方去
此无量百千諸佛世界有世界名娑婆其
中有佛号曰釋迦牟尼如來應供正遍知明
行足善逝世間解无上士調御丈夫天人師
佛世尊大衆圍繞今欲為諸大衆說大方便
大報恩經為欲饒益一切諸衆生故為欲拔
出一切衆生邪疑毒箭故為欲令初發意菩
薩堅固菩提不退轉故為令一切聲聞辟支
佛究竟一乘道故為諸大菩薩速成菩提報
佛恩故欲令一切衆生念重恩故欲令衆生
越於苦海故欲令衆生孝養父母故以是因
緣故放斯光明
尒時大衆中有十千菩薩一一菩薩皆是大

BD01534 號　大方便佛報恩經卷一　（9–9）

一心合掌瞻仰尊顏目不暫捨於時
憍曇彌何故憂色而視如來汝心將无謂
不說汝名授阿耨多羅三藐三菩提記耶
曇彌我先摠說一切聲聞皆授記今汝欲
記者將來之世當於六万八千億諸佛
為大法師及六千學无學比丘尼俱為法
汝如是漸漸具菩薩道當得作佛号一切衆
生喜見如來應供正遍知明行足善逝世間
解无上士調御丈夫天人師佛世尊憍曇彌
是一切衆生喜見佛及六千菩薩轉次授記
得阿耨多羅三藐三菩提尒時羅睺羅母耶
輸陁羅比丘尼作是念世尊於授記中獨不
說我名佛告耶輸陁羅汝於來世百千万億諸
佛法中脩菩薩行為大法師漸具佛道於
善國中當得作佛号具足千万光相如來應
供正遍知明行足善逝世間解无上士調御丈
夫天人師佛世尊佛壽无量阿僧祇劫尒
時摩訶波闍波提比丘尼及耶輸陁羅比丘
尼并其眷屬皆大歡喜得未曾有即於佛
前而說偈言
世尊導師　安隱天人　我等聞記　心安具足

BD01535 號　妙法蓮華經（八卷本）卷五　（4–1）

時摩訶波闍波提比丘尼及耶輸陀羅比丘
尼并其眷屬皆大歡喜得未曾有即於佛
前而說偈言
世尊導師　安隱天人　我等聞記　心安具足
諸比丘尼說是偈已白佛言世尊我等亦能
於他方國土廣宣此經尒時世尊視八十万億
那由他諸菩薩摩訶薩是諸菩薩皆是阿
惟越致轉不退法輪得諸陁羅尼即從座起
到於佛前一心合掌而作是念若世尊告勑我
等持說此經者當如佛教廣宣斯法復作是
念佛今嘿然不見告勑我當云何時諸菩薩
敬順佛意并欲自滿本願便於佛前作師子
吼而發誓言世尊我等於如來滅後周旋往
反十方世界能令衆生書寫此經受持讀誦解
說其義如法脩行正憶念皆是佛之威力
唯願世尊在於他方遙見守護即時諸菩
薩俱同發聲而說偈言
唯願不為慮　於佛滅度後　恐怖惡世中　我等當廣說
有諸无智人　惡口罵詈等　及加刀杖者　我等皆當忍
惡世中比丘　耶智心諂曲　未得謂為得　我慢心充滿
或有阿練若　納衣在空閑　自謂行真道　輕賤人間者
貪著利養故　與白衣說法　為世所恭敬　如六通羅漢
是人懷惡心　常念世俗事　假名阿練若　好出我等過
而作如是言　此諸比丘等　為貪利養故　說外道論議
自作此經典　誑惑世間人　為求名聞故　分別於是經
常在大衆中　欲毀我等故　向國王大臣　婆羅門居士
及餘比丘衆　誹謗說我惡　謂是耶見人　說外道論議
我等敬佛故　悉忍是諸惡　為斯所輕言　汝等皆是佛

而作如是言　此諸比丘等　為貪利養故　說外道論議
自作此經典　誑惑世間人　為求名聞故　分別於是經
常在大衆中　欲毀我等故　向國王大臣　婆羅門居士
及餘比丘衆　誹謗說我惡　謂是耶見人　說外道論議
我等敬佛故　悉忍是諸惡　為斯所輕言　汝等皆是佛
如此輕慢言　皆當忍受之　濁劫惡世中　多有諸恐怖
惡鬼入其身　罵詈毀辱我　我等敬信佛　當著忍辱鎧
為說是經故　忍此諸難事　我不愛身命　但惜无上道
我等於來世　護持佛所囑　世尊自當知　濁世惡比丘
不知佛方便　隨宜所說法　惡口而顰蹙　數數見擯出
遠離於塔寺　如是等衆惡　念佛告勑故　皆當忍是事
諸聚落城邑　其有求法者　我皆到其所　說佛所囑法
我是世尊使　處衆无所畏　我當善說法　願佛安隱住
我於世尊前　諸來十方佛　發如是誓言　佛自知我心

妙法蓮華經安樂行品第十四

尒時文殊師利法王子菩薩摩訶薩白佛言
世尊是諸菩薩甚為難有敬順佛故發大誓
願於後惡世護持讀誦說是法華經世尊菩薩摩
訶薩於後惡世云何能說是經佛告文殊師利
若菩薩摩訶薩於後惡世欲說是經當安住
四法一者安住菩薩行處親近處能為衆生
演說是經文殊師利云何名菩薩摩訶薩行
處若菩薩摩訶薩住忍辱地柔和善順而不
卒暴心亦不驚又復於法无所行而觀諸法如
實相亦不行不分別是名菩薩摩訶薩行處
云何名菩薩摩訶薩親近處菩薩摩訶
不親近國王王子大臣官長不親近諸外
道梵志尼揵子等及造世俗文筆讚詠外書

諸[illegible]
若菩薩摩訶薩於後惡世欲說是經當安住
四法一者安住菩薩行處親近處能為衆生
演說是經文殊師利云何名菩薩摩訶薩行
處若菩薩摩訶薩住忍辱地柔和善順而不
卒暴心亦不驚又復於法无所行而觀諸法如
實相亦不行不分別是名菩薩摩訶薩行處
云何名菩薩摩訶薩親近處菩薩摩訶薩
不親近國王王子大臣官長不親近諸外
道梵志尼揵子等及造世俗文筆讚詠外書
及路伽耶陀逆路伽耶陀者亦不親近諸有兇
戲相扠相撲及那羅等種種變現之戲又不
親近旃陀羅及畜猪羊雞狗畋獵魚捕諸惡
律儀如是人等或時來者則為說法无所
希望又不親近求聲聞比丘比丘尼優婆塞
優婆夷亦不問訊若於房中若經行處若
在講堂中不共住止或時來者隨宜說法无
所希求文殊師利又菩薩摩訶薩不應於女
人身取能生欲想而為說法亦不樂見

BD01535號　妙法蓮華經（八卷本）卷五

（4–4）

若人須臾聞　世間性如此　是人終不為　惡魔所得便
若能達此義　則為大智慧　法財之施主　亦是具禁戒
若知世如此　忍辱力勇健　具足諸禪定　通達於智慧
所在聞是法　其方則有佛　如是諸菩薩　不久坐道場
若有緣愛樂　如是世間性　則能降衆魔　疾得无上道
佛復告思益梵天如如來出過世間亦說世間苦世
間集世間滅世間滅道梵天五陰名為世間貪
著五陰名為世間集五陰盡名為世間滅以无
二法求五陰名為世間滅道又梵天所言五陰
者但有言說於中取相分別生見而說是名
世間若不捨是見是名世間集是見自相是名
世間滅隨以何道不取是見是名世間滅道梵
天以是因緣故我為外道仙人說言仙人於汝
身中即說世間苦世間集世間滅世間滅道
尒時思益梵天白佛言世尊所說四聖
諦何等是真聖諦梵天苦不名為聖諦
苦集不名為聖諦苦滅不名為聖諦苦滅道
不名為聖諦所以者何若苦是聖諦者一
切牛驢畜生等皆應有苦聖諦若集是
聖諦者一切在所生處衆生皆應有集

BD01536號　思益梵天所問經卷一

（5–1）

苦集不名為聖諦苦滅不名為聖諦苦滅道
不名為聖諦所以者何若苦是聖諦者一
切牛驢畜生等皆應有苦聖諦若集是
聖諦者一切在所生處衆生皆應有集
聖諦所以者何以集故生諸趣中若苦
滅是聖諦者觀滅者說斷滅者
皆應有滅聖諦若道是聖諦者
緣一切有為道者皆應有道聖諦梵天以是
因緣故當知聖諦非苦非集非滅非道聖諦
者知苦无生是名苦聖諦知集无和合是名集聖
諦於畢竟滅法中知无生无滅是名滅聖諦
於一切法平等以不二法得道是名道聖諦
梵天真聖諦者无有虛妄虛妄者所謂著我
著衆生著人著壽命者著養育者著有著
无著生著滅著生死著涅槃梵天若行者言
我知見苦是虛妄我斷集是虛妄我滅證是虛
妄我修道是虛妄所以者何是人違失佛所
許念是故說為虛妄何等是佛所許念所謂不
憶念一切諸法是為佛所許念若行者住是念中則
不住一切相若不住一切相則住實際若住實際是名
不住心若不住心是人名為非實語非妄語
者梵天是故當知若非實非虛妄者是名
聖諦梵天實者終不作不實若有佛若无佛
法性常住所謂生死性涅槃性常實所以者
何非離生死得涅槃名為聖諦若人證如是
四聖諦是名世間實語者梵天當來有比丘不

聖諦梵天實者終不作不實若有佛若无佛
法性常住所謂生死性涅槃性常實所以者
何非離生死得涅槃名為聖諦若人證如是
四聖諦是名世間實語者梵天當來有比丘不
修身不修戒不修心不修慧是人說生相是
苦諦衆緣和合是集諦滅法是滅諦以二相
求法是道諦佛言我說此愚人等是外道徒黨
我非彼人師彼非我弟子是人墮於邪道破
失法故說言有諦梵天汝且觀我坐道場時
不得一法是實是虛妄若佛不得法是法寧可
於衆中有言說有議論有教化耶梵天言不
也世尊梵天以諸法无所得故諸法離自性
故我說菩提是无貪愛相尒時思益梵天白佛
尊若如來於法无所得者有何利益說
菩提名為佛佛言梵天於汝意云何
我所說法若有為若无為是法為實為虛妄
耶梵天言是法虛妄非實於汝意云何若法
虛妄非實是法為有為无梵天言世尊若法
虛妄是法不應說有不應說无梵天於汝意云
何若法非有非无是法有得者不梵天言无有
得者梵天如來坐道場時唯得虛妄顛倒所
起煩惱畢竟空性以无所得故得以无所知故
知所以者何我所說法不可見不可聞不可覺
不可識不可取不可著不可說不可難出過一
切法相无語无說无有文字无言說道梵天此
法如是猶如虛空汝欲於如是法中得利益

[illegible]
知所以者何我所法不可見不可聞不可覺
不可識不可取不可著不可說不可難出過一
切法相无語无說无有文字无言說道梵天此
法如是猶如虛空故欲於如是法中得利益
耶梵天言不也世尊諸佛如來甚為希有成
就未曾有法緣入大慈大悲得如是寂滅
相法而以文字言說教人令得悟解世尊其
有聞是能信解者當知是人不從小功德來世
尊是法一切世間之所難信所以者何世間貪
著實而是法无實无虛妄世間貪著法而是
法无法无非法世間貪著涅槃而是法无生
死无涅槃世間貪著善法而是法无善无非
善世間貪著樂而是法无苦无樂世間貪著
佛出世而是法无佛出世亦无涅槃雖有說
法而是法非可說相雖讚說僧而僧即是无
為是故此法一切世間之所難信譬如水中出
火火中出水難可得信如是煩惱中有菩提
菩提中有煩惱是亦難信所以者何如來
得是虛妄顛倒煩惱之性而亦无法可得有所
說法亦无有形雖有所知亦无分別雖證涅槃亦
无滅者世尊若有善男子善女人能信解如是法
義者當知是人得脫諸見當知是人已親近
无量諸佛當知是人已供養无量諸佛當知
是人為善知識所護當知是人志意廣大當
知是人善根深厚當知是人守護諸佛法藏
當知是人能善思量起於善業當知是人種

BD01536號　思益梵天所問經卷一　（5–4）

法无法无非法世間貪著涅槃而是法无生
死无涅槃世間貪著善法而是法无善无非
善世間貪著樂而是法无苦无樂世間貪著
佛出世而是法无佛出世亦无涅槃雖有說
法而是法非可說相雖讚說僧而僧即是无
為是故此法一切世間之所難信譬如水中出
火火中出水難可得信如是煩惱中有菩提
菩提中有煩惱是亦難信所以者何如來
得是虛妄顛倒煩惱之性而亦无法可得有所
說法亦无有形雖有所知亦无分別雖證涅槃亦
无滅者世尊若有善男子善女人能信解如是法
義者當知是人得脫諸見當知是人已親近
无量諸佛當知是人已供養无量諸佛當知
是人為善知識所護當知是人志意廣大當
知是人善根深厚當知是人守護諸佛法藏
當知是人能善思量起於善業當知是人種
姓尊貴生如來家當知是人能行大捨捨諸

BD01536號　思益梵天所問經卷一　（5–5）

菩薩何以故如來說莊嚴佛土者即非莊
嚴是名莊嚴須菩提若菩薩通達无我法者
如來說名真是菩薩
須菩提於意云何如來有肉眼不如是世尊如
來有肉眼須菩提於意云何如來有天眼不如
是世尊如來有天眼須菩提於意云何如來
有慧眼不如是世尊如來有慧眼須菩提於
意云何如來有法眼不如是世尊如來有法
眼須菩提於意云何如來有佛眼不如是世
尊如來有佛眼須菩提於意云何如恒河
中所有沙佛說是沙不如是世尊如來說是
沙須菩提於意云何如一恒河中有沙有
如是等恒河是諸恒河所有沙數佛世界如
是寧為多不甚多世尊
佛告須菩提尒所國土中所有衆生若干種
心如來悉知何以故如來說諸心皆為非心
是名為心所以者何須菩提過去心不可得
現在心不可得未來心不可得須菩提於意
云何若有人滿三千大千世界七寶以用布
施是人以是因緣得福多不如是世尊此人
以是因緣得福甚多須菩提若福德有實

BD01537號　金剛般若波羅蜜經　（5–1）

現在心不可得未來心不可得須菩提於意
云何若有人滿三千大千世界七寶以用布
施是人以是因緣得福多不如是世尊此人
以是因緣得福甚多須菩提若福德有實
如來不說得福德多以福德无故如來說福德
多須菩提於意云何佛可以具足色身見不不
也世尊如來不應以色身見何以故如來說具
足色身即非具足色身是名具足色身須
菩提於意云何如來可以具足諸相見不不
也世尊如來不應以具足諸相見何以故如來
說諸相具足即非具足是名諸相具足須菩
提汝勿謂如來作是念我當有所說法莫
作是念何以故若人言如來有所說法即為
謗佛不能解我所說故須菩提說法者无法
可說是名說法
須菩提白佛言世尊佛得阿耨多羅三藐三
菩提為无所得耶如是如是須菩提我於阿
耨多羅三藐三菩提乃至无有少法可得是
名阿耨多羅三藐三菩提復次須菩提是法
平等无有高下是名阿耨多羅三藐三菩提
以无我无人无衆生无壽者脩一切善法則
得阿耨多羅三藐三菩提須菩提所言善法
者如來說非善法是名善法須菩提若三千
大千世界中所有諸須彌山王如是等七寶聚
有人持用布施若人以此般若波羅蜜經乃
至四句偈等受持為他人說於前福德百
分不及一百千万億分乃至筭數譬喻所不能及

BD01537號　金剛般若波羅蜜經　（5–2）

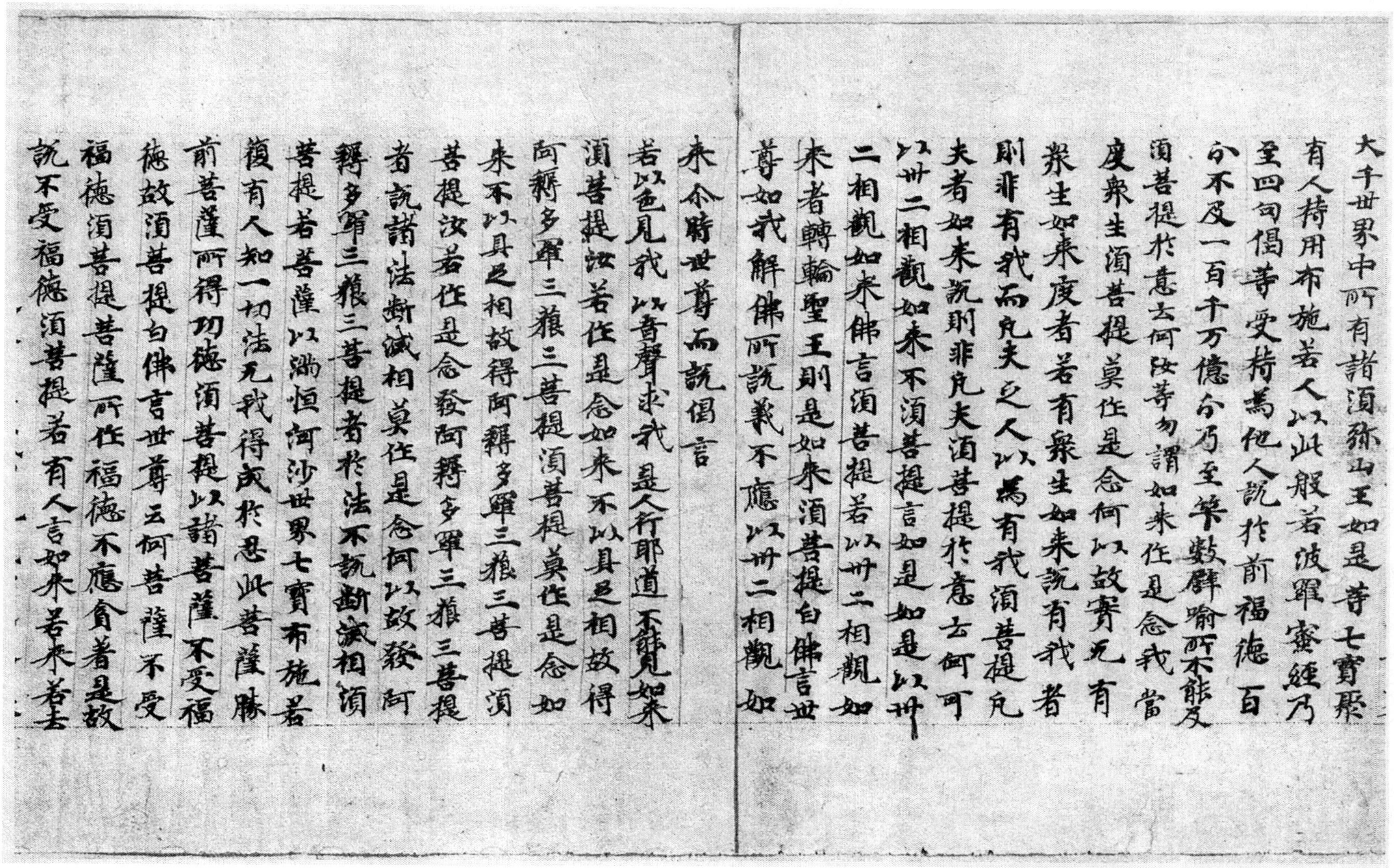

大千世界中所有諸須弥山王如是等七寶聚
有人持用布施若人以此般若波羅蜜經乃
至四句偈等受持為他人說於前福德百
分不及一百千万億分乃至筭數譬喻所不能及
須菩提於意云何汝等勿謂如來作是念我當
度衆生須菩提莫作是念何以故實无有
衆生如來度者若有衆生如來說有我者
則非有我而凡夫之人以為有我須菩提凡
夫者如來說則非凡夫須菩提於意云何可
以卅二相觀如來不須菩提言如是如是以卅
二相觀如來佛言須菩提若以卅二相觀如
來者轉輪聖王則是如來須菩提白佛言世
尊如我解佛所說義不應以卅二相觀如
來尒時世尊而說偈言
若以色見我　以音聲求我　是人行耶道　不能見如來
須菩提汝若作是念如來不以具足相故得
阿耨多羅三藐三菩提須菩提莫作是念如
來不以具足相故得阿耨多羅三藐三菩提須
菩提汝若作是念發阿耨多羅三藐三菩提
者說諸法斷滅相莫作是念何以故發阿
耨多羅三藐三菩提者於法不說斷滅相須
菩提若菩薩以滿恒河沙世界七寶布施若
復有人知一切法无我得成於忍此菩薩勝
前菩薩所得功德須菩提以諸菩薩不受福
德故須菩提白佛言世尊云何菩薩不受
福德須菩提菩薩所作福德不應貪著是故
說不受福德須菩提若有人言如來若來若去

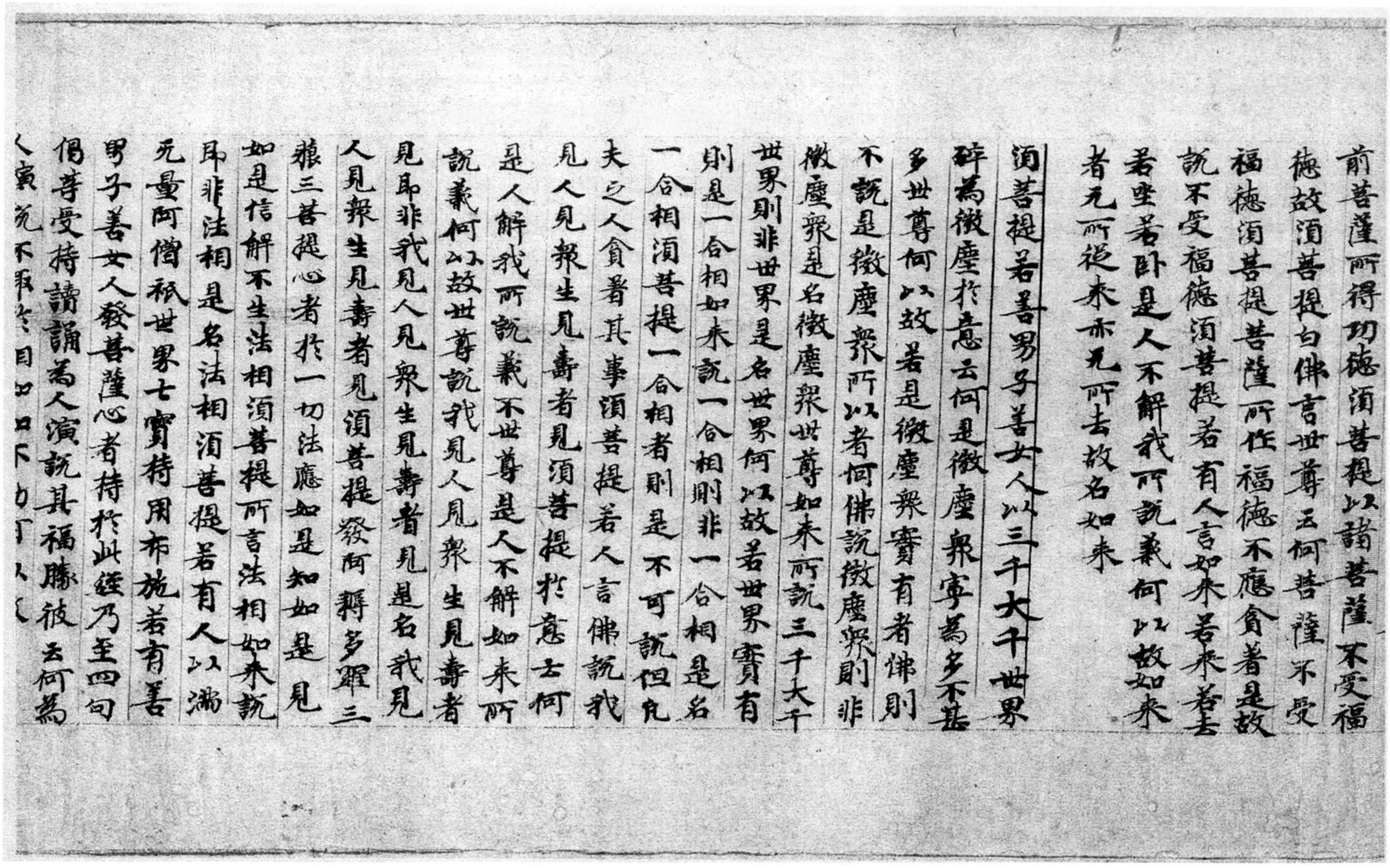

前菩薩所得功德須菩提以諸菩薩不受福
德故須菩提白佛言世尊云何菩薩不受
福德須菩提菩薩所作福德不應貪著是故
說不受福德須菩提若有人言如來若來若去
若坐若卧是人不解我所說義何以故如來
者无所從來亦无所去故名如來
須菩提若善男子善女人以三千大千世界
碎為微塵於意云何是微塵衆寧為多不甚
多世尊何以故若是微塵衆實有者佛則
不說是微塵衆所以者何佛說微塵衆則非
微塵衆是名微塵衆世尊如來所說三千大千
世界則非世界是名世界何以故若世界實有
則是一合相如來說一合相則非一合相是名
一合相須菩提一合相者則是不可說但凡
夫之人貪著其事須菩提若人言佛說我
見人見衆生見壽者見須菩提於意云何
是人解我所說義不世尊是人不解如來所
說義何以故世尊說我見人見衆生見壽者
見即非我見人見衆生見壽者見是名我見
人見衆生見壽者見須菩提發阿耨多羅三
藐三菩提心者於一切法應如是知如是見
如是信解不生法相須菩提所言法相如來說
即非法相是名法相須菩提若有人以滿
无量阿僧祇世界七寶持用布施若有善
男子善女人發菩薩心者持於此經乃至四句
偈等受持讀誦為人演說其福勝彼云何為
人演說不取於相如如不動何以故

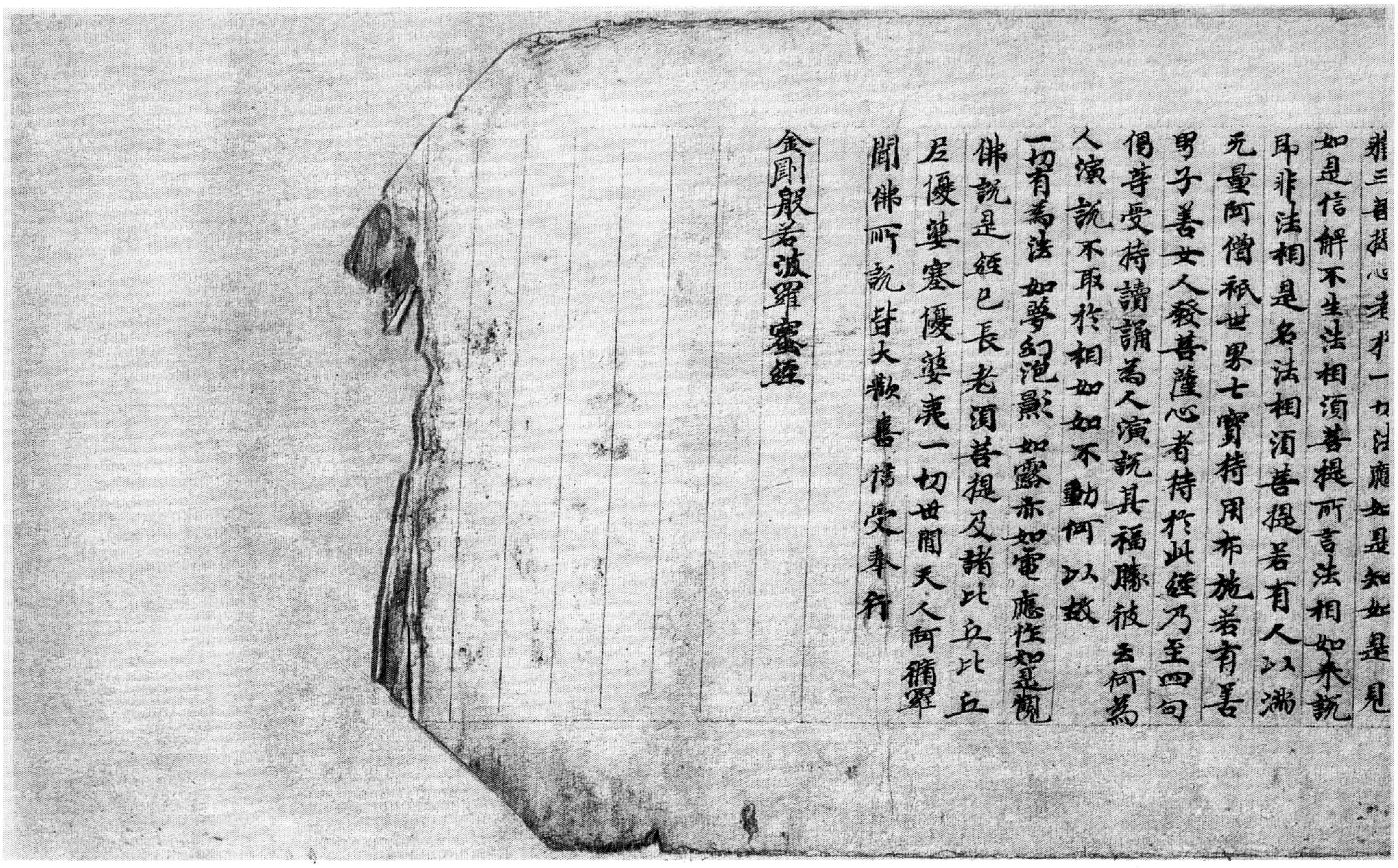

耨三菩提心者於一切法應如是知如是見
如是信解不生法相須菩提所言法相如來說
即非法相是名法相須菩提若有人以滿
无量阿僧祇世界七寶持用布施若有善
男子善女人發菩薩心者持於此經乃至四句
偈等受持讀誦為人演說其福勝彼云何為
人演說不取於相如如不動何以故
一切有為法　如夢幻泡影　如露亦如電　應作如是觀
佛說是經已長老須菩提及諸比丘比丘
尼優婆塞優婆夷一切世間天人阿脩羅
聞佛所說皆大歡喜信受奉行

金剛般若波羅蜜經

BD01537 號　金剛般若波羅蜜經　（5–5）

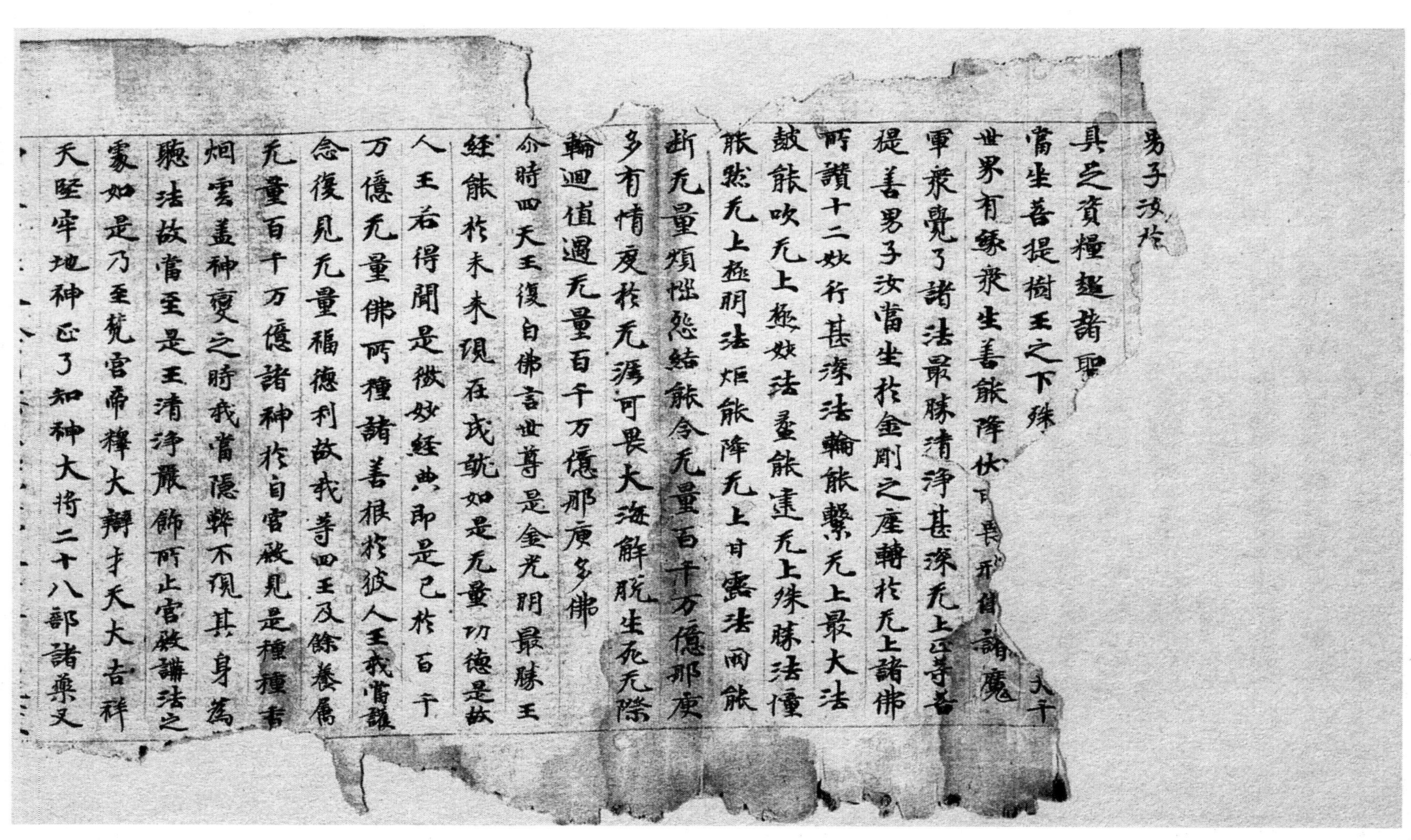
男子汝於　大千
具足資糧超諸聖
當坐菩提樹王之下殊
世界有緣衆生善能降伏一切諸魔
軍衆覺了諸法最勝清淨甚深无上正等菩
提善男子汝當坐於金剛之座轉於无上諸佛
所讚十二妙行甚深法輪能擊无上最大法
鼓能吹无上極妙法蠡能建无上殊勝法幢
能然无上極明法炬能降无上甘露法雨能
斷无量煩惱怨結能令无量百千万億那庾
多有情度於无涯可畏大海解脫生死无際
輪迴值遇无量百千万億那庾多佛
尒時四天王復白佛言世尊是金光明最勝王
經能於未來現在成就如是无量功德是故
人王若得聞是微妙經典即是已於百千
万億无量佛所種諸善根於彼人王我當護
念復見无量福德利故我等四王及餘眷屬
无量百千万億諸神於自宮殿見是種種香
烟雲蓋神變之時我當隱蔽不現其身為
聽法故當至是王清淨嚴飾所止宮殿講法之
處如是乃至梵宮帝釋大辯才天大吉祥
天堅牢地神正了知神大將二十八部諸藥叉

BD01538 號　金光明最勝王經卷六　（13–1）

烟雲蓋神變之時我當隱蔽不現其身為
聽法故當至是王清淨嚴飾所止宮殿講法之
處如是乃至梵宮帝釋大辯才天大吉祥
天堅牢地神正了知神大將二十八部諸藥叉
神大自在天金剛密主寶賢大將訶利底母五
百眷屬无熱惱池龍王大海龍王无量百千
万億那庾多諸天藥叉如是等衆為聽法
故皆不現身至彼人王殊勝宮殿莊嚴高座說
法之所世尊我等四王及餘眷屬藥叉諸神皆
當一心共彼人王為善知識因是无上大法
施主以甘露味充足於我是故我等當護是
王除其衰患令得安隱及其宮殿城邑國土
諸惡災變悉令消殄尒時四天王俱共合掌
白佛言世尊若有人王於其國土雖有此經未
嘗流布心生捨離不樂聽聞亦不供養尊
重讚歎見四部衆持經之人亦復不能
尊重供養遂令我等及餘眷屬无量諸天不
得聞此甚深妙法背甘露味失正法流无有
威光及以勢力增長惡趣損減人天墜生死
河乖涅槃路世尊我等四王并諸眷屬及藥
叉等見如斯事捨其國土无擁護心非但我
等捨棄是王亦有无量守護國土諸大善神
悉皆捨去既捨離已其國當有種種災禍喪
失國位一切人衆皆无善心唯有繫縛殺害
瞋諍互相讒諂枉及无辜疾疫流行彗星數

BD01538號　金光明最勝王經卷六　（13–2）

等捨棄是王亦有无量守護國土諸大善神
悉皆捨去既捨離已其國當有種種災禍喪
失國位一切人衆皆无善心唯有繫縛殺害
瞋諍互相讒諂枉及无辜疾疫流行彗星數
出兩日並現薄蝕无恒黑白二虹表不祥相
星流地動井內發聲暴雨惡風不依時節常
遭飢饉苗實不成多有他方怨賊侵掠國內
人民受諸苦惱土地无有可樂之處世尊我
等四王及與无量百千天神并護國土諸舊
善神遠離去時生如是等无量百千災恠惡
事世尊若有人王欲護國土常受快樂欲令
衆生咸蒙安隱欲得摧伏一切外敵於自國
境永得昌盛欲令正教流布世間苦惱惡法
皆除殄者世尊是諸國王必當聽受是妙經
王亦應恭敬供養讀誦受持經者我等及餘
无量天衆以是聽法善根威力得服无上甘
露法味增益我等所有眷屬并餘天神皆得
勝利何以故以是人王至心聽受是經典故世
尊如大梵天於諸有情常為宣說世出世論
帝釋復說種種諸論五通神仙亦說諸論世
尊梵天帝釋五通仙人雖有百千俱胝那庾
多无量諸論然佛世尊慈悲哀愍為人天
衆說金光明微妙經典比前所說勝彼百千
俱胝那庾多倍不可為喻何以故由此能令
諸贍部洲所有王等以正法化世能與衆生安
樂之事為護自身及諸眷屬令无苦惱又无

BD01538號　金光明最勝王經卷六　（13–3）

多无量諸論然佛世尊慈悲哀愍為人天
衆說金光明微妙經典比前所說勝彼百千
俱胝那庾多倍不可為喻何以故由此能令
諸贍部洲所有王等正法化世能與衆生安
樂之事為護自身及諸眷屬令无苦惱又无
他方怨賊侵害所有諸惡悉皆遠去亦令國
土災厄屏除化以正法无有諍訟是故人王
各於國土當然法炬明照无邊增益天衆并
諸眷屬世尊我等四王无量天神藥叉之衆
贍部洲內所有天神以是因緣得服无上甘
露法味獲大威德勢力光明无不具足一切
衆生皆得安隱復於來世无量百千不可思
議那庾多劫常受快樂復得值遇无量諸佛
種諸善根然後證得阿耨多羅三藐三菩提
如是无量无邊勝利皆是如來應正等覺以
大慈悲過梵衆以大智慧逾帝釋修諸苦
行勝五通仙百千万億那庾多倍不可稱計
為諸衆生演說如是微妙經典令贍部洲一
切國王及諸人衆明了世間所有法式治國
化人勸導之事由此經王流通力故普得安樂
此等福利皆是釋迦大師於此經典廣為
流通慈悲力故世尊以是因緣諸人王等皆
應受持供養恭敬尊重讚歎此妙經王何以
故以如是等不可思議殊勝功德利益一切
是故名曰最勝經王
尒時世尊復告四天王汝等四王及餘眷屬

BD01538號　金光明最勝王經卷六　（13–4）

流通慈悲力故世尊以是因緣諸人王等皆
應受持供養恭敬尊重讚歎此妙經王何以
故以如是等不可思議殊勝功德利益一切
是故名曰最勝經王
尒時世尊復告四天王汝等四王及餘眷屬
无量百千俱胝那庾多諸天大衆見彼人王
若能至心聽是經典供養恭敬尊重讚歎者
應當擁護除其衰患能令汝等亦受安樂若
四部衆能廣流布是經王者於人天中廣作
佛事普能利益无量衆生如是之人汝等四
王常當擁護如是四衆勿使他緣共相侵擾
令彼身心寂靜安樂於此經王廣宣流布令
不斷絕利益有情盡未來際
尒時多聞天王從座而起白佛言世尊我有
如意寶珠陀羅尼法若有衆生樂受持者功
德无量我常擁護令彼衆生離苦得樂能
成福智二種資糧欲受持者先當誦此護身
之呪即說呪曰
南謨薜室囉末拏也莫訶曷囉闍也 但是也上之字皆須引聲
怛姪他 囉囉囉囉 矩怒 矩怒
區怒區怒 窶怒窶怒 颯縛 颯縛
羯囉羯囉 莫訶毗羯喇㦄 莫訶毗羯喇㦄
莫訶曷囉社 曷路叉曷路叉 覩潙 自稱己名
薩婆薩埵難者 莎訶 此二字皆長引聲
世尊誦此呪者當以白線呪之七遍一遍一結
繫之肘後其事必成應取諸香所謂安息栴
檀龍腦蘇合多揭羅薰陸皆須等分和合一

BD01538號　金光明最勝王經卷六　（13–5）

薩婆薩埵喇者　莎訶（皆長引聲）
世尊誦此呪者當以白線呪之七遍一遍一結
繫之肘後其事必成應取諸香所謂安息栴
檀龍腦蘇合多揭羅薰陸皆須等分和合一
處手執香鑪燒香供養清淨澡浴著鮮
潔衣於一靜室可誦神呪
請我薜室羅末拏天王即說呪曰
南謨薜室羅　末拏引也　南謨檀那馱也
檀泥說羅引也　阿揭𡁠　阿鉢唎須哆
檀泥說羅　鉢羅麼　迦留尼迦
薩婆薩埵　呬哆振哆　麼麼名己檀那
末拏鉢唎梲𡁠　薜闍摩揭𡁠　莎訶
此呪誦滿一七遍已次誦本呪欲誦呪時先
當稱名敬礼三寶及薜室羅末拏大王能
施財物令諸衆生所求願滿悉能成就與
其安樂如是礼已次誦薜室羅末拏王如意末
尼寶心神呪能施衆生隨意安樂爾時多聞
天王即於佛前說如意末尼寶心呪曰
南謨曷喇怛娜　怛喇夜引也
南謨薜室羅末拏引也　莫訶囉闍引也
怛姪他　四弭四弭　蘇母蘇母
旃荼旃荼　折囉折囉　薩囉薩囉
羯囉羯囉　枳哩枳哩　矩嚕矩嚕
母嚕母嚕　主嚕主嚕　娑大也頞貪
我名某甲　昵店頞他　達達覩　莎訶
南謨薜室羅末拏也　莎訶　檀那馱也　莎訶
[illegible]

BD01538號　金光明最勝王經卷六　（13-6）

母嚕母嚕　主嚕主嚕　娑大也頞貪
我名某甲　昵店頞他　達達覩　莎訶
南謨薜室羅末拏也　莎訶　檀那馱也　莎訶
曼奴喇他鉢喇脯喇迦引也　莎訶
受持呪時先誦千遍然後於淨室中瞿摩
塗地作小壇場隨時飲食一心供養常然妙
香令烟不絕誦前心呪晝夜繫心唯自耳聞
勿令他解時有薜室羅末拏王子名禪膩師
現童子形來至其所問言何故須喚我父即
可報言我為供養三寶事須財物願當施與
時禪膩師聞是語已即還父所白其父言今
有善人發至誠心供養三寶少乏財物為斯請
白其父報曰汝可速去日日與彼一百迦利
此是根本梵音唯目貝齒而彼方不定或是貝齒或是
金銀銅鐵等錢然摩揭陀現今通用一迦利沙波
沙波拏
拏有一千六百貝齒總數可以准知若准物直隨處不定若人持呪
得成就者獲物之時自知其數有本云每日與一百陳那羅即金
錢也乃至盡形日日常得西方
求者多有神驗除不至心也
其持呪者見是相已知事得成當須獨處淨
室燒香而卧可於牀邊置一香篋每至天曉
觀其篋中獲所求物每得物時當日即須供
養三寶香花飲食兼施貧乏皆令罄盡不得
停留於諸有情起慈悲念勿生瞋恚諂誑之
心若起瞋者即失神驗常可護心勿令瞋恚
又持此呪者於每日中憶我多聞天王及男
女眷屬稱揚讚歎恒以十善共相資助令彼
天等福力增明衆善普臻證菩提處彼諸
天衆見是事已皆大歡喜共來擁衛持呪之
人又持呪者壽命長[illegible]無量歲永離三塗

BD01538號　金光明最勝王經卷六　（13-7）

[illegible]
天等福力增明衆善普臻證菩提處彼諸
天衆見是事已皆大歡喜共來擁衛持呪之
人又持呪者壽命長遠經无量歲永離三塗
常无災厄亦令獲得如意寶珠及以伏藏神
通自在所願皆成若求官榮无不稱意亦解
一切禽獸之語
世尊若持呪時欲得見我自身現者可於
月八日或十五日於白疊上畫佛形像當用木
膠雜彩莊飾其畫像人爲受八戒於佛左邊
作吉祥天女像於佛右邊作我多聞天像并
畫男女眷屬之類安置坐處咸令如法布烈
花彩燒衆名香然燈續明晝夜无歇上妙飲
食種種珎奇發慇重心隨時供養受持神呪
不可輕心請召我時應誦此呪
南謨室唎健那也　勃陁　引　也
南謨薛室囉末拏也　藥叉囉闍　引　也
莫訶囉闍　阿地囉闍　也
南麼室唎耶裔　莫訶提鞞　引　裔
怛　姪　他　怛囉怛囉　咄嚕咄嚕
末囉末囉　窣窣咄　窣窣咄
漢娜漢娜　末尼羯諾　迦
跋折囉薛琉璃也　目底迦揭訖栗哆
設唎囉　裔　薩引薩婆　薩埵
四吵迦引奪　薛室囉末拏
室唎夜提鼻　跋𪘿婆　引　也
暬四暬四毳呲藍婆　瞿栗拏瞿栗拏

BD01538號　金光明最勝王經卷六　（13–8）

[illegible]
四吵迦引奪　薛室囉末拏
室唎夜提鼻　跋𪘿婆　引　也
暬四暬四毳呲藍婆　瞿栗拏瞿栗拏
袾麻八反唎婆袾唎婆　達䭾四麼　麼
阿目迦耶末寫目捺之名　達哩設那迦末寫
達四設南　麼麼末那
鉢唎遏羅大也　莎訶
世尊我若見此誦呪之人復見如是盛興供
養即生慈愛歡喜之心我即變身作小兒形
或作老人苾芻之像手持如意末尼寶珠并
持金囊入道場內身現恭敬口稱佛名語持
呪者曰隨汝所求皆令如願或隱林藪或造寶
珠或欲衆人愛寵或求金銀等物欲持諸
呪皆令有驗或欲神通壽命長遠及勝妙樂
无不稱心我今且說如是之事若更求餘皆
隨所願悉得成就寶藏无盡功德无窮假使
日月墜墮于地或可大地有時移轉我此實
語終不虛然常得安隱隨心快樂世尊若有
人能受持讀誦是經王者誦此呪時不假
疲勞法速成就世尊我今爲彼貧窮困厄苦
惱衆生說此神呪令獲大利皆得富樂自在
无患乃至盡形我當擁護隨逐是人爲除
災厄亦復令此持金光明最勝王經流通之者及
持呪人於百步內光明照燭我之所有千藥
又神亦常侍衛隨欲驅使无不遂心我說實
語无有虛誑唯佛證知時多聞天王說此呪

BD01538號　金光明最勝王經卷六　（13–9）

究尼亦復令此持金光明最勝王經流通之者及
持呪人於百步內光明照燭我之所有千藥
叉神亦常侍衛隨欲駈使无不遂心我說實
語无有虛誑唯佛證知時多聞天王說此呪
已佛言善哉大王汝能破裂一切衆生貧窮
苦網令得富樂說是神呪復令此經廣行於
世時四天王俱從座起偏袒一肩頂礼雙足
右膝著地合掌恭敬以妙伽他讚佛功德
佛面猶如淨滿月　亦如千日放光明
目淨脩廣若青蓮　齒白齊密猶珂雪
佛德无邊如大海　无限妙寶積其中
智慧德水鎮恒盈　百千勝定咸充滿
足下輪相皆嚴飾　轂輞千輻悉齊平
手足䋄縵遍莊嚴　猶如鵝王相具足
佛身光曜等金山　清淨殊特无倫匹
亦如妙高功德滿　故我稽首佛山王
相好如空不可測　逾於千月放光明
皆如焰幻不思議　故我稽首心无著
尒時四天王讚歎佛已世尊亦以伽他而荅
之曰
此金光明最勝經　无上十力之所說
汝等四王常擁衛　應生勇猛不退心
此妙經寶極甚深　能與一切有情樂
由彼有情安樂故　常得流通贍部洲
於此大千世界中　所有一切有情類
餓鬼傍生及地獄　如是苦趣悉皆除

BD01538號　金光明最勝王經卷六　（13–10）

此妙經寶極甚深　能與一切有情樂
由彼有情安樂故　常得流通贍部洲
於此大千世界中　所有一切有情類
餓鬼傍生及地獄　如是苦趣悉皆除
住此南洲諸國王　及餘一切有情類
由經威力常歡喜　皆蒙擁護得安寧
亦使此中諸有情　除衆病苦无賊盜
賴此國土弘經故　安隱豐樂无違惱
若人聽受此經王　欲求尊貴及財利
國土豐樂无違諍　隨心所願悉皆從
能令他方賊退散　於自國界常安隱
由此最勝經王力　離諸苦惱无憂怖
如寶樹王在宅內　能生一切諸樂具
最勝經王亦復然　能與人王勝功德
譬如澄潔清冷水　能除飢渴諸熱惱
最勝經王亦復然　令樂福者心滿足
如人室有妙寶篋　隨所受用悉從心
最勝經王亦復然　福德隨心无所乏
汝等天主及天衆　應當供養此經王
若能依教奉持經　智慧威神皆具足
現在十方一切佛　咸共護念此經王
見有讀誦及受持　稱善哉甚希有
若有人能聽此經　身心踊躍生歡喜
常有百千藥叉衆　隨所住處護斯人
於此世界諸天衆　其數无量不思議
悉共聽受此經王　歡喜護持无退轉

BD01538號　金光明最勝王經卷六　（13–11）

現在十方一切佛　咸共讚歎此經王
若有讀誦及受持　稱善哉甚希有
若有人能聽此經　身心踊躍生歡喜
常有百千藥叉眾　隨所住處護斯人
於此世界諸天眾　其數无量不思議
悉共聽受此經王　歡喜護持无退轉
若人聽受此經王　威德勇猛常自在
增益一切人天眾　令離衰惱益光明

尒時四天王聞是頌已歡喜踊躍白佛言世
尊我從昔來未曾得聞如是甚深微妙之
法心生悲喜涕淚交流舉身戰動證不思議希
有之事以天曼陀羅花摩訶曼陀羅花而散
佛上作是殊勝供養佛已白佛言世尊我
等四王各有五百藥叉眷屬常當處處擁護
是經及說法師以智光明而為助衛若於此經
所有句義忘失之處我皆令彼憶念不忘并
與陀羅尼殊勝法門令得具足復欲令此最
勝經王所在之處為諸眾生廣宣流布不速
隱沒尒時世尊於大眾中說是法時无量眾
生皆得大智聰叡辯才攝受无量福德之
離諸憂惱發喜樂心善明眾論登出離道
不復退轉速證菩提

金光明經卷第六

胝涉尸　敎昌両　敵亭歷往文　鏊征郢　殿田見　蝕乘力　標良灼　譏力嗈　寠赤
劬矩　麼摩可　颯菝合　薜薄洞　擿車者　弩奴加　窣蘇骨　臘盧盍　鞔殷

BD01538號　金光明最勝王經卷六　（13-12）

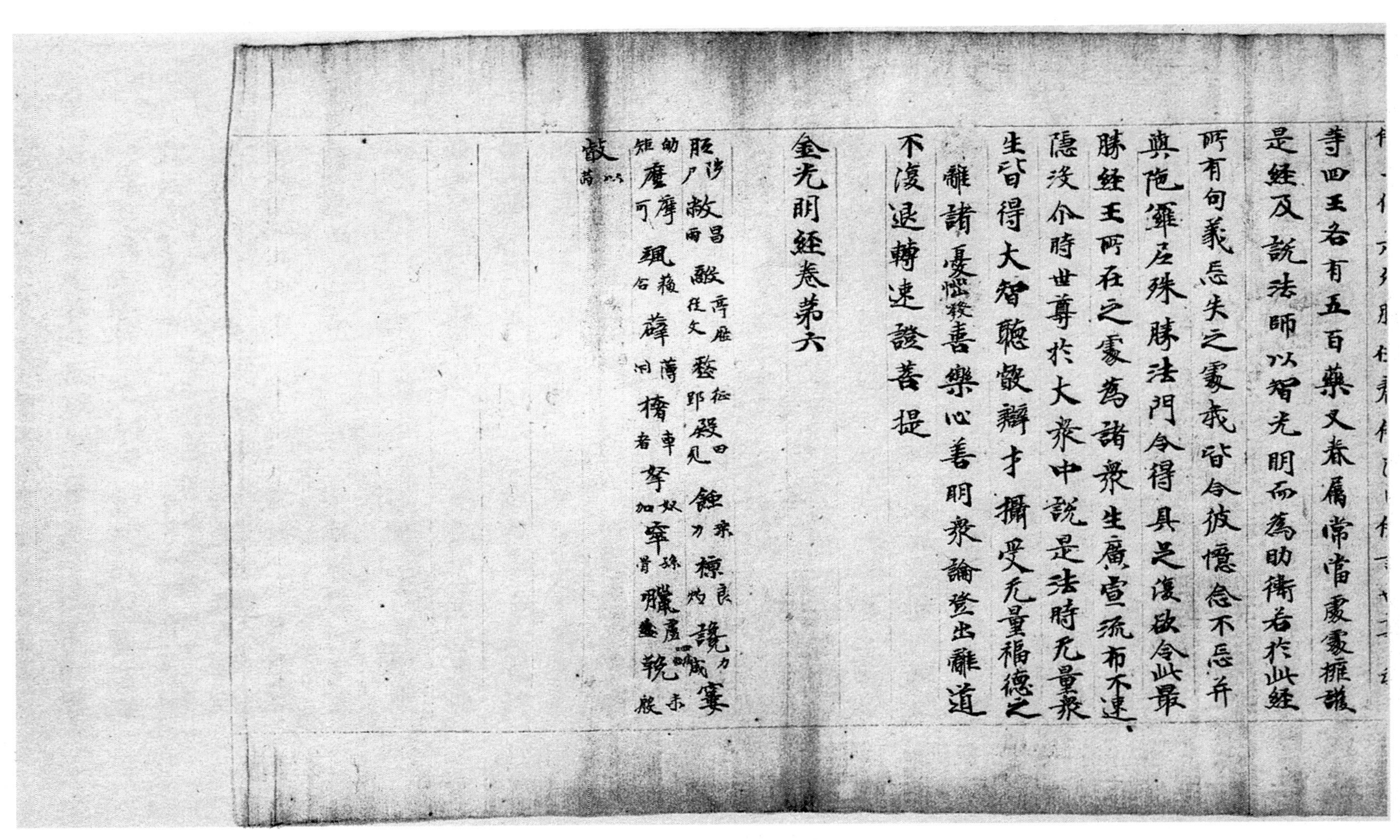
等四王各有五百藥叉眷屬常當處處擁護
是經及說法師以智光明而為助衛若於此經
所有句義忘失之處我皆令彼憶念不忘并
與陀羅尼殊勝法門令得具足復欲令此最
勝經王所在之處為諸眾生廣宣流布不速
隱沒尒時世尊於大眾中說是法時无量眾
生皆得大智聰叡辯才攝受无量福德之
離諸憂惱發喜樂心善明眾論登出離道
不復退轉速證菩提

金光明經卷第六

胝涉尸　敎昌両　敵亭歷往文　鏊征郢　殿田見　蝕乘力　標良灼　譏力嗈　寠赤
劬矩　麼摩可　颯菝合　薜薄洞　擿車者　弩奴加　窣蘇骨　臘盧盍　鞔殷
故

BD01538號　金光明最勝王經卷六　（13-13）

[illegible]
何以故須菩提如我昔為歌利王割截身體
我於尒時无我相无人相无衆生相无壽者
相何以故我於往昔節節支解時若有我相
人相衆生相壽者相應生瞋恨須菩提又念
過去於五百世作忍辱仙人於尒所世无我相
无人相无衆生相无壽者相是故須菩提
菩薩應離一切相發阿耨多羅三藐三菩提
心不應住色生心不應住聲香味觸法生心
應生无所住心若心有住則為非住是故佛
說菩薩心不應住色布施須菩提菩薩為利
益一切衆生應如是布施如來說一切諸相
即是非相又說一切衆生則非衆生須菩提
如來是真語者實語者如語者不誑語者不
異語者須菩提如來所得法此法无實无虛
須菩提若菩薩心住於法而行布施如人入
闇則无所見若菩薩心不住法而行布施如
人有目日光明照見種種色須菩提當來之
世若有善男子善女人能於此經受持讀誦
則為如來以佛知慧悉知是人悉見是人皆
得成就无量无邊功德。
須菩提若有善男子善女人初日分以恒河
沙等身布施中日分復以恒河沙等身布施
後日分亦以恒河沙等身布施如是无量百

BD01539 號　金剛般若波羅蜜經　（8–1）

世若有善男子善女人能於此經受持讀誦
則為如來以佛知慧悉知是人悉見是人皆
得成就无量无邊功德。
須菩提若有善男子善女人初日分以恒河
沙等身布施中日分復以恒河沙等身布施
後日分亦以恒河沙等身布施如是无量百
千万億劫以身布施若復有人聞此經典信
心不逆其福勝彼何況書寫受持讀誦為人
解說須菩提以要言之是經有不可思議不
可稱量无邊功德如來為發大乘者說為發
最上乘者說若有人能受持讀誦廣為人說
如來悉知是人悉見是人皆得成就不可量
不可稱无有邊不可思議功德如是人等則
為荷擔如來阿耨多羅三藐三菩提何以故
須菩提若樂小法者著我見人見衆生見壽
者見則於此經不能聽受讀誦為人解說須
菩提在在處處若有此經一切世間天人阿
脩羅所應供養當知此處則為是塔皆應恭
敬作禮圍繞以諸華香而散其處
復次須菩提善男子善女人受持讀誦此經
若為人輕賤是人先世罪業應墮惡道以今
世人輕賤故先世罪業則為消滅當得阿耨
多羅三藐三菩提須菩提我念過去无量阿
僧祇劫於然燈佛前得值八百四千万億那
由他諸佛悉皆供養承事无空過者若復有
人於後末世能受持讀誦此經所得功德於
我所供養諸佛功德百分不及一千万億分
乃至筭數譬喻所不能及須菩提若善男子
善女人於後末世有受持讀誦此經所得功

BD01539 號　金剛般若波羅蜜經　（8–2）

由他諸佛悉皆供養承事无空過者若復有
人於後末世能受持讀誦此經所得功德於
我所供養諸佛功德百分不及一千万億分
乃至筭數譬喻所不能及須菩提若善男子
善女人於後末世有受持讀誦此經所得功
德我若具說者或有人聞心則狂亂狐疑不
信須菩提當知是經義不可思議果報亦不
可思議
尒時須菩提白佛言世尊善男子善女人發
阿耨多羅三藐三菩提心云何應住云何降
伏其心佛告須菩提善男子善女人發阿耨
多羅三藐三菩提者當生如是心我應滅度
一切衆生滅度一切衆生已而无有一衆生
實滅度者何以故若菩薩有我相人相衆生
相壽者相則非菩薩所以者何須菩提實无
有法發阿耨多羅三藐三菩提者須菩提於
意云何如來於然燈佛所有法得阿耨多羅
三藐三菩提不不也世尊如我解佛所說義
佛於然燈佛所无有法得阿耨多羅三藐三
菩提佛言如是如是須菩提實无有法如來
得阿耨多羅三藐三菩提須菩提若有法如
來得阿耨多羅三藐三菩提者然燈佛則不
與我受記汝於來世當得作佛号釋迦牟尼
以實无有法得阿耨多羅三藐三菩提是故
然燈佛與我受記作是言汝於來世當得作佛
号釋迦牟尼何以故如來者即諸法如義若
有人言如來得阿耨多羅三藐三菩提須
菩提實无有法佛得阿耨多羅三藐三菩
提須菩提如來所得阿耨多羅三藐三菩提

[illegible]三藐三菩提是故
然燈佛與我受記作是言汝於來世當得作佛
号釋迦牟尼何以故如來者即諸法如義若
有人言如來得阿耨多羅三藐三菩提須
菩提實无有法佛得阿耨多羅三藐三菩
提須菩提如來所得阿耨多羅三藐三菩提
於是中无實无虛是故如來說一切法皆是佛
法須菩提所言一切法者即非一切法是故名
名一切法須菩提譬如人身長大須菩提言
世尊如來說人身長大則為非大身是名大
身須菩提菩薩亦如是若作是言我當滅度
无量衆生則不名菩薩何以故須菩提實无
有法名為菩薩是故佛說一切法无我无人
无衆生无壽者須菩提若菩薩作是言我當
莊嚴佛土是不名菩薩何以故如來說莊嚴
佛土者即非莊嚴是名莊嚴須菩提若菩薩
通達无我法者如來說名真是菩薩。
須菩提於意云何如來有肉眼不如是世尊
如來有肉眼須菩提於意云何如來有天眼
不如是世尊如來有天眼須菩提於意云何
如來有慧眼不如是世尊如來有慧眼須菩
提於意云何如來有法眼不如是世尊如來
有法眼須菩提於意云何如來有佛眼不如
是世尊如來有佛眼須菩提於意云何恒河
中所有沙佛說是沙不如是世尊如來說是
沙須菩提於意云何如一恒河中所有沙有
如是等恒河是諸恒河所有沙數佛世界如
是寧為多不甚多世尊佛告須菩提尒所國
土中所有衆生若干種心如來悉知何以故

如是等恒河是諸恒河所有沙數佛世界如
是寧為多不甚多世尊佛告須菩提尒所國
土中所有衆生若干種心如来悉知何以故
如来説諸心皆為非心是名為心所以者何
須菩提過去心不可得現在心不可得未来
心不可得。須菩提於意云何若有人滿三千
大千世界七寶以用布施是人以是因緣得
福多不如是世尊此人以是因緣得福甚多
須菩提若福德有實如来不説得福德多以
福德无故如来説得福德多
須菩提於意云何佛可以具足色身見不不
也世尊如来不應以具足色身見何以故如来
説具足色身即非具足色身是名具足色身
須菩提於意云何如来可以具足諸相見不不
也世尊如来不應以具足諸相見何以故如
来説諸相具足即非具足是名諸相具足須
菩提汝勿謂如来作是念我當有所説法莫
作是念何以故若人言如来有所説法即為
謗佛不能解我所説故須菩提説法者无法
可説是名説法須菩提白佛言世尊佛得阿
耨多羅三藐三菩提為无所得耶如是如是
須菩提我於阿耨多羅三藐三菩提乃至无
有少法可得是名阿耨多羅三藐三菩提
復次須菩提是法平等无有高下是名阿耨
多羅三藐三菩提以无我无人无衆生无壽
者脩一切善法則得阿耨多羅三藐三菩提
須菩提所言善法者如来説非善法是名善
法須菩提若三千大千世界中所有諸須弥山
王如是等七寶聚有人持用布施若人以此

BD01539號　金剛般若波羅蜜經　（8–5）

三藐三菩提以无我无人无衆生无壽
者脩一切善法則得阿耨多羅三藐三菩提
須菩提所言善法者如来説非善法是名善
法須菩提若三千大千世界中所有諸須弥山
王如是等七寶聚有人持用布施若人以此
般若波羅蜜經乃至四句偈等受持讀誦為
他人説於前福德百分不及一百千万億分乃
至筭數譬喻所不能及
須菩提於意云何汝等勿謂如来作是念我
當度衆生須菩提莫作是念何以故實无有
衆生如来度者若有衆生如来度者如来則
有我人衆生壽者須菩提如来説有我者則
非有我而凡夫之人以為有我須菩提凡夫
者如来説則非凡夫。須菩提於意云何可以
三十二相觀如来不須菩提言如是如是以
三十二相觀如来佛言須菩提若以三十二
相觀如来者轉輪聖王則是如来須菩提白
佛言世尊如我解佛所説義不應以三十二
相觀如来尒時世尊而説偈言
若以色見我　以音聲求我　是人行邪道　不能見如来。
須菩提汝若作是念如来不以具足相故得阿
耨多羅三藐三菩提須菩提莫作是念如来
不以具足相故得阿耨多羅三藐三菩提
須菩提汝若作是念發阿耨多羅三藐三菩
提者説諸法斷滅相莫作是念何以故發阿
耨多羅三藐三菩提者於法不説斷滅相。須
菩提若菩薩以滿恒河沙等世界七寶布施
若復有人知一切法无我得成於忍此菩薩勝
前菩薩所得功德須菩提以諸菩薩不受

BD01539號　金剛般若波羅蜜經　（8–6）

耨多羅三藐三菩提者於法不說斷滅相須
菩提若菩薩以滿恒河沙等世界七寶布施
若復有人知一切法无我得成於忍此菩薩勝
前菩薩所得功德須菩提以諸菩薩不受
福德故須菩提白佛言世尊云何菩薩不受
福德須菩提菩薩所作福德不應貪著是故
說不受福德須菩提若有人言如來若來若
去若坐若卧是人不解我所說義何以故如
來者无所從來亦无所去故名如來
須菩提若善男子善女人以三千大千世界
碎為微塵於意云何是微塵衆寧為多不甚
多世尊何以故若是微塵衆實有者佛則不
說是微塵衆所以者何佛說微塵衆則非微
塵衆是名微塵衆世尊如來所說三千大千
世界則非世界是名世界何以故若世界實有
者則是一合相如來說一合相則非一合相
是名一合相須菩提一合相者則是不可
說但凡夫之人貪著其事須菩提若人言佛
說我見人見衆生見壽者見須菩提於意云
何是人解我所說義不世尊是人不解如來
所說義何以故世尊說我見人見衆生見壽
者見即非我見人見衆生見壽者見是名我
見人見衆生見壽者見須菩提發阿耨多羅
三藐三菩提心者於一切法應如是知如是
見如是信解不生法相須菩提所言法相者
如來說即非法相是名法相須菩提若有人
以滿无量阿僧祇世界七寶持用布施若有
善男子善女人發菩薩心者持於此經乃至

BD01539號　金剛般若波羅蜜經　（8–7）

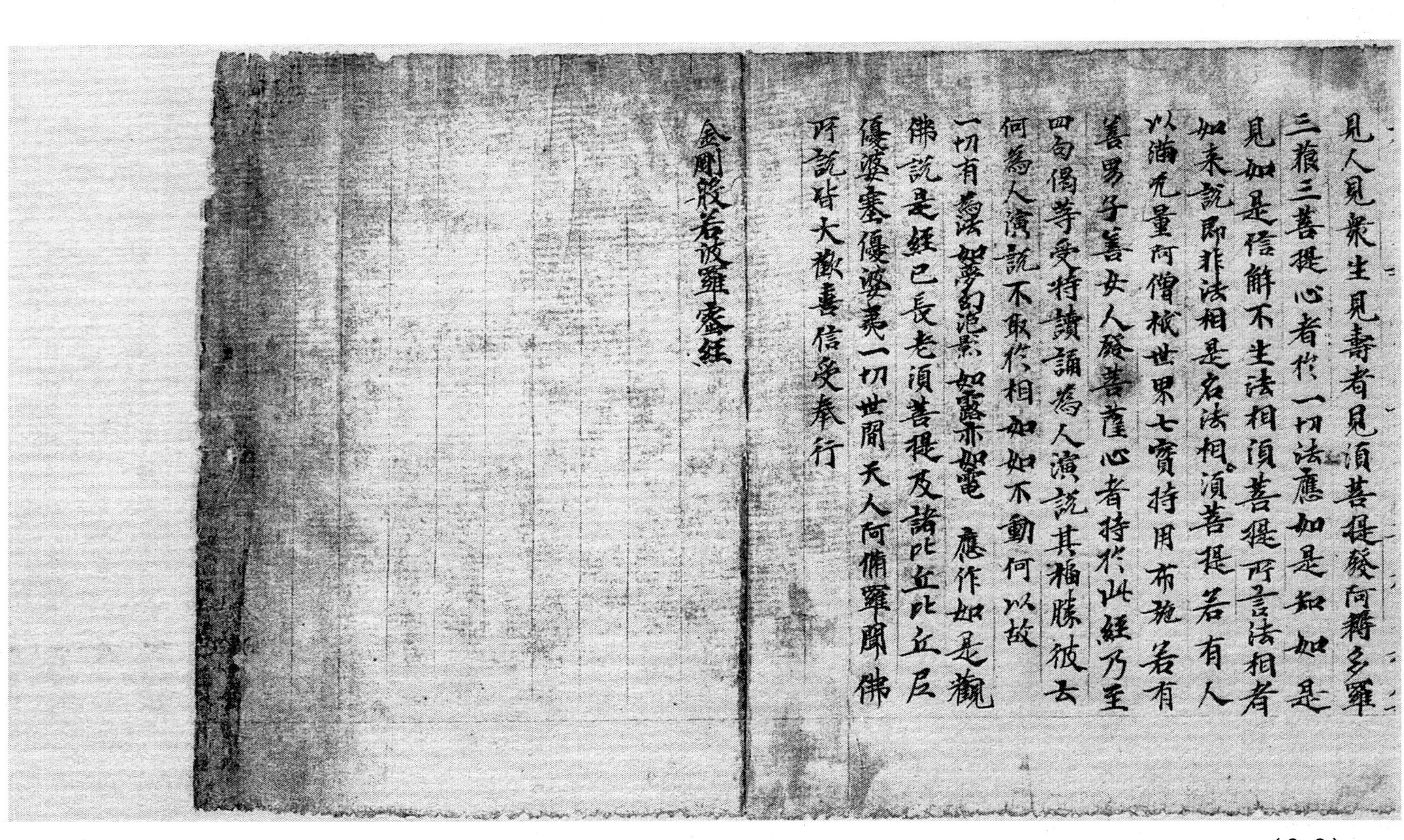
見人見衆生見壽者見須菩提發阿耨多羅
三藐三菩提心者於一切法應如是知如是
見如是信解不生法相須菩提所言法相者
如來說即非法相是名法相須菩提若有人
以滿无量阿僧祇世界七寶持用布施若有
善男子善女人發菩薩心者持於此經乃至
四句偈等受持讀誦為人演說其福勝彼云
何為人演說不取於相如如不動何以故
一切有為法　如夢幻泡影　如露亦如電　應作如是觀
佛說是經已長老須菩提及諸比丘比丘尼
優婆塞優婆夷一切世間天人阿脩羅聞佛
所說皆大歡喜信受奉行

金剛般若波羅蜜經

BD01539號　金剛般若波羅蜜經　（8–8）

即是非相又說一切衆生則非衆生[illegible]
如来是真語者實語者如語者不誑語者不
異語者須菩提如来所得法此法無實無虛
須菩提若菩薩心住於法而行布施如人入
闇則無所見若菩薩心不住法而行布施如人
有目日光明照見種種色須菩提當来之世
若有善男子善女人能於此經受持讀誦則
為如来以佛智慧悉知是人悉見是人皆得
成就无量无邊功德
須菩提若有善男子善女人初日分以恒河沙
等身布施中日分復以恒河沙等身布施後
日分亦以恒河沙等身布施如是无量百千萬
億劫以身布施若復有人聞此經典信心不
逆其福勝彼何况書寫受持讀誦為人解
說須菩提以要言之是經有不可思議不可
稱量无邊功德如来為發大乘者說為發最
上乘者說若有人能受持讀誦廣為人說如
来悉知是人悉見是人皆得成就不可量不
可稱無有邊不可思議功德如是人等則為
荷擔如来阿耨多羅三藐三菩提何以故須
菩提若樂小法者著我見人見衆生見壽者
見則於此經不能聽受讀誦為人解說須菩

BD01540 號　金剛般若波羅蜜經　（1–1）

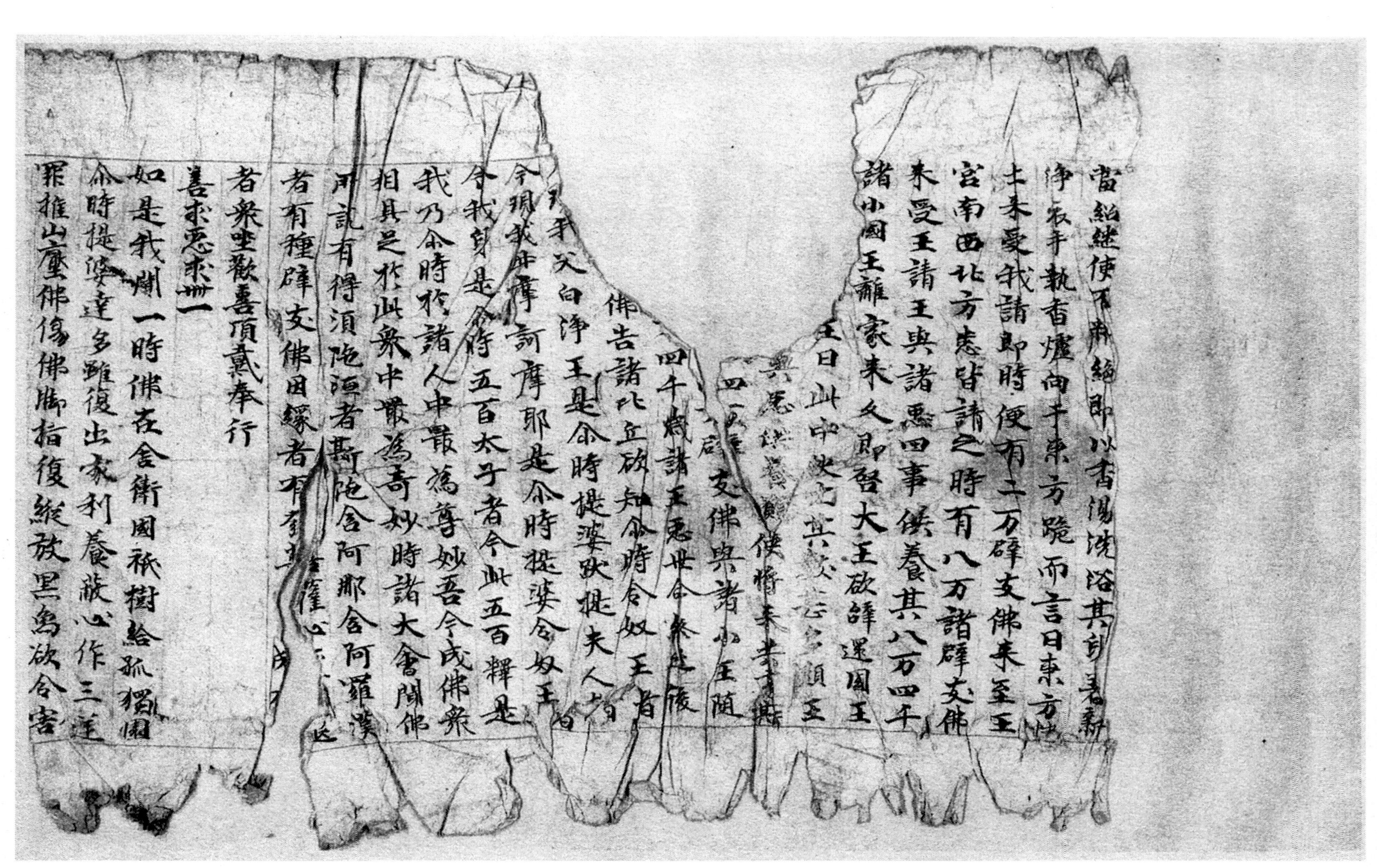
當給使不肯給即以香湯洗浴其身著新
淨衣手執香爐向于東方跪而言曰東方[illegible]
士未受我請即時便有二万辟支佛来至王
宮南西北方悉皆請之時有八万諸辟支佛
来受王請王與諸惡四事供養其八万四千
諸小國王離家来久即啓大王啟辭還國王
王曰此中必[illegible]其[illegible]須王
與惡[illegible]供養[illegible]便將来[illegible]
四[illegible]支佛與諸小王隨
[illegible]四千歲諸王惡世令衆生後
佛告諸比丘欲知尒時令奴王者
天我父白淨王是尒時提婆跋提夫人[illegible]
今現我母摩訶摩耶是尒時提婆令奴王
今我身是尒時五百太子者今此五百釋是
我乃尒時於諸人中最為尊妙吾今成佛衆
相具足於此衆中最為奇妙時諸大會聞佛
所說有得須陀洹者斯陀含阿那含阿羅漢
者有種辟支佛因緣者有[illegible]菩薩心[illegible]
者衆坐歡喜頂戴奉行
善求惡求卅一
如是我聞一時佛在舍衛國祇樹給孤獨園
尒時提婆達多雖復出家利養蔽心作三逆
罪推山壓佛傷佛脚指復縱放黑象欲合害

BD01541 號　賢愚經（異卷）卷一〇　（22–1）

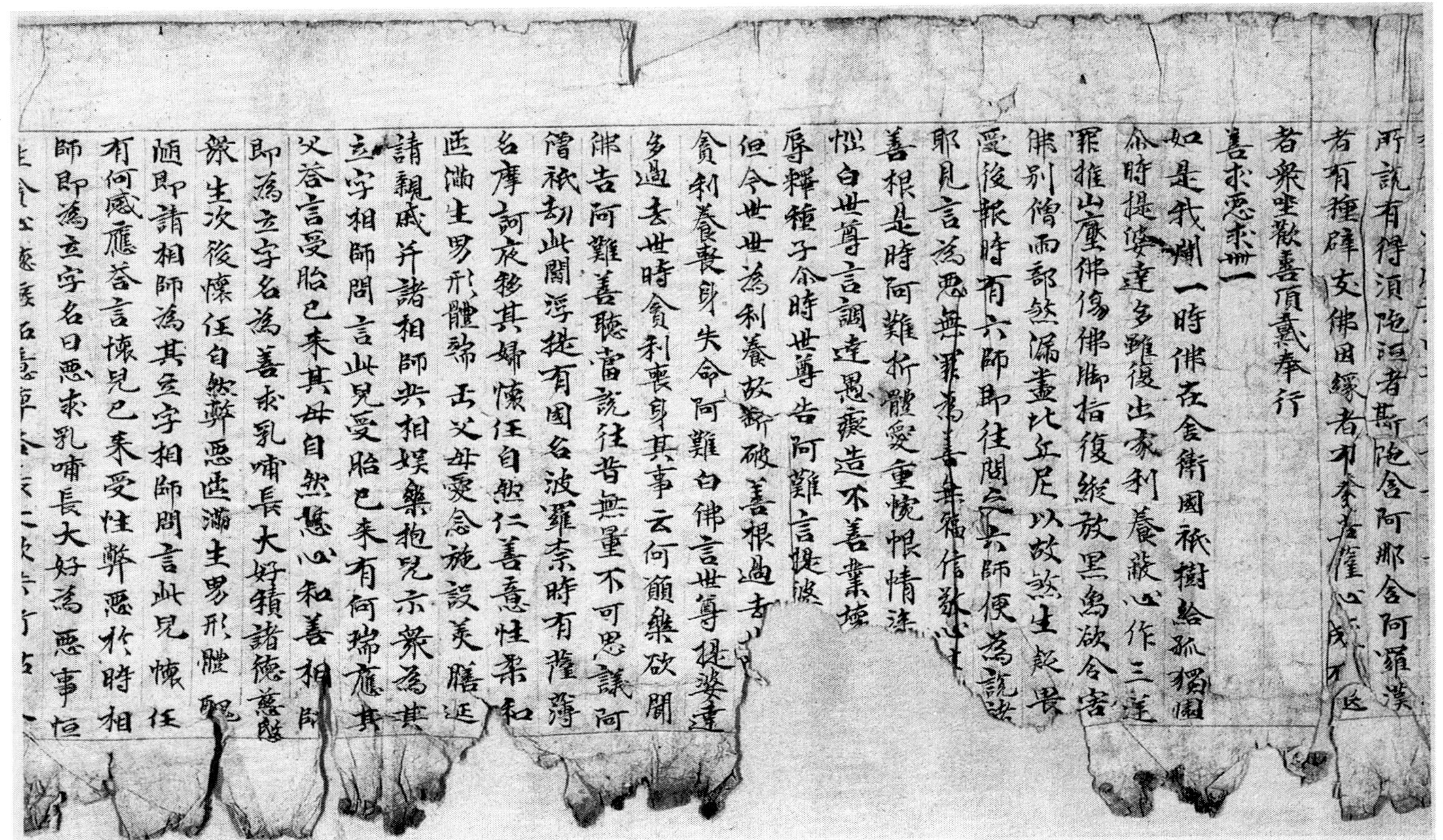

所說有得須陀洹者斯陀含阿那含阿羅漢
者有種辟支佛因緣者有發[illegible]心[illegible]
者衆坐歡喜頂戴奉行
善求惡求品卌一
如是我聞一時佛在舍衛國祇樹給孤獨園
尒時提婆達多雖復出家利養蔽心作三逆
罪推山壓佛傷佛脚指復縱放黑象欲令害
佛別僧兩部煞漏盡比丘尼以故煞生起畏
愛後報時有六師即往問之六師便為說諸
耶見言為惡無罪為善無福作[illegible]心
善根是時阿難析體愛重懷恨情深
惱白世尊言調達愚癡造不善業壞
辱釋種子尒時世尊告阿難言提婆
但今世世為利養故斷破善根過去
貪利養喪身失命阿難白佛言世尊提婆達
多過去世時貪利喪身其事云何願樂欲聞
佛告阿難善聽當說往昔無量不可思議阿
僧祇劫此閻浮提有國名波羅奈時有薩薄
名摩訶夜移其婦懷任自然仁善意性柔和
迮滿生男形體端正父母愛念施設美膳延
請親戚并諸相師共相娛樂抱兒示衆為其
立字相師問言此兒受胎已來有何瑞應其
父答言受胎已來其母自然慈心和善相
師即為立字名為善求乳哺長大好積諸德慈愍
衆生次後懷任自然弊惡迮滿生男形體醜
陋即請相師為其立字相師問言此兒懷任
有何感應答言懷兒已來受性弊惡於時相
師即為立字名曰惡求乳哺長大好為惡事恒
[illegible]

BD01541 號　賢愚經（異卷）卷一〇　　（22-2）

衆生次後懷任自然弊惡迮滿生男形體醜
陋即請相師為其立字相師問言此兒懷任
有何感應答言懷兒已來受性弊惡於時相
師即為立字名曰惡求乳哺長大好為惡事恒
生貪心慷嫉妬意牽各長大欲共行估入
海求索寶物各有五百侍從前後而發涉路
懸遠中道之粮無於七日去死不遠是時善
求及諸賈人咸共誠心禱諸神祇欲濟飢險
於空澤中遙見一樹枝葉鬱茂便即趣之有
一泉水善求及衆悉共誠心求哀救護誠感
神應現身語之斫去一枝所須當出諸人歡
喜便斫一枝美飲流出斫第二枝種種飲出
百味具足咸共承接各得飽滿斫第三枝出
諸妙衣種種備具斫第四枝種種寶物悉皆
具足莊嚴悉備所須盡辦惡求後到衆人如
前盡得充足便自念言今此樹枝能出如是
種種好物況復其根今當伐之足得極妙佳
好之物思惟心定令人伐之是時善求聞如
是語懷憤懊惱語惡求言我等飢乏命在旦
夕蒙此樹恩得濟餘命云何懷此弊惡之
而欲伐之尒時惡求不用其言即掘其根善
求感佩不忍見之領衆歸家伐樹已竟有五
百羅剎取此惡求及衆賈人悉皆噉之財物
伴侶一切喪失佛告阿難尒時善求者今我
身是尒時父者今現我父淨飯王是尒時母
者今現我母摩訶摩耶是也時惡求者今提
婆達多是阿難提婆達多非但今日作不善
事貪利養故世世常造我於往昔常與相值

BD01541 號　賢愚經（異卷）卷一〇　　（22-3）

者今現我毋摩訶摩耶是也時惡求者今提
婆達多是阿難提婆達多非但今日作不善
事貪利養故世世常造我於往昔常與相值
恒教善法而不用之反更以我為怨尒時阿
難及四部衆聞佛所說悲喜交集咸自勑
厲頂戴奉行

善事太子入海卌二

如是我聞一時佛在羅閱祇耆闍崛山中與
大比丘僧圍繞說法尒時賢者阿難見提婆
達於如來所常懷嫉妬驅飲醉象推山鎮佛
種種方便欲得危害然佛慈心常有矜愍於
羅睺羅及提婆達視之一等無有差別賢者
阿難覩其如是常懷悵怏思惟在意從坐而
起偏袒右肩長跪合掌嘆說是事佛告阿難
提婆達多不但今月興惡於我宿世之時亦
傷害我然我於彼常慈念之賢者阿難即白
佛言不審宿世提婆達多亦為傷害尒時慈
愍其事云何願具說示佛告阿難過去久遠
無量無數不可思議阿僧祇劫此閻浮提有
一國王名曰勒那跋弥（晉言寶鎧）領五百小國王有
五百夫人綵女皆無有子王便禱祠諸天日
月山海樹神經歷紀不獲子息王大愁憂
而自念言我今無子旦夕崩亡國無紹繼天
下必亂所以者何五百諸惡不相賓服便當
力諍強弱相陵枉殺无辜亡國喪世莫不由
此念是事已益增憒惱時有天神知王至意
於王夢中而語王言城外林中有二仙士其
第一仙身有金色福德聡辯不可逮及汝當

BD01541 號　賢愚經（異卷）卷一〇　（22－4）

下必亂所以者何五百諸惡不相賓服便當
力諍強弱相陵枉殺无辜亡國喪世莫不由
此念是事已益增憒惱時有天神知王至意
於王夢中而語王言城外林中有二仙士其
第一仙身有金色福德聡辯不可逮及汝當
須子可往求請必當迴意來生王家王尋驚
悟差有善色即勑駕乘畢將數人遍往推覓
便得見之即向求哀種種自說國无繼嗣憂
深慮重貪屈大仙來生我家紹繼國祠去我
憂患若不見恥唯垂降顧尒時仙人見王殷
懃不忍距逆即便可之第二仙人復語王言
我亦當往生於王家王大歡喜便辭還宮經
歷數時金色仙人即取命終王大夫人名曰
蘇摩即覺有身聡明女人能得此智知所懷
任分別男女便自說言我所懷任必當是男
王及宮內聞此語已欣悅無量王勑宮內夫
人綵女盡共承給稱悅其意牀蓐飲食趣令
細爽將護進止不臨危險十月已滿其大夫
人便生男兒端正絕異身紫金色其髮紺青
人相具足王及內外觀之無厭因召相師令
占相之相師尋諸上下觀相歡喜踊躍而白
王言此兒相好人中難有聡明福不可及逮
王聞遂喜復告相師可為立字相師問王
今此太子受胎已來有何變異王即荅言此
太子母素來妬惡樂人之過委舉訴非見他
人善心不為喜懷任已來志性改異為人慈
仁矜愍愛智好脩施慧等意謙養相師聞此
讚言善哉此是兒志寄情於毋便為立字字

BD01541 號　賢愚經（異卷）卷一〇　（22－5）

令此太子受胎已來有何變異王即答言此
太子母素來妬惡樂人之過奏舉姧非見他
人善心不為喜懷任已來志性改異為人慈
仁矜愍愛智好脩施慧等意謙養相師聞此
讃言善哉此是兒志寄情於母使為立字字
迦良那伽梨（晉言善事）其第二夫人名曰弗已第二
仙人亦復命終生於第二夫人腹中月匝
足滿便生男兒形體狀貌无他殊異復白相
師而瞻相之相師披觀而語之言此太子者
是常人耳福德智能為足自任復勑之為
其立字相師復言有何異事王語相師此太
子母素性中良為人慈順樂宣人善懷任已
來反更樂惡嫉妬賢能見善不喜相師復言
此亦兒志寄之於母故使然耳因即立字為
波婆伽梨（晉言惡事）其王尒時注心愛念迦良那
伽梨不失其意即勑為起三時之殿冬時處
溫之殿春秋居中殿夏時居涼之殿安置妓
直而娛樂之太子漸大聰辯殊異學諸世典
十八部經誦持通利弄善其義後肆出遊王
即聽之勑治道陌除去不淨乘大白象金銀
挍飾千乘万騎道從前後街道陌中一切人
民俠道兩邊諸樓閣上觀者无數皆言太子
熟似梵天威相姿貌人中希有尒時太子見
諸乞兒身體羸瘦衣被弊壞左提破器右持
折杖叩言求哀從人乞丐太子問曰何以乃
尒群惡答言如此人輩或無父母孤窮單獨
無所依仰癃疾狂病不能作役無一錢儲身
口所切是使尒耳太子慈愍心深增悼轉復

BD01541號　賢愚經（異卷）卷一〇　（22-6）

折杖叩言求哀從人乞丐太子問曰何以乃
尒群惡答言如此人輩或無父母孤窮單獨
無所依仰癃疾狂病不能作役無一錢儲身
口所切是使尒耳太子慈愍心深增悼轉復
前行見諸屠兒煞害畜生猗割稱賣太子問
言何以作此尋各答言我不必樂祖父已來
以此為業若捨此事無以自濟太子聞此長
歎而去轉前到田見諸耕者發地出虫蝦蟇
拾吞復見有虵吞食蝦蟇孔雀飛來啄食其
虵太子問人此作何等耕者答言此是我業
於中下種後當得穀以自供食并輸王家太
子嘆曰人由飲食煞害衆生役身役力辛苦
乃尒轉復前行見諸獵師趣向群鳥挽弓欲
射復見安網張施在地見諸禽獸墮在其中
驚張鳴吼不能得脫太子問言皆作何等咸
皆答言捕諸禽獸以自供濟太子聞此深歎
捨去到河池邊見捕魚師張網捕魚狼藉在
地跳梁中縮死者無數太子復問皆各答言
我仰此魚用供衣食太子長歎慈哀群生為
衣食故乃當如是煞害衆生供俟身口殃罪
日資後報如何便迴還宮憂念不樂往白父
王願賜一願王答之曰恣汝所欲不相違逆
太子白王出行遊觀覩彼群品為衣食故數
誑煞害積罪日增意甚悼愍欲得供濟願王
聽我用於王藏自恣布施充世所之王於太
子憍和愛念聞其所語不能違意即便可之
於是太子即時宣下告諸人民迦良伽梨太
子布施窮田之短乏者一切施給皆悉來取

BD01541號　賢愚經（異卷）卷一〇　（22-7）

誑惑害精罪日增意甚悼愍欲得供濟願王
聽我用於王藏自恣布施充世所之王於太
子倍加愛念聞其所語不能違意即便可之
於是太子即時宣下告諸人民迦良伽梨太
子布施窮困之短乏者一切施給皆悉來取
若有欲須金銀寶物衣服飲食及餘所須當
施與之即開王藏出諸寶物著諸城門及置
市中隨人所須一切悉給尒時諸國沙門婆
羅門貧窮孤老癃殘疾病羸頓相扶次第而
至須衣與衣須食與食金銀寶物恣意而與
尒時人民展轉相語遍閻浮提皆悉來集用
王寶藏三分向二時典藏臣入白王言大王
典領五百小國諸國使命當有往反事須寶
物還相報遺太子布施用王內藏三分之物
向用其二王可思之勿令後悔王聞是語而
告臣言我此太子意好布施其心猛盛不可
迴轉若當禁遮違其意令其憂惱當云何
耶分恣其意莫得違失如是數時太子布施
所殘藏物三分用二臣復白王前所殘物日
日布施三分之中已更用二餘殘少許當俟
信遺不可盡用願王熟思後莫見咎王便思
惟而告臣曰吾愛此子特復倍餘不忍顯露
違逆其意若來索寶小避行來若其急索且
復與之或得不得可延月匝尒時藏臣得王
教已太子後日來索寶時其臣託緣餘處行
來或時索得或時不得不能一一稱其所須
太子覺之而自念言今此藏臣有何力能敢
違失我不相承用將是王意故使尒耳又仁

教已太子後日來索寶時其臣託緣餘處行
來或時索得或時不得不能一一稱其所須
太子覺之而自念言今此藏臣有何力能敢
違失我不相承用將是王意故使尒耳又仁
子礼不應蹹用父母庫藏令其盡也今此藏
中所有殘財無幾我當云何得於財寶給施
一切令無有乏作是念已即問諸人今此世
間作何事業可得多財稱意用之有一人言
不避劇難遠出販賣可得多財有一人言墾
治田畝不避寒暑廣種五穀可得多財有一
人言多養六畜隨時將護時節蕃息可得多
財有一人言唯不顧命能入大海至龍王宮
求如意珠斯事成辦最得多財於時太子聞
衆人語而自念言行估種田畜養六畜且非
我宜得利無幾唯入大海詣龍王宮此入我
意當勤求是事作是念已往白父王我欲入
海求索珎寶給施衆生用之無盡唯願父母
當見聽許王及夫人聞太子言甚懷憂灼問
太子曰汝有何意而欲入海尚欲布施或汝
本志我家所有藏內餘殘盡當與汝以用布
施何為自棄云欲入海又聞海中多諸劇難
黑風羅刹水浪迴波摩竭大魚水色之山如
斯衆難安全者少百伴共往時有一還汝今
何急没身危險我及汝母無不甚憂諸王臣
民皆懷灼惕之懼念捨此意勿更紛紜於是
太子聞王此語心在本計志期救濟王雖留
遮意不傾動規盡身命成辦其事布身于地
腹拍王前因白王言唯願垂哀遂子本心若
必距逆不見聽許伏身此地終不起也王及

太子聞王此語心在本計志期救濟王雖留
遮意不傾動規盡身命成辦其事布身于地
腹拍王前因白王言唯願棄哀遂子本心若
必距逆不見聽許伏身此地終不起也王及
夫人內外一切見太子意不可迴轉自捨畢
死伏身于地皆共解喻曉諭令起其言如壓
執志不變從一日至二日乃至六日王及夫
人自共議言太子不食已經六日到明七日
命必不全此兒前後意欲所作要必成辦不
可迴轉若令入海猶有還理今違其意交斷
人望就當聽之放憂在後王與夫人相可已
訖俱共來前各捉一手涕淚交流因語之言
聽汝入海可起還食於時太子聞王語已歡
喜而起曉喻父母我雖入海不久當還唯願
莫大憂念作我為辦種種餚饍飲食已訖出
外廣行宣令迦良耶伽梨今欲入海誰欲往
者當共俱進命時國中有五百賈客咸皆來
集悉言欲去是時國中有盲導師自前已曾
數反入海太子聞之即往到邊向其殷勤嘉
言求曉汝當與我共入大海示我行來利害
去就導師荅言我既年老又盲無目雖欲自
力私情甚難王愛太子隆倍異常須臾離目
有懷悒遅今聞與我共入大海儻復見恨咎
我不少於時太子聞是語已即便還宮自白
父王今此國中有盲導師前已數反曾到大
海願王勑曉令共我去王聞是語自往其所
語導師言我此太子志存入海種種諫語意
志不迴事不得已今就聽去念其年少未廠

父王今此國中有盲導師前已數反曾到大
海願王勑曉令共我去王聞是語自往其所
語導師言我此太子志存入海種種諫語意
志不迴事不得已今就聽去念其年少未廠
辛苦聞海曾行知海去就望汝迴意忍勞共
往命時導師聞王是語即白王言恨我年老
盲無所見大王所勑豈敢有違王得是語即
自還宮于時太子即共導師論定發日還到
王所王問左右誰敢愛我可與太子共往採
寶波婆伽梨即白王言願與兄俱共涉大海
王聞此語而自念言今弟共往險厄之中儻能
濟要勝於他人作是念已即可聽去命時
太子出三千兩金以千兩辦糧千兩辨船復
以千兩供諸所須嚴辨已訖於是欲發王及
夫人諸王臣民涕哭送之別於路次於是太
子與諸同伴進道而去到於海邊牢治其船
合有七重從風時即推著水中以七大索繫
於海邊推鈴唱令語眾人言汝等皆聽海中
眾難水浪迴波惡龍羅剎黑風迴復海色之
山麃竭大魚如是餘難其數猶多前後入海
去還者少若孤疑者於此可還誰能堅意
捨身命不顧父母不念妻子當共入海至於
寶所若得珍寶安隱還歸子孫七世用不可
盡作是令已便斷一索日日如是至於七日
唱令已訖斷第七索望風舉帆船疾如箭逕
與諸人到彼寶渚太子聰明通達世典識寶
色相悉知其價示諸眾生諸寶好醜勑語眾
賈令適意取重告眾賈令多少得中多取松

盡作是念已便斷一索日日如是至於七日
唱令已訖斷第七索望風舉帆船疾如箭逹
與諸人到彼寶渚太子聡明通達世典識寶
色相悉知其價示諸衆生諸寶好醜勑語衆
賈令隨意取重告衆賈令多少得中多取船
重有沉沒之憂少取行勞不補其苦勑誡已
訖獨與導師別乘小船與衆人別轉復前進
導師問言此前應有白色之山汝為見不太
子言見導師語曰此是銀山轉復前行導師
復問當有紺色之山汝見未耶太子荅言我
已見之導師語言是紺瑠璃山轉更前進復
問太子此中應有黄色之山汝為見未太子
言見導師語之此是金山到金山下坐金沙
上導師言曰我今羸劣命必不濟即示方面
進止道路汝從是去前當有城其城極妙七
寶雜廁汝到城門城門若閉其城門邊有金
剛杵汝便取杵以椎其門城中當有五百天
女各賫寶珠来用奉汝更有一女最特尊勝
所持寶珠而有紺色名摘陁摩尼此如意珠
得便堅持勿令失脫其餘與者亦可取之攝
錄諸根勿復與語我今轉極餘命少劣若命
終後念識我恩對我發哀埋此沙中導師語
竟氣絶命終對之悲慟為之瑩埋隨其所敎
進前而去到七寶城城門堅閉見金剛杵在
其門邊如語取杵以椎其門城門便開五百
天女各持寶珠来奉太子最前一女手所持
珠如語紺色隨次第攝取裹在衣角便旋還
来前太子別後波婆伽梨復語衆人行来不

其門邊如語取杵以椎其門城門便開五百
天女各持寶珠来奉太子最前一女手所持
珠如語紺色隨次第攝取裹在衣角便旋還
来前太子別後波婆伽梨復語衆人行来不
易但當多取衆人貪寶取之過度太子還到
其船已滿放船還来船便沉沒諸賈人輩乍
沉乍浮太子以有如意珠故身不沒溺波婆
伽梨進喚太子當見救濟勿便捐棄太子闇
語即牽共浮力羸相挽便得出海出海之後
弟語兄言我曹兄弟辭父母来入於大海望
不空歸除遇不諧喪失財寶單身空到甚可
恥也伽良那伽梨天性忠直即語弟言我故
得寶弟語兄言當用見示即解衣裹以珠示
之弟得見珠因而懷情念我父母恩意不普
偏愛我兄我不在意今我二人俱来入海兄得
異寶我獨空歸從是已後當逐賊遇我當
云何因其卧寐除殺其兄取其珠寶歸語父
王言其兄沒海於是乃當專愛念我作是念
已密自懷計語其兄言人村漸近我曹兄弟
不應俱眠宜更坐守讓持寶珠兄即然之常
共更守波婆伽梨次應休眠卧地經時極過
常度然後乃起兄復次卧困坐久故瞌寐極
著波婆伽梨起入林中林中有樹其刺甚利
即取而拔各長尺五持来兄邊兄眠甚重一
手捉刺當其眼宕刺令沒刺取寶而去太子
苦痛高聲惡喚波婆伽梨波婆伽梨此中有
賊喚經數反無有應者尒時樹神語太子言
波婆伽梨是汝之賊刺汝眼竟持汝珠去於
時太子苑轉辛苦匍匐而行漸小前進到梨

賊喚經數爻無有應者尒時樹神語太子言
波婆伽梨是汝之賊刺汝眼竟持汝珠去於
時太子究轉辛苦匍匐而行漸小前進到梨
師跋跑國至於淄宮值五百頭牛來到其邊
有一牛王見於太子住敬無懷出舌舐之餘
牛悉集愕住共覩時牧牛人來前試看乃觀
太子卧在于地見其眼中有是長刺觀其形
相又知非凡即為拔刺將至住處常以蘇乳
著其創中飲食供給隨時瞻養復經數時眼
創漸差主人厭事未曾懈廢尒時太子問牧
牛人汝居此中有何基業牧牛人荅我在此
中無有基業唯仰乳酪賣用自濟太子自念
我曹困厄勞煩主人恒供養我今者創差小
能行來當更方宜求易處所念是事已因語
主人尒所時節共相勞煩感念主人恩難酬
報我欲前行到於城中展轉行乞以自供活
時牧牛舍主聞太子言懼其舍內妻子奴婢
有餘慢諱聞太子耳若其不尒何緣乃肆作
是念已先問舍內汝曹有何不稱之事而令
貴客辭欲索去舍內皆言我曹於此如兄如
弟不知何緣欲相捨去於時舍主語太子言
我相承待未有不稱不可捨我轉行餘乞於
時太子聞舍主語見其慇勤恒讓其意且亦
停住復經數時便語主人汝供侍我隨時無
乏家內一切撩我隆厚但我意中自欲轉行
到前城中望遣一人將我共往時牧牛人見
其慇勤忠違其意令其心愁躬自將護共至
城中已到彼城共別當還太子語言汝哀我者

乏家內一切撩我隆厚但我意中自欲轉行
到前城中望遣一人將我共往時牧牛人見
其慇勤忠違其意令其心愁躬自將護共至
城中已到彼城共別當還太子語言汝哀我者
買索一琴與我自娛時牧牛人尋買索與
共相辭謝於是別去尒時太子素多伎能歌
頌文辭極善巧妙即於陌宕激聲歌頌彈琴
以和音甚清雅城中人民聞其音者皆集聽
觀無有厭足各持飲食競來與之時城中有
五百乞兒皆來依附賴其飽食梨師跋王有
一園監為王監守果菓之園菓有熟者鸚鵡
來食手力不周不能驚遮於時園監擔菓與
王其中好菓鸚鵡啄壞王見瞋恚欲加刑罰園
監惶怖向王自陳家之人力故使尒耳唯
見寬恕原叩刑罰當索守人更不令尒王便
恕置不問其罪園監得脫行求索人見伽良
那伽梨叨於道邊觀其形相似是忠人即語
之曰汝能為我看守園不汝若能者當供所
之太子荅言我眼無見云何看守園監語言
汝苟欲者雖復無眼當作方便多作細繩繫諸
樹端以諸鈴物連繫相著展轉相牽汝捉
一頭若聞有聲汝便頓繩鸚鵡驚怖無緣得
住太子聞語而荅之言若有此事我能為之共
相可竟即往為守時波婆伽梨到父王國
王恠獨來即問消息波婆伽梨而語王言我
曹不偶船重沉沒伽良那伽梨并諸賈人合
諸珍寶盡沒大海我力屬浮趣得全濟王及
夫人聞是語已悶絶良久無所覺識以水灑

王枝猛来即問消息波婆迦梨而語王言我
曹不偶舩重沉沒迦良那伽梨并諸賈人合
諸珎寶盡沒大海我力羸浮趣得令濟王及
夫人聞是語已悶絕良久無所覺識以水灑
面因乃還蘇宮閤內外諸王恶民聞此事者
莫不悲悼王及夫人語波婆迦梨太子沒海
汝何以來何不并就死大海中令王恶民無
不痛惜朝夕哭憲如喪父母太子在宮常憂
一鴈王告其鴈太子養汝今於大海掩沒不
還何不往看知其所在因作書音以繫鴈頸
鴈即高翔廣行求覓遊彼園上識其歌聲即
下識看得見太子鳴聲悲書不能自勝太子
聞識即解取書眼無所見不能看讀因求筆
紙作書與王說波婆迦梨剌眼委曲所更應
處辛酸諸事繫於鴈鵄鴈便飛去梨師跋王
時有一女端正殊妙世間希有王甚愛重不
違其意時女降王出遊園觀王便聽去女至
園中見於太子迦良那伽梨頭亂面垢目無
所見著弊壞衣坐林樹間其女觀察親其色
狀心情屬向不離其側便坐其邊與共談語
食時已到王遣人喚女還遣人白於王曰願
送食來欲就此食即送食來女語太子我欲
共汝一處坐食太子答言我是乞丐之人汝
是王女云何共食若王聞者罪我不少妻
殷勤語太子言若汝不肯我便不食如是數
反逼迫不已而便共食言遂款篤意漸附近
日無去離日轉欲暮王遣人喚女還遣人往白
白王曰我願為此守園之婦不用其餘國王

反逼迫不已而便共食言遂款篤意漸附近
日無去離日轉欲暮王遣人喚女還遣人往白
白王曰我願為此守園之婦不用其餘國王
太子令我專心殷勤如是唯願父王勿違我
意使到王所具道其事王聞是已不能違
情因自言曰此事実異是女不肯乃至若是寶
因自言曰此事実異是女不肯乃至若是寶
壁大王為第一太子迦良那伽伽梨來求索之
今此太子入海未還乃欲為是乞兒作婦辱人
右字甚為不少我當霞頭藏著何處作是
語已復遣人喚女言如初執志不移時王憂
今不能違意就并將来著於宮中便令委會
成為夫婦復經數日婦恒晝去冥乃来還夫
恠問之汝言與我共為夫婦晨去暮還心不
在此將為他志故使介耶婦因自誓我今一
心共相尊奉無有他意大如毛髮若當實介
至誠不虛令汝一目平良如故言誓已訖一目
尋復如故復問太子汝之父母為在何國太
子語婦汝聞大王勒那跋彌名字不耶答
言聞之是我父也彼王太子迦良那伽梨汝
復聞不答言聞之我身是也婦即驚問汝復
何為辛苦如是太子因為說其本末婦聞是
語深懷歎息語太子言波婆迦梨懷害於汝
自古至今未有此處汝若得彼當云何治答
言波婆迦梨雖害於我我於其邊永無瞋恨
婦復語言此事難信相因如是柰何不瞋迦
良那伽梨因自誓言若我於彼波婆迦梨無
有纖恨太如毛髮我言至誠不虛欺者當令

言波婆伽梨雖害於我我於其邊永無瞋恨
婦復語言此事難信相因如是奈何不瞋迦
良耶伽梨因自誓言若我於彼波婆伽梨無
有微恨太如毛髮我言至誠不虛欺者當令
一目復得平復自誓已訖眼悉明淨婦見其

清因自言曰此事安異是女不肯乃至若是寶
鎧大王為第一太子迦良耶伽梨來求索之
今此太子入海未還乃欲為是乞兒作婦辱人
名字甚為不少我當覆頭藏著何處作是
語已復遣人喚女言如物執志不移時王憂
念不能還意就弃將來著於宮中便令受會
戍為夫婦復經數日婦恒晝去冥乃來還夫
性問之汝言與我共為夫婦晨去暮還心不
在此將為他志故使尒耶婦因自擔我今一
心共相尊奉無有他意大如毛髮若當實尒
至誠不虛令汝一目平良如故言誓已訖一
目尋復如故復問太子汝之父母為在何國
太子語婦汝聞大王勒那跋弥名字不耶荅
言聞之是我父也彼王太子迦良耶伽梨汝
復聞不荅言聞之我身是也婦即驚問汝復
何為辛苦如是太子因為說其本末婦聞是
語深懷歎息語太子言波婆伽梨懷害於汝
自古至今未有此處汝若得彼當云何治荅
言波婆伽梨雖害於我我於其邊永無瞋恨

何為辛苦如是太子因為說其本末婦聞是
語深懷歎息語太子言波婆伽梨懷害於汝
自古至今未有此處汝若得彼當云何治荅
言波婆伽梨雖害於我我於其邊永無瞋恨
婦復語言此事難信相因如是奈何不瞋迦
良耶伽梨因自誓言若我於彼波婆伽梨無
有微恨大如毛髮我言至誠不虛欺者當令
一目復得平復自誓已訖眼悉明淨婦見其
夫兩目自淨端正殊相未曾所覩喜不自勝
往白其父寶鎧太子迦良耶伽梨父王識不
王荅言識女即言曰今欲見不王言今在何
處女言我夫則是其人王咲之曰此女癡狂
志亂失性迦良耶伽梨入海未還見盲乞兒
名之為是女復白言願王往看王尋往觀審
是太子衣毛悚然愧懼交懷腹拍其前向懺
悔言實不相知願恕其過密將太子還著眾
上便唱露言大王太子迦良耶伽梨從大海
還施設雜具嚴駕象馬郭與群臣自往迎之
還來到國廣作賓衆莊校其女方云始欲以
女為配尒時應還擔書到國大王見鴈披解
看讀始得消息知太子存在具其所更辛酸
諸事王及夫人乍悲乍喜宮閤內外靡不悲
悼懊惱瞋憤欲波婆伽梨枷鎖其身幽閉在
獄勅令告下梨師跋王太子辛苦在於尒國
云何默住不來表示書到其時為馬侍送事
若有違吾當自往使便賫書逕到其國梨師
跋王奉受披讀於是太子語梨師跋王牧牛
之人於我有恩我今思念欲得見之可遣使

悼懊惱瞋憤取波婆迦梨枷鎖其身幽閉在
獄勅令告下梨師跋王太子辛苦在於尒國
云何默住不來表示書到其時爲馬侍送事
若有違吾當自往使便賫書送到其國梨師
跋王奉受披讀於是太子語梨師跋王牧牛
之人於我有恩我今思念欲得見之可遣使
往爲我喚之王尋召來太子語王我被眼刺
去仰此人供給將養如我父母王若見念當
爲我報王大歡喜即時賜遣名衣上服象馬
車乘園田舍宅金銀寶物奴婢僕使并所典
牛盡將與之其人歡喜非其所望便得安樂
終身富貴即還報使因表事情太子在此實
所不知辛酸諸事伏想委曲太子今者已還得
眼即娉鄙女爲太子妻尒嚴辯具悉白衛
送尋勅嚴具五百白象金銀校飾趣令殊妙
選五百人奉侍太子復令擇取五百侍女極
取端去未能巧妙種種寶物而莊飾之五百
乘車寶物莊校亦令極妙以送其女梨師跋
王自與群臣數百千乘亦共侍送伎樂歌頌
圍繞前後稱慶無量進道還國尒時其使
到大王所披讀書表甚懷喜踊告下諸王悉
皆來集即嚴象馬群臣百官夫人綵女導從
前後引迎太子到於界上尒時太子遥見父王
下車步進頭面礼拜問訊父母父母亦下更
共抱持別久念想與汝相見一悲一喜諸王
臣民見其如是欣感之情不可具說談語粗
訖即還駕乘椎鍾鳴鼓作衆伎樂歡喜稱善
導從趣城到城門外太子白王波婆迦梨今何

臣民見其如是欣感之情不可具說談語粗
訖即還駕乘椎鍾鳴鼓作衆伎樂歡喜稱善
導從趣城到城門外太子白王波婆迦梨今何
所在王荅之言如斯惡人天下不覆吾不
忍見先來幽閉在於獄中太子白王今當還
放王荅之言其罪深重未及撿挍云何當出
太子復言若不放出波婆迦梨終不入城王
即勅放語令來出既得脫出來見太子太子
抱持慰撫其意然後尒乃入城至宮尒時父
母諸王臣民男女大小見於太子視於怨家
如視赤子波婆迦梨雖刺其眼無有微恨大
如毛髮敬愛慈惻倍加於前一切大衆皆共
歎美甚爲奇特天上人中實無有皆太子到
宮與波婆迦梨親款之情慈愛如舊徐問其
珠今在何處波婆迦梨荅太子言來時藏著
道邊土中勅還往取求覓不得太子共往到
便見之收拾珠寶還共歸宮以五百寶珠遺
與諸王各令取一璣如意珠而自留之手捉其
珠便從求願若實當是如意珠者令我父
母所坐之處有七寶座頂上當有七寶大蓋
其言已訖如語而成復捉其珠而從求願令
我父母宮內諸藏及諸王臣所有諸藏前所
用施悉令還滿即時捉珠四向應訖一切諸
藏而皆還滿復勅諸臣告下諸國迦良那伽
梨太子却後七日當雨七寶即時告下悉皆
聞知於時太子香湯洗浴竪立大幢以珠著
頭著新淨衣手執香爐向四方礼口自說言
若其寶是如意珠者便當普雨一切所須求

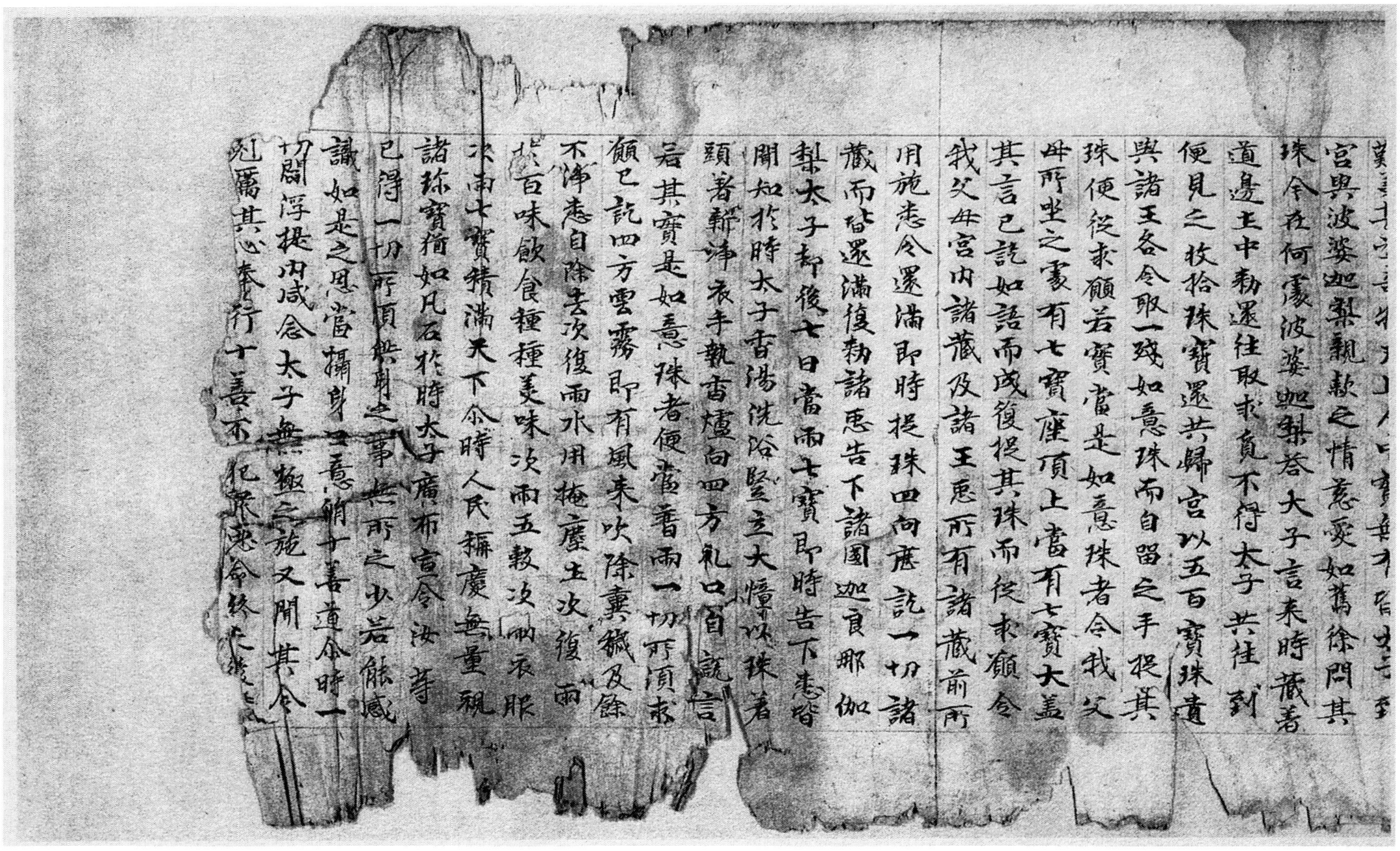

[illegible]
宮與波婆伽梨親款之情意愛如舊徐問其
珠今在何處波婆伽梨答太子言來時藏著
道邊王中勅還往取求覓不得太子共往到
便見之收拾珠寶還共歸宮以五百寶珠遺
與諸王各令取一致如意珠而自留之手捉其
珠便從求願若實當是如意珠者令我父
母所坐之處有七寶座頂上當有七寶大蓋
其言已訖如語而成復捉其珠而從求願令
我父母宮內諸藏及諸王悉所有諸藏前所
用施悉令還滿即時捉珠四向應訖一切諸
藏而皆還滿復勅諸悉告下諸國迦良那伽
梨太子卻後七日當雨七寶即時告下悉皆
聞知於時太子香湯洗浴豎立大幢以珠著
頭著新淨衣手執香爐向四方禮口自說言
若其實是如意珠者便當普雨一切所須求
願已訖四方雲霧即有風來吹除糞穢及餘
不淨悉自除去次復雨水用掩塵土次復雨
於百味飲食種種美味次雨五穀次雨衣服
次雨七寶積滿天下尒時人民稱慶無量觀
諸珍寶猶如凡石於時太子廣布宣令汝等
已得一切所須無乏之事無所乏少若能感
識如是之恩當攝身口意脩十善道尒時一
切閻浮提內咸念太子無極之施又聞其令
剋厲其心奉行十善不犯眾惡命終[illegible]

BD01541 號　賢愚經（異卷）卷一〇　（22–22）

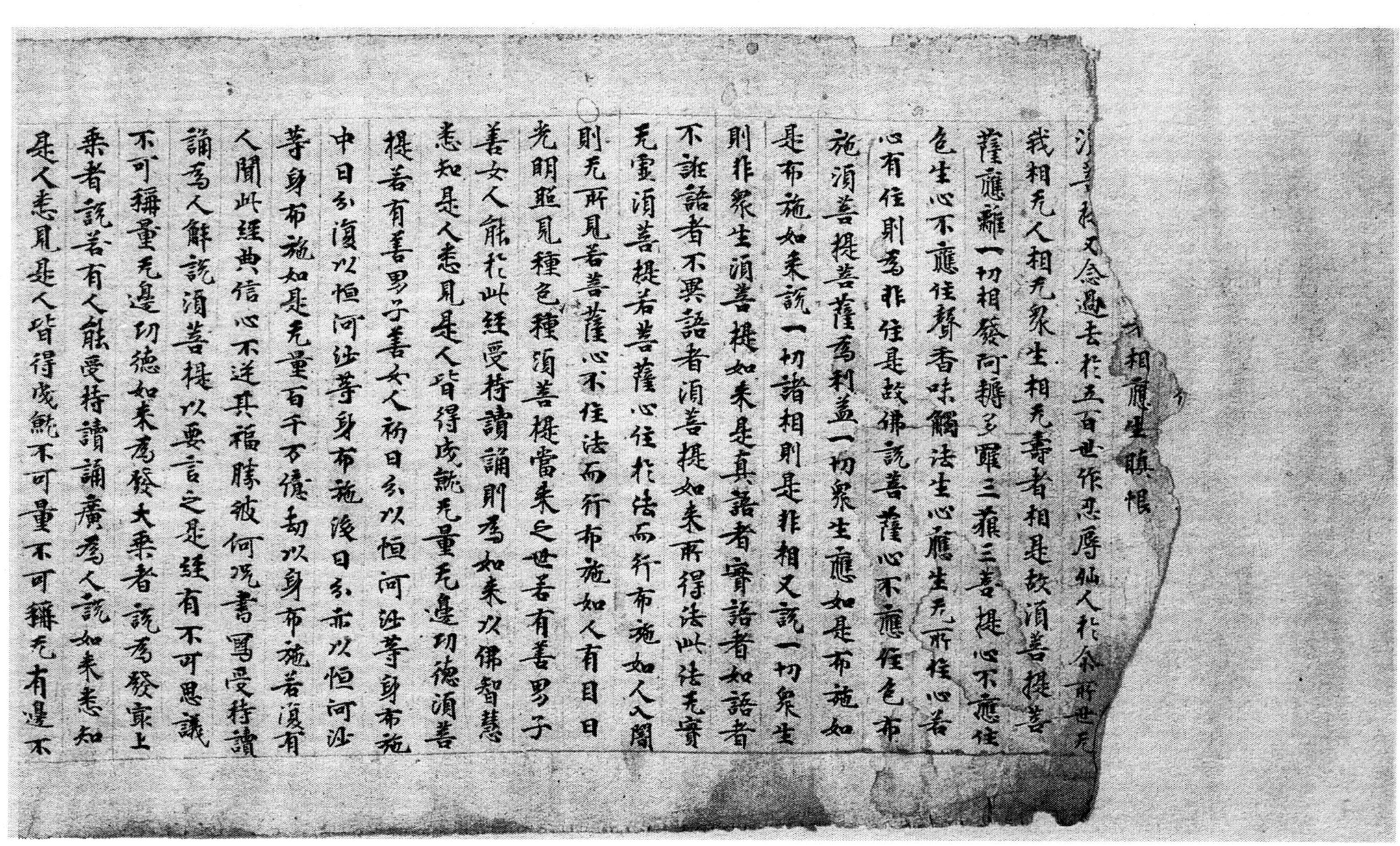
[illegible]相應生瞋恨
須菩提又念過去於五百世作忍辱仙人於尒所世无
我相无人相无眾生相无壽者相是故須菩提菩
薩應離一切相發阿耨多羅三藐三菩提心不應住
色生心不應住聲香味觸法生心應生无所住心若
心有住則為非住是故佛說菩薩心不應住色布
施須菩提菩薩為利益一切眾生應如是布施如
是布施如來說一切諸相則是非相又說一切眾生
則非眾生須菩提如來是真語者實語者如語者
不誑語者不異語者須菩提如來所得法此法无實
无虛須菩提若菩薩心住於法而行布施如人入闇
則无所見若菩薩心不住法而行布施如人有目日
光明照見種種色須菩提當來之世若有善男子
善女人能於此經受持讀誦則為如來以佛智慧
悉知是人悉見是人皆得成就无量无邊功德須菩
提若有善男子善女人初日分以恒河沙等身布施
中日分復以恒河沙等身布施後日分亦以恒河沙
等身布施如是无量百千万億劫以身布施若復有
人聞此經典信心不逆其福勝彼何況書寫受持讀
誦為人解說須菩提以要言之是經有不可思議
不可稱量无邊功德如來為發大乘者說為發最上
乘者說若有人能受持讀誦廣為人說如來悉知
是人悉見是人皆得成就不可量不可稱无有邊不

BD01542 號　金剛般若波羅蜜經　（7–1）

人聞此經典信心不逆其福勝彼何况書冩受持讀
誦爲人解說須菩提以要言之是經有不可思議
不可稱量无邊功德如来爲發大乘者說爲發冣上
乘者說若有人能受持讀誦廣爲人說如来悉知
是人悉見是人皆得成就不可量不可稱无有邊不
可思議功德如是人等則爲荷擔如来阿耨多羅三
藐三菩提何以故須菩提若樂小法者著我見人見
衆生見壽者見則於此經不能聽受讀誦爲人解說
須菩提在在處處若有此經一切世間天人阿脩羅
所應供養當知此處則爲是塔皆應恭敬作礼
圍繞以諸花香而散其處
復次須菩提若善男子善女人受持讀誦此經若
爲人輕賤是人先世罪業應墮惡道以今世人輕賤
故先世罪業則爲消滅當得阿耨多羅三藐三菩
提須菩提我念過去无量阿僧祇劫於然燈佛前
得值八百四千万億那由他諸佛悉皆供養承
事无空過者若復有人於後末世能受持讀誦
此經於我所供養諸佛功德百分不及一千万億分
乃至筭數譬喻所不能及須菩提若善男子善
女人於後末世有受持讀誦此經所得功德我若
具說者或有人聞心則狂亂狐疑不信須菩提當
知是經義不可思議果報亦不可思議
尒時須菩提白佛言世尊善男子善女人發阿耨
多羅三藐三菩提心云何應住云何降伏其心佛告
須菩提若善男子善女人發阿耨多羅三藐三菩
者當生如是心我應滅度一切衆生滅度一切衆生
已而无有一衆生實滅度者何以故若菩薩有我

BD01542 號　金剛般若波羅蜜經

（7–2）

須菩提若善男子善女人發阿耨多羅三藐三菩
者當生如是心我應滅度一切衆生滅度一切衆生
已而无有一衆生實滅度者何以故若菩薩有我
相人相衆生相壽者相則非菩薩所以者何須菩
提實无有法發阿耨多羅三藐三菩提心者須菩
提於意云何如来於然燈佛所有法得阿耨多羅
三藐三菩提不不也世尊如我解佛所說義佛於
然燈佛所无有法得阿耨多羅三藐三菩提
佛言如是如是須菩提實无有法如来得阿耨多
羅三藐三菩提須菩提若有法如来得阿耨多羅
三藐三菩提者然燈佛則不與我受記汝於来世
當得作佛号釋迦牟尼以實无有法得阿耨多羅
三藐三菩提是故然燈佛與我受記作是言汝於来
世當得作佛号釋迦牟尼何以故如来者即諸法如
義若有人言如来得阿耨多羅三藐三菩提須菩
提實无有法佛得阿耨多羅三藐三菩提須菩提如
来所得阿耨多羅三藐三菩提於是中无實无虛是
故如来說一切法皆是佛法須菩提所言一切法者即
非一切法是故名一切法
須菩提譬如人身長大須菩提言世尊如来說人
身長大則爲非大身是名大身須菩提菩薩亦如
是若作是言我當滅度无量衆生則不名菩薩何
以故須菩提實无有法名爲菩薩是故佛說一切法
无我无人无衆生无壽者須菩提若菩薩作是言
我當莊嚴佛土是不名菩薩何以故如来說莊嚴佛
土者即非莊嚴是名莊嚴須菩提若菩薩通達无
我法者如来說名真是菩薩

BD01542 號　金剛般若波羅蜜經

（7–3）

无我无人无衆生无壽者須菩提若菩薩作是言
我當莊嚴佛土是不名菩薩何以故如來說莊嚴佛
土者即非莊嚴是名莊嚴須菩提若菩薩通達无
我法者如來說名真是菩薩
須菩提於意云何如來有肉眼不如是世尊如來
有肉眼須菩提於意云何如來有天眼不如是世
尊如來有天眼須菩提於意云何如來有慧眼不
如是世尊如來有慧眼須菩提於意云何如來有
法眼不如是世尊如來有法眼須菩提於意云何
如來有佛眼不如是世尊如來有佛眼
須菩提於意云何如恒河中所有沙佛說是沙不
如是世尊如來說是沙須菩提於意云何如一恒河
中所有沙有如是等恒河是諸恒河所有沙數佛
世界如是寧為多不甚多世尊佛告須菩提尒所
國土中所有衆生若干種心如來悉知何以故如來
說諸心皆為非心是名為心所以者何須菩提過
去心不可得現在心不可得未來心不可得須菩
提於意云何若有人滿三千大千世界七寶以用布
施是人以是因緣得福多不如是世尊此人以是因
緣得福甚多須菩提若福德有實如來不說得福
德多以福德无故如來說得福德多
須菩提於意云何佛可以具足色身見不不也世
尊如來不應以色身見何以故如來說具足色身即
非具足色身是名具足色身須菩提於意云何如
來可以具足諸相見不不也世尊如來不應以具足
諸相見何以故如來說諸相具足即非具足是名
諸相具足須菩提汝勿謂如來作是念我當有
所說法莫作是念何以故若人言如來有所說法即

BD01542號　金剛般若波羅蜜經　（7–4）

非具足色身是名具足色身須菩提於意云何如
來可以具足諸相見不不也世尊如來不應以具足
諸相見何以故如來說諸相具足即非具足是名
諸相具足須菩提汝勿謂如來作是念我當有
所說法莫作是念何以故若人言如來有所說法即
為謗佛不能解我所說故須菩提說法者无法可
說是名說法須菩提白佛言世尊佛得阿耨多羅
三藐三菩提為无所得耶佛言如是如是須菩提
我於阿耨多羅三藐三菩提乃至无有少法可
得是名阿耨多羅三藐三菩提復次須菩提是法平
等无有高下是名阿耨多羅三藐三菩提以无我无
人无衆生无壽者脩一切善法則得阿耨多羅三藐
三菩提須菩提所言善法者如來說非善法是名
善法須菩提若三千大千世界中所有諸須弥山
王如是等七寶聚有人持用布施若人以此般若波羅
蜜經乃至四句偈等受持讀誦為他人說於前福德
百分不及一百千万億分乃至筭數譬喻所不能及
須菩提於意云何汝等勿謂如來作是念我當度
衆生須菩提莫作是念何以故實无有衆生如來
度者若有衆生如來度者如來則有我人衆生壽
者須菩提如來說有我者則非有我而凡夫之人以
為有我須菩提凡夫者如來說則非凡夫
須菩提於意云何可以三十二相觀如來不須菩
提言如是如是以三十二相觀如來佛言須菩提
若以三十二相觀如來者轉輪聖王則是如來須菩
提白佛言世尊如我解佛所說義不應以三十二
相觀如來尒時世尊而說偈言

BD01542號　金剛般若波羅蜜經　（7–5）

提言如是如是以三十二相觀如來佛言須菩提
若以三十二相觀如來者轉輪聖王則是如來須菩
提白佛言世尊如我解佛所說義不應以三十二
相觀如來尒時世尊而說偈言
若以色見我　以音聲求我　是人行邪道　不能見如來
須菩提汝若作是念如來不以具足相故得阿耨多
羅三藐三菩提須菩提莫作是念如來不以具足
相故得阿耨多羅三藐三菩提須菩提汝若作是
念發阿耨多羅三藐三菩提者說諸法斷滅相莫
作是念何以故發阿耨多羅三藐三菩提者於法
不說斷滅相須菩提若菩薩以滿恒河沙等世界
七寶以用布施若復有人知一切法无我得成於忍
此菩薩勝前菩薩所得功德須菩提以諸菩薩
不受福德故須菩提白佛言世尊云何菩薩不
受福德須菩提菩薩所作福德不應貪著是故
佛說不受福德須菩提若有人言如來若來若去
若坐若卧是人不解我所說義何以故如來者无
所從來亦无所去故名如來
須菩提若善男子善女人以三千大千世界碎為
微塵於意云何是微塵衆寧為多不甚多世尊
何以故若是微塵衆實有者佛則不說是微塵
衆所以者何佛說微塵衆則非微塵衆是名微塵
衆世尊如來所說三千大千世界則非世界是名
世界何以故若世界實有者則是一合相如來說
一合相則非一合相是名一合相須菩提一合相者
則是不可說但凡夫之人貪著其事須菩提若
人言佛說我見人見衆生見壽者見須菩提於
意云何是人解我所說義不不也世尊是人不

BD01542號　金剛般若波羅蜜經　（7–6）

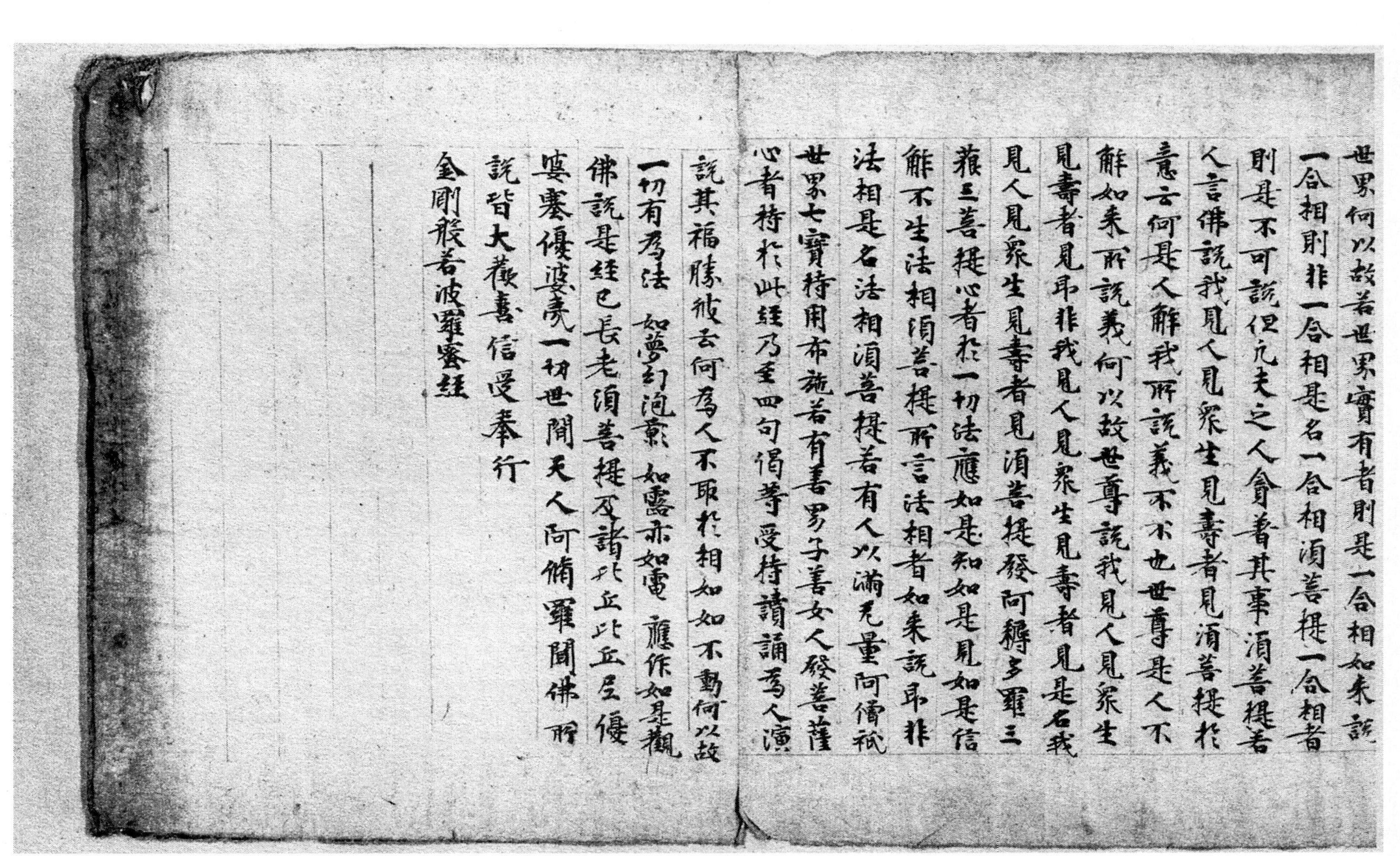
世界何以故若世界實有者則是一合相如來說
一合相則非一合相是名一合相須菩提一合相者
則是不可說但凡夫之人貪著其事須菩提若
人言佛說我見人見衆生見壽者見須菩提於
意云何是人解我所說義不不也世尊是人不
解如來所說義何以故世尊說我見人見衆生
見壽者見即非我見人見衆生見壽者見是名我
見人見衆生見壽者見須菩提發阿耨多羅三
藐三菩提心者於一切法應如是知如是見如是信
解不生法相須菩提所言法相者如來說即非
法相是名法相須菩提若有人以滿无量阿僧祇
世界七寶持用布施若有善男子善女人發菩薩
心者持於此經乃至四句偈等受持讀誦為人演
說其福勝彼云何為人不取於相如如不動何以故
一切有為法　如夢幻泡影　如露亦如電　應作如是觀
佛說是經已長老須菩提及諸比丘比丘尼優
婆塞優婆夷一切世間天人阿脩羅聞佛所
說皆大歡喜信受奉行
金剛般若波羅蜜經

BD01542號　金剛般若波羅蜜經　（7–7）

妙法蓮華經卷第二

BD01543號背　妙法蓮華經卷二護首　　　　（1-1）

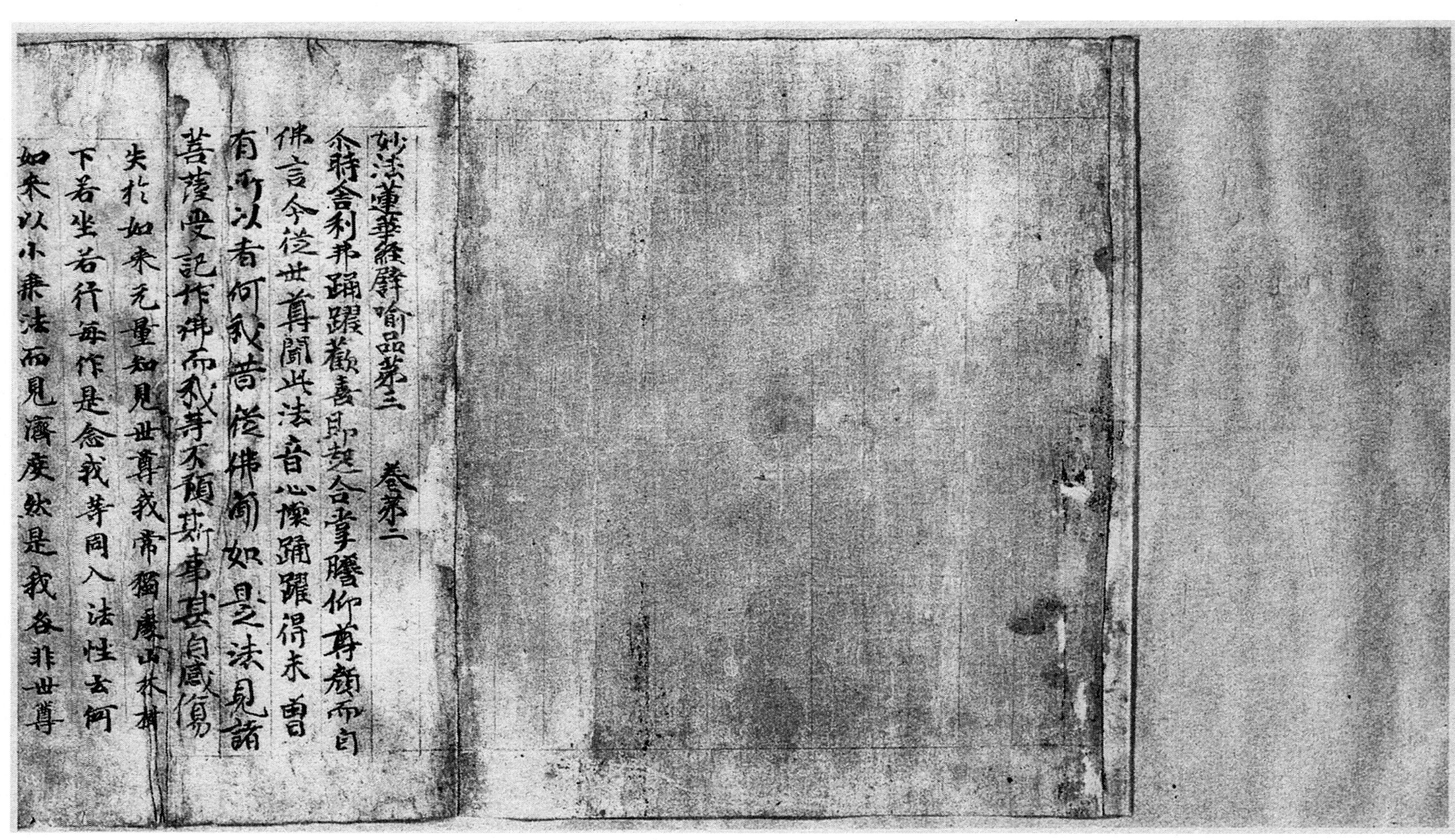
妙法蓮華經譬喻品第三　卷第二
尒時舍利弗踊躍歡喜即起合掌瞻仰尊顏而白
佛言今從世尊聞此法音心懷踊躍得未曾
有所以者何我昔從佛聞如是法見諸
菩薩受記作佛而我等不預斯事甚自感傷
失於如來无量知見世尊我常獨處山林樹
下若坐若行每作是念我等同入法性云何
如來以小乘法而見濟度然是我等咎非世尊

BD01543號　妙法蓮華經卷二　　　　（28-1）

有所以者何我昔從佛聞如是之法見諸
菩薩受記作佛而我等不預斯事甚自感傷
失於如來无量知見世尊我常獨處山林樹
下若坐若行每作是念我等同入法性云何
如來以小乘法而見濟度然是我咎非世尊
也所以者何若我等待說所因成就阿耨多
羅三藐三菩提者必以大乘而得度脫然我
等不解方便隨宜所說初聞佛法遇便信受
思惟取證世尊我從昔來終日竟夜每自剋
責而今從佛聞所未聞未曾有法斷諸疑悔
身意泰然快得安隱今日乃知真是佛子從
佛口生從法化生得佛法分尒時舍利弗欲
重宣此義而說偈言
我聞是法音 得所未曾有 心懷大歡喜 疑網皆已除
昔來蒙佛教 不失於大乘 佛音甚希有 能除衆生惱
我已得漏盡 聞亦除憂惱 我處於山谷 或在林樹下
若坐若經行 常思惟是事 嗚呼深自責 云何而自欺
我等亦佛子 同入无漏法 不能於未來 演說无上道
金色三十二 十力諸解脫 同共一法中 而不得此事
八十種妙好 十八不共法 如是等功德 而我皆已失
我獨經行時 見佛在大衆 名聞滿十方 廣饒益衆生
自惟失此利 我為自欺誑 我常於日夜 每思惟是事
欲以問世尊 為失為不失 我常見世尊 稱讚諸菩薩
以是於日夜 籌量如此事 今聞佛音聲 隨宜而說法
无漏難思議 令衆至道場 我本著邪見 為諸梵志師
世尊知我心 拔邪說涅槃 我悉除邪見 於空法得證

BD01543號　妙法蓮華經卷二　（28–2）

欲以問世尊 為失為不失 我常見世尊 稱讚諸菩薩
以是於日夜 籌量如此事 今聞佛音聲 隨宜而說法
无漏難思議 令衆至道場 我本著邪見 為諸梵志師
世尊知我心 拔邪說涅槃 我悉除邪見 於空法得證
尒時心自謂 得至於滅度 而今乃自覺 非是實滅度
若得作佛時 具三十二相 天人夜叉衆 龍神等恭敬
是時乃可謂 永盡滅无餘 佛於大衆中 說我當作佛
聞如是法音 疑悔悉已除 初聞佛所說 心中大驚疑
將非魔作佛 惱亂我心耶 佛以種種緣 譬喻巧言說
其心安如海 我聞疑網斷 佛說過去世 无量滅度佛
安住方便中 亦皆說是法 現在未來佛 其數无有量
亦以諸方便 演說如是法 如今者世尊 從生及出家
得道轉法輪 亦以方便說 世尊說實道 波旬无此事
以是我定知 非是魔作佛 我墮疑網故 謂是魔所為
聞佛柔軟音 深遠甚微妙 演暢清淨法 我心大歡喜
疑悔永已盡 安住實智中 我定當作佛 為天人所敬
轉无上法輪 教化諸菩薩
尒時佛告舍利弗吾今於天人沙門婆羅門
等大衆中說我昔曾於二万億佛所為无上
道故常教化汝汝亦長夜隨我受學我以方
便引導汝故生我法中舍利弗我昔教汝志
願佛道汝今悉忘而便自謂已得滅度我今
還欲令汝憶念本願所行道故為諸聲聞說
是大乘經名妙法蓮華教菩薩法佛所護念
舍利弗汝於未來世過无量无邊不可思議
劫供養若干千万億佛奉持正法具足菩薩

BD01543號　妙法蓮華經卷二　（28–3）

還欲令汝憶念本願所行道故為諸聲聞說
是大乘經名妙法蓮華教菩薩法佛所護念
舍利弗汝於未來世過无量无邊不可思議
劫供養若干千万億佛奉持正法具足菩薩
所行之道當得作佛号曰華光如來應供正
遍知明行足善逝世間解无上士調御丈夫
天人師佛世尊國名離垢其土平正清淨嚴
飾安隱豐樂天人熾盛琉璃為地有八交道
黃金為繩以界其側其傍各有七寶行樹常
有華菓華光如來亦以三乘教化眾生舍利
弗彼佛出時雖非惡世以本願故說三乘法
其劫名大寶莊嚴何故名曰大寶莊嚴其國
中以菩薩為大寶故彼諸菩薩无量无邊不
可思議算數譬喻所不能及非佛智力无能
知者若欲行時寶華承足此諸菩薩非初發
意皆久殖德本於无量百千万億佛所淨脩
梵行恒為諸佛之所稱歎常脩佛慧具大神
通善知一切諸法之門質直无偽志念堅固
如是菩薩充滿其國舍利弗華光佛壽十二
小劫除為王子未作佛時其國人民壽八小
劫華光如來過十二小劫授堅滿菩薩阿耨
多羅三藐三菩提記告諸比丘是堅滿菩薩
次當作佛号曰華足安行多陀阿伽度阿羅
訶三藐三佛陀其佛國土亦復如是舍利弗
是華光佛滅度之後正法住世三十二小劫
像法住世亦三十二小劫尒時世尊欲重宣

BD01543 號　妙法蓮華經卷二　（28–4）

次當作佛号曰華足安行多陀阿伽度阿羅
訶三藐三佛陀其佛國土亦復如是舍利弗
是華光佛滅度之後正法住世三十二小劫
像法住世亦三十二小劫尒時世尊欲重宣
此義而說偈言
舍利弗來世　成佛普智尊　号名曰華光　當度无量眾
供養无數佛　具足菩薩行　十力等功德　證於无上道
過无量劫已　劫名大寶嚴　世界名離垢　清淨无瑕穢
以琉璃為地　金繩界其道　七寶雜色樹　常有華菓實
彼國諸菩薩　志念常堅固　神通波羅蜜　皆已悉具足
於无數佛所　善學菩薩道　如是等大士　華光佛所化
佛為王子時　棄國捨世榮　於最末後身　出家成佛道
華光佛住世　壽十二小劫　其國人民眾　壽命八小劫
佛滅度之後　正法住於世　三十二小劫　廣度諸眾生
正法滅盡已　像法三十二　舍利廣流布　天人普供養
華光佛所為　其事皆如是　其兩足聖尊　最勝无倫匹
彼即是汝身　宜應自欣慶
尒時四部眾比丘比丘尼優婆塞優婆夷天
龍夜叉乾闥婆阿脩羅迦樓羅緊那羅摩睺
羅伽等大眾見舍利弗於佛前受阿耨多羅
三藐三菩提記心大歡喜踊躍无量各各脫
身所著上衣以供養佛釋提桓因梵天王等
與无數天子亦以天妙衣天曼陀羅華摩訶
曼陀羅華等供養於佛所散天衣住虛空中
而自迴轉諸天伎樂百千万種於虛空中一
時俱作雨眾天華而作是言佛昔於波羅

BD01543 號　妙法蓮華經卷二　（28–5）

曼陁羅華等供養於佛所散天衣住虛空中
而自迴轉諸天伎樂百千万種於虛空中一
時俱作雨眾天華而作是言佛昔於波羅
柰初轉法輪今乃復轉无上最大法輪尒時
諸天子欲重宣此義而說偈言

昔於波羅柰　轉四諦法輪　分別說諸法　五眾之生滅
今復轉最妙　无上大法輪　是法甚深奧　少有能信者
我等從昔來　數聞世尊說　未曾聞如是　深妙之上法
世尊說是法　我等皆隨喜　大智舍利弗　今得受尊記
我等亦如是　必當得作佛　於一切世間　最尊无有上
佛道叵思議　方便隨宜說　我所有福業　今世若過世
及見佛功德　盡迴向佛道

尒時舍利弗白佛言世尊我今无復疑悔親
於佛前得受阿耨多羅三藐三菩提記是諸
千二百心自在者昔住學地佛常教化言我
法能離生老病死究竟涅槃是學无學人
亦各自以離我見及有无見等謂得涅槃而
今於世尊前聞所未聞皆墮疑惑善哉世尊
願為四眾說其因緣令離疑悔尒時佛告舍
利弗我先不言諸佛世尊以種種因緣譬喻
言辭方便說法皆為阿耨多羅三藐三菩提耶
是諸所說皆為化菩薩故然舍利弗今當復
以譬喻更明此義諸有智者以譬喻得解舍
利弗若國邑聚落有大長者其年衰邁財富
无量多有田宅及諸僮僕其家廣大唯有一

BD01543號　妙法蓮華經卷二

(28–6)

利弗若國邑聚落有大長者其年衰邁財富
无量多有田宅及諸僮僕其家廣大唯有一
門多諸人眾一百二百乃至五百人止住其
中堂閣朽故墻壁頹落柱根腐敗梁棟傾危
周帀俱時欻然火起焚燒舍宅長者諸子若
十二十或至三十在此宅中長者見是大火
從四面起即大驚怖而作是念我雖能於此
所燒之門安隱得出而諸子等於火宅內樂
著嬉戲不覺不知不驚不怖火來逼身苦痛
切己心不厭患无求出意舍利弗是長者作
是思惟我身手有力當以衣裓若以几案從
舍出之復更思惟是舍惟有一門而復狹小
諸子幼稚未有所識戀著戲處或當墮落為
火所燒我當為說怖畏之事此舍已燒宜時
疾出无令為火之所燒害作是念已如所思
惟具告諸子汝等速出父雖憐愍善言誘喻
而諸子等樂著嬉戲不肯信受不驚不畏了
无出心亦復不知何者是火何者為舍云何
為失但東西走戲視父而已尒時長者即作
是念此舍已為大火所燒我及諸子若不時
出必為所焚我今當設方便令諸子等得免
斯害父知諸子先心各有所好種種珍玩奇
異之物情必樂著而告之言汝等所可玩好
希有難得汝若不取後必憂悔如此種種羊
車鹿車牛車今在門外可以遊戲汝等於此
火宅宜速出來隨汝所欲皆當與汝尒時諸

BD01543號　妙法蓮華經卷二

(28–7)

希有難得汝若不取後必憂悔如此種種羊
車鹿車牛車今在門外可以遊戲汝等於此
火宅宜速出來隨汝所欲皆當與汝尒時諸
子聞父所說珍玩之物適其願故心各勇鋭
互相推排競共馳走爭出火宅是時長者見
諸子等安隱得出皆於四衢道中露地而坐
无復障礙其心泰然歡喜踊躍時諸子等各
白父言父先所許玩好之具羊車鹿車牛車
願時賜與舍利弗尒時長者各賜諸子等一
大車其車高廣衆寶莊校周帀欄楯四面懸
鈴又於其上張設幰蓋亦以珍奇雜寶而嚴
飾之寶繩交絡垂諸華瓔重敷綩綖安置丹
枕駕以白牛膚色充潔形體姝好有大筋力
行步平正其疾如風又多僕從而侍衛之所
以者何是大長者財富无量種種諸藏悉皆
充溢而作是念我財物无極不應以下劣小
車與諸子等今此幼童皆是吾子愛无偏黨
我有如是七寶大車其數无量應當等心各
各與之不宜差別所以者何以我此物周給
一國猶尚不匱何況諸子是時諸子各乘大車
得未曾有非本所望舍利弗於汝意云何是
長者等與諸子珍寶大車寧有虛妄不舍
利弗言不也世尊是長者但令諸子得免火
難全其軀命非為虛妄何以故若全身命便
為已得玩好之具況復方便於彼火宅而拔
濟之世尊若是長者乃至不與最小一車猶

BD01543號　妙法蓮華經卷二　（28–8）

利弗言不也世尊是長者但令諸子得免火
難全其軀命非為虛妄何以故若全身命便
為已得玩好之具況復方便於彼火宅而拔
濟之世尊若是長者乃至不與最小一車猶
不虛妄何以故是長者先作是意我以方便
令子得出以是因緣无虛妄也何況長者自
知財富无量欲饒益諸子等與大車佛告
舍利弗善哉善哉如汝所言舍利弗如來亦復
如是則為一切世間之父於諸怖畏衰惱憂
患无明闇蔽永盡无餘而悉成就无量知見
力无所畏有大神力及智慧力具足方便智
慧波羅蜜大慈大悲常无懈惓恒求善事利
益一切而生三界朽故火宅為度衆生生老病
死憂悲苦惱愚癡闇蔽三毒之火教化令得
阿耨多羅三藐三菩提見諸衆生為生老
病死憂悲苦惱之所燒煑亦以五欲財利故
受種種苦又以貪著追求故現受衆苦後受
地獄畜生餓鬼之苦若生天上及在人間貧
窮困苦愛別離苦怨憎會苦如是等種種諸
苦衆生沒在其中歡喜遊戲不覺不知不
驚不怖亦不生猒不求解脫於此三界火宅東
西馳走雖遭大苦不以為患舍利弗佛見此
已便作是念我為衆生之父應拔其苦難與
无量无邊佛智慧樂令其遊戲舍利弗如來
復作是念若我但以神力及智慧力捨於方
便為諸衆生讚如來知見力无所畏者衆生

BD01543號　妙法蓮華經卷二　（28–9）

而馳走雖遭大苦不以為患舍利弗佛見此
已便作是念我為衆生之父應拔其苦難與
无量无邊佛智慧樂令其遊戲舍利弗如來
復作是念若我但以神力及智慧力捨於方
便為諸衆生讃如來知見力无所畏者衆生
不能以是得度所以者何是諸衆生未免生
老病死憂悲苦惱而為三界火宅所燒何由
能解佛之智慧舍利弗如彼長者雖復身手
有力而不用之但以慇懃方便免濟諸子火
宅之難然後各與珍寶大車如來亦復如是
雖有力无所畏而不用之但以智慧方便於
三界火宅拔濟衆生為說三乘聲聞辟支佛
佛乘而作是言汝等莫得樂住三界火宅勿
貪麁弊色聲香味觸也若貪著生愛則為所
燒汝等速出三界當得三乘聲聞辟支佛佛
乘我今為汝保任此事終不虛也汝等但當
勤脩精進如來以是方便誘進衆生復作是
言汝等當知此三乘法皆是聖所稱歎自在
无繫无所依求乘是三乘以无漏根力覺道
禪定解脫三昧等而自娛樂便得无量安隱
快樂舍利弗若有衆生內有智性從佛世尊
聞法信受慇勤精進欲速出三界自求涅槃
是名聲聞乘如彼諸子為求羊車出於火宅
若有衆生從佛世尊聞法信受慇懃精進求
自然慧樂獨善寂深知諸法因緣是名辟支
佛乘如彼諸子為求鹿車出於火宅若有衆

是名聲聞乘如彼諸子為求羊車出於火宅
若有衆生從佛世尊聞法信受慇懃精進求
自然慧樂獨善寂深知諸法因緣是名辟支
佛乘如彼諸子為求鹿車出於火宅若有衆
生從佛世尊聞法信受勤脩精進求一切智
佛智自然智无師智如來知見力无所畏愍
念安樂无量衆生利益天人度脫一切是名大
乘菩薩求此乘故名為摩訶薩如彼諸子為
求牛車出於火宅舍利弗如彼長者見諸子
等安隱得出火宅到无畏處自惟財富无量
等以大車而賜諸子如來亦復如是為一切
衆生之父若見无量億千衆生以佛教門出
三界苦怖畏險道得涅槃樂如來尒時便作
是念我有无量无邊智慧力无畏等諸佛法
藏是諸衆生皆是我子等與大乘不令有人
獨得滅度皆以如來滅度而滅度之是諸衆
生脫三界者悉與諸佛禪定解脫等娛樂之
具皆是一相一種聖所稱歎能生淨妙第一
之樂舍利弗如彼長者初以三車誘引諸子
然後但與大車寶物莊嚴安隱第一然後長
者无虛妄之咎如來亦復如是无有虛妄初
說三乘引導衆生然後但以大乘而度脫之
何以故如來有无量智慧力无所畏諸法之
藏能與一切衆生大乘之法但不盡能受舍
利弗以是因緣當知諸佛方便力故於一佛
乘分別說三佛欲重宣此義而說偈言

說三乘引導衆生，然後但以大乘而度脫之。
何以故？如來有无量智慧力无所畏諸法之
藏，能與一切衆生大乘之法，但不盡能受。舍
利弗，以是因緣，當知諸佛方便力故，於一佛
乘分別說三。佛欲重宣此義，而說偈言：
譬如長者　有一大宅　其宅久故　而復頓弊
堂舍高危　柱根摧朽　梁棟傾斜　基陛頹毀
牆壁圮坼　泥塗褫落　覆苫亂墜　椽梠差脫
周障屈曲　雜穢充遍　有五百人　止住其中
鵄梟鵰鷲　烏鵲鳩鴿　蚖蛇蝮蝎　蜈蚣蚰蜒
守宮百足　鼬貍鼷鼠　諸惡虫輩　交橫馳走
屎尿臭處　不淨流溢　蜣蜋諸虫　而集其上
狐狼野干　咀嚼踐蹋　嚌齧死屍　骨肉狼藉
由是群狗　競來搏撮　飢羸慞惶　處處求食
鬪諍摣掣　啀喍嘷吠　其舍恐怖　變狀如是
處處皆有　魑魅魍魎　夜叉惡鬼　食噉人肉
毒虫之屬　諸惡禽獸　孚乳產生　各自藏護
夜叉競來　爭取食之　食之既飽　惡心轉熾
鬪諍之聲　甚可怖畏　鳩槃荼鬼　蹲踞土埵
或時離地　一尺二尺　往返遊行　縱逸嬉戲
捉狗兩足　撲令失聲　以腳加頸　怖狗自樂
復有諸鬼　其身長大　裸形黑瘦　常住其中
發大惡聲　叫呼求食　復有諸鬼　其咽如針
復有諸鬼　首如牛頭　或食人肉　或復噉狗
頭髮蓬亂　殘害兇險　飢渴所逼　叫喚馳走
夜叉餓鬼　諸惡鳥獸　飢急四向　窺看窗牖

BD01543號　妙法蓮華經卷二　（28–12）

復有諸鬼　首如牛頭　或食人肉　或復噉狗
頭髮蓬亂　殘害兇險　飢渴所逼　叫喚馳走
夜叉餓鬼　諸惡鳥獸　飢急四向　窺看窗牖
如是諸難　恐畏无量　是朽故宅　屬于一人
其人近出　未久之間　於後舍宅　欻然火起
四面一時　其焰俱熾　棟梁椽柱　爆聲震裂
摧折墮落　牆壁崩倒　諸鬼神等　揚聲大叫
鵰鷲諸鳥　鳩槃荼等　周慞惶怖　不能自出
惡獸毒虫　藏竄孔穴　毗舍闍鬼　亦住其中
薄福德故　為火所逼　共相殘害　飲血噉肉
野干之屬　並已前死　諸大惡獸　競來食噉
臭烟熢㶿　四面充塞　蜈蚣蚰蜒　毒虵之類
為火所燒　爭走出穴　鳩槃荼鬼　隨取而食
又諸餓鬼　頭上火然　飢渴熱惱　周慞悶走
其宅如是　甚可怖畏　毒害火災　衆難非一
是時宅主　在門外立　聞有人言　汝諸子等
先因遊戲　來入此宅　稚小无知　歡娛樂著
長者聞已　驚入火宅　方宜救濟　令无燒害
告喻諸子　說衆患難　惡鬼毒虫　災火蔓莚
衆苦次第　相續不絕　毒虵蚖蝮　及諸夜叉
鳩槃荼鬼　野干狐狗　鵰鷲鵄梟　百足之屬
飢渴惱急　甚可怖畏　此苦難處　況復大火
諸子无知　雖聞父誨　猶故樂著　嬉戲不已
是時長者　而作是念　諸子如此　益我愁惱
今此舍宅　无一可樂　而諸子等　耽湎嬉戲

BD01543號　妙法蓮華經卷二　（28–13）

諸子无知　雖聞父誨　猶故樂著　嬉戲不已
是時長者　而作是念　諸子如此　益我愁惱
令此舍宅　无一可樂　而諸子等　躭湎嬉戲
不受我教　將為火害　即便思惟　設諸方便
告諸子等　我有種種　珎玩之具　妙寶好車
羊車鹿車　大牛之車　今在門外　汝等出來
吾為汝等　造作此車　隨意所樂　可以遊戲
諸子聞說　如此諸車　即時奔競　馳走而出
到於空地　離諸苦難　長者見子　得出火宅
住於四衢　坐師子座　而自慶言　我今快樂
此諸子等　生育甚難　愚小无知　而入險宅
多諸毒虫　魑魅可畏　大火猛焰　四面俱起
而此諸子　貪樂嬉戲　我已救之　令得脫難
是故諸人　我今快樂　尒時諸子　知父安坐
皆詣父所　而白父言　願賜我等　三種寶車
如前所許　諸子出來　當以三車　隨汝所欲
今正是時　唯垂給與　長者大富　庫藏衆多
金銀琉璃　車渠馬碯　以衆寶物　造諸大車
莊校嚴飾　周帀欄楯　四面懸鈴　金繩交絡
真珠羅網　張施其上　金華諸瓔　處處垂下
衆綵雜飾　周帀圍繞　柔軟繒纊　以為茵蓐
上妙細氎　價直千億　鮮白淨潔　以覆其上
有大白牛　肥壯多力　形體姝好　以駕寶車
多諸儐從　而侍衛之　以是妙車　等賜諸子
諸子是時　歡喜踊躍　乘是寶車　遊於四方

BD01543號　妙法蓮華經卷二　　（28–14）

上妙細氎　價直千億　鮮白淨潔　以覆其上
有大白牛　肥壯多力　形體姝好　以駕寶車
多諸儐從　而侍衛之　以是妙車　等賜諸子
諸子是時　歡喜踊躍　乘是寶車　遊於四方
嬉戲快樂　自在无礙　告舍利弗　我亦如是
衆聖中尊　世間之父　一切衆生　皆是吾子
深著世樂　无有慧心　三界无安　猶如火宅
衆苦充滿　甚可怖畏　常有生老　病死憂患
如是等火　熾然不息　如來已離　三界火宅
寂然閑居　安處林野　今此三界　皆是我有
其中衆生　悉是吾子　而今此處　多諸患難
唯我一人　能為救護　雖復教詔　而不信受
於諸欲染　貪著深故　是以方便　為說三乘
令諸衆生　知三界苦　開示演說　出世間道
是諸子等　若心決定　具足三明　及六神通
有得緣覺　不退菩薩　汝舍利弗　我為衆生
以此譬喻　說一佛乘　汝等若能　信受是語
一切皆當　得成佛道　是乘微妙　清淨第一
於諸世間　為无有上　佛所悅可　一切衆生
所應稱讚　供養礼拜　无量億千　諸力解脫
禪定智慧　及佛餘法　得如是乘　令諸子等
日夜劫數　常得遊戲　與諸菩薩　及聲聞衆
乘此寶乘　直至道場　以是因緣　十方諦求
更无餘乘　除佛方便　告舍利弗　汝諸人等
皆是吾子　我則是父　汝等累劫　衆苦所燒
我皆濟拔　令出三界　我雖先說　汝等滅度

BD01543號　妙法蓮華經卷二　　（28–15）

日夜劫數 常得遊戲 與諸菩薩 及聲聞衆
乘此寶乘 直至道場 以是因緣 十方諦求
更无餘乘 除佛方便 告舍利弗 汝諸人等
皆是吾子 我則是父 汝等累劫 衆苦所燒
我皆濟拔 令出三界 我雖先說 汝等滅度
但盡生死 而實不滅 今所應作 唯佛智慧
若有菩薩 於是衆中 能一心聽 諸佛實法
諸佛世尊 雖以方便 所化衆生 皆是菩薩
若人小智 深著愛欲 為此等故 說於苦諦
衆生心喜 得未曾有 佛說苦諦 真實无異
若有衆生 不知苦本 深著苦因 不能暫捨
為是等故 方便說道 諸苦所因 貪欲為本
若滅貪欲 无所依止 滅盡諸苦 名第三諦
為滅諦故 修行於道 離諸苦縛 名得解脫
是人於何 而得解脫 但離虛妄 名為解脫
其實未得 一切解脫 佛說是人 未實滅度
斯人未得 无上道故 我意不欲 令至滅度
我為法王 於法自在 安隱衆生 故現於世
汝舍利弗 我此法印 為欲利益 世間故說
在所遊方 勿妄宣傳 若有聞者 隨喜頂受
當知是人 阿鞞跋致 若有信受 此經法者
是人已曾 見過去佛 恭敬供養 亦聞是法
若人有能 信汝所說 則為見我 亦見於汝
及比丘僧 并諸菩薩 斯法華經 為深智說
淺識聞之 迷惑不解 一切聲聞 及辟支佛
於此經中 力所不及 汝舍利弗 尚於此經

BD01543號 妙法蓮華經卷二 （28–16）

及比丘僧 并諸菩薩 斯法華經 為深智說
淺識聞之 迷惑不解 一切聲聞 及辟支佛
於此經中 力所不及 汝舍利弗 尚於此經
以信得入 況餘聲聞 其餘聲聞 信佛語故
隨順此經 非己智分 又舍利弗 憍慢懈怠
計我見者 莫說此經 凡夫淺識 深著五欲
聞不能解 亦勿為說 若人不信 毀謗此經
則斷一切 世間佛種 或復顰蹙 而懷疑惑
汝當聽說 此人罪報 若佛在世 若滅度後
其有誹謗 如斯經典 見有讀誦 書持經者
輕賤憎嫉 而懷結恨 此人罪報 汝今復聽
其人命終 入阿鼻獄 具足一劫 劫盡更生
如是展轉 至无數劫 從地獄出 當墮畜生
若狗野干 其形頷瘦 黧黮疥癩 人所觸嬈
又復為人 之所惡賤 常困飢渴 骨肉枯竭
生受楚毒 死被瓦石 斷佛種故 受斯罪報
若作駱駝 或生驢中 身常負重 加諸杖捶
但念水草 餘无所知 謗斯經故 獲罪如是
有作野干 來入聚落 身體疥癩 又无一目
為諸童子 之所打擲 受諸苦痛 或時致死
於此死已 更受蟒身 其形長大 五百由旬
聾騃无足 宛轉腹行 為諸小虫 之所唼食
晝夜受苦 无有休息 謗斯經故 獲罪如是
若得為人 諸根暗鈍 痤陋攣躄 盲聾背傴
有所言說 人不信受 口氣常臭 鬼魅所著
貧窮下賤 為使所使 多病痟瘦 无所依怙

BD01543號 妙法蓮華經卷二 （28–17）

若得為人 諸根暗鈍 痤陋攣躄 盲聾背傴
有所言說 人不信受 口氣常臭 鬼魅所著
貧窮下賤 為使所使 多病痟瘦 无所依怙
雖親附人 人不在意 若有所得 尋復忘失
若修醫道 順方治病 更增他疾 或復致死
若自有病 无人救療 設服良藥 而復增劇
若他反逆 抄劫竊盜 如是等罪 橫罹其殃
如斯罪人 永不見佛 衆聖之王 說法教化
如斯罪人 常生難處 狂聾心亂 永不聞法
於无數劫 如恒河沙 生輒聾瘂 諸根不具
常處地獄 如遊園觀 在餘惡道 如己舍宅
駝驢猪狗 是其行處 謗斯經故 獲罪如是
若得為人 聾盲瘖瘂 貧窮諸衰 以自莊嚴
水腫乾痟 疥癩癰疽 如是等病 以為衣服
身常臭處 垢穢不淨 深著我見 增益瞋恚
婬欲熾盛 不擇禽獸 謗斯經故 獲罪如是
告舍利弗 謗斯經者 若說其罪 窮劫不盡
以是因緣 我故語汝 无智人中 莫說此經
若有利根 智慧明了 多聞強識 求佛道者
如是之人 乃可為說 若人曾見 億百千佛
殖諸善本 深心堅固 如是之人 乃可為說
若人精進 常修慈心 不惜身命 乃可為說
若人恭敬 无有異心 離諸凡愚 獨處山澤
如是之人 乃可為說 又舍利弗 若見有人
捨惡知識 親近善友 如是之人 乃可為說
若見佛子 持戒清潔 如淨明珠 求大乘經

BD01543 號　妙法蓮華經卷二

（28–18）

若人恭敬 无有異心 離諸凡愚 獨處山澤
如是之人 乃可為說 又舍利弗 若見有人
捨惡知識 親近善友 如是之人 乃可為說
若見佛子 持戒清潔 如淨明珠 求大乘經
如是之人 乃可為說 若人无瞋 質直柔軟
常愍一切 恭敬諸佛 如是之人 乃可為說
復有佛子 於大衆中 以清淨心 種種因緣
譬喻言辭 說法无礙 如是之人 乃可為說
若有比丘 為一切智 四方求法 合掌頂受
但樂受持 大乘經典 乃至不受 餘經一偈
如是之人 乃可為說 如人至心 求佛舍利
如是求經 得已頂受 其人不復 志求餘經
亦未曾念 外道典籍 如是之人 乃可為說
告舍利弗 我說是相 求佛道者 窮劫不盡
如是等人 則能信解 汝等為說 妙法華經

妙法蓮華經信解品第四

尒時慧命須菩提摩訶迦旃延摩訶迦葉
摩訶目揵連從佛所聞未曾有法世尊授舍
利弗阿耨多羅三藐三菩提記發希有心歡
喜踊躍即從座起整衣服偏袒右肩右膝著
地一心合掌曲躬恭敬瞻仰尊顏而白佛言
我等居僧之首年並朽邁自謂已得涅槃
无所堪任不復進求阿耨多羅三藐三菩提
世尊往昔說法既久我時在座身體疲懈但
念空无相无作於菩薩法遊戲神通淨佛國
土成就衆生心不喜樂所以者何世尊令我

BD01543 號　妙法蓮華經卷二

（28–19）

无所堪任不復進求阿耨多羅三藐三菩提
世尊往昔說法既久我時在座身體疲懈但
念空无相无作於菩薩法遊戲神通淨佛國
土成就衆生心不喜樂所以者何世尊令我
等出於三界得涅槃證又今我等年已朽邁
於佛教化菩薩阿耨多羅三藐三菩提不生
一念好樂之心我等今於佛前聞授聲聞阿
耨多羅三藐三菩提記心甚歡喜得未曾有
不謂於今忽然得聞希有之法深自慶幸獲
大善利无量珎寶不求自得世尊我等今者
樂說譬喻以明斯義譬若有人年既幼稚捨
父逃逝久住他國或十二十至五十歲年既
長大加復窮困馳騁四方以求衣食漸漸遊
行遇向本國其父先來求子不得中止一城其
家大富財寶无量金銀琉璃珊瑚虎珀頗梨珠
等其諸倉庫悉皆盈溢多有僮僕臣佐吏民
象馬車乘牛羊无數出入息利乃遍他國商
估賈客亦甚衆多時貧窮子遊諸聚落經
歷國邑遂到其父所止之城父每念子與子
離別五十餘年而未曾向人說如此事但自
惟心懷悔恨自念老朽多有財物金銀珎
寶倉庫盈溢无有子息一旦終沒財物散
失无所委付是以慇懃每憶其子復作是
念我若得子委付財物坦然快樂无復憂慮
世尊尒時窮子傭賃展轉遇到父舍住立門側

BD01543號　妙法蓮華經卷二　（28–20）

寶倉庫盈溢无有子息一旦終沒財物散
失无所委付是以慇懃每憶其子復作是
念我若得子委付財物坦然快樂无復憂慮
世尊尒時窮子傭賃展轉遇到父舍住立門側
遥見其父踞師子床寶几承足諸婆羅門刹
利居士皆恭敬圍繞以真珠瓔珞價直千萬
莊嚴其身吏民僮僕手執白拂侍立左右覆
以寶帳垂諸華幡香水灑地散衆名華羅列寶
物出內取與有如是等種種嚴飾威德特尊
窮子見父有大力勢即懷恐怖悔來至此竊作
是念此或是王或是王等非我傭力得物之
處不如往至貧里肆力有地衣食易得若久
住此或見逼迫強使我作作是念已疾走而
去時富長者於師子座見子便識心大歡喜
即作是念我財物庫藏今有所付我常思念
此子无由見之而忽自來甚適我願我雖年
朽猶故貪惜即遣傍人急追將還尒時使者
疾走往捉窮子驚愕稱怨大喚我不相犯何
為見捉使者執之逾急強牽將還于時窮子
自念无罪而被囚執此必定死轉更惶怖悶
絕躄地父遥見之而語使言不須此人勿強
將來以冷水灑面令得醒悟莫復與語所以
者何父知其子志意下劣自知豪貴為子所
難審知是子而以方便不語他人云是我子
使者語之我今放汝隨意所趣窮子歡喜得
未曾有從地而起往至貧里以求衣食尒時

BD01543號　妙法蓮華經卷二　（28–21）

者何父知其子志意下劣自知豪貴為子所
難審知是子而以方便不語他人云是我子
使者語之我今放汝隨意所趣窮子歡喜得
未曾有從地而起往至貧里以求衣食尒時
長者將欲誘引其子而設方便密遣二人形
色憔悴无威德者汝可詣彼徐語窮子此有
作處倍與汝直窮子若許將來使作若言欲
何所作便可語之雇汝除糞我等二人亦共
汝作時二使人即求窮子既已得之具陳上
事尒時窮子先取其價尋與除糞其父見子
愍而恠之又以他日於窓牖中遥見子身羸
瘦憔悴糞土塵坌汙穢不淨即脫瓔珞細軟
上服嚴飾之具更著麁弊垢膩之衣塵土坌
身右手執持除糞之器狀有所畏語諸作人
汝等勤作勿得懈息以方便故得近其子後
復告言咄男子汝常此作勿復餘去當加汝
價諸有所須瓫器米麵塩酢之屬莫自疑難
亦有老弊使人須者相給好自安意我如汝
父勿復憂慮所以者何我年老大而汝少壯
汝常作時无有欺怠瞋恨怨言都不見汝有
此諸惡如餘作人自今已後如所生子即時
長者更與作字名之為兒尒時窮子雖欣此
遇猶故自謂客作賤人由是之故於二十年
中常令除糞過是已後心相體信入出无難
然其所止猶在本處世尊尒時長者有疾自
知將死不久語窮子言我今多有金銀珍寶

BD01543號　妙法蓮華經卷二　（28–22）

過猶故自謂客作賤人由是之故於二十年
中常令除糞過是已後心相體信入出无難
然其所止猶在本處世尊尒時長者有疾自
知將死不久語窮子言我今多有金銀珍寶
倉庫盈溢其中多少所應取與汝悉知之我
心如是當體此意所以者何今我與汝便為
不異宜加用心无令漏失尒時窮子即受教
勑領知衆物金銀珍寶及諸庫藏而无悕
取一餐之意然其所止故在本處下劣之心亦
未能捨復經少時父知子意漸已通泰成就
大志自鄙先心臨欲終時而命其子并會親
族國王大臣剎利居士皆悉已集即自宣言
諸君當知此是我子我之所生於某城中捨
吾逃走跉跰辛苦五十餘年其本字某我名
某甲昔在本城懷憂推覓忽於此間遇會得
之此實我子我實其父今我所有一切財物皆
是子有先所出內是子所知世尊是時窮子
聞父此言即大歡喜得未曾有而作是念
我本无心有所悕求今此寶藏自然而至世
尊大富長者則是如來我等皆似佛子如來
常說我等為子世尊我等以三苦故於生死
中受諸熱惱迷惑无知樂著小法今日世尊
令我等思惟蠲除諸法戲論之糞我等於中
勤加精進得至涅槃一日之價既得此已心大
歡喜自以為足便自謂言於佛法中勤精進
故所得弘多然世尊先知我等心著弊欲樂

BD01543號　妙法蓮華經卷二　（28–23）

令我等思惟蠲除諸法戲論之糞 我等於中
勤加精進得至涅槃一日之價 既得此已心大
歡喜自以為足便自謂言 於佛法中勤精進
故所得弘多 然世尊先知我等心著弊欲樂
於小法 便見縱捨 不為分別 汝等當有如來
知見寶藏之分 世尊以方便力 說如來智慧
我等從佛得涅槃一日之價 以為大得 於此
大乘无有志求 我等又因如來智慧 為諸
菩薩開示演說 而自於此无有志願 所以者何
佛知我等心樂小法 以方便力隨我等說 而
我等不知真是佛子 今我等方知世尊於佛
智慧无所悋惜 所以者何 我等昔來真是佛
子 而但樂小法 若我等有樂大之心 佛則為
我說大乘法 於此經中唯說一乘 而昔於菩
薩前毀呰聲聞樂小法者 然佛實以大乘
教化 是故我等說本无心有所悕求 今法王
大寶自然而至 如佛子所應得者皆已得之
尒時摩訶迦葉欲重宣此義 而說偈言
我等今日 聞佛音教 歡喜踊躍 得未曾有
佛說聲聞 當得作佛 无上寶聚 不求自得
譬如童子 幼稚无識 捨父逃逝 遠到他土
周流諸國 五十餘年 其父憂念 四方推求
求之既疲 頓止一城 造立舍宅 五欲自娛
其家巨富 多諸金銀 車磲馬瑙 真珠琉璃
象馬牛羊 輦轝車乘 田業僮僕 人民眾多
出入息利 乃遍他國 商估賈人 无處不有

周流諸[illegible]
求之既疲 頓止一城 造立舍宅 五欲自娛
其家巨富 多諸金銀 車磲馬瑙 真珠琉璃
象馬牛羊 輦轝車乘 田業僮僕 人民眾多
出入息利 乃遍他國 商估賈人 无處不有
千万億眾 圍繞恭敬 常為王者 之所愛念
群臣豪族 皆共宗重 以諸緣故 往來者眾
豪富如是 有大力勢 而年朽邁 益憂念子
夙夜惟念 死時將至 癡子捨我 五十餘年
庫藏諸物 當如之何 尒時窮子 求索衣食
從邑至邑 從國至國 或有所得 或无所得
飢餓羸瘦 體生瘡癬 漸次經歷 到父住城
傭賃展轉 遂至父舍 尒時長者 於其門內
施大寶帳 處師子座 眷屬圍繞 諸人侍衛
或有計筭 金銀寶物 出內財產 注記券疏
窮子見父 豪貴尊嚴 謂是國王 若是王等
驚怖自怪 何故至此 覆自念言 我若久住
或見逼迫 強驅使作 思惟是已 馳走而去
借問貧里 欲往傭作 長者是時 在師子座
遙見其子 默而識之 即勅使者 追捉將來
窮子驚喚 迷悶躄地 是人執我 必當見殺
何用衣食 使我至此 長者知子 愚癡狹劣
不信我言 不信是父 即以方便 更遣餘人
眇目矬陋 无威德者 汝可語之 云當相雇
除諸糞穢 倍與汝價 窮子聞之 歡喜隨來
為除糞穢 淨諸房舍 長者於牖 常見其子

不信我言　不信是父　即以方便　更遣餘人
眇目座陋　无威德者　汝可語之　云當相雇
除諸糞穢　倍與汝價　窮子聞之　歡喜隨來
為除糞穢　淨諸房舍　長者於牖　常見其子
念子愚劣　樂為鄙事　於是長者　著弊垢衣
執除糞器　往到子所　方便附近　語令勤作
既益汝價　并塗足油　飲食充足　薦席厚暖
如是苦言　汝當勤作　又以軟語　若如我子
長者有智　漸令入出　經二十年　執作家事
示其金銀　真珠頗梨　諸物出入　皆使令知
猶處門外　止宿草菴　自念貧事　我无此物
父知子心　漸已曠大　欲與財物　即聚親族
國王大臣　剎利居士　於此大眾　說是我子
捨我他行　經五十歲　自見子來　已二十年
昔於某城　而失是子　周行求索　遂來至此
凡我所有　舍宅人民　悉以付之　恣其所用
子念昔貧　志意下劣　今於父所　大獲珍寶
并及舍宅　一切財物　甚大歡喜　得未曾有
佛亦如是　知我樂小　未曾說言　汝等作佛
而說我等　得諸无漏　成就小乘　聲聞弟子
佛勅我等　說最上道　脩習此者　當得成佛
我承佛教　為大菩薩　以諸因緣　種種譬喻
若干言辭　說无上道　諸佛子等　從我聞法
日夜思惟　精勤脩習　是時諸佛　即授其記
汝於來世　當得作佛　一切諸佛　秘藏之法
但為菩薩　演其實事　而不為我　說斯真要

BD01543號　妙法蓮華經卷二　（28–26）

若干言辭　說无上道　諸佛子等　從我聞法
日夜思惟　精勤脩習　是時諸佛　即授其記
汝於來世　當得作佛　一切諸佛　秘藏之法
但為菩薩　演其實事　而不為我　說斯真要
如彼窮子　得近其父　雖知諸物　心不悕取
我等雖說　佛法寶藏　自无志願　亦復如是
我等內滅　自謂為足　唯了此事　更无餘事
我等若聞　淨佛國土　教化眾生　都无欣樂
所以者何　一切諸法　皆悉空寂　无生无滅
无大无小　无漏无為　如是思惟　不生喜樂
我等長夜　於佛智慧　无貪无著　无復志願
而自於法　謂是究竟　我等長夜　脩習空法
得脫三界　苦惱之患　住最後身　有餘涅槃
佛所教化　得道不虛　則為已得　報佛之恩
我等雖為　諸佛子等　說菩薩法　以求佛道
而於是法　永无願樂　導師見捨　觀我心故
初不勸進　說有實利　如富長者　知子志劣
以方便力　柔伏其心　然後乃付　一切財物
佛亦如是　現希有事　知樂小者　以方便力
調伏其心　乃教大智　我等今日　得未曾有
非先所望　而今自得　如彼窮子　得无量寶
世尊我今　得道得果　於无漏法　得清淨眼
我等長夜　持佛淨戒　始於今日　得其果報
法王法中　久脩梵行　今得无漏　无上大果
我等今者　真是聲聞　以佛道聲　令一切聞
我等今者　真阿羅漢　於諸世間　天人魔梵

BD01543號　妙法蓮華經卷二　（28–27）

非先所望 而今自得 如彼窮子 得无量寶
世尊我今 得道得果 於无漏法 得清淨眼
我等長夜 持佛淨戒 始於今日 得其果報
法王法中 久脩梵行 今得无漏 无上大果
我等今者 真是聲聞 以佛道聲 令一切聞
我等今者 真阿羅漢 於諸世間 天人魔梵
普於其中 應受供養 世尊大恩 以希有事
憐愍教化 利益我等 无量億劫 誰能報者
手足供給 頭頂礼敬 一切供養 皆不能報
若以頂戴 兩肩荷負 於恒沙劫 盡心恭敬
又以美饍 无量寶衣 及諸卧具 種種湯藥
牛頭栴檀 及諸珎寶 以起塔廟 寶衣布施
如斯等事 以用供養 於恒沙劫 亦不能報
諸佛希有 无量无邊 不可思議 大神通力
无漏无為 諸法之王 能為下劣 忍于斯事
取相凡夫 隨宜為說 諸佛於法 得冣自在
知諸衆生 種種欲樂 及其志力 隨所堪任
以无量喻 而為說法 隨諸衆生 宿世善根
又知成熟 未成熟者 種種籌量 分別知已
於一乘道 隨宜說三

妙法蓮華經卷第二

BD01543 號　妙法蓮華經卷二　（28–28）

耨多

將來諸佛法藏教化成就諸菩薩衆其本願
如是故獲斯記阿難面於佛前自聞授記及
國土莊嚴所願具足心大歡喜得未曾有即
時憶念過去无量千万億諸佛法藏通達无
礙如今所聞亦識本願尒時阿難而說偈言
世尊甚希有 令我念過去 无量諸佛法 如今日所聞
我今无復疑 安住於佛道 方便為侍者 護持諸佛法
尒時佛告羅睺羅汝於來世當得作佛号蹈
七寶華如來應供正遍知明行足善逝世間
解无上士調御丈夫天人師佛世尊當供養
十世界微塵等數諸佛如來常為諸佛而作
長子猶如今也是蹈七寶華佛國土莊嚴壽
命劫數所化弟子正法像法亦如山海慧自
在通王如來无異亦為此佛而作長子過是
已後當得阿耨多羅三藐三菩提尒時世尊
欲重宣此義而說偈言
我為太子時 羅睺為長子 我今成佛道 受法為法子
於未來世中 見无量億佛 皆為其長子 一心求佛道
羅睺羅密行 唯我能知之 現為我長子 以示諸衆生
无量億千万 功德不可數 安住於佛法 以求无上道
尒時世尊見學无學二千人其意柔耎寂然

BD01544 號　妙法蓮華經卷四　（6–1）

巳後當得阿耨多羅三藐三菩提尒時世尊
欲重宣此義而說偈言
我為太子時　羅睺為長子　我今成佛道　受法為法子
於未來世中　見无量億佛　皆為其長子　一心求佛道
羅睺羅密行　唯我能知之　現為我長子　以示諸衆生
无量億千万　功德不可數　安住於佛法　以求无上道
尒時世尊見學无學二千人其意柔軟寂然
清淨一心觀佛佛告阿難汝見是學无學二
千人不唯然已見阿難是諸人等當供養五
十世界微塵數佛如來恭敬尊重護持法
藏末後同時於十方國各得成佛皆同一号
名曰寶相如來應供正遍知明行足善逝世
間解无上士調御丈夫天人師佛世尊壽命
一劫國土莊嚴聲聞菩薩正法像法皆悉同
等尒時世尊欲重宣此義而說偈言
是二千聲聞　今於我前住　悉皆與授記　未來當成佛
所供養諸佛　如上說塵數　護持其法藏　後當成正覺
各於十方國　悉同一名号　俱時坐道場　以證无上慧
皆名為寶相　國土及弟子　正法與像法　悉等无有異
咸以諸神通　度十方衆生　名聞普周遍　漸入於涅槃
尒時學无學二千人聞佛授記歡喜踊躍而
說偈言
世尊慧燈明　我聞授記音　心歡喜充滿　如甘露見灌
妙法蓮華經法師品第十
尒時世尊因藥王菩薩告八万大士藥王汝
見是大衆中无量諸天龍王夜叉乾闥婆阿
脩羅迦樓羅緊那羅摩睺羅伽人與非人等

BD01544號　妙法蓮華經卷四　（6–2）

說偈
世尊慧燈明　我聞授記音　心歡喜充滿　如甘露見灌
妙法蓮華經法師品第十
尒時世尊因藥王菩薩告八万大士藥王汝
見是大衆中无量諸天龍王夜叉乾闥婆阿
脩羅迦樓羅緊那羅摩睺羅伽人與非人等
及比丘比丘尼優婆塞優婆夷求聲聞者求
辟支佛者求佛道者如是等類咸於佛前聞
妙法華經一偈一句乃至一念隨喜者我皆
與授記當得阿耨多羅三藐三菩提佛告藥
王又如來滅度之後若有人聞妙法華經乃
至一偈一句一念隨喜者我亦與授阿耨多
羅三藐三菩提記若有人受持讀誦解說
書寫妙法華經乃至一偈於此經卷敬視如
佛種種供養華香瓔珞末香塗香燒香繒蓋
幢幡衣服伎樂乃至合掌恭敬藥王當知是
諸人等已曾供養十万億佛於諸佛所成就
大願愍衆生故生此人間藥王若有人問何
等衆生於未來世當得作佛應示是諸人等
於未來世必得作佛何以故若善男子善女
人於法華經乃至一句受持讀誦解說書寫
種種供養經卷華香瓔珞末香塗香燒香繒
蓋幢幡衣服伎樂合掌恭敬是人一切世間
所應瞻奉應以如來供養而供養之當知此
人是大菩薩成就阿耨多羅三藐三菩提哀
愍衆生願生此間廣演分別妙法華經何況
盡能受持種種供養者藥王當知是人自捨
清淨業報於我滅度後愍衆生故生於惡世

BD01544號　妙法蓮華經卷四　（6–3）

所應贍奉應以如來供養而供養之當知此
人是大菩薩成就阿耨多羅三藐三菩提哀
愍衆生願生此間廣演分別妙法華經何況
盡能受持種種供養者藥王當知是人自捨
清淨業報於我滅度後愍衆生故生於惡世
廣演此經若是善男子善女人我滅度後能
竊為一人說法華經乃至一句當知是人則
如來使如來所遣行如來事何況於大衆中
廣為人說藥王若有惡人以不善心於一劫
中現於佛前常毀罵佛其罪尚輕若人以一
惡言毀呰在家出家讀誦法華經者其罪甚
重藥王其有讀誦法華經者當知是人以佛
莊嚴而自莊嚴則為如來肩所荷擔其所至
方應隨向礼一心合掌恭敬供養尊重讚歎
華香瓔珞末香塗香燒香繒蓋幢幡衣服餚
饌作諸伎樂人中上供而供養之應持天寶
而以散之天上寶聚應以奉獻所以者何是
人歡喜說法須臾聞之即得究竟阿耨多羅
三藐三菩提故尒時世尊欲重宣此義而說
偈言
若欲住佛道　成就自然智　常當勤供養　受持法華者
其有欲疾得　一切種智慧　當受持是經　并供養持者
若有能受持　妙法華經者　當知佛所使　愍念諸衆生
諸有能受持　妙法華經者　捨於清淨土　愍衆故生此
當知如是人　自在所欲生　能於此惡世　廣說无上法
應以天華香　及天寶衣服　天上妙寶聚　供養說法者
吾滅後惡世　能持是經者　當合掌礼敬　如供養世尊

BD01544號　妙法蓮華經卷四　（6–4）

諸有能受持　妙法華經者　捨於清淨土　愍衆故生此
當知如是人　自在所欲生　能於此惡世　廣說无上法
應以天華香　及天寶衣服　天上妙寶聚　供養說法者
吾滅後惡世　能持是經者　當合掌礼敬　如供養世尊
上饌衆甘美　及種種衣服　供養是佛子　冀得須臾聞
若能於後世　受持是經者　我遣在人中　行於如來事
若於一劫中　常懷不善心　作色而罵佛　獲无量重罪
其有讀誦持　是法華經者　須臾加惡言　其罪復過彼
有人求佛道　而於一劫中　合掌在我前　以无數偈讚
由是讚佛故　得无量功德　歎美持經者　其福復過彼
於八十億劫　以最妙色聲　及與香味觸　供養持經者
如是供養已　若得須臾聞　則應自欣慶　我今獲大利
藥王今告汝　我所說諸經　而於此經中　法華最第一
尒時佛復告藥王菩薩摩訶薩我所說經典
无量千万億已說今說當說而於其中此法
華經最為難信難解藥王此經是諸佛秘要
之藏不可分布妄授與人諸佛世尊之所守
護從昔已來未曾顯說而此經者如來現在
猶多怨嫉況滅度後藥王當知如來滅後其
能書持讀誦供養為他人說者如來則為以
衣覆之又為他方現在諸佛之所護念是人
有大信力及志願力諸善根力當知是人與
如來共宿則為如來手摩其頭藥王在在處
處若說若讀若誦若書若經卷所住之處皆
應起七寶塔極令高廣嚴飾不須復安舍利
所以者何此中已有如來全身此塔應以一
切華香瓔珞繒蓋幢幡伎樂歌頌供養恭敬

BD01544號　妙法蓮華經卷四　（6–5）

其有讀誦持　是法華經者　須臾加惡言　其罪復過彼
有人求佛道　而於一劫中　合掌在我前　以无數偈讚
由是讚佛故　得无量功德　歎美持經者　其福復過彼
於八十億劫　以最妙色聲　及與香味觸　供養持經者
如是供養已　若得須臾聞　則應自欣慶　我今獲大利
藥王今告汝　我所說諸經　而於此經中　法華最第一
尒時佛復告藥王菩薩摩訶薩我所說經典
无量千万億已說今說當說而於其中此法
華經最為難信難解藥王此經是諸佛秘要
之藏不可分布妄授與人諸佛世尊之所守
護從昔已來未曾顯說而此經者如來現在
猶多怨嫉況滅度後藥王當知如來滅後其
能書持讀誦供養為他人說者如來則為以
衣覆之又為他方現在諸佛之所護念是人
有大信力及志願力諸善根力當知是人與
如來共宿則為如來手摩其頭藥王在在處
處若說若讀若誦若書若經卷所住之處皆
應起七寶塔極令高廣嚴飾不須復安舍利
所以者何此中已有如來全身此塔應以一
切華香瓔珞繒蓋幢幡伎樂歌頌供養恭敬
尊重讚歎若有人得見此塔礼拜供養當知
是等皆近阿耨多羅三藐三菩提藥王多有
人在家出家行菩薩道若不能得見聞讀誦
書持供養是法華經者當知是人未善行菩

BD01544 號　妙法蓮華經卷四　（6–6）

處性空與一切智道相智一切相智無二無
二分故慶喜由此故說以眼處等無二為方
便無生為方便無所得為方便迴向一切智
智脩習一切智道相智一切相智世尊云何
以色處無二為方便無生為方便無所得為
方便迴向一切智智脩習一切智道相智一
切相智慶喜色處色處性空何以故以色處
性空與一切智道相智一切相智無二無二
分故世尊云何以聲香味觸法處無二為方
便無生為方便無所得為方便迴向一切智
智脩習一切智道相智一切相智慶喜聲
香味觸法處聲香味觸法處性空何以故以
聲香味觸法處性空與一切智道相智一切相
智無二無二分故慶喜由此故說以色處等
無二為方便無生為方便無所得為方便迴
向一切智智脩習一切智道相智一切相智
世尊云何以眼處無二為方便無生為方便
無所得為方便迴向一切智智脩習一切陁
羅尼門一切三摩地門慶喜眼處眼處性空
何以故以眼處性空與一切陁羅尼門一切
三摩地門無二無二分故世尊云何以耳鼻
舌身意處無二為方便無生為方便無所得
為方便迴向一切智智脩習一切陁羅尼門
一切三摩地門慶喜耳鼻舌身意處耳鼻舌
[illegible]

BD01545 號　大般若波羅蜜多經卷一一三　（2–1）

智無二無二分故慶喜由此故說以色處等
無二為方便無生為方便無所得為方便迴
向一切智智脩習一切智道相智一切相智
世尊云何以眼處無二為方便無生為方便
無所得為方便迴向一切智智脩習一切陁
羅尼門一切三摩地門慶喜眼處眼處性空
何以故以眼處性空與一切陁羅尼門一切
三摩地門無二無二分故世尊云何以耳鼻
舌身意處無二為方便無生為方便無所得
為方便迴向一切智智脩習一切陁羅尼門
一切三摩地門慶喜耳鼻舌身意處耳鼻舌
身意處性空何以故以耳鼻舌身意處性空
與一切陁羅尼門一切三摩地門無二無二
分故慶喜由此故說以眼處等無二為方便
無生為方便無所得為方便迴向一切智智
脩習一切陁羅尼門一切三摩地門世尊云
何以色處無二為方便無生為方便無所得
為方便迴向一切智智脩習一切陁羅尼門
一切三摩地門慶喜色處色處性空何以故
以色處性空與一切陁羅尼門一切三摩地
門無二無二分故世尊云何以聲香味觸法處
無二為方便無生為方便無所得為方便
迴向一切智智脩習一切陁羅尼門一切三
[illegible]聲[illegible]法處

BD01545 號　大般若波羅蜜多經卷一一三　（2–2）

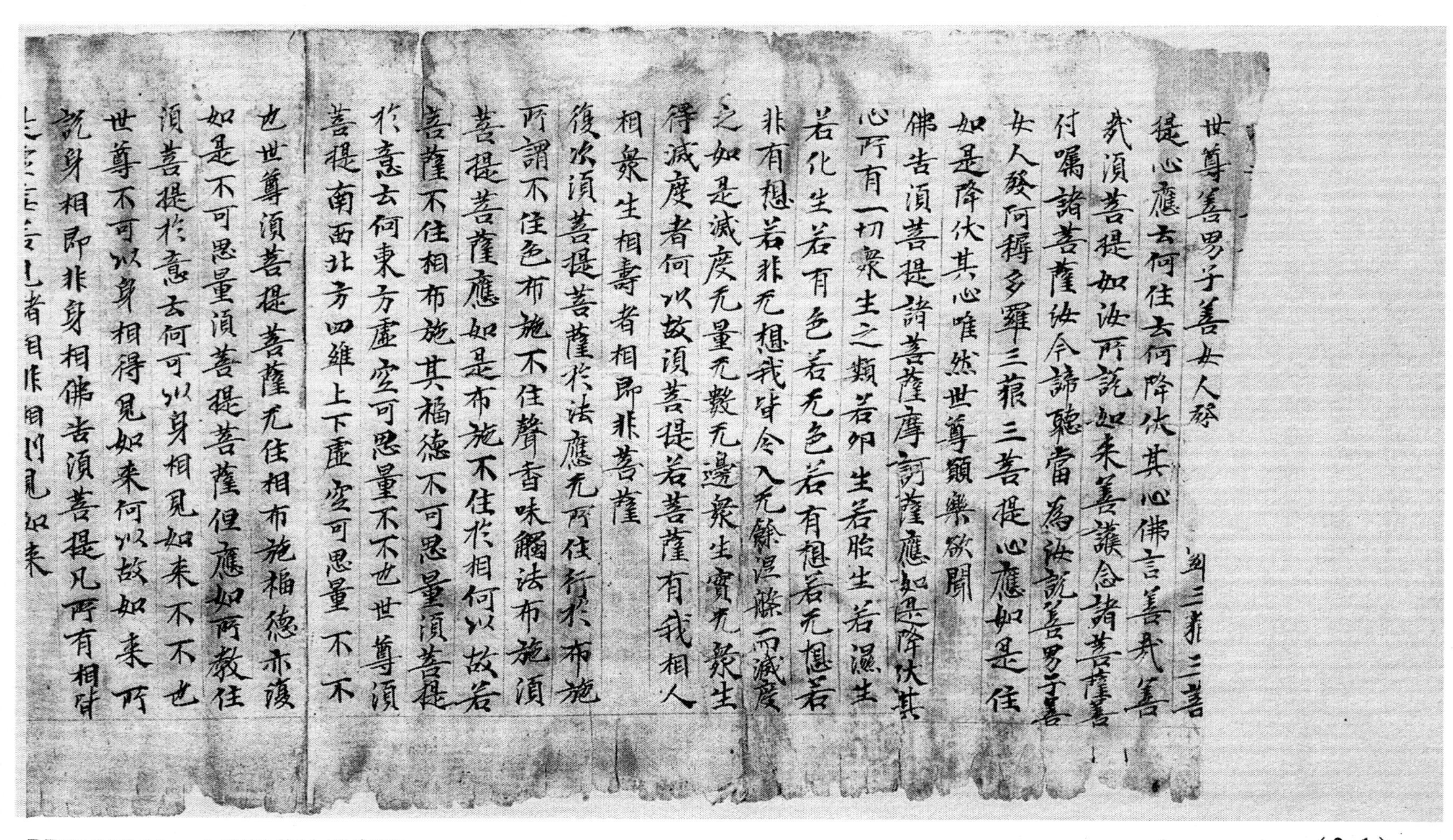
世尊善男子善女人發[illegible]三藐三菩
提心應云何住云何降伏其心佛言善哉善
哉須菩提如汝所說如來善護念諸菩薩善
付囑諸菩薩汝今諦聽當為汝說善男子善
女人發阿耨多羅三藐三菩提心應如是住
如是降伏其心唯然世尊願樂欲聞
佛告須菩提諸菩薩摩訶薩應如是降伏其
心所有一切衆生之類若卵生若胎生若濕生
若化生若有色若无色若有想若无想若
非有想若非无想我皆令入无餘涅槃而滅度
之如是滅度无量无數无邊衆生實无衆生
得滅度者何以故須菩提若菩薩有我相人
相衆生相壽者相即非菩薩
復次須菩提菩薩於法應无所住行於布施
所謂不住色布施不住聲香味觸法布施須
菩提菩薩應如是布施不住於相何以故若
菩薩不住相布施其福德不可思量須菩提
於意云何東方虛空可思量不不也世尊須
菩提南西北方四維上下虛空可思量不不
也世尊須菩提菩薩无住相布施福德亦復
如是不可思量須菩提菩薩但應如所教住
須菩提於意云何可以身相見如來不不也
世尊不可以身相得見如來何以故如來所
說身相即非身相佛告須菩提凡所有相皆
是虛妄若見諸相非相則見如來

BD01546 號　金剛般若波羅蜜經　（3–1）

菩薩不住相布施其福德不可思量須菩提
於意云何東方虛空可思量不不也世尊須
菩提南西北方四維上下虛空可思量不不
也世尊須菩提菩薩无住相布施福德亦復
如是不可思量須菩提菩薩但應如所教住
須菩提於意云何可以身相見如來不不也
世尊不可以身相得見如來何以故如來所
說身相即非身相佛告須菩提凡所有相皆
是虛妄若見諸相非相則見如來
須菩提白佛言世尊頗有衆生得聞如是言
說章句生實信不佛告須菩提莫作是說如
来滅後後五百歲有持戒脩福者於此章句
能生信心以此為實當知是人不於一佛二佛
三四五佛而種善根已於无量千万佛所種
諸善根聞是章句乃至一念生淨信者須
菩提如来悉知悉見是諸衆生得如是无量
福德何以故是諸衆生无復我相人相衆生
相壽者相无法相亦无非法相何以故是諸
衆生若心取相則為著我人衆生壽者若取
法相即著我人衆生壽者何以故若取非法
相即著我人衆生壽者是故不應取法不應
取非法以是義故如来常說汝等比丘知我
說法如筏喻者法尚應捨何況非法
須菩提於意云何如来得阿耨多羅三藐三
菩提耶如来有所說法耶須菩提言如我解
佛所說義无有定法名阿耨多羅三藐三菩
提亦无有定法如来可說何以故如来所說
法皆不可取不可說非法非非法所以者何一
切賢聖皆以无為法而有差別。

BD01546號　金剛般若波羅蜜經　（3–2）

来滅後後五百歲有持戒脩福者於此章句
能生信心以此為實當知是人不於一佛二佛
三四五佛而種善根已於无量千万佛所種
諸善根聞是章句乃至一念生淨信者須
菩提如来悉知悉見是諸衆生得如是无量
福德何以故是諸衆生无復我相人相衆生
相壽者相无法相亦无非法相何以故是諸
衆生若心取相則為著我人衆生壽者若取
法相即著我人衆生壽者何以故若取非法
相即著我人衆生壽者是故不應取法不應
取非法以是義故如来常說汝等比丘知我
說法如筏喻者法尚應捨何況非法
須菩提於意云何如来得阿耨多羅三藐三
菩提耶如来有所說法耶須菩提言如我解
佛所說義无有定法名阿耨多羅三藐三菩
提亦无有定法如来可說何以故如来所說
法皆不可取不可說非法非非法所以者何一
切賢聖皆以无為法而有差別。
須菩提於意云何若人滿三千大千世界七
寶以用布施是人所得福德寧為多不須菩

BD01546號　金剛般若波羅蜜經　（3–3）

佛

佛說閻羅王經　大般若波羅蜜

BD01546 號背　雜寫　（1–1）

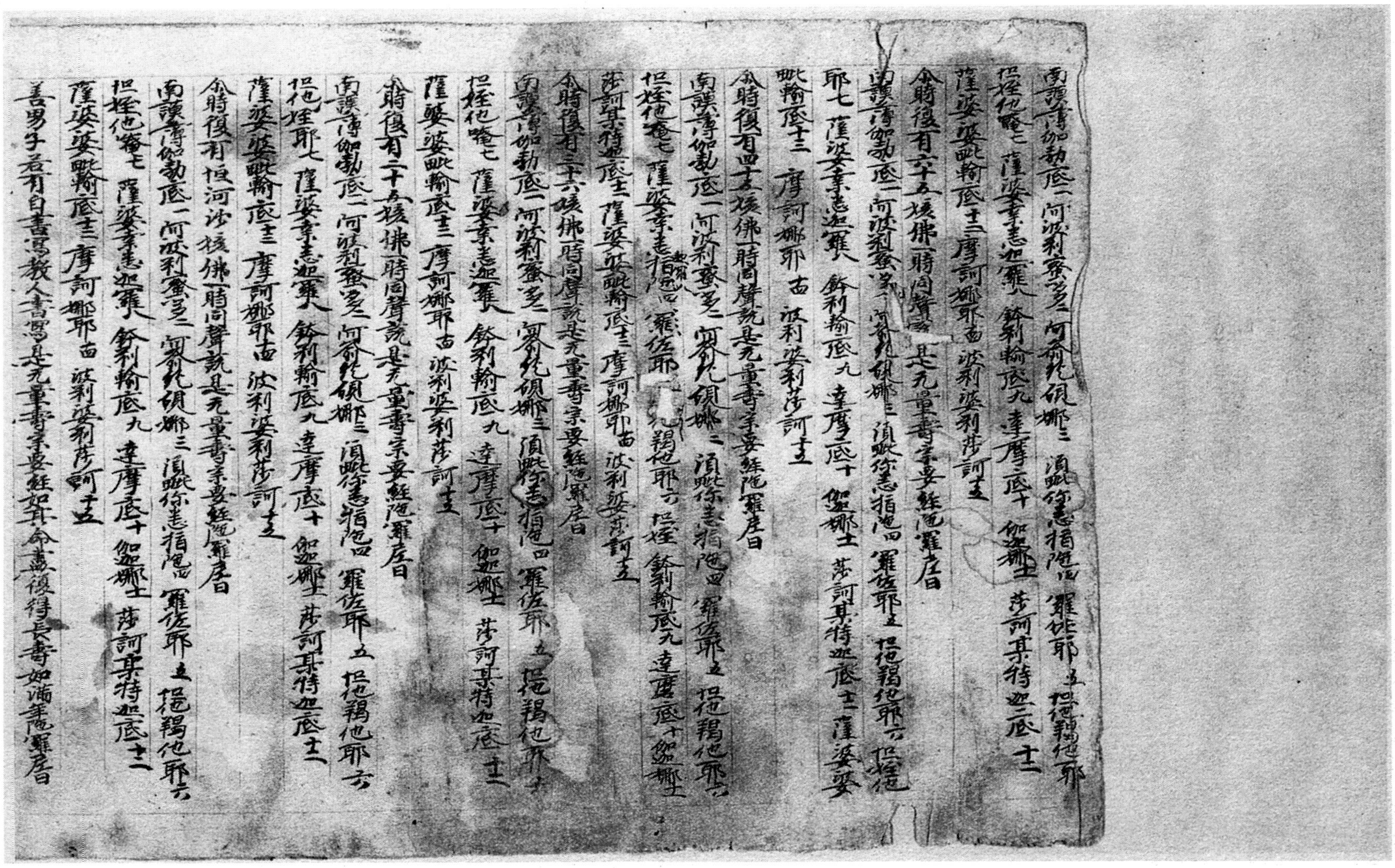

南謨薄伽勃底一　阿波利蜜多二　阿喻紇硯娜三　須毗你志指陁四　囉佐耶五　怛他羯他耶
怛姪他唵七　薩婆桑悉迦囉八　鉢利輸底九　達摩底十　伽迦娜十一　莎訶某特迦底十二
薩婆婆毗輸底十三　摩訶娜耶十四　波利婆利莎訶十五
爾時復有六十五姟佛一時同聲說是无量壽宗要經陁羅尼曰
南謨薄伽勃底一　阿波利蜜多二　阿喻紇硯娜三　須毗你志指陁四　囉佐耶五　怛他羯他耶六　怛姪
耶七　薩婆桑悉迦囉八　鉢利輸底九　達摩底十　伽迦娜十一　莎訶某特迦底十二　薩婆婆
毗輸底十三　摩訶娜耶十四　波利婆利莎訶十五
爾時復有四十五姟佛一時同聲說是无量壽宗要經陁羅尼曰
南謨薄伽勃底一　阿波利蜜多二　阿喻紇硯娜三　須毗你志指陁四　囉佐耶五　怛他羯他耶六
怛姪他唵七　薩婆桑悉指陁四　囉佐耶　羯他耶六　怛姪　鉢利輸底九　達摩底十　伽迦娜十一
莎訶某特迦底十二　薩婆婆毗輸底十三　摩訶娜耶十四　波利婆利莎訶十五
爾時復有三十六姟佛一時同聲說是无量壽宗要經陁羅尼曰
南謨薄伽勃底一　阿波利蜜多二　阿喻紇硯娜三　須毗你志指陁四　囉佐耶五　怛他羯他耶六
怛姪他唵七　薩婆桑悉迦囉八　鉢利輸底九　達摩底十　伽迦娜十一　莎訶某特迦底十二
薩婆婆毗輸底十三　摩訶娜耶十四　波利婆利莎訶十五
爾時復有二十五姟佛一時同聲說是无量壽宗要經陁羅尼曰
南謨薄伽勃底一　阿波利蜜多二　阿喻紇硯娜三　須毗你志指陁四　囉佐耶五　怛他羯他耶六
怛他姪耶七　薩婆桑悉迦囉八　鉢利輸底九　達摩底十　伽迦娜十一　莎訶某特迦底十二
薩婆婆毗輸底十三　摩訶娜耶十四　波利婆利莎訶十五
爾時復有恒河沙姟佛一時同聲說是无量壽宗要經陁羅尼曰
南謨薄伽勃底一　阿波利蜜多二　阿喻紇硯娜三　須毗你志指陁四　囉佐耶五　怛他羯他耶六
怛姪他唵七　薩婆桑悉迦囉八　鉢利輸底九　達摩底十　伽迦娜十一　莎訶某特迦底十二
薩婆婆毗輸底十三　摩訶娜耶十四　波利婆利莎訶十五
善男子若有自書寫教人書寫是无量壽宗要經如其命盡復得長壽如滿年陁羅尼曰

BD01547 號　無量壽宗要經　（5–1）

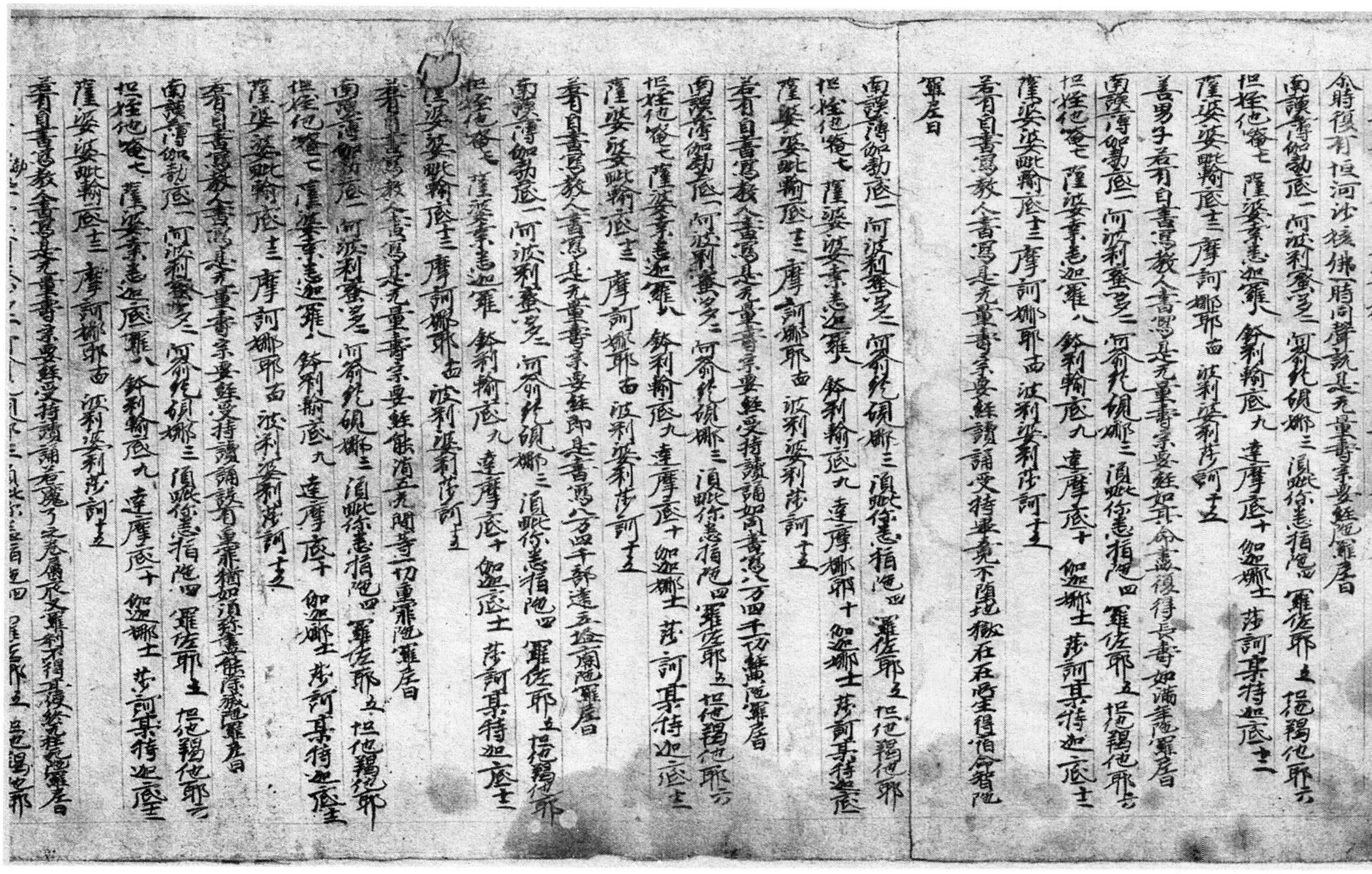

介時復有恒河沙數佛一時同聲說是無量壽宗要經陁羅尼曰
南謨薄伽勃底一 阿波利蜜多二 阿喻紇硯娜三 須毗你失指陁四 囉佐耶五 怛他羯他耶六
怛姪他唵七 薩婆桑悉迦囉八 鉢利輸底九 達摩底十 伽迦娜十一 莎訶莫持迦底十二
薩婆婆毗輸底十三 摩訶娜耶十四 波利婆利莎訶十五
善男子若有自書寫教人書寫是無量壽宗要經如其命盡復得長壽如滿[illegible]陁羅尼曰
南謨薄伽勃底一 阿波利蜜多二 阿喻紇硯娜三 須毗你失指陁四 囉佐耶五 怛他羯他耶六
怛姪他唵七 薩婆桑悉迦囉八 鉢利輸底九 達摩底十 伽迦娜十一 莎訶莫持迦底十二
薩婆婆毗輸底十三 摩訶娜耶十四 波利婆利莎訶十五
若有自書寫教人書寫是無量壽宗要經讀誦受持畢竟不墮地獄在在所生得宿命智陁
羅尼曰
南謨薄伽勃底一 阿波利蜜多二 阿喻紇硯娜三 須毗你失指陁四 囉佐耶五 怛他羯他耶
怛姪他唵七 薩婆桑悉迦囉八 鉢利輸底九 達摩娜耶十 伽迦娜十一 莎訶莫持迦底
薩婆婆毗輸底十三 摩訶娜耶十四 波利婆利莎訶十五
若有自書寫教人書寫是無量壽宗要經受持讀誦如同書寫八萬四千一切經典陁羅尼曰
南謨薄伽勃底一 阿波利蜜多二 阿喻紇硯娜三 須毗你失指陁四 囉佐耶五 怛他羯他耶六
怛姪他唵七 薩婆桑悉迦囉八 鉢利輸底九 達摩底十 伽迦娜十一 莎訶莫持迦底十二
薩婆婆毗輸底十三 摩訶娜耶十四 波利婆利莎訶十五
若有自書寫教人書寫是無量壽宗要經即是書寫八萬四千部建立塔廟陁羅尼曰
南謨薄伽勃底一 阿波利蜜多二 阿喻紇硯娜三 須毗你失指陁四 囉佐耶五 揭他羯他耶
怛姪他唵七 薩婆桑悉迦囉 鉢利輸底九 達摩底十 伽迦底十一 莎訶莫持迦底十二
薩婆婆毗輸底十三 摩訶娜耶十四 波利婆利莎訶十五
若有自書寫教人書寫是無量壽宗要經能消五無間等一切重罪陁羅尼曰
南謨薄伽勃底一 阿波利蜜多二 阿喻紇硯娜三 須毗你失指陁四 囉佐耶五 怛他羯他耶
怛姪他唵七 薩婆桑悉迦囉八 鉢利輸底九 達摩底十 伽迦娜十一 莎訶莫持迦底十二
薩婆婆毗輸底十三 摩訶娜耶十四 波利婆利莎訶十五
若有自書寫教人書寫是無量壽宗要經受持讀誦設有重罪猶如須彌山能除滅陁羅尼曰
南謨薄伽勃底一 阿波利蜜多二 阿喻紇硯娜三 須毗你失指陁四 囉佐耶五 揭他羯他耶六
怛姪他唵七 薩婆桑悉迦底囉八 鉢利輸底九 達摩底十 伽迦娜十一 莎訶莫持迦底十二
薩婆婆毗輸底十三 摩訶娜耶十四 波利婆利莎訶十五
若有自書寫教人書寫是無量壽宗要經受持讀誦若魔王魔眷屬夜叉羅剎不得其便終無枉死陁羅尼曰
南謨薄伽勃底一 阿波利蜜多二 阿喻紇硯娜三 須毗你失指陁四 囉佐耶五 怛他羯他耶

BD01547號 無量壽宗要經 （5–2）

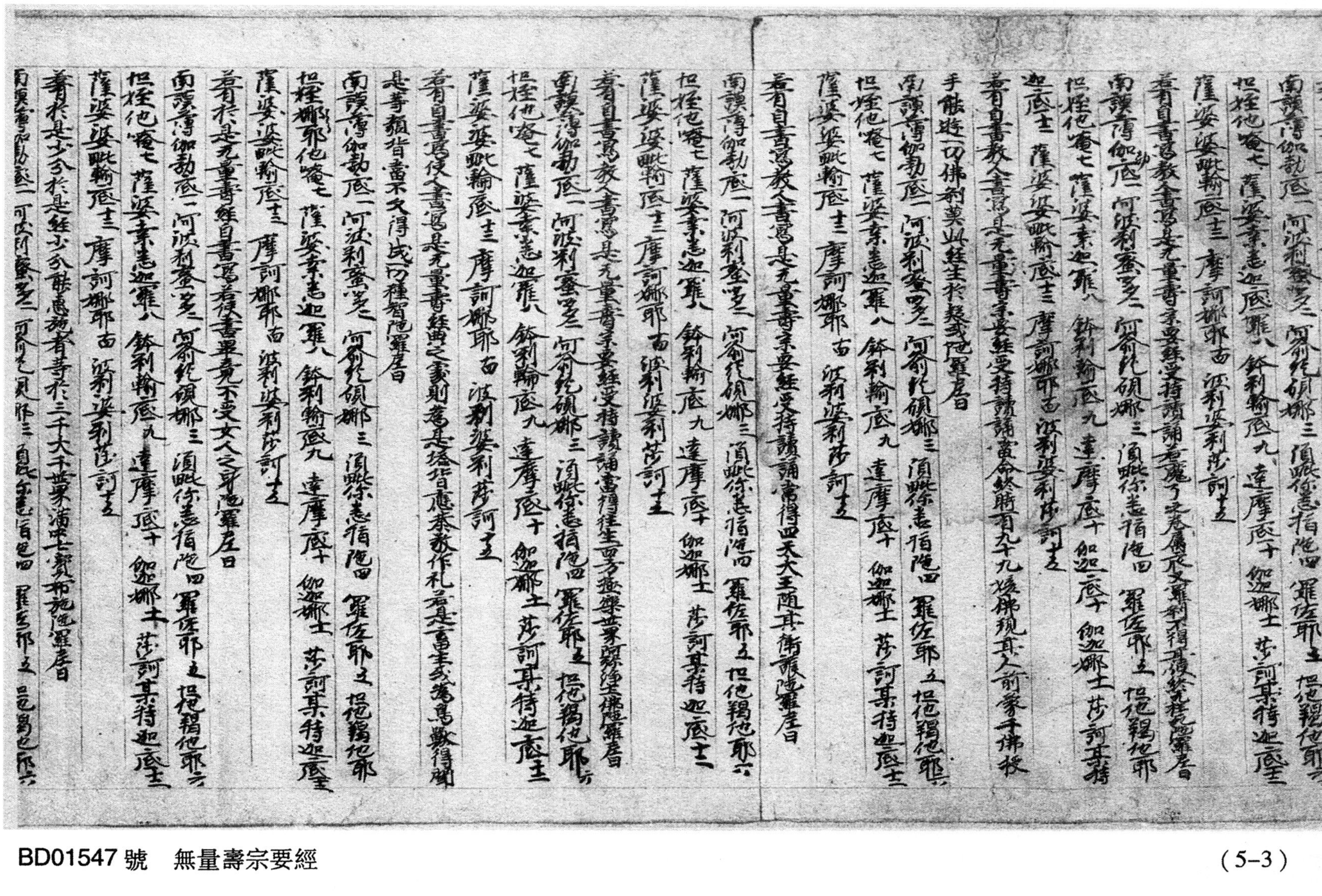

南謨薄伽勃底一 阿波利蜜多二 阿喻紇硯娜三 須毗你失指陁四 囉佐耶五 怛他羯他耶六
怛姪他唵七 薩婆桑悉迦底囉八 鉢利輸底九 達摩底十 伽迦娜十一 莎訶莫持迦底十二
薩婆婆毗輸底十三 摩訶娜耶十四 波利婆利莎訶十五
若有自書寫教人書寫是無量壽宗要經受持讀誦若魔王魔眷屬夜叉羅剎不得其便終無枉死陁羅尼曰
南謨薄伽勃底一 阿波利蜜多二 阿喻紇硯娜三 須毗你失指陁四 囉佐耶五 怛他羯他耶
怛姪他唵七 薩婆桑悉迦囉八 鉢利輸底九 達摩底十 伽迦底十一 莎訶莫持
迦底十二 薩婆婆毗輸底十三 摩訶娜耶十四 波利婆利莎訶十五
若有自書寫教人書寫是無量壽宗要經受持讀誦當命終時有九十九俱胝佛現其人前象千佛授
手能遊一切佛剎莫疑此經生於疑惑陁羅尼曰
南謨薄伽勃底一 阿波利蜜多二 阿喻紇硯娜三 須毗你失指陁四 囉佐耶五 怛他羯他耶六
怛姪他唵七 薩婆桑悉迦囉八 鉢利輸底九 達摩底十 伽迦娜十一 莎訶莫持迦底十二
薩婆婆毗輸底十三 摩訶娜耶十四 波利婆利莎訶十五
若有自書寫教人書寫是無量壽宗要經受持讀誦當得四大天王隨其衛護陁羅尼曰
南謨薄伽勃底一 阿波利蜜多二 阿喻紇硯娜三 須毗你失指陁四 囉佐耶五 怛他羯他耶六
怛姪他唵七 薩婆桑悉迦囉八 鉢利輸底九 達摩底十 伽迦娜十一 莎訶莫持迦底十二
薩婆婆毗輸底十三 摩訶娜耶十四 波利婆利莎訶十五
若有自書寫教人書寫是無量壽宗要經受持讀誦當得往生西方極樂世界阿彌陁佛陁羅尼曰
南謨薄伽勃底一 阿波利蜜多二 阿喻紇硯娜三 須毗你失指陁四 囉佐耶五 怛他羯他耶六
怛姪他唵七 薩婆桑悉迦囉八 鉢利輸底九 達摩底十 伽迦娜十一 莎訶莫持迦底十二
薩婆婆毗輸底十三 摩訶娜耶十四 波利婆利莎訶十五
若有自書寫使人書寫是無量壽經典之處則為是塔皆應恭敬作禮若是畜生或為鳥獸得聞
是壽類皆當不久得成一切種智陁羅尼曰
南謨薄伽勃底一 阿波利蜜多二 阿喻紇硯娜三 須毗你失指陁四 囉佐耶五 怛他羯他耶
怛姪娜耶他唵七 薩婆桑悉迦囉八 鉢利輸底九 達摩底十 伽迦娜十一 莎訶莫持迦底十二
薩婆婆毗輸底十三 摩訶娜耶十四 波利婆利莎訶十五
若於是無量壽經自書寫若使人書畢竟不受女人之身陁羅尼曰
南謨薄伽勃底一 阿波利蜜多二 阿喻紇硯娜三 須毗你失指陁四 囉佐耶五 怛他羯他耶六
怛姪他唵七 薩婆桑悉迦囉八 鉢利輸底九 達摩底十 伽迦娜十一 莎訶莫持迦底十二
薩婆婆毗輸底十三 摩訶娜耶十四 波利婆利莎訶十五
若於是少分於是經少分能惠施者等於三千大千世界滿中七寶布施陁羅尼曰
南謨薄伽勃底一 阿波利蜜多二 阿喻紇硯娜三 須毗你失指陁四 囉佐耶五 怛他羯他耶六

BD01547號 無量壽宗要經 （5–3）

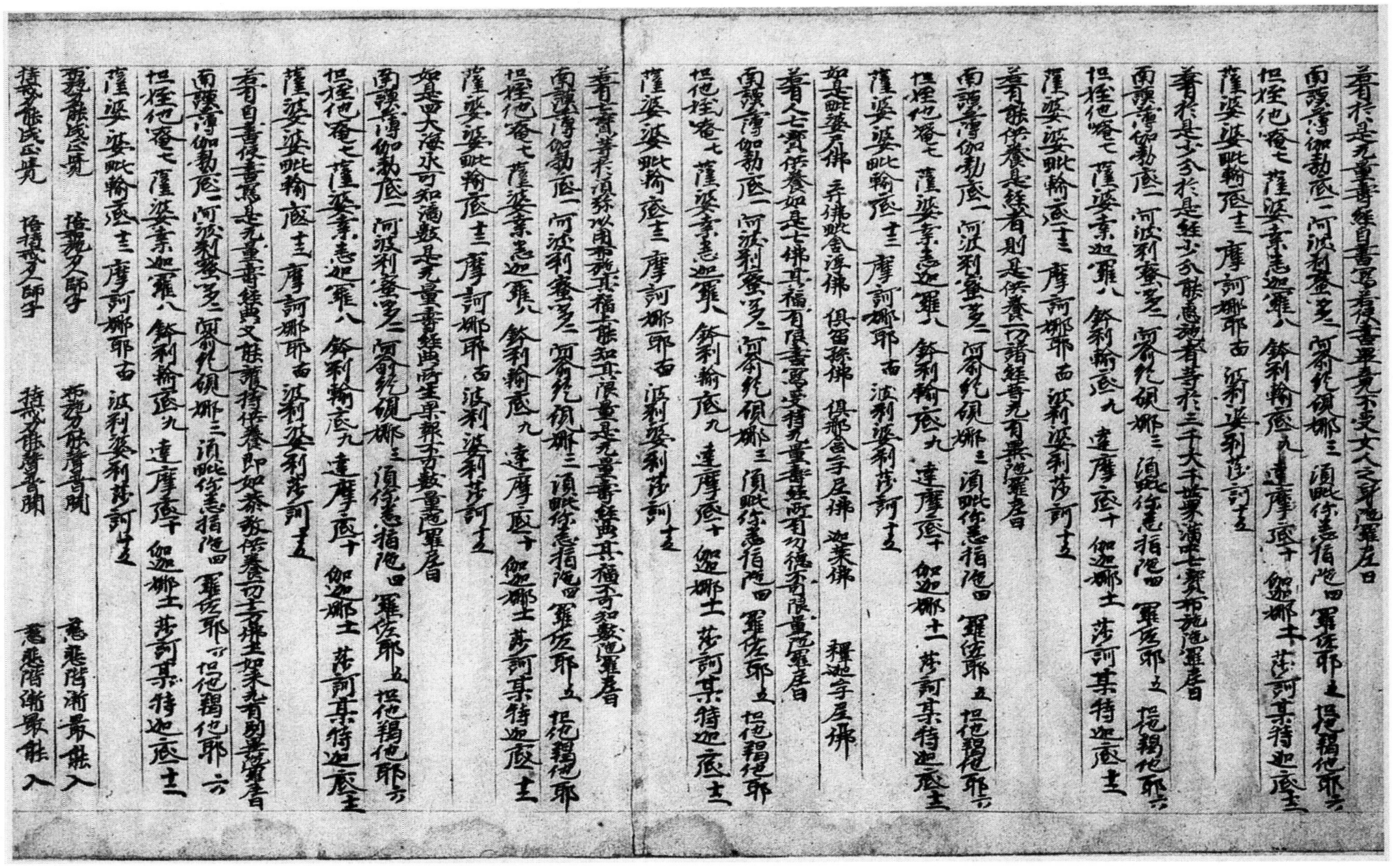

若有於是无量壽經自書寫若使人書寫畢竟不受女人之身陀羅尼曰
南謨薄伽勃底一 阿波利蜜多二 阿喻紇硯娜三 須毗你悉指陀四 囉佐耶五 怛他羯他耶六
怛姪他唵七 薩婆桑悉迦囉八 鉢利輸底九 達摩底十 伽伽娜十一 莎訶某特迦底十二
薩婆婆毗輸底十三 摩訶娜耶十四 波利婆利莎訶十五
若有於是少分於是經少分能惠施者等於三千大千世界滿中七寶布施陀羅尼曰
南謨薄伽勃底一 阿波利蜜多二 阿喻紇硯娜三 須毗你悉指陀四 囉佐耶五 怛他羯他耶六
怛姪他唵七 薩婆桑悉迦囉八 鉢利輸底九 達摩底十 伽伽娜十一 莎訶某特迦底十二
薩婆婆毗輸底十三 摩訶娜耶十四 波利婆利莎訶十五
若有能供養是經者則是供養一切諸經等无有異陀羅尼曰
南謨薄伽勃底一 阿波利蜜多二 阿喻紇硯娜三 須毗你悉指陀四 囉佐耶五 怛他羯他耶六
怛姪他唵七 薩婆桑悉迦囉八 鉢利輸底九 達摩底十 伽伽娜十一 莎訶某特迦底十二
薩婆婆毗輸底十三 摩訶娜耶十四 波利婆利莎訶十五
如毗婆尸佛 弃佛 毗舍浮佛 俱留孫佛 俱那含牟尼佛 迦葉佛 釋迦牟尼佛
若人七寶供養如是七佛其福有限書寫受持无量壽經所有功德不可限量陀羅尼曰
南謨薄伽勃底一 阿波利蜜多二 阿喻紇硯娜三 須毗你悉指陀四 囉佐耶五 怛他羯他耶
怛他姪唵七 薩婆桑悉迦囉八 鉢利輸底九 達摩底十 伽伽娜十一 莎訶某特迦底十二
薩婆婆毗輸底十三 摩訶娜耶十四 波利婆利莎訶十五
若有以寶等於須弥山聚布施其福亦能知其限量是无量壽經其福不可知數陀羅尼曰
南謨薄伽勃底一 阿波利蜜多二 阿喻紇硯娜三 須毗你悉指陀四 囉佐耶五 怛他羯他耶
怛姪他唵七 薩婆桑悉迦囉八 鉢利輸底九 達摩底十 伽伽娜十一 莎訶某特迦底十二
薩婆婆毗輸底十三 摩訶娜耶十四 波利婆利莎訶十五
如是四大海水可知滴數是无量壽經所生果報不可數量陀羅尼曰
南謨薄伽勃底一 阿波利蜜多二 阿喻紇硯娜三 須毗你悉指陀四 囉佐耶五 怛他羯他耶六
怛姪他唵七 薩婆桑悉迦囉八 鉢利輸底九 達摩底十 伽伽娜十一 莎訶某特迦底十二
薩婆婆毗輸底十三 摩訶娜耶十四 波利婆利莎訶十五
若有自書使書寫是无量壽經典又能讀誦持供養即如恭敬供養一切十方佛土如來无有別異陀羅尼曰
南謨薄伽勃底一 阿波利蜜多二 阿喻紇硯娜三 須毗你悉指陀四 囉佐耶五 怛他羯他耶六
怛姪他唵七 薩婆桑悉迦囉八 鉢利輸底九 達摩底十 伽伽娜十一 莎訶某特迦底十二
薩婆婆毗輸底十三 摩訶娜耶十四 波利婆利莎訶十五
布施力能成正覺 悟布施力人師子 布施力能聲響聞 慈悲階衛最能入
持戒力能成正覺 悟持戒力人師子 持戒力能聲響聞 慈悲階衛最能入

BD01547號　無量壽宗要經　（5–4）

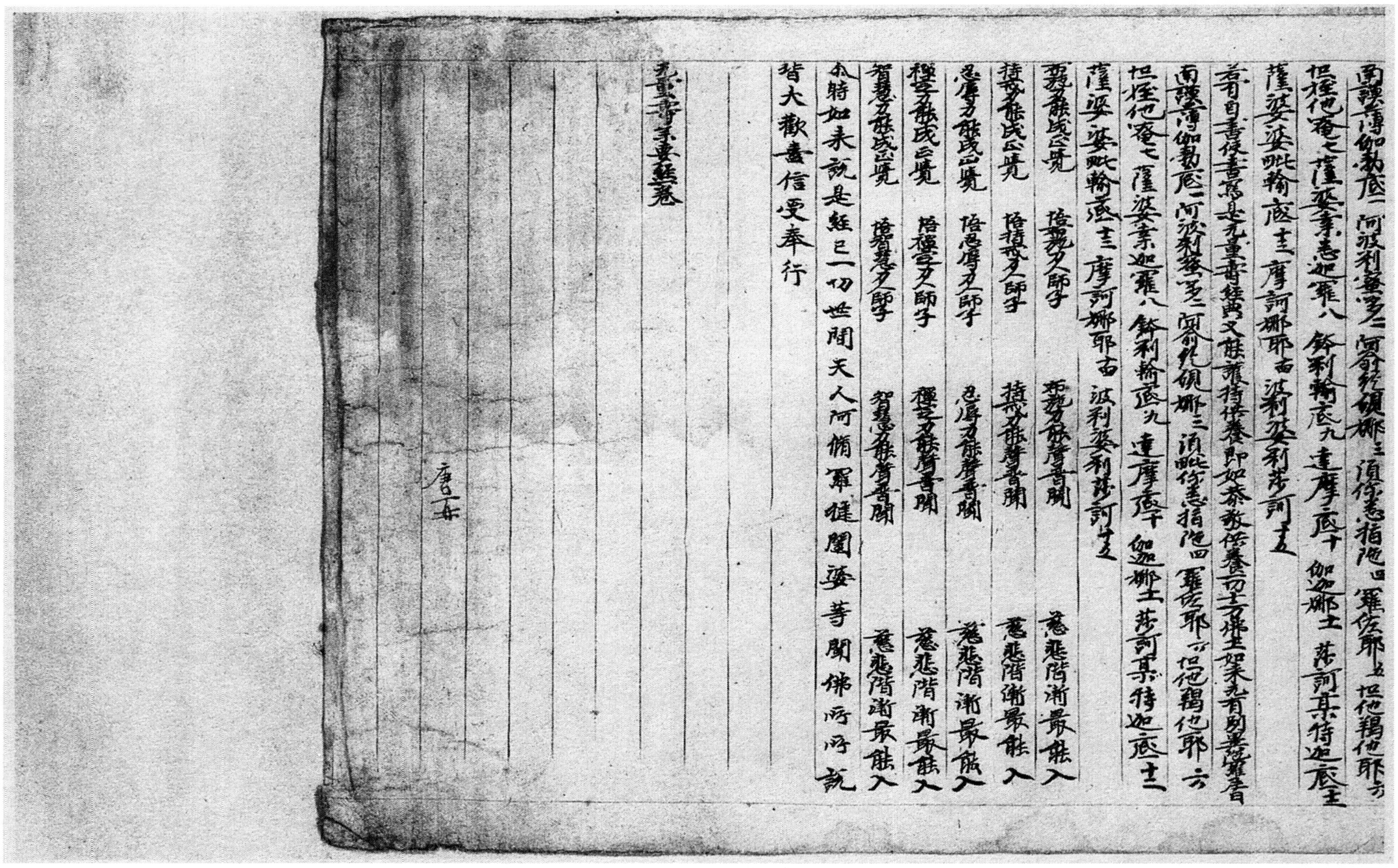

南謨薄伽勃底一 阿波利蜜多二 阿喻紇硯娜三 須毗你悉指陀四 囉佐耶五 怛他羯他耶六
怛姪他唵七 薩婆桑悉迦囉八 鉢利輸底九 達摩底十 伽伽娜十一 莎訶某特迦底十二
薩婆婆毗輸底十三 摩訶娜耶十四 波利婆利莎訶十五
若有自書使書寫是无量壽經典又能讀誦持供養即如恭敬供養一切十方佛土如來无有別異陀羅尼曰
南謨薄伽勃底一 阿波利蜜多二 阿喻紇硯娜三 須毗你悉指陀四 囉佐耶五 怛他羯他耶六
怛姪他唵七 薩婆桑悉迦囉八 鉢利輸底九 達摩底十 伽伽娜十一 莎訶某特迦底十二
薩婆婆毗輸底十三 摩訶娜耶十四 波利婆利莎訶十五
布施力能成正覺 悟布施力人師子 布施力能聲響聞 慈悲階衛最能入
持戒力能成正覺 悟持戒力人師子 持戒力能聲響聞 慈悲階衛最能入
忍辱力能成正覺 悟忍辱力人師子 忍辱力能聲響聞 慈悲階衛最能入
精進力能成正覺 悟精進力人師子 精進力能聲響聞 慈悲階衛最能入
智慧力能成正覺 悟智慧力人師子 智慧力能聲響聞 慈悲階衛最能入
尒時如來說是經已一切世間天人阿脩羅揵闥婆等聞佛所說
皆大歡喜信受奉行
无量壽宗要經

BD01547號　無量壽宗要經　（5–5）

天台山中

神

BD01547號背　雜寫　　　　（1–1）

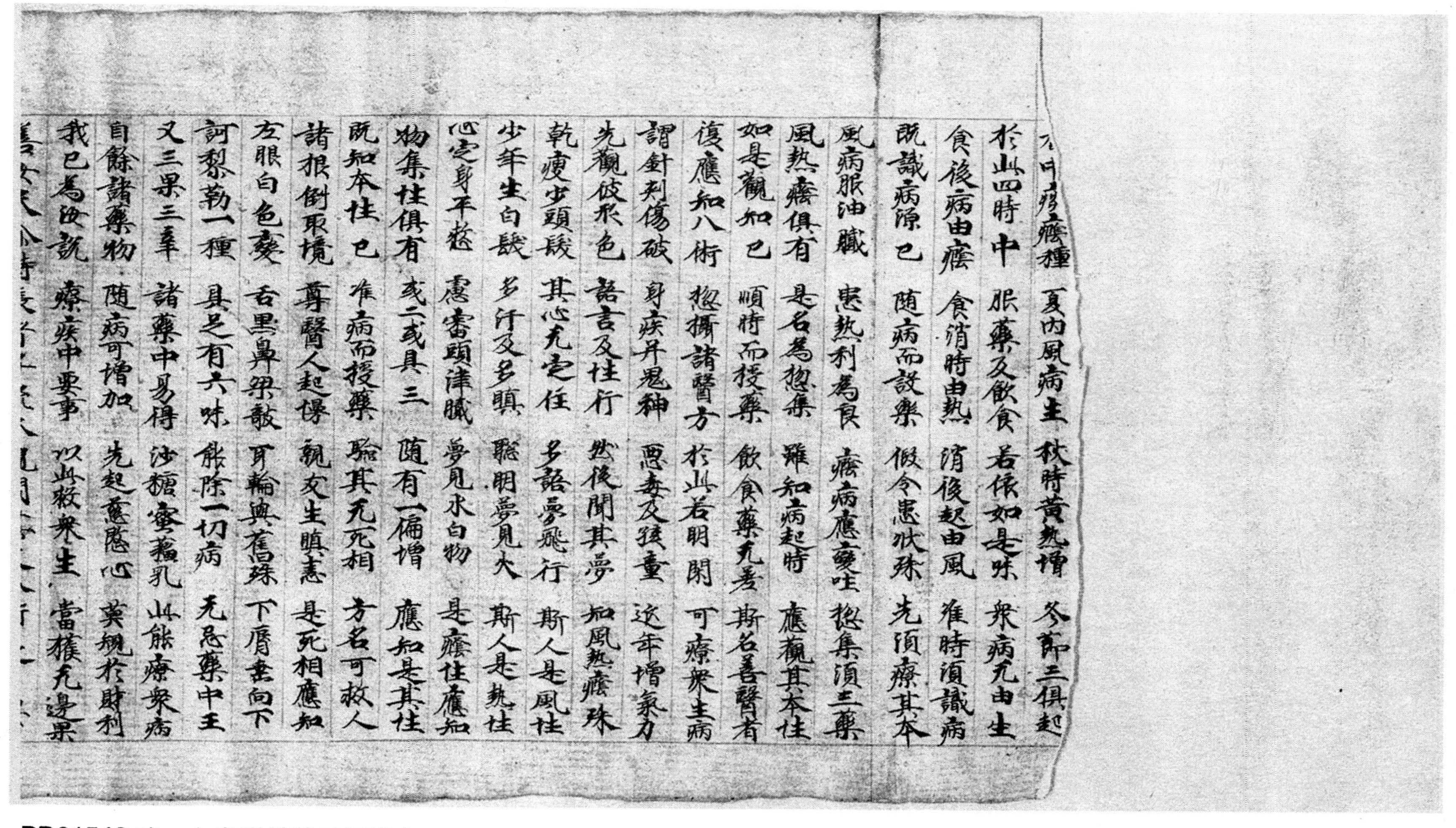

春中痰癊動　夏內風病生　秋時黃熱增　冬節三俱起
於此四時中　服藥及飲食　若依如是味　眾病无由生
食後病由癊　食消時由熱　消後起由風　准時須識病
既識病源已　隨病而設藥　假令患狀殊　先須療其本
風病服油膩　患熱利為良　癊病應變吐　總集須三藥
風熱癊俱有　是名為總集　雖知病起時　應觀其本性
如是觀知已　順時而授藥　飲食藥无差　斯名善醫者
復應知八術　總攝諸醫方　於此若明閑　可療眾生病
謂針刺傷破　身疾并鬼神　惡毒及孩童　延年增氣力
先觀彼形色　語言及性行　然後問其夢　知風熱癊殊
乾瘦少頭髮　其心无定住　多語夢飛行　斯人是風性
少年生白髮　多汗及多瞋　聰明夢見火　斯人是熱性
心定身平整　慮審頭津膩　夢見水白物　是癊性應知
總集性俱有　或二或具三　隨有一偏增　應知是其性
既知本性已　准病而授藥　驗其无死相　方名可救人
諸根倒取境　尊醫人起慢　親友生瞋恚　是死相應知
左眼白色變　舌黑鼻梁攲　耳輪與舊殊　下脣垂向下
訶梨勒一種　具足有六味　能除一切病　无忌藥中王
又三果三辛　諸藥中易得　沙糖蜜蘇乳　此能療眾病
自餘諸藥物　隨病可增加　先起慈愍心　莫規於財利
我已為汝說　療疾中要事　以此救眾生　當獲无邊果

BD01548號　金光明最勝王經卷九　　　　（3–1）

左眼白色變　舌黑鼻梁欹　耳輪與舊殊　下脣垂向下
訶梨勒一種　具足有六味　能除一切病　无忌藥中王
又三果三辛　諸藥中易得　沙糖蜜蘇乳　此能療衆病
自餘諸藥物　隨病可增加　先起慈愍心　莫規於財利
我已為汝說　療疾中要事　以此救衆生　當獲无邊果
善女天尒時長者子流水親問其父八術之要
四大增損時節不同餌藥方法既善了知自
忖堪能救療衆病即便遍至城邑聚落所
在之處隨有百千万億病苦衆生皆至其所
善言慰喻作如是語我是醫人我是醫人善
知方藥今為汝等療治衆病悉令除愈善女
天尒時衆人聞長者子善言慰喻許為治病
時有无量百千衆生遇極重病聞是語已身
心踊躍得未曾有以此因緣所有病苦悉得蠲
除氣力充實平復如本善女天尒時復有无
量百千衆生病苦深重難療治者即共往詣
長者子所重請醫療時長者子即以妙藥令
服皆蒙除差善女天是長者子於此國內
百千万億衆生病苦悉得除差
金光明最勝王經長者子流水品第廿五
尒時佛告菩提樹神善女天尒時長者子流水
於往昔時在天自在光王國內療諸衆生所
有病苦令得平復受安隱樂時諸衆生以
病除故多修福業廣行慧施以自歡娛即共
往詣長者子所咸生尊敬作如是言善哉善
哉大長者子善能滋長福德之事增益我等
安隱壽命仁今實是大力醫王慈悲菩薩妙
閑醫藥善療衆生无量病苦如是稱歎周遍
城邑善女天時長者子妻名水肩藏有其二

BD01548號　金光明最勝王經卷九　（3–2）

忖堪能救療衆病即便遍至城邑聚落所
在之處隨有百千万億病苦衆生皆至其所
善言慰喻作如是語我是醫人我是醫人善
知方藥今為汝等療治衆病悉令除愈善女
天尒時衆人聞長者子善言慰喻許為治病
時有无量百千衆生遇極重病聞是語已身
心踊躍得未曾有以此因緣所有病苦悉得蠲
除氣力充實平復如本善女天尒時復有无
量百千衆生病苦深重難療治者即共往詣
長者子所重請醫療時長者子即以妙藥令
服皆蒙除差善女天是長者子於此國內
百千万億衆生病苦悉得除差
金光明最勝王經長者子流水品第廿五
尒時佛告菩提樹神善女天尒時長者子流水
於往昔時在天自在光王國內療諸衆生所
有病苦令得平復受安隱樂時諸衆生以
病除故多修福業廣行慧施以自歡娛即共
往詣長者子所咸生尊敬作如是言善哉善
哉大長者子善能滋長福德之事增益我等
安隱壽命仁今實是大力醫王慈悲菩薩妙
閑醫藥善療衆生无量病苦如是稱歎周遍
城邑善女天時長者子妻名水肩藏有其二
子一名水滿二名水藏是時流水將其二子漸
次遊行城邑聚落過空澤中深險之處見諸

BD01548號　金光明最勝王經卷九　（3–3）

有顚相可得說受想行識無顚有顚相可得
以有所得為方便說色寂靜不寂靜相可得
說受想行識寂靜不寂靜相可得以有所得
為方便說色遠離不遠離相可得說受想行
識遠離不遠離相可得
以有所得為方便說眼處常無常相可得說
耳鼻舌身意處常無常相可得以有所得為
方便說眼處樂苦相可得說耳鼻舌身意處
樂苦相可得以有所得為方便說眼處我無
我相可得說耳鼻舌身意處我無我相可得
以有所得為方便說眼處淨不淨相可得說
耳鼻舌身意處淨不淨相可得以有所得為
方便說眼處空不空相可得說耳鼻舌身意
處空不空相可得以有所得為方便說眼處
無相有相相可得說耳鼻舌身意處無相有
相相可得以有所得為方便說眼處無顚有
顚相可得說耳鼻舌身意處無顚有顚相可
得以有所得為方便說眼處寂靜不寂靜相
可得說耳鼻舌身意處寂靜不寂靜相可得
以有所得為方便說眼處遠離不遠離相可
得說耳鼻舌身意處遠離不遠離相可得以

BD01549 號　大般若波羅蜜多經卷四五　（4–1）

無相有相相可得說耳鼻舌身意處無相有
相相可得以有所得為方便說眼處無顚有
顚相可得說耳鼻舌身意處無顚有顚相可
得以有所得為方便說眼處寂靜不寂靜相
可得說耳鼻舌身意處寂靜不寂靜相可得
以有所得為方便說眼處遠離不遠離相可
得說耳鼻舌身意處遠離不遠離相可得以
有所得為方便說色處常無常相可得說聲
香味觸法處常無常相可得以有所得為方
便說色處樂苦相可得說聲香味觸法處樂
苦相可得以有所得為方便說色處我無我
相可得說聲香味觸法處我無我相可得以
有所得為方便說色處淨不淨相可得說聲
香味觸法處淨不淨相可得以有所得為方
便說色處空不空相可得說聲香味觸法處
空不空相可得以有所得為方便說色處無
相有相相可得說聲香味觸法處無相有相
相可得以有所得為方便說色處無顚有顚
相可得說聲香味觸法處無顚有顚相可得
以有所得為方便說色處寂靜不寂靜相可
得說聲香味觸法處寂靜不寂靜相可得以
有所得為方便說色處遠離不遠離相可得
說聲香味觸法處遠離不遠離相可得
以有所得為方便說眼界常無常相可得說
色界眼識界及眼觸眼觸為緣所生諸受常
無常相可得以有所得為方便說眼界樂苦
相可得說色界眼識界及眼觸眼觸為緣所
[illegible]

BD01549 號　大般若波羅蜜多經卷四五　（4–2）

說聲香味觸法處遠離不遠離相可得
以有所得為方便說眼界常無常相可得說
色界眼識界及眼觸眼觸為緣所生諸受常
無常相可得以有所得為方便說眼界樂苦
相可得說色界眼識界及眼觸眼觸為緣所
生諸受樂苦相可得以有所得為方便說眼
界我無我相可得說色界眼識界及眼觸眼
觸為緣所生諸受我無我相可得以有所得
為方便說眼界淨不淨相可得說色界眼識
界及眼觸眼觸為緣所生諸受淨不淨相可
得以有所得為方便說眼界空不空相可得
說色界眼識界及眼觸眼觸為緣所生諸受
空不空相可得以有所得為方便說眼界無
相有相相可得說色界眼識界及眼觸眼觸
為緣所生諸受無相有相相可得以有所得
為方便說眼界無願有願相可得說色界眼
識界及眼觸眼觸為緣所生諸受無願有願
相可得以有所得為方便說眼界寂靜不寂
靜相可得說色界眼識界及眼觸眼觸為緣
所生諸受寂靜不寂靜相可得以有所得為
方便說眼界遠離不遠離相可得說色界眼
識界及眼觸眼觸為緣所生諸受遠離不遠
離相可得以有所得為方便說耳界常無常
相可得說聲界耳識界及耳觸耳觸為緣所
生諸受常無常相可得以有所得為方便說
耳界樂苦相可得說聲界耳識界及耳觸耳
觸為緣所生諸受樂苦相可得以有所得為

BD01549號　大般若波羅蜜多經卷四五　（4–3）

空不空相可得以有所得為方便說眼界無
相有相相可得說色界眼識界及眼觸眼觸
為緣所生諸受無相有相相可得以有所得
為方便說眼界無願有願相可得說色界眼
識界及眼觸眼觸為緣所生諸受無願有願
相可得以有所得為方便說眼界寂靜不寂
靜相可得說色界眼識界及眼觸眼觸為緣
所生諸受寂靜不寂靜相可得以有所得為
方便說眼界遠離不遠離相可得說色界眼
識界及眼觸眼觸為緣所生諸受遠離不遠
離相可得以有所得為方便說耳界常無常
相可得說聲界耳識界及耳觸耳觸為緣所
生諸受常無常相可得以有所得為方便說
耳界樂苦相可得說聲界耳識界及耳觸耳
觸為緣所生諸受樂苦相可得以有所得為
方便說耳界我無我相可得說聲界耳識界
及耳觸耳觸為緣所生諸受我無我相可得
以有所得為方便說耳界淨不淨相可得說
聲界耳識界及耳觸耳觸為緣所生諸受淨
不淨相可得以有所得為方便說耳界空不
空相可得說聲界耳識界及耳觸耳觸為

BD01549號　大般若波羅蜜多經卷四五　（4–4）

若等无間緣所緣緣增上緣善非善尚畢竟
不可得性非有故況有因緣善非善增語及
等无間緣所緣緣增上緣若善若非善增
語既非有如何可言即因緣若善若非善增
語是菩薩摩訶薩即等无間緣所緣緣增上
緣若善若非善增語是菩薩摩訶薩善現汝
復觀何義言即因緣若有罪若无罪增語非
菩薩摩訶薩即等无間緣所緣緣增上緣若
有罪若无罪增語非菩薩摩訶薩耶世尊若
因緣有罪无罪若等无間緣所緣緣增上緣
有罪无罪尚畢竟不可得性非有故況有因
緣有罪无罪增語及等无間緣所緣緣增上
緣有罪无罪增語此增語既非有如何可言
即因緣若有罪若无罪增語是菩薩摩訶薩
即等无間緣所緣緣增上緣若有罪若无罪
增語是菩薩摩訶薩善現汝復觀何義言即
因緣若有煩惱若无煩惱增語非菩薩摩訶
薩即等无間緣所緣緣增上緣若有煩惱若
无煩惱增語非菩薩摩訶薩耶世尊若因緣
有煩惱无煩惱若等无間緣所緣緣增上緣
有煩惱无煩惱尚畢竟不可得性非有故況有
因緣有煩惱无煩惱增語及等无間緣所

BD01550號　大般若波羅蜜多經卷二七　（9–1）

无煩惱增語非菩薩摩訶薩耶世尊若因緣
有煩惱无煩惱若等无間緣所緣緣增上緣
有煩惱无煩惱尚畢竟不可得性非有故況有
因緣有煩惱无煩惱增語及等无間緣所
緣緣增上緣有煩惱无煩惱增語此增語既
非有如何可言即因緣若有煩惱若无煩惱
增語是菩薩摩訶薩即等无間緣所緣緣增上
緣若有煩惱若无煩惱增語是菩薩摩訶
薩善現汝復觀何義言即因緣若世間若出
世間增語非菩薩摩訶薩即等无間緣所緣
緣增上緣若世間若出世間增語非菩薩摩
訶薩耶世尊若因緣世間出世間若等无間
緣所緣緣增上緣世間出世間尚畢竟不可
得性非有故況有因緣世間出世間增語及
等无間緣所緣緣增上緣世間出世間增語
此增語既非有如何可言即因緣若世間若
出世間增語是菩薩摩訶薩即等无間緣所
緣緣增上緣若世間若出世間增語是菩薩
摩訶薩善現汝復觀何義言即因緣若雜染
若清淨增語非菩薩摩訶薩即等无間緣所
緣緣增上緣若雜染若清淨增語非菩薩摩
訶薩耶世尊若因緣雜染清淨若等无間緣
所緣緣增上緣雜染清淨尚畢竟不可得性
非有故況有因緣雜染清淨增語及等无間
緣所緣緣增上緣雜染清淨增語此增語既
非有如何可言即因緣若雜染若清淨增語
是菩薩摩訶薩即等无間緣所緣緣增上緣

BD01550號　大般若波羅蜜多經卷二七　（9–2）

非有故況有因緣雜染清淨增語及等无間
緣所緣緣增上緣雜染清淨增語此增語既
非有如何可言即因緣若雜染若清淨增語
是菩薩摩訶薩即等无間緣所緣緣增上緣
若雜染若清淨增語是菩薩摩訶薩善現汝
復觀何義言即因緣若屬生死若屬涅槃增
語非菩薩摩訶薩即等无間緣所緣緣增上
緣若屬生死若屬涅槃增語非菩薩摩訶薩
耶世尊若因緣屬生死屬涅槃若等无間緣
所緣緣增上緣屬生死屬涅槃尚畢竟不可
得性非有故況有因緣屬生死屬涅槃增語及
等无間緣所緣緣增上緣若屬生死若屬涅槃
增語此增語既非有如何可言即因緣若屬
生死若屬涅槃增語是菩薩摩訶薩即等无
間緣所緣緣增上緣若屬生死若屬涅槃增
語是菩薩摩訶薩善現汝復觀何義言即因
緣若在內若在外若在兩間增語非菩薩摩
訶薩即等无間緣所緣緣增上緣若在內若
在外若在兩間增語非菩薩摩訶薩耶世尊
若因緣在內在外在兩間若等无間緣所緣
緣增上緣在內在外在兩間尚畢竟不可得
性非有故況有因緣在內在外在兩間增語
及等无間緣所緣緣增上緣在內在外在兩
間增語此增語既非有如何可言即因緣若
在內若在外若在兩間增語是菩薩摩訶薩
即等无間緣所緣緣增上緣若在內若在外
若在兩間增語是菩薩摩訶薩善現汝復觀
何義言即因緣若可得若不可得增語非菩
薩摩訶薩即等无間緣所緣緣增上緣若可

BD01550號　大般若波羅蜜多經卷二七　（9–3）

在內若在外若在兩間增語是菩薩摩訶薩
即等无間緣所緣緣增上緣若在內若在外
若在兩間增語是菩薩摩訶薩善現汝復觀
何義言即因緣若可得若不可得增語非菩
薩摩訶薩即等无間緣所緣緣增上緣若可
得若不可得增語非菩薩摩訶薩耶世尊若
因緣可得不可得若等无間緣所緣緣增上
緣可得不可得尚畢竟不可得性非有故況
有因緣可得不可得增語及等无間緣所緣
緣增上緣可得不可得增語此增語既非有
如何可言即因緣若可得若不可得增語是
菩薩摩訶薩即等无間緣所緣緣增上緣若
可得若不可得增語是菩薩摩訶薩
復次善現汝復觀何義言即緣所生法增語
非菩薩摩訶薩耶具壽善現荅言世尊緣所
生法尚畢竟不可得性非有故況有緣所生
法增語此增語既非有如何可言即緣所生
法增語是菩薩摩訶薩善現汝復觀何義言
即緣所生法若常若无常增語非菩薩摩訶
薩耶世尊緣所生法常无常尚畢竟不可得
性非有故況有緣所生法常无常增語此增
語既非有如何可言即緣所生法若常若无
常增語是菩薩摩訶薩善現汝復觀何義言
即緣所生法若樂若苦增語非菩薩摩訶薩
耶世尊緣所生法樂苦尚畢竟不可得性非
有故況有緣所生法樂苦增語此增語既非
有如何可言即緣所生法若樂若苦增語是
菩薩摩訶薩善現汝復觀何義言即緣所生

BD01550號　大般若波羅蜜多經卷二七　（9–4）

有故況有緣所生法樂苦增語此增語既非
有如何可言即緣所生法若樂若苦增語是
菩薩摩訶薩善現汝復觀何義言即緣所生
法若我若无我增語非菩薩摩訶薩耶世尊
緣所生法我无我尚畢竟不可得性非有故
況有緣所生法我无我增語此增語既非有
如何可言即緣所生法若我若无我增語是
菩薩摩訶薩善現汝復觀何義言即緣所生
法若淨若不淨增語非菩薩摩訶薩耶世尊
緣所生法淨不淨尚畢竟不可得性非有故
況有緣所生法淨不淨增語此增語既非有
如何可言即緣所生法若淨若不淨增語是
菩薩摩訶薩善現汝復觀何義言即緣所生
法若空若不空增語非菩薩摩訶薩耶世尊
緣所生法空不空尚畢竟不可得性非有故況
有緣所生法空不空增語此增語既非有如
何可言即緣所生法若空若不空增語是菩
薩摩訶薩善現汝復觀何義言即緣所生
法若有相若无相增語非菩薩摩訶薩耶世
尊緣所生法有相无相尚畢竟不可得性非
有故況有緣所生法有相无相增語此增語
既非有如何可言即緣所生法若有相若无
相增語是菩薩摩訶薩善現汝復觀何義言
即緣所生法若有願若无願增語非菩薩摩
摩訶薩耶世尊緣所生法有願无願尚畢竟不
可得性非有故況有緣所生法有願无願增
語此增語既非有如何可言即緣所生法若有
願若无願增語是菩薩摩訶薩善現汝復

BD01550號　大般若波羅蜜多經卷二七　（9–5）

摩訶薩耶世尊緣所生法有願无願尚畢竟不
可得性非有故況有緣所生法有願无願增
語此增語既非有如何可言即緣所生法若有
願若无願增語是菩薩摩訶薩善現汝復
觀何義言即緣所生法若寂靜若不寂靜增
語非菩薩摩訶薩耶世尊緣所生法寂靜不
寂靜尚畢竟不可得性非有故況有緣所生
法寂靜不寂靜增語此增語既非有如何可
言即緣所生法若寂靜若不寂靜增語是菩
薩摩訶薩善現汝復觀何義言即緣所生法
若遠離若不遠離增語非菩薩摩訶薩耶
世尊緣所生法遠離不遠離尚畢竟不可得
性非有故況有緣所生法遠離不遠離增語此
增語既非有如何可言即緣所生法若遠離
若不遠離增語是菩薩摩訶薩善現汝復
觀何義言即緣所生法若有為若无為增語
非菩薩摩訶薩耶世尊緣所生法有為无為尚
畢竟不可得性非有故況有緣所生法有為无
為增語此增語既非有如何可言即緣所
生法若有為若无為增語是菩薩摩訶薩善
現汝復觀何義言即緣所生法若有漏若无
漏增語非菩薩摩訶薩耶世尊緣所生法有
漏无漏尚畢竟不可得性非有故況有緣所
生法有漏无漏增語此增語既非有如何可
言即緣所生法若有漏若无漏增語是菩薩
摩訶薩善現汝復觀何義言即緣所生法若
生若滅增語非菩薩摩訶薩耶世尊緣所生
法生滅尚畢竟不可得性非有故況有緣所

BD01550號　大般若波羅蜜多經卷二七　（9–6）

言即緣所生法若有漏若无漏增語是菩薩
摩訶薩善現汝復觀何義言即緣所生法若
生若滅增語非菩薩摩訶薩耶世尊緣所生
法生滅尚畢竟不可得性非有故況有緣所
生法生滅增語此增語既非有如何可言即
緣所生法若生若滅增語是菩薩摩訶薩善
現汝復觀何義言即緣所生法若善若非善
增語非菩薩摩訶薩耶世尊緣所生法善非
善尚畢竟不可得性非有故況有緣所生法
善非善增語此增語既非有如何可言即緣
所生法若善若非善增語是菩薩摩訶薩善
現汝復觀何義言即緣所生法若有罪若无
罪增語非菩薩摩訶薩耶世尊緣所生法
有罪无罪尚畢竟不可得性非有故況有緣所
生法有罪无罪增語此增語既非有如何可
言即緣所生法若有罪若无罪增語是菩薩
摩訶薩善現汝復觀何義言即緣所生法若
有煩惱若无煩惱增語非菩薩摩訶薩耶世
尊緣所生法有煩惱无煩惱尚畢竟不可得
性非有故況有緣所生法有煩惱无煩惱增
語此增語既非有如何可言即緣所生法若
有煩惱若无煩惱增語是菩薩摩訶薩善現
汝復觀何義言即緣所生法若世間若出世
間增語非菩薩摩訶薩耶世尊緣所生法世
間出世間尚畢竟不可得性非有故況有緣所
所生法世間出世間增語此增語既非有如何
可言即緣所生法若世間若出世間增語是
菩薩摩訶薩善現汝復觀何義言即緣所

BD01550號　大般若波羅蜜多經卷二七

（9–7）

間增語非菩薩摩訶薩耶世尊緣所生法世
間出世間尚畢竟不可得性非有故況有緣所
所生法世間出世間增語此增語既非有如何
可言即緣所生法若世間若出世間增語是
菩薩摩訶薩善現汝復觀何義言即緣所
生法若雜染若清淨增語非菩薩摩訶薩耶
世尊緣所生法雜染清淨尚畢竟不可得性
非有故況有緣所生法雜染清淨增語此增
語既非有如何可言即緣所生法若雜染若
清淨增語是菩薩摩訶薩善現汝復觀何義
言即緣所生法若屬生死若屬涅槃增語非
菩薩摩訶薩耶世尊緣所生法屬生死屬涅
槃尚畢竟不可得性非有故況有緣所生法
屬生死屬涅槃增語此增語既非有如何可
言即緣所生法若屬生死若屬涅槃增語是
菩薩摩訶薩善現汝復觀何義言即緣所生
法若在內若在外若在兩間增語非菩薩摩
訶薩耶世尊緣所生法在內在外在兩間尚
畢竟不可得性非有故況有緣所生法在內
在外在兩間增語此增語既非有如何可言
即緣所生法若在內若在外若在兩間增語
是菩薩摩訶薩善現汝復觀何義言即緣所
生法若可得若不可得增語非菩薩摩訶薩
耶世尊緣所生法可得不可得尚畢竟不可
得性非有故況有緣所生法可得不可得增
語此增語既非有如何可言即緣所生法若
可得若不可得增語是菩薩摩訶薩

大般若波羅蜜多經卷第廿七

BD01550號　大般若波羅蜜多經卷二七

（9–8）

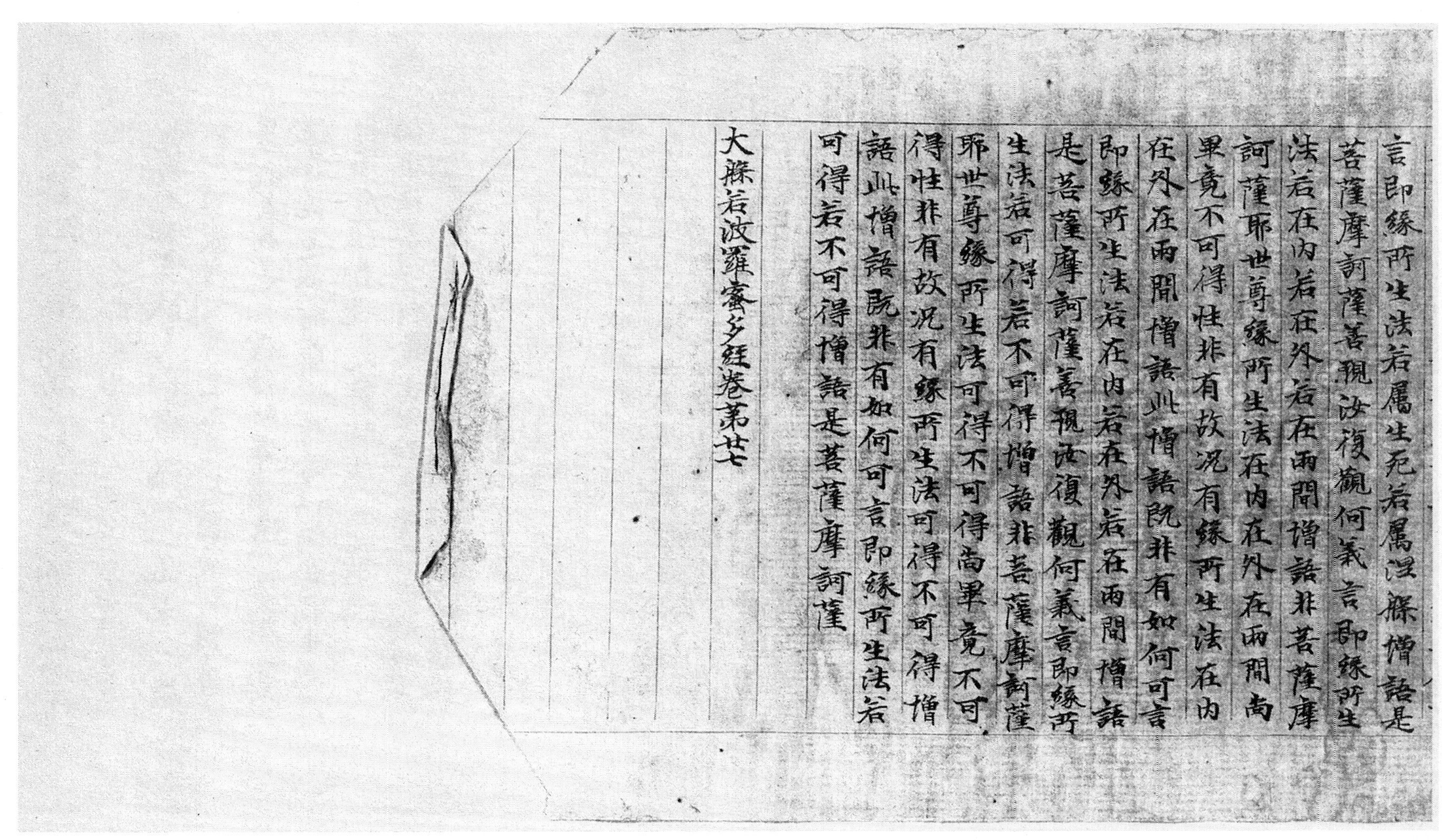

言即緣所生法若屬生死若屬涅槃增語是
菩薩摩訶薩善現汝復觀何義言即緣所生
法若在內若在外若在兩間增語非菩薩摩
訶薩耶世尊緣所生法在內在外在兩間尚
畢竟不可得性非有故況有緣所生法在內
在外在兩間增語此增語既非有如何可言
即緣所生法若在內若在外若在兩間增語
是菩薩摩訶薩善現汝復觀何義言即緣所
生法若可得若不可得增語非菩薩摩訶薩
耶世尊緣所生法可得不可得尚畢竟不可
得性非有故況有緣所生法可得不可得增
語此增語既非有如何可言即緣所生法若
可得若不可得增語是菩薩摩訶薩

大般若波羅蜜多經卷第廿七

BD01550號　大般若波羅蜜多經卷二七　（9–9）

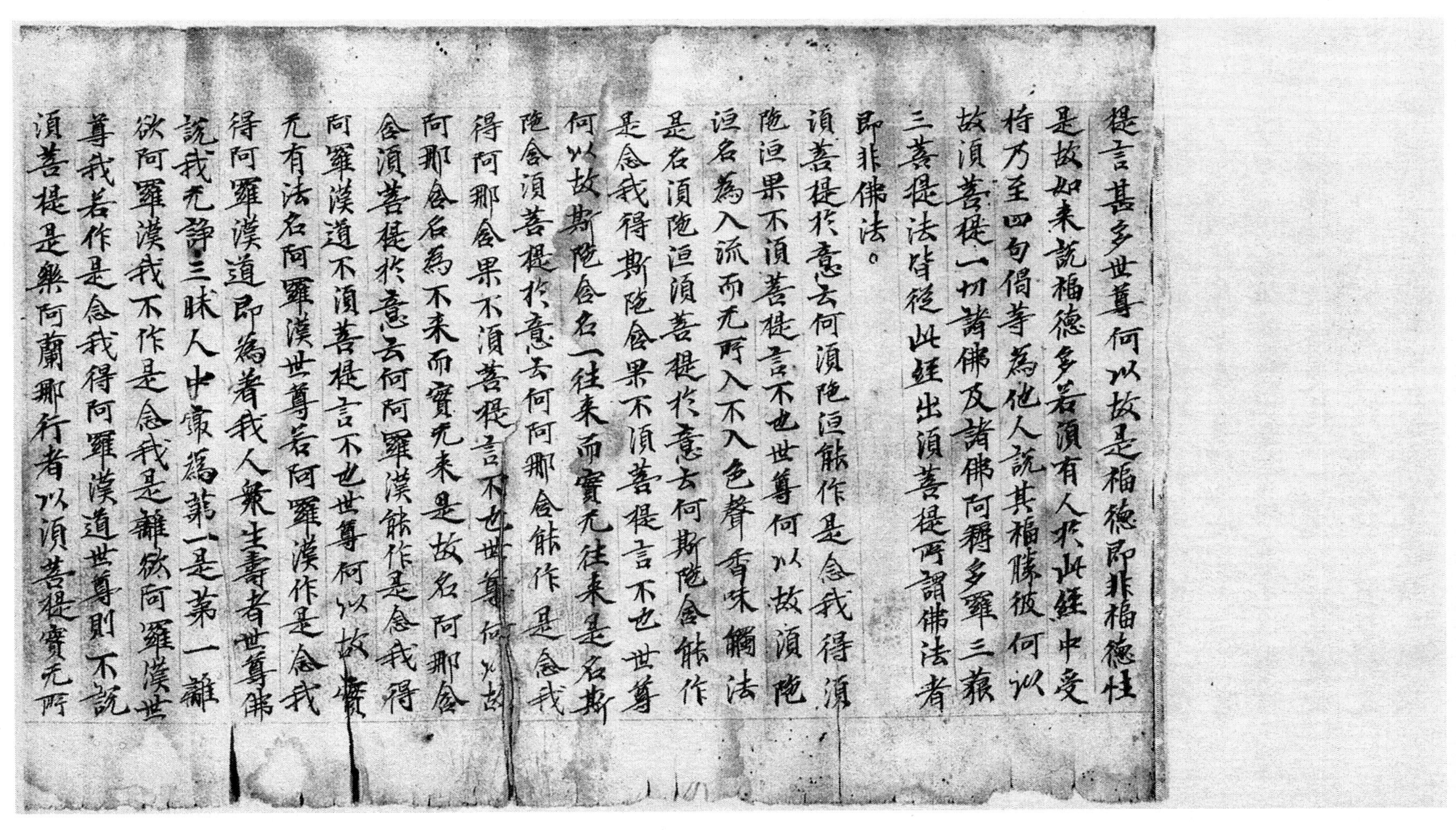

提言甚多世尊何以故是福德即非福德性
是故如來說福德多若須有人於此經中受
持乃至四句偈等為他人說其福勝彼何以
故須菩提一切諸佛及諸佛阿耨多羅三藐
三菩提法皆從此經出須菩提所謂佛法者
即非佛法。
須菩提於意云何須陀洹能作是念我得須
陀洹果不須菩提言不也世尊何以故須陀
洹名為入流而无所入不入色聲香味觸法
是名須陀洹須菩提於意云何斯陀含能作
是念我得斯陀含果不須菩提言不也世尊
何以故斯陀含名一往來而實无往來是名斯
陀含須菩提於意云何阿那含能作是念我
得阿那含果不須菩提言不也世尊何以故
阿那含名為不來而實无來是故名阿那含
須菩提於意云何阿羅漢能作是念我得
阿羅漢道不須菩提言不也世尊何以故實
无有法名阿羅漢世尊若阿羅漢作是念我
得阿羅漢道即為著我人眾生壽者世尊佛
說我无諍三昧人中最為第一是第一離
欲阿羅漢我不作是念我是離欲阿羅漢世
尊我若作是念我得阿羅漢道世尊則不說
須菩提是樂阿蘭那行者以須菩提實无所

BD01551號　金剛般若波羅蜜經　（4–1）

无有法名阿羅漢世尊若阿羅漢作是念我
得阿羅漢道即為著我人衆生壽者世尊佛
說我无諍三昧人中最為第一是第一離
欲阿羅漢我不作是念我是離欲阿羅漢世
尊我若作是念我得阿羅漢道世尊則不說
須菩提是樂阿蘭那行者以須菩提實无所
行而名須菩提是樂阿蘭那行。
佛告須菩提於意云何如來昔在然燈佛所
於法有所得不世尊如來在然燈佛所於法
實无所得須菩提於意云何菩薩莊嚴佛土
不不也世尊何以故莊嚴佛土者則非莊嚴
是名莊嚴是故須菩提諸菩薩摩訶薩應如
是生清淨心不應住色生心不應住聲香味
觸法生心應无所住而生其心須菩提譬如有
人身如須弥山王於意云何是身為大不須
菩提言甚大世尊何以故佛說非身是名
大身須菩提如恒河中所有沙數如是沙等
恒河於意云何是諸恒河沙寧為多不須菩
提言甚多世尊但諸恒河尚多无數何況其
沙須菩提我今實言告汝若有善男子善女
人以七寶滿尒所恒河沙數三千大千世界
以用布施得福多不須菩提言甚多世尊佛
告須菩提若善男子善女人於此經中乃至
受持四句偈等為他人說而此福德勝前福
德。復次須菩提隨說是經乃至四句偈等當
知此處一切世間天人阿脩羅皆應供養如
佛塔廟何況有人盡能受持讀誦須菩提當
知是人成就最上第一希有之法若是經典

BD01551號　金剛般若波羅蜜經　（4–2）

德復次須菩提隨說是經乃至四句偈等當
知此處一切世間天人阿脩羅皆應供養如
佛塔廟何況有人盡能受持讀誦須菩提當
知是人成就最上第一希有之法若是經典
所在之處則為有佛若尊重弟子。
尒時須菩提白佛言世尊當何名此經我等
云何奉持佛告須菩提是經名為金剛般若
波羅蜜以是名字汝當奉持所以者何須菩
提佛說般若波羅蜜則非般若波羅蜜須菩
提於意云何如來有所說法不須菩提白佛
言世尊如來无所說須菩提於意云何三千
大千世界所有微塵是為多不須菩提言甚
多世尊須菩提諸微塵如來說非微塵是名
微塵如來說世界非世界是名世界須菩提於
意云何可以三十二相見如來不不也世尊
不可以三十二相得見如來何以故如來
說三十二相即是非相是名三十二相須菩提若
有善男子善女人以恒河沙等身命布施若
復有人於此經中乃至受持四句偈等為他
人說其福甚多
尒時須菩提聞說是經深解義趣涕淚悲泣
而白佛言希有世尊佛說如是甚深經典我
從昔來所得慧眼未曾得聞如是之經世尊
若復有人得聞是經信心清淨則生實相當
知是人成就第一希有功德世尊是實相者
則是非相是故如來說名實相世尊我今得
聞如是經典信解受持不足為難若當來世
後五百歲其有衆生得聞是經信解受持是
人則為第一希有何以故此人无我相人相衆

BD01551號　金剛般若波羅蜜經　（4–3）

說三十二相即是非相是名三十二相須菩提若
有善男子善女人以恒河沙等身命布施若
復有人於此經中乃至受持四句偈等為他
人說其福甚多
尒時須菩提聞說是經深解義趣涕淚悲泣
而白佛言希有世尊佛說如是甚深經典我
從昔來所得慧眼未曾得聞如是之經世尊
若復有人得聞是經信心清淨則生實相當
知是人成就第一希有功德世尊是實相者
則是非相是故如來說名實相世尊我今得
聞如是經典信解受持不足為難若當來世
後五百歲其有眾生得聞是經信解受持是
人則為第一希有何以故此人无我相人相眾
生相壽者相所以者何我相即是非相人相
眾生相壽者相即是非相何以故離一切諸
相則名諸佛
佛告須菩提如是如是若復有人得聞是經
不驚不怖不畏當知是人甚為希有何以故
須菩提如來說第一波羅蜜非第一波羅蜜
是名第一波羅蜜
須菩提忍辱波羅蜜如來說非忍辱波羅蜜
[illegible]我身體

BD01551 號　金剛般若波羅蜜經　（4–4）

眾生作此觀者名為觀見大
觀大勢至色身相觀此菩薩
除无數劫阿僧祇生死之罪

BD01551 號背　觀無量壽佛經　（1–1）

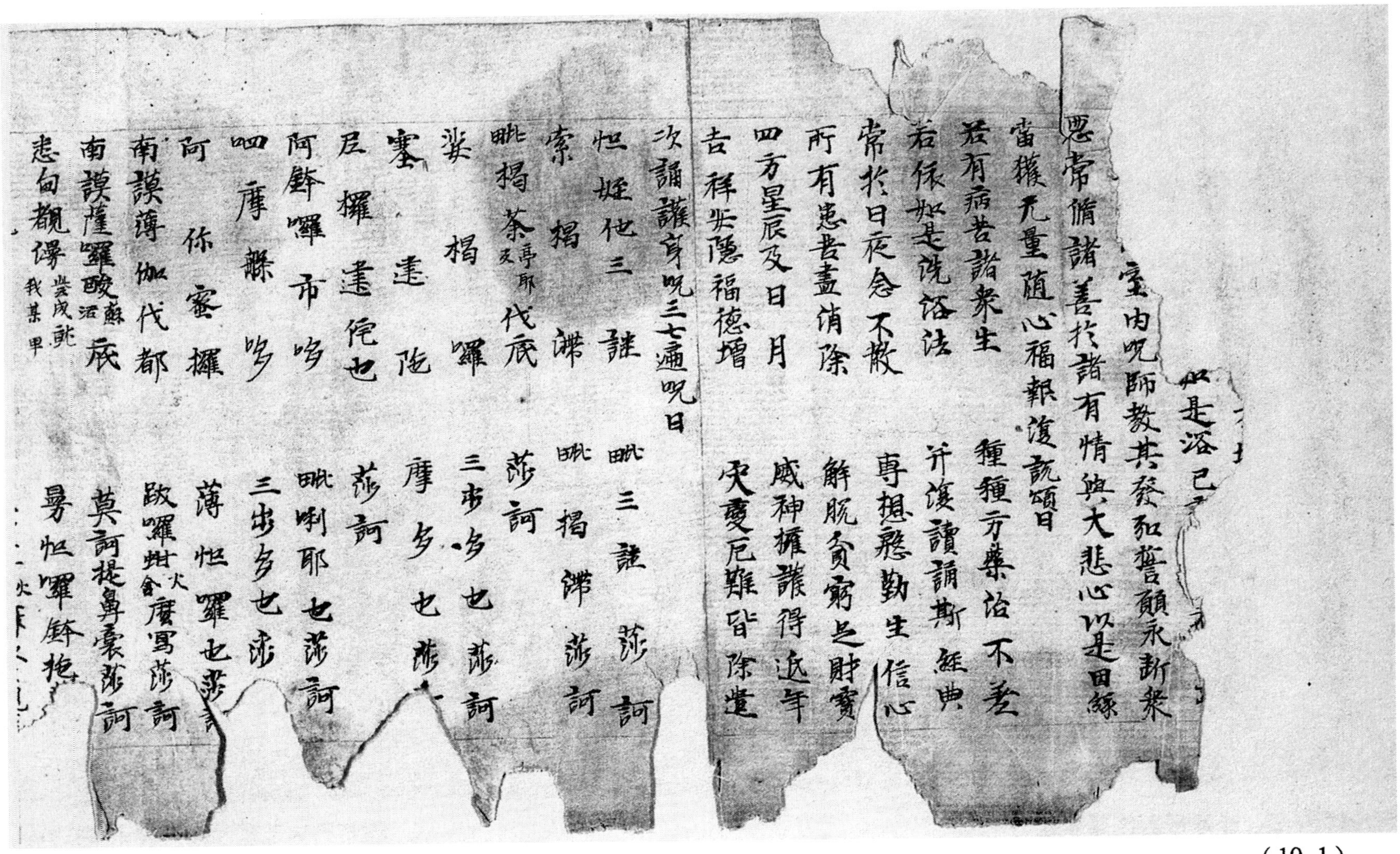

如是浴已……
室內呪師教其發弘誓願永斷衆
惡常脩諸善於諸有情與大悲心以是因緣
當獲无量隨心福報復說頌曰
若有病苦諸衆生　種種方藥治不差
若依如是洗浴法　并復讀誦斯經典
常於日夜念不散　專想慇勤生信心
所有患苦盡消除　解脫貧窮足財寶
四方星辰及日月　威神擁護得延年
吉祥安隱福德增　災變厄難皆除遣
次誦護身呪三七遍呪曰
怛姪他　三謎　毗三謎　莎訶
索揭滯　毗揭滯　莎訶
毗揭荼亭耶反伐底　莎訶
娑揭囉　三步多也　莎訶
塞建陀　摩多也　莎訶
尼攞建佗也　莎訶
阿鉢囉市哆　毗喇耶也　莎訶
呬摩槃哆　三步多也　莎訶
阿你蜜攞　薄怛囉也　莎訶
南謨薄伽伐都　跋囉蚶火含摩寫　莎訶
南謨薩囉酸蘇活底　莫訶提鼻裏　莎訶
悉甸覩漫尝皮就我某甲　曼怛囉鉢拕……

BD01552 號　金光明最勝王經卷七

（10–1）

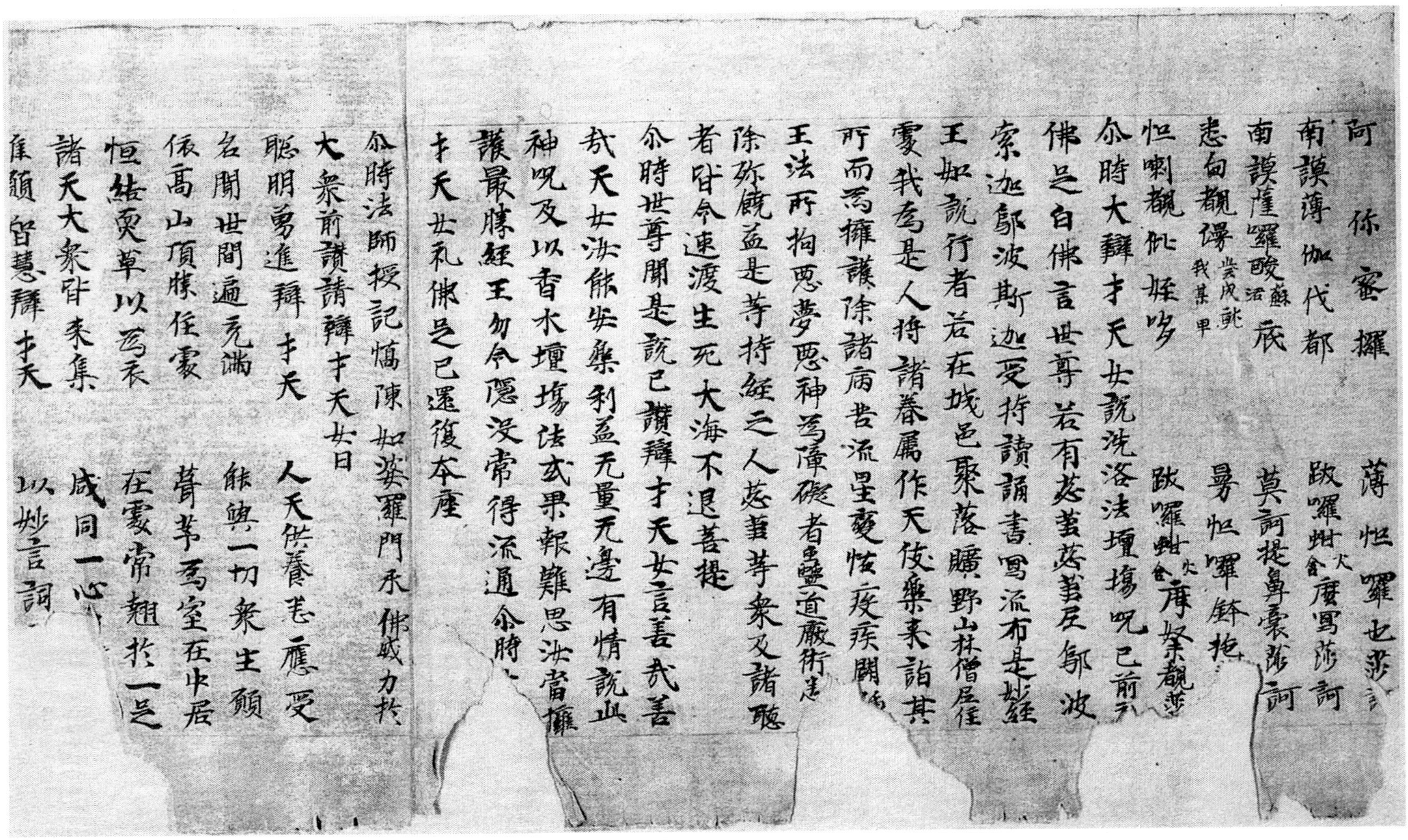

阿你蜜攞　薄怛囉也莎訶
南謨薄伽伐都　跋囉蚶火含摩寫莎訶
南謨薩囉酸蘇活底　莫訶提鼻裏莎訶
悉甸覩漫尝皮就我某甲　曼怛囉鉢拕
怛喇覩毗姪哆　跋囉蚶火含摩奴覩莎
尒時大辯才天女說洗浴法壇場呪已前禮
佛足白佛言世尊若有苾芻苾芻尼鄔波
索迦鄔波斯迦受持讀誦書寫流布是妙經
王如說行者若在城邑聚落曠野山林僧尼住
處我為是人將諸眷屬作天伎樂來詣其
所而為擁護除諸病苦流星變怪疾疫鬪諍
王法所拘惡夢惡神為障礙者蠱道厭術悉
除殄饒益是等持經之人苾芻等衆及諸聽
者皆令速渡生死大海不退菩提
尒時世尊聞是說已讚辯才天女言善哉善
哉天女汝能安樂利益无量无邊有情說此
神呪及以香水壇場法式果報難思汝當擁
護最勝經王勿令隱沒常得流通尒時大……
才天女禮佛足已還復本座
尒時法師授記憍陳如婆羅門承佛威力於
大衆前讚請辯才天女曰
聰明勇進辯才天　人天供養悉應受
名聞世間遍充滿　能與一切衆生願
依高山頂勝住處　葺茅為室在中居
恒結耎草以為衣　在處常翹於一足
諸天大衆皆來集　咸同一心……
唯願智慧辯才天　以妙言詞……

BD01552 號　金光明最勝王經卷七

（10–2）

尒時法師授記憍陳如婆羅門承佛威力於
大衆前讃請辯才天女曰
聰明勇進辯才天　人天供養悉應受
名聞世間遍充滿　能與一切衆生願
依高山頂勝住處　葺茅為室在中居
恒結耎草以為衣　在處常翹於一足
諸天大衆皆來集　咸同一心
唯願智慧辯才天　以妙言詞
尒時辯才天女即便受請為說呪曰
怛姪他　慕㘑只㘑　阿代帝貞勵阿代吒代底
𧫴遇除　名具除　名具羅代底
鶩具師　末喇只三末底　毗三末底惡近入喇
莫近喇怛囉　只　怛囉者代底
質質哩室哩蜜里　末難地曇去
末　喇　只　八囉婢畢
盧迦逝瑟𠱄ヨ世反　盧迦失
盧迦畢喇褱　恚馱跋喇帝
毗磨目尒多輕剎　輸只折喇
阿鉢喇底喝啼　阿鉢喇底喝哆勃地
喃毋只喃毋只　莫訶提鼻
鉢喇底近入喇㫮大恨婢上　南摩塞迦囉
我某甲勃地　達哩奢　四
勃地阿鉢喇底喝哆　婆上
市婆謎毗輸娗觀　舍悉怛囉輸路迦
㬰怛囉畢得迦　迦娑耶地數
怛　娗　他　莫訶鉢剌婆鼻
四里蜜里四里蜜里　毗折剌觀謎勃地

BD01552 號　金光明最勝王經卷七　(10–3)

市婆謎毗輸娗觀　舍悉怛囉輸路迦
㬰怛囉畢得迦　迦娑耶地數
怛　娗　他　莫訶鉢剌婆鼻
四哩蜜里四里蜜里　毗折喇觀謎勃地
我某甲勃地輸提　薄伽代點提毗跢
薩囉酸活蘇點丁歛引　羯囉舍家滯雞由囉
雞由囉末底　四里蜜里四里蜜里
阿婆訶耶　須　莫訶提鼻
勃陁薩帝娜　達摩薩帝娜
僧伽薩帝娜　因達囉薩帝娜
跋嘍婢薩帝娜　褱盧雞薩底婆娜
羝毦引薩帝娜　薩底代者泥娜
阿婆訶耶　須　莫訶提鼻
四里蜜里四里蜜里　毗折喇觀
我某甲勃地　南謨薄伽代底丁剎
莫訶提鼻囉酸底　悉旬都
㬰怛囉鉢陁孫　莎訶
尒時辯才天女說是呪已告婆羅門言善
哉大士能為衆生求妙辯才及諸珎寶神通
智慧廣利一切速證菩提如是應知受持法
式即說頌曰
先可誦此陁羅尼　令使純熟无謬失
歸敬三寶諸天衆　請求加護願隨心
敬礼諸佛及法寶　菩薩獨覺聲聞衆
次礼梵王并帝釋　及護世者四天王
一切常脩梵行人　悉可至誠慇重敬
可於寂靜蘭若處　大聲誦前呪讚法

BD01552 號　金光明最勝王經卷七　(10–4)

歸敬三寶諸天衆　請求加護願隨心
敬礼諸佛及法寶　菩薩獨覺聲聞衆
次礼梵王并帝釋　及護世者四天王
一切常脩梵行人　悉可至誠慇重敬
可於寂靜蘭若處　大聲誦前呪讚法
應在佛像天龍前　隨其所有脩供養
於彼一切衆生類　發起慈悲哀愍心
世尊妙相紫金身　繫想正念心无亂
世尊護念說教法　隨彼根機令習定
於其句義善思惟　復依空性而脩習
應在世尊形像前　一心正念而安坐
即得妙智三摩地　并獲最勝陀羅尼
如來金口演說法　妙響調伏諸人天
舌相隨緣現希有　廣長能覆三千界
如是諸佛妙音聲　至誠憶念心无畏
諸佛皆由發弘願　得此舌相不思議
宣說諸法皆非有　譬如虛空无所著
諸佛音聲及舌相　繫念思量願圓滿
若見供養辯才天　或見弟子隨師教
授此秘法令脩學　尊重隨心皆得成
若人欲得最上智　應當一心持此法
增長福智諸功德　必定成就勿生疑
若求財者得多財　求名稱者獲名稱
求出離者得解脫　必定成就勿生疑
无量无邊諸功德　隨其內心之所願
若能如是依行者　必得成就勿生疑
當於淨處著淨衣　應作壇場隨大小

BD01552 號　金光明最勝王經卷七　（10–5）

若求財者得多財　求名稱者獲名稱
求出離者得解脫　必定成就勿生疑
无量无邊諸功德　隨其內心之所願
若能如是依行者　必得成就勿生疑
當於淨處著淨衣　應作壇場隨大小
以四淨瓶盛美味　香花供養可隨時
懸諸繒綵并幡蓋　塗香抹香遍嚴飾
供養佛及辯才天　求見天身皆遂願
應三七日誦前呪　可對大辯天神前
若其不見此天神　應更用心經九日
於後夜中猶不見　更求清淨勝妙處
如法應畫辯才天　供養誦持心无捨
晝夜不生於懈怠　自利利他无窮盡
所獲果報施羣生　於所求願皆成就
若不遂意經三月　六月九月或一年
懃懃求請心不移　天眼他心皆悉得
尒時憍陳如婆羅門聞是說已歡喜踊躍
歎未曾有告諸大衆作如是言汝等人天一
切大衆如是當知皆一心聽我今更欲依世諦
法讚彼勝妙辯才天女即說頌曰
敬礼天女那羅延　於世界中得自在
我今讚歎彼尊者　皆如往昔仙人說
吉祥成就心安隱　聰明慚愧有名聞
為母能生於世間　勇猛常行大精進
於軍陣處戰恒勝　長養調伏心慈忍
現為閻羅之長姊　常著青色野蠶衣
好醜容儀皆具有　眼目能令見者怖

BD01552 號　金光明最勝王經卷七　（10–6）

我今讚歎彼尊者　皆如往昔仙人說
吉祥成就心安隱　聰明慚愧有名聞
為母能生於世間　勇猛常行大精進
於軍陣處戰恒勝　長養調伏心慈
現為閻羅之長姊　常著青色野蠶衣
好醜容儀皆具有　眼目能令見者怖
无量勝行超世間　歸信之人咸攝受
或在山巖深險處　或居坎窟及河
或在大樹諸叢林　天女多依此中
假使山林野人輩　亦常供養於天
以孔雀羽作幢旗　於一切時常護
師子虎狼恒圍遶　牛羊雞等亦相
振大鈴鐸出音聲　頻陁山眾皆聞
或執三戟頭圓髻　左右恒持日
黑月九日十一日　於此時中當
或現婆蘇大天妹　見有鬪戰
觀察一切有情中　天女最勝天
權現牧牛歡喜女　與天戰時常
能久安住於世間　亦為和忍
大婆羅門四明法　幻化呪等
於天仙中得自在　能為種
諸天女等集會時　如大海
於諸龍神藥叉眾　咸為上首
於諸女中最梵行　出言猶
於王住處如蓮花　若在
面貌猶如盛滿月　具

BD01552號　金光明最勝王經卷七　（10–7）

於諸女中最梵行　出言猶
於王住處如蓮花　若在
面貌猶如盛滿月　具
辯才勝出若高峯　念者
阿蘇羅等諸天眾　咸共稱
乃至千眼帝釋王　以慇重心
眾生若有希求事　悉能
亦令聰辯具聞持　於
於此十方世界中　如大
乃至神鬼諸禽獸　咸皆遂
於諸女中若山峯　同昔仙
如妙女天常離欲　實
善見世間差別類　乃
唯有天女獨稱尊　下
若於戰陣恐怖處　或見
河津險難賊盜時　悉能
或被王法所枷縛　或
若能專注心不移　決
於善惡人皆擁護　慈
是故我以至誠心　稽
尒時婆羅門復以呪諸讚天
敬礼敬礼世間尊　於諸
三界世間咸供養　面貌
種種妙德以嚴身　目
福智光明名稱滿　譬
我今讚歎最勝者　悉能
真實功德妙吉祥　蓮

BD01552號　金光明最勝王經卷七　（10–8）

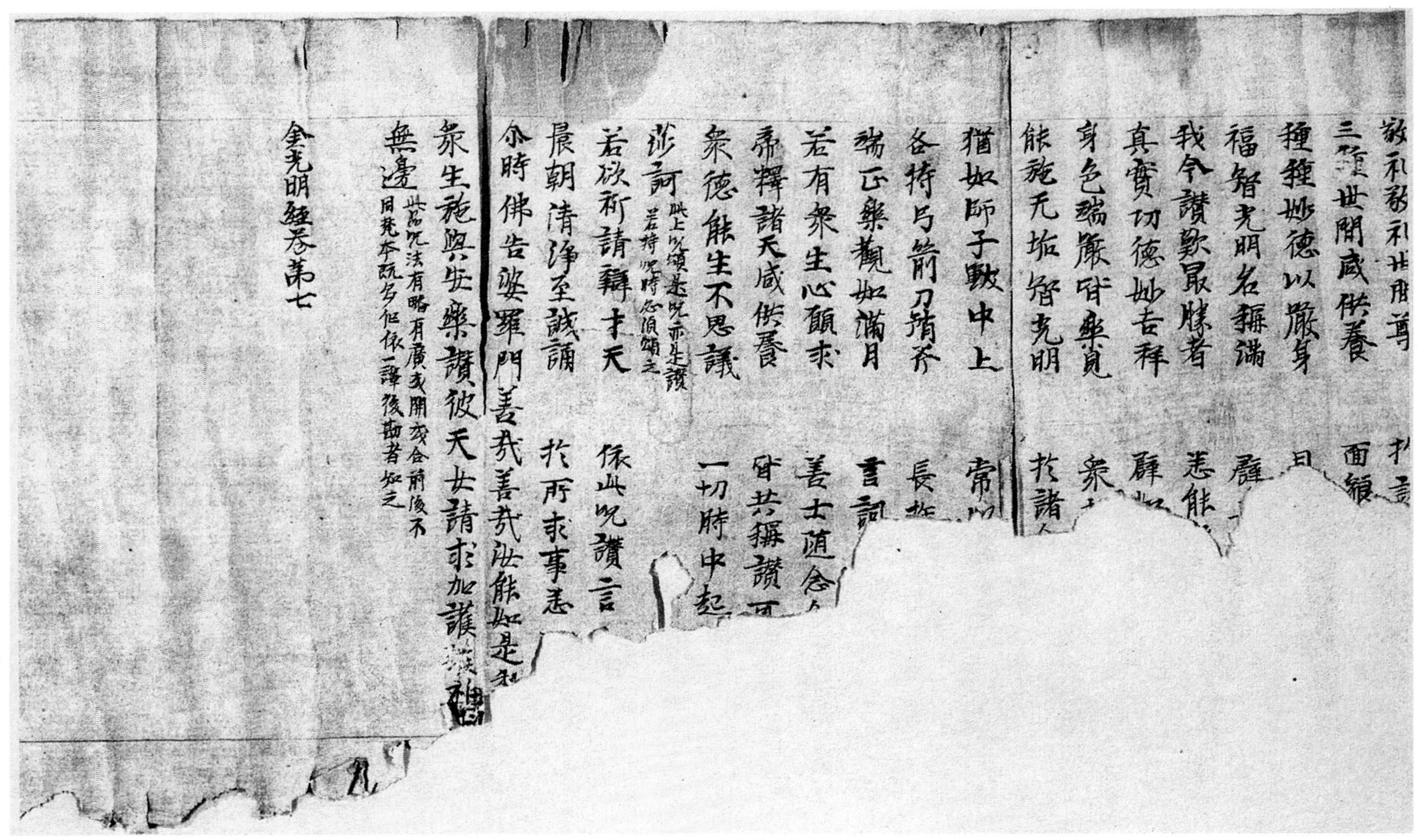
敬禮敬禮世間尊……於諸
三種世間咸供養……面貌
種種妙德以嚴身……目
福智光明名稱滿……譬
我今讚歎最勝者……悉能
真實功德妙吉祥……譬如
身色端嚴皆樂見……眾
能施無垢智光明……於諸
猶如師子獸中上……常以
各持弓箭刀矟斧……長
端正樂觀如滿月……言詞
若有眾生心願求……善士隨念
帝釋諸天咸供養……皆共稱讚
眾德能生不思議……一切時中起
莎訶 此上以頌是呪亦是讚 若持呪時必須頌之
若欲祈請辯才天……依此呪讚言
晨朝清淨至誠誦……於所求事悉
爾時佛告婆羅門善哉善哉汝能如是利
眾生施與安樂讚彼天女請求加護……禮
無邊 此品呪法有略有廣或開或合前後不同梵本既多但依一譯後勘者知之
金光明經卷第七

BD01552號　金光明最勝王經卷七　（10-9）

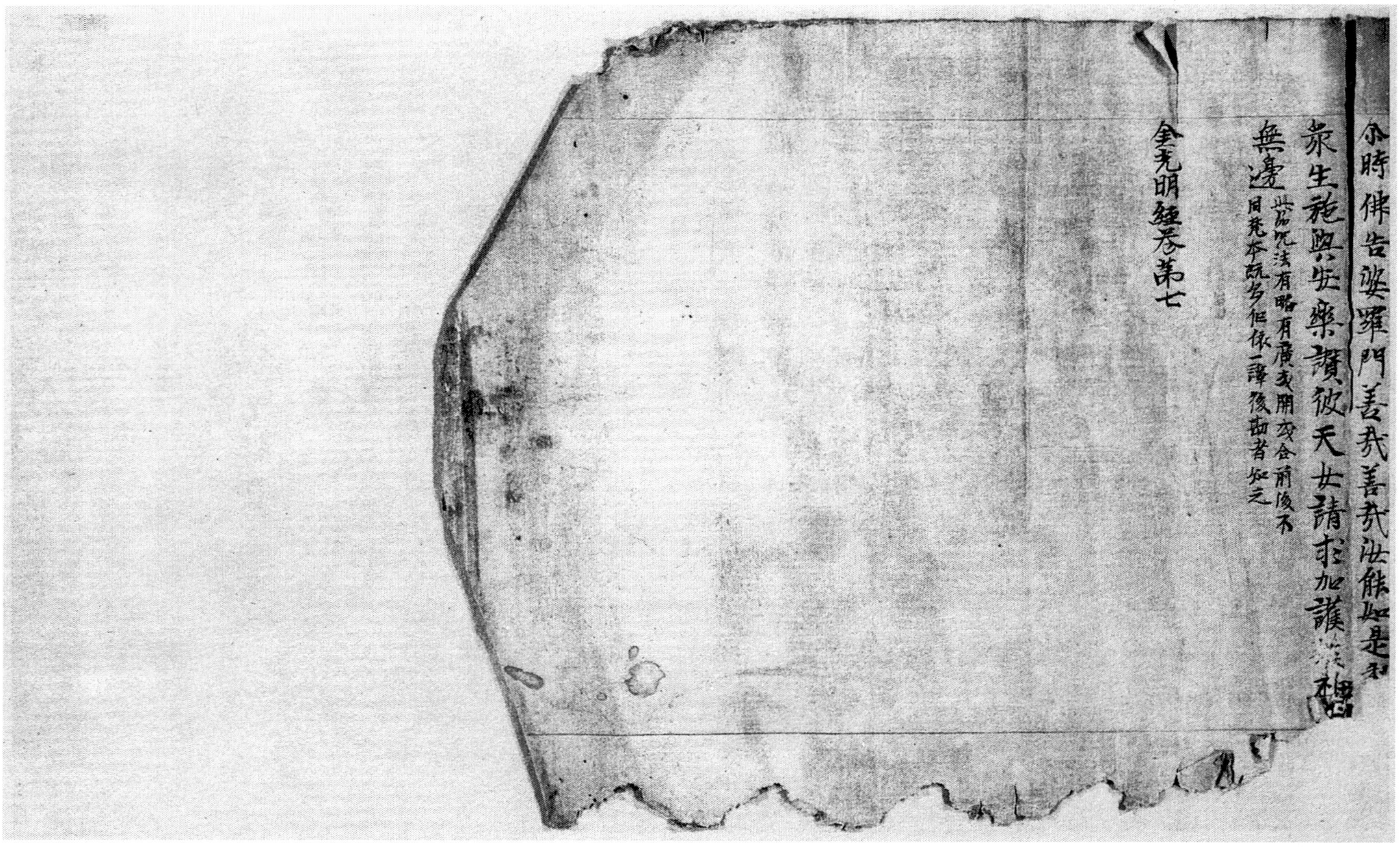

BD01552號　金光明最勝王經卷七　（10-10）

慢諸餘法師不說他人
聞人亦不稱名說其過惡亦不
稱歎其美又亦不生怨嫌之心善脩如
是安樂心故諸有聽者不逆其意有所難問
不以小乘法荅但以大乘而爲解說令得一切
種智尒時世尊欲重宣此義而說偈言
菩薩常樂 安隱說法 於清淨地 而施林座
以油塗身 澡浴塵穢 著新淨衣 内外俱淨
安處法座 隨問爲說
若有比丘 及比丘尼 諸優婆塞 及優婆夷
國王王子 羣臣士民 以微妙義 和顏爲說
若有難問 隨義而荅 因緣譬喻 敷演分別
以是方便 皆使發心 漸漸增益 入於佛道
除嬾惰意 及懈怠想 離諸憂惱 慈心說法
晝夜常說 无上道教 以諸因緣 无量譬喻
開示衆生 咸令歡喜
衣服卧具 飲食醫藥 而於其中 无所悕望
但一心念 說法因緣 願成佛道 令衆亦尒
是則大利 安樂供養
我滅度後 若有比丘 能演說斯 妙法華經
心无嫉恚 諸惱障礙 亦无憂愁 及罵詈者
又无怖畏 加刀杖等 亦无擯出 安住忍故
智者如是 善脩其心 能住安樂 如我上說
其人功德 千万億劫 筭數譬喻 說不能盡
又文殊師利菩薩摩訶薩於後末世法欲滅

BD01553號　妙法蓮華經卷五　（2–1）

衣服卧具 飲食醫藥 而於其中 无所悕望
但一心念 說法因緣 願成佛道 令衆亦尒
是則大利 安樂供養
我滅度後 若有比丘 能演說斯 妙法華經
心无嫉恚 諸惱障礙 亦无憂愁 及罵詈者
又无怖畏 加刀杖等 亦无擯出 安住忍故
智者如是 善脩其心 能住安樂 如我上說
其人功德 千万億劫 筭數譬喻 說不能盡
又文殊師利菩薩摩訶薩於後末世法欲滅
時受持讀誦斯經典者无懷嫉妬諂誑之心
亦勿輕罵學佛道者求其長短若比丘比丘
尼優婆塞優婆夷求聲聞者求辟支佛者求
菩薩道者无得惱之令其疑悔語其人言汝
等去道甚遠終不能得一切種智所以者何
汝是放逸之人於道懈怠故又亦不應戲論
諸法有所諍　一切衆生起大悲想於
諸如來起慈父想於諸菩薩起大師想於十
方諸大菩薩常應深心恭敬禮拜於一切衆
生平等說法以順法故不多不少乃至深愛
法者亦不爲多說文殊師利是菩薩摩訶
薩後末世法欲滅時有成就是第三安樂行
者說是法時无能惱亂得好同學共讀誦是

BD01553號　妙法蓮華經卷五　（2–2）

BD01554 號　四分律比丘戒本　　（8–1）

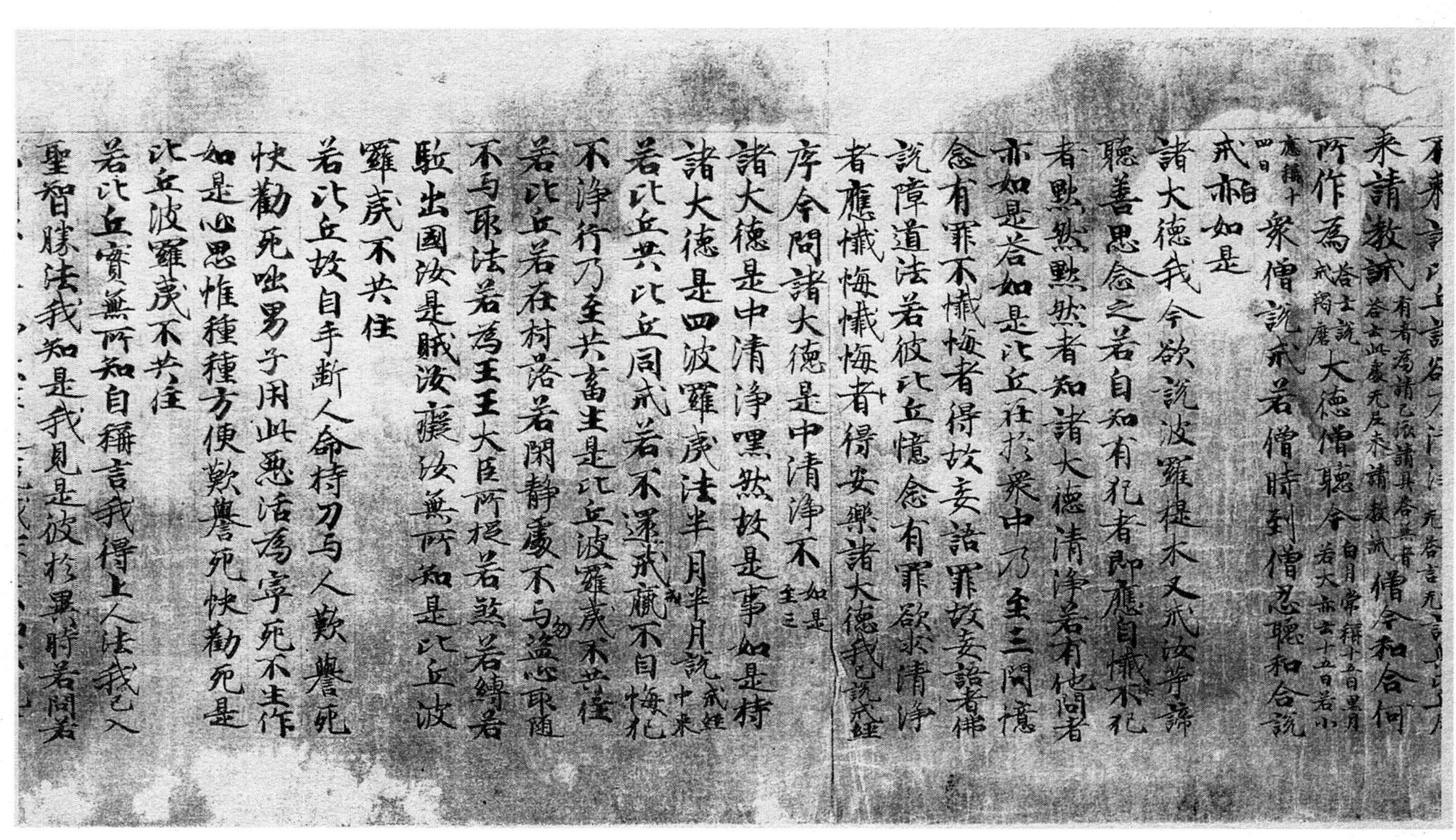

BD01554 號　四分律比丘戒本　　（8–2）

快勸死咄男子用此惡活為寧死不生作
如是心思惟種種方便歎譽死快勸死是
比丘波羅夷不共住
若比丘實無所知自稱言我得上人法我已入
聖智勝法我知是我見是彼於異時若問若
不問欲自清淨故作是說我實不知不見言
知言見虛誑妄語除增上慢是比丘波羅夷
不共住
諸大德我已說四波羅夷法若比丘犯一一波羅
夷法不得與諸比丘共住如前後亦如是是
比丘得波羅夷罪不應共住今問諸大德
是中清淨不 三稱
諸大德是中清淨嘿然故是事如是持
諸大德是十三僧伽婆尸沙法半月半月說
戒經中來
若比丘故弄陰出精除夢中僧伽婆尸沙
若比丘婬欲意與女人身相觸若捉手若
捉髮若觸一一身分者僧伽婆尸沙
若比丘婬欲意與女人麤惡婬欲語隨麤
惡婬欲語僧伽婆尸沙
若比丘婬欲意於女人前自歎身言大妹我
脩梵行持戒精進脩善法可持是婬欲法供
養我如是供養第一最僧伽婆尸沙
若比丘往來彼此媒嫁持男意語女持女意
語男若為成婦事若為私通事乃至須臾
頃僧伽婆尸沙
若比丘自求作屋無主自為己當應量作是中

若比丘往來彼此媒嫁持男意語女持女意
語男若為成婦事若為私通事乃至須臾
頃僧伽婆尸沙
若比丘自求作屋無主自為己當應量作是中
量者長十二佛搩手內廣七搩手當將餘比
丘指授處所彼比丘當指示處所無難處無
妨處若比丘有難處妨處自求作屋無主自為
己不將餘比丘指示處所若過量作者僧伽
婆尸沙
若比丘欲作大房有主為己作當將餘比丘指
授處所彼比丘應指授處所無難處無妨處
若比丘有難處妨處作大房有主為己作不將
餘比丘指授處所者僧伽婆尸沙
若比丘瞋恚所覆故非波羅夷比丘以無根波
羅夷法謗欲壞彼清淨行若於異時若
問若不問知此事無根說我瞋恚故作是語
若比丘作是語者僧伽婆尸沙
若比丘以瞋恚故於異分事中取片非波羅
夷比丘以無根波羅夷法謗欲壞彼清淨行
彼於異時若問若不問知是異分事中取片
是比丘自言我瞋恚故作是語作是語者僧
伽婆尸沙
若比丘欲壞和合僧方便受壞和合僧法堅
持不捨彼比丘應諫是比丘言大德莫壞和
合僧莫方便壞和合僧莫受壞僧法堅持不
捨大德應與僧和合與僧和合歡喜不諍同一師
學如水乳合於佛法中有增益安樂住是比丘如

持不捨彼比丘應諫是比丘言大德莫壞和
合僧莫方便壞和合僧莫受僧壞法堅持不
捨大德應與僧和合與僧和合歡喜不諍同一師
學如水乳合於佛法中有增益安樂住是比丘如
是諫時堅持不捨彼比丘應三諫捨此事故乃
至三諫捨者善不捨者僧伽婆尸沙
若比丘有餘伴黨若一若二若三乃至無數
彼比丘語是比丘言大德莫諫此比丘此比丘是
法語比丘律語比丘此比丘所說我等喜樂
此比丘所說我等忍可彼比丘言大德莫作
是說言此比丘是法語比丘律語比丘此比
丘所說我等喜樂此比丘所說我等忍可
然此比丘非法語比丘非律語比丘大德莫
破壞和合僧汝等當樂欲和合僧大德應與
僧和合（與僧和合）歡喜不諍同一師學如水乳合於佛法
中有增益安樂住是比丘如是諫時堅持不
捨彼比丘應三諫捨是事故乃至三諫捨者
善不捨者僧伽婆尸沙
若比丘依聚落若城邑住汙他家行惡行汙
他家亦見亦聞行惡行亦見亦聞諸比丘當
語是比丘言大德汙他家行惡行汙他家亦
見亦聞行惡行亦見亦聞大德汝汙他家行惡
行今可遠此聚落去不須住此是比丘語彼比丘
大德諸比丘有愛有恚有怖有癡有如是同罪
比丘有驅者有不驅者諸比丘報言大德莫作
是語言僧有愛有恚有怖有癡有如是同罪

BD01554號　四分律比丘戒本

（8–5）

大德諸比丘有愛有恚有怖有癡有如是同罪
比丘有驅者有不驅者諸比丘報言大德莫作
是語言僧有愛有恚有怖有癡有如是同罪
比丘有驅者有不驅者而諸比丘不愛不恚不
怖不癡大德汙他家行惡行汙他家亦見亦
聞行惡行亦見亦聞是比丘如是諫時堅持不
捨彼比丘應三諫捨此事故乃至三諫捨者
善不捨者僧伽婆尸沙
若比丘惡性不受人語於戒法中諸比丘如法
諫已自身不受諫語言諸大德莫向我說
若好若惡我亦不向諸大德說若好若惡諸
大德且止莫諫我彼比丘諫是比丘言大德莫自
身不受諫語大德自身當受諫語大德如法
諫諸比丘諸比丘亦如法諫大德如是佛弟子衆得
增益展轉相諫展轉相教展轉懺悔是比丘如
是諫時堅持不捨彼比丘應三諫捨是事故
乃至三諫捨者善不捨者僧伽婆尸沙
諸大德我已說十三僧伽婆尸沙法九初犯四
乃至三諫若比丘犯一一法知而覆藏應強
與波利婆沙行波利婆沙竟增上與六夜摩那
埵行摩那埵已餘有出罪法應二十僧中出是
比丘罪若少一人不滿二十衆出是比丘罪是
比丘罪不得除諸比丘亦可訶此是時今問諸
大德是中清淨不　三說
諸大德是中清淨嘿然故是事如是持
諸大德是二不定法半月半月說戒經中來

BD01554號　四分律比丘戒本

（8–6）

比丘罪若少一人不滿二十衆出是比丘罪是
比丘罪不得除諸比丘亦可呵此是時今問諸
大德是中清淨不 三說
諸大德是中清淨嘿然故是事如是持
諸大德是二不定法半月半月說戒經中來
若比丘共女人獨在屏處覆處鄣處可作婬
處坐說非法語有住信優婆私於三法中一
一法說若波羅夷若僧伽婆尸沙若波逸提
是坐比丘自言我犯是罪於三法中應一一治
若波羅夷若僧伽婆尸沙若波逸提如住信
優婆私所說應如法治是比丘是名不定法
若比丘共女人在露現處不可作婬處坐說麁
惡語有住信優婆夷於二法中一一法說若
僧伽婆尸沙若波逸提是坐比丘自言我犯
是事於二法中應一一法治若僧伽婆尸沙若
波逸提如住信優婆夷所說應如法治是比
丘是名不定法
諸大德我已說二不定法今問諸大德是中
清淨不 三說
諸大德是中清淨嘿然故是事如是持
諸大德是三十尼薩耆波逸提法半月半月
說戒經中來
若比丘衣已竟迦絺那衣已出畜長衣經十日
不淨施得畜若過十日尼薩耆波逸提
若比丘衣已竟迦絺那衣已出於三衣中離一
衣異處宿除僧羯磨尼薩耆波逸提
若比丘衣已竟迦絺那衣已出若比丘得非時

BD01554號　四分律比丘戒本　（8–7）

諸大德是三十尼薩耆波逸提法半月半月
說戒經中來
若比丘衣已竟迦絺那衣已出畜長衣經十日
不淨施得畜若過十日尼薩耆波逸提
若比丘衣已竟迦絺那衣已出於三衣中離二
衣異處宿除僧羯磨尼薩耆波逸提
若比丘衣已竟迦絺那衣已出若比丘得非時
衣欲須便受受已疾疾成若足者善若不足
者得畜經一月為滿足故若過畜尼薩耆
波逸提
若比丘從非親里比丘尼取衣除貿易尼薩
耆波逸提
若比丘令非親里比丘尼浣故衣若染若打
尼薩耆波逸提
若比丘從非親里居士若居士婦乞衣除餘
時尼薩耆波逸提餘時者若比丘奪衣失
衣燒衣漂衣是謂餘時
若比丘失衣奪衣燒衣漂衣若非親里居士
居士婦自恣請多與衣是比丘當知足受衣
若過受者尼薩耆波逸提

BD01554號　四分律比丘戒本　（8–8）

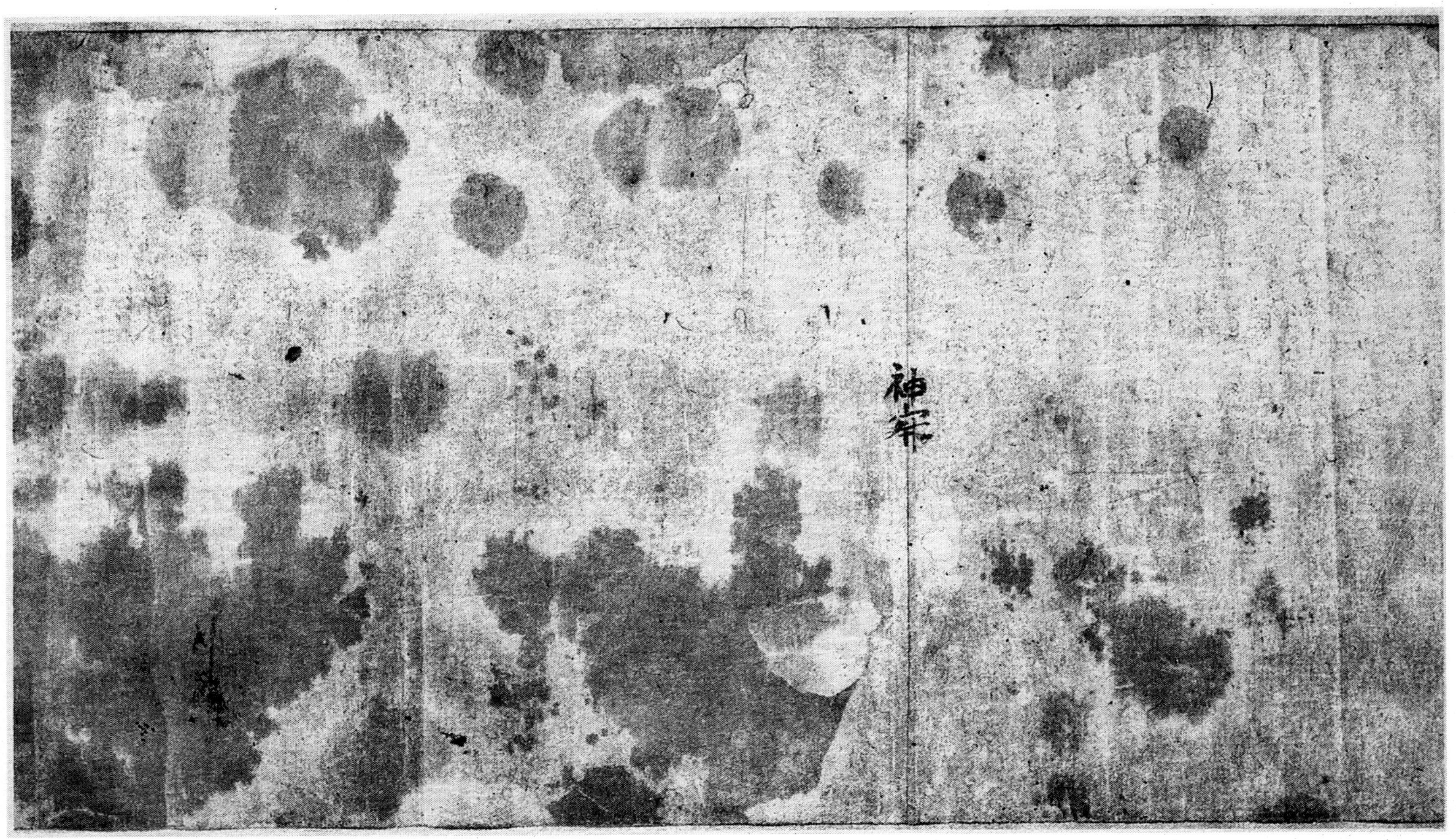

BD01554 號背　題記　（3–1）

BD01554 號背　題記　（3–2）

BD01554 號背　題記　　（3–3）

微塵如来說世界非世界是名世界須菩提
於意云何可以三十二相見如来不不也世
尊不可以三十二相得見如来何以故如来
說三十二相即是非相是名三十二相須菩
提若有善男子善女人以恒河沙等身命布
施若復有人於此經中乃至受持四句偈等
為他人說其福甚多
尒時須菩提聞說是經深解義趣涕淚悲泣
而白佛言希有世尊佛說如是甚深經典我
從昔来所得慧眼未曾得聞如是之經世尊
若復有人得聞是經信心清淨則生實相當
知是人成就第一希有功德世尊是實相者
則是非相是故如来說名實相世尊我今得
聞如是經典信解受持不足為難若當来世
後五百歲其有衆生得聞是經信解受持是
人則為第一希有何以故此人无我相人相
衆生相壽者相所以者何我相即是非相人
相衆生相壽者相即是非相何以故離一切
諸相則名諸佛
佛告須菩提如是如是若復有人得聞是經
不驚不怖不畏當知是人甚為希有何以故
須菩提如来說第一波羅蜜非第一波羅蜜

BD01555 號　金剛般若波羅蜜經　　（6–1）

相衆生相壽者相即是非相何以故離一切
諸相則名諸佛
佛告須菩提如是如是若復有人得聞是經
不驚不怖不畏當知是人甚為希有何以故
須菩提如來說第一波羅蜜非第一波羅蜜
是名第一波羅蜜
須菩提忍辱波羅蜜如來說非忍辱波羅蜜
何以故須菩提如我昔為歌利王割截身體
我於尒時无我相无人相无衆生相无壽者
相何以故我於往昔節節支解時若有我相
人相衆生相壽者相應生瞋恨須菩提又念
過去於五百世作忍辱仙人於尒所世无我
相无人相无衆生相无壽者相是故須菩提
菩薩應離一切相發阿耨多羅三藐三菩提
心不應住色生心不應住聲香味觸法生心
應生无所住心若心有住則為非住是故佛
說菩薩心不應住色布施須菩提菩薩為利
益一切衆生應如是布施如來說一切諸相
即是非相又說一切衆生則非衆生須菩提
如來是真語者實語者如語者不誑語者不
異語者須菩提如來所得法此法无實
須菩提若菩薩心住於法而行布施如人入
闇則无所見若菩薩心不住法而行布施如
人有目日光明照見種種色須菩提當來之
世若有善男子善女人能於此經受持讀誦

BD01555號　金剛般若波羅蜜經　（6–2）

異語者須菩提如來所得法此法无實
須菩提若菩薩心住於法而行布施如人入
闇則无所見若菩薩心不住法而行布施如
人有目日光明照見種種色須菩提當來之
世若有善男子善女人能於此經受持讀誦
則為如來以佛智慧悉知是人悉見是人皆
得成就无量无邊功德
須菩提若有善男子善女人初日分以恒河
沙等身布施中日分復以恒河沙等身布施
後日分亦以恒河沙等身布施如是无量百
千萬億劫以身布施若復有人聞此經典信
心不逆其福勝彼何况書寫受持讀誦為人
解說須菩提以要言之是經有不可思議不
可稱量无邊功德如來為發大乘者說為發
最上乘者說若有人能受持讀誦廣為人說
如來悉知是人悉見是人皆得成就不可量
不可稱无有邊不可思議功德如是人等則
為荷擔如來阿耨多羅三藐三菩提何以故
須菩提若樂小法者著我見人見衆生見壽
者見則於此經不能聽受讀誦為人解說須
菩提在在處處若有此經一切世間天人阿
脩羅所應供養當知此處則為是塔皆應恭
敬作礼圍繞以諸華香而散其處
復次須菩提善男子善女人受持讀誦此經
若為人輕賤是人先世罪業應墮惡道以今

BD01555號　金剛般若波羅蜜經　（6–3）

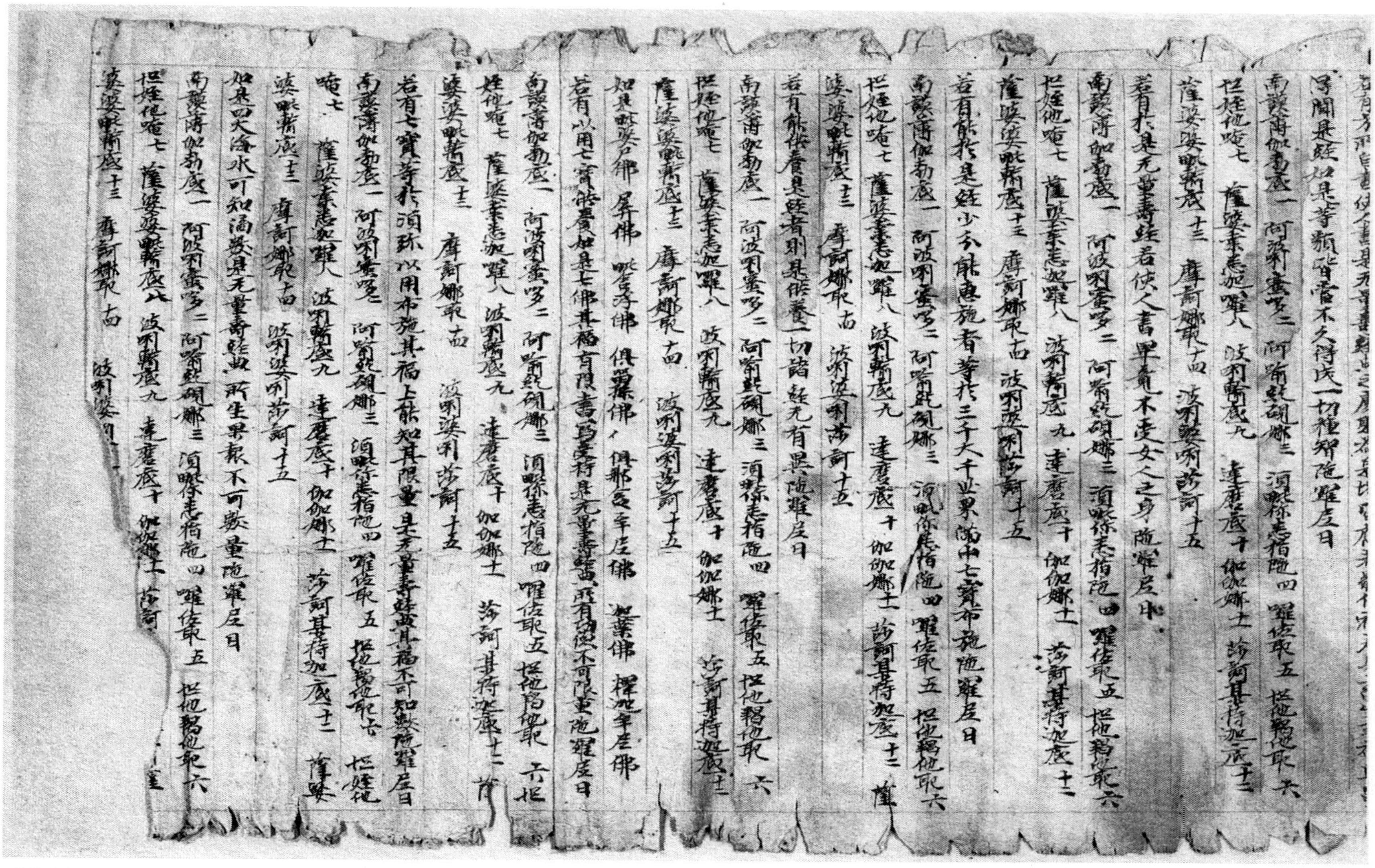

得聞是經如是等類雖當不久得成一切種智陀羅尼曰
南謨薄伽勃底一 阿波唎蜜多二 阿喻紇硯娜三 須毗你悉指陀四 囉佐耶五 怛他羯他耶六
怛姪他唵七 薩婆桑塞迦羅八 波唎輸底九 達磨底十 伽伽娜十一 莎訶娑訶持迦底十二
薩婆婆毗輸底十三 摩訶娜耶十四 波唎婆唎莎訶十五
若有於是無量壽經若使人書畢竟不受女人之身陀羅尼曰
南謨薄伽勃底一 阿波唎蜜多二 阿喻紇硯娜三 須毗你悉指陀四 囉佐耶五 怛他羯他耶六
怛姪他唵七 薩婆桑塞迦羅八 波唎輸底九 達磨底十 伽伽娜十一 莎訶娑訶持迦底十二
薩婆婆毗輸底十三 摩訶娜耶十四 波唎婆唎莎訶十五
若有能於是經少分能惠施者等於三千大千世界滿中七寶布施陀羅尼曰
南謨薄伽勃底一 阿波唎蜜多二 阿喻紇硯娜三 須毗你悉指陀四 囉佐耶五 怛他羯他耶六
怛姪他唵七 薩婆桑塞迦羅八 波唎輸底九 達磨底十 伽伽娜十一 莎訶娑訶持迦底十二 薩
婆婆毗輸底十三 摩訶娜耶十四 波唎婆唎莎訶十五
若有能供養是經者則是供養一切諸經無有異陀羅尼曰
南謨薄伽勃底一 阿波唎蜜多二 阿喻紇硯娜三 須毗你悉指陀四 囉佐耶五 怛他羯他耶六
怛姪他唵七 薩婆桑塞迦羅八 波唎輸底九 達磨底十 伽伽娜十一 莎訶娑訶持迦底十二
薩婆婆毗輸底十三 摩訶娜耶十四 波唎婆唎莎訶十五
如毗婆尸佛 尸棄佛 毗舍浮佛 俱留孫佛 俱那含牟尼佛 迦葉佛 釋迦牟尼佛
若有以用七寶供養如是七佛其福有限書寫是無量壽經所有功德不可限量陀羅尼曰
南謨薄伽勃底一 阿波唎蜜多二 阿喻紇硯娜三 須毗你悉指陀四 囉佐耶五 怛他羯他耶六 怛
姪他唵七 薩婆桑塞迦羅八 波唎輸底九 達磨底十 伽伽娜十一 莎訶娑訶持迦底十二 薩
婆婆毗輸底十三 摩訶娜耶十四 波唎婆唎莎訶十五
若有七寶等於須彌以用布施其福上能知其限量是無量壽經其福不可知數陀羅尼曰
南謨薄伽勃底一 阿波唎蜜多二 阿喻紇硯娜三 須毗你悉指陀四 囉佐耶五 怛他羯他耶六 怛姪他
唵七 薩婆桑塞迦羅八 波唎輸底九 達磨底十 伽伽娜十一 莎訶娑訶持迦底十二 薩婆
婆毗輸底十三 摩訶娜耶十四 波唎婆唎莎訶十五
如四大海水可知滴數是無量壽經所生果報不可數量陀羅尼曰
南謨薄伽勃底一 阿波唎蜜多二 阿喻紇硯娜三 須毗你悉指陀四 囉佐耶五 怛他羯他耶六
怛姪他唵七 薩婆桑塞迦羅八 波唎輸底九 達磨底十 伽伽娜十一 莎訶
薩婆婆毗輸底十三 摩訶娜耶十四 波唎婆

BD01556 號 無量壽宗要經 （2–2）

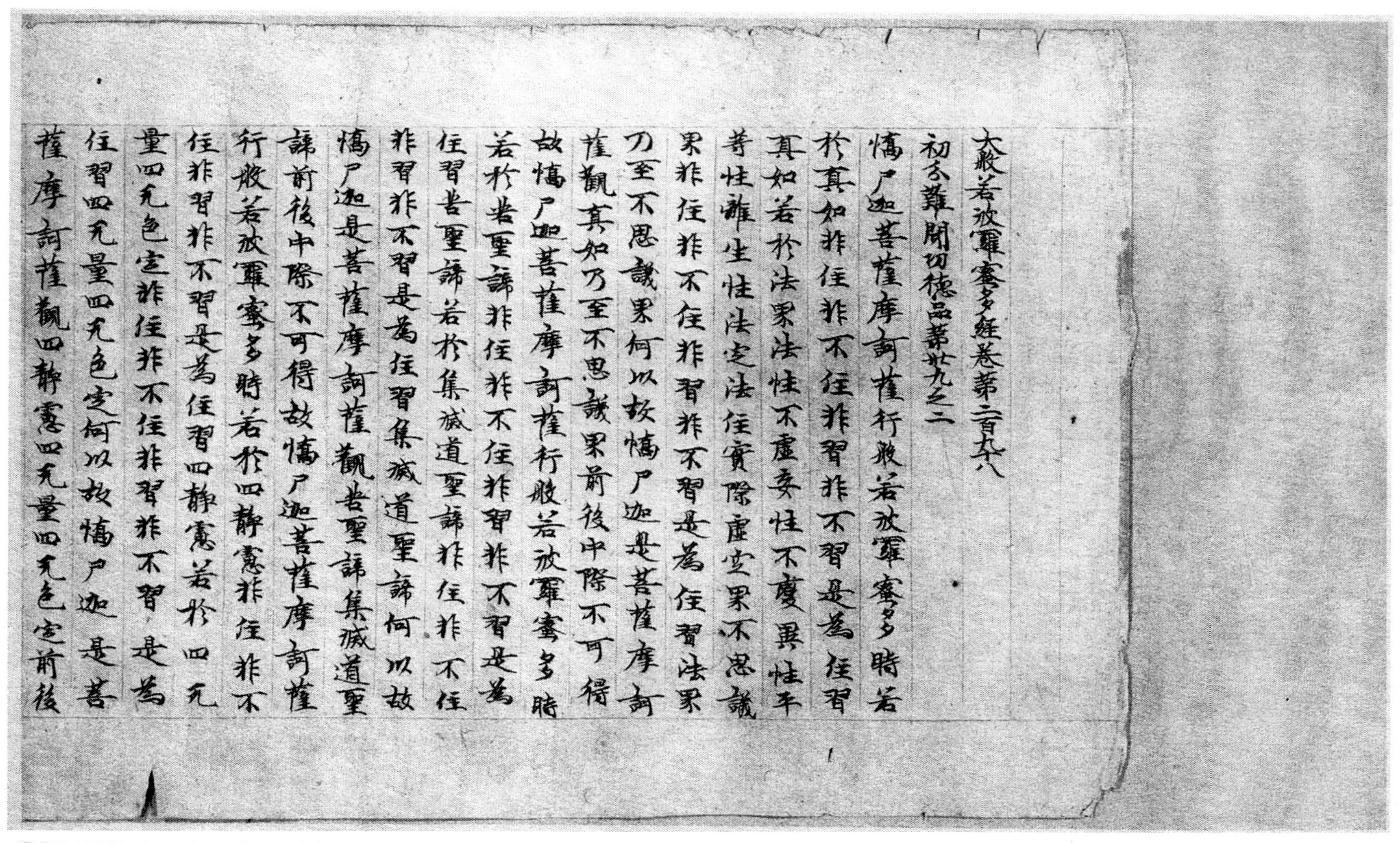
大般若波羅蜜多經卷第二百九十八
初分難聞功德品第卅九之二
憍尸迦菩薩摩訶薩行般若波羅蜜多時若
於真如非住非不住非習非不習是爲住習
真如若於法界法性不虛妄性不變異性平
等性離生性法定法住實際虛空界不思議
界非住非不住非習非不習是爲住習法界
乃至不思議界何以故憍尸迦是菩薩摩訶
薩觀真如乃至不思議界前後中際不可得
故憍尸迦菩薩摩訶薩行般若波羅蜜多時
若於苦聖諦非住非不住非習非不習是爲
住習苦聖諦若於集滅道聖諦非住非不住
非習非不習是爲住習集滅道聖諦何以故
憍尸迦是菩薩摩訶薩觀苦聖諦集滅道聖
諦前後中際不可得故憍尸迦菩薩摩訶薩
行般若波羅蜜多時若於四靜慮非住非不
住非習非不習是爲住習四靜慮若於四無
量四無色定非住非不住非習非不習是爲
住習四無量四無色定何以故憍尸迦是菩
薩摩訶薩觀四靜慮四無量四無色定前後

BD01557 號 大般若波羅蜜多經卷二九八 （14–1）

住非智非不智是為住智四靜慮若於四无
量四无色定非住非不住非智非不智是為
住智四无量四无色定何以故憍尸迦是菩
薩摩訶薩觀四靜慮四无量四无色定前後
中際不可得故憍尸迦菩薩摩訶薩行般若
波羅蜜多時若於八解脫非住非不住非智
非不智是為住智八解脫若於八勝處九次
第定十遍處非住非不住非智非不智是為
住智八勝處九次第定十遍處何以故憍尸
迦是菩薩摩訶薩觀八解脫乃至十遍處前
後中際不可得故憍尸迦菩薩摩訶薩行般
若波羅蜜多時若於四念住非住非不住非
智非不智是為住智四念住若於四正斷四
神足五根五力七等覺支八聖道支非住非
不住非智非不智是為住智四正斷乃至八
聖道支何以故憍尸迦是菩薩摩訶薩觀四
念住乃至八聖道支前後中際不可得故憍
尸迦菩薩摩訶薩行般若波羅蜜多時若於
空解脫門非住非不住非智非不智是為住
智空解脫門若於无相无願解脫門非住非
不住非智非不智是為住智无相无願解脫
門何以故憍尸迦是菩薩摩訶薩觀空解脫
門无相无願解脫門前後中際不可得故憍
尸迦菩薩摩訶薩行般若波羅蜜多時若於
菩薩十地非住非不住非智非不智是為住
智菩薩十地何以故憍尸迦是菩薩摩訶薩
觀菩薩十地前後中際不可得故

BD01557 號　大般若波羅蜜多經卷二九八　（14–2）

門无相无願解脫門前後中際不可得故憍
尸迦菩薩摩訶薩行般若波羅蜜多時若於
菩薩十地非住非不住非智非不智是為住
智菩薩十地何以故憍尸迦是菩薩摩訶薩
觀菩薩十地前後中際不可得故
憍尸迦菩薩摩訶薩行般若波羅蜜多時若
於五眼非住非不住非智非不智是為住智
五眼若於六神通非住非不住非智非不智
是為住智六神通何以故憍尸迦是菩薩摩
訶薩觀五眼六神通前後中際不可得故憍
尸迦菩薩摩訶薩行般若波羅蜜多時若於
佛十力非住非不住非智非不智是為住智
佛十力若於四无所畏四无礙解大慈大悲
大喜大捨十八佛不共法非住非不住非智
非不智是為住智四无所畏乃至十八佛不
共法何以故憍尸迦是菩薩摩訶薩觀佛十
憍尸迦菩薩摩訶薩行般若波羅蜜多時若
於无忘失法非住非不住非智非不智是為
住智无忘失法若於恒住捨性非住非不住
非智非不智是為住智恒住捨性何以故憍
尸迦是菩薩摩訶薩觀无忘失法恒住捨性
前後中際不可得故憍尸迦菩薩摩訶薩行
般若波羅蜜多時若於一切智非住非不住
非智非不智是為住智一切智若於道相智
一切相智非住非不住非智非不智是為住
智道相智一切相智何以故憍尸迦是菩薩
摩訶薩觀一切智道相智一切相智前後中

BD01557 號　大般若波羅蜜多經卷二九八　（14–3）

非智非不智是為住智一切智若於道相智
一切相智非住非不住非智非不智是為住
智道相智一切相智何以故憍尸迦是菩薩
摩訶薩觀一切智道相智一切相前後中
際不可得故憍尸迦菩薩摩訶薩行般若波
羅蜜多時若於一切陁羅尼門非住不住
非智非不智是為住智一切陁羅尼門若於
一切三摩地門非住非不住非智非不智是
為住智一切三摩地門何以故憍尸迦是菩
薩摩訶薩觀一切陁羅尼門一切三摩地門
前後中際不可得故
憍尸迦菩薩摩訶薩行般若波羅蜜多時若
於預流果非住非不住非智非不智是為住
智預流果若於一來不還阿羅漢果非住非
不住非智非不智是為住智一來不還阿羅
漢果何以故憍尸迦是菩薩摩訶薩觀預流
果一來不還阿羅漢果前後中際不可得故
憍尸迦菩薩摩訶薩行般若波羅蜜多時若

力乃至十八佛不共法前後中際不可得故
憍尸迦菩薩摩訶薩行般若波羅蜜多時若
於无忘失法非住非不住非智非不智是為
住智无忘失法若於恒住捨性非住非不住
非智非不智是為住智恒住捨性何以故憍
尸迦是菩薩摩訶薩觀无忘失法恒住捨性

BD01557 號　大般若波羅蜜多經卷二九八　　（14–4）

憍尸迦菩薩摩訶薩行般若波羅蜜多時若
於无忘失法非住非不住非智非不智是為
住智无忘失法若於恒住捨性非住非不住
非智非不智是為住智恒住捨性何以故憍
尸迦是菩薩摩訶薩觀无忘失法恒住捨性
前後中際不可得故憍尸迦菩薩摩訶薩行
般若波羅蜜多時若於一切智非住非不住
非智非不智是為住智一切智若於道相智
一切相智非住非不住非智非不智是為住
智道相智一切相智何以故憍尸迦是菩薩
摩訶薩觀一切智道相智一切相智前後中
際不可得故憍尸迦菩薩摩訶薩行般若波
羅蜜多時若於一切陁羅尼門非住非不住
非智非不智是為住智一切陁羅尼門若於
一切三摩地門非住非不住非智非不智是
為住智一切三摩地門何以故憍尸迦是菩
薩摩訶薩觀一切陁羅尼門一切三摩地門
前後中際不可得故
憍尸迦菩薩摩訶薩行般若波羅蜜多時若
於預流果非住非不住非智非不智是為住
智預流果若於一來不還阿羅漢果非住非
不住非智非不智是為住智一來不還阿羅
漢果何以故憍尸迦是菩薩摩訶薩觀預流
果一來不還阿羅漢果前後中際不可得故
憍尸迦菩薩摩訶薩行般若波羅蜜多時若
於獨覺菩提非住非不住非智非不智是為
住智獨覺菩提何以故憍尸迦是菩薩摩訶

BD01557 號　大般若波羅蜜多經卷二九八　　（14–5）

憍尸迦菩薩摩訶薩行般若波羅蜜多時若
於獨覺菩提非住非不住非智非不智是爲
住智獨覺菩提何以故憍尸迦是菩薩摩訶
薩觀獨覺菩提前後中際不可得故憍尸迦
菩薩摩訶薩行般若波羅蜜多時若於一切
菩薩摩訶薩行非住非不住非智非不智是
爲住智一切菩薩摩訶薩行何以故憍尸迦
是菩薩摩訶薩觀一切菩薩摩訶薩行前後
中際不可得故憍尸迦菩薩摩訶薩行般若
波羅蜜多時若於諸佛无上正等菩提非住
非不住非智非不智是爲住智諸佛无上正
等菩提何以故憍尸迦是菩薩摩訶薩觀諸
佛无上正等菩提前後中際不可得故
尒時舍利子白佛言世尊如是般若波羅蜜
多最爲甚深佛言如是舍利子色真如甚深
故般若波羅蜜多甚深受想行識真如甚深
故般若波羅蜜多甚深舍利子眼處真如甚
深故般若波羅蜜多甚深耳鼻舌身意處真
如甚深故般若波羅蜜多甚深舍利子色處
真如甚深故般若波羅蜜多甚深聲香味觸
法處真如甚深故般若波羅蜜多甚深舍利
子眼界真如甚深故般若波羅蜜多甚深色
界眼識界及眼觸眼觸爲緣所生諸受真如
甚深故般若波羅蜜多甚深舍利子耳界真
如甚深故般若波羅蜜多甚深聲界耳識界
及耳觸耳觸爲緣所生諸受真如甚深故般
若波羅蜜多甚深舍利子鼻界真如甚深故

BD01557 號　大般若波羅蜜多經卷二九八　（14–6）

甚深故般若波羅蜜多甚深舍利子耳界真
如甚深故般若波羅蜜多甚深聲界耳識界
及耳觸耳觸爲緣所生諸受真如甚深故般
若波羅蜜多甚深舍利子鼻界真如甚深故
般若波羅蜜多甚深香界鼻識界及鼻觸鼻
觸爲緣所生諸受真如甚深故般若波羅蜜
多甚深舍利子舌界真如甚深故般若波羅
蜜多甚深味界舌識界及舌觸舌觸爲緣所
生諸受真如甚深故般若波羅蜜多甚深舍
利子身界真如甚深故般若波羅蜜多甚深
觸界身識界及身觸身觸爲緣所生諸受真
如甚深故般若波羅蜜多甚深舍利子意
真如甚深故般若波羅蜜多甚深法界意識
界及意觸意觸爲緣所生諸受真如甚深故
般若波羅蜜多甚深舍利子地界真如甚深
故般若波羅蜜多甚深水火風空識界真如
甚深故般若波羅蜜多甚深舍利子无明真
如甚深故般若波羅蜜多甚深行識名色六
處觸受愛取有生老死愁歎苦憂惱真如甚
深故般若波羅蜜多甚深
舍利子布施波羅蜜多真如甚深故般若波
羅蜜多甚深淨戒安忍精進靜慮般若波羅
蜜多真如甚深故般若波羅蜜多甚深舍利
子內空真如甚深故般若波羅蜜多甚深外
空內外空空空大空勝義空有爲空无爲
空畢竟空无際空散空无變異空本性空自相
空共相空一切法空不可得空无性空 自性

BD01557 號　大般若波羅蜜多經卷二九八　（14–7）

空內外空空空大空勝義空有為空無為
空畢竟空無際空散空無變異空本性空自相
空共相空一切法空不可得空無性空自性
空無性自性空真如甚深故般若波羅蜜多
甚深舍利子真如甚深故般若波羅蜜
多甚深法界法性不虛妄性不變異性平等
性離生性法定法住實際虛空界不思議界
真如甚深故般若波羅蜜多甚深舍利子苦
聖諦真如甚深故般若波羅蜜多甚深集滅
道聖諦真如甚深故般若波羅蜜多甚深舍
利子四靜慮真如甚深故般若波羅蜜多甚
深四無量四無色定真如甚深故般若波羅
蜜多甚深舍利子八解脫真如甚深故般若
波羅蜜多甚深八勝處九次第定十遍處真
如甚深故般若波羅蜜多甚深舍利子四念
住真如甚深故般若波羅蜜多甚深四正斷
四神足五根五力七等覺支八聖道支真如
甚深故般若波羅蜜多甚深舍利子空解脫
門真如甚深故般若波羅蜜多甚深無相無
願解脫門真如甚深故般若波羅蜜多甚深
舍利子菩薩十地真如甚深故般若波羅蜜
多甚深
舍利子五眼真如甚深故般若波羅蜜多甚
深六神通真如甚深故般若波羅蜜多甚深
舍利子佛十力真如甚深故般若波羅蜜多
甚深四無所畏四無礙解大慈大悲大喜大
捨十八佛不共法真如甚深故般若波羅蜜

BD01557號　大般若波羅蜜多經卷二九八　（14–8）

深六神通真如甚深故般若波羅蜜多甚深
舍利子佛十力真如甚深故般若波羅蜜多
甚深四無所畏四無礙解大慈大悲大喜大
捨十八佛不共法真如甚深故般若波羅蜜
多甚深舍利子無忘失法真如甚深故般若
波羅蜜多甚深恒住捨性真如甚深故般若
波羅蜜多甚深舍利子一切智真如甚深故般
若波羅蜜多甚深道相智一切相智真如甚
深故般若波羅蜜多甚深舍利子一切陀
羅尼門真如甚深故般若波羅蜜多甚深一
切三摩地門真如甚深故般若波羅蜜多甚
深
舍利子預流果真如甚深故般若波羅蜜多
甚深一來不還阿羅漢果真如甚深故般若
波羅蜜多甚深舍利子獨覺菩提真如甚深
故般若波羅蜜多甚深舍利子一切菩薩摩
訶薩行真如甚深故般若波羅蜜多甚深舍
利子諸佛無上正等菩提真如甚深故般若
波羅蜜多甚深
時舍利子復白佛言世尊如是般若波羅蜜
多難可測量佛言如是舍利子色真如難測
量故般若波羅蜜多難可測量受想行識真
如難測量故般若波羅蜜多難可測量舍利
子眼處真如難測量故般若波羅蜜多難可
測量耳鼻舌身意處真如難測量故般若波
羅蜜多難可測量舍利子色處真如難測量
故般若波羅蜜多難可測量聲香味觸法處

BD01557號　大般若波羅蜜多經卷二九八　（14–9）

如難測量故般若波羅蜜多難可測量舍利
子眼處真如難測量故般若波羅蜜多難可
測量耳鼻舌身意處真如難測量故般若波
羅蜜多難可測量舍利子色處真如難測量
故般若波羅蜜多難可測量聲香味觸法處
真如難測量故般若波羅蜜多難可測量舍
利子眼界真如難測量故般若波羅蜜多難
可測量色界眼識界及眼觸眼觸為緣所生
諸受真如難測量故般若波羅蜜多難可測
量舍利子耳界真如難測量故般若波羅蜜
多難可測量聲界耳識界及耳觸耳觸為緣
所生諸受真如難測量故般若波羅蜜多難
可測量舍利子鼻界真如難測量故般若波
羅蜜多難可測量香界鼻識界及鼻觸鼻
為緣所生諸受真如難測量故般若波羅蜜
多難可測量舍利子舌界真如難測量故般
若波羅蜜多難可測量味界舌識界及舌觸
舌觸為緣所生諸受真如難測量故般若波
羅蜜多難可測量舍利子身界真如難測量
故般若波羅蜜多難可測量觸界身識界及
身觸身觸為緣所生諸受真如難測量故般
若波羅蜜多難可測量舍利子意界真如難
測量故般若波羅蜜多難可測量法界意識
界及意觸意觸為緣所生諸受真如難測量
故般若波羅蜜多難可測量舍利子地界真
如難測量故般若波羅蜜多難可測量水火
風空識界真如難測量故般若波羅蜜多難

BD01557號　大般若波羅蜜多經卷二九八　　（14–10）

故般若波羅蜜多難可測量舍利子地界真
如難測量故般若波羅蜜多難可測量水火
風空識界真如難測量故般若波羅蜜多難
可測量舍利子无明真如難測量故般若波
羅蜜多難可測量行識名色六處觸受愛取
有生老死愁歎苦憂惱真如難測量故般若
波羅蜜多難可測量
舍利子布施波羅蜜多真如難測量故般若
波羅蜜多難可測量淨戒安忍精進靜慮般
若波羅蜜多真如難測量故般若波羅蜜多
難可測量舍利子內空真如難測量故般若
波羅蜜多難可測量外空內外空空空大空
勝義空有為空无為空畢竟空无際空散空
无變異空本性空自相空共相空一切法空
不可得空无性空自性空无性自性空真如
難測量故般若波羅蜜多難可測量舍利子
真如真如難測量故般若波羅蜜多難可測
量法界法性不虛妄性不變異性平等性離
生性法定法住實際虛空界不思議界真如
難測量故般若波羅蜜多難可測量舍利子
苦聖諦真如難測量故般若波羅蜜多難可
測量集滅道聖諦真如難測量故般若波羅
故般若波羅蜜多難可測量四无量四无色
定真如難測量故般若波羅蜜多難可測量

BD01557號　大般若波羅蜜多經卷二九八　　（14–11）

空真如難測量故般若波羅蜜多難可測量
界及意觸意觸為緣所生諸受真如難測量
故般若波羅蜜多難可測量舍利子地界真
如難測量故般若波羅蜜多難可測量水火
風空識界真難測量故般若波羅蜜多難
可測量舍利子无明真如難測量故般若波
羅蜜多難可測量行識名色六處觸受愛取
有生老死愁歎苦憂惱真如難測量故般若
波羅蜜多難可測量
舍利子布施波羅蜜多真如難測量故般若
波羅蜜多難可測量淨戒安忍精進靜慮般
若波羅蜜多真如難測量故般若波羅蜜多
難可測量舍利子內空真如難測量故般若
波羅蜜多難可測量外空內外空空空大空
勝義空有為空无為空畢竟空无際空散空
无變異空本性空自相空共相空一切法空
不可得空无性空自性空无性自性空真如
難測量故般若波羅蜜多難可測量舍利子
真如真如難測量故般若波羅蜜多難可測
量法界法性不虛妄性不變異性平等性離
生性法定法住實際虛空界不思議界真如
難測量故般若波羅蜜多難可測量舍利子
苦聖諦真如難測量故般若波羅蜜多難 可
測量集滅道聖諦真如難測量故般若波羅

BD01557號　大般若波羅蜜多經卷二九八　（14-12）

難測量故般若波羅蜜多難可測量舍利子
苦聖諦真如難測量故般若波羅蜜多難 可
測量集滅道聖諦真如難測量故般若波羅
蜜多難可測量舍利子四靜慮真如難測量
故般若波羅蜜多難可測量四无量四无色
定真如難測量故般若波羅蜜多難可測量
舍利子八解脫真如難測量故般若波羅蜜
多難可測量八勝處九次第定十遍處真如
難測量故般若波羅蜜多難可測量舍利子
四念住真如難測量故般若波羅蜜多難可測
量四正斷四神足五根五力七等覺支八聖
道支真如難測量故般若波羅蜜多 難 可
測量舍利子空解脫門真如難測量故般若
波羅蜜多難可測量无相无願解脫門真如
難測量故般若波羅蜜多難可測量舍利子
菩薩十地真如難測量故般若波羅蜜多 難
可測量
舍利子五眼真如難測量故般若波羅蜜多
難可測量六神通真如難測量故般若波羅
蜜多難可測量舍利子佛十力真如難測量
故般若波羅蜜多難可測量四无所畏四无
礙解大慈大悲大喜大捨十八佛不共法真
如難測量故般若波羅蜜多難可測量舍利
子无忘失法真如難測量故般若波羅蜜多
難可測量恒住捨性真如難測量故般若波
羅蜜多難可測量舍利子一切智真如難測
[illegible]

BD01557號　大般若波羅蜜多經卷二九八　（14-13）

難可測量六神通真如難測量故般若波羅
蜜多難可測量舍利子佛十力真如難測量
故般若波羅蜜多難可測量四无所畏四无
礙解大慈大悲大喜大捨十八佛不共法真
如難測量故般若波羅蜜多難可測量舍利
子无忘失法真如難測量故般若波羅蜜多
難可測量恒住捨性真如難測量故般若波
羅蜜多難可測量舍利子一切智真如難測
量故般若波羅蜜多難可測量道相智一切
相智真如難測量故般若波羅蜜多難可測
量舍利子一切陀羅尼門真如難測量故般若
波羅蜜多難可測量一切三摩地門真如
難測量故般若波羅蜜多難可測量
舍利子預流果真如難測量故般若波羅蜜
多難可測量一來不還阿羅漢果真如難測
量故般若波羅蜜多難可測量舍利子獨覺
菩提真如難測量故般若波羅蜜多難可
量舍利子一切菩薩摩訶薩行真如難測量

BD01557號　大般若波羅蜜多經卷二九八　（14–14）

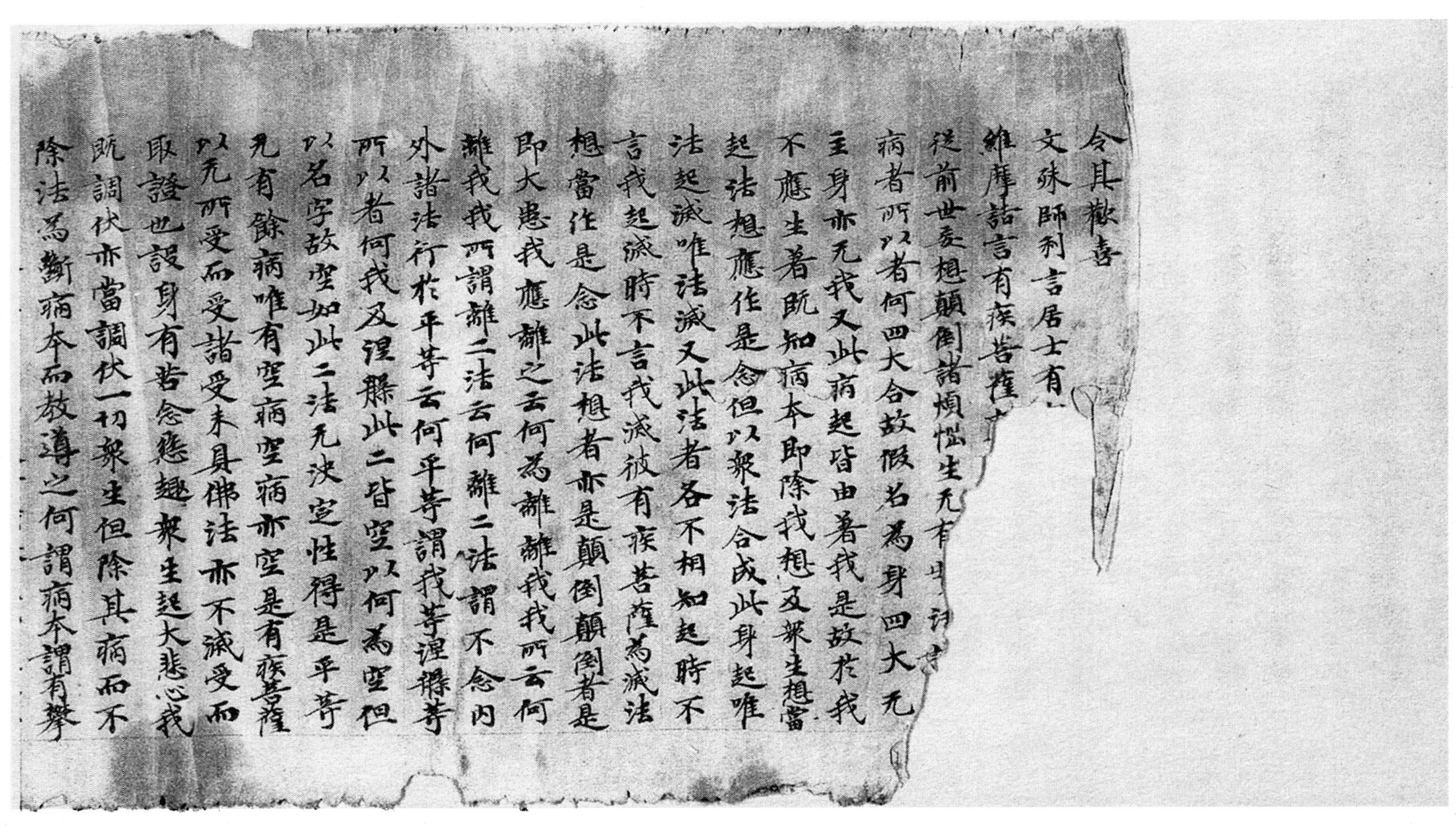
令其歡喜
文殊師利言居士有
維摩詰言有疾菩薩
從前世妄想顛倒諸煩惱生无有
病者所以者何四大合故假名為身四大无
主身亦无我又此病起皆由著我是故於我
不應生著既知病本即除我想及眾生想當
起法想應作是念但以眾法合成此身起唯
法起滅唯法滅又此法者各不相知起時不
言我起滅時不言我滅彼有疾菩薩為滅法
想當作是念此法想者亦是顛倒顛倒者是
即大患我應離之云何為離離我我所云何
離我我所謂離二法云何離二法謂不念內
外諸法行於平等云何平等謂我等涅槃等
所以者何我及涅槃此二皆空以何為空但
以名字故空如此二法无決定性得是平等
无有餘病唯有空病空病亦空是有疾菩薩
以无所受而受諸受未具佛法亦不滅受而
取證也設身有苦念惡趣眾生起大悲心我
既調伏亦當調伏一切眾生但除其病而不
除法為斷病本而教導之何謂病本謂有攀

BD01558號　維摩詰所説經卷中　（3–1）

取證也設身有苦念惡趣衆生起大悲心我
既調伏亦當調伏一切衆生但除其病而不
除法為斷病本而教導之何謂病本謂有攀
緣從有攀緣則為病本何所攀緣謂之三界
云何斷攀緣以无所得若无所得則无攀緣
何謂无所得謂无二見何謂二見謂內見外見
是无所得文殊師利是為有疾菩薩調伏其
心為斷老病死苦是菩薩菩提若不如是已
所脩治為无惠利譬如勝怨乃可為勇如是
兼除老病死者菩薩之謂也彼有疾菩薩應
復作是念如我此病非真非有衆生病亦非
真非有作是觀時於諸衆生若起大悲愛見悲
者即應捨離所以者何菩薩斷除客塵煩惱而
起大悲愛見悲者則於生死有疲厭心若能
離此无有疲厭在在所生不為愛見之所覆
也所生无縛能為衆生說法解縛如佛所說
若自有縛能解彼縛无有是處若自无縛能
解彼縛斯有是處是故菩薩不應起縛何謂
縛何謂解貪著禪味是菩薩縛以方便生是
菩薩解又无方便慧縛有方便慧解无慧方
便縛有慧方便解何謂无方便慧縛謂菩薩
以愛見心莊嚴佛土成就衆生於空无相无
作法中而自調伏是名无方便慧縛何謂有
方便慧解謂不以愛見心莊嚴佛土成就衆
生於空无相无作法中以自調伏而不疲厭
是名有方便慧解何謂无慧方便縛謂菩薩

BD01558號　維摩詰所說經卷中

（3–2）

縛何謂解貪著禪味是菩薩縛以方便生是
菩薩解又无方便慧縛有方便慧解无慧方
便縛有慧方便解何謂无方便慧縛謂菩薩
以愛見心莊嚴佛土成就衆生於空无相无
作法中而自調伏是名无方便慧縛何謂有
方便慧解謂不以愛見心莊嚴佛土成就衆
生於空无相无作法中以自調伏而不疲厭
是名有方便慧解何謂无慧方便縛謂菩薩
住貪欲瞋恚耶見等諸煩惱而殖衆德本是
名无慧方便縛何謂有慧方便解謂離諸貪
欲瞋恚耶見等諸煩惱而殖衆德本迴向阿
耨多羅三藐三菩提是名有慧方便解
文殊師利彼有疾菩薩應如是觀諸法又復
觀身无常苦空非我是名為慧雖身有疾常
在生死饒益一切而不厭惓是名方便又復
觀身身不離病病不離身是病是身非新非
故是名為慧設身有病而不永滅是名方便
文殊師利有疾菩薩應如是調伏其心不住
其中亦復不住不調伏心所以者何若住不
調伏心是愚人法若住調伏心是聲聞法是
故菩薩不當住於調伏不調伏心離此二法
[illegible]於生死不為汙行住於涅槃不

BD01558號　維摩詰所說經卷中

（3–3）

有諸[illegible]
施[illegible]愚癡[illegible]信根多聚財寶勤
加守護見乞者来其心不喜設不獲已而行
施時如割身宍深生痛惜復有无量慳貪
有情積集資財於其自身尚不受用何
能與父母妻子奴婢作使及来乞者彼諸
情從此命終生餓鬼界或傍生趣由昔
閒曾得暫聞藥師瑠璃光如来名故今在惡
趣暫得憶念彼如来名即於念時從彼處沒
還生人中得宿命念畏惡趣苦不樂欲樂好
行惠施讚歎施者一切所有悉无貪惜漸次
尚能以頭目手足血宍身分施来求者況餘財
物
復次曼殊室利若諸有情雖於如来受諸學
處而破尸羅有雖不破尸羅而破軌則有於
尸羅軌則雖得不壞然毀正見有雖不毀正
見而棄多聞於佛所說契經深義不能解
了有雖多聞而增上慢由增上慢覆蔽心故
自是非他嫌謗正法為魔伴黨如是愚人自
行邪見復令无量俱胝有情墮大險坑此諸
有情[illegible]

BD01559號　藥師瑠璃光如來本願功德經　（5–1）

處而破尸羅有雖不破尸羅而破軌則有於
尸羅軌則雖得不壞然毀正見有雖不毀正
見而棄多聞於佛所說契經深義不能解
了有雖多聞而增上慢由增上慢覆蔽心故
自是非他嫌謗正法為魔伴黨如是愚人自
行邪見復令无量俱胝有情墮大險坑此諸
有情應於地獄傍生鬼趣流轉无窮若得聞
此藥師琉璃光如来名号便捨惡行修諸善法
不墮惡趣設有不能捨諸惡行修行善法墮
惡趣者以彼如来本願威力令其現前暫聞名
号從彼命終還生人趣得正見精進善調意
樂便能捨家趣於非家如来法中受持學
處无有毀犯正見多聞解甚深義離增上慢
不謗正法不為魔伴漸次修行諸菩薩行速
得圓滿
復次曼殊室利若諸有情慳貪嫉妬自讚毀
他當墮三惡趣中无量千歲受諸劇苦受劇
苦已從彼命終還生人間作牛馬駝驢恒被
鞭撻飢渴逼惱又常負重隨路而行或得為
人生居下賤作人奴婢受他驅役恒不自在若
昔人中曾聞世尊藥師瑠璃光如来名号由
此善因今復憶念至心歸依以佛神力衆苦
解脫諸根聰利智慧多聞恒求勝法常遇
善友永斷魔羂破无明殼竭煩惱河解脫一
切生老病死憂悲苦惱

BD01559號　藥師瑠璃光如來本願功德經　（5–2）

昔人中曾聞世尊藥師琉璃光如來名号由
此善因今復憶念至心歸依以佛神力衆苦
解脫諸根聰利智慧多聞恒求勝法常遇
善友永斷魔羂破无明穀竭煩惱河解脫一
切生老病死憂悲苦惱
復次曼殊室利若諸有情好喜乖離更相鬪
訟惱亂自他以身語意造作增長種種惡業
展轉常為不饒益事互相謀害告召山林樹
塚等神殺諸衆生取其血宍祭祀藥叉羅剎
婆等書怨人名作其形像以惡呪術而呪咀
之厭媚蠱道呪起屍鬼令斷彼命及壞其身
是諸有情若得聞此藥師琉璃光如來名号
彼諸惡事悉不能害一切展轉皆起慈心利
益安樂无損惱意及嫌恨心各各歡悅於自
所受生於喜足不相侵凌互為饒益
復次曼殊室利若有四衆苾芻苾芻尼鄔波
索迦鄔波斯迦及餘淨信善男子善女人等
有能受持八分齋戒或經一年或復三月受
持學處以此善根願生西方極樂世界无量
壽佛所聽聞正法而未定者若聞世尊藥師
琉璃光如來名号臨命終時有八菩薩乘神
通來示其道路即於彼界種種雜色衆寶華
中自然化生或有因此生於天上雖生天中
而本善根亦未窮盡不復更生諸餘惡趣天
上壽盡還生人間或為輪王統攝四洲威德

BD01559號　藥師瑠璃光如來本願功德經　（5-3）

通來示其道路即於彼界種種雜色衆寶華
中自然化生或有因此生於天上雖生天中
而本善根亦未窮盡不復更生諸餘惡趣天
上壽盡還生人間或為輪王統攝四洲威德
自在安立无量百千有情於十善道或生剎
帝利婆羅門居士大家多饒財寶倉庫盈
溢形相端嚴眷屬具足聰明智慧勇健威猛
如大力士若是女人得聞世尊藥師琉璃光如
來名号至心受持於後不復更受女身
尒時曼殊室利童子白佛言世尊我當誓於
像法轉時以種種方便令諸淨信善男子善
女人等得聞世尊藥師琉璃光如來名号乃至
睡中亦以佛名覺悟其耳世尊若於此經受
持讀誦或復為他演說開示若自書若使人
書恭敬尊重以種種華香塗香末香燒香
花鬘瓔珞幡蓋伎樂而為供養以五色綵作
囊盛之掃灑淨處敷設高座而用安處尒時
四大天王與其眷屬及餘无量百千天衆皆
詣其所供養守護世尊若此經寶流行之處
有能受持以彼世尊藥師琉璃光如來本願功
德及聞名号當知是處无復橫死亦復不為
諸惡鬼神奪其精氣設已奪者還得如[illegible]身
心安樂
佛告曼殊室利如是如是如汝所說曼殊室
利若有淨信善男子善女人等[illegible]

BD01559號　藥師瑠璃光如來本願功德經　（5-4）

花鬘瓔珞幡蓋伎樂而為供養以五色綵作
囊盛之掃灑淨處敷設高座而用安處尒時
四大天王與其眷屬及餘无量百千天衆皆
詣其所供養守護世尊若此經寶流行之處
有能受持以彼世尊藥師瑠璃光如來本願功
德及聞名号當知是處无復橫死亦復不為
諸惡鬼神奪其精氣設已奪者還得如 身
心安樂
佛告曼殊室利如是如是如汝所說曼殊室
利若有淨信善男子善女人等欲供養彼世
尊藥師瑠璃光如來者應先造立彼佛形像
敷清淨座而安處之散種種花燒種種香以種
種幢幡莊嚴其處七日七夜受八分齋戒食
者、 沐浴香
新淨衣應
情起利益安
讚右遶佛像
此經思惟其
遂求

BD01559號　藥師瑠璃光如來本願功德經　（5–5）

光照莊嚴相菩薩是哀愍妙莊嚴王及諸眷
屬故於彼中生其二子者今藥王菩薩藥上
菩薩是是藥王藥上菩薩成就如此諸大功
德已於无量百千万億諸佛所殖衆德本成
就不可思議諸善功德若有人識是二菩薩
名字者一切世間諸天人民亦應礼拜佛說
是妙莊嚴王本事品時八万四千人遠塵離
垢於諸法中得法眼淨
妙法蓮華經普賢菩薩勸發品第廿八
尒時普賢菩薩以自在神通威德名聞與大
菩薩无量无邊不可稱數從東方來所經諸
國普皆震動雨寶蓮華作无量百千万億種
種伎樂又與无數諸天龍夜叉乾闥婆阿脩
羅迦樓羅緊那羅摩睺羅伽人非人等大衆
圍繞各現威德神通之力到娑婆世界耆闍
崛山中頭面礼釋迦牟尼佛右繞七帀白佛
言世尊我於寶威德上王佛國遙聞此娑婆
世界說法華經與无量无邊百千万億諸菩
薩衆共來聽受唯願世尊當為說之若善
男子善女人於如來滅後云何能得是法華
經佛告普賢菩薩若善男子善女人成就四
法於如來滅後當得是法華經一者為諸佛

BD01560號　妙法蓮華經卷七　（3–1）

世界說法華經與无量无邊百千万億諸菩
薩衆共來聽受唯願世尊當為說之若善
男子善女人於如來滅後云何能得是法華
經佛告普賢菩薩若善男子善女人成就四
法於如來滅後當得是法華經一者為諸佛
護念二者殖衆德本三者入正定聚四者發救
一切衆生之心善男子善女人如是成就四
法於如來滅後必得是經尒時普賢菩薩
白佛言世尊於後五百歲濁惡世中其有受
持是經典者我當守護除其衰患令得安隱
使无伺求得其便者若魔若魔子若魔女若
魔民若為魔所著者若夜叉若羅剎若鳩
槃荼若毗舍闍若吉蔗若富單那若韋陀羅
等諸惱人者皆不得便是人若行若立讀誦此
經我尒時乘六牙白象王與大菩薩衆俱詣
其所而自現身供養守護安慰其心亦為供
養法華經故是人若坐思惟此經尒時我復
乘白象王現其人前其人若於法華經有所
忘失一句一偈我當教之與共讀誦還令通
利尒時受持讀誦法華經者得見我身甚大
歡喜轉復精進以見我故即得三昧及陁羅
尼名為旋陁羅尼百千万億旋陁羅尼法音
方便陁羅尼得如是等陁羅尼世尊若後世
後五百歲濁惡世中比丘比丘尼優婆塞優
……持者讀誦者書寫者欲脩習

BD01560號　妙法蓮華經卷七

（3–2）

持是經典者我當守護除其衰患令得安隱
使无伺求得其便者若魔若魔子若魔女若
魔民若為魔所著者若夜叉若羅剎若鳩
槃荼若毗舍闍若吉蔗若富單那若韋陀羅
等諸惱人者皆不得便是人若行若立讀誦此
經我尒時乘六牙白象王與大菩薩衆俱詣
其所而自現身供養守護安慰其心亦為供
養法華經故是人若坐思惟此經尒時我復
乘白象王現其人前其人若於法華經有所
忘失一句一偈我當教之與共讀誦還令通
利尒時受持讀誦法華經者得見我身甚大
歡喜轉復精進以見我故即得三昧及陁羅
尼名為旋陁羅尼百千万億旋陁羅尼法音
方便陁羅尼得如是等陁羅尼世尊若後世
後五百歲濁惡世中比丘比丘尼優婆塞優
……持者讀誦者書寫者欲脩習
……進滿三七日

BD01560號　妙法蓮華經卷七

（3–3）

足切德衆生来……大乘心是菩薩淨土
菩薩成佛時……生來生其國布施是
菩薩淨土菩薩……時一切能捨衆生來生
其國持戒是菩……土菩薩成佛時行十善
道滿願衆生來生其國忍辱是菩薩淨土菩
薩成佛時三十二相莊嚴衆生來生其國精
進是菩薩淨土菩薩成佛時勤修一切功德
衆生來生其國禪定是菩薩淨土菩薩成佛
時攝心不亂衆生來生其國智慧是菩薩淨
土菩薩成佛時正定衆生來生其國四无量心
是菩薩淨土菩薩成佛時成就慈悲喜捨衆
生來生其國四攝法是菩薩淨土菩薩成佛
時解脫所攝衆生來生其國方便是菩薩淨
土菩薩成佛時於一切法方便无㝵衆生來生
其國卅七道品是菩薩淨土菩薩成佛時念
處正勤神足根力覺道衆生來生其國迴向
心是菩薩淨土菩薩成佛時得一切具足功
德國土說除八難是菩薩淨土菩薩成佛時
國土无有三惡八難自守戒行不譏彼闕是
菩薩淨土菩薩成佛時國土无有犯禁之
名十善是菩薩淨土菩薩成佛時命不中夭

BD01561 號　維摩詰所說經卷上　（21–1）

心是菩薩淨土菩薩成佛時得一切具足功
德國土說除八難是菩薩淨土菩薩成佛時
國土无有三惡八難自守戒行不譏彼闕是
菩薩淨土菩薩成佛時國土无有犯禁之
名十善是菩薩淨土菩薩成佛時命不中夭
大富梵行所言誠諦常以軟語眷屬不離善
和諍訟言必饒益不嫉不恚正見衆生來生
其國如是寶積菩薩隨其直心則能發行隨其
發行則得深心隨其深心則意調伏隨意調伏
則如說行隨如說行則能迴向隨其迴向則有
方便隨其方便則成就衆生隨成就衆生則
佛土淨隨佛土淨則說法淨隨說法淨則智
慧淨隨智慧淨則其心淨隨其心淨則一切
功德淨是故寶積若菩薩欲得淨土當淨
其心隨其心淨則佛土淨
尒時舍利弗承佛威神作是念若菩薩心淨則
佛土淨者我世尊本為菩薩時意豈不淨而是
佛土不淨若此佛知其念即告之言於意云
何日月豈不淨耶而盲者不見對曰不也世尊
是盲者過非日月咎舍利弗衆生罪故不見
如來佛國嚴淨非如來咎舍利弗我見此土
清淨而汝不見尒時螺髻梵王語舍利弗勿
作是意謂此佛土以為不淨所以者何我見
釋迦牟尼佛土清淨譬如自在天宮舍利弗
言我見此土丘陵坑坎荊棘沙礫土石諸山
穢惡充滿螺髻梵言仁者心有高下不依佛

BD01561 號　維摩詰所說經卷上　（21–2）

作是意謂此佛土以爲不淨所以者何我見
釋迦牟尼佛土清淨譬如自在天宮舍利弗
言我見此土丘陵坑坎荊棘沙礫土石諸山
穢惡充滿梵言仁者心有高下不依佛
慧故見此土爲不淨耳舍利弗菩薩於一切
衆生悉皆平等深心清淨依佛智慧則能見
此佛土清淨於是佛以足指案地即時三千
大千世界若干百千珍寶嚴飾譬如寶莊
嚴佛无量功德寶莊嚴土一切大衆歎未曾
有而皆自見坐寶蓮華佛告舍利弗汝且觀
是佛土嚴淨舍利弗言唯然世尊本所不見本
所不聞今佛國土嚴淨悉現佛語舍利弗我
佛國土常淨若此爲欲度斯下劣人故示是衆
惡不淨土耳譬如諸天共寶器食隨其福德
飯色有異如是舍利弗若人心淨便見此土功
德莊嚴當佛現此國土嚴淨之時寶積所將
五百長者子皆得无生法忍八万四千人發
阿耨多羅三藐三菩提心佛攝神足於是世
界還復如故求聲聞乘三万二千天及人
知有爲法皆悉无常遠塵離垢得法眼淨
八千比丘不受諸法漏盡意解

方便品第二

尒時毗耶離大城中有長者名維詰
供養无量諸佛深植善本得无生忍辯才无
礙遊戲神通逮諸總持獲无所畏降魔勞怨

BD01561號　維摩詰所說經卷上　（21–3）

尒時毗耶離大城中有長者名維詰
供養无量諸佛深植善本得无生忍辯才无
礙遊戲神通逮諸總持獲无所畏降魔勞怨
入深法門善於智度通達方便大願成就明
了衆生心之所趣又能分別諸根利鈍久於佛
道心已純淑決定大乘諸有所作能善思量
住佛威儀心大如海諸佛咨嗟弟子釋梵世
主所敬欲度人故以善方便居毗耶離資財无
量攝諸貧民奉戒清淨攝諸毀禁以忍調
行攝諸恚怒以大精進攝諸懈怠一心禪寂
攝諸亂意以決定慧攝諸无智雖爲白衣奉
持沙門清淨律行雖處居家不著三界示有
妻子常脩梵行現有眷屬常樂遠離雖服寶
飾而以相好嚴身雖復飲食而以禪悅爲味若
至博弈戲處輒以度人受諸異道不毀正信
雖明世典常樂佛法一切見敬爲供養中最
執持正法攝諸長幼一切治生諧偶雖獲俗
利不以喜悅遊諸四衢饒益衆生入治正法
救護一切入講論處導以大乘入諸學堂誘
開童蒙入諸婬舍示欲之過入諸酒肆能立
其志若在長者長者中尊爲說勝法若在居
士居士中尊斷其貪著若在刹利刹利中尊
教以忍辱若在婆羅門婆羅門中尊除其
我慢若在大臣大臣中尊教以正法若在王
子王子中尊示以忠孝若在內官內官中尊
化政宮女若在庶民庶民中尊令興福力

BD01561號　維摩詰所說經卷上　（21–4）

教以忍辱、若在婆羅門婆羅門中尊除其
我慢、若在大臣大臣中尊教以正法、若在王
子王子中尊示以忠孝、若在內官內官中尊
化政宮女若在庶民庶民中尊令興福力
、若在梵天梵天中尊誨以勝慧、若在帝釋
帝釋中尊示現无常、若在護世護世中尊護
諸衆生長者維摩詰以如是等无量方便饒
益衆生其以方便現身有疾以其疾故國王
大臣長者居士婆羅門等及諸王子并餘官
屬无數千人皆往問疾其往者維摩詰因
以身疾廣為說法諸仁者是身无常无強无
力无堅速朽之法不可信也為苦為惱衆病所
集諸仁者如此身明智者所不怙是身如聚沫
不可撮摩是身如泡不得久立是身如炎從渴
愛生是身如芭蕉中无有堅是身如幻從顛倒
起是身如夢為虛妄見是身如影從業緣現是
身如響屬諸因緣是身如浮雲須臾變
滅是身如電念念不住是身无主為如地是
身无我為如火是身无壽為如風是身无
人為如水是身不實四大為家是身為空離
我我所是身无知如草木瓦礫是身无作風
力所轉是身不淨穢惡充滿是身為虛偽雖
假以澡浴衣食必歸磨滅是身為災百一病
惱是身如丘井為老所逼是身无定為要當死
是身如毒蛇如怨賊如空聚陰界諸入所共
合成諸仁者此可患厭當樂佛身所以者何

BD01561 號　維摩詰所說經卷上　（21–5）

惱是身如丘井為老所逼是身无定為要當死
是身如毒蛇如怨賊如空聚陰界諸入所共
合成諸仁者此可患厭當樂佛身所以者何
佛身者即法身也從无量功德智慧生從戒
定慧解脫解脫知見生從慈悲喜捨生從布
施持戒忍辱柔和勤行精進禪定解脫三昧多
聞智慧諸波羅蜜生從方便生從六通生從
三明生從卅七道品生從止觀生從十力四无
所畏十八不共法生從斷一切不善法集一切
善法生從真實生從不放逸生從如是无量
清淨法生如來身諸仁者欲得佛身斷一切
衆生病者當發阿耨多羅三藐三菩提心如
是長者維摩詰為諸問疾者如應說法令
无數千人皆發阿耨多羅三藐三菩提心

弟子品第三

尒時長者維摩詰自念寢疾于牀世尊大慈
寧不垂愍佛知其意即告舍利弗汝行詣維
摩詰問疾舍利弗白佛言世尊我不堪任詣
彼問疾所以者何憶念我昔曾於林中宴坐
樹下時維摩詰來謂我言唯舍利弗不必是
坐為宴坐也夫宴坐者不於三界現身意是
為宴坐不起滅定而現諸威儀是為宴坐不捨
道法而現凡夫事是為宴坐心不住內亦不在
外是為宴坐於諸見不動而脩行三十七道
品是為宴坐不斷煩惱而入涅槃是為宴坐若

BD01561 號　維摩詰所說經卷上　（21–6）

宴坐不起滅定而現諸威儀是為宴坐不捨
道法而現凡夫事是為宴坐心不住內亦不在
外是為宴坐於諸見不動而脩行三十七道
品是為宴坐不斷煩惱而入涅槃是為宴坐若
能如是坐者佛所印可時我世尊聞是語已
默然而止不能加報故我不任詣彼問疾
佛告大目揵連汝行詣維摩詰問疾目連白
佛言世尊我不堪任詣彼問疾所以者何憶
念我昔入毗耶離大城於里巷中為諸居士
說法時維摩詰來謂我言唯大目連為白衣
居士說法不當如仁者所說夫說法者當如
法說法无衆生離衆生垢故法无有我離
我垢故法无壽命離生死故法无有人前後
際斷故法常寂然滅諸相故法離於相无所
緣故法无名字言語斷故法无有說離覺
觀故法无形相如虛空故法无戲論畢竟
空故法无我所離我所故法无分別離諸識故
法无有比无相待故法不屬因不在緣故法同
法性入諸法故法隨於如无所隨故法住實際
諸邊不動故法无動搖不依六塵故法无去来
常不住故法順空隨无相應无作法離好醜
法无增損法无生滅法无所歸法過眼耳鼻
舌身心法无高下法常住不動法離一切觀行
唯大目連法相如是豈可說乎夫說法者无說
无示其聽法者无聞无得譬如幻士為幻人說

法无增損法无生滅法无所歸法過眼耳鼻
舌身心法无高下法常住不動法離一切觀行
唯大目連法相如是豈可說乎夫說法者无說
无示其聽法者无聞无得譬如幻士為幻人說
法當建是意而為說法當了衆生根有利鈍善
於知見无所罣礙以大悲心讚于大乘念報佛
恩不斷三寶然後說法維摩詰說是法時八百
居士發阿耨多羅三藐三菩提心我无此辯是故
不任詣彼問疾
佛告大迦葉汝行詣維摩詰問疾迦葉白佛言
世尊我不堪任詣彼問疾所以者何憶念我昔於
貧里而行乞食時維摩詰來謂我言唯大迦
葉有慈悲心而不能普捨豪富從貧乞葉迦
住平等法應次行乞食為不食故應行乞食為
壞和合相故應取揣食為不受故應受彼食以
空聚想入於聚落所見色與盲等所聞聲與響
等所嗅香與風等所食味不分別受諸觸如智
證知諸法如幻相无自性无他性本自不然今
則无滅迦葉若能不捨八邪入八解脫以邪相
入正法以一食施一切供養諸佛及衆賢聖然
後可食如是食者非有煩惱非離煩惱非入定
意非起定意非住世間非住涅槃其有施者无
大福无小福不為益不為損是為正入佛道不
依聲聞迦葉若如是食為不空食人之施也時
我世尊聞說是語得未曾有即於一切菩薩深
敬心復作是念斯有家名辯才智慧乃能如是

大福无小福不為益不為損是為正入佛道不
依聲聞迦葉若如是食為不空食人之施也時
我世尊聞說是語得未曾有即於一切菩薩深
敬心復作是念斯有家名辯才智慧乃能如是
其誰不發阿耨多羅三藐三菩提心我從是來不
復勸人以聲聞辟支佛行故我不任詣彼問疾
佛告須菩提汝行詣維摩詰問疾須菩提白
佛言世尊我不堪任詣彼問疾所以者何憶念
我昔入其舍從乞食時維摩詰取我鉢盛滿飯謂
我言唯須菩提若能於食等者諸法亦等諸法
等者於食亦等如是行乞乃可取食若須菩提
不斷婬怒癡亦不與俱不壞於身而隨一相不滅癡
愛起於明脫以五逆相而得解脫亦不解不縛
不見四諦非不見諦非得果非不得果非凡夫
非離凡夫法非聖人非不聖人雖成就一切法而
離諸法相乃可取食若須菩提不見佛不
聞法彼外道六師富蘭那迦葉末伽梨拘賒
梨子刪闍夜毗羅胝子阿耆多翅舍欽婆羅迦
羅鳩馱迦旃延尼犍陀若提子等是汝之師因其
出家彼師所墮汝亦隨墮乃可取食若須菩提
入諸邪見不到彼岸住於八難不得无難同
於煩惱離清淨法汝得无諍三昧一切衆生亦
得是定其施汝者不名福田供養汝者墮三惡
道為與衆魔共一手作諸勞侶汝與衆魔及諸
塵勞等无有異於一切衆生而有怨心謗諸佛
毀於法不入衆數終不得滅度汝若如是乃可

道為與衆魔共一手作諸勞侶汝與衆魔及諸
塵勞等无有異於一切衆生而有怨心謗諸佛
毀於法不入衆數終不得滅度汝若如是乃可
取食時我世尊聞此語茫然不識是何言不知以
何荅便置鉢欲出其舍維摩詰言唯須菩提
取鉢勿懼於意云何如來所化人若以是事
詰寧有懼不我言不也維摩詰言一切諸法
如幻化相汝今不應有所懼也所以者何一切
言說不離是相至於智者不著文字故无所
懼何以故文字性離无有文字是則解脫解
脫相者則諸法也維摩詰說是法時二百
天子得法眼淨故我不任詣彼問疾
佛告富樓那彌多羅尼子汝行詣維摩詰問疾
富樓那白佛言世尊我不堪任詣彼問疾所以者
何憶念我昔於大林中在一樹下為諸新學比
丘說法時維摩詰來謂我言唯富樓那先當
入定觀此人心然後說法无以穢食置於寶器
當知是比丘心之所念无以瑠璃同彼水精汝不能
知衆生根原无得發起以小乘法彼自无瘡勿
傷之也欲行大道莫示徑无以大海內於牛跡
无以日光等彼螢火唯富樓那此比丘久發大乘
心中忘此意如何以小乘法而教導之我觀小乘
智慧微淺猶如盲人不能分別一切衆生根之利
鈍時維摩詰即入三昧令此比丘自識宿命曾
於五百佛所殖衆德本迴向阿耨多羅三藐三
[illegible]

智慧微淺猶如盲人不能分別一切衆生根之利
鈍時維摩詰即入三昧令此比丘自識宿命曾
於五百佛所殖衆德本迴向阿耨多羅三藐三
菩提即時豁然還得本心於是諸比丘稽首礼
維摩詰足時維摩詰因為說法於阿耨多羅三
藐三菩提不復退轉我念聲聞不觀人根不應
說法是故不任詣彼問疾
佛告摩訶迦旃延汝行詣維摩詰問疾迦旃
延白佛言世尊我不堪任詣彼問疾所以者何
憶念昔者佛為諸比丘略說法要我即於後
敷演其義謂无常義苦義空義无我義寂
滅義時維摩詰來謂我言唯迦旃延无以生滅
心行說實相法迦旃延諸法畢竟不生不滅是
无常義五受陰洞達空无所起是苦義諸法
究竟无所有是空義於我无我而不二是无我
義法本不然今則无滅是寂滅義說是法時彼
諸比丘心得解脫故我不任詣彼問疾
佛告阿那律汝行詣維摩詰問疾阿那律白
佛言世尊我不堪任詣彼問疾所以者何憶念
我昔於一處經行時有梵王名曰嚴淨與万梵
俱放淨光明來詣我所稽首作礼問我言幾
何阿那律天眼所見我即荅言仁者吾見此釋
迦牟尼佛土三千大千世界如觀掌中菴摩勒
果時維摩詰來謂我言唯阿那律天眼所
見為作相耶无作相耶假使作相則與外道
五通等若无作相即是无為不應有見世

BD01561 號　維摩詰所說經卷上　（21–11）

迦牟尼佛土三千大千世界如觀掌中菴摩勒
果時維摩詰來謂我言唯阿那律天眼所
見為作相耶无作相耶假使作相則與外道
五通等若无作相即是无為不應有見世
尊我時默然彼諸梵聞其言得未曾有即
為作礼而問曰世孰有真天眼者維摩詰言
有佛世尊得真天眼常在三昧悉見諸佛
國不以二相於是嚴淨梵王及其眷屬五百
梵天皆發阿耨多羅三藐三菩提心礼維摩
詰足忽然不現故我不任詣彼問疾
佛告優波離汝行詣維摩詰問疾優波離白
佛言世尊我不堪任詣彼問疾所以者何憶念
昔者有二比丘犯律行以為耻不敢問佛來問
我言唯優波離我等犯律誠以為耻不敢問
佛願解疑悔得免斯咎我即為其如法解說
時維摩詰來謂我言唯優波離无重增此二
比丘罪當直除滅勿擾其心所以者何彼罪性不
在內不在外不在中間如佛所說心垢故衆生
垢心淨故衆生淨心亦不在內不在外不在中
間如其心然罪垢亦然諸法亦然不出於
如如優波離以心相得解脫時寧有垢不
我言不也維摩詰言一切衆生心相无垢亦
復如是唯優波離妄想是垢无妄想是淨顛
倒是垢无顛倒是淨取我是垢不取我是淨優
波離一切法生滅不住如幻如電諸法不相
待乃至一念不住諸法皆妄見如夢如焰如

BD01561 號　維摩詰所說經卷上　（21–12）

復如是唯優波離妄想是垢无忘想是淨顛
倒是垢无顛倒是淨取我是垢不取我是淨優
波離一切法生滅不住如幻如電諸法不相
待乃至一念不住諸法皆妄見如夢如焰如
水中月如鏡中像以妄想生其知此者是名
奉律其知此者是名善解於是二比丘言上
智哉是優波離所不能及持律之上而不能說
我荅言自捨如來未有聲聞及菩薩能制
其樂說之辯其智慧明達爲若此也時二比
丘疑悔即除發阿耨多羅三藐三菩提心作
是願言令一切衆生皆得是辯故我不任詣
彼問疾
佛告羅睺羅汝行詣維摩詰問疾羅睺羅
白佛言世尊我不堪任詣彼問疾所以者何
憶念昔時毗耶離諸長者子來詣我所稽首
作礼問我言唯羅睺羅汝佛之子捨轉輪王位
出家爲道其出家者有何等利我即如法爲
說出家功德之利時維摩詰來謂我言唯羅
睺羅不應說出家功德之利所以者何无利无
功德是爲出家有爲法者可說有利有功德
夫出家者爲无爲法无爲法中无利无功德
羅睺羅夫出家者无彼无此亦无中間離六
十二見處於涅槃智者所受聖所行處降伏衆
磨度五道淨五眼得五力立五根不惱於彼
彼離衆雜惡摧諸外道超越假名出於淤泥无
繫著无我所无所受无擾乱內懷喜護彼意

十二見處於涅槃智者所受聖所行處降伏衆
磨度五道淨五眼得五力立五根不惱於彼
彼離衆雜惡摧諸外道超越假名出於淤泥无
繫著无我所无所受无擾亂內懷喜護彼意
隨禪定離衆過若能如是是出家於是維摩
詰謂諸長者子汝等於正法中宜共出家所以者
何佛世難值諸長者子言居士我聞佛言父母
不聽不得出家維摩詰言然汝等便發阿耨多羅三
藐三菩提心是即出家是即具足尒時三十二
長者子皆發阿耨多羅三藐三菩提心故我
不任詣彼問疾
佛告阿難汝行詣維摩詰問疾阿難白佛言
世尊我不堪任詣彼問疾所以者何憶念昔
時世尊身小有疾當用牛乳我即持鉢詣大
婆羅門家門下立時維摩詰來謂我言唯阿難
何爲晨朝持鉢住此我言居士世尊身小有
疾當用牛乳故來至此維摩詰言止止阿難
莫作是語如來身者金剛之體諸惡已斷
衆善普會當有何疾當有何惱嘿往阿難勿
謗如來莫使異人聞此麁言无令大威德諸天
及他方淨土諸來菩薩得聞斯語阿難轉輪聖
王以少福故尚得无病豈況如來无量福會
普勝者哉行矣阿難勿使我等受斯恥也外
道梵志若聞此語當作是念何名爲師自疾
不能救而能救諸疾人可密速去勿使人聞
當知阿難諸如來身即是法身非思欲身

菩薩者我行矣阿難勿使我等受斯恥也外
道梵志若聞此語當作是念何名為師自疾
不能救而能救諸疾人可密速去勿使人聞
當知阿難諸如來身即是法身非思欲身佛
為世尊過於三界佛身无漏諸漏已盡佛身
无為不墮諸數如此之身當有何疾時我世
尊實懷慚愧得无近佛而謬聽耶即聞空中
聲曰阿難如居士言但為佛出五濁惡世現行
斯法度脫衆生行矣阿難取乳勿慙世尊維
摩詰智慧辯才為若此也是故不任詣彼
問疾如是五百大弟子各各向佛說其本緣
稱述維摩詰所言皆曰不任詣彼問疾

菩薩品第四

於是佛告彌勒菩薩汝行詣維摩詰問疾彌
勒白佛言世尊我不堪任詣彼問疾所以者何
憶念我昔為兜率天王及其眷屬說不退轉
地之行時維摩詰來謂我言彌勒世尊授仁
者記一生當得阿耨多羅三耶三菩提為用
何生得受記乎過去耶未來耶現在耶若過
去生過去生已滅若未來生未來生未至若現
在生現在生无住如佛所說比丘汝今即時亦
生亦老亦滅若以无生得受記者无生即是
正位於正位中亦无受記亦无得阿耨多
羅三耶三菩提云何彌勒受一生記乎為
從如生得受記耶為從如滅得受記耶若以

BD01561號　維摩詰所說經卷上

（21–15）

正位於正位中亦无受記亦无得阿耨多
羅三耶三菩提心云何彌勒受一生記乎為
從如生得受記耶為從如滅得受記耶若以
如生得受記者如无有生若以如滅得受記
者如无有滅一切衆生皆如也一切法亦如
也衆聖賢亦如也至於彌勒亦如也若彌勒
得受記者一切衆生亦應受記所以者何夫如
者不二不異若彌勒得阿耨多羅三耶三菩
提者一切衆生皆亦應得所以者何一切衆生
即菩提相若彌勒滅度者一切衆生亦當滅
度所以者何諸佛知一切衆生畢竟寂滅
即涅槃相不復更滅是故彌勒无以此法誘
諸天子實无發阿耨多羅三耶三菩提心者
亦无退者彌勒當令此諸天子捨於分別菩
提之見所以者何菩提者不可以身得不可以
心得寂滅是菩提滅諸相故不觀是菩提
離諸緣故不行是菩提无憶念故斷是菩
提捨諸見故離是菩提離諸妄想故鄣是
菩提鄣諸願故不入是菩提无貪著故順是
菩提順於如故住是菩提住法性故至是菩
提至實際故不二是菩提離意法故等是菩
提等虛空故无為是菩提无生住滅故智是
菩提了衆生心行故不會是菩提諸入不會
故不合是菩提離煩惱習故无處是菩提无
形色故假名是菩提名字空故如化是菩提

BD01561號　維摩詰所說經卷上

（21–16）

故不會是菩提離煩惱習故无處是菩提无
形色故假名是菩提名字空故如化是菩提
无取捨故不亂是菩提常自靜故善寂是
菩提性清淨故无取是菩提離攀緣故无異
是菩提諸法等故无比是菩提无可喻故微
妙是菩提諸法難知故世尊維摩詰說是法
時二百天子得无生法忍故我不任詣彼問疾
佛告光嚴童子汝行詣維摩詰問疾光嚴白
佛言世尊我不堪任詣彼問疾所以者何憶念
我昔出毗耶離大城時維摩詰方入城我
即為作礼而問言居士從何所來荅我言吾從
道場來我問道場者何所是荅曰直心是道場
无虛假故發行是道場能辦事故深心是道
場增益功德故菩提心是道場无錯謬故布
施是道場不望報故持戒是道場得願具故
忍辱是道場於諸眾生心无㝵故精進是
道場不懈退故禪定是道場心調柔故
智慧是道場現見諸法故慈是道場等眾生
故悲是道場忍疲苦故喜是道場悅樂法故
捨是道場憎愛斷故神通是道場成就六通
故解脫是道場能背捨故方便是道場教化
眾生故四攝法是道場攝眾生故多聞是道場
如聞行故伏心是道場正觀諸法故卅七品是
道場捨有為法故諦是道場不誑世間故緣
起是道場无明乃至老死皆无盡故諸煩惱

如聞行故伏心是道場正觀諸法故卅七品是
道場捨有為法故諦是道場不誑世間故緣
起是道場无明乃至老死皆无盡故諸煩惱
是道場知如實故眾生是道場知无我故一
切法是道場知諸法空故降魔是道場不傾
動故三界是道場无所趣故師子吼是道場无
所畏故力无畏不共法是道場无諸過故三
明是道場无餘㝵故一念知一切法是道場
成就一切智故如是善男子菩薩若應諸
波羅蜜教化眾生諸有所作舉足下足當知
皆從道場來住於佛法矣說是法時五百天
人皆發阿耨多羅三藐三菩提心故我不任
詣彼問疾
佛告持世菩薩汝行詣維摩詰問疾持世白
佛言世尊我不堪任詣彼問疾所以者何
憶念我昔住於靜室時魔波旬從万二千
天女狀如帝釋鼓樂絃歌來詣我所與其
眷屬稽首我足合掌恭敬於一面立我意謂
是帝釋而語之言善來憍尸迦雖福應有不
當自恣當觀五欲无常以求善本於身命財
而脩堅法即語我言正士受是万二千天女可
備掃灑我言憍尸迦无以此非法之物要我沙
門釋子此非我宜所言未訖時維摩詰來謂
我言非帝釋也是為魔來嬈固汝耳即語魔言
是諸女等可以與我如我應受魔即驚懼念

門釋子此非我宜所言未訖時維摩詰來謂
我言非帝釋也是為魔來嬈固汝耳即語魔言
是諸女等可以與我如我應受魔即驚懼念
維摩詰將无惱我欲隱形去而不能隱盡其
神力亦不得去即聞空中聲曰波旬以女與之
乃可得去魔以畏故俛仰而與尒時維摩詰
語諸女言魔以汝等與我今汝皆發阿耨
多羅三藐三菩提心即隨所應而為說法
令發道意復言汝等已發道意有法樂可以
自娛不應復樂五欲樂也天女即問何謂法
樂答言樂常信佛樂欲聽法樂供養衆樂
離五欲樂觀五陰如怨賊樂觀四大如毒蛇樂
觀內入如空聚樂隨護道意樂饒益衆生樂
敬養師樂廣行施樂堅持戒樂忍辱柔和樂勤
集善根樂禪定不亂樂離垢明慧樂廣菩
提心樂降伏衆魔樂斷諸煩惱樂淨佛國土樂
成就相好故脩諸功德樂莊嚴道場樂聞深法不
畏樂三脫門不樂非時樂近同學樂於非同學
中心无恚礙樂將護惡知識樂近善知識樂心
喜清淨樂脩无量道品之法是為菩薩法樂
於是波旬告諸女言我欲與汝俱還天宮諸
女言以我等與此居士有法樂我等甚樂不
復樂於五欲樂也魔言居士可捨此女一切所有
施於彼者是為菩薩維摩詰言我已捨矣
汝便將去令一切衆生得法願具足於是諸

BD01561 號　維摩詰所說經卷上　（21–19）

復樂於五欲樂也魔言居士可捨此女一切所有
施於彼者是為菩薩維摩詰言我已捨矣
汝便將去令一切衆生得法願具足於是諸
女問維摩詰我等云何止於魔宮維摩詰
言諸姊有法門名无盡燈汝等學无盡燈
者譬如一燈然百千燈冥者皆明明終不
盡如是諸姊夫一菩薩開導百千衆生令
發阿耨多羅三藐三菩提心於其道意亦不
滅盡隨所說法而自增益一切善法是名无
盡燈也汝等雖住魔宮以是无盡燈令无數
天子天女皆發阿耨多羅三藐三菩提心者為
報佛恩亦大饒益一切衆生尒時天女頭面礼
維摩詰足隨魔還宮忽然不現世尊維摩詰
有如是自在神力智慧辯才故我不任詣彼問疾
佛告長者子善德汝行詣維摩詰問疾善
德白佛言世尊我不堪任詣彼問疾所以者何
憶念我昔自於父舍設大施會供養一切沙
門婆羅門及諸外道貧窮下賤孤獨乞人期
滿七日時維摩詰來入會中謂我言長者子
夫大施會不當如汝所設當為法施之會何
用是財施會為我言居士何謂法施之會法
施會者无前无後一時供養一切衆生是名
法施之會何謂也謂以菩提起於慈心以救
衆生起大悲心以持正法起於喜心以攝智
慧行於捨心以攝慳貪起檀波羅蜜以化犯
戒起尸波羅蜜以无我法起羼提波羅蜜以

BD01561 號　維摩詰所說經卷上　（21–20）

BD01561 號　維摩詰所說經卷上

（21–21）

BD01562 號　妙法蓮華經卷七

（3–1）

汝意云何是善男子善女人功德多不无盡
意言甚多世尊佛言若復有人受持觀世音
菩薩名号乃至一時礼拜供養是二人福正
等无異於百千万億劫不可窮盡无盡意受
持觀世音菩薩名号得如是无量无邊福德
之利无盡意菩薩白佛言世尊觀世音菩薩
云何遊此娑婆世界云何而為衆生說法方
便之力其事云何佛告无盡意菩薩善男子
若有國土衆生應以佛身得度者觀世音菩
薩即現佛身而為說法應以辟支佛身得度
者即現辟支佛身而為說法應以聲聞身得
度者即現聲聞身而為說法應以梵王身得
度者即現梵王身而為說法應以帝釋身得
度者即現帝釋身而為說法應以自在天身得
度者即現自在天身而為說法應以大自在天身
得度者即現大自在天身而為說法應以天大
將軍身得度者即現天大將軍身而為說
法應以毗沙門身得度者即現毗沙門身而為
說法應以小王身得度者即現小王身而為說
法應以長者身得度者即現長者身而為說
法應以居士身得度者即現居士身而為說
法應以宰官身得度者即現宰官身而為說
法應以婆羅門身得度者即現婆羅門身而
為說法應以比丘比丘尼優婆塞優婆夷
身得度者即現比丘比丘尼優婆塞優婆夷

BD01562 號　妙法蓮華經卷七　（3–2）

法應以長者身得度者即現長者身而為說
法應以居士身得度者即現居士身而為說
法應以宰官身得度者即現宰官身而為說
法應以婆羅門身得度者即現婆羅門身而
為說法應以比丘比丘尼優婆塞優婆夷
身得度者即現比丘比丘尼優婆塞優婆夷
而為說法應以長者居士宰官婆羅門婦女身
得度者即現婦女身而為說法應以童男童
女身得度者即現童男童女身而為說法應
以天龍夜叉乾闥婆阿脩羅迦樓羅緊那羅
摩睺羅伽人非人等身得度者即皆現之而為
說法應以執金剛神得度者即現執金剛神而
為說法无盡意是觀世音菩薩成就如是功
德以種種形遊諸國土度脫衆生是故汝等
應當一心供養觀世音菩薩是觀世音菩薩
摩訶薩於怖畏急難之中能施无畏是故此
娑婆世界皆号之為施无畏者无盡意菩薩
白佛言世尊我今當供養觀世音菩薩即
解頸衆寶珠瓔珞價直百千兩金而以與
之作是言仁者受此法施珎寶瓔珞時觀

BD01562 號　妙法蓮華經卷七　（3–3）

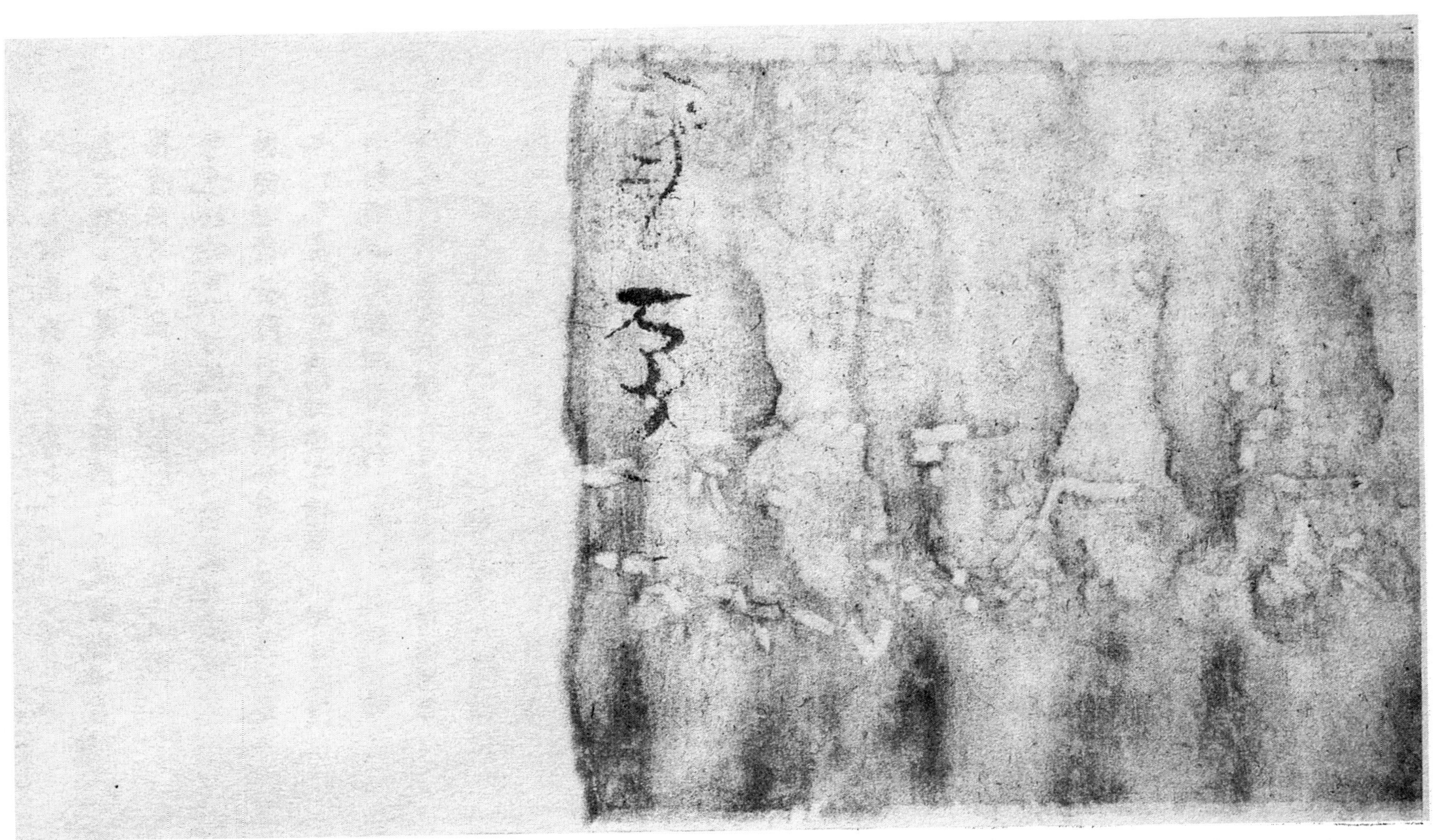

BD01562 號背　雜寫　（1–1）

須菩提於意云何須陁洹能作是念我得須
陁洹果不須菩提言不也世尊何以故須陁
洹名為入流而无所入不入色聲香味觸法
是名須陁洹須菩提於意云何斯陁含能作
是念我得斯陁含果不須菩提言不也世尊
何以故斯陁含名一往来而實无往来是名
斯陁含須菩提於意云何阿那含能作是念
我得阿那含果不須菩提言不也世尊何以
故阿那含名為不来而實无来是故名阿那
含須菩提於意云何阿羅漢能作是念我得
阿羅漢道不須菩提言不也世尊何以故實
无有法名阿羅漢世尊若阿羅漢作是念我
得阿羅漢道即為著我人衆生壽者世尊佛
說我得无諍三昧人中最為第一是第一離
欲阿羅漢我不作是念我是離欲阿羅漢世

BD01563 號　金剛般若波羅蜜經　（2–1）

斯陀含須菩提於意云何阿那含能作是念
我得阿那含果不須菩提言不也世尊何以
故阿那含名為不來而實无來是故名阿那
含須菩提於意云何阿羅漢能作是念我得
阿羅漢道不須菩提言不也世尊何以故實
无有法名阿羅漢世尊若阿羅漢作是念我
得阿羅漢道即為著我人衆生壽者世尊佛
說我得无諍三昧人中最為第一是第一離
欲阿羅漢我不作是念我是離欲阿羅漢世
尊我若作是念我得阿羅漢道世尊則不說
須菩提是樂阿蘭那行者以須菩提實无
所行而名須菩提是樂阿蘭那行
佛告須菩提於意云何如来昔在然燈佛所
於法有所得不世尊如来在然燈佛所於法
實无所得須菩提於意云何菩薩莊嚴佛
土不不也世尊何以故莊嚴佛土者則非莊嚴

BD01563 號　金剛般若波羅蜜經

（2–2）

有伽樓[illegible]鬼若有[illegible][illegible]鬼若有鳩槃荼鬼
若有比沙迦鬼若有問諸鬼我為衆生解說
鬼神名字土地者狐狸是山神者虵虫蟒虵
是宅神者老鼠蝙蝠是天神者魔邪是若
有東来鬼若有東南来鬼若有南来鬼若有
西南来鬼若有西来鬼若有西北来鬼若有北
来鬼若有東北来鬼若有上方蜚尸鬼若有下
方遁注鬼若有天神地神鬼若有山神樹神鬼
若有五道之神鬼若有南斗北辰鬼若有棄
人精氣鬼若有取人精氣鬼若有棄人魂魄
鬼若有喚人魂神鬼若有破家鬼若有遭官
失火鬼若有青色鬼若有白色鬼若有黄色
鬼若有赤色鬼若有惡眼毒精鬼若有乍瞋乍
欣鬼若有索酒索肉鬼若有嗜酒嗜肉鬼若
有入人頭中鬼若有入人耳中鬼若有入人口
中鬼若有入人十指中鬼若有入人手脚中
鬼若有入人心肝五藏中鬼若有入人百節
中鬼若有千詐鬼若有詐稱鬼若有假名字
鬼若有七道鬼若有四七日百佐鬼若有百日
伏尸鬼若有病痛誦此鬼神名字若有小弱
難養誦此鬼神名字若有兒啼驚怕亦誦

BD01564 號　普賢菩薩說證明經

（2–1）

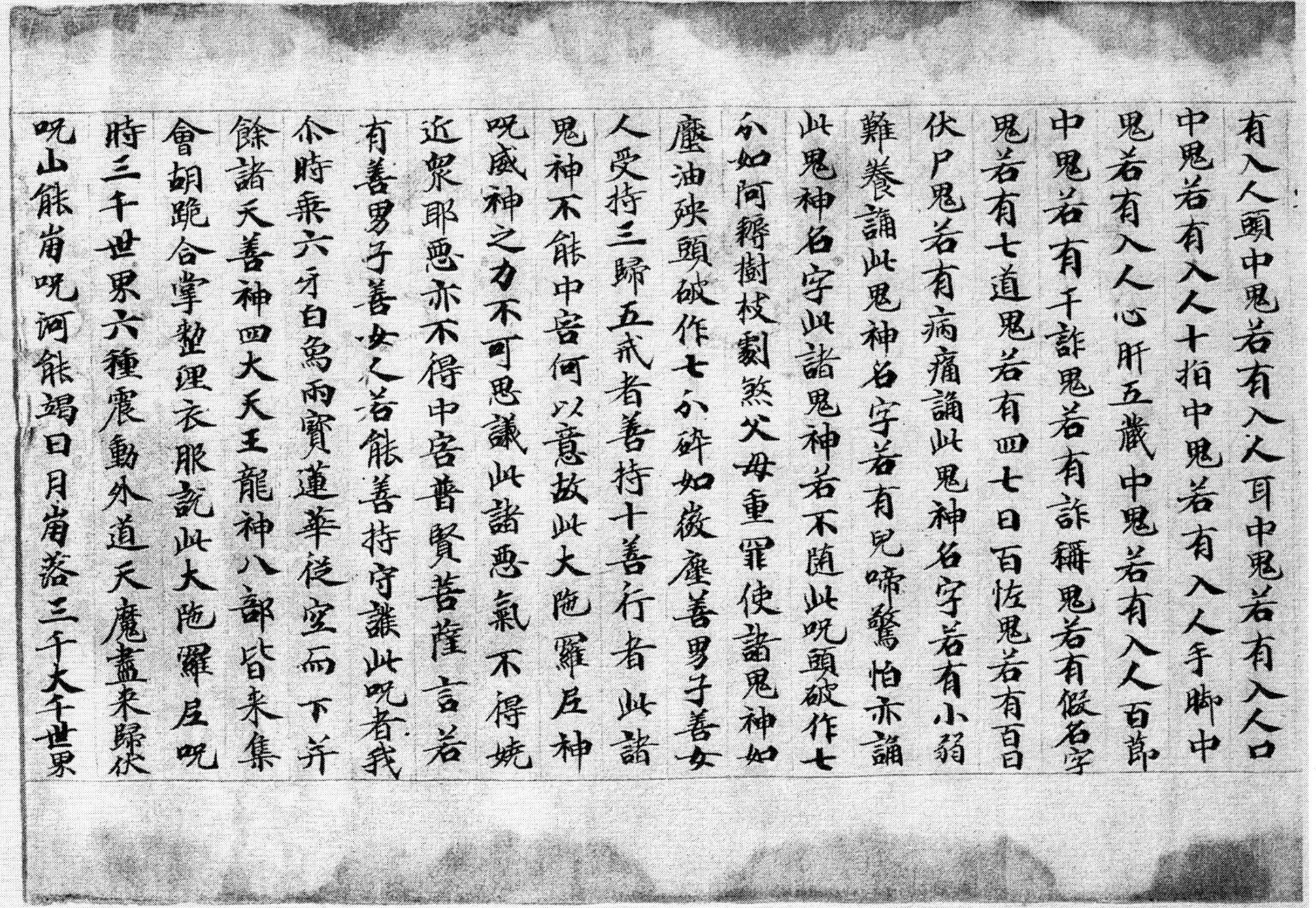

有入人頭中鬼若有入人耳中鬼若有入人口
中鬼若有入人十指中鬼若有入人手脚中
鬼若有入人心肝五藏中鬼若有入人百節
中鬼若有千詐鬼若有詐稱鬼若有假名字
鬼若有七道鬼若有四七日百恠鬼若有百日
伏尸鬼若有病痛誦此鬼神名字若有小弱
難養誦此鬼神名字若有兒啼驚怕亦誦
此鬼神名字此諸鬼神若不隨此呪頭破作七
分如阿梨樹枝剗煞父母重罪使諸鬼神如
塵油殃頭破作七分碎如微塵善男子善女
人受持三歸五戒者善持十善行者此諸
鬼神不能中害何以意故此大陁羅尼神
呪威神之力不可思議此諸悪氣不得嬈
近衆耶悪亦不得中害普賢菩薩言若
有善男子善女人若能善持守護此呪者我
尒時乘六牙白象雨寶蓮華從空而下并
餘諸天善神四大天王龍神八部皆来集
會胡跪合掌整理衣服說此大陁羅尼呪
時三千世界六種震動外道天魔盡来歸伏
呪山能崩呪河能竭日月崩落三千大千世界

BD01564號　普賢菩薩說證明經　（2–2）

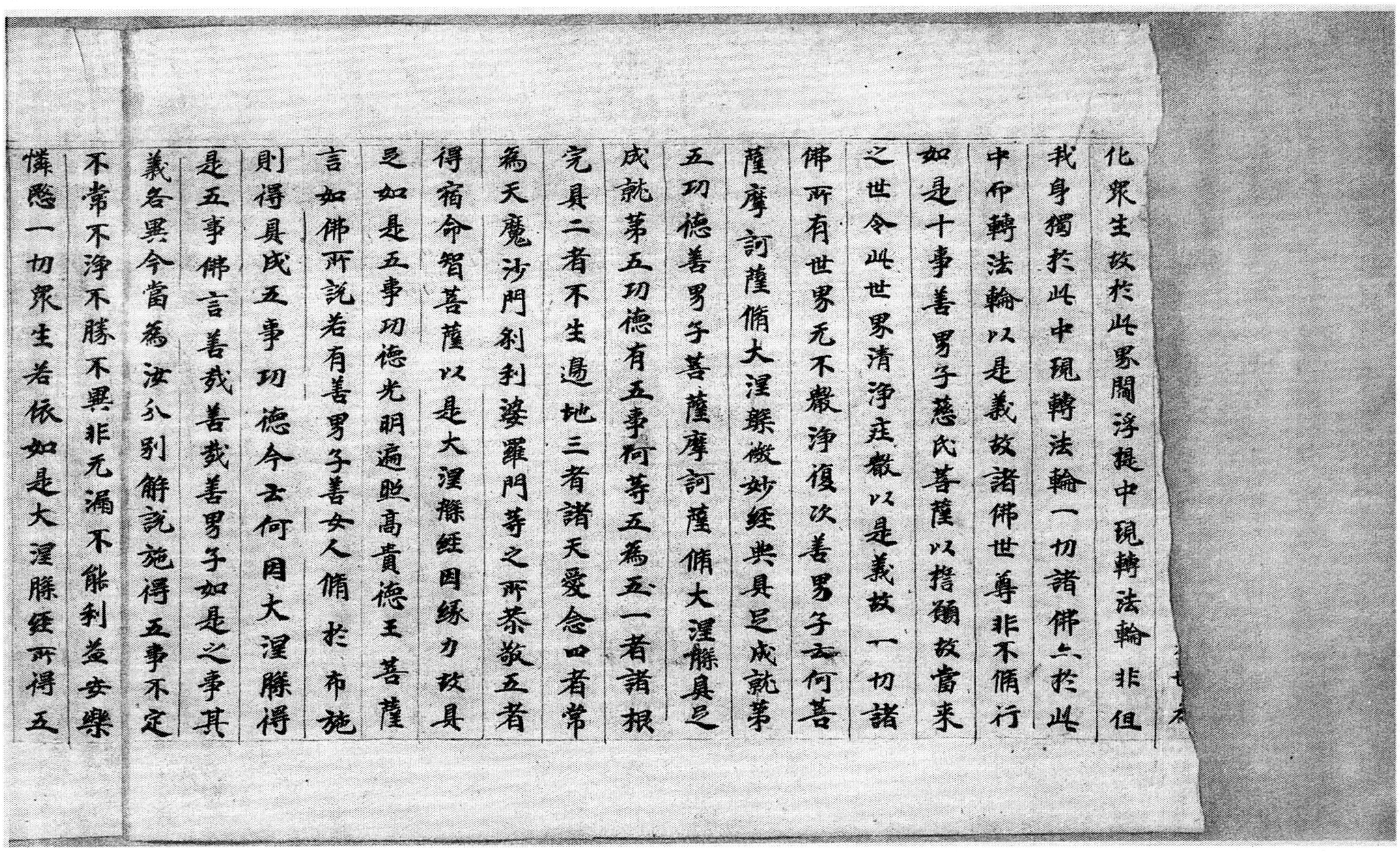

化衆生故於此界閻浮提中現轉法輪非但
我身獨於此中現轉法輪一切諸佛亦於此
中而轉法輪以是義故諸佛世尊非不脩行
如是十事善男子慈氏菩薩以誓願故當来
之世令此世界清淨莊嚴以是義故一切諸
佛所有世界无不嚴淨復次善男子云何菩
薩摩訶薩脩大涅槃微妙經典具足成就第
五功德善男子菩薩摩訶薩脩大涅槃具足
成就第五功德有五事何等五為五一者諸根
完具二者不生邊地三者諸天愛念四者常
為天魔沙門剎利婆羅門等之所恭敬五者
得宿命智菩薩以是大涅槃經因緣力故具
足如是五事功德光明遍照高貴德王菩薩
言如佛所說若有善男子善女人脩於布施
則得具足五事功德今云何因大涅槃得
是五事佛言善哉善哉善男子如是之事其
義各異今當為汝分別解說施得五事不定
不常不淨不勝不異非无漏不能利益安樂
憐愍一切衆生若依如是大涅槃經所得五

BD01565號　大般涅槃經（北本）卷二四　（2–1）

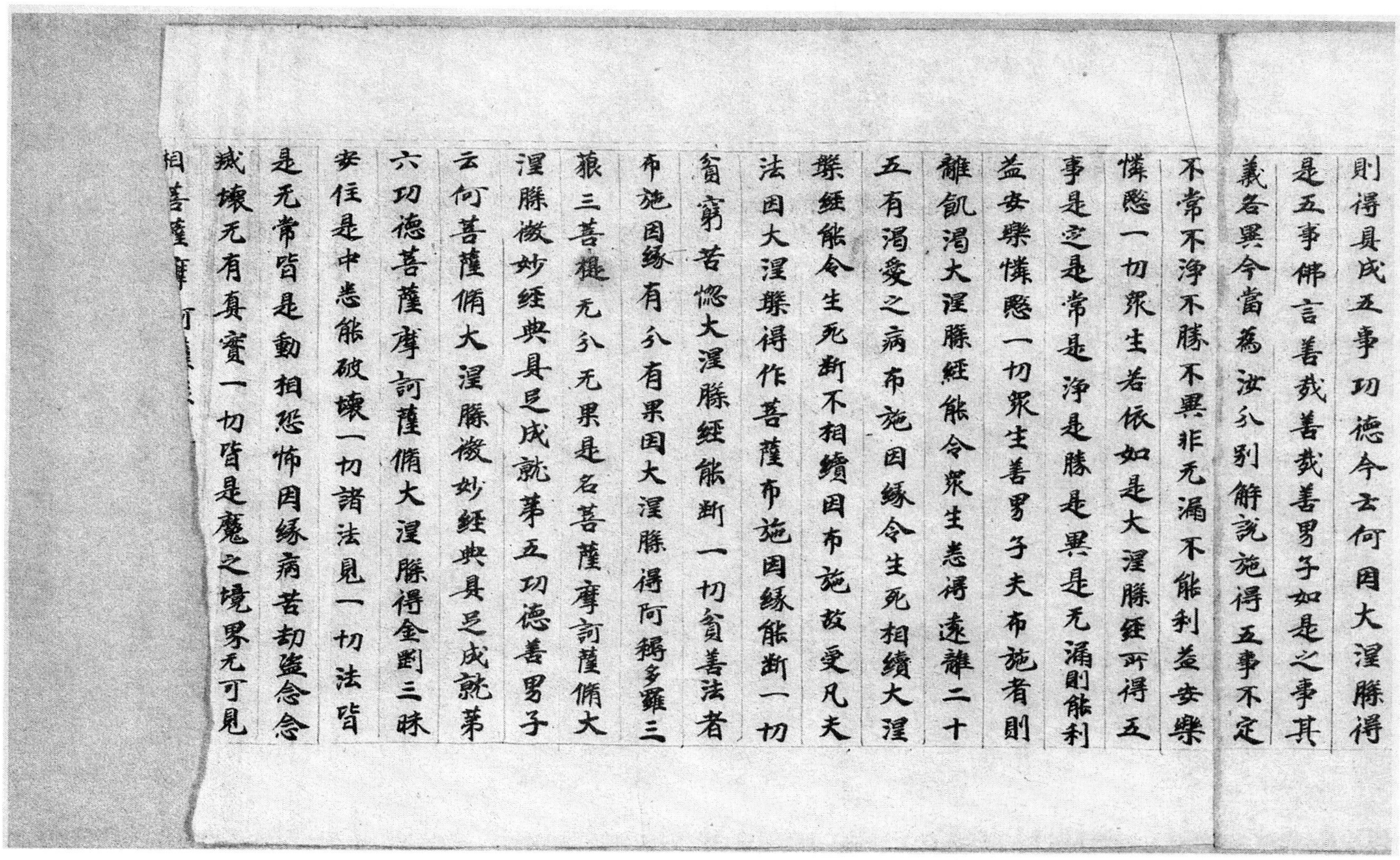

則得具足五事功德今云何因大涅槃得
是五事佛言善哉善哉善男子如是之事其
義各異今當爲汝分別解說施得五事不定
不常不淨不勝不異非无漏不能利益安樂
憐愍一切衆生若依如是大涅槃經所得五
事是定是常是淨是勝是異是无漏則能利
益安樂憐愍一切衆生善男子夫布施者則
離飢渴大涅槃經能令衆生悉得遠離二十
五有渴愛之病布施因緣令生死相續大涅
槃經能令生死斷不相續因布施故受凡夫
法因大涅槃得作菩薩布施因緣能斷一切
貧窮苦惱大涅槃經能斷一切貧善法者
布施因緣有分有果因大涅槃得阿耨多羅三
藐三菩提无分无果是名菩薩摩訶薩脩大
涅槃微妙經典具足成就第五功德善男子
云何菩薩脩大涅槃微妙經典具足成就第
六功德菩薩摩訶薩脩大涅槃得金剛三昧
安住是中悉能破壞一切諸法見一切法皆
是无常皆是動相恐怖因緣病苦劫盜念念
滅壞无有真實一切皆是魔之境界无可見
相菩薩摩訶[illegible]

BD01565號　大般涅槃經（北本）卷二四　（2-2）

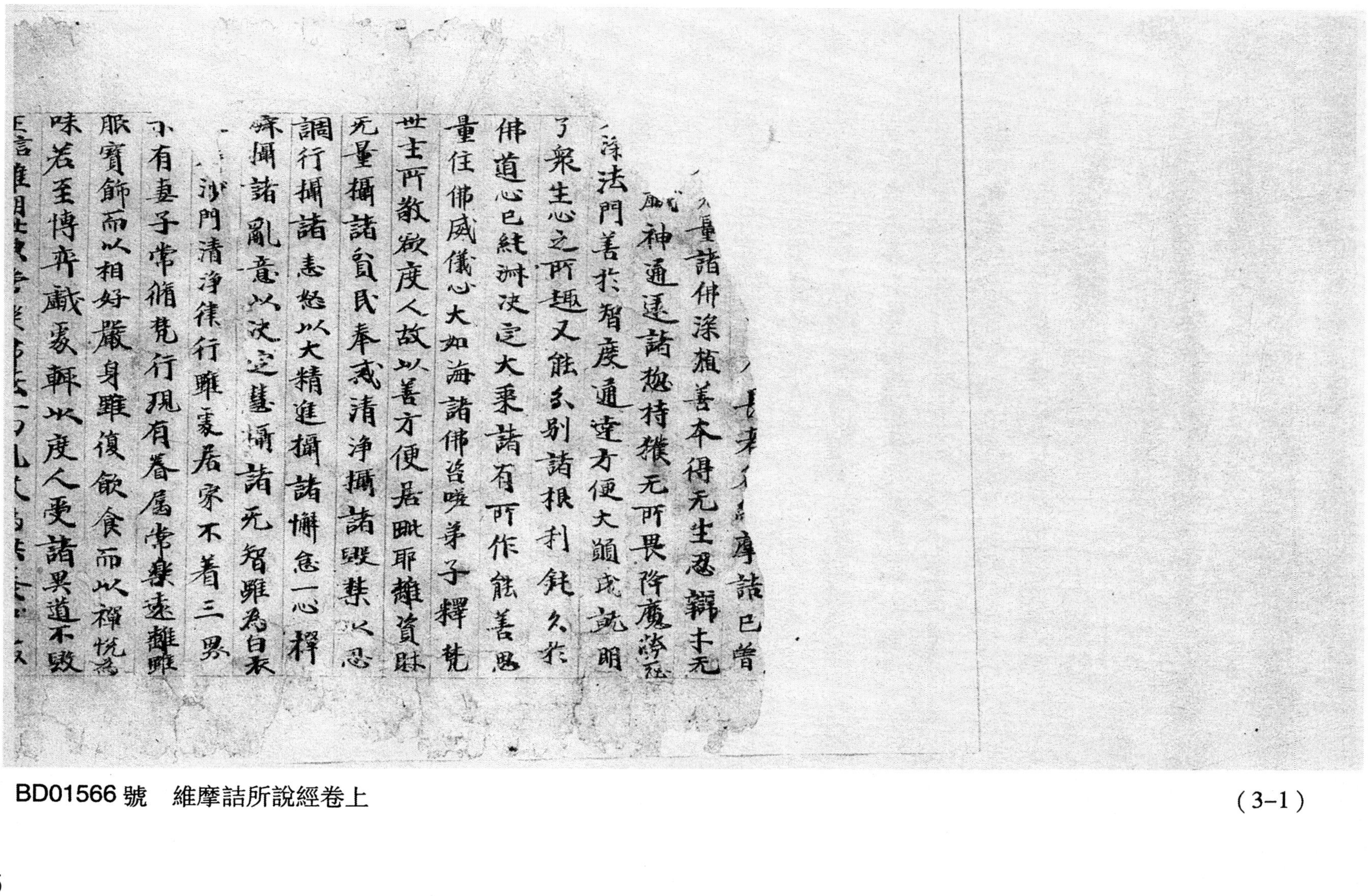

[illegible]長者[illegible]摩詰已曾
[illegible]量諸佛深殖善本得无生忍辯才无
礙神通遊戲逮諸總持獲无所畏降魔勞怨
入深法門善於智度通達方便大願成就明
了衆生心之所趣又能分別諸根利鈍久於
佛道心已純淑決定大乘諸有所作能善思
量住佛威儀心大如海諸佛咨嗟弟子釋梵
世主所敬欲度人故以善方便居毗耶離資財
无量攝諸貧民奉戒清淨攝諸毀禁以忍
調行攝諸恚怒以大精進攝諸懈怠一心禪
寂攝諸亂意以決定慧攝諸无智雖爲白衣
奉持沙門清淨律行雖處居家不著三界
示有妻子常脩梵行現有眷屬常樂遠離雖
服寶飾而以相好嚴身雖復飲食而以禪悅爲
味若至博弈戲處輒以度人受諸異道不毀
正信雖明世[illegible]

BD01566號　維摩詰所說經卷上　（3-1）

調行攝諸恚怒以大精進攝諸懈怠一心禪
寂攝諸亂意以決定慧攝諸無智雖為白衣
沙門清淨律行雖處居家不著三界
示有妻子常脩梵行現有眷屬常樂遠離雖
服寶飾而以相好嚴身雖復飲食而以禪悅為
味若至博弈戲處輒以度人受諸異道不毀
正信雖明世典常樂佛法一切見敬為供養中最
執持正法攝諸長幼一切治生諧偶雖獲俗
利不以喜悅遊諸四衢饒益眾生入治正
法救護一切入講論處導以大乘入諸學堂
誘開童蒙入諸婬舍示欲之過入諸酒肆能
立其志若在長者長者中尊為說勝法若
在居士居士中尊斷其貪著若在剎利剎利
中尊教以忍辱若在婆羅門婆羅門中尊除
其我慢若在大臣大臣中尊教以正法若在
王子王子中尊示以忠孝若在內官內官中尊
化政宮女若在庶民庶民中尊令興福力若
在梵天梵天中尊誨以勝慧若在帝釋帝
釋中尊示現無常若在護世護世中尊護
諸眾生長者維摩詰以如是等無量方便饒益眾生
其以方便現身有疾以其疾故國王大臣長者
居士婆羅門等及諸王子并餘官屬無數
千人皆往問疾其往者維摩詰因以身疾
廣為說法諸仁者是身無常無強無力無堅
速朽之法不可信也為苦為惱眾病所集諸
仁者如此身明智者所不怙是身如聚沫不

BD01566 號　維摩詰所說經卷上　（3–2）

釋中尊示現無常若在護世護世中尊護
諸眾生長者維摩詰以如是等無量方便饒益眾生
其以方便現身有疾以其疾故國王大臣長者
居士婆羅門等及諸王子并餘官屬無數
千人皆往問疾其往者維摩詰因以身疾
廣為說法諸仁者是身無常無強無力無堅
速朽之法不可信也為苦為惱眾病所集諸
仁者如此身明智者所不怙是身如聚沫不
可撮摩是身如泡不得久立是身如炎從渴愛
生是身如芭蕉中無有堅是身如幻從顛倒起
是身如夢為虛妄見是身如影從業緣現
是身如響屬諸因緣是身如浮雲須臾變
滅是身如電念念不住是身無主為如地是
身無我為如火是身無壽為如風是身無
人為如水是身不實四大為家是身為空離
我我所是身無知如草木瓦礫是身無作風
力所轉是身不淨穢惡充滿是身為虛偽
雖假以澡浴衣食必歸磨滅是身為災百一

BD01566 號　維摩詰所說經卷上　（3–3）

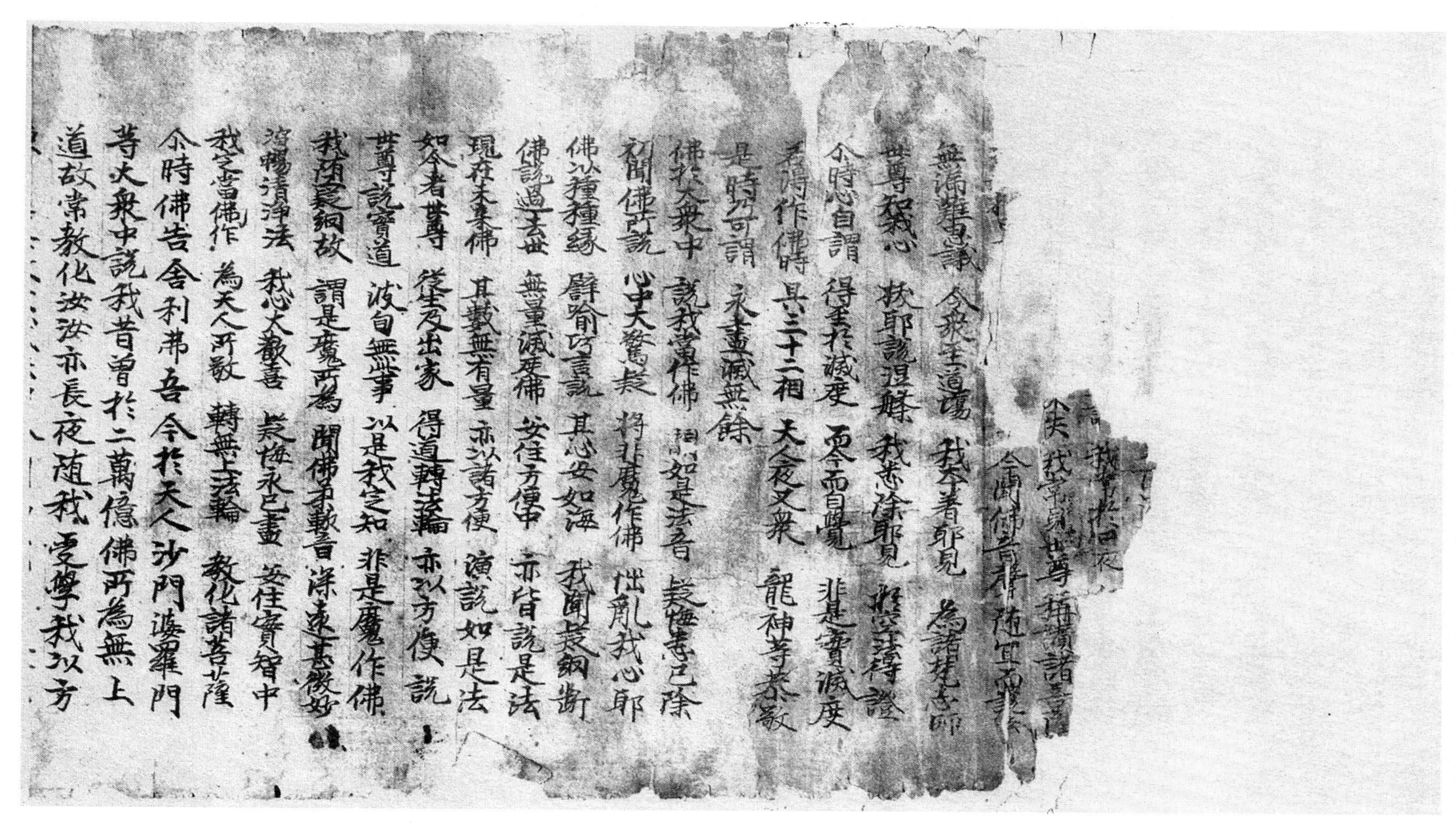

於日夜
失 我常見世尊 稱讚諸菩薩
今聞佛音聲 隨宜而說法
無漏難思議 令眾至道場 我本著邪見 為諸梵志師
世尊知我心 拔邪說涅槃 我悉除邪見 於空法得證
尒時心自謂 得至於滅度 而今乃自覺 非是實滅度
若得作佛時 具三十二相 天人夜叉眾 龍神等恭敬
是時乃可謂 永盡滅無餘
佛於大眾中 說我當作佛 聞如是法音 疑悔悉已除
初聞佛所說 心中大驚疑 將非魔作佛 惱亂我心耶
佛以種種緣 譬喻巧言說 其心安如海 我聞疑網斷
佛說過去世 無量滅度佛 安住方便中 亦皆說是法
現在未來佛 其數無有量 亦以諸方便 演說如是法
如今者世尊 從生及出家 得道轉法輪 亦以方便說
世尊說實道 波旬無此事 以是我定知 非是魔作佛
我墮疑網故 謂是魔所為 聞佛柔軟音 深遠甚微妙
演暢清淨法 我心大歡喜 疑悔永已盡 安住實智中
我定當作佛 為天人所敬 轉無上法輪 教化諸菩薩
尒時佛告舍利弗 吾今於天人沙門婆羅門
等大眾中說 我昔曾於二萬億佛所為無上
道故常教化汝 汝亦長夜隨我受學 我以方

BD01567 號　妙法蓮華經卷二　　（27–1）

現在未來佛 其數無有量 亦以諸方便 演說如是法
如今者世尊 從生及出家 得道轉法輪 亦以方便說
世尊說實道 波旬無此事 以是我定知 非是魔作佛
我墮疑網故 謂是魔所為 聞佛柔軟音 深遠甚微妙
演暢清淨法 我心大歡喜 疑悔永已盡 安住實智中
我定當作佛 為天人所敬 轉無上法輪 教化諸菩薩
尒時佛告舍利弗 吾今於天人沙門婆羅門
等大眾中說 我昔曾於二萬億佛所為無上
道故常教化汝 汝亦長夜隨我受學 我以方
便引導汝故 生我法中 舍利弗 我昔教汝志
願佛道 汝今悉忘 而便自謂已得滅度 我今
還欲令汝憶念本願所行道故 為諸聲聞說
是大乘經 名妙法蓮華 教菩薩法 佛所護念
舍利弗 汝於未來世 過無量無邊不可思議
劫 供養若干千萬億佛 奉持正法 具足菩
薩所行之道 當得作佛 号曰華光如來 應供
正遍知 明行足 善逝 世間解 無上士 調御丈夫
天人師 佛 世尊 國名離垢 其土平正 清淨嚴
飾 安隱豐樂 天人熾盛 瑠璃為地 有八交道
黃金為繩 以界其側 其傍各有七寶行樹
常有華菓 華光如來 亦以三乘教化眾生
舍利弗 彼佛出時 雖非惡世 以本願故說三
乘法 其劫名大寶莊嚴 何故名曰大寶莊嚴
其國中以菩薩為大寶故 彼諸菩薩無量
无邊不可思議 筭數譬喻所不能及 非佛智力
無能知者 若欲行時 寶華承足 此諸菩薩非
初發意 皆久殖德本 於無量百千萬億佛所

BD01567 號　妙法蓮華經卷二　　（27–2）

其國中以菩薩為大寶故彼諸菩薩無量
无邊不可思議筭數譬喻所不能及非佛智力
無能知者若欲行時寶華承足此諸菩薩非
初發意皆久殖德本於無量百千萬億佛所
淨脩梵行恒為諸佛之所稱歎常脩佛慧具
大神通善知一切諸法之門質直無偽志念
堅固如是菩薩充滿其國舍利弗華光佛壽
十二小劫除為王子未作佛時其國人民壽八
小劫華光如來過十二小劫授堅滿菩薩阿
耨多羅三藐三菩提記告諸比丘是堅滿
菩薩次當作佛号曰華足安行多陁阿伽度
阿羅訶三藐三佛陁其佛國土亦復如是舍利
弗是華光佛滅度之後正法住世三十二小
劫像法住世亦三十二小劫尒時世尊欲重宣
此義而說偈言

舍利弗來世　成佛普智尊　号名曰華光　當度無量衆
供養無數佛　具足菩薩行　十力等功德　證於無上道
過無量劫已　劫名大寶嚴　世界名離垢　清淨無瑕穢
以瑠璃為地　金繩界其道　七寶雜色樹　常有華菓實
彼國諸菩薩　志念常堅固　神通波羅蜜　皆已悉具足
於無數佛所　善學菩薩道　如是等大士　華光佛所化
佛為王子時　棄國捨世榮　於最末後身　出家成佛道
華光佛住世　壽十二小劫　其國人民衆　壽命八小劫
佛滅度之後　正法住於世　三十二小劫　廣度諸衆生
正法滅盡已　像法三十二　舍利廣流布　天人普供養
華光佛所為　其事皆如是　其兩足聖尊　最勝無倫匹
彼即是汝身　宜應自欣慶

BD01567號　妙法蓮華經卷二　（27–3）

華光佛住世　壽十二小劫　其國人民衆　壽命八小劫
佛滅度之後　正法住於世　三十二小劫　廣度諸衆生
正法滅盡已　像法三十二　舍利廣流布　天人普供養
華光佛所為　其事皆如是　其兩足聖尊　最勝無倫匹
彼即是汝身　宜應自欣慶

尒時四部衆比丘比丘尼優婆塞優婆夷天龍
夜叉乾闥婆阿脩羅迦樓羅緊那羅摩睺
羅伽等大衆見舍利弗於佛前受阿耨多羅
三藐三菩提記心大歡喜踊躍無量各各脫身
所著上衣以供養佛釋提桓因梵天王等與
無數天子亦以天妙衣曼陁羅華摩訶曼
陁羅華等供養於佛所散天衣住虛空中
而自迴轉諸天伎樂百千萬種於虛空中一
時俱作雨衆天華而作是言佛昔於波羅奈
初轉法輪今乃復轉無上最大法輪尒時諸
天子欲重宣此義而說偈言

昔於波羅奈　轉四諦法輪　分別說諸法　五衆之所滅
今復轉最妙　無上大法輪　是法甚深奧　少有能信者
我等從昔來　數聞世尊說　未曾聞如是　深妙之上法
世尊說是法　我等皆隨喜　大智舍利弗　今得受尊記
我等亦如是　必當得作佛　於一切世間　最尊無有上
佛道叵思議　方便隨宜說　我所有福業　今世若過世
及見佛功德　盡迴向佛道

尒時舍利弗白佛言世尊我今無復疑悔親
於佛前得受阿耨多羅三藐三菩提記是諸
千二百心自在者昔住學地佛常教化言我
法能離生死究竟涅槃是學无學人亦各

BD01567號　妙法蓮華經卷二　（27–4）

尒時舍利弗白佛言世尊我今無復疑悔親
於佛前得受阿耨多羅三藐三菩提記是諸
千二百心自在者昔住學地佛常教化言我
法能離生死究竟涅槃是學无學人亦各
自以離我見及有無見等謂得涅槃而今
於世尊前聞所未聞者墮疑惑善哉世尊願
為四衆說其因緣令離疑悔尒時佛告舍利
弗我先不言諸佛世尊以種種因緣譬喻言
詞方便說法皆為阿耨多羅三藐三菩提耶
是諸所說皆為化菩薩故然舍利弗今當復
以譬喻更明此義諸有智者以譬喻得解舍
利弗若國邑聚落有大長者其年衰邁
財富無量多有田宅及諸童僕其家廣大
唯有一門多諸人衆一百二百乃至五百人止住其中
堂閣朽故牆壁頹落柱根腐敗梁棟傾危
周帀俱時欻然火起焚燒舍宅長者諸子若
十二十或至三十在此宅中長者見是大火從
四面起即大驚怖而作是念我雖能於此
所燒之門安隱得出而諸子等於火宅內樂
著嬉戲不覺不知不驚不怖火來逼身苦痛
切己心不猒患無求出意舍利弗是長者作
是思惟我身手有力當以衣裓若以几案從
舍出之復更思惟是舍唯有一門而復陿小
諸子幼稚未有所識戀著戲處或當墮落
為火所燒我當為說怖畏之事此舍已燒宜
時疾出無令為火之所燒害作是念已如此
思惟具告諸子汝等速出父雖憐愍善言

BD01567號　妙法蓮華經卷二　（27–5）

諸子幼稚未有所識戀著戲處或當墮落
為火所燒我當為說怖畏之事此舍已燒宜
時疾出無令為火之所燒害作是念已如此
思惟具告諸子汝等速出父雖憐愍善言
誘喻而諸子等樂著嬉戲不肯信受不驚不
畏了無出心亦復不知何者是火何者為舍云
何為失但東西走戲視父而已尒時長者即作
是念此舍已為大火所燒我及諸子若不時
出必為所焚我今當設方便令諸子等得免
斯害父知諸子先心各有所好種種珍玩奇異
之物情必樂著而告之言汝等所可玩好希
有難得汝若不取後必憂悔如此種種羊車
鹿車牛車今在門外可以遊戲汝等於此
火宅宜速出來隨汝所欲皆當與汝尒時諸
子聞父所說珍玩之物適其願故心各勇鋭
互相推排競共馳走爭出火宅是時長者見
諸子等安隱得出皆於四衢道中露地而坐
無復障礙其心泰然歡喜踊躍時諸子等
各白父言先所許玩好之具羊車鹿車牛車
願時賜與舍利弗尒時長者各賜諸子等一
大車其車高廣衆寶莊校周帀欄楯四面
懸鈴又於其上張設幰蓋亦以珍奇雜而寶
嚴飾之寶交絡垂諸華纓重敷綩綖安置丹
枕駕以白牛膚色充潔形體姝好有大筋力
行步平正其疾如風又多僕從而侍衛之所
以者何是大長者財富無量種種諸藏悉皆
充溢而作是念我財物無極不應以下劣小

BD01567號　妙法蓮華經卷二　（27–6）

朸駕以白牛膚色充潔形體姝好有大筋力
行步平正其疾如風又多僕從而侍衛之所
以者何是大長者財富無量種種諸藏悉皆
充溢而作是念我財物無極不應以下劣小
車與諸子等今此幼童皆是吾子愛無偏黨
我有如是七寶大車其數無量應當等心各
各與之不宜差別所以者何以我此物周給一
國猶尚不遺何況諸子是時諸子各乘大車
得未曾有非本所望舍利弗於汝意云何
是長者等與諸子珎寶大車寧有虛妄不
舍利弗言不也世尊是長者但令諸子得免
火難全其軀命非為虛妄何以故若全身命
便為已得玩好之具況復方便於彼火宅而
拔濟之世尊若是長者乃至不與最小一車猶
不虛妄何以故是長者先作是意我以方便
令子得出以是因緣無虛妄也何況長者自
知財富無量欲饒益諸子等與大車佛告舍
利弗善哉善哉如汝所言舍利弗如來亦復如
是則為一切世間之父於諸怖畏衰惱憂患
無明闇蔽永盡無餘而悉成就無量知見
力無所畏有大神力及智慧力具足方便智
慧波羅蜜大慈大悲常無懈倦恒求善事
利益一切而生三界朽故火宅為度衆生生老
病死憂悲苦惱愚癡闇蔽三毒之火教化令
得阿耨多羅三藐三菩提見諸衆生為生老
病死憂悲苦惱之所燒煑亦以五欲財利故
受種種苦又以貪著追求故現受衆苦後受

BD01567 號　妙法蓮華經卷二　（27–7）

病死憂悲苦惱愚癡闇蔽三毒之火教化令
得阿耨多羅三藐三菩提見諸衆生為生老
病死憂悲苦惱之所燒煑亦以五欲財利故
受種種苦又以貪著追求故現受衆苦後受
地獄畜生餓鬼之苦若生天上及在人間貧
窮困苦愛別離苦怨憎會苦如是等種種諸
苦衆生沒在其中歡喜遊戲不覺不知不
驚不怖亦不生厭不求解脫於此三界火宅
東西馳走雖遭大苦不以為患舍利弗佛見
此已便作是念我為衆生之父應拔其苦難
與無量無邊佛智慧樂令其遊戲舍利弗如
來復作是念若我但以神力及智慧力捨於
方便為諸衆生讚如來知見力無所畏者衆
生不能以此得度所以者何是諸衆生未免
生老病死憂悲苦惱而為三界火宅所燒何
由能解佛之智慧舍利弗如彼長者雖復身
手有力而不用之但以慇懃方便勉濟諸子
火宅之難然後各與珎寶大車如來亦復如是
雖有力無所畏而不用之但以智慧方便
於三界火宅拔濟衆生為說三乘聲聞辟
支佛佛乘而作是言汝莫得樂住三界火
宅勿貪麁弊色聲香味觸也若貪著生愛
則為所燒汝速出三界當得三乘聲聞辟支佛
佛乘我今為汝保任此事終不虛也汝等但
當勤修精進如來以是方便誘進衆生復作
是言汝等當知此三乘法皆是聖所稱歎自
在無繫無所依求乘是三乘以無漏根力覺

BD01567 號　妙法蓮華經卷二　（27–8）

所燒汝等速出三界當得三乘聲聞辟支
佛乘我今為汝保任此事終不虛也汝等但
當勤脩精進如來以是方便誘進眾生復作
是言汝等當知此三乘法皆是聖所稱歎自
在無繫無所依求乘是三乘以無漏根力覺
道禪定解脫三昧等而自娛樂便得無量安
隱快樂舍利弗若有眾生內有智性從佛世
尊聞法信受慇懃精進欲速出三界自求涅
槃是名聲聞乘如彼諸子為求羊車出於火
宅若有眾生從佛世尊聞法信受慇懃精進
求自然慧樂獨善寂深知諸法因緣是名辟
支佛乘如彼諸子為求鹿車出於火宅若有
眾生從佛世尊聞法信受勤脩精進求一切
智佛智自然智無師智如來知見力無所畏
愍念安樂無量眾生利益天人度脫一切是
名大乘菩薩求此乘故名為摩訶薩如彼諸
子為求牛車出於火宅舍利弗如彼長者見
諸子等安隱得出火宅到無畏處自惟財富
無量等以大車而賜諸子如來亦復如是為一
切眾生之父若見無量億千眾生以佛教門
出三界苦怖畏險道得涅槃樂如來尒時便
作是念我有無量無邊智慧力無畏等諸佛
法藏是諸眾生皆是我子等與大乘不令有人
獨得滅度皆以如來滅度而滅度之是諸眾
生脫三界者悉與諸佛禪定解脫等娛樂
之具皆是一相一種聖所稱歎能生淨妙苐
一之樂舍利弗如彼長者初以三車誘引諸子
然後但與大車寶物莊嚴安隱苐一然後長

BD01567號　妙法蓮華經卷二　　（27-9）

生脫三界者悉與諸佛禪定解脫等娛樂
之具皆是一相一種聖所稱歎能生淨妙苐
一之樂舍利弗如彼長者初以三車誘引諸子
然後但與大車寶物莊嚴安隱苐一然後長
者無虛妄之咎如來亦復如是無有虛妄
初說三乘引導眾生然後但以大乘而度脫
之何以故如來有無量智慧力無所畏諸法
之藏能與一切眾生大乘之法但不盡能受
舍利弗以是因緣當知諸佛方便力故於一
佛乘分別說三欲重宣此義而說偈言

譬如長者　有一大宅　其宅久故　而復頓弊
堂舍高危　柱根摧朽　梁棟傾斜　基陛頹毀
牆壁圮坼　泥塗褫落　覆苫亂墜　椽梠差脫
周障屈曲　雜穢充遍　有五百人　止住其中
鵄梟鵰鷲　烏鵲鳩鴿　蚖蛇蝮蠍　蜈蚣蚰蜒
守宮百足　鼬貍鼷鼠　諸惡虫輩　交橫馳走
屎尿臭處　不淨流溢　蜣蜋諸虫　而集其上
狐狼野干　咀嚼踐蹋　齚齧死屍　骨肉狼藉
由是群狗　競來搏撮　飢羸慞惶　處處求食
鬥諍摣掣　啀喍嘷吠　其舍恐怖　變狀如是
處處皆有　魑魅魍魎　夜叉惡鬼　食噉人肉
毒虫之屬　諸惡禽獸　孚乳產生　各自藏護
夜叉競來　爭取食之　食之既飽　惡心轉熾
鬥諍之聲　甚可怖畏　鳩槃荼鬼　蹲踞土埵
或時離地　一尺二尺　往返遊行　縱逸嬉戲
捉狗兩足　撲令失聲　以腳加頸　怖狗自樂
復有諸鬼　其身長大　裸形黑瘦　常住其中

BD01567號　妙法蓮華經卷二　　（27-10）

[illegible]
或時離地 一尺二尺 往返遊行 縱逸嬉戲
捉狗兩足 撲令失聲 以脚加頸 怖狗自樂
復有諸鬼 其身長大 裸形黑瘦 常住其中
發大惡聲 叫呼求食 復有諸鬼 其咽如針
復有諸鬼 首如牛頭 或食人肉 或復噉狗
頭髮蓬亂 殘害凶險 飢渴所逼 叫喚馳走
夜叉餓鬼 諸惡鳥獸 飢急四向 窺看窓牖
如是諸難 恐畏無量 是朽故宅 屬于一人
其人近出 未久之間 於後宅舍 忽然火起
四面一時 其焰俱熾 棟梁椽柱 爆聲震裂
摧折墮落 墻壁崩倒 諸鬼神等 揚聲大叫
鵰鷲諸鳥 鳩槃荼鬼 周章惶怖 不能自出
惡獸毒虫 藏竄孔穴 毗舍闍鬼 亦住其中
薄福德故 為火所逼 共相殘害 飲血噉肉
野干之屬 並已前死 諸大惡獸 競來食噉
臭烟蓬勃 四面充塞 蜈蚣蚰蜒 毒虵之類
為火所燒 爭走出穴 鳩槃荼鬼 隨取而食
又諸餓鬼 頭上火然 飢渴熱惱 周章悶走
其宅如是 甚可怖畏 毒害火災 衆難非一
是時宅主 在門外立 聞有人言 汝諸子等
先因遊戲 來入此宅 稚小無知 歡娛樂著
長者聞已 驚入火宅 方宜救濟 令無燒害
告喻諸子 說衆患難 惡鬼毒虫 災火蔓莚
衆苦次第 相續不絕 毒虵蚖蝮 及諸夜叉
鳩槃荼鬼 野干狐狗 鵰鷲鵄梟 百足之屬
飢渴惱急 甚可怖畏 此苦難處 況復大火
諸子無知 雖聞父誨 猶故樂著 嬉戲不已

長者聞已 驚入火宅 方宜救濟 令無燒害
告喻諸子 說衆患難 惡鬼毒虫 災火蔓莚
衆苦次第 相續不絕 毒虵蚖蝮 及諸夜叉
鳩槃荼鬼 野干狐狗 鵰鷲鵄梟 百足之屬
飢渴惱急 甚可怖畏 此苦難處 況復大火
諸子無知 雖聞父誨 猶故樂著 嬉戲不已
是時長者 而作是念 諸子如此 益我愁惱
今此舍宅 無一可樂 而諸子等 耽湎嬉戲
不受我教 將為火害 即便思惟 設諸方便
告諸子等 我有種種 珍玩之具 妙寶好車
羊車鹿車 大牛之車 今在門外 汝等出來
吾為汝等 造作此車 隨意所樂 可以遊戲
諸子聞說 如此諸車 即時奔競 馳走而出
到於空地 離諸苦難 長者見子 得出火宅
住於四衢 坐師子座 而自慶言 我今快樂
此諸子等 生育甚難 愚小無知 而入險宅
多諸毒虫 魑魅可畏 大火猛焰 四面俱起
而此諸子 貪樂嬉戲 我以救之 令得脫難
是故諸人 我今快樂
爾時諸子 知父安坐 皆詣父所 而白父言
願賜我等 三種寶車 如前所許 諸子出來
當以三車 隨汝所欲 今正是時 惟垂給與
長者大富 庫藏衆多 金銀瑠璃 車𤦲馬腦
以衆寶物 造諸大車 莊校嚴飾 周帀欄楯
四面懸鈴 金繩交絡 真珠羅網 張施其上
金華諸瓔 處處垂下 衆綵雜飾 周帀圍繞
柔軟繒纊 以為茵蓐 上妙細氎 價直千億
鮮白淨潔 以覆其上 有大白牛 肥壯多力
形體姝好 以駕寶車 多諸儐從 而侍衛之

四面懸鈴　金繩交絡　真珠羅網　張施其上
金華諸瓔　處處垂下　衆綵雜飾　周帀圍繞
柔耎繒纊　以為茵蓐　上妙細氎　價直千億
鮮白淨潔　以覆其上　有大白牛　肥壯多力
形體姝好　以駕寶車　多諸儐從　而侍衛之
以是妙車　等賜諸子　諸子是時　歡喜踊躍
乘是寶車　遊於四方　嬉戲快樂　自在無礙
告舍利弗　我亦如是　衆聖中尊　世間之父
一切衆生　皆是吾子　深著世樂　無有慧心
三界無安　猶如火宅　衆苦充滿　甚可怖畏
常有生老　病死憂患　如是等火　熾然不息
如來已離　三界火宅　寂然閑居　安處林野
今此三界　皆是我有　其中衆生　悉是吾子
而今此處　多諸患難　唯我一人　能為救護
雖復教詔　而不信受　於諸欲染　貪著深故
以是方便　為說三乘　令諸衆生　知三界苦
開示演說　出世間道　是諸子等　若心決定
具足三明　及六神通　有得緣覺　不退菩薩
汝舍利弗　我為衆生　以譬喻　說一佛乘
汝等若能　信受是語　一切皆當　得成佛道
是乘微妙　清淨第一　於諸世間　為無有上
佛所悅可　一切衆生　所應稱讚　供養禮拜
無量億千　諸力解脫　禪定智慧　及佛餘法
得如是乘　令諸子等　日夜劫數　常得遊戲
與諸菩薩　及聲聞衆　乘此寶乘　直至道場
以是因緣　十方諦求　更無餘乘　除佛方便
告舍利弗　汝諸人等　皆是吾子　我則是父

BD01567號　妙法蓮華經卷二　（27–13）

得如是乘　令諸子等　日夜劫數　常得遊戲
與諸菩薩　及聲聞衆　乘此寶乘　直至道場
以是因緣　十方諦求　更無餘乘　除佛方便
告舍利弗　汝諸人等　皆是吾子　我則是父
汝等累劫　衆苦所燒　我皆濟拔　令出三界
我雖先說　汝等滅度　但盡生死　而實不滅
今所應作　唯佛智慧
若有菩薩　於是衆中　能一心聽　諸佛實法
諸佛世尊　雖以方便　所化衆生　皆是菩薩
若人小智　深著愛欲　為此等故　說於苦諦
衆生心喜　得未曾有　佛說苦諦　真實無異
若有衆生　不知苦本　深著苦因　不能暫捨
為是等故　方便說道　諸苦所因　貪欲為本
若滅貪欲　無所依止　滅盡諸苦　名第三諦
為滅諦故　脩行於道　離諸苦縛　名得解脫
是人於何　而得解脫　但離虛妄　名為解脫
其實未得　一切解脫　佛說是人　未實滅度
斯人未得　無上道故　我意不欲　令至滅度
我為法王　於法自在　安隱衆生　故現於世
汝舍利弗　我此法印　為欲利益　世間故說
在所遊方　勿妄宣傳
若有聞者　隨喜頂受　當知是人　阿鞞跋致
若有信受　此經法者　是人已曾　見過去佛
恭敬供養　亦聞是法
若人有能　信汝所說　則為見我　亦見於汝
及比丘僧　并諸菩薩
斯法華經　為深智說　淺識聞之　迷惑不解

BD01567號　妙法蓮華經卷二　（27–14）

若人有能 信汝所說 則為見我 亦見於汝
及比丘僧 并諸菩薩
斯法華經 為深智說 淺識聞之 迷惑不解
一切聲聞 及辟支佛 於此經中 力所不及
汝舍利弗 尚於此經 以信得入 況餘聲聞
其餘聲聞 信佛語故 隨順此經 非己智分
又舍利弗 憍慢懈怠 計我見者 莫說此經
凡夫淺識 深著五欲 聞不能解 亦勿為說
若人不信 毀謗此經 則斷一切 世間佛種
或復顰蹙 而懷疑惑 汝當聽說 此人罪報
若佛在世 若滅度後 其有誹謗 如斯經典
見有讀誦 書持經者 輕賤憎嫉 而懷結恨
此人罪報 汝今復聽
其人命終 入阿鼻獄 具足一劫 劫盡更生
如是展轉 至無數劫 從地獄出 當墮畜生
若狗野干 其形頊瘦 黧黮疥癩 人所觸嬈
又復為人 之所惡賤 常困飢渴 骨肉枯竭
生受楚毒 死被瓦石 斷佛種故 受斯罪報
若作駱駝 或生驢中 身常負重 加諸杖捶
但念水草 餘無所知 謗斯經故 獲罪如是
有作野干 來入聚落 身體疥癩 又無一目
為諸童子 之所打擲 受諸苦痛 或時致死
於此死已 更受蟒身 其形長大 五百由旬
聾騃無足 宛轉腹行 為諸小虫 之所唼食
晝夜受苦 無有休息 謗斯經故 獲罪如是
若得為人 諸根闇鈍 矬陋攣躄 盲聾背傴
有所言說 人不信受 口氣常臭 鬼魅所著

BD01567號　妙法蓮華經卷二　（27–15）

於此死已 更受蟒身 其形長大 五百由旬
聾騃無足 宛轉腹行 為諸小虫 之所唼食
晝夜受苦 無有休息 謗斯經故 獲罪如是
若得為人 諸根闇鈍 矬陋攣躄 盲聾背傴
有所言說 人不信受 口氣常臭 鬼魅所著
貧窮下賤 為人所使 多病痟瘦 無所依怙
雖親附人 人不在意 若有所得 尋復忘失
若修醫道 順方治病 更增他疾 或復致死
若自有病 無人救療 設服良藥 而復增劇
若他反逆 抄劫竊盜 如是等罪 橫羅其殃
如斯罪人 永不見佛 衆聖之王 說法教化
如斯罪人 常生難處 狂聾心亂 永不聞法
於無數劫 如恒河沙 生輒聾瘂 諸根不具
常處地獄 如遊園觀 在餘惡道 如己舍宅
駝驢猪狗 是其行處 謗斯經故 獲罪如是
若得為人 聾盲瘖瘂 貧窮諸衰 以自莊嚴
水腫乾消 疥癩癰疽 如是等病 以為衣服
身常臭處 垢穢不淨
深著我見 增益瞋恚 婬欲熾盛 不擇禽獸
謗斯經故 獲罪如是
告舍利弗 謗斯經者 若說其罪 窮劫不盡
以是因緣 我故語汝 無智人中 莫說此經
若有利根 智慧明了 多聞強識 求佛道者
如是之人 乃可為說
若人曾見 億百千佛 殖諸善本 深心堅固
如是之人 乃可為說
若人精進 常修慈心 不惜身命 乃可為說

BD01567號　妙法蓮華經卷二　（27–16）

如是之人 乃可為説
若人曾見 億百千佛 殖諸善本 深心堅固
如是之人 乃可為説
若人精進 常脩慈心 不惜身命 乃可為説
若人恭敬 無有異心 離諸凡愚 獨處山澤
如是之人 乃可為説
又舍利弗 若見有人 捨惡知識 親近善友
如是之人 乃可為説
若見佛子 持戒清潔 如淨明珠 求大乘經
如是之人 乃可為説
若人無瞋 質直柔耎 常愍一切 恭敬諸佛
如是之人 乃可為説
復有佛子 於大衆中 以清淨心 種種因緣
譬喻言詞 説法無礙 如是之人 乃可為説
若有比丘 為一切智 四方求法 合掌頂受
但樂受持 大乘經典 乃至不受 餘經一偈
如是之人 乃可為説
如人至心 求佛舍利 如是求經 得已頂受
其人不復 志求餘經 亦未曾念 外道典籍
如是之人 乃可為説
告舍利弗 我説是相 求佛道者 窮劫不盡
如是等人 則能信解 汝當為説 妙法華經

妙法蓮華經信解品第四

尒時慧命須菩提摩訶迦旃延摩訶迦葉摩訶目揵連從佛所聞未曾有法世尊授舍利弗阿耨多羅三藐三菩提記發希有心歡喜踊躍即從座起整衣服偏袒右肩右膝

尒時慧命須菩提摩訶迦旃延摩訶迦葉摩訶目揵連從佛所聞未曾有法世尊授舍利弗阿耨多羅三藐三菩提記發希有心歡喜踊躍即從座起整衣服偏袒右肩右膝著地一心合掌曲躬恭敬瞻仰尊顔而白佛言我等居僧之首年並朽邁自謂已得涅槃無所堪任不復進求阿耨多羅三藐三菩提世尊往昔説法既久我時在座身體疲懈但念空無相無作於菩薩法遊戲神通淨佛國土成就衆生心不喜樂所以者何世尊令我等出於三界得涅槃證又今我等年已朽邁於佛教化菩薩阿耨多羅三藐三菩提不生一念好樂之心我等今於佛前聞授聲聞阿耨多羅三藐三菩提記心甚歡喜得未曾有不謂於今忽然得聞希有之法深自慶幸獲大善利無量珍寶不求自得世尊我等今者樂説譬喻以明斯義譬若有人年既幼稚捨父逃逝久住他國或十二十至五十歲年既長大加復窮困馳騁四方以求衣食漸漸遊行遇向本國其父先來求子不得中止一城其家大富財寶無量金銀瑠璃珊瑚虎珀頗梨珠等其諸倉庫悉皆盈溢多有僮僕臣佐吏民象馬車乘牛羊無數出入息利乃遍他國商估賈客亦甚衆多時貧窮子遊諸聚落經歷國邑遂到其父所止之城父每念子與子離别五十餘年而未曾向人説如此事但自思惟

珠等其諸倉庫悉皆盈溢多有僮僕臣佐
吏民象馬車乘牛羊無數出入息利乃遍他國
商估賈客亦甚衆多時窮子遊諸聚落經
歷國邑遂到其父所止之城父每念子與子離
別五十餘年而未曾向人說如此事但自思惟
心懷悔恨自念老朽多有財物金銀珍寶
倉庫盈溢無有子息一旦終沒財物散失
無所委付是以慇懃每憶其子復作是念我
若得子委付財物坦然快樂無復憂慮世
尊尒時窮子傭賃展轉遇到父舍住立門
側遙見其父踞師子床寶几承足諸婆羅門
剎利居士皆恭敬圍遶以真珠瓔珞價直千萬
莊嚴其身吏民僮僕手執白拂侍立左右覆
以寶帳垂諸華幡香水灑地散衆名華羅列
寶物出內取與有如是等種種嚴飾威德特
尊窮子見父有大力勢即懷恐怖悔來至此
竊作是念此或是王或是王等非我傭力得物
之處不如往至貧里肆力有地衣食易得若
久住此或見逼迫強使我作作是念已疾走而
去時富長者於師子座見子便識心大歡喜
即作是念我財物庫藏今有所付我常思念
此子無由見之而忽自來甚適我願我雖年
朽猶故貪惜即遣傍人急追將還尒時使者
疾走往捉窮子驚愕稱怨大喚我不相犯何
為見捉使者執之逾急強牽將還于時窮
子自念無罪而被囚執此必定死轉更惶怖悶
絕躄地父遙見之而語使言不須此人勿強將

BD01567號　妙法蓮華經卷二

(27–19)

為見捉使者執之逾急強牽將還于時窮
子自念無罪而被囚執此必定死轉更惶怖悶
絕躄地父遙見之而語使言不須此人勿強將
來以冷水灑面令得醒悟莫復與語所以
者何父知其子志意下劣自知豪貴為子所
難審知是子而以方便不語他人云是我子使
者語之我今放汝隨意所趣窮子歡喜
得未曾有從地而起往至貧里以求衣食尒時
長者將欲誘引其子而設方便密遣二人形色
憔悴無威德者汝可詣彼徐語窮子此有
作處倍與汝直窮子若許將來使作若言欲
何所作便可語之雇汝除糞我等二人亦共汝作
時二使人即求窮子既已得之具陳上事尒
時窮子先取其價尋與除糞其父見子
愍而怪之又以他日於窗牖中遙見子身羸
瘦憔悴糞土塵坌污穢不淨即脫瓔珞細
耎上服嚴飾之具更著麤弊垢膩之衣塵
土坌身右手執持除糞之器狀有所畏語諸
作人汝等勤作勿得懈息以方便故得近其
子後復告言咄男子汝常此作勿復餘去當
加汝價諸有所須瓫器米麵鹽醋之屬莫自
疑難亦有老弊使人須者相給好自安意我
如汝父勿復憂慮所以者何我年老大而汝少
壯汝常作時無有欺怠瞋恨怨言都不見汝
有此諸惡如餘作人自今以後如所生子即時
長者更與作字名之為兒尒時窮子雖欣此
遇猶故自謂客作賤人由是之故於二十年

BD01567號　妙法蓮華經卷二

(27–20)

狂汝常作時無有欺怠瞋恨怨言都不見汝
有此諸惡如餘作人自今以後如所生子即時
長者更與作字名之為兒尒時窮子雖欣此
遇猶故自謂客作賤人由是之故於二十年
中常令除糞過已後心相體信入出無難然
其所止猶在本處世尊尒時長者有疾自
知將死不久語窮子言我今多有金銀珎寶
倉庫盈溢其中多少所應取與汝悉知之我
心如是當體此意所以者何今我與汝便為
不異宜加用心無令漏失尒時窮子即受教
勅領知眾物金銀珎寶及諸庫藏而無希
取一飡之意然其所止故在本處下劣之心亦
未能捨復經少時父知子意漸已通泰成就
大志自鄙先心臨欲終時而命其子并會親
族國王大臣剎利居士皆悉已集即自宣言
諸君當知此是我子我之所生於其城中捨吾
逃走伶俜辛苦五十餘年其本字某我名
某甲昔在本城懷憂推覓忽於是間遇會
得之此實我子我實其父今吾所有一切財物
皆是子有先所出內是子所知世尊是時窮
子聞父此言即大歡喜得未曾有而作是念
我本無心有所希求今此寶藏自然而至世
尊大富長者則是如來我等皆似佛子如來
常說我等為子世尊我等以三苦故於生死
中受諸熱惱迷惑無知樂著小法今日世尊
令我等思惟蠲除諸法戲論之糞我等於中
勤加精進得至涅槃一日之價既得此已心大歡

[illegible]
中受諸熱惱迷惑無知樂著小法今日世尊
令我等思惟蠲除諸法戲論之糞我等於中
勤加精進得至涅槃一日之價既得此已心大歡
喜自以為足而便自謂於佛法中勤精進故
所得弘多然世尊先知我等心著弊欲樂
於小法便見縱捨不為分別汝等當有如
來知見寶藏之分世尊以方便力說如來智
慧我等從佛得涅槃一日之價以為大得於
此大乘無有志求我等又因如來智慧為諸
菩薩開示演說而自於此無有志願所以者
何佛知我等心樂小法以方便力隨我等說而
我等不知真是佛子今我等方知世尊於佛
智慧無所悋惜所以者何我等昔來真是
佛子而但樂小法若我等有樂大之心佛則
為我說大乘法於此經中唯說一乘而昔於
菩薩前毀呰聲聞樂小法者然佛實以大乘
教化是故我等說本無心有所希求今法王
大寶自然而至如佛子所應得者皆已得之
尒時摩訶迦葉欲重宣此義而說偈言
我等今日　聞佛音教　歡喜踊躍　得未曾有
佛說聲聞　當得作佛　無上寶聚　不求自得
譬如童子　幼稚無知　捨父逃逝　遠到他土
周流諸國　五十餘年　其父憂念　四方推求
求之既疲　頓止一城　造立舍宅　五欲自娛
其家巨富　多諸金銀　車𤦲馬瑙　真珠瑠璃
象馬牛羊　輦輿車乘　田業僮僕　人民眾多
出入息利　乃遍他國　商估賈人　無處不有

求之既疲　頓止一城　造立舍宅　五欲自娛
其家巨富　多諸金銀　車𤦲馬瑙　真珠瑠璃
象馬牛羊　輦輿車乘　田業僮僕　人民衆多
出入息利　乃遍他國　商估賈人　無處不有
千萬億衆　圍繞恭敬　常為王者　之所愛念
群臣豪族　皆共宗重　以諸緣故　往來者衆
豪富如是　有大力勢　而年朽邁　益憂念子
夙夜惟念　死時將至　癡子捨我　五十餘年
庫藏諸物　當如之何
尒時窮子　求索衣食　從邑至邑　從國至國
或有所得　或無所得　飢餓羸瘦　體生瘡癬
漸次經歷　到父住城　傭賃展轉　遂至父舍
尒時長者　於其門內　施大寶帳　處師子座
眷屬圍繞　諸人侍衛
或有計筭　金銀寶物　出內財產　注記券疏
窮子見父　豪貴尊嚴　謂是國王　若是王等
驚怖自恠　何故至此
覆自念言　我若久住　或見逼迫　強駈使作
思惟是已　馳走而去　借問貧里　欲往傭作
長者是時　在師子座　遙見其子　默而識之
即勅使者　追捉將來　窮子驚喚　迷悶躃地
是人執我　必當見殺　何用衣食　使我至此
長者知子　愚癡狹劣　不信我言　不信是父
即以方便　更遣餘人　眇目矬陋　無威德者
汝可語之　云當相雇　除諸糞穢　倍與汝價
窮子聞之　歡喜隨來　為除糞穢　淨諸房舍
長者於牖　常見其子　念子愚劣　樂為鄙事

BD01567號　妙法蓮華經卷二　（27–23）

即以方便　更遣餘人　眇目矬陋　無威德者
汝可語之　云當相雇　除諸糞穢　倍與汝價
窮子聞之　歡喜隨來　為除糞穢　淨諸房舍
長者於牖　常見其子　念子愚劣　樂為鄙事
於是長者　著弊垢衣　執除糞器　往到子所
方便附近　語令勤作
既益汝價　并塗足油　飲食充足　薦席厚煖
如是苦言　汝當勤作　又以耎語　若如我子
長者有智　漸令入出　經二十年　執作家事
示其金銀　真珠頗梨　諸物出入　皆使令知
猶處門外　止宿草庵　自念貧事　我無此物
父知子心　漸已廣大　欲與財物　即聚親族
國王大臣　剎利居士　於此大衆　說是我子
捨我他行　經五十歲　自見子來　已二十年
昔於某城　而失是子　周行求索　遂來至此
凡我所有　舍宅人民　悉以付之　恣其所用
子念昔貧　志意下劣　今於父所　大獲珍寶
并及舍宅　一切財物　甚大歡喜　得未曾有
佛亦如是　知我樂小　未曾說言　汝等作佛
而說我等　得諸無漏　成就小乘　聲聞弟子
佛勅我等　說最上道　脩習此者　當得成佛
我承佛教　為大菩薩　以諸因緣　種種譬喻
若干言詞　說無上道
諸佛子等　從我聞法　日夜思惟　精勤脩習
是時諸佛　即授其記　汝於來世　當得作佛
一切諸佛　秘藏之法　但為菩薩　演其實事
而不為說　說斯真要

BD01567號　妙法蓮華經卷二　（27–24）

我承佛教　為大菩薩　以諸因緣　種種譬喻
若干言詞　說無上道
諸佛子等　從我聞法　日夜思惟　精勤脩習
是時諸佛　即授其記　汝於來世　當得作佛
一切諸佛　秘藏之法　但為菩薩　演其實事
而不為我　說斯真要
如彼窮子　得近其父　雖知諸物　心不希取
我等雖說　佛法寶藏　自無志願　亦復如是
我等內滅　自謂為足　唯了此事　更無餘事
我等若聞　淨佛國土　教化眾生　都無欣樂
所以者何　一切諸法　皆悉空寂　無生無滅
無大無小　無漏無為　如是思惟　不生喜樂
我等長夜　於佛智慧　無貪無著　無復志願
而自於法　謂是究竟
我等長夜　脩習空法　得脫三界　苦惱之患
住最後身　有餘涅槃　佛所教化　得道不虛
則為已得　報佛之恩　我等雖為　諸佛子等
說菩薩法　以求佛道　而於是法　永無願樂
導師見捨　觀我心故　初不勸進　說有實利
如富長者　知子志劣　以方便力　柔伏其心
然後乃付　一切財寶　佛亦如是　現希有事
知樂小者　以方便力　調伏其心　乃教大智
我等今日　得未曾有　非先所望　而今自得
如彼窮子　得無量寶
世尊我今　得無得果　於無漏法　得清淨眼
我等長夜　持佛淨戒　始於今日　得其果報
法王法中　久脩梵行　今得無漏　無上大果
我等今者　真是聲聞　以佛道聲　令一切聞

BD01567號　妙法蓮華經卷二　（27–25）

我等今日　得未曾有　非先所望　而今自得
如彼窮子　得無量寶
世尊我今　得無得果　於無漏法　得清淨眼
我等長夜　持佛淨戒　始於今日　得其果報
法王法中　久脩梵行　今得無漏　無上大果
我等今者　真是聲聞　以佛道聲　令一切聞
我等今者　真阿羅漢　於諸世間　天人魔梵
普於其中　應受供養
世尊大恩　以希有事　憐愍教化　利益我等
無量億劫　誰能報者
手足供給　頭頂禮敬　一切供養　皆不能報
若以頂戴　兩肩荷負　於恒沙劫　盡心恭敬
又以美膳　無量寶衣　及諸臥具　種種湯藥
牛頭栴檀　及諸珍寶　以起塔廟　寶衣布地
如斯等事　以用供養　於恒沙劫　亦不能報
諸佛希有　無量無邊　不可思議　大神通力
無漏無為　諸法之王　能為下劣　忍于斯事
取相凡夫　隨宜為說　諸佛於法　得最自在
知諸眾生　種種欲樂　及其志力　隨所堪任
以無量喻　而為說法
隨諸眾生　宿世善根　又知成熟　未成熟者
種種籌量　分別知已　於一乘道　隨宜說三

妙法蓮華經卷第二

BD01567號　妙法蓮華經卷二　（27–26）

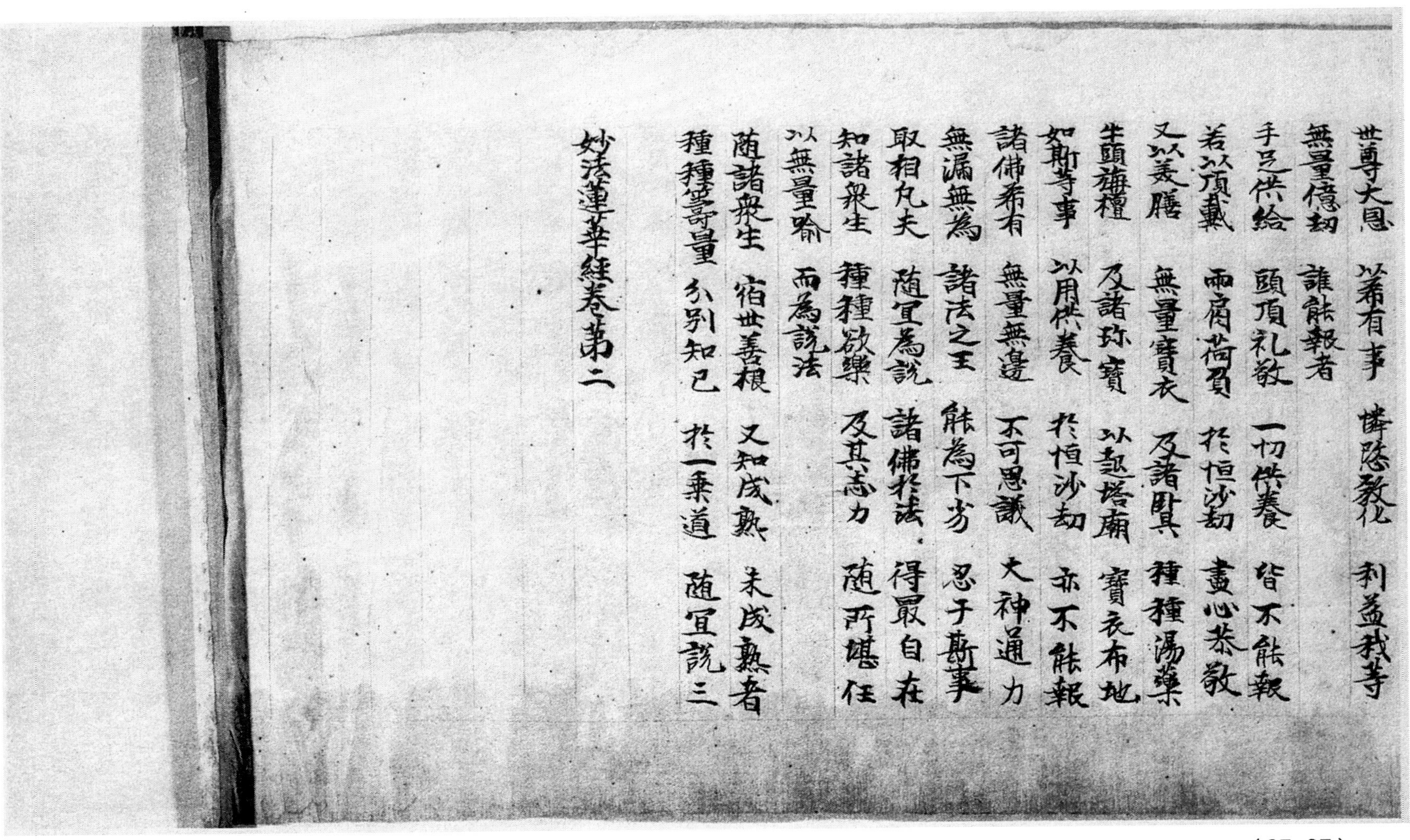

世尊大恩 以希有事 憐愍教化 利益我等
無量億劫 誰能報者
手足供給 頭頂礼敬 一切供養 皆不能報
若以頂戴 兩肩荷負 於恒沙劫 盡心恭敬
又以美膳 無量寶衣 及諸臥具 種種湯藥
牛頭栴檀 及諸珎寶 以起塔廟 寶衣布地
如斯等事 以用供養 於恒沙劫 亦不能報
諸佛希有 無量無邊 不可思議 大神通力
無漏無為 諸法之王 能為下劣 忍于斯事
取相凡夫 隨宜為說 諸佛於法 得最自在
知諸衆生 種種欲樂 及其志力 隨所堪任
以無量喻 而為說法
隨諸衆生 宿世善根 又知成熟 未成熟者
種種籌量 分別知已 於一乘道 隨宜說三

妙法蓮華經卷第二

BD01567 號　妙法蓮華經卷二　（27–27）

生一切智寶
尒時大迦葉歎言善哉善哉文殊師利快說
此語誠如所言塵勞之疇為如來種我等今
者不復堪任發阿耨多羅三藐三菩提心乃
至五无間罪猶能發意生於佛法而今我等
永不能發譬如根敗之士其於五欲不能復
利如是聲聞諸結斷者於佛法中无所復益
永不志願是故文殊師利凡夫於佛法有反
復而聲聞无也所以者何凡夫聞佛法能起
无上道心不斷三寶正使聲聞終身聞佛法
力无畏等永不能發无上道意尒時會中有
菩薩名普現色身問維摩詰言居士父母妻
子親戚眷屬吏民知識悉為是誰奴婢僮僕
象馬車乘皆何所在於是維摩詰以偈答曰
智度菩薩母 方便以為父 一切衆導師 无不由是生
法喜以為妻 慈悲心為女 善心誠實男 畢竟空寂舍
弟子衆塵勞 隨意之所轉 道品善知識 由是成正覺
諸度法等侶 四攝為妓女 歌詠誦法言 以此為音樂
揔持之園苑 无漏法林樹 覺意淨妙華 解脫智慧菓
八解之浴池 定水湛然滿 布以七淨華 浴此无垢人
象馬五通馳 大乘以為車 調御以一心 遊於八正路
相具以嚴容 衆好飾其姿 慚愧之上服 深心為華鬘

BD01568 號　維摩詰所說經卷中　（8–1）

弟子衆塵勞 隨意之所轉 道品善知識 由是成正覺
諸度法等侶 四攝為妓女 歌詠誦法言 以此為音樂
總持之園苑 无漏法林樹 覺意淨妙華 解脫智慧果
八解之浴池 定水湛然滿 布以七淨華 浴此无垢人
象馬五通馳 大乘以為車 調御以一心 遊於八正路
相具以嚴容 衆好飾其姿 慚愧之上服 深心為華鬘
富有七財寶 教授以滋息 如所說脩行 迴向為大利
四禪為牀座 從於淨命生 多聞增智慧 以為自覺音
甘露法之食 解脫味為漿 淨心以澡浴 戒品為塗香
摧滅煩惱賊 勇健无能踰 降伏四種魔 勝幡建道場
雖知无起滅 示彼故有生 悉現諸國土 如日无不見
供養於十方 无量億如來 諸佛及己身 无有分別想
雖知諸佛國 及與衆生空 而常脩淨土 教化於群生
諸有衆生類 形聲及威儀 无畏力菩薩 一時能盡現
覺知衆魔事 而示隨其行 以善方便智 隨意皆能現
或示老病死 成就諸群生 了知如幻化 通達无有礙
或現劫盡燒 天地皆洞然 衆人有常想 照令知无常
无數億衆生 俱來請菩薩 一時到其舍 化令向佛道
經書禁呪術 工巧諸伎藝 盡現行此事 饒益諸群生
世間衆道法 悉於中出家 因以解人惑 而不墮邪見
或作日月天 梵王世界主 或時作地水 或復作風火
劫中有疾疫 現作諸藥草 若有服之者 除病消衆毒
劫中有飢饉 現身作飲食 先救彼飢渴 却以法語人
劫中有刀兵 為之起慈悲 化彼諸衆生 令住无諍地
若有大戰陣 立之以等力 菩薩現威勢 降伏使和安
一切國土中 諸有地獄處 輒往到于彼 勉濟諸苦惱
一切國土中 畜生相噉食 皆現生於彼 為之作利益

BD01568號 維摩詰所說經卷中 （8–2）

劫中有飢饉 現身作飲食 先救彼飢渴 却以法語人
劫中有刀兵 為之起慈悲 化彼諸衆生 令住无諍地
若有大戰陣 立之以等力 菩薩現威勢 降伏使和安
一切國土中 諸有地獄處 輒往到于彼 勉濟諸苦惱
一切國土中 畜生相噉食 皆現生於彼 為之作利益
示受於五欲 亦復現行禪 令魔心憒亂 不能得其便
火中生蓮華 是可謂希有 在欲而行禪 希有亦如是
或現作婬女 引諸好色者 先以欲鉤牽 後令入佛智
或為邑中主 或作商人導 國師及大臣 以祐利衆生
諸有貧窮者 現作无盡藏 因以勸導之 令發菩提心
我心憍慢者 為現大力士 消伏諸貢高 令住佛上道
其有恐懼衆 居前而慰安 先施以无畏 後令發道心
或現離婬欲 為五通仙人 開導諸群生 令住戒忍慈
見須供事者 現為作僮僕 既悅可其意 乃發以道心
隨彼之所須 得入於佛道 以善方便力 皆能給足之
如是道无量 所行无有涯 智慧无邊際 度脫无數衆
假令一切佛 於无數億劫 讚歎其功德 猶尚不能盡
誰聞如是法 不發菩提心 除彼不肖人 癡冥无智者
入不二法門品第九
尒時維摩詰謂衆菩薩言 諸仁者云何菩薩
入不二法門 各隨所樂說之 會中有菩薩名
法自在 說言 諸仁者 生滅為二 法本不生 今
則无滅 得此无生法忍 是為入不二法門
德首菩薩曰 我我所為二 因有我故便有我
所 若无有我 則无我所 是為入不二法門
不眴菩薩曰 受不受為二 若法不受 則不可

BD01568號 維摩詰所說經卷中 （8–3）

法自在菩薩曰生滅為二法本不生今
則无滅得此无生法忍是為入不二法門
德首菩薩曰我我所為二因有我故便有我
所若无有我則无我所是為入不二法門
不瞬菩薩曰受不受為二若法不受則不可
得以不可得故无取无捨无作无行是為入
不二法門
德頂菩薩曰垢淨為二見垢實性則无淨相
順於滅相是為入不二法門
善宿菩薩曰是動是念為二不動則无念无
念則无分別通達此者是為入不二法門
善眼菩薩曰一相无相為二若知一相即是
无相亦不取无相入於平等是為入不二法門
妙臂菩薩曰菩薩心聲聞心為二觀心相空
如幻化者无菩薩心无聲聞心是為入不二
法門
弗沙菩薩曰善不善為二若不起善不善入
无相際而通達者是為入不二法門
師子菩薩曰罪福為二若達罪性則與福无
異以金剛慧決了此相无縛无解者是為入
不二法門
師子意菩薩曰有漏无漏為二若得諸法等
則不起漏不漏想不著於相亦不住无相是
為入不二法門
淨解菩薩曰有為无為為二若離一切數則
心如虛空以清淨慧无所礙者是為入不二
法門

BD01568號　維摩詰所說經卷中　（8–4）

為入不二法門
淨解菩薩曰有為无為為二若離一切數則
心如虛空以清淨慧无所礙者是為入不二
法門
那羅延菩薩曰世間出世間為二世間性空
即是出世間於其中不入不出不溢不散是
為入不二法門
善意菩薩曰生死涅槃為二若見生死性則
无生死无縛无解不然不滅如是解者是為
入不二法門
現見菩薩曰盡不盡為二法若究竟盡若
不盡皆是无盡相无盡相即是空空則无有盡
不盡相如是入者是為入不二法門
普首菩薩曰我无我為二我尚不可得非我
何可得見我實性者不復起二是為入不二
法門
電天菩薩曰明无明為二无明實性即是明
明亦不可取離一切數於其中平等无二者
是為入不二法門
喜見菩薩曰色色空為二色即是空非色滅
空色性自空如是受想行識識空為二識即
是空非識滅空識性自空於其中而通達者
是為入不二法門
明相菩薩曰四種異空種異為二四種性即
是空種性如前際後際空故中際亦空若能
如是知諸種性者是為入不二法門
妙意菩薩曰眼色為二若知眼性於色不貪

BD01568號　維摩詰所說經卷中　（8–5）

是空種性如前際後際空故中際亦空若能
如是知諸種性者是為入不二法門
妙意菩薩曰眼色為二若知眼性於色不貪
不恚不癡是名寂滅如是耳聲鼻香舌味身
觸意法為二若知意性於法不貪不恚不癡
是名寂滅安住其中是為入不二法門
无盡意菩薩曰布施迴向一切智為二布施
性即是迴向一切智性如是持戒忍辱精進
禪定智慧迴向一切智為二智慧性即是迴向
向一切智性於其中入一相者是為入不二法門
深慧菩薩曰是空是无相是无作為二空即
是无相无相即是无作若空无相无作則无
心意識於一解脫門即是三解脫門者是為
入不二法門
寂根菩薩曰佛法衆為二佛即是法法即是
衆是三寶皆无為相與虛空等一切法亦尒
能隨此行者是為入不二法門
心无礙菩薩曰身身滅為二身即是身滅所
以者何見身實相者不起見身及以滅身身
與滅身无二无分別於其中不驚不懼者是
為入不二法門
上善菩薩曰身口意善為二是三業皆无作
相身无作相即口无作相口无作相即意无
作相是三業无作相即一切法无作相能如是
隨无作慧者是為入不二法門
福田菩薩曰福行罪行不動行為二三行實
性即是空空則无福行无罪行无不動行於

BD01568號　維摩詰所說經卷中

（8–6）

相身无作相即口无作相口无作相即意无
作相是三業无作相即一切法无作相能如是
隨无作慧者是為入不二法門
福田菩薩曰福行罪行不動行為二三行實
性即是空空則无福行无罪行无不動行於
此三行而不起者是為入不二法門
華嚴菩薩曰從我起二為二見我實相者不
起二法若不住二法則无有識无所識者是
為入不二法門
德藏菩薩曰有所得相為二若无所得則无
取捨无取捨者是為入不二法門
月上菩薩曰闇與明為二无闇无明則无有
二所以者何如入滅受想定无闇无明一切法
亦復如是於其中平等入者是為入不二法
門
寶印手菩薩曰樂涅槃不樂世間為二若不
樂涅槃不厭世間則无有二所以者何若有
縛則有解若本无縛其誰求解无縛无解則
无樂厭是為入不二法門
珠頂王菩薩曰正道耶道為二住正道者則
不分別是耶是正離此二者是為入不二法
門
樂實菩薩曰實不實為二實見者尚不見
實何況非實所以者何非肉眼所見慧眼乃能
見而此慧眼无見无不見是為入不二法門
如是諸菩薩各各說已問文殊師利何等是
菩薩入不二法門文殊師利曰如我意者於

BD01568號　維摩詰所說經卷中

（8–7）

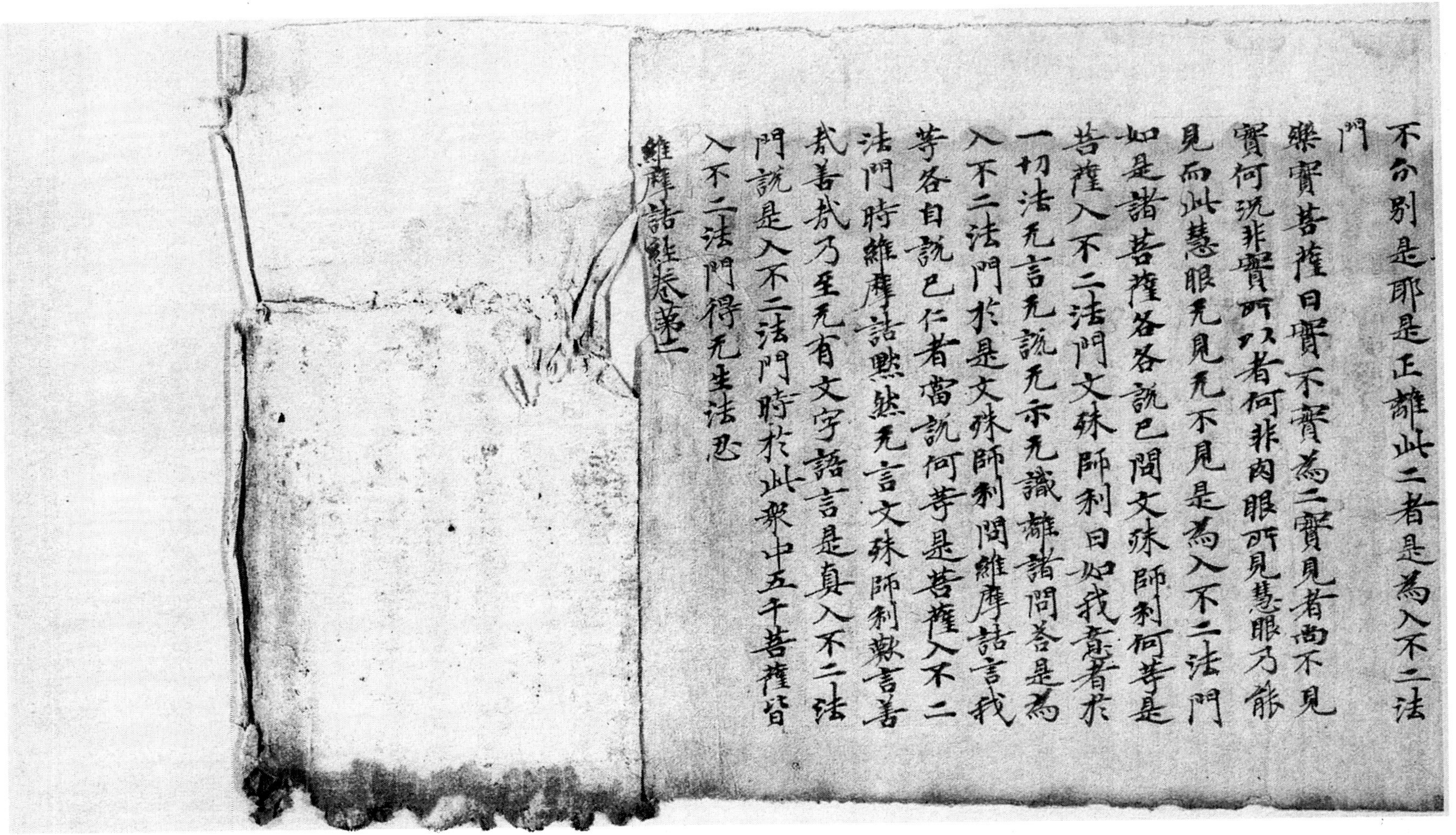
不分別是耶是正離此二者是為入不二法
門
樂實菩薩曰實不實為二實見者尚不見
實何況非實所以者何非肉眼所見慧眼乃能
見而此慧眼无見无不見是為入不二法門
如是諸菩薩各各說已問文殊師利何等是
菩薩入不二法門文殊師利曰如我意者於
一切法无言无說无示无識離諸問荅是為
入不二法門於是文殊師利問維摩詰言我
等各自說已仁者當說何等是菩薩入不二
法門時維摩詰默然无言文殊師利歎言善
哉善哉乃至无有文字語言是真入不二法
門說是入不二法門時於此衆中五千菩薩皆
入不二法門得无生法忍
維摩詰經卷苐一

BD01568 號　維摩詰所說經卷中　（8–8）

无量百千阿僧祇劫成就无上菩提資粮然
後得阿耨多羅三藐三菩提佛号功德莊嚴
如来應供正遍知明行足善逝世間解无上士
調御丈夫天人師佛世尊國名莊嚴淨劫名
清淨其土豊饒人民安樂純菩薩衆彼國悉
以七寶莊嚴所謂金銀瑠璃頗梨馬瑙車𤦲
真珠七寶間錯以成其地平坦如掌香華軟
草而嚴餝之无諸山陵𡍩埠荊棘幡華幢蓋
種種莊嚴城名難伏七寶羅網弥覆其上角
懸金鈴日夜六時諸天空中自作天樂散衆
天香及天妙華其土人民受樂歡喜勝他化
天人天往来不相隔礙无三惡道彼土衆生
唯求佛智无二乘名其佛世尊為諸高行菩
薩摩訶薩說清淨法无量无邊菩薩眷屬无
有破戒耶命着見盲瞎瘖瘂背僂形〻諸
根缺者皆悉具足二十八相莊嚴其身佛壽
八小劫人天之衆无中夭者善男子彼佛世
尊有如是等无量功德若欲說法先放光明
照曜國土其諸菩薩遇斯光者即知世尊
將欲說法我等今者宜應往聽尒時諸天
為彼世尊敷師子坐高百由旬種種嚴餝
无量供養世尊坐上為衆說法彼諸菩薩聽

BD01569 號　勝天王般若波羅蜜經卷四　（5–1）

尊有如是等无量功德若欲說法先放光明
照曜國土其諸菩薩遇斯光者即知世尊
將欲說法我等今者宜應往聽尒時諸天
爲彼世尊敷師子坐高百由旬種種嚴飾
无量供養世尊坐上爲衆說法彼諸菩薩聡
明利根一聞悟解无我我所飲食資須應
念即得說是勝天王受記法時衆中五万天
人發阿耨多羅三藐三菩提心皆願未來生
彼國土尒時勝天王聞佛世尊爲其受記心
大歡喜得未曾有踊在虛空高七多羅樹尒
時三千大千世界六種震動諸天伎樂不鼓
自鳴散衆天華以供養佛及勝天王時勝天
王從空中下頭面礼佛退坐一面

勝天王般若波羅蜜經現相品第七

尒時大智舍利弗白勝天王言菩薩摩訶薩
行般若波羅蜜通達法性即應坐道場轉法
輪何因緣故先脩苦行降伏惡魔尒時勝天王
荅舍利弗言善男子菩薩摩訶薩行般若
波羅蜜實无苦行爲伏外道故示現之而彼
天魔實不能壞是欲界主故示降伏化諸衆
生舍利弗外道自謂苦行第一是故菩薩示
現苦行能超過彼舍利弗或有衆生但見菩
薩屈一膝立或見菩薩舉兩手立或見菩薩
視日而立或見菩薩五熱炙身或見菩薩倒
身而立或見菩薩卧棘刺杖或卧牛戴或坐

現苦行能超過彼舍利弗或有衆生但見菩
薩屈一膝立或見菩薩舉兩手立或見菩薩
視日而立或見菩薩五熱炙身或見菩薩倒
身而立或見菩薩卧棘刺杖或卧牛戴或坐
方石或復卧地或見卧板或卧杵上或卧塵
土或著板衣或着芒衣或着草衣或樹皮衣
或復裸形或著茅衣或面向日隨日而轉或
食稗子或見食麦或食草根雜諸樹葉食藥
食華或食署預或見食芋或見食藕或六日
一食或見食豆或食大豆或食炒穀或見食麻
或見食米或見飲水而以度日或見菩薩食
一滴蘓而以度日或一滴蜜或一滴乳或无
所食或見眠熟舍利弗菩薩摩訶薩示現如
是種種苦行六年之中一事不斷菩薩實无
如是苦行衆生見有以諸衆生應以苦行而
得度脫爲是等故菩薩示之有六十那由他
人安住三乘舍利弗復有天人宿世善根深
樂大乘則見菩薩坐七寶臺身心不動面門
喜咲入三昧定如是六年方從定起舍利弗
復有衆生深樂大乘欲聽聞者則見菩薩端
坐說法舍利弗此菩薩摩訶薩以方便力行
般若波羅蜜大悲化度一切衆生能降天魔
伏諸外道菩薩摩訶薩既經六年從定而起
隨順世法詣尼連禪河洗浴出已於河邊立
有牧牛女擕百乳牛以飲一牛搆此牛乳用

坐說法舍利弗此菩薩摩訶薩以方便力行
般若波羅蜜大悲化度一切衆生能降天魔
伏諸外道菩薩摩訶薩既經六年從定而起
隨順世法詣尼連禪河洗浴出已於河邊立
有牧牛女構百乳牛以飲一牛構此牛乳用
以作糜奉獻菩薩須有六億天龍夜叉乾闥
婆各持飲食而來奉獻作如是言大王受我
供養正士受我供養菩薩悲受而牧牛女天
龍夜叉各不相見一一天等各見菩薩獨受
其食舍利弗是等衆生因見受供而得悟道
是故菩薩為示現之而此菩薩實不洗浴及
受供養
舍利弗菩薩摩訶薩行般若波羅蜜以方便
力示現行詣道場時有地居天子名曰妙地
與諸眷神掃此大地散衆妙華種種香水而
用灑之三千大千世界須弥山下諸天之衆四
天王天而諸天華三十三天及夜摩天雲中
讚歎作諸伎樂兜率陁天珊兜率陁王以七
寶網弥覆世界四角皆懸閻浮檀金鈴悉而
衆寶供養菩薩化樂諸天善化王以閻浮檀
金羅網弥覆世界作諸伎樂而種種華供
養菩薩他化自在諸天子與諸天龍夜叉
乾闥婆阿脩羅迦樓羅緊那羅摩睺羅
伽人非人等各各施設種種供養自在天子
與娑婆世界主大梵天王既見菩薩行詣道
場即告一切諸梵天言善男子汝等當知此

BD01569 號　勝天王般若波羅蜜經卷四　（5–4）

龍夜叉各不相見一一天等各見菩薩獨受
其食舍利弗是等衆生因見受供而得悟道
是故菩薩為示現之而此菩薩實不洗浴及
受供養
舍利弗菩薩摩訶薩行般若波羅蜜以方便
力示現行詣道場時有地居天子名曰妙地
與諸眷神掃此大地散衆妙華種種香水而
用灑之三千大千世界須弥山下諸天之衆四
天王天而諸天華三十三天及夜摩天雲中
讚歎作諸伎樂兜率陁天珊兜率陁王以七
寶網弥覆世界四角皆懸閻浮檀金鈴悉而
衆寶供養菩薩化樂諸天善化王以閻浮檀
金羅網弥覆世界作諸伎樂而種種華供
養菩薩他化自在諸天子與諸天龍夜叉
乾闥婆阿脩羅迦樓羅緊那羅摩睺羅
伽人非人等各各施設種種供養自在天子
與娑婆世界主大梵天王既見菩薩行詣道
場即告一切諸梵天言善男子汝等當知此

BD01569 號　勝天王般若波羅蜜經卷四　（5–5）

不　弗汝見此妙喜世界及无動
佛不唯然已見世尊願使一切衆生得清淨土
如无動佛獲神通力如維摩詰世尊我等
快得善利得見是人親近供養其諸衆生若今
現在若佛滅後聞此經者亦得善利况復聞
已信解受持讀誦解說如法脩行若有手得
是經典者便為已得法寶之藏若有讀誦解
釋其義如說脩行則為諸佛之所護念其有
供養如是人者當知則為供養於佛其有書
持此經卷者當知其室則有如來若聞是經
能隨喜者斯人則為趣一切智若能信解此
經乃至一四句偈為他說者當知此人即是受
阿耨多羅三藐三菩提記
法供養品第十三
尒時釋提桓因於大衆中白佛言世尊我雖
從佛及文殊師利聞百千經未曾聞此不可
思議自在神通決定實相經典如我解佛所
說義趣若有衆生聞是經法信解受持讀誦
之者必得是法不疑何况如說脩行斯人則
為閉衆惡趣開諸善門常為諸佛之所護念
降伏外學摧滅魔軍脩菩提道安處道場履

BD01570 號　維摩詰所說經卷下

（2–1）

阿耨多羅三藐三菩提記
法供養品第十三
尒時釋提桓因於大衆中白佛言世尊我雖
從佛及文殊師利聞百千經未曾聞此不可
思議自在神通決定實相經典如我解佛所
說義趣若有衆生聞是經法信解受持讀誦
之者必得是法不疑何况如說脩行斯人則
為閉衆惡趣開諸善門常為諸佛之所護念
降伏外學摧滅魔軍脩菩提道安處道場履
踐如來所行之跡世尊若有受持讀誦如說脩
行者我當與諸眷屬供養給事所在聚落
城邑山林曠野有是經處我亦與諸眷屬聽
受法故共到其所其未信者當令生信其已
信者當為作護佛言善哉善哉天帝如汝
所說吾助尒喜此經廣說過去未來現在諸
佛不可思議阿耨多羅三藐三菩提是故天
帝若善男子善女人受持讀誦供養是經
者則為供養去來今佛天帝正使三千大千世
界如來滿中譬如甘蔗竹葦稻麻叢林若有
善男子……人或一劫或減一劫……

BD01570 號　維摩詰所說經卷下

（2–2）

空相可[illegible]
緣所生諸受空不空相可得以有所得爲方便
說耳界無相有相相可得說聲界耳識界及
耳觸耳觸爲緣所生諸受無相有相相可得
以有所得爲方便說耳界無願有願相可得
說聲界耳識界及耳觸耳觸爲緣所生諸受
無願有願相可得以有所得爲方便說耳界
寂靜不寂靜相可得說聲界耳識界及耳觸
耳觸爲緣所生諸受寂靜不寂靜相可得以
有所得爲方便說耳界遠離不遠離相可得
說聲界耳識界及耳觸耳觸爲緣所生諸受
遠離不遠離相可得以有所得爲方便說鼻
界常無常相可得說香界鼻識界及鼻觸鼻
觸爲緣所生諸受常無常相可得以有所得
爲方便說鼻界樂苦相可得說香界鼻識界
及鼻觸鼻觸爲緣所生諸受樂苦相可得以
有所得爲方便說鼻界我無我相可得說香
界鼻識界及鼻觸鼻觸爲緣所生諸受我無
我相可得以有所得爲方便說鼻界淨不淨
相可得說香界鼻識界及鼻觸鼻觸爲緣
所生諸受淨不淨相可得以有所得爲方便說
鼻界空不空相可得說香界鼻識界及鼻觸
鼻觸爲緣所生諸受空不空相可得以有所

BD01571 號　大般若波羅蜜多經卷四五　（3–1）

我相可得以有所得爲方便說鼻界淨不淨
相可得說香界鼻識界及鼻觸鼻觸爲緣
所生諸受淨不淨相可得以有所得爲方便說
鼻界空不空相可得說香界鼻識界及鼻觸
鼻觸爲緣所生諸受空不空相可得以有所
得爲方便說鼻界無相有相相可得說香界
鼻識界及鼻觸鼻觸爲緣所生諸受無相
有相相可得以有所得爲方便說鼻界無願有
願相可得說香界鼻識界及鼻觸鼻觸爲
緣所生諸受無願有願相可得以有所得爲方
便說鼻界寂靜不寂靜相可得說香界鼻識
界及鼻觸鼻觸爲緣所生諸受寂靜不寂靜
相可得以有所得爲方便說鼻界遠離不遠
離相可得說香界鼻識界及鼻觸鼻觸爲緣
所生諸受遠離不遠離相可得以有所得爲
方便說舌界常無常相可得說味界舌識界
及舌觸舌觸爲緣所生諸受常無常相可得
以有所得爲方便說舌界樂苦相可得說味
界舌識界及舌觸舌觸爲緣所生諸受樂苦
相可得以有所得爲方便說舌界我無我相
可得說味界舌識界及舌觸舌觸爲緣所生
諸受我無我相可得以有所得爲方便說舌
界淨不淨相可得說味界舌識界及舌觸舌
觸爲緣所生諸受淨不淨相可得以有所得
爲方便說舌界空不空相可得說味界舌識
界及舌觸舌觸爲緣所生諸受空不空相可
得以有所得爲方便說舌界無相有相相可

BD01571 號　大般若波羅蜜多經卷四五　（3–2）

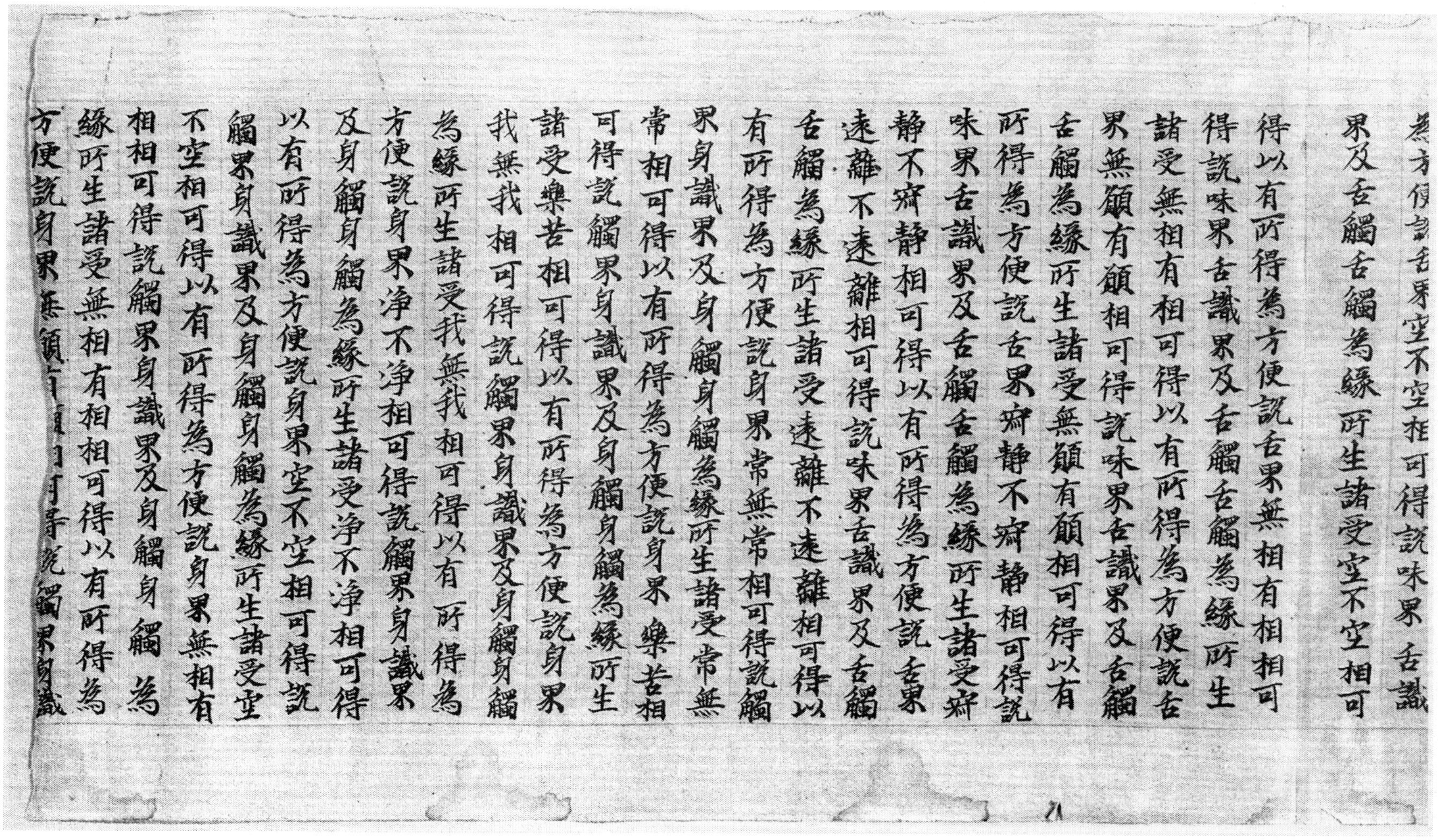

為方便說舌界空不空相可得說味界舌識
界及舌觸舌觸為緣所生諸受空不空相可
得以有所得為方便說舌界無相有相相可
得說味界舌識界及舌觸舌觸為緣所生
諸受無相有相可得以有所得為方便說舌
界無願有願相可得說味界舌識界及舌觸
舌觸為緣所生諸受無願有願相可得以有
所得為方便說舌界寂靜不寂靜相可得說
味界舌識界及舌觸舌觸為緣所生諸受寂
靜不寂靜相可得以有所得為方便說舌界
遠離不遠離相可得說味界舌識界及舌觸
舌觸為緣所生諸受遠離不遠離相可得以
有所得為方便說身界常無常相可得說觸
界身識界及身觸身觸為緣所生諸受常無
常相可得以有所得為方便說身界樂苦相
可得說觸界身識界及身觸身觸為緣所生
諸受樂苦相可得以有所得為方便說身界
我無我相可得說觸界身識界及身觸身觸
為緣所生諸受我無我相可得以有所得為
方便說身界淨不淨相可得說觸界身識界
及身觸身觸為緣所生諸受淨不淨相可得
以有所得為方便說身界空不空相可得說
觸界身識界及身觸身觸為緣所生諸受空
不空相可得以有所得為方便說身界無相有
相相可得說觸界身識界及身觸身觸為
緣所生諸受無相有相相可得以有所得為
方便說身界無願有願相可得說觸界身識

BD01571 號　大般若波羅蜜多經卷四五　　（3–3）

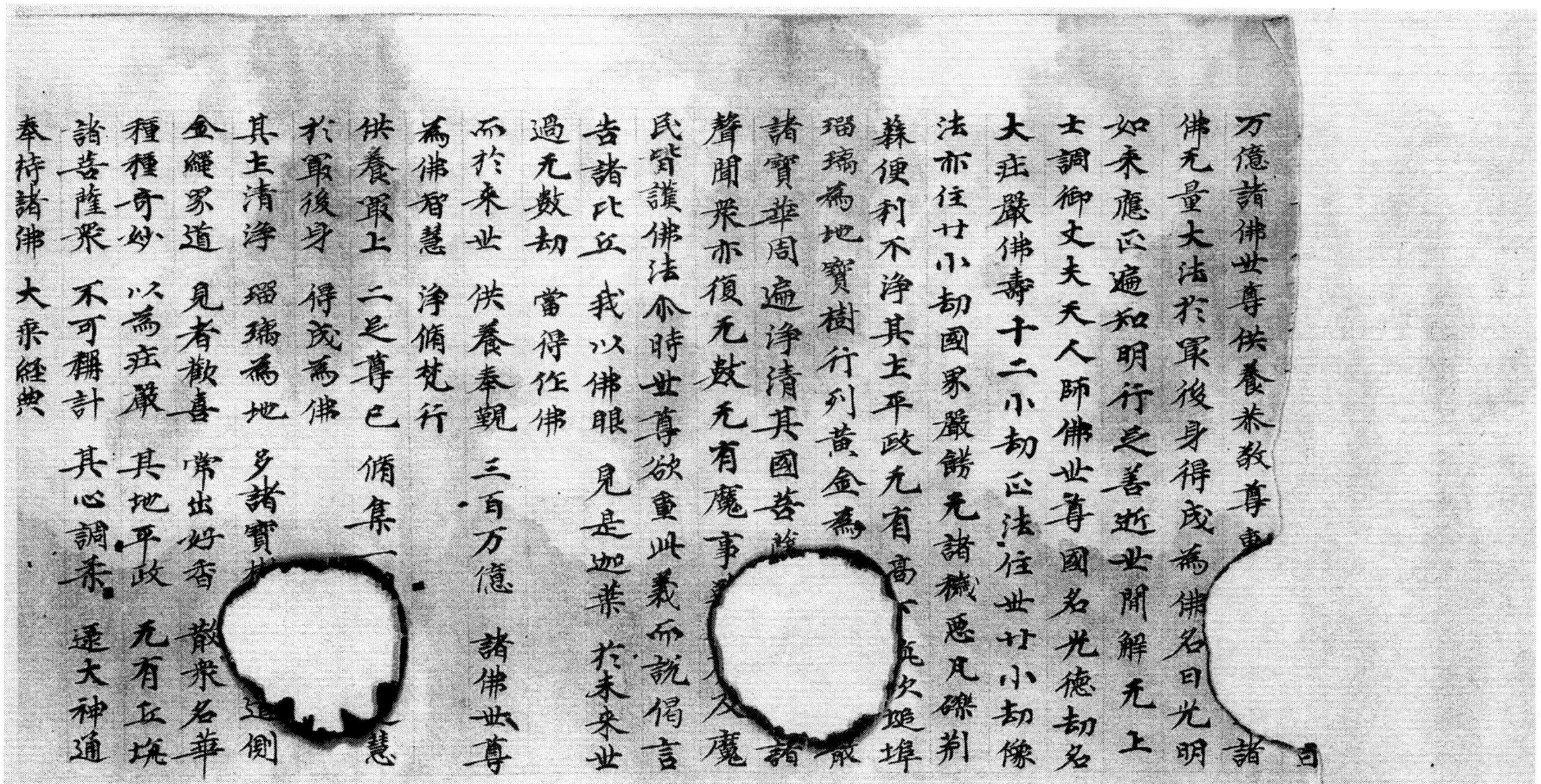

万億諸佛世尊供養恭敬尊重[illegible]諸
佛无量大法於最後身得成為佛名曰光明
如来應正遍知明行足善逝世間解无上
士調御丈夫天人師佛世尊國名光德劫名
大莊嚴佛壽十二小劫正法住世廿小劫像
法亦住廿小劫國界嚴飾无諸穢惡凡礫荊
棘便利不淨其土平政无有高下坑坎堆阜
瑠璃為地寶樹行列黃金為[illegible]散
諸寶華周遍清淨其國菩薩[illegible]諸
聲聞衆亦復无數无有魔事[illegible]及魔
民皆護佛法尒時世尊欲重此義而說偈言
告諸比丘　我以佛眼　見是迦葉　於未來世
過无數劫　當得作佛
而於來世　供養奉覲　三百万億　諸佛世尊
為佛智慧　淨脩梵行
供養最上　二足尊已　脩集[illegible]慧
於最後身　得成為佛
其土清淨　瑠璃為地　多諸寶[illegible]道側
金繩界道　見者歡喜　常出好香　散衆名華
種種奇妙　以為莊嚴　其地平政　无有丘坑
諸菩薩衆　不可稱計　其心調柔　逮大神通
奉持諸佛　大乘經典

BD01572 號　妙法蓮華經卷三　　（4–1）

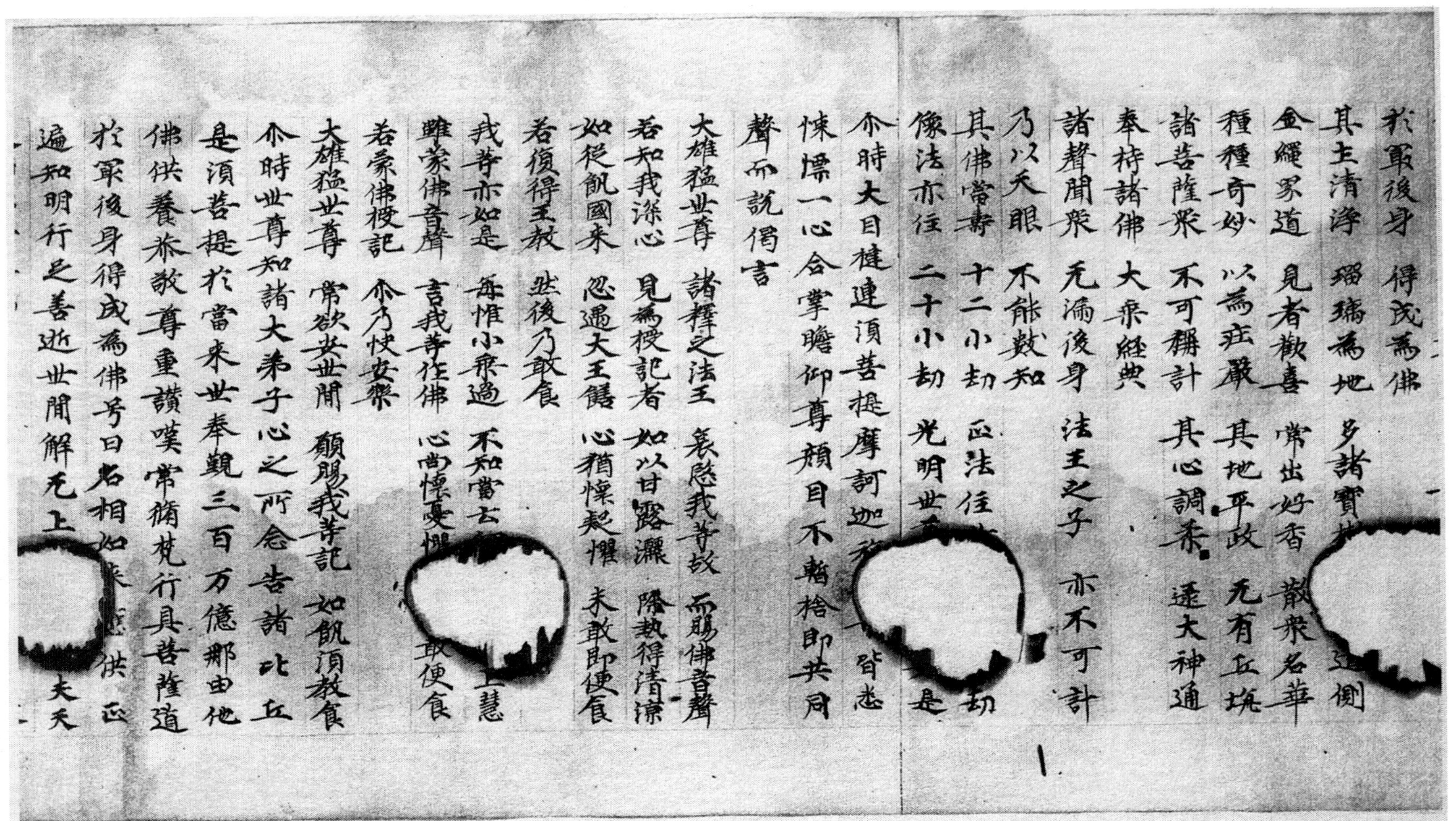

於最後身　得成為佛
其土清淨　瑠璃為地　多諸寶□　□□道側
金繩界道　見者歡喜　常出好香　散衆名華
種種奇妙　以為莊嚴　其地平政　无有丘坑
諸菩薩衆　不可稱計　其心調柔　逮大神通
奉持諸佛　大乘經典
諸聲聞衆　无漏後身　法王之子　亦不可計
乃以天眼　不能數知
其佛當壽　十二小劫　正法住□　□□□劫
像法亦住　二十小劫　光明世□　□□□是
尒時大目揵連須菩提摩訶迦□□□皆悉
悚慄一心合掌瞻仰尊顔目不暫捨即共同
聲而說偈言
大雄猛世尊　諸釋之法王　哀愍我等故　而賜佛音聲
若知我深心　見為授記者　如以甘露灑　除熱得清涼
如從飢國來　忽遇大王饍　心猶懷疑懼　未敢即便食
若復得王教　然後乃敢食
我等亦如是　每惟小乘過　不知當云□　□□□上慧
雖聞佛音聲　言我等作佛　心尚懷憂懼　□□敢便食
若蒙佛授記　尒乃快安樂
大雄猛世尊　常欲安世間　願賜我等記　如飢須教食
尒時世尊知諸大弟子心之所念告諸比丘
是須菩提於當來世奉覲三百万億那由他
佛供養恭敬尊重讚歎常脩梵行具菩薩道
於最後身得成為佛号曰名相如來□供正
遍知明行足善逝世間解无上□□□夫天

BD01572 號　妙法蓮華經卷三　（4–2）

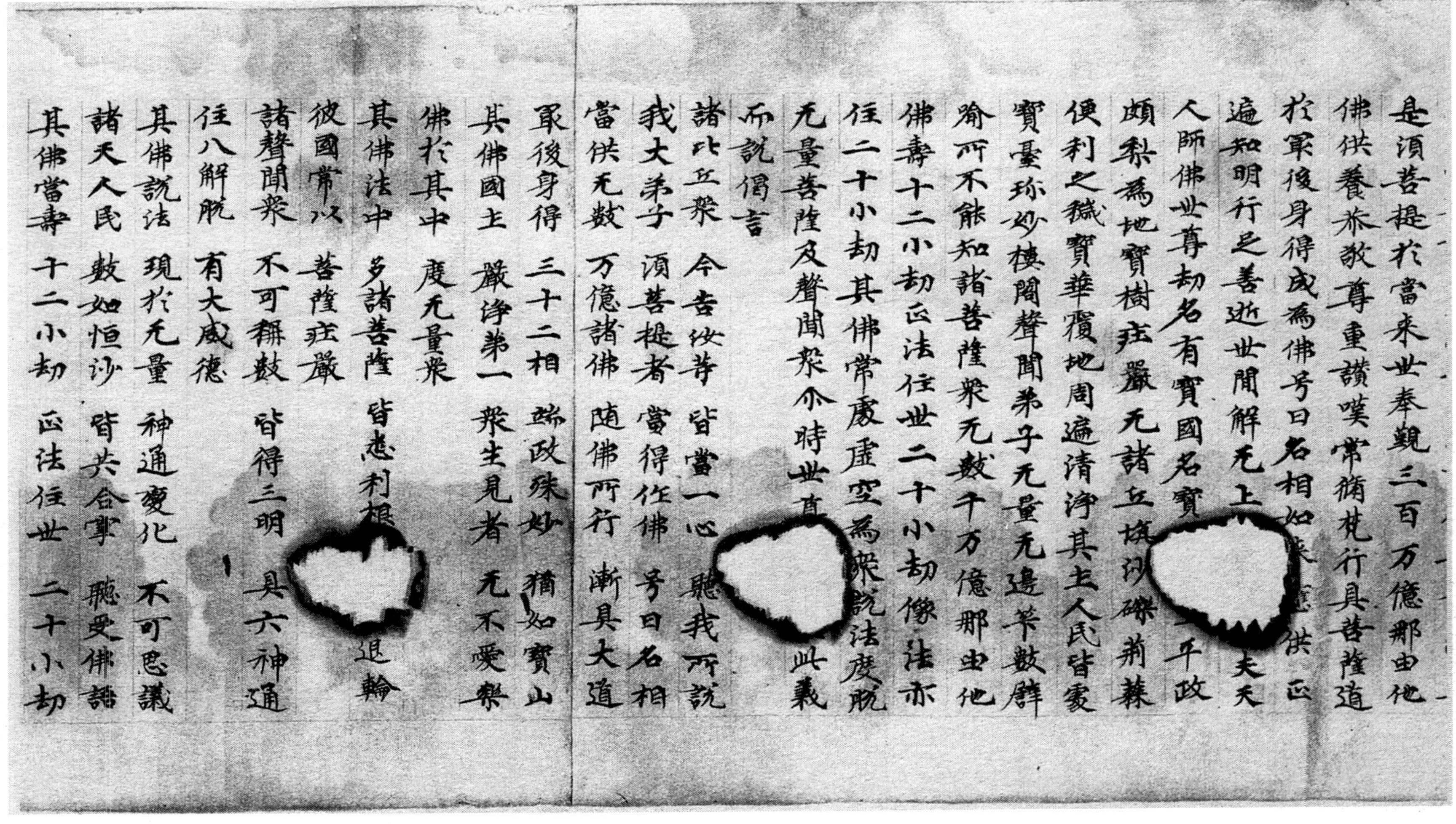

是須菩提於當來世奉覲三百万億那由他
佛供養恭敬尊重讚歎常脩梵行具菩薩道
於最後身得成為佛号曰名相如來□供正
遍知明行足善逝世間解无上□□□夫天
人師佛世尊劫名有寶國名寶□□□平政
頗梨為地寶樹莊嚴无諸丘坑沙礫荊棘
便利之穢寶華覆地周遍清淨其土人民皆處
寶臺珍妙樓閣聲聞弟子无量无邊筭數譬
喻所不能知諸菩薩衆无數千万億那由他
佛壽十二小劫正法住世二十小劫像法亦
住二十小劫其佛常處虛空為衆說法度脫
无量菩薩及聲聞衆尒時世尊□□□此義
而說偈言
諸比丘衆　今告汝等　皆當一心　聽我所說
我大弟子　須菩提者　當得作佛　号曰名相
當供无數　万億諸佛　隨佛所行　漸具大道
最後身得　三十二相　端政殊妙　猶如寶山
其佛國土　嚴淨第一　衆生見者　无不愛樂
佛於其中　度无量衆
其佛法中　多諸菩薩　皆悉利根　□□退輪
彼國常以　菩薩莊嚴
諸聲聞衆　不可稱數　皆得三明　具六神通
住八解脫　有大威德
其佛說法　現於无量　神通變化　不可思議
諸天人民　數如恒沙　皆共合掌　聽受佛語
其佛當壽　十二小劫　正法住世　二十小劫

BD01572 號　妙法蓮華經卷三　（4–3）

其佛法中　多諸菩薩　皆悉利根　[illegible]退輪
彼國常以　菩薩莊嚴
諸聲聞衆　不可稱數　皆得三明　具六神通
住八解脫　有大威德
其佛說法　現於无量　神通變化　不可思議
諸天人民　數如恒沙　皆共合掌　聽受佛語
其佛當壽　十二小劫　正法住世　二十小劫
像法亦住　二十小劫
尒時世尊復告諸比丘衆我今[illegible]是大迦
旃延於當來世以諸供具供養[illegible]八千億
佛恭敬尊重諸佛滅後各起塔廟高千由旬
縱廣正等五百由旬皆以金銀琉璃車𤦲馬瑙
真珠玫瑰七寶合成衆華瓔珞塗香末香燒
香繒蓋幢幡供養塔廟過是已後當復供養
二万億佛亦復如是供養是諸佛已具菩薩
道當得作佛号曰閻浮那提金光如來應供
正遍知明行足善逝世間解无上士調御丈
夫天人師佛世尊其土平正頗[illegible]地寶樹
莊嚴黃金為繩以界道側妙華覆地周遍清
淨見者歡喜无四惡道地獄餓鬼畜生阿脩
[illegible]道多有天人諸聲聞衆及諸菩薩无量万
[illegible]佛壽十二小劫正法住世二十
[illegible]劫尒時世尊欲重宣

BD01572 號　妙法蓮華經卷三　（4–4）

毋即離地獄而生天上見佛聞法悟无生忍
而證菩提
佛告无寻菩薩毗婆尸佛時有優婆塞優
婆夷心不信邪敬崇佛法書寫此經受持讀誦
所有所作須作即作一无所問以正信故兼行
布施平等供養得无漏身成菩提道号曰
普光如來應正等覺劫名大滿國号无邊一
切人民皆行菩薩无上正法
復次善男子此八陽經行在閻浮提在在處
處有八陽菩薩諸梵天王一切明靈圍遶此
經香華供養如佛无異若善男子善女人等
為諸衆生講說此經深解實相得甚深理
即知身心佛身法心所以能知即是慧眼常見
種種无盡色色即是空空即是色受想行識
亦空即是妙色身如來耳常聞種種无盡聲
聲即是空空即是聲即是妙音聲如來鼻常
嗅種種无盡香香即是空空即是香即是香
積如來舌常了種種无盡味味即是空空
即是味即是法喜如來身常覺種種无盡觸
觸即是空空即是觸即是智明如來意常想
分別種種无盡法法即是空空即是法即是法
法如來善男子此六根顯現人皆口說其善
法法輪常轉得成聖道即須迴邪若說邪語

BD01573 號　天地八陽神咒經　（8–1）

積如來舌常覺種種无盡味味即是空空
即是味是法喜如來身常覺種種无盡觸
觸即是空空即是觸是智明如來意常想
分別種種无盡法法即是空空即是法是法
法如來善男子此六根顯現人皆口說其善
法法輪常轉得成聖道即墮惡趣者說邪諂
惡法常轉即墮惡趣善男子善惡之理不得
不信无尋菩薩人之身心是佛法器亦是十二部
大經卷也无始已來轉轉不盡不損毫毛如來
藏經唯識心見性者之所能知非諸聲聞凡
夫所能知也

復次善男子讀誦此經為他講說深解真理
者即知身心是佛法器若醉迷不醒不了自
心是佛法根本流浪諸趣墮於惡道永沉苦
海不聞佛名字无尋菩薩復白佛言世尊人
之在世生死為重生不擇日時至即生死不擇
日時至即死何因殯葬即問良辰吉日然
始殯葬殯葬之後還有妨害貧窮者多滅
門者不少唯願世尊為諸邪見无知衆生說其
因緣令得正道除其顛倒
佛言善哉善哉善男子汝實甚能問於衆生
生死之事殯葬之法汝等諦聽當為汝說智
慧之理大道之法夫天地廣太清日月廣長
明時年善善美實无有異善男子人王菩

BD01573號　天地八陽神咒經　（8–2）

生死之事殯葬之法汝等諦聽當為汝說智
慧之理大道之法夫天地廣太清日月廣長
明時年善善美實无有異善男子人王菩
薩甚大慈悲愍念衆生皆如赤子下為人主作人父
母順於俗人教於俗法造作曆日頒下天下令
知時節為有平滿成收開除之字執危破煞之
文愚人依字信用无不免於凶禍又使邪師厭
鎮說是道非漫邪神拜餓鬼却招殃自受苦如
斯人輩反天時逆地理背日月之光明常投闇
室違正道之廣路尋尋邪徑顛倒之甚也
復次善男子生時讀此經三遍兒即易生大
吉利聰明智利福德具足而无中夭死時讀
經三遍一无妨害得福无量善男子日日好日
月月好月年年好年實无間隔但辦即須殯
葬殯葬之日讀此經七遍其大吉利獲福无
量門榮人貴延年益壽命終之日並得成聖
善男子殯葬之地不問東西南北安隱之處人
之愛樂鬼神愛樂即讀此經三遍便以脩營
安置墓田永无灾鄣家富人興甚大吉利
尒時世尊欲重宣此義而說偈言
營生善善日　休殯好好時　生死讀誦經　甚得大利益
月月善明月　年年大好年　讀經即殯葬　榮華万代昌
尒時衆中七万七千人聞佛所說心開意解捨
邪歸正得佛法分永斷疑惑皆得阿耨多羅
三藐三菩提

BD01573號　天地八陽神咒經　（8–3）

月月善明月　年年大好年　讀經即獲榮華万代昌
尒時衆中七万七千人聞佛所說心開意解捨
邪歸正得佛法分永斷疑惑皆得阿耨多羅
三藐三菩提
无㝵菩薩復白佛言世尊一切凡夫皆以婚媾
為親先聞相宜復取吉日然始成就已後富
貴偕老者少貧寒生離死別者多一種信邪
如何而有差別唯願世尊為決衆疑
佛言善男子汝等諦聽當為汝說天陰地陽
月陰日陽水陰火陽男陰女陽天地氣合一
切草木生焉日月交運四時八節明焉水火相
承一切万物熟焉男女允諧子孫興焉皆是
天之常道自然之理世諦之法善男子愚人
无智信其邪師卜問望吉而不脩善造種種
惡業命終之後復得人身者如指甲上土墮
於地獄作餓鬼畜生者如大地土善男子復
德人身正信脩善者如指甲上土信邪造惡
業者如大地土善男子若結婚親莫問水火
相尅胎胞相厭唯看祿命書即知福德多
少以為眷屬呼迎之日讀此經三遍即以成
礼此乃善善相因明明相屬門高人貴子孫
興盛聰明利智多才多藝孝敬相承甚大
吉利而无中夭福德具足皆成佛道
時有八菩薩承佛威神德大總持常處人間
和光同塵破邪立正度四生處八解其名曰

BD01573 號　天地八陽神呪經　（8–4）

興盛聰明利智多才多藝孝敬相承甚大
吉利而无中夭福德具足皆成佛道
時有八菩薩承佛威神德大總持常處人間
和光同塵破邪立正度四生處八解其名曰
跋陀和菩薩漏盡和　羅隣那竭菩薩漏盡和
憍日兜菩薩漏盡和　須量弥深菩薩漏盡和
那羅達菩薩漏盡和　因坻達菩薩漏盡和
和輪調菩薩漏盡和　无緣觀菩薩漏盡和
是八菩薩俱白佛言世尊我等於諸佛所受
得陀羅尼神呪而今說之擁護受持讀誦八
陽經者永无恐怖使一切不善之物不得侵
損讀經法師即於佛前而說呪曰
阿佉尼　尼佉尼　阿比羅　曼隸　曼多隸
世尊若有不善者欲來惱法師聞我說此
呪頭破作七分如阿梨樹枝
是時无邊身菩薩白佛言世尊云何名為八
陽經唯願世尊為諸聽衆解說其義令得醒
悟速達心本入佛知見永斷疑悔
佛言善哉善哉善男子汝等諦聽吾今為汝
解說八陽之經八者分別也陽者明解也明
解大乘无為之理了能分別八識因緣空實无
所得又云八識為經陽明為緯經緯相投以
成經教故名八陽經八識者眼是色識耳是
聲識鼻是香識舌是味識身是觸識意是
分別識含藏識阿賴耶識是名八識明了分

BD01573 號　天地八陽神呪經　（8–5）

所得又云八識為經陽明為緯經緯相投以
成經教故名八陽經八識者眼是色識耳是
聲識鼻是香識舌是味識身是觸識意是
分別識含藏識阿賴耶識是名八識明了分
別八識相源空无所有即知兩眼光明天光
明天中即現日月光明世尊兩耳聲聞天
中即現无量聲如來兩鼻佛香天佛香天中
即現香積如來口舌是法味天法味天中即
現法喜如來身是盧舍那天盧舍那天中
即現成就盧舍那盧舍那鏡像盧舍那光
明佛意是无分別天无分別天中即現不動
如來大光明佛心是法界天法界天中即現
空王如來含藏識天演出阿那含經大涅槃
經阿賴耶識天演出大智度論經瑜伽論經
善男子佛即是法法即是佛合為一相即現大
通智勝如來
佛說此經時一切大地六種震動光照天地无
有邊際浩浩蕩蕩而无所名一切幽冥皆悉
明朗一切地獄皆悉消滅一切罪人俱得離苦
皆發无上菩提心
尒時眾中八万八千菩薩一時成佛號曰虛空
藏如來應正等覺劫名圓滿國號无邊一切
人民无有彼此並證无諍三昧六万六千比丘
比丘尼優婆塞優婆夷得大總持无數天龍
夜叉乾闥婆阿脩羅迦樓羅緊那羅摩睺羅

BD01573號　天地八陽神咒經　（8–6）

藏如來應正等覺劫名圓滿國號无邊一切
人民无有彼此並證无諍三昧六万六千比丘
比丘尼優婆塞優婆夷得大總持无數天龍
夜叉乾闥婆阿脩羅迦樓羅緊那羅摩睺羅
伽人非人等得法眼淨行菩薩道
復次善男子若復有人得官登位之日及新
入宅之日即讀此經三遍甚大吉利獲田无
量善男子若讀此經一遍者如讀一切經一
遍能寫一卷者如寫一切經一部其功德不
可稱不可量无有邊際如斯人等即成聖道
復次无邊身菩薩摩訶薩若有眾生不信正
法常生邪見忽聞此經即生誹謗言非佛說是
人現世得白癩病惡瘡膿血遍體交流腥臊
臭穢人皆憎嫉命終之日即墮阿鼻无間
地獄上火徹下下火徹上鐵叉遍身穿穴五藏
洋銅灌口筋骨爛壞一日一夜万死万生受
大苦痛无有休息謗斯經故獲罪如是佛
為罪人而說偈言
身是自然身　五體自然體　長乃自然長　老乃自然老
生則自然生　死則自然死　求長不得長　求短不得短
苦樂汝自當　邪正由汝己　欲作有為功　讀經莫問師
千千万万代　得道轉法輪
佛說此經已一切聽眾得未曾有心明意淨
歡喜踊躍皆見諸相非相入佛知見悟佛知
見无入无悟无知无見不得一法即涅槃樂

BD01573號　天地八陽神咒經　（8–7）

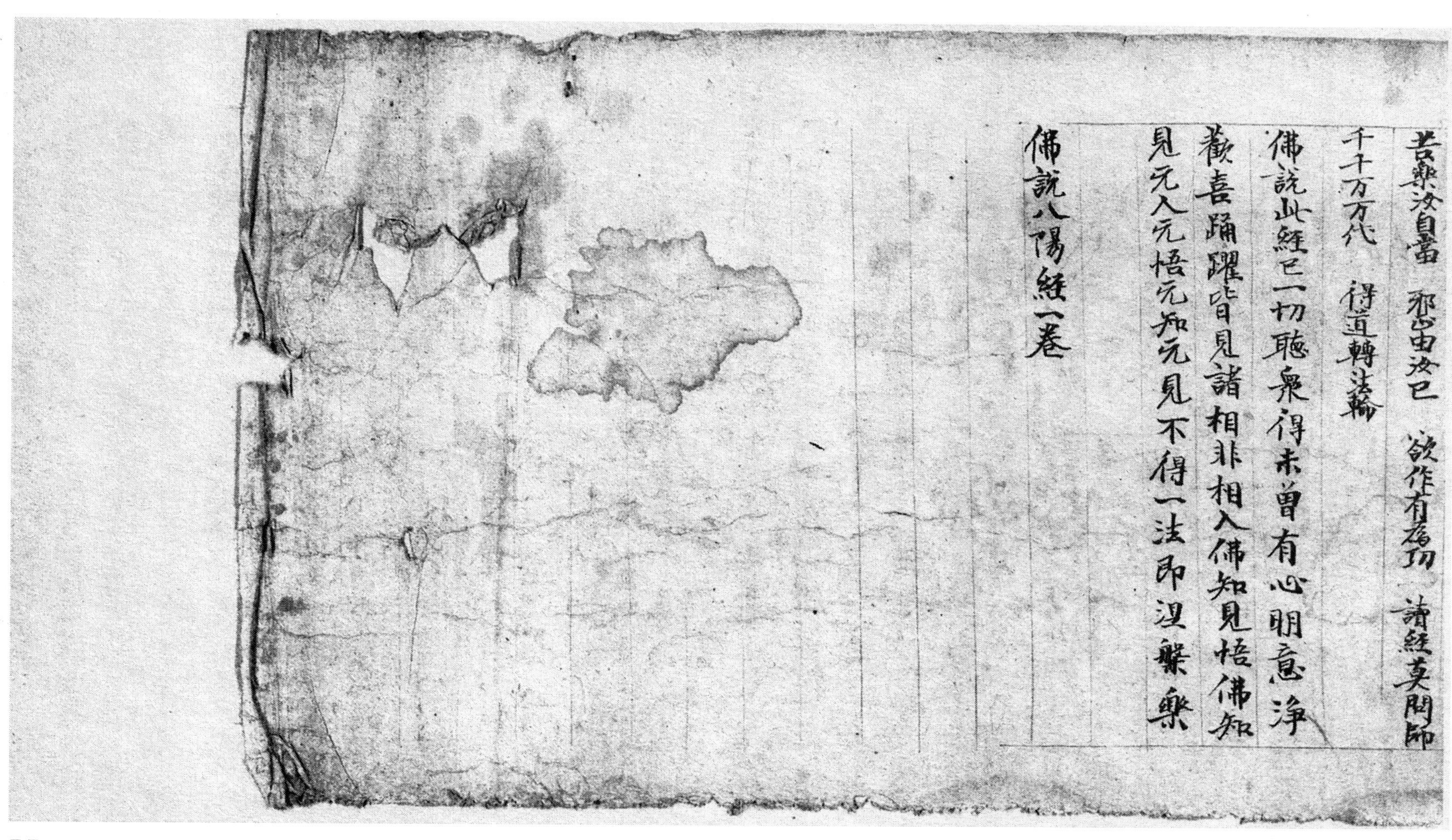

苦樂汝自當 邪正由汝已 欲作有為功 請經莫問師
千千万万代 得道轉法輪
佛說此經已一切聽衆得未曾有心明意淨
歡喜踴躍皆見諸相非相入佛知見悟佛知
見无入无悟无知无見不得一法即涅槃樂
佛說八陽經一卷

BD01573 號 天地八陽神咒經　（8–8）

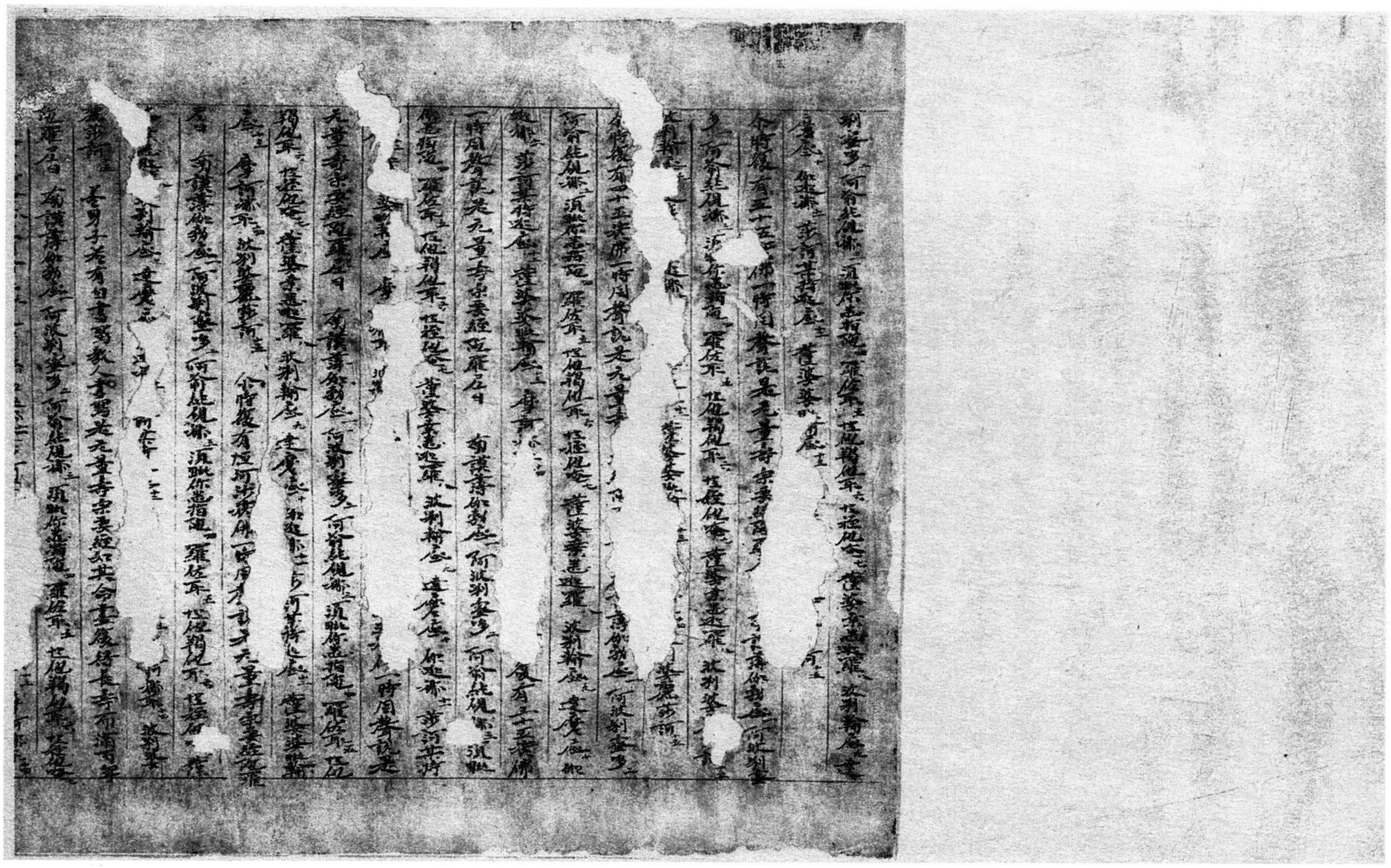

BD01574 號 無量壽宗要經　（3–1）

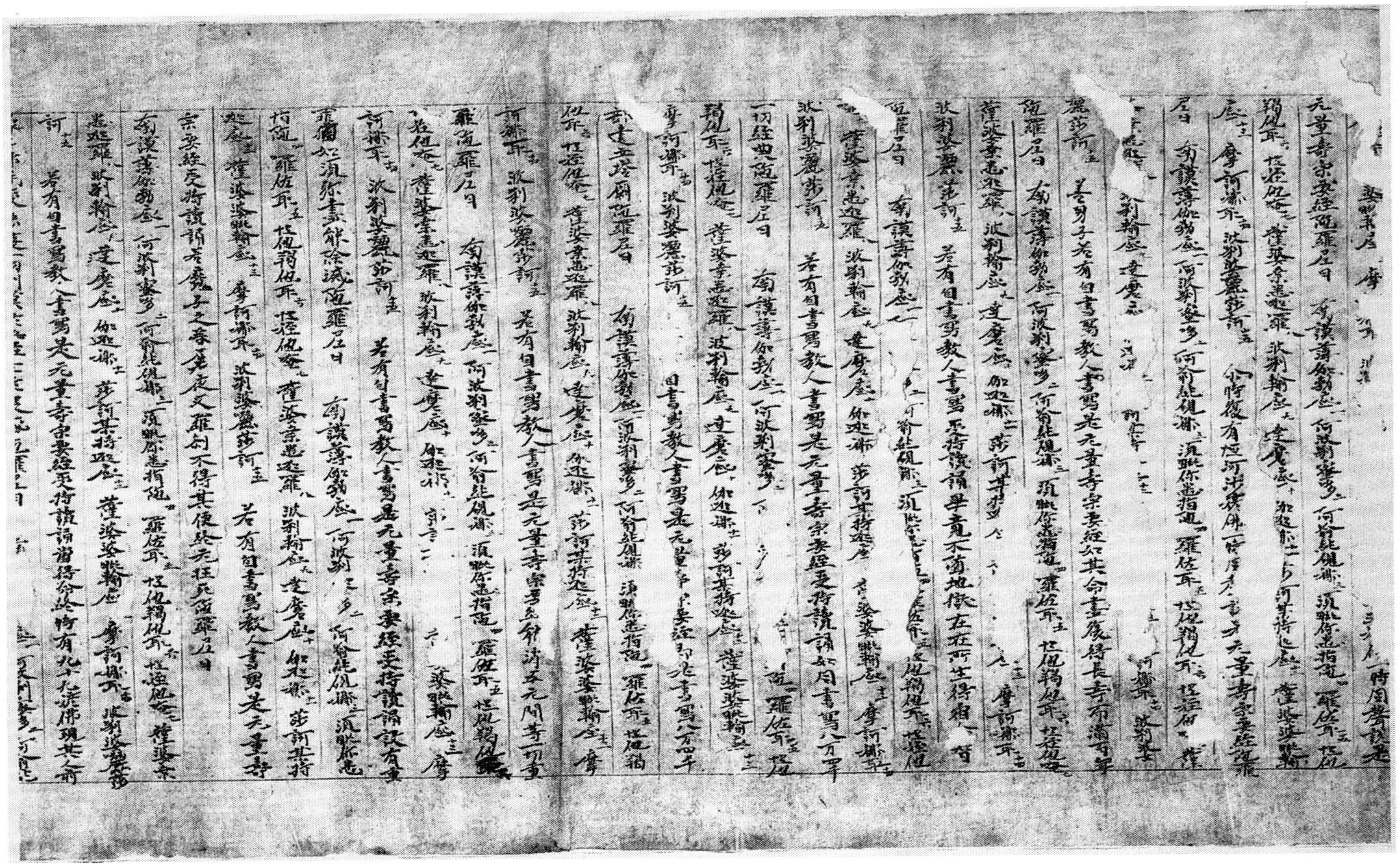

BD01574號　無量壽宗要經

（3–2）

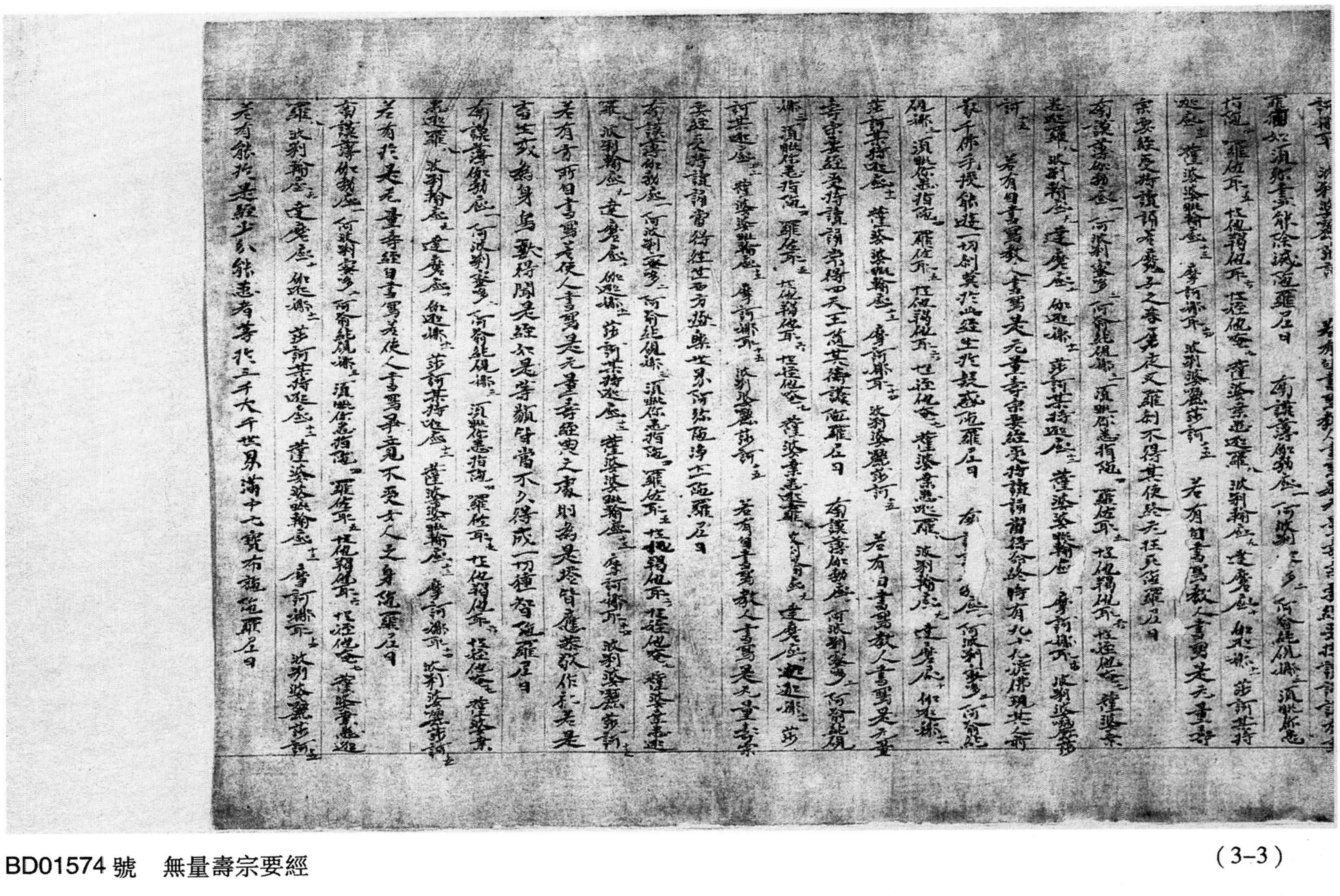

BD01574號　無量壽宗要經

（3–3）

見阿闍世悶絶躃地即
二十
是王住世至无量劫不入
佛言世尊如来當為无量
故獨為阿闍世王佛言善
男子是大衆中无有一人謂我必定入於涅
槃阿闍世王定謂我當畢竟永滅是故悶絶
自投於地善男子如我所言為阿闍世不入
涅槃如是密義汝未能解何以故我言為者
一切凡夫阿闍世者普及一切造五逆者又
復為者即是一切有為衆生我終不為无為
衆生而住於世何以故夫无為者非衆生也
阿闍世者即是具足煩惱等者又復為者即
是不見佛性衆生若見佛性我終不為久住
於世何以故見佛性者非衆生也阿闍世王
即是一切未發阿耨多羅三藐三菩提心者
又復為者即是阿難迦葉二衆阿闍世者即
是阿闍世王後宮妃后及王舍城一切婦女
又復為者名為佛性言阿闍者名為不生世
者名怨以不生佛性故則煩惱怨生煩惱怨
生故不見佛性以不生煩惱故則見佛性以
見佛性故則得安住大般涅槃是名不生是
故名為為阿闍世善男子阿闍者名不生不

BD01575號　大般涅槃經（北本）卷二〇　（22–1）

又復為者即是阿難迦葉二衆阿闍世者即
是阿闍世王後宮妃后及王舍城一切婦女
又復為者名為佛性言阿闍者名為不生世
者名怨以不生佛性故則煩惱怨生煩惱怨
生故不見佛性以不生煩惱故則見佛性以
見佛性故則得安住大般涅槃是名不生是
故名為為阿闍世善男子阿闍者名不生不
生者名涅槃世名世法為者名不汙以世八
法所不汙故无量无邊阿僧祇劫不入涅槃
是故我言為阿闍世无量億劫不入涅槃善
男子如来密語不可思議佛法衆僧々不可
思議菩薩摩訶薩亦不可思議大涅槃經々
不可思議
尒時世尊大悲導師為阿闍世王入月愛三
昧入三昧已放大光明其光清涼往照王身身
瘡即愈鬱蒸除滅王覺瘡愈身體清涼語
耆婆言曾聞人說劫將欲盡三月並現當是
之時一切衆生患苦悉除時既未至此光何
来照单吾身瘡苦除愈身得安樂耆婆答言
言此非劫盡三月並照々非火日星宿藥草
寶珠天光王又問言此光若非三月並照寶
珠明者為是誰光大王當知是天中天所放光
明是光无根无有邊際非熱非冷非常非滅
非色非无色非相非无相非青非黃非赤非白
欲度衆生故使可見有相可說有根有邊
有熱有冷青黃赤白大王是光雖尒實不可

BD01575號　大般涅槃經（北本）卷二〇　（22–2）

非色非无色非相非无相非青非黄非赤非白
欲度衆生故使可見有相可說有根有邊
有熱有冷青黄赤白大王是光雖尒實不可
說不可覩見乃至无有青黄赤白王言耆婆
彼天中天以何因緣放斯光明大王今是瑞
相似相為及以王先言世无良醫療治身心
故放此光先治王身然後治心王言耆婆如
來世尊亦見念也耆婆言譬如一人而有
七子是七子中一子遇病父母之心非不平
等然於病子心則偏多大王如來亦尒於諸
衆生非不平等然於罪者心則偏重於放逸
者佛則慈念不放逸者心則放捨何等名為
不放逸者謂六住菩薩大王諸佛世尊於諸
衆生不觀種姓老少中年貧富時節日月星
宿工巧下賤僮僕婢使唯觀衆生有善心者
若有善心則便慈念
大王當知如是瑞相即是如來入月愛三昧
所放光明王即問言何等名為月愛三昧耆
婆荅言譬如月光能令一切優鉢羅華開敷
鮮明月愛三昧亦復如是能令衆生善心開
敷是故名為月愛三昧大王譬如月光能令
一切行路之人心生歡喜月愛三昧亦復如
是能令脩習涅槃道者心生歡喜是故復名
月愛三昧大王譬如月光從初一日至十五
日形色光明漸漸增長月愛三昧亦復如是
令初發心諸善根本漸漸增長乃至具足大

BD01575 號　大般涅槃經（北本）卷二〇　（22–3）

是能令脩習涅槃道者心生歡喜是故復名
月愛三昧大王譬如月光從初一日至十五
日形色光明漸漸增長月愛三昧亦復如是
令初發心諸善根本漸漸增長乃至具足大
般涅槃是故復名月愛三昧大王譬如月光
從十六日至卅日形色光明漸漸損減月愛
三昧亦復如是光所照處所有煩惱能令漸
滅是故復名月愛三昧大王譬如盛熱之時
一切衆生常思月光月光既照鬱熱即除月
愛三昧亦復如是能令衆生除貪惱熱大王
譬如滿月衆星中王為甘露味一切衆生之所
愛樂月愛三昧亦復如是諸善中王為甘露
味一切衆生之所愛樂是故復名月愛三昧
王言我聞如來不與惡人同止坐起語言談
論猶如大海不宿死屍如鴛鴦鳥不住圊廁
釋提桓因不與鬼住鳩翅羅鳥不栖枯樹如
來亦尒我當云何而得往見設其見者我身
將不陥入地也我觀如來寧近醉象師子虎
狼猛火熾炎終不近於重惡之人是故我今
思忖是已當有何心往見如來耆婆荅言大
王譬如渴人速赴清泉飢者求食怖者求救
病求良醫熱求蔭涼寒者求火王今求佛亦
應如是大王如來尚為一闡提等演說法要何
況大王非一闡提而當不蒙慈悲救濟王言
耆婆我昔曾聞一闡提者不信不聞不能觀
察不得義理何故如來而為說法

BD01575 號　大般涅槃經（北本）卷二〇　（22–4）

應如是大王如來尚為一闡提等演說法要何
況大王非一闡提而當不蒙慈悲救濟王言
耆婆我昔曾聞一闡提者不信不聞不能觀
察不得義理何故如來而為說法
耆婆荅言大王譬如有人身遇重病是人夜
夢昇一柱殿服蘇油脂及以塗身卧灰食灰
攀上枯樹或與獼猴遊行坐卧沉水沒泥墮
墜樓殿高山樹木象馬牛羊身著青黃赤黑
色衣喜咲歌儛或見烏鷲狐貓之屬齒髮
墮落裸形枕狗卧糞穢中復與亡者行住坐起
攜手食噉毒蛇滿路而從中過或復夢與被
髮女人共相抱持多羅樹葉以為衣服乘壞
驢車正南而遊是人夢已心生愁惱以愁惱故
身病踰增以病增故諸家親屬遣使命醫所
可遣使形體缺短根不具足頭蒙塵土著弊
壞衣載故壞車語彼醫言速疾上車
尒時良醫即自思惟今見是使相貌不吉當
知病者難可療治復作是念使雖不吉當復
占日為可治不若四日六日八日十二日十
四日如是日者病亦難治復作是念日雖不
吉當復占星為可治不若是火星金星昴星
閻羅王星濕星滿星如是星時病亦難治復
作是念星雖不吉復當觀時若是秋時冬時
及日入時夜半時月入時當知是病亦難可
治復作是念如是眾相雖復不吉或定不定
當觀病人若有福德皆可療治若无福德

作是念星雖不吉復當觀時若是秋時冬時
及日入時夜半時月入時當知是病亦難可
治復作是念如是眾相雖復不吉或定不定
當觀病人若有福德皆可療治若无福德
雖吉何益思惟是已尋與使俱在路復念若彼
病者有長壽相則可療治短壽相者則不可
治即於前路見二小兒相牽闘諍捉頭拔髮
瓦石刀仗共相撩打見人持火自然殄滅或
見有人斫伐樹木或復見人手曳皮草隨路
而行或見道路有遺落物或見有人執持空
器或見沙門獨行无侶復見虎狼烏鷲野狐
見是事已復作是念所遣使人乃至道路所
見諸相悉皆不祥當知病者定難療治復作
是念我若不往則非良師如其往者不可救
療復更念言如是眾相雖復不祥且當稽留
往至病所思惟是已復於前路聞如是聲所
謂亡失死喪出破壞折剝脫墮墜負燒不來
不可療治不能拔濟復聞南方有飛鳥聲所
謂烏鷲舍利鳥聲若狗若鼠野狐菟豬聞是
聲已復作是念當知病者難可療治
尒時即入病人舍宅見彼病人數寒數熱骨
節頭痛目赤流淚耳聲聞外咽喉結痛舌上
裂破其色正黑頭不自勝體枯无汗大小便
利擁隔不通身卒肥大紅赤異常語聲不均
或麁或細舉體斑駮異色青黃其腹脹滿
言語不了醫見是已問瞻病言病者昨來意

裂破其色正黑頭不自勝體枯无汗大小便
利擁隔不通身卒肥大紅赤異常語聲不均
或麁或細舉體斑駮異色青黄其腹脹滿
言語不了醫見是已問瞻病言病者昨来意
志去何荅言大師其人本来敬信三寶及以諸
天今者變異敬信情息本憙惠施今者慳悋
本性少食今則過多本性弊惡今則和善本
性慈孝恭敬父母今於父母无恭敬心醫聞
是已即前齅之優鉢羅香沉水雜香畢迦羅
香多伽羅香多摩羅跋香鬱金香栴檀香炙
肉臭蒱桃酒臭燒筋骨臭魚臭糞臭知香臭
已即前觸身覺身細濡猶如縛綿劫貝娑華
或鞕如石或冷如氷或熱如火或澁如沙尒時
良醫見如是等種種相已定知病者必死不
疑然不定言是人當死語瞻病者吾今怱務
明當更来隨其所須恣意勿遮即便還家明
日使到復語使言我事未訖兼未合藥智者
當知如是病者必死不疑
大王世尊亦尒於一闡提善知根性而為
說法何以故若不為說一切凡夫當言如来
无大慈悲有慈悲者名一切智若无慈悲云
何說言一切智人是故如来為一闡提而演
說法大王如来世尊見諸病者常施法藥病
者不服非如来咎大王一闡提輩分別有二
一者得現在善根二者得後世善根如来善
知一闡提輩能於現在得善根者則為說法

BD01575 號　大般涅槃經（北本）卷二〇　（22–7）

說法大王如来世尊見諸病者常施法藥病
者不服非如来咎大王一闡提輩分別有二
一者得現在善根二者得後世善根如来善
知一闡提輩能於現在得善根者則為說法
後世得者亦為說法今雖无益作後世因緣是
故如来為一闡提演說法要一闡提者復有
二種一者利根二者中根利根之人於現在
世能得善根中根之人後世則得諸佛世尊
不空說法大王譬如淨人墜墮圊廁有善知
識見而愍之尋前捉髮而拔出之諸佛如来
亦復如是見諸衆生墮三惡道方便救濟令
得出離是故如来為一闡提而演說法
王語耆婆若使如来審如是者明當選擇良
日吉星然後乃往耆婆白王大王如来法中
无有選擇良日吉星大王如重病人猶不看
日時節吉凶唯求良藥王今病重求佛良醫
不應選擇良時好日大王如栴檀火及伊蘭
火二俱燒相无有異也吉日凶日亦復如是
若到佛所俱得滅罪唯願大王今日速往
尒時大王即命一臣名曰吉祥而告之言大
臣當知吾今欲往佛世尊所速辦供養所須
之具臣言大王善哉善哉所須供具一切悉
有阿闍世王與其夫人嚴駕車乘一万二千
妹壯大象其數五万一一象上各載三人齎
持幡蓋華香伎樂種種供具无不備足導從
馬騎有十八万摩伽陀國所有人民尋從王

BD01575 號　大般涅槃經（北本）卷二〇　（22–8）

有阿闍世王與其夫人嚴駕車乘一万二千
妹壯大象其數五万一一象上各載三人賫
持幡盖華香伎樂種種供具无不備足導從
馬騎有十八万摩伽陁国所有人民尋從王
者其數足滿五十八万尒時拘尸那城所有
大衆滿十二由旬悉皆遥見阿闍世王與其
眷屬尋路而来
尒時佛告諸大衆言一切衆生為阿耨多羅
三藐三菩提近因緣者莫先善友何以故阿
闍世王若不隨順耆婆語者来月七日必定
命終墮阿鼻獄是故近因莫若善友阿闍世
王復於前路聞舍婆提毗流離王乘船入海
遇火而死瞿伽離比丘生身入地至阿鼻獄
須那剎多作種種惡到於佛所衆罪得滅聞
是語已語耆婆言吾今雖聞如是二語猶未
審定汝来耆婆吾欲與汝同載一象設我當
入阿鼻地獄冀汝持捉不令我墮何以故吾
昔曾聞得道之人不入地獄
尒時佛告諸大衆言阿闍世王猶有疑心我
今當為作決定心尒時會中有一菩薩名持
一切白佛言世尊如佛先說一切諸法皆无
定相所謂色无定相乃至涅槃亦无定相如
来今者云何而言為阿闍世作決定心
佛言善哉善哉善男子我今定為阿闍世王
作決定心何以故若王疑心可破壞者當知
諸法无有定相是故我為阿闍世王作決定

来今者云何而言為阿闍世作決定心
佛言善哉善哉善男子我今定為阿闍世王
作決定心何以故若王疑心可破壞者當知
諸法无有定相是故我為阿闍世王作決定
心當知是心為无決定善男子若彼王心是
決定者王之逆罪云何可壞以无定相其罪
可壞是故我為阿闍世王作決定心
尒時大王即到娑羅雙樹間至於佛所仰瞻
如来卅二相八十種好猶如微妙真金之山
尒時世尊出八種聲告言大王時阿闍世左
右顧視此大衆中誰是大王我既罪戾又无
福德如来不應稱為大王尒時如来即復喚
言阿闍世大王時王聞已心大歡喜即作是
言如来今日顧命語言真知如来於諸衆生
大悲憐愍等无差別白佛言世尊我今疑心
永无遺餘定知如来真是衆生无上大師
尒時迦葉菩薩語持一切菩薩言如来已為
阿闍世王作決定心尒時阿闍世王即白佛
言世尊假使我今得與梵王釋提桓因坐起
飲食猶不欣悅得遇如来一言顧命深以欣
慶尒時阿闍世王即以所持幡蓋香華伎樂
供養前礼佛足右繞三帀礼敬畢已却坐一
面
尒時佛告阿闍世王言大王今當為汝說正
法要汝當一心諦聽諦聽凡夫常當繫心觀
身有廿事一所謂我此身中空无无漏二无
諸善根本三我此生死未得調順四墮墜深

尒時佛告阿闍世王言大王今當為汝說正
法要汝當一心諦聽諦聽凡夫常當繫心觀
身有廿事一所謂我此身中空无无漏二无
諸善根本三我此生死未得調順四墮墜深
坑无處不畏五以何方便得見佛性六云何脩
定得見佛性七生死常苦无常我淨八八難
之難難得遠離九恒為怨家之所追逐十无
有一法能遮諸有十一於三惡趣未得解脫
十二具足種種諸惡邪見十三亦未造立度
五逆津十四生死无際未得其邊十五不作
諸業不得果報十六无有我作他人受果十
七不作樂因終无樂果十八若有造業果終
不失十九因无明生亦因而死廿去來現在
常行放逸大王凡夫之人常於此身當作如
是廿種觀作是觀已不樂生死不樂生死則
得正觀尒時次第觀心生相住相滅相次第
觀心生住滅相定慧進戒亦復如是觀生住
滅已知心相乃至戒相終不作惡无有死畏
三惡道畏若不繫心觀察如是廿事者心則
放逸无惡不造
阿闍世言如我解佛所說義者我從昔來初
未曾觀是廿事故造眾惡造眾惡故則有死
畏三惡道畏世尊自我招殃造茲重惡父王
无辜橫加逆害是廿事設觀不觀必定當墮
阿鼻地獄佛告大王一切諸法性相无常无有
決定王云何言必定當墮阿鼻地獄阿闍世

BD01575號　大般涅槃經（北本）卷二〇　（22–11）

畏三惡道畏世尊自我招殃造茲重惡父王
无辜橫加逆害是廿事設觀不觀必定當墮
阿鼻地獄佛告大王一切諸法性相无常无有
決定王云何言必定當墮阿鼻地獄阿闍世
王白佛言世尊若一切法无定相者我之煞
罪亦應不定若煞定者一切諸法則非不定
佛言大王善哉善哉諸佛世尊說一切法悉
无定相王復能知煞亦不定是故當煞知煞
无定相
大王如汝所言先王无辜橫加逆害者何者
是父但於假名眾生五陰妄生父想於十二
入十八界中何者是父若色是父四陰應非
若四是父色亦應非若色非色合為父者无
有是處何以故色與非色性无合故大王凡
夫眾生於是色陰妄生父想如是色陰亦不
可害何以故色有十種是十種中唯色一種
可見可持可稱可量可牽可縛雖可見縛其
性不住以不住故不可得見不可捉持不可
稱量不可牽縛色相如是云何可煞若色是
父可煞可害獲罪報者餘九應非若九非者
則應无罪大王色有三種過去未來現在過
去現在則不可害何以故過去過去故現在
念念滅故遮未來故名之為煞如是一色或
有可煞或不可煞有煞不煞色則不定若色
不定煞亦不定煞不定故報亦不定云何說
言定入地獄

BD01575號　大般涅槃經（北本）卷二〇　（22–12）

念念滅故遮未來故名之為煞如是一色或
有可煞或不可煞有煞不煞色則不定若色
不定煞亦不定煞不定故報亦不定云何說
言定入地獄
大王一切衆生所作罪業凡有二種一者輕
二者重若心口作則名為輕身口心作則名
為重大王心念口說身不作者所得報輕大
王昔日口不勑煞但言削足大王若勑侍臣
立斬王首坐時乃斬猶不得罪況王不勑云
何得罪王若得罪諸佛世尊亦應得罪何以
故汝父先王頻婆娑羅常於諸佛種諸善根
是故今日得居王位諸佛若不受其供養則
不為王若不為王汝則不得為國生害若汝
煞父當有罪者我等諸佛亦應有罪若諸佛
世尊无得罪者汝獨云何而得罪也
大王頻婆娑羅往有惡心於毗富羅山遊行
獦鹿周遍曠野悉无所得唯見一仙五通具
足見已即生瞋恚惡心我今遊獦所以不得正
坐此人驅逐令去即勑左右而令煞之其
人臨終生瞋惡心退失神通而作誓言我實
无辜汝以心口横加戮害我於來世亦當如
是還以心口而害於汝時王聞已即生悔心
供養死屍先王如是尚得輕受不墮地獄況
王不尒而當地獄受果報也先王自作還自
受之云何令王而得煞罪如王所言父王无
辜者大王云何言无夫有罪者則有罪報无

BD01575號　大般涅槃經（北本）卷二〇　（22-13）

王不尒而當地獄受果報也先王自作還自
受之云何令王而得煞罪如王所言父王无
辜者大王云何言无夫有罪者則有罪報无
惡業者則无罪報汝父先王若无辜罪云何
有報頻婆娑羅於現世中亦得善果及以惡
果是故先王亦復不定以不定故煞亦不定
煞不定故云何而言定入地獄
大王衆生狂惑凡有四種一者貪狂二者藥
狂三者呪狂四者本業緣狂大王我弟子中
有是四狂雖多作惡我終不記是人犯戒是
人所作不至三惡若還得心亦不言犯王本
貪國逆害父王貪狂心作云何得罪大王如
人飲酒逆害其母既醒寤已心生悔恨當知
是業亦不得報王今貪醉非本心作若非本
心云何得罪
大王譬如幻師四衢道頭幻作種種男女像
馬瓔珞衣服愚癡之人謂為真實有智之人
知非真有煞亦如是凡夫謂實諸佛世尊知
其非真大王譬如山澗嚮聲愚癡之人謂之
實聲有智之人知其非真煞亦如是凡夫謂
實諸佛世尊知其非真大王如人有怨詐來
親附愚癡之人謂為實親智者了達乃知虛
詐煞亦如是凡夫謂實諸佛世尊知其非真
大王如人執鏡自見面像愚癡之人謂為真
面智者了達知其非真煞亦如是凡夫謂實
諸佛世尊知其非真大王如熱時炎愚癡之

BD01575號　大般涅槃經（北本）卷二〇　（22-14）

大王如人執鏡自見面像愚癡之人謂為真
面智者了達知其非真然亦如是凡夫謂實
諸佛世尊知其非真大王如熱時炎愚癡之
人謂之是水智者了達知其非水然亦如是
凡夫謂實諸佛世尊知其非真大王如乾闥
婆城愚癡之人謂為真實知者了達知其非
真然亦如是凡夫謂實諸佛世尊知其非真
大王如人夢中受五欲樂愚癡之人謂之為
實智者了達知其非真然亦如是凡夫謂實
諸佛世尊知其非真大王然法然業然者然
果及以解脫我皆了之則无有罪王雖知然
云何有罪大王譬如有人主知典酒如其不
飲則亦不醉雖復知火亦不燒燃王亦如是
雖復知然云何有罪大王有諸衆生於日出
時作種種罪於月出時復行劫盜日月不出
則不作罪雖因日月令其作罪然此日月實
不得罪然亦如是雖復因王王實无罪
大王如王宮中常勅屠羊心初无懼云何於
父獨生懼心雖復人畜尊卑差別寶命重死
二俱无異何故於羊心輕无懼於父先王生
重憂苦大王世間之人是愛僮僕不得自在
為愛所使而行然害設有果報乃是愛罪王
不自在當有何咎
大王譬如涅槃非有非无而亦是有然亦如
是雖非有非无而亦是有慚愧之人則是非
有无慚愧者則為非无受果報者名之為有

大王譬如涅槃非有非无而亦是有然亦如
是雖非有非无而亦是有慚愧之人則是非
有无慚愧者則為非无受果報者名之為有
空見之人則為非有有見之人則為非无有
有見者亦名為有何以故有有見者得果報
故无有見者則无果報常見之人則為非有
无常見者則為非无常常見者不得為无何
以故常常見者有惡業果故是故常常見者
不得為无以是義故雖非有非无而亦是有大
王夫衆生者名出入息斷出入息故名為然
諸佛隨俗亦說為然大王色是无常色之因
緣亦是无常從无常因生色云何常乃至識
是无常識之因緣亦是无常從无常因生識
云何常以无常故苦以苦故空以空故无我
若是无常苦空无我為何所然然无常者得
常涅槃然苦得樂然空得實然於无我而得
真我大王若然无常苦空无我者則與我同
我亦然於无常苦空无我不入地獄汝云何
入
尒時阿闍世王如佛所說觀色乃至觀識作
是觀已即白佛言世尊我今始知色是无常
乃至識是无常我本若能如是知者則不作
罪世尊我昔曾聞諸佛世尊常為衆生而作
父母雖聞是語猶未審定今則定知世尊我
亦曾聞須彌山王四寶所成所謂金銀琉璃

羅世尊我昔曾聞諸佛世尊常為衆生而作
父母雖聞是語猶未審定今則定知世尊我
又曾聞須弥山王四寶所成所謂金銀琉璃
頗梨若有衆鳥隨所集處則同其色雖聞是
言又不審定我今來至佛須弥山則與同色
同色者則知諸法无常苦空无我世尊我見
世間從伊蘭子生伊蘭樹不見伊蘭生栴檀
樹我今始見從伊蘭子生栴檀樹伊蘭子者
我身是也栴檀樹者即是我心无根信也无
根者我初不知恭敬如來不信法僧是名无
根世尊我若不遇如來世尊當於无量阿僧
祇劫在大地獄受无量苦我今見佛以是見
佛所得功德破壞衆生所有一切煩惱惡心
佛言大王善哉善哉我今知汝必能破壞衆
生惡心世尊若我審能破壞衆生諸惡心者
使我常在阿鼻地獄无量劫中為諸衆生受
大苦惱不以為苦尒時摩伽陁國无量人民
悉發阿耨多羅三藐三菩提心以如是等无
量人民發大心故阿闍世王所有重罪即得
微薄王及夫人後宮綵女悉皆同發阿耨多
羅三藐三菩提心尒時阿闍世王語耆婆言
耆婆我今未死已得天身捨於短命而得長
命捨无常身而得常身令諸衆生發阿耨多
羅三藐三菩提心即是天身長命常身即是
一切諸佛弟子說是語已即以種種寶幢幡
蓋香華瓔珞微妙伎樂而供養佛復以偈頌

BD01575號　大般涅槃經（北本）卷二〇　（22-17）

羅三藐三菩提心尒時阿闍世王語耆婆言
耆婆我今未死已得天身捨於短命而得長
命捨无常身而得常身令諸衆生發阿耨多
羅三藐三菩提心即是天身長命常身即是
一切諸佛弟子說是語已即以種種寶幢幡
蓋香華瓔珞微妙伎樂而供養佛復以偈頌
而讚嘆言
實語甚微妙　善巧於句義　甚深祕密藏　為衆故顯示
所有廣博言　為衆故略說　具足如是語　善能療衆生
若有諸衆生　得聞是語者　若信及不信　定知是佛說
諸佛常濡語　為衆故說麁　麁語及濡語　皆歸第一義
是故我今者　歸依於世尊
如來語一味　猶如大海水　是名第一諦　故无无義語
如來今所說　種種无量法　男女大小聞　同獲第一義
无因亦无果　无生及无滅　是名大涅槃　聞者破諸果
如來為一切　常作慈父母　當知諸衆生　皆是如來子
世尊大慈悲　為衆故苦行　如人著鬼魅　狂亂多所作
我今得見佛　所得三業善　願以此功德　迴向无上道
我今所供養　佛法及衆僧　願以此功德　三寶常在世
我今所當得　種種諸功德　願以此破壞　衆生四種魔
我遇惡知識　造作三世罪　今於佛前悔　願後更莫造
願諸衆生等　悉發菩提心　繫心常思念　十方一切佛
復願諸衆生　永破諸煩惱　了了見佛性　猶如妙德等
尒時世尊讚阿闍世王善哉善哉若有人能
發菩提心當知是人則為莊嚴諸佛大衆大
王汝昔已於毗婆尸佛初發阿耨多羅三藐
三菩提心從是以來至我出世於其中間未

BD01575號　大般涅槃經（北本）卷二〇　（22-18）

我遇惡知識　造作三世罪　今於佛前悔　願後更莫造
願諸衆生等　悉發菩提心　繫心常思念　十方一切佛
復願諸衆生　永破諸煩惱　了了見佛性　猶如妙德等
尒時世尊讃阿闍世王善哉善哉若有人能
發菩提心當知是人則為莊嚴諸佛大衆大
王汝昔已於毗婆尸佛初發阿耨多羅三藐
三菩提心從是以来至我出世於其中間未
曽墮於地獄受苦大王當知菩提之心乃有
如是无量果報大王從今已往常當懃脩菩
提之心何以故從是因緣當得消滅无量惡
故尒時阿闍世王及摩伽陁擧國人民從座
而起繞佛三匝辭退還宫天行品者如雜華
說

大般涅槃經嬰兒行品第九

善男子云何名嬰兒行善男子不能起住
来去語言是名嬰兒如来亦尒不能起者如来
終不起諸法相不能住者如来不著一切諸
法不能来者如来身行无有動揺不能去者
如来已到大般涅槃不能語者如来雖為一
切衆生演說諸法實无所說何以故有所說
者名有為法如来世尊非是有為是故无說
又无語者猶如嬰兒語言未了雖復有語實
亦无語如来亦尒語未了者即是諸佛祕密
之言雖有所說衆生不解故名无語又嬰兒
者名物不一未知正語雖名物不一未知正
語非不因此而得識物如来亦尒一切衆生

BD01575號　大般涅槃經（北本）卷二〇　（22–19）

又无語者猶如嬰兒語言未了雖復有語實
亦无語如来亦尒語未了者即是諸佛祕密
之言雖有所說衆生不解故名无語又嬰兒
者名物不一未知正語雖名物不一未知正
語非不因此而得識物如来亦尒一切衆生
方類各異所言不同如来方便隨而說之亦
令一切因而得解又嬰兒者能說大字如来
亦尒說於大字所謂婆啝啝者有為婆者无
為是名嬰兒啝者名為无常婆者名為有常
如来說常衆生聞已為常法故斷於无常是
名嬰兒行又嬰兒者不知苦樂晝夜父母菩
薩摩訶薩亦復如是為衆生故不知苦樂无
晝夜想於諸衆生其心平等故无父母親踈
等相又嬰兒者不能造作大小諸事菩薩摩
訶薩亦復如是菩薩不造生死作業是名不
作大事者即五逆也菩薩摩訶薩終不造作
五逆重罪小事者即二乘心菩薩終不退菩
提心而作聲聞辟支佛乘
又嬰兒行者如彼嬰兒啼哭之時父母即以
楊樹黄葉而語之言莫啼莫啼我與汝金嬰
兒見已生真金想便止不啼然此楊葉實非
金也木牛木馬木男木女嬰兒見已亦復生
於男女等想即止不啼實非男女以作如是
男女想故名曰嬰兒如来亦尒若有衆生欲
造衆惡如来為說卅三天常樂我淨端正自
恣於妙宫殿受五欲樂六根所對无非是樂
衆生聞有如是樂故心生貪樂止不為[illegible]

BD01575號　大般涅槃經（北本）卷二〇　（22–20）

於男女等想即止不啼實非男女以作如是
男女想故名曰嬰兒如來亦尒若有衆生欲
造衆惡如來為說卅三天常樂我淨端正自
恣於妙宮殿受五欲樂六根所對无非是樂
衆生聞有如是樂故心生貪樂止不為惡懃
作卅三天善業實是生死无常无樂无我无
淨為度衆生方便說言常樂我淨又嬰兒者
若有衆生猒生死時如來則為說於二乘然
實无有二乘之實以二乘故知生死過見涅
槃樂以是見故則能自知有斷不斷有真不真
有脩不脩有得不得善男子如彼嬰兒於非
金中而生金想如來亦尒於不淨中而為說
淨如來已得第一義故則无虛妄如彼嬰兒
於非牛馬作牛馬想若有衆生於非道中作
真道想如來亦說非道為道非道之中實无
有道以能生道微因緣故說非道為道如彼
嬰兒於木男女生男女想如來亦尒知非衆
生說衆生相而實无有衆生相也若佛如來
說无衆生一切衆生則墮邪見是故如來說
有衆生於衆生中作衆生想者則不能破衆
生相也若於衆生破衆生相者是則能得大
般涅槃以得如是大涅槃故止不啼哭是名
嬰兒行善男子若有男女受持讀誦書寫解
說是五行者當知是人必定當得如是五行迦
葉菩薩白佛言世尊如我解佛所說義者我
亦定當得是五行佛言善男子不獨汝得如
是五行今此會中九

BD01575號　大般涅槃經（北本）卷二〇

(22-21)

金中而生金想如來亦尒於不淨中而為說

淨如來已得第一義故則无虛妄如彼嬰兒
於非牛馬作牛馬想若有衆生於非道中作
真道想如來亦說非道為道非道之中實无
有道以能生道微因緣故說非道為道如彼
嬰兒於木男女生男女想如來亦尒知非衆
生說衆生相而實无有衆生相也若佛如來
說无衆生一切衆生則墮邪見是故如來說
有衆生於衆生中作衆生想者則不能破衆
生相也若於衆生破衆生相者是則能得大
般涅槃以得如是大涅槃故止不啼哭是名
嬰兒行善男子若有男女受持讀誦書寫解
說是五行者當知是人必定當得如是五行迦
葉菩薩白佛言世尊如我解佛所說義者我
亦定當得是五行佛言善男子不獨汝得如
是五行今此會中九十三万人亦同於汝得
是五行

大般涅槃經卷第廿

BD01575號　大般涅槃經（北本）卷二〇

(22-22)

南无善行佛　南无善切德佛
南无善色佛　南无善識佛
南无善心佛　南无善光佛
南无師子月佛　南无不可勝佛
南无不可勝无畏佛　南无无量佛
南无速與佛　南无不動心佛
南无應稱佛　南无應不怯弱聲佛
南无不猒足藏佛　南无不盡佛
南无不可動佛　南无名无畏佛
南无自名在護世間佛　南无名龍自在聲佛
南无名法行廣慧佛　南无名妙勝自在相通稱佛
南无名妙勝自在勝佛　南无名樂法奮迅佛 一千四百
南无名法界莊嚴佛　南无名大乘莊嚴佛
南无名寂靜王佛　南无名解脫行佛
南无名大海彌留起王佛　南无名合聚那羅延王佛
南无名殺壞堅魔輪佛　南无名精進根寶王佛
南无名佛法波頭摩佛　南无名得佛眼分陁利佛
南无名隨前覺覺佛　南无名平等作佛
南无名初發心念遠離一切驚怖无煩惱起一切德佛

BD01576號　佛名經（十二卷本）卷二　（3–1）

南无名大海彌留起王佛　南无名合聚那羅延王佛
南无名殺壞堅魔輪佛　南无名精進根寶王佛
南无名佛法波頭摩佛　南无名得佛眼分陁利佛
南无名隨前覺覺佛　南无名平等作佛
南无名初發心念遠離一切驚怖无煩惱起一切德佛
南无名金剛奮迅佛　南无名寶像光明奮迅佛
南无名破壞魔輪佛　南无名初發心成就不退勝輪佛
南无名寶善起无畏光明佛　南无名教化菩薩佛
南无名初發心念斷疑斷煩惱佛　南无名光明破闇起三昧王佛
是諸佛如来名十方世界衆生无眼者誦必
得眼
南无十千同名星宿佛　南无一切星宿如来
南无三十千同名釋迦牟尼佛　南无一切釋迦牟尼如来
南无二億同名拘隣佛　南无一切拘隣如来
南无十八億同名寶法勝決定佛　南无一切寶法勝決定如来
南无十八億同名日月燈佛　南无一切日月燈如来
南无千五百同名大威德佛　南无一切大威德如来
南无千五百同名日佛　南无一切日如来
南无四万四千同名面佛　南无一切面如来
南无万千同名堅固自在佛　南无一切堅固自在如来
南无一万八千同名普護佛　南无一切普護如来
南无千八百同名舍摩他佛　南无舍摩他如来
劫名善眼彼劫中有七十二那由他如来成佛

BD01576號　佛名經（十二卷本）卷二　（3–2）

南无十八億同名寶法勝決定佛　南无一切寶法勝決定如来
南无十八億同名日月燈佛　南无一切日月燈如来
南无十五百同名大威德佛　南无一切大威德如来
南无十五百同名日佛　南无一切日如来
南无四万四千同名面佛　南无一切面如来
南无万千同名堅固自在佛　南无一切堅固自在如来
南无万八千同名普護佛　南无一切普護如来
南无十八百同名舍摩他佛　南无舍摩他如来
劫名善眼彼劫中有七十二那由他如来成佛
我悉歸命彼諸如来
劫名善見彼劫中有七十二億如来成佛
我悉歸命彼諸如来
劫名淨讚歎彼劫中有一万八千如来成佛
我悉歸命彼諸如来
劫名善行彼劫中有二万二千如来成佛
我悉歸命彼諸如来
劫名莊嚴彼劫中有八万四千如来成佛
我悉歸命彼諸如来
南无現在住十方世界不捨命說法諸佛
[illegible]為上首

BD01576 號　佛名經（十二卷本）卷二　（3–3）

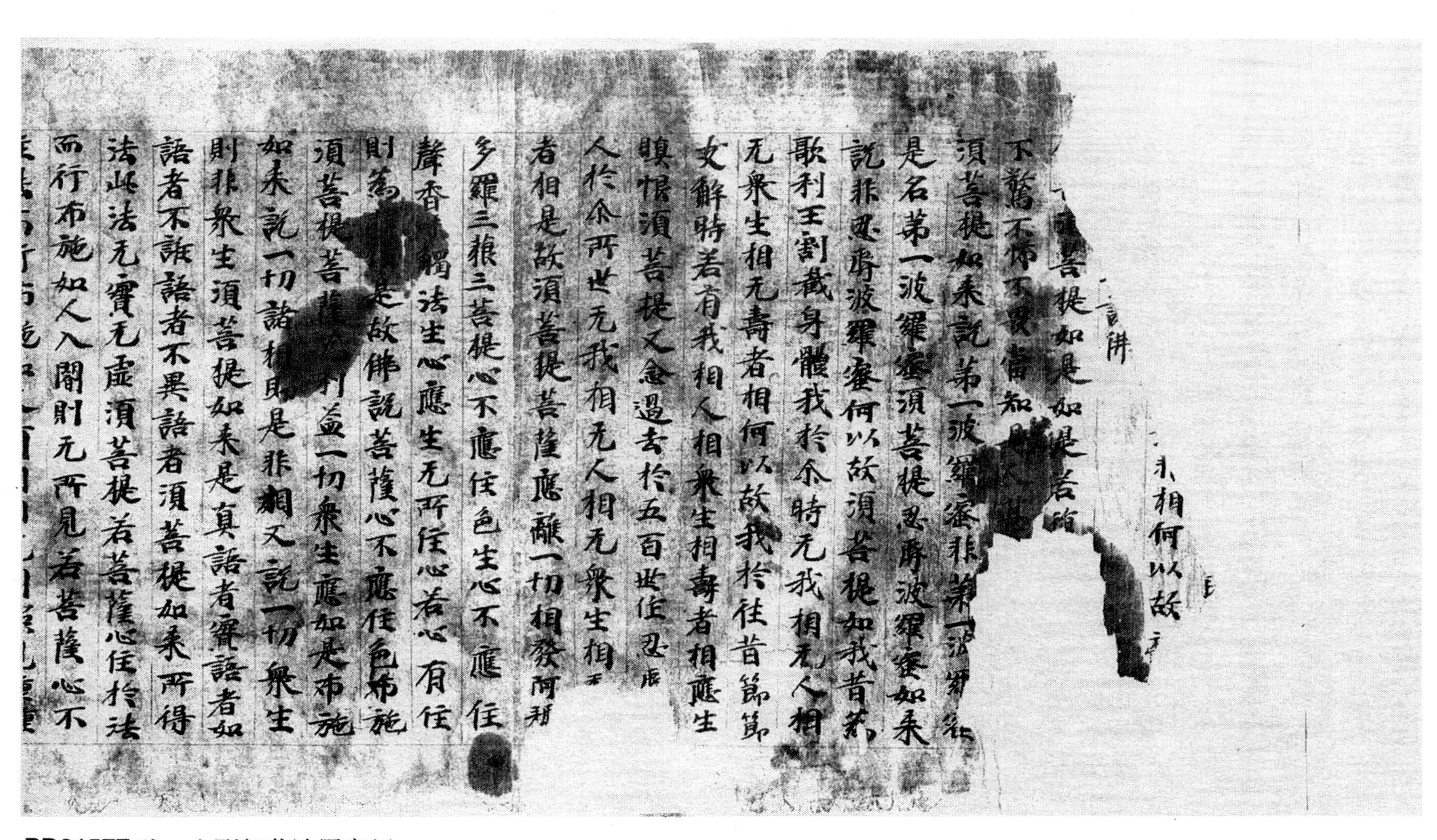
[illegible]說佛
[illegible]非相何以故
[illegible]菩提如是如是若[illegible]
不驚不怖不畏當知[illegible]
須菩提如来說第一波羅蜜非第一波羅
是名第一波羅蜜須菩提忍辱波羅蜜如来
說非忍辱波羅蜜何以故須菩提如我昔為
歌利王割截身體我於尒時无我相无人相
无衆生相无壽者相何以故我於往昔節節
支解時若有我相人相衆生相壽者相應生
瞋恨須菩提又念過去於五百世作忍辱
人於尒所世无我相无人相无衆生相无
壽者相是故須菩提菩薩應離一切相發阿耨
多羅三藐三菩提心不應住色生心不應住
聲香味觸法生心應生无所住心若心有住
則為非住是故佛說菩薩心不應住色布施
須菩提菩薩為利益一切衆生應如是布施
如来說一切諸相即是非相又說一切衆生
則非衆生須菩提如来是真語者實語者如
語者不誑語者不異語者須菩提如来所得
法此法无實无虛須菩提若菩薩心住於法
而行布施如人入闇則无所見若菩薩心不
[illegible]

BD01577 號　金剛般若波羅蜜經　（8–1）

語者不誑語者不異語者須菩提如來所得
法此法无實无虛須菩提若菩薩心住於法
而行布施如人入闇則无所見若菩薩心不
住法而行布施如人有目日光明照見種種
色須菩提當來之世若有善男子善女人
能於此經受持讀誦則為如來以佛智慧悉知
是人悉見是人皆得成就无量无邊功德
須菩提若有善男子善女人初日分以恒河
沙等身布施中日分復以恒河沙等身布施
後日分亦以恒河沙等身布施如是无量百
千万億劫以身布施若復有人聞此經典信
心不逆其福勝彼何況書寫受持讀誦為人
解說須菩提以要言之是經有不可思議不
可稱量无邊功德如來為發大乘者說為發
最上乘者說若有人能受持讀誦廣為人說
如來悉知是人悉見是人皆得成就不可量不
可稱无有邊不可思議功德如是人等則為
荷擔如來阿耨多羅三藐三菩提何以故須
菩提若樂小法者著我見人見眾生見壽者
見則於此經不能聽受讀誦為人解說須菩
提在在處處若有此經一切世間天人阿脩
羅所應供養當知此處則為是塔皆應恭敬
作礼圍繞以諸華香而散其處
復次須菩提善男子善女人受持讀誦此經
若為人輕賤是人先世罪業應墮惡道以今
世人輕賤故先世罪業則為消滅當得阿耨
多羅三藐三菩提須菩提我念過去无量阿

BD01577號　金剛般若波羅蜜經　（8–2）

作礼圍繞以諸華香而散其處
復次須菩提善男子善女人受持讀誦此經
若為人輕賤是人先世罪業應墮惡道以今
世人輕賤故先世罪業則為消滅當得阿耨
多羅三藐三菩提須菩提我念過去无量阿
僧祇劫於然燈佛前得值八百四千万億那
由他諸佛悉皆供養承事无空過者若復有
人於後末世能受持讀誦此經所得功德於
我所供養諸佛功德百分不及一千万億分
乃至筭數譬喻所不能及須菩提若善男
子善女人於後末世有受持讀誦此經所得功
德我若具說者或有人聞心則狂亂狐疑不
信須菩提當知是經義不可思議果報亦不
可思議
介時須菩提白佛言世尊善男子善女人發
阿耨多羅三藐三菩提心云何應住云何降
伏其心佛告須菩提善男子善女人發阿耨
多羅三藐三菩提者當生如是心我應滅度
一切眾生滅度一切眾生已而无有一眾生
實滅度者何以故若菩薩有我相人相眾生
相壽者相則非菩薩所以者何須菩提實无
有法發阿耨多羅三藐三菩提者須菩提於
意云何如來於然燈佛所有法得阿耨多羅
三藐三菩提不不也世尊如我解佛所說義
佛於然燈佛所无有法得阿耨多羅三藐三
菩提佛言如是如是須菩提實无有法如來
得阿耨多羅三藐三菩提須菩提若有法如
來得阿耨多羅三藐三菩提然燈佛則不與

BD01577號　金剛般若波羅蜜經　（8–3）

意云何如來於然燈佛所有法得阿耨多羅
三藐三菩提不不也世尊如我解佛所說義
佛於然燈佛所无有法得阿耨多羅三藐三
菩提佛言如是如是須菩提實无有法如來
得阿耨多羅三藐三菩提須菩提若有法如
來得阿耨多羅三藐三菩提者然燈佛則不與
我受記汝於來世當得作佛号釋迦牟尼以
實无有法得阿耨多羅三藐三菩提是故然
燈佛與我受記作是言汝於來世當得作佛
号釋迦牟尼何以故如來者即諸法如義若
有人言如來得阿耨多羅三藐三菩提須菩
提實无有法佛得阿耨多羅三藐三菩提須
菩提如來所得阿耨多羅三藐三菩提於是
中无實无虛是故如來說一切法皆是佛法
須菩提所言一切法者即非一切法是故名
一切法須菩提譬如人身長大須菩提言世
尊如來說人身長大則為非大身是名大身
須菩提菩薩亦如是若作是言我當滅度无
量衆生則不名菩薩何以故須菩提无有法
名為菩薩是故佛說一切法无我无人无衆
生无壽者須菩提若菩薩作是言我當莊嚴
佛土是不名菩薩何以故如來說莊嚴佛土
者即非莊嚴是名莊嚴須菩提若菩薩通達
无我法者如來說名真是菩薩
須菩提於意云何如來有肉眼不如是世尊
如來有肉眼須菩提於意云何如來有天眼
不如是世尊如來有天眼須菩提於意云何
如來有慧眼不如是世尊如來有慧眼須菩

BD01577 號　金剛般若波羅蜜經　（8–4）

須菩提於意云何如來有肉眼不如是世尊
如來有肉眼須菩提於意云何如來有天眼
不如是世尊如來有天眼須菩提於意云何
如來有慧眼不如是世尊如來有慧眼須菩
提於意云何如來有法眼不如是世尊如來
有法眼須菩提於意云何如來有佛眼不如
是世尊如來有佛眼須菩提於意云何如恒
河中所有沙佛說是沙不如是世尊如來說
是沙須菩提於意云何如一恒河中所有沙
有如是等恒河是諸恒河所有沙數佛世界
如是寧為多不甚多世尊佛告須菩提尒所
國土中所有衆生若干種心如來悉知何以
故如來說諸心皆為非心是名為心所以者
何須菩提過去心不可得現在心不可得未
來心不可得須菩提於意云何若有人滿三
千大千世界七寶以用布施是人以是因緣
得福多不如是世尊此人以是因緣得福甚
多須菩提若福德有實如來不說得福德多
以福德无故如來說得福德多
須菩提於意云何佛可以具足色身見不不
也世尊如來不應以具足色身見何以故如
來說具足色身即非具足色身是名具足色
身須菩提於意云何如來可以具足諸相見
不不也世尊如來不應以具足諸相見何以
故如來說諸相具足即非具足是名諸相具
足須菩提汝勿謂如來作是念我當有所說
法莫作是念何以故若人言如來有所說法
即為謗佛不能解我所說故須菩提說法者

BD01577 號　金剛般若波羅蜜經　（8–5）

不也世尊如來不應以具足諸相見何以
故如來說諸相具足即非具足是名諸相具
足須菩提汝勿謂如來作是念我當有所說
法莫作是念何以故若人言如來有所說法
即為謗佛不能解我所說故須菩提說法者
无法可說是名說法
須菩提白佛言世尊佛得阿耨多羅三藐三
菩提為无所得耶如是如是須菩提我於阿
耨多羅三藐三菩提乃至无有少法可得是
名阿耨多羅三藐三菩提
復次須菩提是法平等无有高下是名阿耨
多羅三藐三菩提以无我无人无衆生无壽
者脩一切善法則得阿耨多羅三藐三菩提
須菩提所言善法者如來說非善法是名善
法須菩提若三千大千世界中所有諸須弥
山王如是等七寶聚有人持用布施若人以
此般若波羅蜜經乃至四句偈等受持讀誦
為他人說於前福德百分不及一百千万億
分乃至筭數譬喻所不能及
須菩提於意云何汝等勿謂如來作是念我
當度衆生須菩提莫作是念何以故實无有
衆生如來度者若有衆生如來度者如來則
有我人衆生壽者須菩提如來說有我者則
非有我而凡夫之人以為有我須菩提凡夫
者如來說則非凡夫須菩提於意云何可以
三十二相觀如來不須菩提言如是如是以
三十二相觀如來佛言須菩提若以三十二
相觀如來者轉輪聖王則是如來須菩提白

BD01577號　金剛般若波羅蜜經　（8–6）

者如來說則非凡夫須菩提於意云何可以
三十二相觀如來不須菩提言如是如是以
三十二相觀如來佛言須菩提若以三十二
相觀如來者轉輪聖王則是如來須菩提白
佛言世尊如我解佛所說義不應以三十二
相觀如來尒時世尊而說偈言
若以色見我　以音聲求我　是人行邪道　不能見如來
須菩提汝若作是念如來不以具足相故得
阿耨多羅三藐三菩提須菩提莫作是念如
來不以具足相故得阿耨多羅三藐三菩提
須菩提汝若作是念發阿耨多羅三藐三菩
提者說諸法斷滅相莫作是念何以故發阿
耨多羅三藐三菩提者於法不說斷滅相須
菩提若菩薩以滿恒河沙等世界七寶布施
若復有人知一切法无我得成於忍此菩薩
勝前菩薩所得功德何以故須菩提以諸菩
薩不受福德故須菩提白佛言世尊云何菩
薩不受福德須菩提菩薩所作福德不應貪
著是故說不受福德須菩提若有人言如來
若來若去若坐若卧是人不解我所說義何
以故如來者无所從來亦无所去故名如來
須菩提若善男子善女人以三千大千世界
碎為微塵於意云何是微塵衆寧為多不甚
多世尊何以故若是微塵衆實有者佛則不
說是微塵衆所以者何佛說微塵衆則非微
塵衆是名微塵衆世尊如來所說三千大千
世界則非世界是名世界何以故若世界實
有者則是一合相如來說一合相則非一合

BD01577號　金剛般若波羅蜜經　（8–7）

塵衆是名微塵衆世尊如來所說三千大千
世界則非世界是名世界何以故若世界實
有者則是一合相如來說一合相則非一合
相是名一合相須菩提一合相者則是不可
說但凡夫之人貪著其事須菩提若人言佛
說我見人見衆生見壽者見須菩提於意
云何是人解我所說義不世尊是人不解如來
所說義何以故世尊說我見人見衆生見壽
者見即非我見人見衆生見壽者見是名我
見人見衆生見壽者見須菩提發阿耨多羅
三藐三菩提心者於一切法應如是知如是
見如是信解不生法相須菩提所言法相如
來說即非法相是名法相須菩提若有人以
滿无量阿僧祇世界七寶持用布施若有善
男子善女人發菩薩心者持於此經乃至四
句偈等受持讀誦爲人演說其福勝彼云何
爲人演說不取於相如如不動何以故
一切有爲法　如夢幻泡影　如露亦如電　應作如是觀
佛說是經已長老須菩提及諸比丘比丘尼
優婆塞優婆夷一切世間天人阿脩羅聞佛
所說皆大歡喜信受奉行
金剛般若波羅蜜經

BD01577號　金剛般若波羅蜜經　（8–8）

然作
是惡心所以者何有善男子善女人若
惡聲心不生惡是故當知非因惡聲生三趣
中而諸衆生因煩惱結惡心滋多生三惡趣
非因惡聲若聲有定相諸有聞者一切悉應
生於惡心或有生者有不生者是故當知聲
无定相以无定故雖復因之不生惡心世尊
聲若无定云何菩薩昔所不聞而今得聞善
男子聲无定相昔所不聞令諸菩薩而今得
聞以是義故我於是說昔所不聞而今得聞
善男子云何昔所不見而今得見善男子菩
薩摩訶薩脩大涅槃微妙經典先承明相所
謂日月星宿庭燎燈燭珠火之明藥草等
光以脩習故得異眼根異於聲聞緣覺所得云
何爲異二乘所得清淨天眼若依欲界四大
眼根不見初禪若依初禪不見上地乃至自
眼猶不能見若欲多見極至三千大千世界

BD01578號　大般涅槃經（北本）卷二四　（3–1）

何為異二乘所得清淨天眼若依欲界四大
眼根不見初禪若依初禪不見上地乃至自
眼猶不能見若欲多見極至三千大千世界
菩薩摩訶薩不脩天眼見妙色身悉是骨相
雖見他方恒河沙等世界色相不作色相不
作常相有相物相名字等相作因緣相不作
見相不言是眼微妙淨相唯見因緣非因緣相
云何因緣色是眼緣若使是色非因緣者一
切凡夫不應生於見色之相以是義故色名
因緣非因緣者菩薩摩訶薩雖復見之不生
色相是故非緣以是義故菩薩所得清淨天
眼異於聲聞緣覺所得以是異故一時遍見
十方世界現在諸佛是名菩薩昔所不見而
今得見以是異故能見微塵聲聞緣覺所不
能見以是異故雖見自眼初无見相見无常
相見凡夫身三十六物不淨充滿如於掌中
觀阿摩勒菓以是義故昔所不見而今得見
若見衆生所有色相則知其人大小乘根一
觸衣故亦知是人善惡諸根差別之相以是
義故昔所不知而今得知以一見故昔所不

BD01578號　大般涅槃經（北本）卷二四　（3–2）

色相是故非緣以是義故菩薩所得清淨天
眼異於聲聞緣覺所得以是異故一時遍見
十方世界現在諸佛是名菩薩昔所不見而
今得見以是異故能見微塵聲聞緣覺所不
能見以是異故雖見自眼初无見相見无常
相見凡夫身三十六物不淨充滿如於掌中
觀阿摩勒菓以是義故昔所不見而今得見
若見衆生所有色相則知其人大小乘根一
觸衣故亦知是人善惡諸根差別之相以是
義故昔所不知而今得知以一見故昔所不
知而今得知以此知故昔所不見而今得見
復次善男子云何菩薩昔所不知而今得知
菩薩摩訶薩雖知凡夫貪恚癡心初不作心
及心數相不作衆生及以物相脩第一義畢
竟空相何以故一切菩薩常善脩習空性相
故以脩空故昔所不知而今得知云何為知
知无有我无有我所知諸衆生皆有佛性以佛
性故一闡提等捨離本心悉當得成阿耨多
羅三藐三菩提如此皆是聲聞緣覺所不能

BD01578號　大般涅槃經（北本）卷二四　（3–3）

[illegible]
既入其舍
維摩詰言善来[...]
相而見文殊師利言如是居士[...]
来若去已更不去所以者何来[...]
去者無所至所可見者更不可[...]
居士是疾寧可忍不療治有損不[...]
尊慇勤致問無量居士是疾何所[...]
久如當云何滅維摩詰言從癡有愛則我[...]
生以一切衆生病是故我病若一切衆生得
離病者則我病滅所以者何菩薩為衆生故
入生死有生死則有病若衆生得離疾者則
菩薩無復疾辟如長者唯有一子其子得病
父母亦病若子病愈父母亦愈菩薩如是於
諸衆生愛之若子衆生病則菩薩病衆生病
愈菩薩亦愈又言是疾何所因起菩薩病者
以大悲起文殊師利言居士此室何以空無
侍者維摩詰言諸佛國土亦復皆空又問以
何為空答曰以空空又問空何用空答曰以無
分別空故空又問空可分別耶答曰分別
亦空又問空當於何求答曰當於六十二見
中求又問六十二見當於何求答曰當於諸
佛解脫中求又問諸佛解脫當於何求答曰

BD01579 號　維摩詰所說經卷中　（2–1）

侍者維摩詰言諸佛國土亦復皆空又問以
何為空答曰以空空又問空何用空答曰以無
分別空故空又問空可分別耶答曰分別
亦空又問空當於何求答曰當於六十二見
中求又問六十二見當於何求答曰當於諸
佛解脫中求又問諸佛解脫當於何求答曰
當於一切衆生心行中求又仁者所問何無侍
者一者衆魔及諸外道皆吾侍也所以者何
衆魔者樂生死菩薩於生死而不捨外道
者樂諸見菩薩於諸見而不動文殊師利
居士所疾為何等相維摩詰言我病無形不可
見又問此病身合耶心合耶答曰非身合身
相離故亦非心合心如幻故又問地大水大火
大風大於此四大何大之病答曰是病非地
大亦不離地大水火風大亦復如是而衆生
病從四大起以其有病是故我病尒時文
殊師利問維摩詰言菩薩應云何慰喻有疾
菩薩維摩詰言說身無常不說厭離於身說
身有苦不說樂於涅槃說身無我而說教導
衆生說身空寂不說畢竟寂滅說悔先罪
而不說入於過去以己之疾愍於彼疾當識宿
世無數劫苦當念饒益一切衆生憶所脩福
念於淨命勿生憂惱常起精進當作醫王
療治衆病菩薩如是慰喻有疾菩薩令其歡
喜文殊師利言居士有疾菩薩云何調伏其

BD01579 號　維摩詰所說經卷中　（2–2）

心不逆其福勝彼何況書寫受持讀誦
解說須菩提以要言之是經有不可思議不
可稱量无邊功德如來爲發大乘者說爲發
冣上乘者說若有人能受持讀誦廣爲人說
此人悉見是人皆得成就不可量
…稱无有邊不可思議功德如是人等則
爲荷擔如來阿耨多羅三藐三菩提何以故
須菩提若樂小法者著我見人見衆生見壽
者見則於此經不能聽受讀誦爲人解說須
菩提在在處處若有此經一切世間天人阿
脩羅所應供養當知此處則爲是塔皆應恭
敬作礼圍繞以諸華香而散其處
復次須菩提若善男子善女人受持讀誦此
經若爲人輕賤是人先世罪業應墮惡道以
…賤故先世罪業則爲消滅當得阿

BD01580號　金剛般若波羅蜜經　（3–1）

者見則於此經不能聽受讀誦爲人解說須
菩提在在處處若有此經一切世間天人阿
脩羅所應供養當知此處則爲是塔皆應恭
敬作礼圍繞以諸華香而散其處
復次須菩提若善男子善女人受持讀誦此
經若爲人輕賤是人先世罪業應墮惡道以
今世人輕賤故先世罪業則爲消滅當得阿
耨多羅三藐三菩提須菩提我念過去无量
阿僧祇劫於然燈佛前得值八百四千万億
那由他諸佛悉皆供養承事无空過者若復
有人於後末世能受持讀誦此經所得功德
於我所供養諸佛功德百分不及一千万億
分乃至筭數譬喻所不能及須菩提若善男
子善女人於後末世有受持讀誦此經所得
功德我若具說者或有人聞心則狂亂狐疑
不信須菩提當知是經義不可思議果報亦
不可思議
尒時須菩提白佛言世尊善男子善女人發
阿耨多羅三藐三菩提心云何應住云何降
伏其心佛告須菩提善男子善女人發阿耨
多羅三藐三菩提者當生如是心我應滅度
一切衆生滅度一切衆生已而无有一衆生
實滅度者何以故若菩薩有我相人相衆生
相壽者相則非菩薩所以者何須菩提實无
有法發阿耨多羅三藐三菩提者須菩提於
意云何如來於然燈佛所有法得阿耨多羅
三藐三菩提不不也世尊如我解佛所說義

BD01580號　金剛般若波羅蜜經　（3–2）

一切衆生滅度一切衆生已而无有一衆生
實滅度者何以故若菩薩有我相人相衆生
相壽者相則非菩薩所以者何須菩提實无
有法發阿耨多羅三藐三菩提者須菩提於
意云何如來於然燈佛所有法得阿耨多羅
三藐三菩提不不也世尊如我解佛所說義
佛於然燈佛所无有法得阿耨多羅三藐三
菩提佛言如是如是須菩提實无有法如來
得阿耨多羅三藐三菩提
須菩提若有法如來得阿耨多羅三藐三菩
提者然燈佛則不與我受記汝於來世當
得作佛号釋迦牟尼以實无有法得阿耨
多羅三藐三菩提是故然燈佛与我受記作是
言汝於來世當得作佛号釋迦牟尼何以故
如來者即諸法如義若有人言如來得阿耨
多羅三藐三菩提須菩提實无有法佛得阿
耨多羅三藐三菩提須菩提如來所得阿耨
多羅三藐三菩提於是中无實无虛是故如
來說一切法皆是佛法須菩提所言一切法
者即非一切法是故名一切法須菩提譬如人

BD01580號　金剛般若波羅蜜經　（3–3）

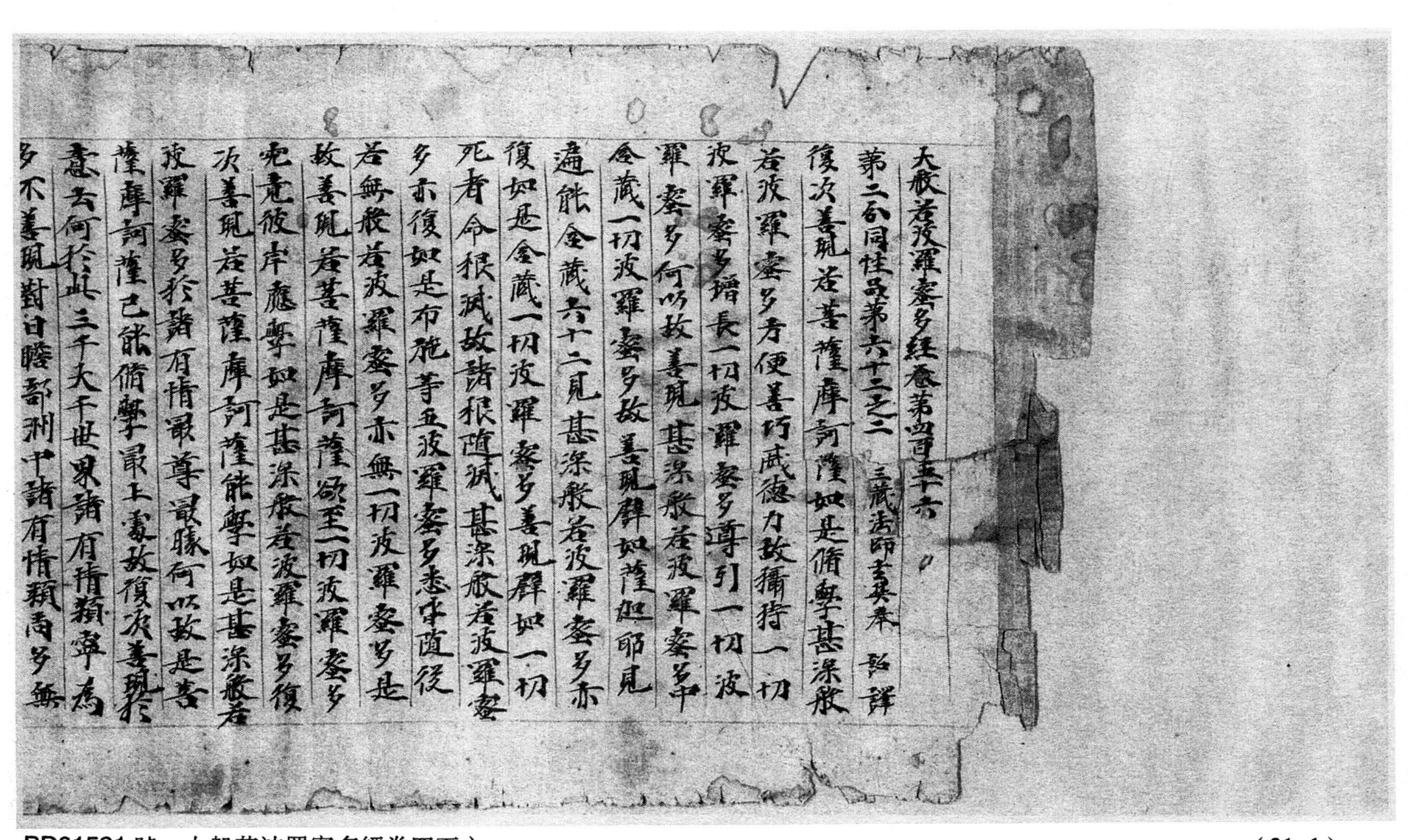

大般若波羅蜜多經卷第四百五十六
第二分同性品第六十二之二　三藏法師玄奘奉　詔譯
復次善現若菩薩摩訶薩如是脩學甚深般
若波羅蜜多方便善巧威德力故攝持一切
波羅蜜多增長一切波羅蜜多導引一切波
羅蜜多何以故善現甚深般若波羅蜜多中
含藏一切波羅蜜多故善現譬如薩迦耶見
遍能含藏六十二見甚深般若波羅蜜多亦
復如是含藏一切波羅蜜多善現譬如一切
死者命根滅故諸根隨滅甚深般若波羅蜜
多亦復如是布施等五波羅蜜多悉皆隨從
若無般若波羅蜜多亦無一切波羅蜜多是
故善現若菩薩摩訶薩欲至一切波羅蜜多
究竟彼岸應學如是甚深般若波羅蜜多復
次善現若菩薩摩訶薩能學如是甚深般若
波羅蜜多於諸有情最尊最勝何以故是菩
薩摩訶薩已能脩學最上事故復次善現於
意云何於此三千大千世界諸有情類寧為
多不善現對曰瞻部洲中諸有情類尚多無

BD01581號　大般若波羅蜜多經卷四五六　（21–1）

究竟彼岸應學如是甚深般若波羅蜜多復
次善現若菩薩摩訶薩能學如是甚深般若
波羅蜜多於諸有情最尊最勝何以故是菩
薩摩訶薩已能修學最上處故復次善現於
意云何於此三千大千世界諸有情類寧為
多不善現對曰贍部洲中諸有情類尚多無
數何況三千大千世界諸有情類寧不為多
佛告善現如是如是如汝所說善現假使三千
大千世界諸有情類非前非後俱得人身
得人身已非前非後俱發無上正等覺心修
諸菩薩摩訶薩行修行滿已非前非後俱證
無上正等菩提有菩薩摩訶薩盡其壽量能
以種種上妙花鬘塗散等香衣服瓔珞　寶幢
幡蓋伎樂燈明房舍臥具飲食醫藥供養
恭敬尊重讚歎此諸如來應正等覺於意云
何是菩薩摩訶薩由此因緣得福多不善
現對曰甚多世尊佛告善現若菩薩摩訶
薩能於如是甚深般若波羅蜜多常樂聽聞
受持讀誦究竟通利如理思惟依教修行書
寫流布所獲福聚甚多於前無量倍數所以
者何甚深般若波羅蜜多具大義用能令菩
薩摩訶薩乘疾得無上正等菩提是故善現
若菩薩摩訶薩欲居一切有情上首欲普饒
益一切有情無救護者為作救護無歸依者
為作歸依無所趣者為作所趣無眼目者為
作眼目無光明者為作光明失正路者示以
正路未涅槃者令得涅槃當學如是甚深般

益一切有情無救護者為作救護無歸依者
為作歸依無所趣者為作所趣無眼目者為
作眼目無光明者為作光明失正路者示以
正路未涅槃者令得涅槃當學如是甚深般
若波羅蜜多善現若菩薩摩訶薩欲得無上
正等菩提欲行如來所行境界欲遊戲佛所
遊戲處欲作如來大師子吼欲擊諸佛無上
法鼓欲扣諸佛無上法鍾欲吹諸佛無上法
螺欲昇諸佛無上法座欲宣諸佛無上法義
欲決一切有情疑網欲入諸佛妙甘露界欲
受諸佛微妙法樂欲證如來殊勝功德當學
如是甚深般若波羅蜜多善現若菩薩摩訶
薩能學如是甚深般若波羅蜜多無有一切
功德善根而不能攝無有一切功德善根而
不能得所以者何甚深般若波羅蜜多是一
切種功德善現所依處故具壽善現白言世
尊諸菩薩摩訶薩能學如是甚深般若波
羅蜜多豈於一切聲聞獨覺功德善根能攝
能得佛告善現是菩薩摩訶薩亦於一切聲
聞獨覺功德善根能攝能得然於其中無住無
著以勝智見正觀察已超過聲聞及獨覺地
趣入菩薩正性離生故此菩薩摩訶薩乘無
有一切功德善根而不攝得善現若菩薩摩
訶薩能學如是甚深般若波羅蜜多則為鄰
近一切智智速證無上正等菩提善現若菩薩
摩訶薩能學如是甚深般若波羅蜜多則
為一切世間天人阿素洛等真實福田超諸

有一切功德善根而不攝得善現若菩薩摩
訶薩能學如是甚深般若波羅蜜多則爲隣
近一切智智速證無上正等菩提善現若菩薩
摩訶薩能學如是甚深般若波羅蜜多則
爲一切世間天人阿素洛等真實福田超諸
世間沙門梵志聲聞獨覺福田之上疾能證
得一切智智隨所生處不捨般若波羅蜜多
不離般若波羅蜜多常行般若波羅蜜多善
現若菩薩摩訶薩能如是學甚深般若波羅
蜜多當知已於一切智智得不退轉於一切
法能正覺知遠離聲聞及獨覺地隣近無上
正等菩提善現若菩薩摩訶薩作如念念此
是般若波羅蜜多此是脩時此是脩處我能
脩此甚深般若波羅蜜多我由如是甚深般
若波羅蜜多棄捨如是所應捨法定當證得
一切智智是菩薩摩訶薩非行般若波羅蜜
多亦於般若波羅蜜多不能解了何以故甚
深般若波羅蜜多不作是念我是般若波羅
蜜多此是脩時此是脩處此是脩者此是般
若波羅蜜多所遠離法此是般若波羅蜜多
所照了法此是般若波羅蜜多所證無上正
等菩提若如是知是行般若波羅蜜多善現
若菩薩摩訶薩作如是念此非般若波羅蜜
多此非脩時此非脩處此非脩者非由般若
波羅蜜多遠離一切所應捨法非由般若波
羅蜜多定能證得一切智智所以者何以一切
法皆住真如法界法性不虛妄性不變異性

BD01581號　大般若波羅蜜多經卷四五六　（21–4）

多此非脩時此非脩處此非脩者非由般若
波羅蜜多遠離一切所應捨法非由般若波
羅蜜多定能證得一切智智所以者何以一切
法皆住真如法界法性不虛妄性不變異性
平等性離生性法定法住實際虛空界不
思議界此中一切皆無差別善現若菩薩摩
訶薩能如是行是行般若波羅蜜多
第二分無分別品第六十三
爾時天帝釋竊作是念若菩薩摩訶薩脩行
般若波羅蜜多乃至布施波羅蜜多安住內
空乃至無性自性空安住真如乃至不思議
界安住苦集滅道聖諦脩行四念住乃至八
聖道支脩行四靜慮四無量四無色定脩行
八解脫乃至十遍處脩行空無相無願解脫
門脩行極喜地乃至法雲地脩行一切陀羅
尼門三摩地門脩行五眼六神通脩行如來
十力乃至十八佛不共法脩行無忘失法恒
住捨性脩行一切智道相智一切相智脩行
菩薩摩訶薩行脩行無上正等菩提尚超
一切有情之上況得無上正等菩提若諸有情
聞說一切智智名字心生信解尚爲獲得人
中善利及得世間最勝壽命況發無上正等
覺心或常聽聞如是般若波羅蜜多甚深經
典若諸有情能發無上正等覺心聽聞般若
波羅蜜多甚深經典諸餘有情皆應願樂所
獲功德世間天人阿素洛等不能及故時天
帝釋作是念已即取天上微妙音花奉散如

BD01581號　大般若波羅蜜多經卷四五六　（21–5）

波羅蜜多甚深經典諸餘有情皆應願樂所
獲功德世間天人阿素洛等不能及故時天
帝釋作是念已即取天上微妙香花奉散如
來應正等覺及諸菩薩摩訶薩衆既散花
已作是願言若菩薩乘諸善男子善女人等求
趣無上正等菩提以我所集功德善根令彼
所求無上佛法一切智智速得圓滿以我所
集功德善根令彼所求自然人法真無漏法
速得圓滿以我所集功德善根令彼一切所
欲聞法皆速圓滿以我所集功德善根若求
聲聞獨覺乘者亦令所願疾得滿足作是願
已即白佛言世尊若菩薩乘諸善男子善女
人等已發無上正等覺心我終不生一念異
意令其退轉大菩提心我亦不生一念異意
令諸菩薩摩訶薩衆厭離無上正等菩提退
住聲聞獨覺等地世尊若菩薩摩訶薩已於
無上正等菩提心不欲棄我願彼心倍復增
進疾證無上正等菩提願彼菩薩摩訶薩
衆見生死中種種苦已為欲利樂世間天人阿
素洛人等發起種種堅固大願我既自度生死
大海亦當精勤度未度者我既自解生死繫
縛亦當精勤解未解者我於種種生死怖畏
既自安隱亦當精勤安未安者我既自證究
竟涅槃亦當精勤令未證者皆同證得世尊
若善男子善女人等於初發心菩薩摩訶薩
功德善根起隨喜心得幾許福於久發心菩
薩摩訶薩功德善根起隨喜心得幾許福

BD01581號　大般若波羅蜜多經卷四五六　　（21–6）

竟涅槃亦當精勤令未證者皆同證得世尊
若善男子善女人等於初發心菩薩摩訶薩
功德善根起隨喜心得幾許福於久發心菩
薩摩訶薩功德善根起隨喜心得幾許福
於不退轉地菩薩摩訶薩功德善根起隨喜心
得幾許福於一生所繫菩薩摩訶薩功德善
根起隨喜心得幾許福尒時佛告天帝釋言
憍尸迦四大洲界可知兩數此善男子善女
人等隨喜俱心所生福德不可知量憍尸迦
乃至三千大千世界可知兩數此善男子善
女人等隨喜俱心所生福德不可知量憍尸迦
假使三千大千世界為一大海有取一毛
析為百分持一分端霑大海水可知滴數此
善男子善女人等隨喜俱心所生福德不可
知量時天帝釋復白佛言世尊若諸有情於
菩薩摩訶薩功德善根不隨喜者當知皆是
魔所魅著世尊若諸有情於菩薩摩訶薩功
德善根不隨喜者當知皆是惡魔朋黨世尊
若諸有情於菩薩摩訶薩功德善根不隨喜
者當知皆從魔界中沒來生是間所以者何
若菩薩摩訶薩求趣無上正等菩提循諸菩
薩摩訶薩行若諸有情於彼菩薩摩訶薩
衆功德善根隨喜迴向皆能破壞一切魔軍黨
[illegible]眷屬世尊若諸有情深心敬愛佛法僧寶
隨所生處常欲見佛常欲聞法常欲遇僧於
諸菩薩摩訶薩衆功德善根應生隨喜既隨
喜已迴向無上正等菩提而不應生二無二

BD01581號　大般若波羅蜜多經卷四五六　　（21–7）

眷屬世尊若諸有情深心敬愛佛法僧寶
隨所生處常欲見佛常欲聞法常欲遇僧於
諸菩薩摩訶薩衆功德善根應生隨喜既隨
喜已迴向無上正等菩提而不應生二無二
想若能如是疾證無上正等菩提利樂有情
破魔軍衆爾時佛告天帝釋言如是如是如
汝所說憍尸迦若諸有情於菩薩摩訶薩功
德善根深心隨喜迴向無上正等菩提是諸
有情速能圓滿諸菩薩行疾證無上正等菩
提若諸有情於菩薩摩訶薩功德善根深心
隨喜迴向無上正等菩提是諸有情具大威
力常能奉事一切如來應正等覺及善知識
恒聞般若波羅蜜多甚深經典善知義趣憍
尸迦是諸有情成就如是隨喜迴向功德善根
隨所生處常為一切世間天人阿素洛等供
養恭敬尊重讚歎不覩惡色不聞惡聲不嗅
惡香不嘗惡味不覺惡觸不思惡法常不遠
離諸佛世尊從一佛國趣一佛國親近諸佛
種諸善根成熟有情嚴淨佛土何以故憍尸
迦是諸有情能於無數衆初發心菩薩摩訶
薩功德善根深心隨喜迴向無上正等菩提
能於無數已住初地乃至十地菩薩摩訶薩
功德善根深心隨喜迴向無上正等菩提能
於無數一生所繫菩薩摩訶薩功德善根深
心隨喜迴向無上正等菩提由此因緣是諸
有情善根增進速證無上正等菩提既證無
上正等菩提能盡未來如實利樂無量無數

功德善根深心隨喜迴向無上正等菩提能
於無數一生所繫菩薩摩訶薩功德善根深
心隨喜迴向無上正等菩提由此因緣是諸
有情善根增進速證無上正等菩提既證無
上正等菩提能盡未來如實利樂無量無數
無邊有情令住無餘般涅槃界以是故憍尸
迦住菩薩乘諸善男子善女人等於初發心
菩薩摩訶薩功德善根於久發心菩薩摩訶
薩功德善根於不退轉地菩薩摩訶薩功德
善根於一生所繫菩薩摩訶薩功德善根皆
應隨喜迴向無上正等菩提於生隨喜及迴
向時不應執著即心離心隨喜迴向不應
著即心循行離心循行若能如是無所執著
隨喜迴向循諸菩薩摩訶薩行速證無上
正等菩提能盡未來利益安樂諸有情衆
皆令安住究竟涅槃
爾時具壽善現白佛言世尊如佛所說諸法
如幻乃至諸法如變化事云何菩薩摩訶薩
以如幻心能證無上正等菩提佛告善現於
意云何汝見菩薩摩訶薩等如幻心不善現
對曰不也世尊我不見幻亦不見有如幻之
心佛告善現於意云何若處無幻無如幻心
汝見有是心能證無上正等菩提不善現對
曰不也世尊我都不見有處無幻無如幻心
更有是心能證無上正等菩提佛告善現於
意云何若處離幻離如幻心汝見有是法能
證無上正等菩提不善現對曰不也世尊我

曰不也世尊我都不見有處無幻無如幻心
更有是心能證無上正等菩提佛告善現於
意云何若處離幻離如幻心汝見有是法能
證無上正等菩提不善現對曰不也世尊我
都不見有處離幻離如幻心更有是法能證
無上正等菩提世尊我都不見即離心法說
何等法是有是無以一切法畢竟遠離故若
一切法畢竟遠離者不可施設此法是有此
法是無若法不可施設有無則不可說能證
無上正等菩提非無所有法能證菩提故所
以者何以一切法皆無所有性不可得 無 生
無滅無染無淨何以故世尊般若波羅蜜多
乃至布施波羅蜜多畢竟遠離故內空乃至
無性自性空畢竟遠離故有如乃至不思議
界畢竟遠離故苦集滅道聖諦畢竟遠離
故四念住乃至八聖道支畢竟遠離故四靜慮
四無量四無色定畢竟遠離故八解脫乃至
十遍處畢竟遠離故空無相無願解脫門畢
竟遠離故極喜地乃至法雲地畢竟遠離故
一切陀羅尼門三摩地門畢竟遠離故五眼
六神通畢竟遠離故如來十力乃至十八佛
不共法畢竟遠離故無忘失法恒住捨性畢
竟遠離故一切智道相智一切相智畢竟遠
離故一切菩薩摩訶薩行畢竟遠離故諸佛
無上正等菩提畢竟遠離故一切智智畢竟
遠離故世尊若法畢竟遠離是法不應循亦
不應遣亦復不應有所引發甚深般若波羅
蜜多亦畢竟遠離故於法不應有所引發

離故一[illegible]
無上正等菩提畢竟遠離故一切智智畢竟
遠離故世尊若法畢竟遠離是法不應循亦
不應遣亦復不應有所引發甚深般若波羅
蜜多亦畢竟遠離故於法不應有所引發世
尊甚深般若波羅蜜多說畢竟遠離云何可
說諸菩薩摩訶薩依甚深般若波羅蜜多證
得無上正等菩提諸佛無上正等菩提亦畢
竟遠離云何遠離法能證遠離法是故般若
波羅蜜多應不可說證得無上正等菩提佛
告善現善哉善哉如是如是如汝所說 所以
者何善現甚深般若波羅蜜多乃至布施波羅
蜜多畢竟遠離如是乃至一切菩薩摩訶薩
行畢竟遠離諸佛無上正等菩提畢竟遠離
一切智智亦畢竟遠離善現以甚深般若波
羅蜜多乃至布施波羅蜜多畢竟遠離可說
菩薩摩訶薩證得畢竟遠離無上正等菩
提如是乃至以一切智智畢竟遠離可說菩薩
摩訶薩證得畢竟遠離無上正等菩提善現
若甚深般若波羅蜜多乃至布施波羅蜜多
非畢竟遠離應非般若波羅蜜多乃至布施
波羅蜜多如是乃至若一切智智非畢竟遠
離應非一切智智善現以甚深般若波羅蜜
多乃至布施波羅蜜多畢竟遠離得名般若
波羅蜜多乃至布施波羅蜜多如是乃至以
一切智智畢竟遠離得名一切智智是故 善
現諸菩薩摩訶薩非不依止甚深般若波羅
蜜多證得無上正等菩提善現雖非遠離法

波羅蜜多乃至布施波羅蜜多如是乃至以
一切智智畢竟遠離得名一切智智是故善
現諸菩薩摩訶薩非不依止甚深般若波羅
蜜多證得無上正等菩提善現雖非遠離法
能證遠離法而證無上正等菩提非不依止
甚深般若波羅蜜多是故菩薩摩訶薩衆欲
得無上正等菩提常應精勤脩學如是甚深
般若波羅蜜多具壽善現白言世尊諸菩薩
摩訶薩所行法義並為甚深佛告善現如是
如是諸菩薩摩訶薩所行法義並為甚深難
見難覺非所尋思超尋思境微妙智者自内
所證不可宣說善現當知諸菩薩摩訶薩能
為難事雖行如是甚深法義而於聲聞獨覺
地法能不作證具壽善現復白佛言如我解
佛所說義者諸菩薩摩訶薩所作無難不應
說彼能為難事所以者何諸菩薩摩訶薩所
證法義都不可得能證般若波羅蜜多亦不
可得證法證者證處證時亦不可得世尊諸
菩薩摩訶薩觀一切法既不可得有何法義
可為所證有何般若波羅蜜多可為能證復
有何等而可施設證法證者證處證時既尒
云何可執由此證得無上正等菩提無上正
等菩提尚不可證況證聲聞獨覺地法世尊
若如是行是名菩薩無所得行若菩薩摩訶
薩能行如是無所得行於一切法無障無导
世尊若菩薩摩訶薩聞說此語其心不驚不
恐不怖不憂不悔不沉不沒是行般若波羅

若如是行是名菩薩無所得行若菩薩摩訶
薩能行如是無所得行於一切法無障無导
世尊若菩薩摩訶薩聞說此語其心不驚不
恐不怖不憂不悔不沉不沒是行般若波羅
蜜多世尊是菩薩摩訶薩如是行時不見諸
相不見我行不見不行不見般若波羅蜜多
是我所行不見無上正等菩提是我所證亦
復不見證時處等世尊是菩薩摩訶薩行深
般若波羅蜜多不作是念我遠聲聞獨覺菩
地我近無上正等菩提世尊譬如虛空不作
是念我去彼法若遠若近何以故虛空無動
亦無差別無分別故諸菩薩摩訶薩亦復如
是行深般若波羅蜜多不作是念我遠聲聞
獨覺等地我近無上正等菩提何以故甚深
般若波羅蜜多於一切法無分別故世尊譬如
幻士不作是念幻質幻師觀衆去我若遠
若近何以故所幻之士無分別故諸菩薩摩
訶薩亦復如是行深般若波羅蜜多不作是
念我遠聲聞獨覺等地我近無上正等菩提
何以故甚深般若波羅蜜多於一切法無分
別故世尊譬如影像不作是念我去本質及
我所依若遠若近何以故所現影像無分別
故諸菩薩摩訶薩亦復如是行深般若波羅
蜜多不作是念我遠聲聞獨覺等地我近無
上正等菩提何以故甚深般若波羅蜜多於
一切法無分別故世尊行深般若波羅蜜多
諸菩薩摩訶薩無愛無憎何以故甚深般若

上正等菩提何以故甚深般若波羅蜜多於
一切法無分別故世尊行深般若波羅蜜多
諸菩薩摩訶薩無愛無憎何以故甚深般若
波羅蜜多若愛若憎及境自性不可得故世
尊如諸如來應正等覺於一切法無愛無憎
行深般若波羅蜜多諸菩薩摩訶薩亦復如
是於一切法無愛無憎何以故諸佛菩薩甚
深般若波羅蜜多愛憎斷故世尊如諸如來
應正等覺一切分別種種分別周遍分別皆
畢竟斷行深般若波羅蜜多諸菩薩摩訶
薩亦復如是一切分別種種分別周遍分別皆
畢竟斷何以故諸佛菩薩甚深般若波羅
蜜多於一切法無分別故世尊如諸如來應正
等覺不作是念我遠聲聞獨覺等地我近無
上正等菩提行深般若波羅蜜多諸菩薩摩
訶薩亦復如是不作是念我遠聲聞獨覺等
地我近無上正等菩提何以故諸菩薩甚
深般若波羅蜜多於一切法無分別故世尊如
諸如來應正等覺所變化者不作是念我
遠聲聞獨覺等地我近無上正等菩提何以
故一切如來應正等覺及所變化無分別故
行深般若波羅蜜多諸菩薩摩訶薩亦復
如是不作是念我遠聲聞獨覺等地我近無上
正等菩提何以故甚深般若波羅蜜多於一
切法無分別故世尊如諸佛等欲有所作化
作化者令作彼事而所化者不作是念我能
造作如是事業何以故諸所化者於所作業

切法無分別故世尊如諸佛等欲有所作化
作化者令作彼事而所化者不作是念我能
造作如是事業何以故諸所化者於所作業
無分別故甚深般若波羅蜜多亦復如是有
所為故而勤脩習說脩習已雖能成辦所作
事業而於所作無所分別何以故甚深般若
波羅蜜多法爾於法無分別故世尊如巧工
匠或彼弟子有所為故造諸機關或女或男
或為馬等此諸機關雖有所作而於彼事先
所分別何以故機關法爾無分別故甚深般
若波羅蜜多亦復如是有所為故而成立之
說成立已雖能成辦所作所說而於其中都
無分別何以故甚深般若波羅蜜多法爾於
法無分別故
時舍利子問善現言為但般若波羅蜜多無
分別為靜慮精進安忍淨戒布施波羅蜜多亦
無分別善現答言非但般若波羅蜜多無
分別靜慮精進安忍淨戒布施波羅蜜多亦
無分別舍利子言為但六波羅蜜多無分別
為色受想行識亦無分別為眼處乃至意處
亦無分別為色處乃至法處亦無分別為眼
界乃至意界亦無分別為色界乃至法界亦
無分別為眼識界乃至意識界亦無分別為
眼觸乃至意觸亦無分別為眼觸為緣所生
諸受乃至意觸為緣所生諸受亦無分別為
地界乃至識界亦無分別為無明乃至老死
亦無分別為內空乃至無性自性空亦無分

眼觸乃至意觸亦無分別為眼觸為緣所生
諸受乃至意觸為緣所生諸受亦無分別為
地界乃至識界亦無分別為無明乃至老死
亦無分別為內空乃至無性自性空亦無分
別為真如乃至不思議界亦無分別為苦集
滅道聖諦亦無分別為四靜慮四無量四無
色定亦無分別為八解脫乃至十遍處亦無
分別為四念住乃至八聖道支亦無分別為
空無相無願解脫門亦無分別為淨觀地乃
至如來地亦無分別為極喜地乃至法雲地亦
無分別為一切陁羅尼門三摩地門亦無分
別為五眼六神通亦無分別為如來十力乃
至十八佛不共法亦無分別為無忘失法恒
住捨性亦無分別為一切智道相智一切相
智亦無分別為預流果乃至獨覺菩提亦無
分別為一切菩薩摩訶薩行亦無分別為諸
佛無上正等菩提亦無分別為有為界亦無
分別為無為界亦無分別善現當知非但六
波羅蜜多無分別色亦無分別受想行識亦
無分別乃至有為界亦無分別無為界亦無
分別舍利子言若一切法皆無分別云何分
別五趣差別謂是地獄是傍生是鬼界是人
是天云何分別聖者差別謂是預流是一來
是不還是阿羅漢是獨覺是菩薩是如來
善現答言有情顛倒煩惱因緣起種種身語意
業由此感得欲為根本業異熟果依此　施設
地獄傍生鬼界人天五趣差別又　所　問　言云

BD01581號　大般若波羅蜜多經卷四五六　（21-16）

是天云何分別聖者差別謂是預流是一來
是不還是阿羅漢是獨覺是菩薩是如來
善現答言有情顛倒煩惱因緣起種種身語意
業由此感得欲為根本業異熟果依此　施設
地獄傍生鬼界人天五趣差別又　所　問　言云
何分別聖差別者舍利子無分別故施設
預流及預流果無分別故施設一來及一來
果無分別故施設不還及不還果無分別故
施設阿羅漢及阿羅漢果無分別故施設獨
覺及獨覺菩提無分別故施設菩薩摩訶薩
及菩薩摩訶薩行無分別故施設如來應正
等覺及彼無上正等菩提舍利子過去如來
應正等覺由無分別分別斷故可施設有種
種差別未來如來應正等覺亦無分別分別
斷故可設有種種差別現在十方諸佛世
界一切如來應正等覺現說法者亦無分別
分別斷故可施設有種種差別舍利子由是
因緣當知法皆無分別由無分別真如法
界廣說乃至不思議界為定量故舍利子諸
菩薩摩訶薩應行如是無所分別甚深般若
波羅蜜多若菩薩摩訶薩能行如是無所分
別甚深般若波羅蜜多便能證得無所分別
微妙無上正等菩提覺一切法無分別性盡未
來際利樂有情
第二分堅非堅品第六十四
時舍利子問善現言諸菩薩摩訶薩脩行般
若波羅蜜多為行堅法為行非堅法善現答

BD01581號　大般若波羅蜜多經卷四五六　（21-17）

來際利樂有情
第二分堅非堅品第六十四
時舍利子問善現言諸菩薩摩訶薩脩行般
若波羅蜜多為行堅法為行非堅法善現荅
言諸菩薩摩訶薩脩行般若波羅蜜多行非
堅法不行堅法何以故舍利子般若波羅蜜
多乃至布施波羅蜜多非堅法故內空乃至
無性自性空非堅法故真如乃至不思議界非
堅法故苦集滅道聖諦非堅法故四念住
乃至八聖道支非堅法故四靜慮四無量四
無色定非堅法故八解脫乃至十遍處非堅
法故空無相無願解脫門非堅法故極喜地
乃至法雲地非堅法故一切陀羅尼門三摩
地門非堅法故五眼六神通非堅法故如來
十力乃至十八佛不共法非堅法故無忘失法
恒住捨性非堅法故一切智道相智一切
相智非堅法故一切菩薩摩訶薩行非堅法
故諸佛無上正等菩提非堅法故一切智智
非堅法故所以者何諸菩薩摩訶薩行深般
若波羅蜜多時於深般若波羅蜜多尚不見
有非堅可得況見有堅可得如是乃至行一
切智智時於一切智智尚不見有非堅可得
況見有堅可得有無量欲色界天咸作是
念住菩薩乘諸善男子善女人等能發無上
正等覺心如深般若波羅蜜多所說義行不
證實際平等法性不墮聲聞及獨覺地由此
因緣是善男子善女人等甚為希有能為難

BD01581號　大般若波羅蜜多經卷四五六　　（21–18）

念住菩薩乘諸善男子善女人等能發無上
正等覺心如深般若波羅蜜多所說義行不
證實際平等法性不墮聲聞及獨覺地由此
因緣是善男子善女人等甚為希有能為難
事應當敬礼尒時善現知彼諸天心之所念
便告彼曰是善男子善女人等不證實際平
等法性不墮聲聞及獨覺地非甚希有亦未
為難若菩薩摩訶薩知一切法及諸有情皆不
可得而發無上正等覺心被精進甲誓度無
量無邊有情令入無餘般涅槃界是菩薩
摩訶薩乃甚希有能為難事諸天當知若菩
薩摩訶薩雖知有情都無所有而發無上正
等覺心被精進甲為欲調伏諸有情類如有
為欲調伏虛空所以者何虛空離故當知一切
有情亦離虛空空故當知一切有情亦空虛
空非堅實故當知一切有情亦非堅實虛空
無所有故當知一切有情亦無所有由此因
緣是菩薩摩訶薩乃甚希有能為難事
諸天當知是菩薩摩訶薩被大悲甲為欲調
伏一切有情而諸有情都無所有如有被甲與
虛空戰諸天當知是菩薩摩訶薩被大悲甲
為欲利樂一切有情而諸有情及大悲甲俱
不可得所以者何有情離故此大悲甲當知
亦離有情空故此大悲甲當知亦空有情非
堅實故此大悲甲當知亦非堅實有情無所
有故此大悲甲當知亦無所有諸天當知是
菩薩摩訶薩調伏利樂諸有情事亦不可得

BD01581號　大般若波羅蜜多經卷四五六　　（21–19）

亦離有情空故此大悲甲當知亦空有情非
堅實故此大非甲當知亦非堅實有情無所
有故此大悲甲當知亦無所有諸天當知是
菩薩摩訶薩調伏利樂諸有情事亦不可得
所以者何有情離空非堅實無所有故此調
伏利樂事當知亦離空非堅實無所有諸天
當知是菩薩摩訶薩亦無所有所以者何有
情離空非堅實無所有故當知菩薩亦離空
非堅實無所有諸天當知若菩薩摩訶薩聞
如是事其心不驚不恐不怖不憂不悔不沉
不沒當知是菩薩摩訶薩行深般若波羅蜜
多所以者何諸色離即有情離受想行識離
即有情離眼處乃至意處離即有情離色
處乃至法處離即有情離眼界乃至意界離
即有情離色界乃至法界離即有情離眼識界
乃至意識界離即有情離眼觸乃至意觸離
即有情離眼觸為緣所生諸受乃至意觸為
緣所生諸受離即有情離地界乃至識界離
即有情因緣乃至增上緣離即有情離無
明乃至老死離即有情離布施波羅蜜多乃
至般若波羅蜜多離即有情離內空乃至無
性自性空離即有情離真如乃至不思議界
離即有情離苦集滅道聖諦離即有情離
念住乃至八聖道支離即有情離四靜慮四
無量四無色定離即有情離八解脫乃至十遍
處離即有情離空無相無願解脫門離即
有情離淨觀地乃至如來地離即有情離殊

BD01581 號　大般若波羅蜜多經卷四五六　（21–20）

即有情因緣乃至增上緣離即有情離無
明乃至老死離即有情離布施波羅蜜多乃
至般若波羅蜜多離即有情離內空乃至無
性自性空離即有情離真如乃至不思議界
離即有情離苦集滅道聖諦離即有情離
念住乃至八聖道支離即有情離四靜慮四
無量四無色定離即有情離八解脫乃至十遍
處離即有情離空無相無願解脫門離即
有情離淨觀地乃至如來地離即有情離殊
喜地乃至法雲地離即有情離一切陀羅尼
門三摩地門離即有情離五眼六神通離即
有情離如來十力乃至十八佛不共法離即
有情離三十二大士相八十隨好離即有情
離無忘失法恒住捨性離即有情離一切智
道相智一切相智離即有情離預流果乃至
獨覺菩提離即有情離一切菩薩摩訶薩行
離即有情離諸佛無上正等菩提離即有情
離一切智智離即有情離

大般若波羅蜜多經卷第四百五十六

BD01581 號　大般若波羅蜜多經卷四五六　（21–21）

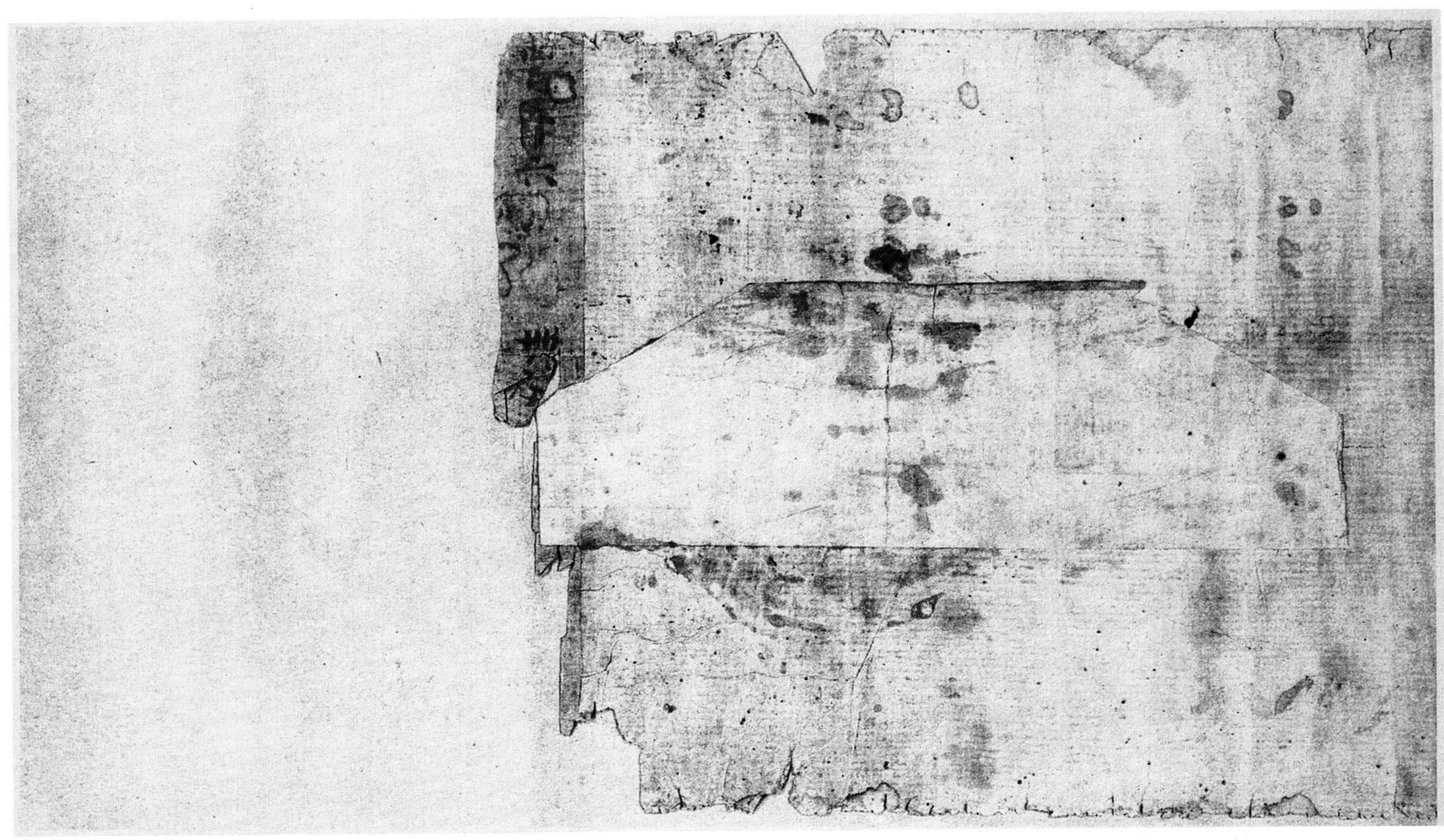

BD01581 號背　勘記　　（1–1）

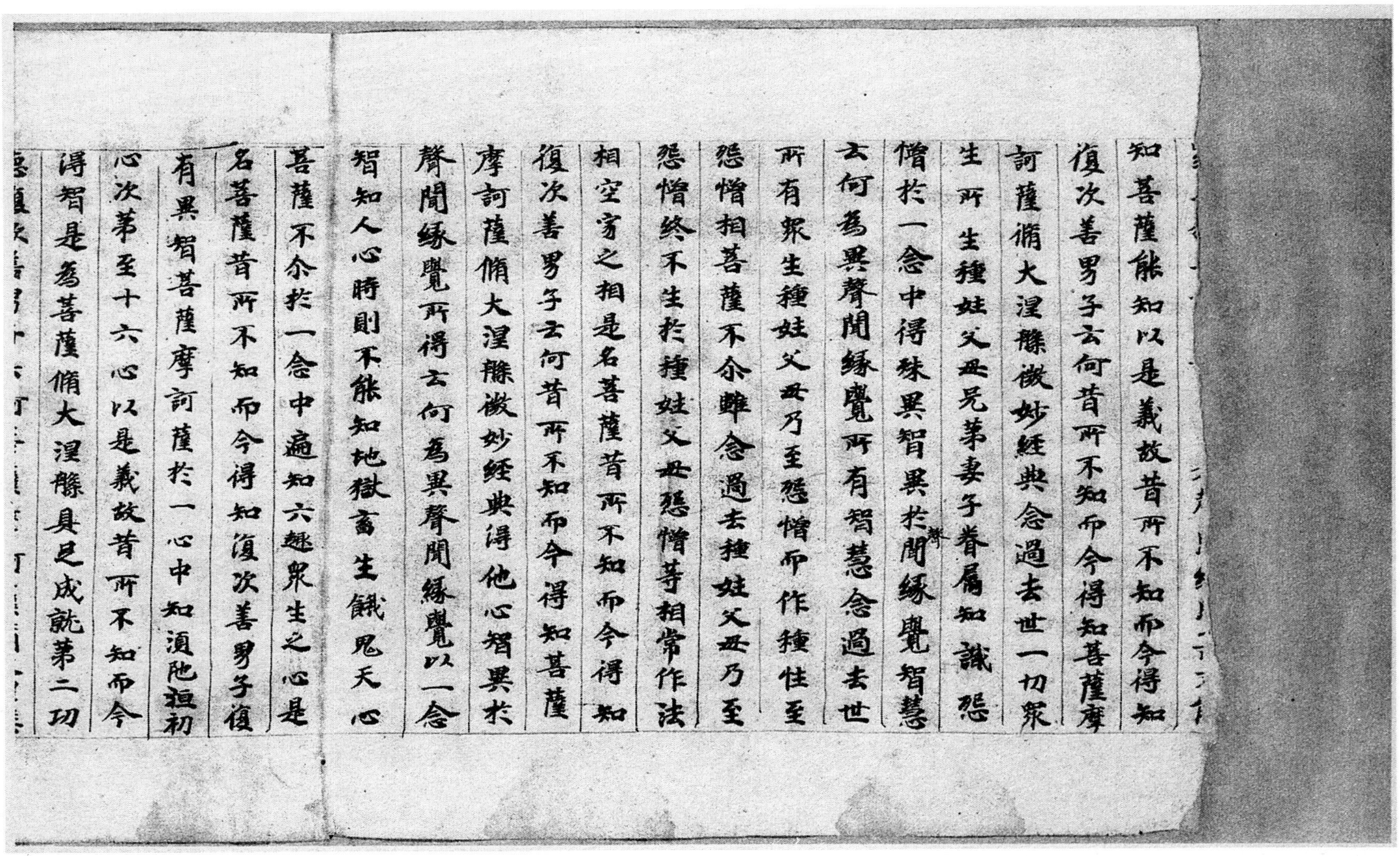

知菩薩能知以是義故昔所不知而今得知
復次善男子云何昔所不知而今得知菩薩摩
訶薩脩大涅槃微妙經典念過去世一切衆
生所生種姓父母兄弟妻子眷屬知識怨
憎於一念中得殊異智異於聲聞緣覺智慧
云何為異聲聞緣覺所有智慧念過去世
所有衆生種姓父母乃至怨憎而作種性至
怨憎相菩薩不尒雖念過去種姓父母乃至
怨憎終不生於種姓父母怨憎等相常作法
相空寂之相是名菩薩昔所不知而今得知
復次善男子云何昔所不知而今得知菩薩
摩訶薩脩大涅槃微妙經典得他心智異於
聲聞緣覺所得云何為異聲聞緣覺以一念
智知人心時則不能知地獄畜生餓鬼天心
菩薩不尒於一念中遍知六趣衆生之心是
名菩薩昔所不知而今得知復次善男子復
有異智菩薩摩訶薩於一心中知須陁洹初
心次第至十六心以是義故昔所不知而今
得智是為菩薩脩大涅槃具足成就第二功

BD01582 號　大般涅槃經（北本）卷二四　　（3–1）

名菩薩昔所不知而今得知復次善男子復
有異智菩薩摩訶薩於一心中知須陁洹初
心次第至十六心以是義故昔所不知而今
得智是爲菩薩脩大涅槃具足成就第二功
德復次善男子云何菩薩摩訶薩脩大涅槃
成就具足第三功德善男子菩薩摩訶薩脩
大涅槃捨慈得慈得慈之時不從因緣云何
名爲捨慈得慈善男子慈名世諦菩薩摩訶
薩捨世諦慈得第一義慈第一義慈不從緣
慈若可得即名菩薩无緣之慈捨一闡提慈
得復次云何捨慈得慈慈若可捨名凡夫慈
犯重禁慈謗方等慈作五逆慈得憐愍慈
得如來慈世尊之慈无因緣慈云何復名捨慈
得慈捨黄門慈无根二根女人之慈屠膾獵
師畜養雞猪如是等慈亦捨聲聞辟支佛慈
得諸菩薩无緣之慈不見自慈不見他慈不
見持戒不見破戒雖自見悲不見衆生雖有
苦受不見受者何以故以脩第一真實義故
是名菩薩脩大涅槃成就具足第三功德復
次善男子云何菩薩摩訶薩脩大涅槃成就
具足第四功德善男子菩薩摩訶薩脩大涅
槃成就具足第四功德有十事何等爲十一
者根深難可傾拔二者自身生决定想三者不

BD01582號　大般涅槃經（北本）卷二四　（3-2）

得慈捨黄門慈无根二根女人之慈屠膾獵
師畜養雞猪如是等慈亦捨聲聞辟支佛慈
得諸菩薩无緣之慈不見自慈不見他慈不
見持戒不見破戒雖自見悲不見衆生雖有
苦受不見受者何以故以脩第一真實義故
是名菩薩脩大涅槃成就具足第三功德復
次善男子云何菩薩摩訶薩脩大涅槃成就
具足第四功德善男子菩薩摩訶薩脩大涅
槃成就具足第四功德有十事何等爲十一
者根深難可傾拔二者自身生决定想三者不
觀福田及非福田四者脩淨佛土五者拔除
有餘六者斷除業緣七者脩清淨身八者
了知諸緣九者離諸怨敵十者斷除二邊云
何根深難可傾拔所言根者名不放逸不放
逸者爲是何根所謂阿耨多羅三藐三菩提
根善男子一切諸佛諸善根本皆不放逸不

BD01582號　大般涅槃經（北本）卷二四　（3-3）

諸佛體皆同　所說法亦尒
世尊金剛體　權現於化身　是
佛非血肉身　云何有舍利　方
法身是正覺　法界即如來　此是佛真身　亦說如是法
尒時會中三万二千天子聞說如來壽命長
遠皆發阿耨多羅三藐三菩提心歡喜踊
躍得未曾有異口同音而說頌曰
佛不般涅槃　正法亦不滅　為利衆生故　示現有滅盡
世尊不思議　妙體無異相　為利衆生故　現種種莊嚴
尒時妙幢菩薩親於佛前及四如來并二大
士諸天子所聞說釋迦牟尼如來壽量事已
復從座起合掌恭敬白佛言世尊若實如
是諸佛如來不般涅槃無舍利者云何經中
說有涅槃及佛舍利令諸人天恭敬供養過
去諸佛現有身骨流布於世人天供養得福
無邊今復言無致生疑惑唯願世尊哀愍我
等廣為分別
尒時佛告妙幢菩薩及諸大衆汝等當知云
般涅槃有舍利者是密意說如是之義當一心
聽善男子菩薩摩訶薩如是應知有其十

BD01583號　金光明最勝王經卷一　（7–1）

去諸佛現有身骨流布於世人天供養得福
無邊今復言無致生疑惑唯願世尊哀愍我
等廣為分別
尒時佛告妙幢菩薩及諸大衆汝等當知云
般涅槃有舍利者是密意說如是之義當一心
聽善男子菩薩摩訶薩如是應知有其十
法能解如來應正等覺真實理趣說有究
竟大般涅槃云何為十一者諸佛如來究竟斷
盡諸煩惱障所知障故名為涅槃二者諸佛
如來善能解了有情無性及法無性故名為
涅槃三者能轉身依及法依故名為涅槃四
者於諸有情任運休息化因緣故名為涅槃
五者證得真實無差別相平等法身故名為
涅槃六者了知生死及以涅槃無二性故名為
涅槃七者於一切法了其根本證清淨故名
為涅槃八者於一切法無生無滅善脩行故
名為涅槃九者真如法界實際平等得正智
故名為涅槃十者於諸法性及涅槃性得無
差別故名為涅槃是謂十法說有涅槃
復次善男子菩薩摩訶薩如是應知復有十
法能解如來應正等覺真實理趣說有究竟
大般涅槃云何為十一者一切煩惱以樂欲為
本從樂欲生諸佛世尊斷樂欲故名為涅槃
二者以諸如來斷諸樂欲不取一法以不取
故無去無來無所取故名為涅槃三者以無
去來及無所取是則法身不生不滅無生滅

BD01583號　金光明最勝王經卷一　（7–2）

大般涅槃云何為十一者一切煩惱以樂欲為
本從樂欲生諸佛世尊斷樂欲故名為涅槃
二者以諸如來斷諸樂欲不取一法以不取
故無去無來無所取故名為涅槃三者以無
去來及無所取是則法身不生不滅無生滅
故名為涅槃四者此無生滅非言所宣言語
斷故名為涅槃五者無有我人唯法生滅得
轉依故名為涅槃六者煩惱隨惑皆是
客塵法性是主無來無去佛了知故名為涅
槃七者真如是實餘皆虛妄實性體者即是
真如真如性者即是如來名為涅槃八者實際
之性無有戲論唯獨如來證實際法戲論永
斷名為涅槃九者無生是實生是虛妄愚癡
之人漂溺生死如來體實無有虛妄名為涅
槃十者不實之法是從緣生真實之法不從
緣起如來法身體是真實名為涅槃善男
子是謂十法說有涅槃
復次善男子菩薩摩訶薩如是應知復有十
法能解如來應正等覺真實理趣說有究
竟大涅槃云何為十一者如來善知施及施
果無我我所此施及果不正分別永除滅故名
為涅槃二者如來善知戒及戒果无我我
所此戒及果不正分別永除滅故名為涅槃
三者如來善知忍及忍果無我我所此忍及
果不正分別永除滅故名為涅槃四者如來
善知勤及勤果無我我所此勤及果不正分別

BD01583號　金光明最勝王經卷一　(7–3)

所此戒及果不正分別永除滅故名為涅槃
三者如來善知忍及忍果無我我所此忍及
果不正分別永除滅故名為涅槃四者如來
善知勤及勤果無我我所此勤及果不正分別
永除滅故名為涅槃五者如來善知定及定
果無我我所此定及果不正分別永除滅故
名為涅槃六者如來善知慧及慧果无我
我所此慧及果不正分別永除滅故名為涅
槃七者諸佛如來善能了知一切有情非有
情一切諸法皆无性不正分別永除滅故名
為涅槃八者若自愛著便起追求由追求故
受衆苦惱諸佛如來除自愛故永絕追求无
追求故名為涅槃九者有為之法皆有數量
无為法者數量皆除佛離有為證无為法无
數量故名為涅槃十者如來了知有情及法
體性皆空離空非有空性即是真法身故名
為涅槃善男子是謂十法說有涅槃
復次善男子豈唯如來不般涅槃是為希
有復有十種希有之法是如來行云何為十
一者生死過失涅槃寂靜由於生死及以涅槃
證平等故不處流轉不住涅槃於諸有情不
生厭背是如來行二者佛於衆生不作是念
此諸愚夫行顛倒見為諸煩惱之所纏迫我
今開悟令其解脫然由往昔慈善根力於彼
有情隨其根性意樂勝解不起分別任運濟
度示教利喜盡未來際無有窮盡是如來

BD01583號　金光明最勝王經卷一　(7–4)

生獸皆是如來行二者佛於衆生不作是念
此諸愚夫行顛倒見爲諸煩惱之所纏迫我
今開悟令其解脫然由往昔慈善根力於彼
有情隨其根性意樂勝解不起分別任運濟
度示教利喜盡未來際無有窮盡是如來
行三者佛无是念我今演說十二分教利益
有情然由往昔慈善根力於彼有情廣說乃
至盡未來際无有窮盡是如來行四者佛无是
念我今往彼城邑聚落王及大臣婆羅門刹
帝利薜舍戍達羅等舍從其乞食然由往昔
身語意行串習力故任運詣彼爲利益事而行
乞食是如來行五者如來之身无有飢渴
亦无便利羸憊之想雖行乞取而无所食亦
无分別然爲任運利益有情是有食相是如來
行六者佛无是念此諸衆生有上中下隨彼
機性而爲說法然佛世尊无有分別隨其器
量善應機緣爲彼說法是如來行七者佛无
是念此類有情不恭敬我常於我所出呵罵
言不能与彼共爲言論彼類有情恭敬於我
常於我所共相讚歎我當与彼共爲言說然
而如來起慈悲心平等无二是如來行八者諸
佛如來无有愛憎憍慢貪惜及諸煩惱然
而如來常樂寂靜讚歎少欲離諸諠鬧是
如來行九者如來无有一法不知不善通達
於一切處鏡智現前无有分別然而如來見
彼有情所作事業隨彼意轉方便誘引令得

BD01583號　金光明最勝王經卷一　（7–5）

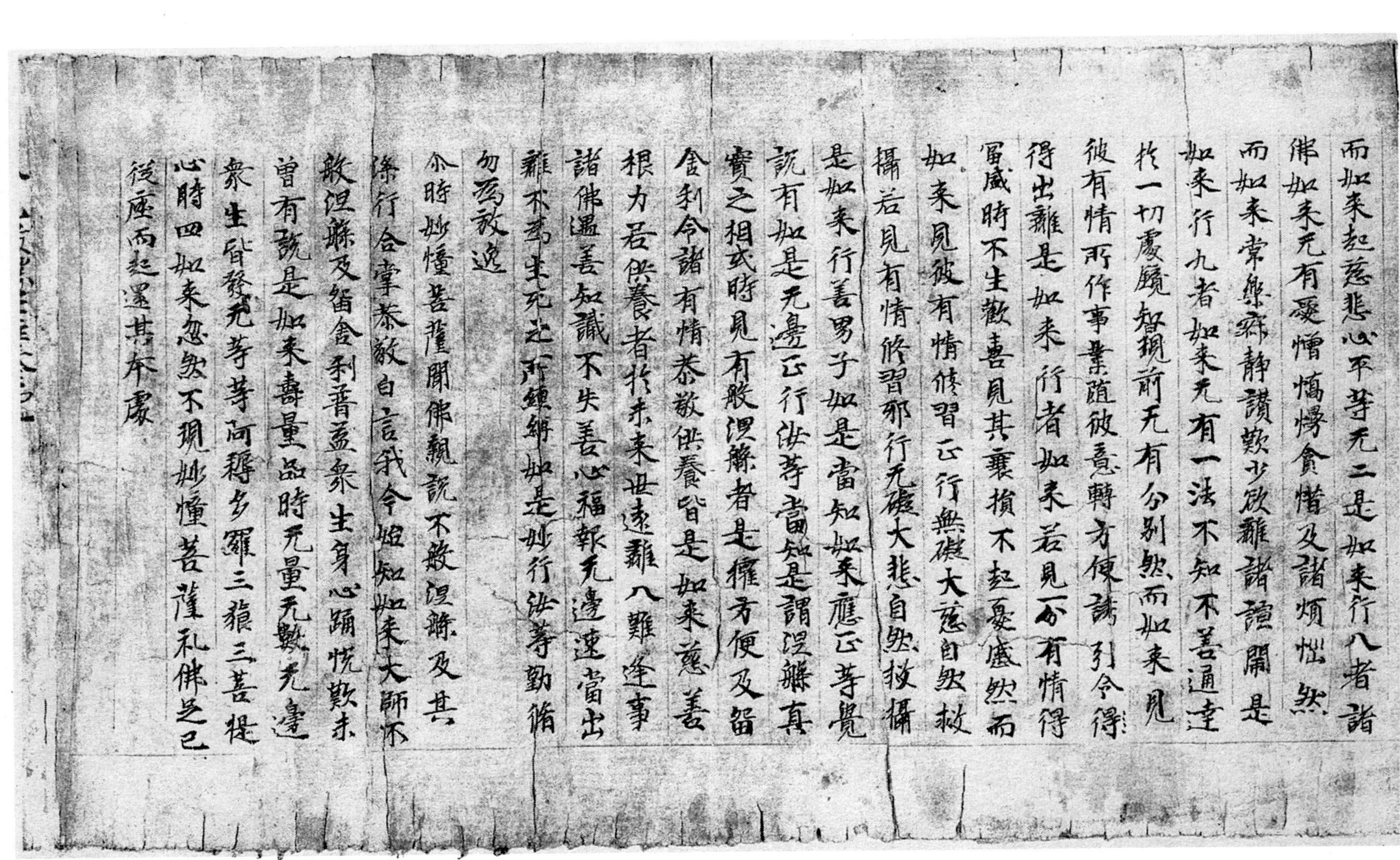
而如來起慈悲心平等无二是如來行八者諸
佛如來无有愛憎憍慢貪惜及諸煩惱然
而如來常樂寂靜讚歎少欲離諸諠鬧是
如來行九者如來无有一法不知不善通達
於一切處鏡智現前无有分別然而如來見
彼有情所作事業隨彼意轉方便誘引令得
出離是如來行十者如來若見一分有情得
富盛時不生歡喜見其衰損不起憂感然而
如來見彼有情脩習正行無礙大慈自然救
攝若見有情脩習邪行无礙大悲自然救攝
是如來行善男子如是當知如來應正等覺
說有如是无邊正行汝等當知是謂涅槃真
實之相或時見有般涅槃者是權方便及留
舍利令諸有情恭敬供養皆是如來慈善
根力若供養者於未來世遠離八難逢事
諸佛遇善知識不失善心福報无邊速當出
離不爲生死之所纏縛如是妙行汝等勤脩
勿爲放逸
尒時妙幢菩薩聞佛親說不般涅槃及甚
深行合掌恭敬白言我今始知如來大師不
般涅槃及留舍利普益衆生身心踊悅歎未
曾有說是如來壽量品時无量无數无邊
衆生皆發无等等阿耨多羅三藐三菩提
心時四如來忽然不現妙幢菩薩禮佛足已
從座而起還其本處

BD01583號　金光明最勝王經卷一　（7–6）

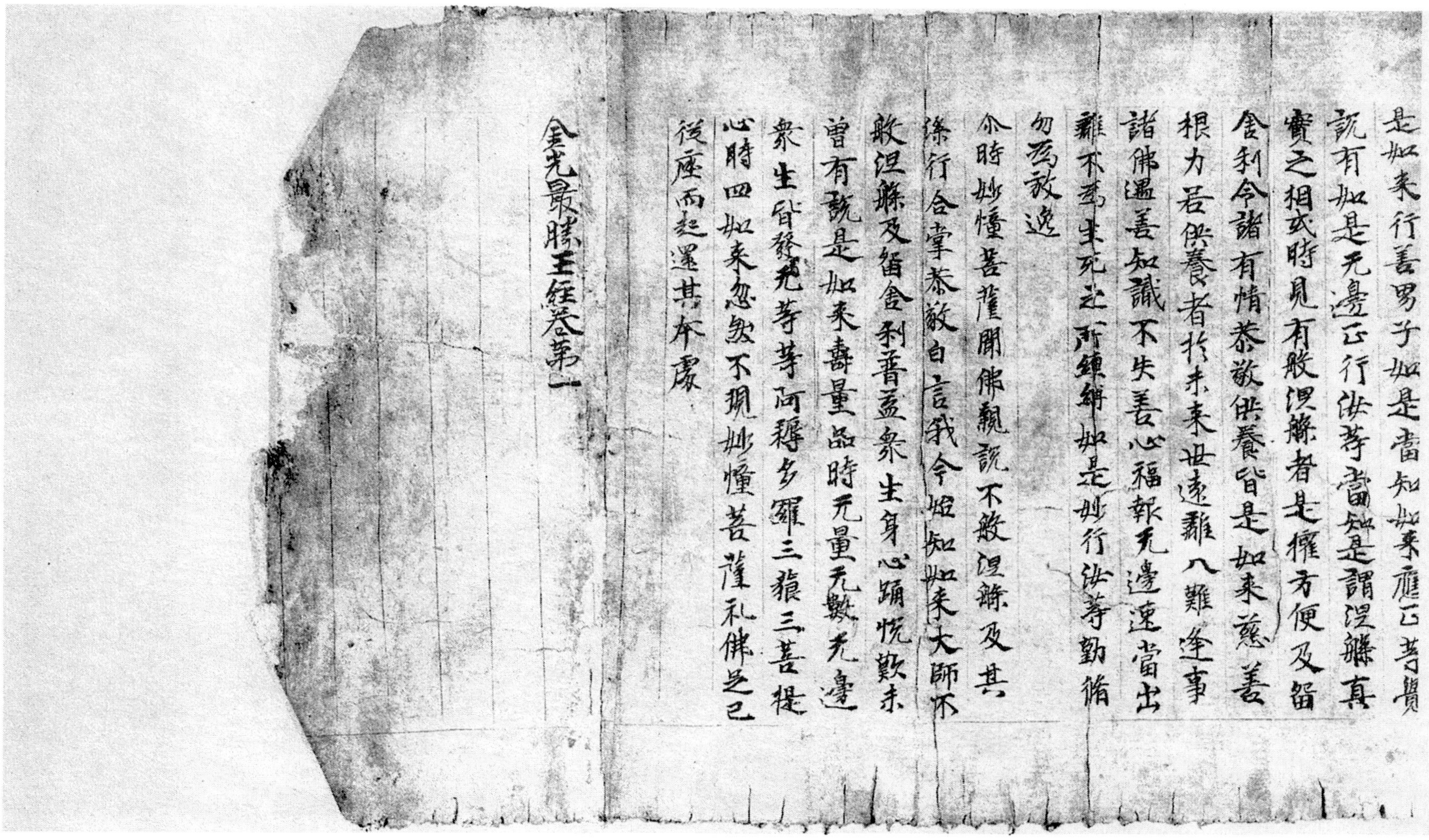

是如來行善男子如是當知如來應正等覺
說有如是无邊正行汝等當知是謂涅槃真
實之相或時見有般涅槃者是權方便及留
舍利令諸有情恭敬供養皆是如來慈善
根力若供養者於未來世遠離八難逢事
諸佛遇善知識不失善心福報无邊速當出
離不為生死之所纏縛如是妙行汝等勤脩
勿為放逸
尒時妙幢菩薩聞佛親說不般涅槃及其
深行合掌恭敬白言我今始知如來大師不
般涅槃及留舍利普益衆生身心踊悅歎未
曾有說是如來壽量品時无量无數无邊
衆生皆發无等等阿耨多羅三藐三菩提
心時四如來忽然不現妙幢菩薩礼佛足已
從座而起還其本處

金光明最勝王經卷第一

BD01583 號　金光明最勝王經卷一　（7–7）

BD01583 號背　檢校工部尚書兼將作監栁晟狀（擬）　（3–1）

BD01583 號背　檢校工部尚書兼將作監栁晟狀（擬）　　（3–2）

BD01583 號背　檢校工部尚書兼將作監栁晟狀（擬）　　（3–3）

也世尊如来不應以具足諸相見何以故如
来說諸相具足即非具足是名諸相具足須
菩提汝勿謂如来作是念我當有所說法莫
作是念何以故若人言如来有所說法即為
謗佛不能解我所說故須菩提說法者无法
可說是名說法須菩提白佛言世尊佛得阿
耨多羅三藐三菩提為无所得耶如是如是
須菩提我於阿耨多羅三藐三菩提乃至无
有少法可得是名阿耨多羅三藐三菩提復
次須菩提是法平等无有高下是名阿耨多
羅三藐三菩提以无我无人无衆生无壽者
脩一切善法則得阿耨多羅三藐三菩提須
菩提所言善法者如来說非善法是名善法
須菩提若三千大千世界中所有諸須弥山
王如是等七寶聚有人持用布施若人以此
般若波羅蜜經乃至四句偈等受持讀誦為他
人說於前福德百分不及一百千万億分乃至
筭數譬喻所不能及
須菩提於意云何汝等勿謂如来作是念我
當度衆生須菩提莫作是念何以故實无有
衆生如来度者若有衆生如来度者如来則

BD01584號　金剛般若波羅蜜經　（4–1）

般若波羅蜜經乃至四句偈等受持讀誦為他
人說於前福德百分不及一百千万億分乃至
筭數譬喻所不能及
須菩提於意云何汝等勿謂如来作是念我
當度衆生須菩提莫作是念何以故實无有
衆生如来度者若有衆生如来度者如来則
有我人衆生壽者須菩提如来說有我者則
非有我而凡夫之人以為有我須菩提凡之
者如来說則非凡夫須菩提於意云何可以
三十二相觀如来不須菩提言如是如是以
三十二相觀如来佛言須菩提若以三十二
相觀如来者轉輪聖王則是如来須菩提白
佛言世尊如我解佛所說義不應以三十二
相觀如来尒時世尊而說偈言
若以色見我　以音聲求我　是人行耶道　不能見如来
須菩提汝若作是念如来不以具足相故得
阿耨多羅三藐三菩提須菩提莫作是念如
来不以具足相故得阿耨多羅三藐三菩提
須菩提汝若作是念發阿耨多羅三藐三菩
提者說諸法斷滅莫作是念何以故發阿耨
多羅三藐三菩提者於法不說斷滅相須菩
提若菩薩以滿恒河沙等世界七寶布施若
復有人知一切法无我得成於忍此菩薩勝
前菩薩所得功德須菩提以諸菩薩不受福
德故須菩提白佛言世尊云何菩薩不受福
德須菩提菩薩所作福德不應貪著是故說

BD01584號　金剛般若波羅蜜經　（4–2）

須有人知一切法无我得成於忍此菩薩勝
前菩薩所得功德須菩提以諸菩薩不受福
德故須菩提白佛言世尊云何菩薩不受福
德須菩提菩薩所作福德不應貪著是故說
不受福德須菩提若有人言如來若來若去
若坐若卧是人不解我所說義何以故如來
者无所從來亦无所去故名如來須菩提若
善男子善女人以三千大千世界碎為微塵
於意云何是微塵衆寧為多不甚多世尊何
以故若是微塵衆實有者佛則不說是微塵
衆所以者何佛說微塵衆則非微塵衆是名
微塵衆世尊如來所說三千大千世界則非
世界是名世界何以故若世界實有者則是
一合相如來說一合相則非一合相是名一合相
須菩提一合相者則是不可說但凡夫之
人貪著其事須菩提若人言佛說我見人見
衆生見壽者見須菩提於意云何是人解我
所說義不世尊是人不解如來所說義何以
故世尊說我見人見衆生見壽者見即非我
見人見衆生見壽者見是名我見人見衆生
見壽者見須菩提發阿耨多羅三藐三菩提
心者於一切法應如是知如是見如是信解
不生法相須菩提所言法相者如來說即非
法相是名法相須菩提若有人以滿无量阿
僧祇世界七寶持用布施若有善男子善女
人發菩薩心者持於此經乃至四句偈等受
持讀誦為人演說其福勝彼云何為人演說

BD01584號　金剛般若波羅蜜經　（4–3）

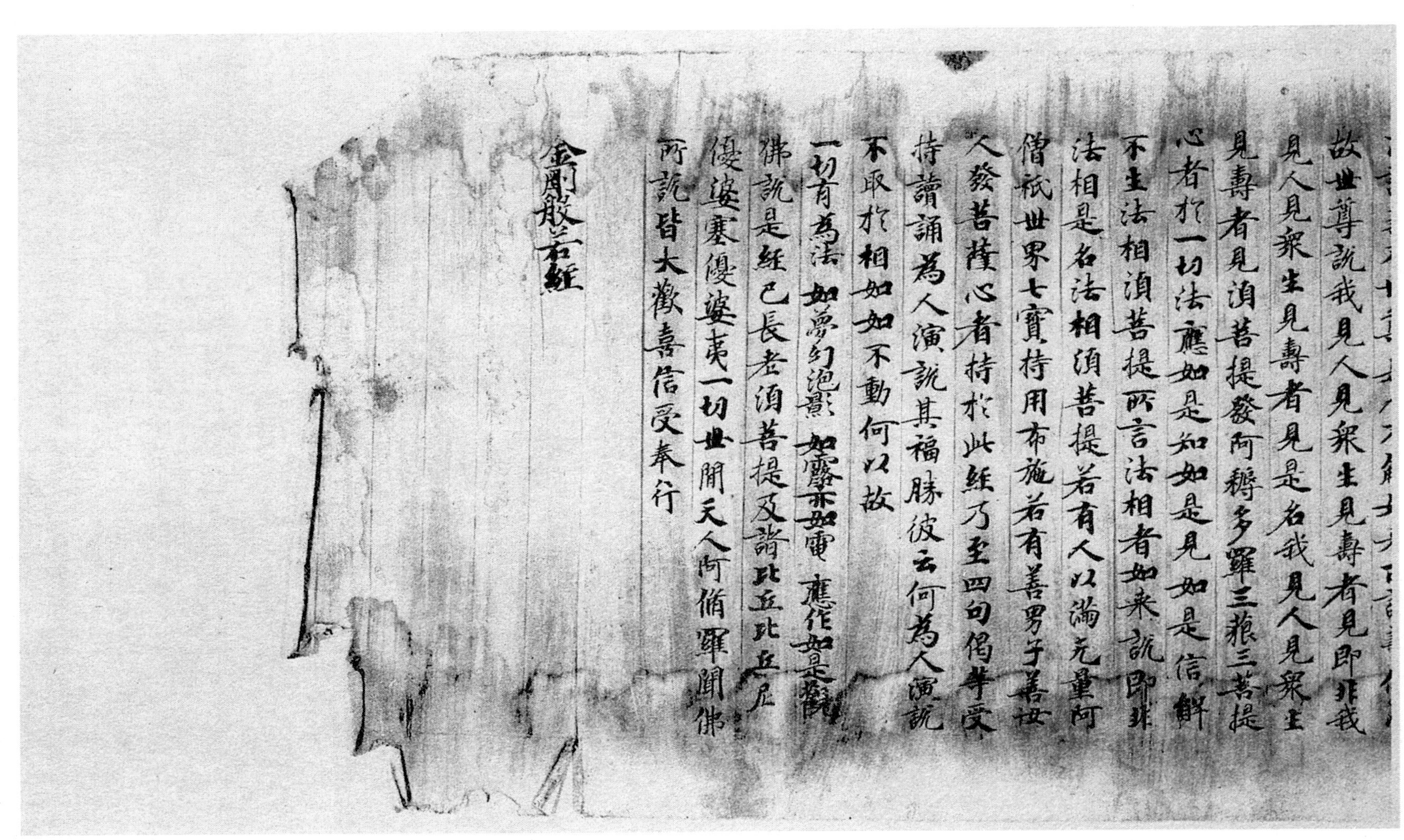
故世尊說我見人見衆生見壽者見即非我
見人見衆生見壽者見是名我見人見衆生
見壽者見須菩提發阿耨多羅三藐三菩提
心者於一切法應如是知如是見如是信解
不生法相須菩提所言法相者如來說即非
法相是名法相須菩提若有人以滿无量阿
僧祇世界七寶持用布施若有善男子善女
人發菩薩心者持於此經乃至四句偈等受
持讀誦為人演說其福勝彼云何為人演說
不取於相如如不動何以故
一切有為法　如夢幻泡影　如露亦如電　應作如是觀
佛說是經已長老須菩提及諸比丘比丘尼
優婆塞優婆夷一切世間天人阿脩羅聞佛
所說皆大歡喜信受奉行
金剛般若經

BD01584號　金剛般若波羅蜜經　（4–4）

種麁重又舍利子若菩薩摩訶薩從初發心
常樂受持十善業道不起聲聞心不起獨覺
心於諸有情恒起悲心欲拔其苦恒起慈心
欲與其樂舍利子我亦說如是菩薩摩訶薩
能淨身語意三種麁重利樂有情心力勝故
復次舍利子有菩薩摩訶薩脩行布施淨戒
安忍精進靜慮般若波羅蜜多淨菩提道尒
時舍利子白佛言世尊云何名為菩薩摩訶
薩菩提道佛告具壽舍利子言舍利子諸菩
薩摩訶薩脩行六種波羅蜜多不得身業及
身麁重不得語業及語麁重不得意業及意
麁重不得布施波羅蜜多不得淨戒波羅蜜
多不得安忍波羅蜜多不得精進波羅蜜多
不得靜慮波羅蜜多不得般若波羅蜜多不
得聲聞不得獨覺不得菩薩不得如來舍利
子是名菩薩摩訶薩菩提道何以故以菩提
道於一切法皆不得故
復次舍利子有菩薩摩訶薩脩行布施淨戒
安忍精進靜慮般若波羅蜜多趣菩提道无
能制者尒時舍利子白佛言世尊何緣菩薩
摩訶薩脩行六種波羅蜜多趣菩提道无能
制者佛告具壽舍利子言舍利子諸菩薩摩

BD01585號　大般若波羅蜜多經卷八　（15–1）

道於一切法皆不得故
復次舍利子有菩薩摩訶薩脩行布施淨戒
安忍精進靜慮般若波羅蜜多趣菩提道无
能制者尒時舍利子白佛言世尊何緣菩薩
摩訶薩脩行六種波羅蜜多趣菩提道无能
制者佛告具壽舍利子言舍利子諸菩薩摩
訶薩脩行六種波羅蜜多時不著色不著受
想行識不著眼處不著耳鼻舌身意處不著
色處不著聲香味觸法處不著眼界不著耳
鼻舌身意界不著色界不著聲香味觸法界
不著眼識界不著耳鼻舌身意識界不著眼
觸不著耳鼻舌身意觸不著眼觸為緣所生
諸受不著耳鼻舌身意觸為緣所生諸受不
著地界不著水火風空識界不著因緣不著
等无間緣所緣緣增上緣及從緣所生法不
著无明不著行識名色六處觸受愛取有生
老死愁歎苦憂惱不著布施波羅蜜多不著
淨戒安忍精進靜慮般若波羅蜜多不著內
空不著外空內外空空空大空勝義空有為
空无為空畢竟空无際空散空无變異空本
性空自相空共相空一切法空不可得空无
性空自性空无性自性空不著真如不著法
界法性不虛妄性不變異性平等性離生性
法定法住實際虛空界不思議界不著四念
住不著四正斷四神足五根五力七等覺支
八聖道支不著苦聖諦不著集滅道聖諦不

BD01585號　大般若波羅蜜多經卷八　（15–2）

界法性不虛妄性不變異性平等性離生性
法定法住實際虛空界不思議界不著四念
住不著四正斷四神足五根五力七等覺支
八聖道支不著苦聖諦不著集滅道聖諦不
著四靜慮不著四无量四无色定不著八解
脫不著八勝處九次第定十遍處不著空解
脫門不著无相无願解脫門不著一切陁羅
尼門不著一切三摩地門不著極喜地不著
離垢地發光地焰慧地極難勝地現前地遠
行地不動地善慧地法雲地不著五眼不著
六神通不著佛十力不著四无所畏四无礙
解大慈大悲大喜大捨十八佛不共法不著
三十二大士相不著八十隨好不著无忘失
法不著恒住捨性不著一切智不著道相智
一切相智不著預流果不著一來不還阿羅
漢果獨覺菩提不著一切菩薩摩訶薩行不
著諸佛无上正等菩提舍利子由是緣故諸
菩薩摩訶薩脩行六種波羅蜜多增長熾盛
趣菩提道无能制者
復次舍利子有菩薩摩訶薩安住般若波
羅蜜多速能圓滿一切智智成勝智故開閇一
切險惡趣門不受人天貧窮下賤諸根具足
形貌端嚴世間天人阿素洛等咸共尊重恭
敬供養尒時舍利子白佛言世尊何等名為
是菩薩摩訶薩所成勝智佛告具壽舍利子
言舍利子是菩薩摩訶薩成此智故普見十
方殑伽沙等諸佛世界一切如來應正等覺

BD01585號　大般若波羅蜜多經卷八　（15–3）

形貌端嚴世間天人阿素洛等咸共尊重恭
敬供養尒時舍利子白佛言世尊何等名為
是菩薩摩訶薩所成勝智佛告具壽舍利子
言舍利子是菩薩摩訶薩成此智故普見十
方殑伽沙等諸佛世界一切如來應正等覺
普聞彼佛所說正法普見彼會一切聲聞菩
薩僧等亦見彼土清淨功德莊嚴之相舍利
子是菩薩摩訶薩成此智故不起世界想不
起如來想不起正法想不起菩薩想不起聲
聞想不起獨覺想不起自想不起他想不起
佛土想又舍利子諸菩薩摩訶薩由此智故
雖行布施波羅蜜多而不得布施波羅蜜多
雖行淨戒安忍精進靜慮般若波羅蜜多而
不得淨戒安忍精進靜慮般若波羅蜜多諸
菩薩摩訶薩由此智故雖住內空而不得內
空雖住外空內外空空空大空勝義空有為
空无為空畢竟空无際空散空无變異空本
性空自相空共相空一切法空不可得空无
性空自性空无性自性空而不得外空乃至
无性自性空諸菩薩摩訶薩由此智故雖住
真如而不得真如雖住法界法性不虛妄性
不變異性平等性離生性法定法住實際虛
空界不思議界而不得法界乃至不思議界
諸菩薩摩訶薩由此智故雖脩四念住而不
得四念住雖脩四正斷四神足五根五力七
等覺支八聖道支而不得四正斷乃至八聖
道支諸菩薩摩訶薩由此智故雖

BD01585號　大般若波羅蜜多經卷八　（15–4）

諸菩薩摩訶薩由此智故雖脩四念住而不
得四念住雖脩四正斷四神足五根五力七
等覺支八聖道支而不得四正斷乃至八聖
道支諸菩薩摩訶薩由此智故雖住苦聖諦
而不得苦聖諦雖住集滅道聖諦而不得集
滅道聖諦諸菩薩摩訶薩由此智故雖脩四
靜慮而不得四靜慮雖脩四无量四无色定
而不得四无量四无色定諸菩薩摩訶薩由
此智故雖脩八解脫而不得八解脫雖脩八
勝處九次第定十遍處而不得八勝處九次
第定十遍處諸菩薩摩訶薩由此智故雖脩
空解脫門而不得空解脫門雖脩无相无願
解脫門而不得无相无願解脫門諸菩薩摩
訶薩由此智故雖脩一切陀羅尼門而不得
一切陀羅尼門雖脩一切三摩地門而不得
一切三摩地門諸菩薩摩訶薩由此智故雖
脩極喜地而不得極喜地雖脩離垢地發光
地焰慧地極難勝地現前地遠行地不動地
善慧地法雲地而不得離垢地乃至法雲地
諸菩薩摩訶薩由此智故雖脩五眼而不得
五眼雖脩六神通而不得六神通諸菩薩摩
訶薩由此智故雖脩佛十力而不得佛十力
雖脩四无所畏四无礙解大慈大悲大喜大
捨十八佛不共法而不得四无所畏乃至十
八佛不共法諸菩薩摩訶薩由此智故雖脩
三十二大士相而不得三十二大士相雖脩
八十隨好而不得八十隨好諸菩薩摩訶薩

BD01585號　大般若波羅蜜多經卷八　（15-5）

捨十八佛不共法而不得四无所畏乃至十
八佛不共法諸菩薩摩訶薩由此智故雖脩
三十二大士相而不得三十二大士相雖脩
八十隨好而不得八十隨好諸菩薩摩訶薩
由此智故雖脩无忘失法而不得无忘失法
雖脩恒住捨性而不得恒住捨性諸菩薩
摩訶薩由此智故雖脩一切智而不得一切智
雖脩道相智一切相智而不得道相智一切
相智諸菩薩摩訶薩由此智故雖脩一切菩
薩摩訶薩行而不得一切菩薩摩訶薩行
雖脩諸佛无上正等菩提而不得諸佛无上正
等菩提舍利子是名菩薩摩訶薩所成勝智
諸菩薩摩訶薩由成此智速能圓滿一切佛
法雖能圓滿一切佛法而於諸法无執无取
以一切法自性空故
復次舍利子有菩薩摩訶薩脩行布施淨
戒安忍精進靜慮般若波羅蜜多得淨五眼何
等為五所謂肉眼天眼慧眼法眼佛眼尒時
舍利子白佛言世尊云何菩薩摩訶薩得淨
肉眼佛告具壽舍利子言舍利子有菩薩摩
訶薩得淨肉眼明了能見百踰繕那有菩薩
摩訶薩得淨肉眼明了能見二百踰繕那有
菩薩摩訶薩得淨肉眼明了能見三百踰繕
那有菩薩摩訶薩得淨肉眼明了能見四百
五百六百乃至千踰繕那有菩薩摩訶薩得
淨肉眼明了能見一贍部洲有菩薩摩訶薩

BD01585號　大般若波羅蜜多經卷八　（15-6）

菩薩摩訶薩得淨肉眼明了能見三百踰繕
那有菩薩摩訶薩得淨肉眼明了能見四百
五百六百乃至千踰繕那有菩薩摩訶薩得
淨肉眼明了能見一贍部洲有菩薩摩訶薩
得淨肉眼明了能見二大洲界有菩薩摩訶
薩得淨肉眼明了能見三大洲界有菩薩摩
訶薩得淨肉眼明了能見四大洲界有菩薩
摩訶薩得淨肉眼明了能見小千世界有菩
薩摩訶薩得淨肉眼明了能見中千世界有
菩薩摩訶薩得淨肉眼明了能見大千世界
舍利子是為菩薩摩訶薩得淨肉眼
尒時舍利子復白佛言世尊云何菩薩摩訶
薩得淨天眼佛告具壽舍利子言舍利子諸
菩薩摩訶薩得淨天眼能見一切四大王衆
天天眼所見亦如實知能見一切三十三天
夜摩天覩史多天樂變化天他化自在天天
眼所見亦如實知諸菩薩摩訶薩得淨天眼
能見一切梵衆天天眼所見亦如實知能見
一切梵輔天梵會天大梵天天眼所見亦如
實知諸菩薩摩訶薩得淨天眼能見一切光
天天眼所見亦如實知能見一切少光天天
量光天極光淨天天眼所見亦如實知諸菩
薩摩訶薩得淨天眼能見一切淨天天眼所
見亦如實知能見一切少淨天无量淨天遍
淨天天眼所見亦如實知諸菩薩摩訶薩得
淨天眼能見一切廣天天眼所見亦如實知

BD01585 號　大般若波羅蜜多經卷八　（15–7）

見亦如實知能見一切少淨天无量淨天遍
淨天天眼所見亦如實知諸菩薩摩訶薩得
淨天眼能見一切廣天天眼所見亦如實知
能見一切少廣天无量廣天廣果天天眼所
見亦如實知諸菩薩摩訶薩得淨天眼能見
一切无想有情天天眼所見亦如實知諸菩
薩摩訶薩得淨天眼能見一切无繁天天眼
所見亦如實知能見一切无熱天善現天善
見天色究竟天天眼所見亦如實知舍利子
有菩薩摩訶薩天眼所見一切四大王衆天
乃至色究竟天所得天眼皆不能見亦不能
知舍利子諸菩薩摩訶薩得淨天眼能見十
方殑伽沙等諸世界中諸有情類死此生彼
亦如實知舍利子是為菩薩摩訶薩得淨
天眼
尒時舍利子復白佛言世尊云何菩薩摩訶
薩得淨慧眼佛告具壽舍利子言舍利子諸
菩薩摩訶薩得淨慧眼不見有法若有為若
无為不見有法若有漏若无漏不見有法若
世間若出世間不見有法若有罪若无罪不
見有法若雜染若清淨不見有法若有色若
无色不見有法若有對若无對不見有法若
過去若未來若現在不見有法若欲界繫若
色界繫若无色界繫不見有法若善若不善
若无記不見有法若見所斷若脩所斷若非
所斷不見有法若學若无學若非學非无學

BD01585 號　大般若波羅蜜多經卷八　（15–8）

過去若未來若現在不見有法若欲界繫若
色界繫若无色界繫不見有法若善若不善
若无記不見有法若見所斷若脩所斷若非
所斷不見有法若學若无學若非學非无學
乃至一切法若自性若差別都无所見舍利
子是菩薩摩訶薩得淨慧眼於一切法非見
非不見非聞非不聞非覺非不覺非識非不
識舍利子是為菩薩摩訶薩得淨慧眼
尒時舍利子復白佛言世尊云何菩薩摩訶
薩得淨法眼佛告具壽舍利子言舍利子諸菩
薩摩訶薩得淨法眼能如實知補特伽羅
種種差別謂如實知此是隨信行此是隨法
行此是无相行此住空此住无相此住无願
又如實知此由空解脫門起五根由五根起
无間定由无間定起解脫智見由解脫智見
永斷三結得預流果薩迦耶見戒禁取疑是
謂三結復由初得脩道薄欲貪瞋得一來果
復由上品脩道盡欲貪瞋得不還果復由增
上脩道盡五順上分結得阿羅漢果色貪无
色貪无明慢掉舉是謂五順上分結又如實
知此由无相解脫門起五根由五根起无間
定由无間定起解脫智見由解脫智見永斷
三結得預流果復由初得脩道薄欲貪瞋得
一來果復由上品脩道盡欲貪瞋得不還果
復由增上脩道盡五順上分結得阿羅漢果
又如實知此由无願解脫門起五根由五根
起无間定由无間定起解脫智見由解脫智

BD01585號　大般若波羅蜜多經卷八　（15–9）

一來果復由上品脩道盡欲貪瞋得不還果
復由增上脩道盡五順上分結得阿羅漢果
又如實知此由无願解脫門起五根由五根
起无間定由无間定起解脫智見由解脫智
見永斷三結得預流果復由初得脩道薄欲
貪瞋得一來果復由上品脩道盡欲貪瞋得
不還果復由增上脩道盡五順上分結得阿
羅漢果又如實知此由空无相解脫門起五
根由五根起无間定由无間定起解脫智見
由解脫智見永斷三結得預流果復由初得
脩道薄欲貪瞋得一來果復由上品脩道盡
欲貪瞋得不還果復由增上脩道盡五順上
分結得阿羅漢果又如實知此由空无願解
脫門起五根由五根起无間定由无間定起
解脫智見由解脫智見永斷三結得預流果
復由初得脩道薄欲貪瞋得一來果復由上
品脩道盡欲貪瞋得不還果復由增上脩道
盡五順上分結得阿羅漢果又如實知此由
无相无願解脫門起五根由五根起无間定
由无間定起解脫智見由解脫智見永斷三
結得預流果復由初得脩道薄欲貪瞋得一
來果復由上品脩道盡欲貪瞋得不還果復
由增上脩道盡五順上分結得阿羅漢果又
如實知此由空无相无願解脫門起五根由
五根起无間定由无間定起解脫智見由解
脫智見永斷三結得預流果復由初得脩道

BD01585號　大般若波羅蜜多經卷八　（15–10）

来果復由上品脩道盡欲貪瞋得不還果復
由增上脩道盡五順上分結得阿羅漢果又
如實知此由空无相无願解脫門起五根由
五根起无間定由无間定起解脫解脫智見由解
脫智見永斷三結得預流果復由初得脩道
薄欲貪瞋得一来果復由上品脩道盡欲
貪瞋得不還果復由增上脩道盡五順上分結
得阿羅漢果舍利子是為菩薩摩訶薩得淨
法眼復次舍利子諸菩薩摩訶薩得淨法眼
能如實知如是一類補特伽羅由空无相无
願解脫門起五根由五根起无間定由无間
定起解脫解脫智見由解脫智見能如實知所有
集法皆是滅法由知此故得勝五根斷諸煩
惱展轉證得獨覺菩提舍利子是為菩薩摩
訶薩得淨法眼
復次舍利子諸菩薩摩訶薩得淨法眼能如
實知此菩薩摩訶薩最初發心脩行布施波
羅蜜多脩行淨戒安忍精進靜慮般若波羅
蜜多成就信根精進根及方便善巧故思受
身增長善法是菩薩摩訶薩或生剎帝利大
族或生婆羅門大族或生長者大族或生
居士大族或生四大王衆天或生三十三天或
生夜摩天或生覩史多天或生樂變化天或
生他化自在天住如是處成熟有情隨諸有
情心所愛樂能施種種上妙樂具亦能嚴淨
種種佛土亦以種種上妙供具供養恭敬
尊重讃歎諸佛世尊不隨聲聞獨覺等地乃

BD01585號　大般若波羅蜜多經卷八　（15–11）

生他化自在天住如是處成熟有情隨諸有
情心所愛樂能施種種上妙樂具亦能嚴淨
種種佛土亦以種種上妙供具供養恭敬
尊重讃歎諸佛世尊不隨聲聞獨覺等地乃
至无上正等菩提終不退轉舍利子是為菩
薩摩訶薩得淨法眼復次舍利子諸菩薩摩
訶薩得淨法眼能如實知此菩薩摩訶薩於
无上正等菩提已得受記此菩薩摩訶薩於无
上正等菩提正得受記此菩薩摩訶薩於无
上正等菩提當得受記此菩薩摩訶薩於无
上正等菩提得不退轉此菩薩摩訶薩於无
上正等菩提猶可退轉此菩薩摩訶薩已住
不退轉地此菩薩摩訶薩未住不退轉地此
菩薩摩訶薩神通已圓滿此菩薩摩訶薩神
通未圓滿此菩薩摩訶薩神通已圓滿故能
往十方殑伽沙等諸佛世界供養恭敬尊重
讃歎一切如来應正等覺及諸菩薩摩訶薩
衆此菩薩摩訶薩神通未圓滿故不能往十
方殑伽沙等諸佛世界供養恭敬尊重讃歎
一切如来應正等覺及諸菩薩摩訶薩衆此
菩薩摩訶薩已得神通此菩薩摩訶薩未得
神通此菩薩摩訶薩已得无生法忍此菩薩
摩訶薩未得无生法忍此菩薩摩訶薩已得
殊勝根此菩薩摩訶薩未得殊勝根此菩薩
摩訶薩已嚴淨佛土此菩薩摩訶薩未嚴
淨佛土此菩薩摩訶薩已成熟有情此菩薩

BD01585號　大般若波羅蜜多經卷八　（15–12）

摩訶薩未得无生法忍此菩薩摩訶薩已得
殊勝根此菩薩摩訶薩未得殊勝根此菩薩
摩訶薩已嚴淨佛土此菩薩摩訶薩未嚴
淨佛土此菩薩摩訶薩已成熟有情此菩薩
摩訶薩未成熟有情此菩薩摩訶薩已得大
願此菩薩摩訶薩未得大願此菩薩摩訶薩
已得諸佛共所稱譽此菩薩摩訶薩未得諸
佛共所稱譽此菩薩摩訶薩已親近諸佛此菩
薩摩訶薩未親近諸佛此菩薩摩訶薩壽命
无量此菩薩摩訶薩壽命有量此菩薩摩訶
薩當得无上正等菩提時苾蒭僧无量此菩
薩摩訶薩當得无上正等菩提時苾蒭僧有
量此菩薩摩訶薩當得无上正等菩提時有
菩薩僧此菩薩摩訶薩當得无上正等菩提
時无菩薩僧此菩薩摩訶薩專脩利他行此
菩薩摩訶薩兼脩自利行此菩薩摩訶薩有
難行苦行此菩薩摩訶薩无難行苦行此菩
薩摩訶薩為一生所繫此菩薩摩訶薩為多
生所繫此菩薩摩訶薩已住冣後有此菩薩
摩訶薩未住冣後有此菩薩摩訶薩已坐妙
菩提座此菩薩摩訶薩未坐妙菩提座此菩
薩摩訶薩无魔來嬈此菩薩摩訶薩有魔
來嬈舍利子是為菩薩摩訶薩得淨法眼
尒時舍利子復白佛言世尊云何菩薩摩訶
薩得淨佛眼佛告具壽舍利子言舍利子諸
菩薩摩訶薩菩提心无間入金剛喻定得一

BD01585號　大般若波羅蜜多經卷八　（15-13）

來嬈舍利子是為菩薩摩訶薩得淨法眼
尒時舍利子復白佛言世尊云何菩薩摩訶
薩得淨佛眼佛告具壽舍利子言舍利子諸
菩薩摩訶薩菩提心无間入金剛喻定得一
切相智成就佛十力四无所畏四无礙解大
慈大悲大喜大捨十八佛不共法等无量无
邊不可思議殊勝功德尒時成就无障无礙
解脫佛眼諸菩薩摩訶薩由得如是清淨佛
眼超過一切聲聞獨覺智慧境界无所不見
无所不聞无所不覺无所不識於一切法見
一切相舍利子是為菩薩摩訶薩得淨佛眼
舍利子諸菩薩摩訶薩要得无上正等菩提
乃得如是清淨佛眼
舍利子若菩薩摩訶薩欲得如是清淨五眼
當勤脩習布施淨戒安忍精進靜慮般若波
羅蜜多何以故舍利子如是六種波羅蜜多
總攝一切清淨善法謂聲聞善法獨覺善
法菩薩善法如來善法舍利子若正問言何法
能攝一切善法應正答言甚深般若波羅蜜
多何以故舍利子甚深般若波羅蜜多是諸
善法生母養母能生能養布施淨戒安忍精
進靜慮般若波羅蜜多及五眼等无量无邊
不可思議殊勝功德故舍利子若菩薩摩訶薩
欲得如是清淨五眼當學般若波羅蜜多
舍利子若菩薩摩訶薩欲得无上正等菩提
當學如是清淨五眼舍利子若菩薩摩訶薩

BD01585號　大般若波羅蜜多經卷八　（15-14）

乃得如是清淨佛眼
舍利子若菩薩摩訶薩欲得如是清淨五眼
當勤脩習布施淨戒安忍精進靜慮般若波
羅蜜多何以故舍利子如是六種波羅蜜多
㧾攝一切清淨善法謂聲聞善法獨覺善
法菩薩善法如來善法舍利子若正問言何法
能攝一切善法應正答言甚深般若波羅蜜
多何以故舍利子甚深般若波羅蜜多是諸
善法生母養母能生能養布施淨戒安忍精
進靜慮般若波羅蜜多及五眼等无量无邊
不可思議勝功德故舍利子若菩薩摩訶薩
欲得如是清淨五眼當學般若波羅蜜多
舍利子若菩薩摩訶薩欲得无上正等菩提
當學如是清淨五眼舍利子若菩薩摩訶薩
能學如是清淨五眼定得无上正等菩提

大般若波羅蜜經卷第八

BD01585號　大般若波羅蜜多經卷八　（15–15）

諸菩薩示事佛
正是時維摩詰即以神力持諸大衆并師子
座置於右掌往詣佛所到已著地稽首佛足
右遶七匝一心合掌在一面立其諸菩薩即
皆避坐稽首佛足亦遶七匝於一面立諸大
弟子釋梵四天王等亦皆避坐稽首佛足在
一面立於是世尊如法慰問諸菩薩已各令復
坐即皆受教衆坐已定佛語舍利弗汝見菩
薩大士自在神力之所為乎唯然已見汝
意云何世尊我覩其為不可思議非意所圖
非度所測尒時阿難白佛言世尊今所聞香
自昔未有是為何香佛告阿難是彼菩薩毛
孔之香於是舍利弗語阿難言我等毛孔亦
出是香阿難言此所從來曰是長者維摩詰
從衆香國取佛餘飯於舍食者一切毛孔皆
香若此阿難問維摩詰是香氣住當久如維
摩詰言至此飯消曰此飯久如當消曰此飯
勢力至于七日然後乃消又阿難若聲聞人
未入正位食此飯者得入正位然後乃消已
入正位食此飯者得心解脫然後乃消若未
發大乘意食此飯者至發意乃消已發意食
此飯者得无生忍然後乃消已得无生忍食此

BD01586號　維摩詰所說經卷下　（2–1）

勢力至于七日然後乃消又阿難若聲聞人
未入正位食此飯者得入正位然後乃消已
入正位食此飯者得心解脫然後乃消若未
發大乘意食此飯者至發意乃消已發意食
此飯者得无生忍然後乃消已得无生忍食此
飯者至一生補處然後乃消譬如有藥名
曰上味其有服者身諸毒滅然後乃消此
飯如是滅除一切諸煩惱毒然後乃消阿難
白佛言未曾有也世尊如此香飯能作佛事
佛言如是如是阿難或有佛土以佛光明而
作佛事有以諸菩薩而作佛事有以佛所化
人而作佛事有以菩提樹而作佛事有以佛衣
服臥具而作佛事有以飯食而作佛事有以
園林臺觀而作佛事有以三十二相八十隨
形好而作佛事有以佛身而作佛事有以虛
空而作佛事眾生應以此緣得入律行有以
夢幻影響鏡中像水中月熱時炎如是等喻
而作佛事有以音聲語言文字而作佛事或
有清淨佛土寂漠无言无說无示无識无作
无為而作佛事如是阿難諸佛威儀進止諸
所施為无非佛事阿難有此四魔八万四千諸
□門而諸眾生為之疲勞諸佛即以此法
□□門菩薩入此

BD01586號　維摩詰所說經卷下　（2–2）

法應以童男童女身得度者即現童男童
女身而為說法應以天龍夜叉乾闥婆阿脩
羅迦樓羅緊那羅摩睺羅伽人非人等身得
度者即皆現之而為說法應以執金剛神得
度者即現執金剛神而為說法无盡意是
觀世音菩薩成就如是功德以種種形遊諸國
土度脫眾生是故汝等應當一心供養觀世
音菩薩是觀世音菩薩摩訶薩於怖畏
急難之中能施无畏是故此娑婆世界皆号之
為施无畏者无盡意菩薩白佛言世尊我
今當供養觀世音菩薩即解頸眾寶珠瓔珞
價直百千兩金而以之作是言仁者受此法施
珍寶瓔珞時觀世音菩薩不肯受之无盡意
復白觀世音菩薩言仁者愍我等受此瓔珞
尒時佛告觀世音菩薩當愍此无盡意菩薩及
諸四眾天龍夜叉乾闥婆阿脩羅迦樓羅緊
那羅摩睺羅伽人非人等故受是瓔珞即時觀
世音菩薩愍諸四眾及於天龍天非人等受
其瓔珞分作二分一分奉釋迦牟尼佛一分奉

BD01587號　觀世音經　（4–1）

尒時佛告觀世音菩薩當愍此无盡意菩薩及
諸四衆天龍夜叉乾闥婆阿脩羅迦樓羅緊
那羅摩睺羅伽人非人等故受是瓔珞即時觀
世音菩薩愍諸四衆及於天龍人非人等受
其瓔珞分作二分一分奉釋迦牟尼佛一分奉
多寶佛塔无盡意觀世音菩薩有如是自
在神力遊於娑婆世界尒時无盡意菩
薩以偈問曰
世尊妙相具 我今重問彼 佛子何因緣 名為觀世音
具足妙相尊 偈答无盡意 汝聽觀音行 善應諸方所
弘誓深如海 歷劫不思議 侍多千億佛 發大清淨願
我為汝略說 聞名及見身 心念不空過 能滅諸有苦
假使興害意 推落大火坑 念彼觀音力 火坑變成池
或漂流巨海 龍魚諸鬼難 念彼觀音力 波浪不能沒
或在須弥峯 為人所推墮 念彼觀音力 如日虛空住
或被惡人逐 墮落金剛山 念彼觀音力 不能損一毛
或值怨賊繞 各執刀加害 念彼觀音力 咸即起慈心
或遭王難苦 臨刑欲受終 念彼觀音力 刀尋段段壞
或囚禁枷鎖 手足被杻械 念彼觀音力 釋然得解脫
呪詛諸毒藥 所欲害身者 念彼觀音力 彼即自迴去
或遇惡羅刹 毒龍諸鬼等 念彼觀音力 時悉不敢害
若惡獸圍繞 利牙爪可怖 念彼觀音力 疾走无邊方
蚖蛇及蝮蝎 氣毒煙火然 念彼觀音力 尋聲自迴去
雲雷鼓掣電 降雹澍大雨 念彼觀音力 應時得消散
衆生被困厄 无量苦逼身 觀音妙智力 能救世間苦
具足神通力 廣脩智方便 十方諸國土 无刹不現身

BD01587 號　觀世音經　（4–2）

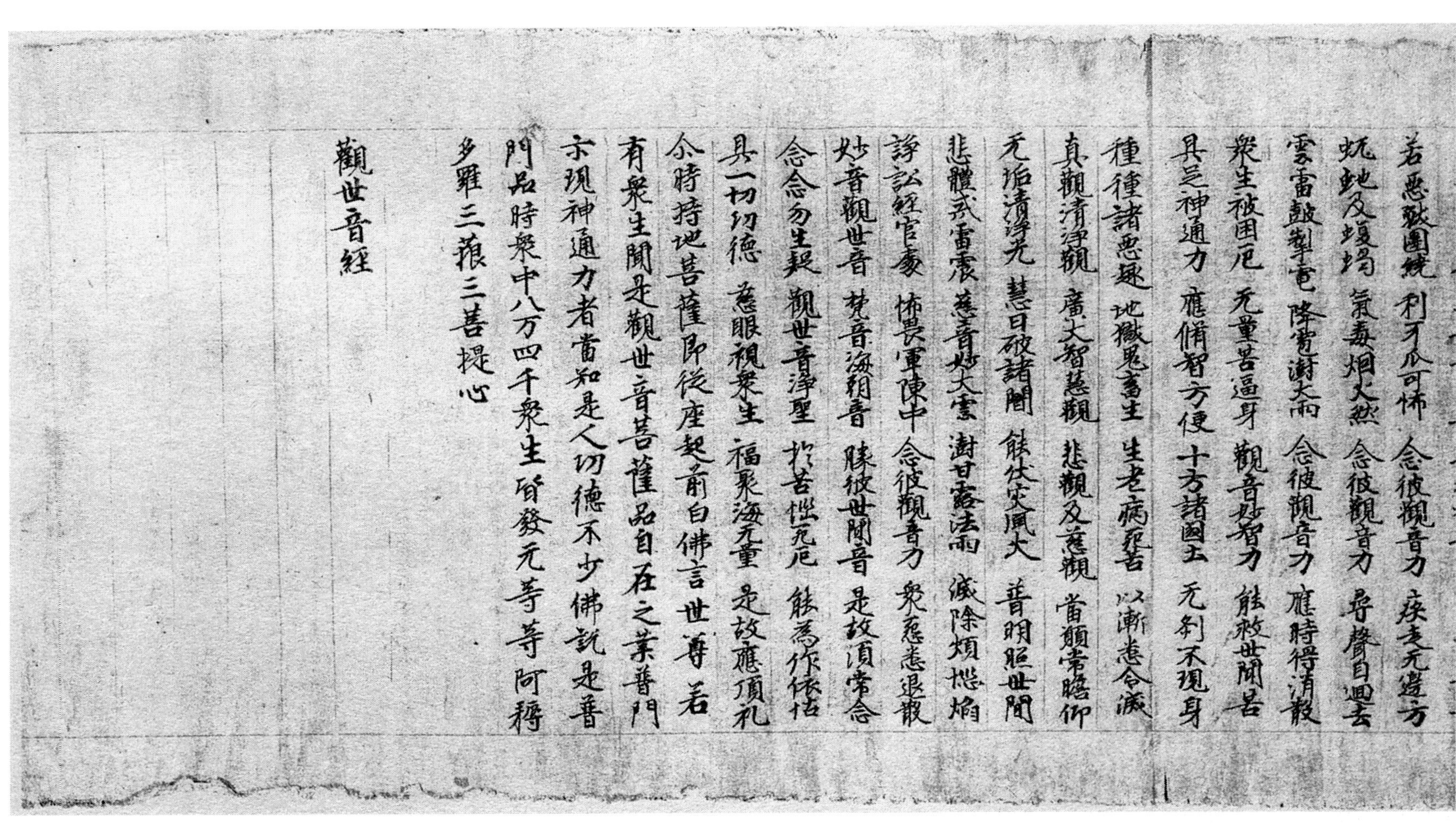
若惡獸圍繞 利牙爪可怖 念彼觀音力 疾走无邊方
蚖蛇及蝮蝎 氣毒煙火然 念彼觀音力 尋聲自迴去
雲雷鼓掣電 降雹澍大雨 念彼觀音力 應時得消散
衆生被困厄 无量苦逼身 觀音妙智力 能救世間苦
具足神通力 廣脩智方便 十方諸國土 无刹不現身
種種諸惡趣 地獄鬼畜生 生老病死苦 以漸悉令滅
真觀清淨觀 廣大智慧觀 悲觀及慈觀 常願常瞻仰
无垢清淨光 慧日破諸闇 能伏災風火 普明照世間
悲體戒雷震 慈意妙大雲 澍甘露法雨 滅除煩惱焰
諍訟經官處 怖畏軍陣中 念彼觀音力 衆怨悉退散
妙音觀世音 梵音海潮音 勝彼世間音 是故須常念
念念勿生疑 觀世音淨聖 於苦惱死厄 能為作依怙
具一切功德 慈眼視衆生 福聚海无量 是故應頂禮
尒時持地菩薩即從座起前白佛言世尊若
有衆生聞是觀世音菩薩品自在之業普門
示現神通力者當知是人功德不少佛說是普
門品時衆中八万四千衆生皆發无等等阿耨
多羅三藐三菩提心
觀世音經

BD01587 號　觀世音經　（4–3）

念念勿生疑　觀世音淨聖　於苦惱死厄　能為作依怙
具一切功德　慈眼視衆生　福聚海无量　是故應頂礼
尒時持地菩薩即從座起前白佛言世尊若
有衆生聞是觀世音菩薩品自在之業普門
示現神通力者當知是人功德不少佛說是普
門品時衆中八万四千衆生皆發无等等阿耨
多羅三藐三菩提心
觀世音經

BD01587號　觀世音經　（4–4）

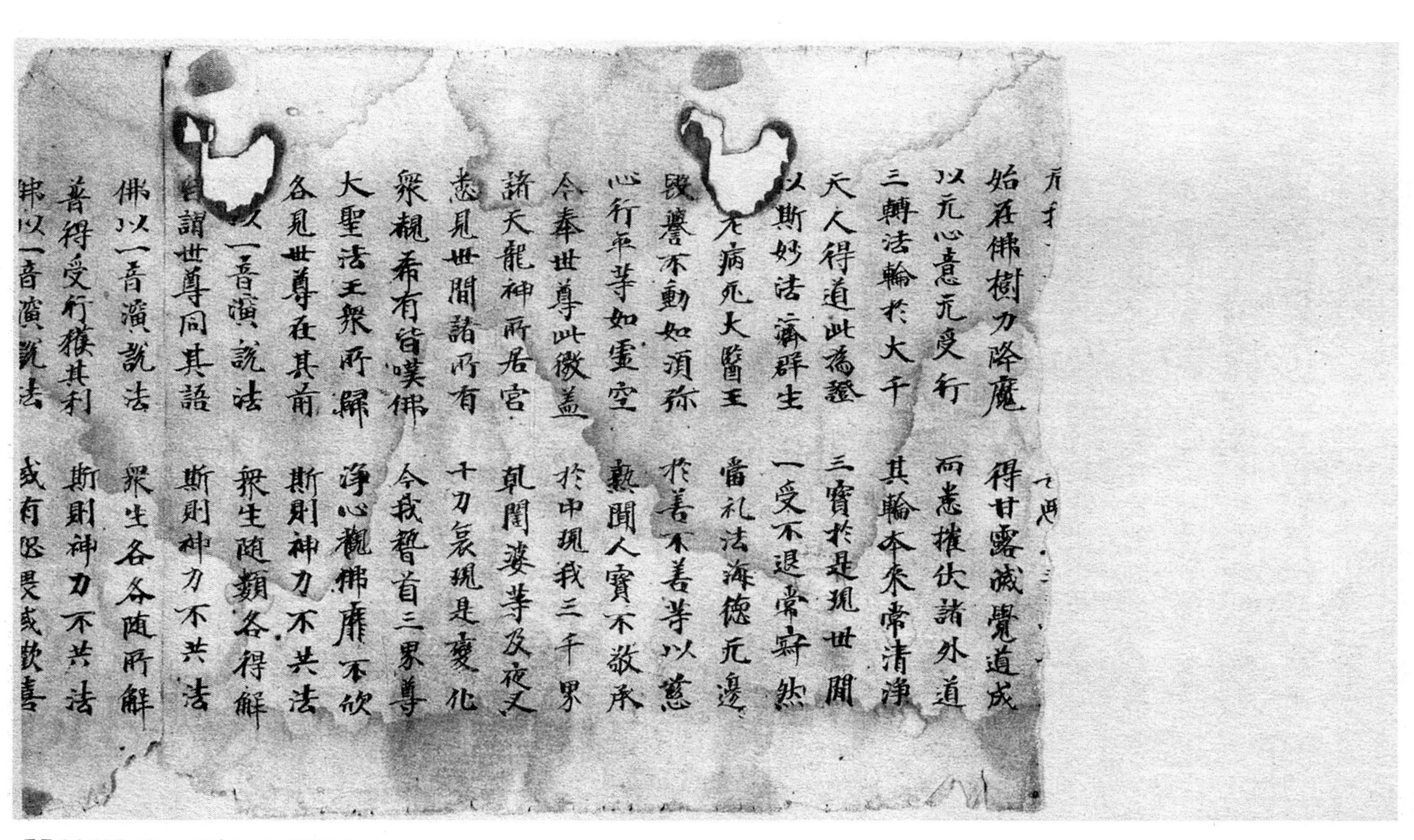
始在佛樹力降魔　得甘露滅覺道成
以无心意无受行　而悉摧伏諸外道
三轉法輪於大千　其輪本來常清淨
天人得道此爲證　三寶於是現世間
以斯妙法濟群生　一受不退常寂然
老病死大醫王　當礼法海德无邊
毀譽不動如須弥　於善不善等以慈
心行平等如虛空　孰聞人寶不敬承
今奉世尊此微蓋　於中現我三千界
諸天龍神所居宮　乾闥婆等及夜叉
悉見世間諸所有　十力哀現是變化
衆覩希有皆嘆佛　今我稽首三界尊
大聖法王衆所歸　淨心觀佛靡不欣
各見世尊在其前　斯則神力不共法
以一音演說法　衆生隨類各得解
皆謂世尊同其語　斯則神力不共法
佛以一音演說法　衆生各各隨所解
普得受行獲其利　斯則神力不共法
佛以一音演說法　或有恐畏或歡喜

BD01588號　維摩詰所說經卷上　（26–1）

各見世尊在其前　斯則神力不共法
以一音演說法　眾生隨類各得解
皆謂世尊同其語　斯則神力不共法
佛以一音演說法　眾生各各隨所解
普得受行獲其利　斯則神力不共法
佛以一音演說法　或有恐畏或歡喜
或生厭離或斷疑　斯則神力不共法
稽首十力大精進　稽首已得无所畏
稽首住於不共法　稽首一切大導師
稽首能斷眾結縛　稽首已到於彼岸
稽首能度諸世間　稽首永離生死道
悉知眾生來去相　善於諸法得解脫
不著世間如蓮華　常善入於空寂行
達諸法相无罣礙　稽首如空无所依
爾時長者子寶積說此偈已白佛言世
尊是五百長者子皆已發阿耨多羅三藐三
菩提心願聞得佛國土清淨唯願世尊說
諸菩薩淨土之行佛言善哉寶積乃能為
諸菩薩問於如來淨土之行諦聽諦聽善
思念之當為汝說於是寶積及五百長者子
受教而聽佛言寶積眾生之類是菩薩佛土
所以者何菩薩隨所化眾生而取佛土隨所調伏
眾生而取佛土隨諸眾生應以何國入佛智慧
而取佛土隨諸眾生應以何國起菩薩根而
取佛土所以者何菩薩取於淨國皆為饒益

受教而聽佛言寶積眾生之類是菩薩佛土
所以者何菩薩隨所化眾生而取佛土隨所調伏
眾生而取佛土隨諸眾生應以何國入佛智慧
而取佛土隨諸眾生應以何國起菩薩根而
取佛土所以者何菩薩取於淨國皆為饒益
諸眾生故譬如有人欲於空地造立宮室隨
意无礙若於虛空終不能成菩薩如是為成
就眾生故願取佛國願取佛國者非於空也
寶積當知直心是菩薩淨土菩薩成佛時
眾生來生其國深心是菩薩淨土菩薩
成佛時具足功德眾生來生其國大乘心是菩
薩淨土菩薩成佛時大乘眾生來生其國
布施是菩薩淨土菩薩成佛時一切能捨眾
生來生其國持戒是菩薩淨土菩薩成佛時
行十善道滿願眾生來生其國忍辱是菩
薩淨土菩薩成佛時卅二相莊嚴眾生來生
其國精進是菩薩淨土菩薩成佛時懃脩一
切功德眾生來生其國禪定是菩薩淨土菩
佛時攝心不亂眾生來生其國智慧是
菩薩淨土菩薩成佛時正定眾生來生其國
四无量心是菩薩淨土菩薩成佛時成就慈悲
喜捨眾生來生其國四攝法是菩薩淨土菩
薩成佛時解脫所攝眾生來生其國方便是
菩薩淨土菩薩成佛時於一切法方便无礙眾
生來生其國卅七道品是菩薩淨土菩薩成

喜捨衆生來生其國四攝法是菩薩淨土菩
薩成佛時解脫所攝衆生來生其國方便是
菩薩淨土菩薩成佛時於一切法方便无礙衆
生來生其國卅七道品是菩薩淨土菩薩成
佛時念處正懃神足根力覺道衆生來生其
國迴向心是菩薩淨土菩薩成佛時得一切具
德國土說除八難是菩薩淨土菩薩成
佛時國土无有三惡八難自守戒行不譏彼闕
是菩薩淨土菩薩成佛時國土无有犯禁之
名十善道是菩薩淨土菩薩成佛時命不中
夭大富梵行所言誠諦常以濡語眷屬不
離善和諍訟言必饒益不嫉不恚正見衆生
來生其國如是寶積菩薩隨其直心則能發行
隨其發行則得深心隨其深心則意調伏隨意
調伏則如說行隨如說行則能迴向隨其迴向
[illegible]方便隨其方便則成就衆生隨成就衆
生則佛土淨隨佛土淨則說法淨隨說法淨則
智慧淨隨智慧淨則其心淨隨其心淨則
一切功德淨是故寶積若菩薩欲得淨土
當淨其心隨其心淨則佛土淨
尒時舍利弗承佛威神作是念若菩薩心淨
則佛土淨者我世尊本為菩薩時意豈不
淨而是佛土不淨若此佛知其念即告之言於
意云何日月豈不淨耶而盲者不見對曰不也
世尊是盲者過非日月咎舍利弗衆生罪故不

則佛土淨者我世尊本為菩薩時意豈不
淨而是佛土不淨若此佛知其念即告之言於
意云何日月豈不淨耶而盲者不見對曰不也
世尊是盲者過非日月咎舍利弗衆生罪故不
見如來佛國嚴淨非如來咎舍利弗我見此土
淨而汝不見尒時螺髻梵王語舍利弗勿作
是意謂此佛土以為不淨所以者何我見釋迦
牟尼佛土清淨譬如自在天宮舍利弗言我
見此土丘陵坑坎荊蕀沙礫土石諸山穢惡充
滿螺髻梵言仁者心有高下不依佛慧故見此
土為不淨耳舍利弗菩薩於一切衆生悉皆
等深心清淨依佛智慧則能見此佛土清
淨於是佛以足指案地即時三千大千世界
若干百千珍寶嚴飾譬如寶莊嚴佛无量
功德寶莊嚴土一切大衆歎未曾有而皆自
見坐寶蓮華佛告舍利弗汝且觀是佛土
嚴淨舍利弗言唯然世尊本所不見本所不
聞今佛國土嚴淨悉見佛語舍利弗我佛國
土常淨若此為欲度斯下劣人故示是衆惡
不淨土耳譬如諸天共寶器食隨其福德飯
色有異如是舍利弗若人心淨便見此土功德
莊嚴當佛現此國土嚴淨之時寶積所將五
百長者子皆得无生法忍八万四千人發阿耨
多羅三藐三菩提心佛攝神足於是世界還
復如故求聲聞乘三万二千天及人知有為
法皆悉无常遠塵離垢得法眼淨八千比

土嚴當佛現此國土嚴淨之時寶積所將五
百長者子皆得无生法忍八万四千人發阿耨
多羅三藐三菩提心佛攝神足於是世界還
復如故求聲聞乘三万二千天及人知有為
法皆悉无常遠塵離垢得法眼淨八千比
丘不受諸法漏盡意解

方便品第二

尒時毗耶離大城中有長者維摩詰已曾供
養无量諸佛深殖善本得无生忍辯才无
礙遊戲神通逮諸惣持獲无所畏降魔勞
怨入深法門善於智度通達方便大願成就明
了衆生心之所趣又能分別諸根利鈍久於佛道
心已淳淑決定大乘諸有所作能善思量住
佛威儀心大如海諸佛咨嗟弟子釋梵世主
所敬欲度人故以善方便居毗耶離資財无
量攝諸貧民奉戒清淨攝諸毀禁以忍調
行攝諸恚怒以大精進攝諸懈怠一心禪寂
攝諸亂意以決定慧攝諸无智雖為白衣奉
持沙門清淨律行雖處居家不著三界示
有妻子常脩梵行現有眷屬常樂遠離雖
服寶飾而以相好嚴身雖復飲食而以禪悅為
味若至博弈戲處輙以度人受諸異道不毀
正信雖明世典常樂佛法一切見敬為供養中
最執持正法攝諸長幼一切治生諧偶雖獲
俗利不以喜悅遊諸四衢饒益衆生入治政
法救護一切入講論處導以大乘入諸學堂

味若至博弈戲處輙以度人受諸異道不毀
正信雖明世典常樂佛法一切見敬為供養中
最執持正法攝諸長幼一切治生諧偶雖獲
俗利不以喜悅遊諸四衢饒益衆生入治政
法救護一切入講論處導以大乘入諸學堂
誘開童矇入諸婬舍示欲之過入諸酒肆能
立其志若在長者長者中尊為說勝法若
在居士居士中尊斷其貪著若在刹利刹利
中尊教以忍辱若在婆羅門婆羅門中尊除
其我慢若在大臣大臣中尊教以正法若在王
子王子中尊示以忠孝若在內官內官中尊化
政宮女若在庶民庶民中尊令興福力若
在梵天梵天中尊誨以勝慧若在帝釋帝釋
中尊示現无常若在護世護世中尊護諸衆
生長者維摩詰以如是等无量方便饒益衆
生其以方便現身有疾以其疾故國王大臣長
者居士婆羅門等及諸王子并餘官屬无數
千人皆往問疾其往者維摩詰因以身疾廣
為說法諸仁者是身无常无強无力无堅速
朽之法不可信也為苦為惱衆病所集諸仁
者如此身明智者所不怙是身如聚沫不可撮
摩是身如泡不得久立是身如炎從渴愛生
是身如芭蕉中无有堅是身如幻從顛倒起
是身如夢為虛妄見是身如影從業緣現
是身如嚮屬諸因緣是身如浮雲須臾變滅

摩是身如泡不得久立是身如炎從渴愛生
是身如芭蕉中无有堅是身如幻從顛倒起
是身如夢為虛妄見是身如影從業緣現
是身如嚮屬諸因緣是身如浮雲須臾變滅
是身如電念念不住是身无主為如地是身无
我為如火是身无壽為如風是身无人為如
水是身不實四大為家是身為空離我我
所是身无知如草木瓦礫是身无作風力所
轉是身不淨穢惡充滿是身為虛偽雖假以
澡浴衣食必歸磨滅是身為災百一病惱是
身如丘井為老所逼是身无定為要當死是
身如毒虵如怨賊如空聚陰界諸入所共
合成諸仁者此可患厭當樂佛身所以者何
佛身者即法身也從无量功德智慧生從戒
定慧解脫解脫知見生從慈悲喜捨生從布施
持戒忍辱柔和懃行精進禪定解脫三昧多聞
智慧諸波羅蜜生從方便生從六通生從三明
生從卅七道品生從止觀生從十力四无所畏十八
不共法生從斷一切不善法集一切善法生從真
實生從不放逸生從如是无量清淨法生如
來身諸仁者欲得佛身斷一切衆生病者
當發阿耨多羅三藐三菩提心如是長者維
摩詰為諸問疾者如應說法令无數千人
皆發阿耨多羅三藐三菩提心
弟子品第三
尒時長者維摩詰自念寢疾于牀世尊大慈

BD01588號　維摩詰所說經卷上　（26–8）

當發阿耨多羅三藐三菩提心如是長者維
摩詰為諸問疾者如應說法令无數千人
皆發阿耨多羅三藐三菩提心
弟子品第三
尒時長者維摩詰自念寢疾于牀世尊大慈
寧不垂愍佛知其意即告舍利弗汝行詣維
摩詰問疾舍利弗白佛言世尊我不堪任詣
彼問疾所以者何憶念我昔曾於林中宴坐
樹下時維摩詰來謂我言唯舍利弗不必是
坐為宴坐也夫宴坐者不於三界現身意是
為宴坐不起滅定而現諸威儀是為宴坐不
捨道法而現凡夫事是為宴坐心不住內亦
不在外是為宴坐於諸見不動而脩行三十七
品是為宴坐不斷煩惱而入涅槃是為宴坐
若能如是坐者佛所印可時我世尊聞是語
嘿然而止不能加報故我不任詣彼問疾
佛告大目揵連汝行詣維摩詰問疾目連白佛
言世尊我不堪任詣彼問疾所以者何憶念我
昔入毗耶離大城於里巷中為諸居士說法時
維摩詰來謂我言唯大目連為白衣居士說
法不當如仁者所說夫說法者當如法說法无
衆生離衆生垢故法无有我離我垢故法无壽
命離生死故法无有人前後際斷故法常寂然
滅諸相故法離於相无所緣故法无名字言語
斷故法无有說離覺觀故法无形相如虛空故
法无戲論畢竟空故法无我所離我所故法无

BD01588號　維摩詰所說經卷上　（26–9）

衆生離衆生垢故法无有我離我垢故法无[illegible]
命離生死故法无有人前後際斷故法常寂然
滅諸相故法離於相无所緣故法无名字言語
斷故法无有說離覺觀故法无形相如虛空故
法无戲論畢竟空故法无我所離我所故法无
分別離諸識故法无有比无相待故法不屬因
不在緣故法同法性入諸法故法隨於如无所隨
故法住實際諸邊不動故法无動搖不依六塵
故法无去來常不住故法順空隨无相應无作法
離好醜法无增損法无生滅法无所歸法過眼耳
鼻舌身心法无高下法常住不動法離一切觀
行唯大目連法相如是豈可說乎夫說法者无說
无示其聽法者无聞无得譬如幻士為幻人
說法當建是意而為說法當了衆生根有利
鈍善於知見无所罣导以大悲心讚于大乘
念報佛恩不斷三寶然後說法維摩詰說
是法時八百居士發阿耨多羅三藐三菩提
心我无此辯是故不任詣彼問疾
佛告大迦葉汝行詣維摩詰問疾迦葉白佛
言世尊我不堪任詣彼問疾所以者何憶念我
昔於貧里而行乞食時維摩詰來謂我言唯
大迦葉有慈悲心而不能普捨豪富從貧乞
迦葉住平等法應次行乞食為
乞食為壞和合相故應取揣
受彼食以空聚想入於聚落
所聞聲與響等所嗅香與風等所食味不分

乞食為壞和合相故應取揣食
受彼食以空聚想入於聚落
所聞聲與響等所嗅香與風等所食味不分
別受諸觸如智證知諸法如幻相无自性无他
性本自不然今則无滅迦葉若能不捨八邪入
八解脫以邪相入正法以一食施一切供養諸
佛及衆賢聖然後可食如是食者非有
惱非離煩惱非入定意非起定意非住世
間非住涅槃其有施者无大福无小福不為
益不為損是為正入佛道不依聲聞迦葉若
如是食為不空食人之施也時我世尊聞
說是語得未曾有即於一切菩薩深起敬
心復作是念斯有家名辯才智慧乃能如是
其誰不發阿耨多羅三藐三菩提心我從是
來不復勸人以聲聞辟支佛行是故不任詣彼問疾
佛告須菩提汝行詣維摩詰問疾須菩提白
佛言世尊我不堪任詣彼問疾所以者何憶念
我昔入其舍從乞食時維摩詰取我鉢盛滿
飯謂我言唯須菩提若能於食等者諸法亦
等諸法等者於食亦等如是行乞乃可取食
若須菩提不斷婬怒癡亦不與俱不壞於身
而隨一相不滅癡愛起於明脫以五逆相而身
解脫亦不解不縛不見四諦非不見諦非得
果非不得果非凡夫非離凡夫法非聖人
非不聖人雖成就一切法而離諸法相乃可取
食若須菩提不見佛不聞法彼外道六師富

而隨一相不滅癡愛起於明脫以五逆相而身
解脫亦不解不縛不見四諦非不見諦非得
果非不得果非凡夫非離凡夫法非聖人
非不聖人雖成就一切法而離諸法相乃可取
食若須菩提不見佛不聞法彼外道六師富
蘭那迦葉末迦梨拘賒梨子刪闍夜毗羅胝
子阿耆多翅舍欽婆羅迦羅鳩馱迦旃延尼
揵陀若提子等是汝之師因其出家彼師所墮
汝亦隨墮乃可取食若須菩提入諸邪見不到
彼岸住於八難不得无難同於煩惱離清淨
法汝得无諍三昧一切衆生亦得是定其施汝
者不名福田供養汝者墮三惡道為與衆魔
共一手作諸勞侶汝與衆魔及諸塵勞等无
有異於一切衆生而有怨心謗諸佛毀於法不
入衆數終不能滅度汝若如是乃可取食時
我世尊聞此茫然不識是何言不知以何荅便
置鉢欲出其舍維摩詰言唯須菩提取鉢勿
懼於意云何如來所作化人若以是事詰寧
有懼不我言不也維摩詰言一切諸法如幻化
相汝今不應有所懼也所以者何一切言說不
離是相至於智者不著文字故无所懼何以
故文字性離无有文字是則解脫解脫
相者則諸法也維摩詰說是法時二百天
子得法眼淨故我不任詣彼問疾
佛告富樓那彌多羅尼子汝行詣維摩詰問
疾富樓那白佛言世尊我不堪任詣彼問疾所

BD01588號　維摩詰所說經卷上　(26–12)

相者則諸法也維摩詰說是法時二百天
子得法眼淨故我不任詣彼問疾
佛告富樓那彌多羅尼子汝行詣維摩詰問
疾富樓那白佛言世尊我不堪任詣彼問疾所
以者何憶念我昔於大林中在一樹下為諸新
學比丘說法時維摩詰來謂我言唯富樓那
先當入定觀此人心然後說法无以穢食
置於寶器當知是比丘心之所念无以琉璃
同彼水精汝不能知衆生根源无得發起以
小乘法彼自无瘡勿傷之也欲行大道莫示
小徑无以大海內於牛跡无以日光等彼螢
火富樓那此比丘久發大乘心中忘此意如
何以小乘法而教導之我觀小乘智慧微
淺猶如盲人不能分別一切衆生根之利鈍時
維摩詰即入三昧令此比丘自識宿命曾於五
百佛所殖衆德本迴向阿耨多羅三藐三菩
提即時豁然還得本心於是諸比丘稽首礼
維摩詰足時維摩詰因為說法於阿耨多
羅三藐三菩提不復退轉我念聲聞不觀人
根不應說法是故不任詣彼問疾
佛告摩訶迦旃延汝行詣維摩詰問疾迦旃
延白佛言世尊我不堪任詣彼問疾所以者何
憶念昔者佛為諸比丘略說法要我即於後敷演
其義謂无常義苦義空義无我義寂滅義
時維摩詰來謂我言唯迦旃延无以生滅心行

BD01588號　維摩詰所說經卷上　(26–13)

延白佛言世尊我不堪任詣彼問疾所以者何
憶念昔者佛為諸比丘略說法要我即於後敷演
其義謂无常義苦義空義无我義寂滅義
時維摩詰來謂我言唯迦旃延无以生滅心行
說實相法迦旃延諸法畢竟不生不滅是无
常義五受陰通達空无所起是苦義諸法究
竟无所有是空義於我无我而不二是无我
義法本不然今則无滅是寂滅義說是法時
彼諸比丘心得解脫故我不任詣彼問疾
佛告阿那律汝行詣維摩詰問疾阿那律白
佛言世尊我不堪任詣彼問疾所以者何憶
念我昔於一處經行時有梵王名曰嚴淨與
万梵俱放淨光明來詣我所稽首作礼問我
言幾何阿那律天眼所見我即荅言仁者吾
見此釋迦牟尼佛土三千大千世界如觀掌中
阿摩勒菓時維摩詰來謂我言阿那律天
眼為作相耶无作相耶假使作相則與外道五
通等若无作相即是无為不應有見世尊我
時嘿然彼諸梵等聞其言得未曾有即為作
礼而問曰世孰有真天眼者維摩詰言有佛
世尊得真天眼常在三昧悉見諸佛國土不以
二相於是嚴淨梵王及其眷屬五百梵天皆
發阿耨多羅三藐三菩提心礼維摩詰足已
忽然不現故我不任詣彼問疾
佛告優波離汝行詣維摩詰問疾優波離白

二相於是嚴淨梵王及其眷屬五百梵天皆
發阿耨多羅三藐三菩提心礼維摩詰足已
忽然不現故我不任詣彼問疾
佛告優波離汝行詣維摩詰問疾優波離白
佛言世尊我不堪任詣彼問疾所以者何憶
念昔者有二比丘犯律行以為恥不敢問佛來
問我言唯優波離我等犯律誠以為恥不敢
問佛願解疑悔得勉斯咎我即為其如法解
說時維摩詰來謂我言唯優波離无重增此
二比丘罪當直除滅勿擾其心所以者何彼罪性
不在內不在外不在中間如佛所說心垢故衆
生垢心淨故衆生淨心亦不在內不在外不
在中間如其心然罪垢亦然諸法亦然不出
於如如優波離以心相得解脫時寧有垢不
我言不也維摩詰言一切衆生心相无垢亦
復如是唯優波離妄想是垢无妄想是淨
顛倒是垢无顛倒是淨取我是垢不取我是
淨優波離一切法相生滅不住如幻如電諸
法不相待乃至一念不住諸法皆妄見如夢
如炎如水中月如鏡中像以妄想生其知
此者是名奉律其知此者是名善解於是
二比丘言上智哉是優波離所不能及持律之
上而不能說我荅言自捨如來未有聲聞及
菩薩能制其樂說之辯其智慧明達為若此
也時二比丘疑悔即除發阿耨多羅三藐三菩

此者是名奉律其知此者是名善解於是
二比丘言上智哉是優波離所不能及持律之
上而不能說我荅言自捨如來未有聲聞及
菩薩能制其樂說之辯其智慧明達為若此
也時二比丘疑悔即除發阿耨多羅三藐三菩
提心作是言令一切衆生皆得是辯故我不任
詣彼問疾
佛告羅睺羅汝行詣維摩詰問疾羅睺羅
白佛言世尊我不堪任詣彼問疾所以者何憶念
昔時毗耶離諸長者子来詣我所稽首作礼
問我言唯羅睺羅汝佛之子捨轉輪王位出
家為道其出家者有何等利我即如法為說
出家功德之利時維摩詰来謂我言唯羅
睺羅不應說出家功德之利所以者何无利
无功德是為出家有為法者可說有利有德
夫出家者為无為法无為法中无利无功德羅
睺羅出家者无彼无此亦无中間離六十二見
處於涅槃智者所受聖所行處降伏衆魔
度五道淨五眼得五力立五根不惱於彼離
衆雜惡摧諸外道超越假名出淤泥无繫著
无我所无所受无擾亂內懷喜護彼意隨禪
定離衆過若能如是是真出家於是維摩
詰語諸長者子汝等於正法中宜共出家
所以者何佛世難值諸長者子言居士我聞
佛言父母不聽不得出家維摩詰言然汝等
便發阿耨多羅三藐三菩提心是即出家是

定離衆過若能如是是真出家於是維摩
詰語諸長者子汝等於正法中宜共出家
所以者何佛世難值諸長者子言居士我聞
佛言父母不聽不得出家維摩詰言然汝等
便發阿耨多羅三藐三菩提心是即出家是
即具足尒時卅二長者子皆發阿耨多羅三
藐三菩提心故我不任詣彼問疾
佛告阿難汝行詣維摩詰問疾阿難白佛言
世尊我不堪任詣彼問疾所以者何憶念昔時
世尊身小有疾當用牛乳我即持鉢詣大婆
羅門家門下立時維摩詰来謂我言唯阿
難何為晨朝持鉢住此我言居士世尊身小
有疾當用牛乳故来至此維摩詰言止止阿
難莫作是語如来身者金剛之體諸惡已斷
衆善普會當有何疾當有何惱嘿往阿難
勿謗如来莫使異人聞此麁言无令大威德
諸天及他方淨度諸来菩薩得聞斯語阿難
轉輪聖王以少福故尚得无病豈況如来无
量福會普勝者哉行矣阿難勿使我受斯
恥也外道梵志若聞此語當作是念何名為
師自疾不能救而能救諸人人可密速去勿
使人聞當知阿難諸如来身即是法身非思
欲身佛為世尊過於三界佛身无漏諸漏已
盡佛身无為不墮諸數如此之身當有何病
時我世尊實懷慙愧得无近佛而謬聽耶
即聞空中聲曰阿難如居士言但為佛出

欲身佛為世尊過於三界佛身无漏諸漏已
盡佛身无為不墮諸數如此之身當有何病
時我世尊實懷慚愧得无近佛而謬聽耶
即聞空中聲曰阿難如居士言但為佛出
五濁惡世現行斯法度脫衆生行矣阿難取
乳勿慚世尊維摩詰智慧辯才為若此也是
故不任詣彼問疾如是五百大弟子各向佛
說其本緣稱述維摩詰所言皆曰不任詣彼問疾
菩薩品第四
於是佛告弥勒菩薩汝行詣維摩詰問疾弥
勒白佛言世尊我不堪任詣彼問疾所以者何
憶念我昔為兜率天王及其眷屬說不退轉
地之行時維摩詰來謂我言弥勒世尊授仁
者記一生當得阿耨多羅三藐三菩提為用何
生得受記乎過去耶未來耶現在耶若過去
生過去生已滅若未來未來生未至若現
在生現在生无住如佛所說比丘汝今即時亦
生亦老亦滅若以无生得受記者无生即是正
位於正位中亦无受記亦无得阿耨多羅三
藐三菩提云何弥勒受一生記乎為從如生
得受記耶為從如滅得受記耶若以如生得
受記者如无有生若以如滅得受記者如无
有滅一切衆生皆如也一切法亦如也衆賢
聖亦如也至於弥勒亦如也若弥勒得受記
者一切衆生亦應受記所以者何夫如者不
二不異若弥勒得阿耨多羅三藐三菩提者

BD01588號　維摩詰所說經卷上　（26–18）

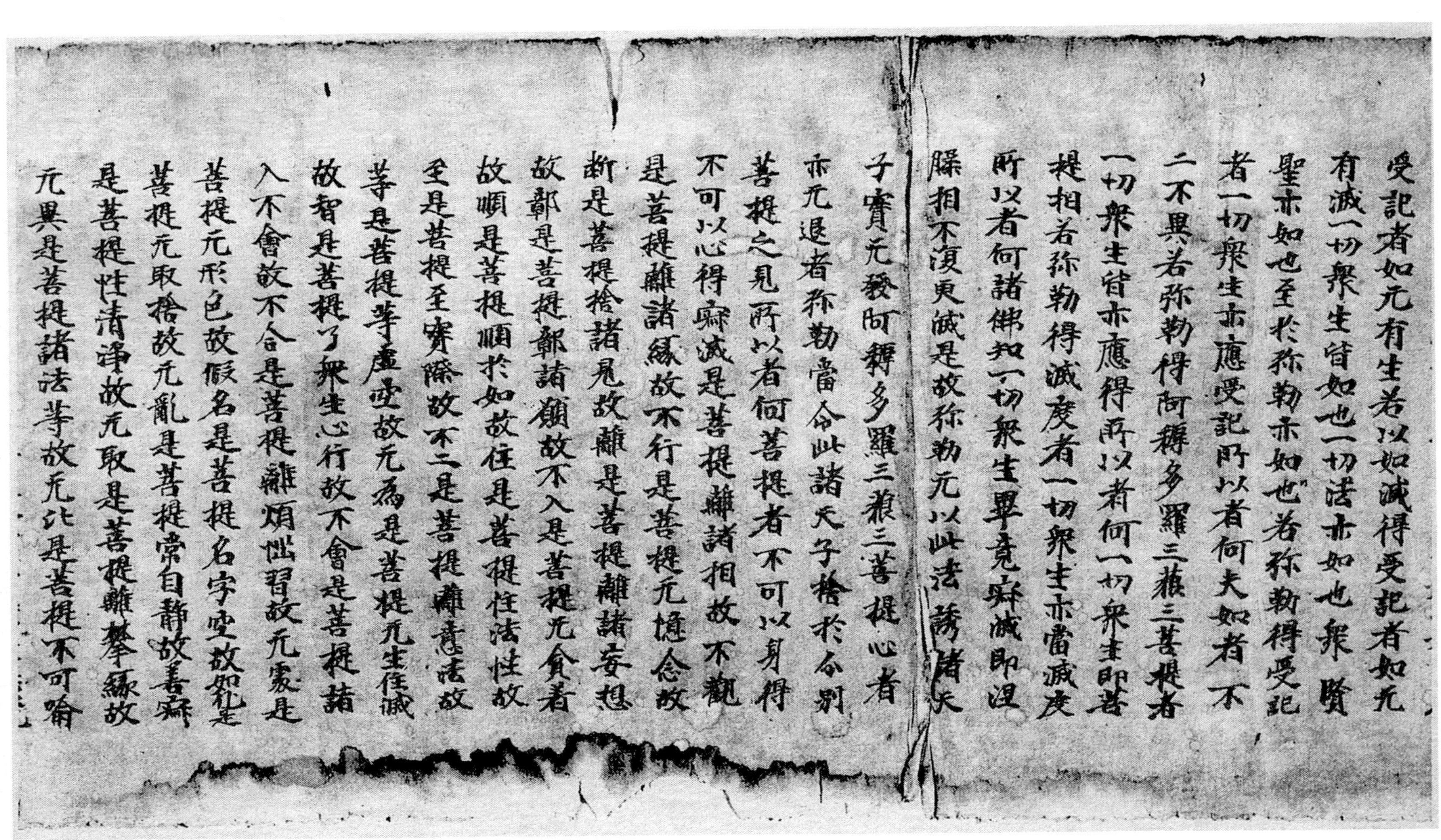

受記者如无有生若以如滅得受記者如无
有滅一切衆生皆如也一切法亦如也衆賢
聖亦如也至於弥勒亦如也若弥勒得受記
者一切衆生亦應受記所以者何夫如者不
二不異若弥勒得阿耨多羅三藐三菩提者
一切衆生皆亦應得所以者何一切衆生即菩
提相若弥勒得滅度者一切衆生亦當滅度
所以者何諸佛知一切衆生畢竟寂滅即涅
槃相不復更滅是故弥勒无以此法誘諸天
子實无發阿耨多羅三藐三菩提心者
亦无退者弥勒當令此諸天子捨於分別
菩提之見所以者何菩提者不可以身得
不可以心得寂滅是菩提滅諸相故不觀
是菩提離諸緣故不行是菩提无憶念故
斷是菩提捨諸見故離是菩提離諸妄想
故鄣是菩提鄣諸願故不入是菩提无貪著
故順是菩提順於如故住是菩提住法性故
至是菩提至實際故不二是菩提離意法故
等是菩提等虛空故无為是菩提无生住滅
故智是菩提了衆生心行故不會是菩提諸
入不會故不合是菩提離煩惱習故无處是
菩提无形色故假名是菩提名字空故如化是
菩提无取捨故无亂是菩提常自靜故善寂
是菩提性清淨故无取是菩提離攀緣故
无異是菩提諸法等故无比是菩提不可喻

BD01588號　維摩詰所說經卷上　（26–19）

菩提无形色故假名是菩提名字空故如化是
菩提无取捨故无亂是菩提常自靜故善寂
是菩提性清淨故无取是菩提離攀緣故
无異是菩提諸法等故无比是菩提不可喻
故微妙是菩提諸法難知故世尊維摩詰說
是法時二百天子得无生法忍故我不任詣彼
問疾
佛告光嚴童子汝行詣維摩詰問疾光嚴
白佛言世尊我不堪任詣彼問疾所以者何憶
念我昔出毗耶離大城時維摩詰方入城我
即為作禮而問言居士從何所來荅我言吾從
道場來我問道場者何所是荅曰直心是道
場无虛假故發行是道場能辦事故深心是
道場增益功德故菩提心是道場无錯謬故
布施是道場不望報故持戒是道場得願具
足故忍辱是道場於諸眾生心无㝵故精進
是道場不懈怠故禪定是道場心調柔故智
慧是道場現見諸法故慈是道場等心眾生
故悲是道場忍疲苦故喜是道場悅樂法故
捨是道場憎愛斷故神通是道場成就六通
故解脫是道場背捨故方便是道場教化
眾生故四攝法是道場攝眾生故多聞是道
場如聞行故伏心是道場正觀諸法故三十七
品是道場捨有為法故諦是道場不誑世間
故緣起是道場无明乃至老死皆无盡故諸

眾生故四攝法是道場攝眾生故多聞是道
場如聞行故伏心是道場正觀諸法故三十七
品是道場捨有為法故諦是道場不誑世間
故緣起是道場无明乃至老死皆无盡故諸
煩惱是道場知如實故眾生是道場知无我
故一切法是道場知諸法空故降魔是道場
不傾動故三界是道場无所起故師子吼是道
場无所畏故力无畏不共法是道場无諸過
故三明是道場无餘㝵故一念知一切法是道
場成就一切智故如是善男子菩薩若應諸
波羅蜜教化眾生諸有所作舉足下足當知
皆從道場來住於佛法矣說是法時五百天
人皆發阿耨多羅三藐三菩提心故我不任
詣彼問疾
佛告持世菩薩汝行詣維摩詰問疾持世白
佛言世尊我不堪任詣彼問疾所以者何憶念
我昔住於靜室時魔波旬從万二千天女狀如
帝釋鼓樂弦歌來詣我所與其眷屬稽首我
足合掌恭敬於一面立我意謂是帝釋而語
之言善來憍尸迦雖福應有不當自恣當
觀五欲无常以求善本於身命財而脩堅法
即語我言正士受是万二千天女可備掃灑我
言憍尸迦无以此非法之物要我沙門釋子
此非我宜所言未訖時維摩詰來謂我言
非帝釋也是為魔來嬈故汝耳即語魔言

稽[illegible]
即語我言正士受是万二千天女可備掃灑我
言憍尸迦无以此非法之物要我沙門釋子
此非我宜所言未訖時維摩詰來謂我言
非帝釋也是為魔來嬈故汝耳即語魔言
是諸女等可以與我如我應受魔即驚懼念
維摩詰將无惱我欲隱形去而不能隱盡其
神力亦不得去即聞空中聲曰波旬以女與
之乃可得去魔以畏故俛仰而與尒時維摩詰
語諸女言魔以汝等與我今汝等皆當發阿
耨多羅三藐三菩提心即隨所應而為說法
令發道意復言汝等已發道意有法樂可以
自娛不應復樂五欲樂也天女即問何謂法
樂答言樂常信佛樂欲聽法樂供養衆
樂離五欲樂觀五陰如怨賊樂觀四大如毒
虵樂觀內入如空聚樂隨護道意樂饒益衆
生樂供養師長樂廣行施樂堅持戒樂忍
辱柔和樂懃集善根樂禪定不亂樂離
垢明慧樂廣菩提心樂降伏衆魔樂斷諸煩
惱樂淨佛國土樂成就相好故脩諸功德樂莊
嚴道場樂聞深法不畏樂三脫門不樂非
時樂近同學不樂於非同學中心无恚㝵樂
將護惡知識樂近善知識樂心喜清淨樂脩
无量道品之法是為菩薩法樂於是波旬告諸
女言我欲與汝俱還天宮諸女言以我等與此
居士有法樂我等甚樂不復樂於五欲樂也

時樂近同學不樂於非同學中心无恚㝵樂
將護惡知識樂近善知識樂心喜清淨樂脩
无量道品之法是為菩薩法樂於是波旬告諸
女言我欲與汝俱還天宮諸女言以我等與此
居士有法樂我等甚樂不復樂於五欲樂也
魔言居士可捨此女一切所有施於彼者是為
菩薩維摩詰言我以捨矣汝便將去令一切衆
生得法願具足於是諸女問維摩詰我等云
何止於魔宮維摩詰言諸姊有法門名无
盡燈汝等當學无盡燈者譬如一燈燃百
千燈瞑者皆明明終不盡如是諸姊夫一菩
薩開導百千衆生令發阿耨多羅三藐三菩
提心於其道意亦不滅盡隨所說法而自增
益一切善法是名无盡燈也汝等雖住魔宮以
是无盡燈令无數天子天女皆發阿耨多羅
三藐三菩提心者為報佛恩亦大饒益一切衆
生尒時天女頭面禮維摩詰足隨魔還宮
忽然不見世尊維摩詰有如是自在神力
智慧辯才故我不任詣彼問疾
佛告長者子善德汝行詣維摩詰問疾善
德白佛言世尊我不堪任詣彼問疾所以者
何憶念我昔自於父舍施大施會供養一切
沙門婆羅門及諸外道貧窮下賤孤獨乞人
期滿七日時維摩詰來入會中謂我言長者子
夫大施會不當如汝所設當為法施之會何用是

佛告長者子善德汝行詣維摩詰問疾善
德白佛言世尊我不堪任詣彼問疾所以者
何憶念我昔自於父舍施大施會供養一切
沙門婆羅門及諸外道貧窮下賤孤獨乞人
期滿七日時維摩詰來入會中謂我言長者子
夫大施會不當如汝所設當為法施之會何用是
財施會為我言居士何謂法施之會法施會
者无前无後一時供養一切眾生是名法施之
會何謂也謂以菩提起於慈心以救眾生起
大悲心以持正法起於喜心以攝智慧行於
捨心以攝慳貪起檀波羅蜜以化犯戒起
尸波羅蜜以无我法起羼提波羅蜜以
離身心相起毗梨耶波羅蜜以菩提相起禪
波羅蜜以一切智起般若波羅蜜教化眾生
而起於空不捨有為法而起无相示現受生而
起无作護持正法起方便力以度眾生起四
攝法以敬事一切起除慢法於身命財起三
堅法於六念中起思念法於六和敬起質直
心正行善法起於淨命心淨歡喜起近賢聖
不憎惡人起調伏心以出家法起於深心以
如說行起於多聞以无諍法起空閑處起向
佛慧起於宴坐解眾生縛起脩行地以具相
好及淨佛土起福德業知一切眾生心念如應
說法起於智業知一切法不取不捨入一相門
起於慧業斷一切煩惱一切鄣导一切不善法
起一切善業以得一切智慧一切善法起於一切助

BD01588 號　維摩詰所說經卷上　（26–24）

好及淨佛土起福德業知一切眾生心念如應
說法起於智業知一切法不取不捨入一相門
起於慧業斷一切煩惱一切鄣导一切不善法
起一切善業以得一切智慧一切善法起於一切助
佛道法如是善男子是為法施之會若菩薩
住是法施之會者為大施主亦為一切世間福
田世尊維摩詰說是法時婆羅門眾中二
百人皆發阿耨多羅三藐三菩提心我時心
得清淨歎未曾有稽首礼維摩詰足即解瓔
珞價直百千以上之不肯取我言居士願必納
受隨意所與維摩詰乃受瓔珞分作二分持
一分施此會中一最下乞人持一分奉彼難勝
如來一切眾會皆見光明國土難勝如來又見
珠瓔在彼佛上變成四柱寶臺四面嚴飾不
相鄣蔽時維摩詰現神變已作是言若施
主等心施一最下乞人猶如如來福田之相无所
分別等于大悲不求果報是則名曰具足
法施城中一最下乞人見是神力聞其所說
皆發阿耨多羅三藐三菩提心故我不任詣
彼問疾如是諸菩薩各各向佛說其本緣稱
述維摩詰所言皆曰不任詣彼問疾

維摩詰經卷上

BD01588 號　維摩詰所說經卷上　（26–25）

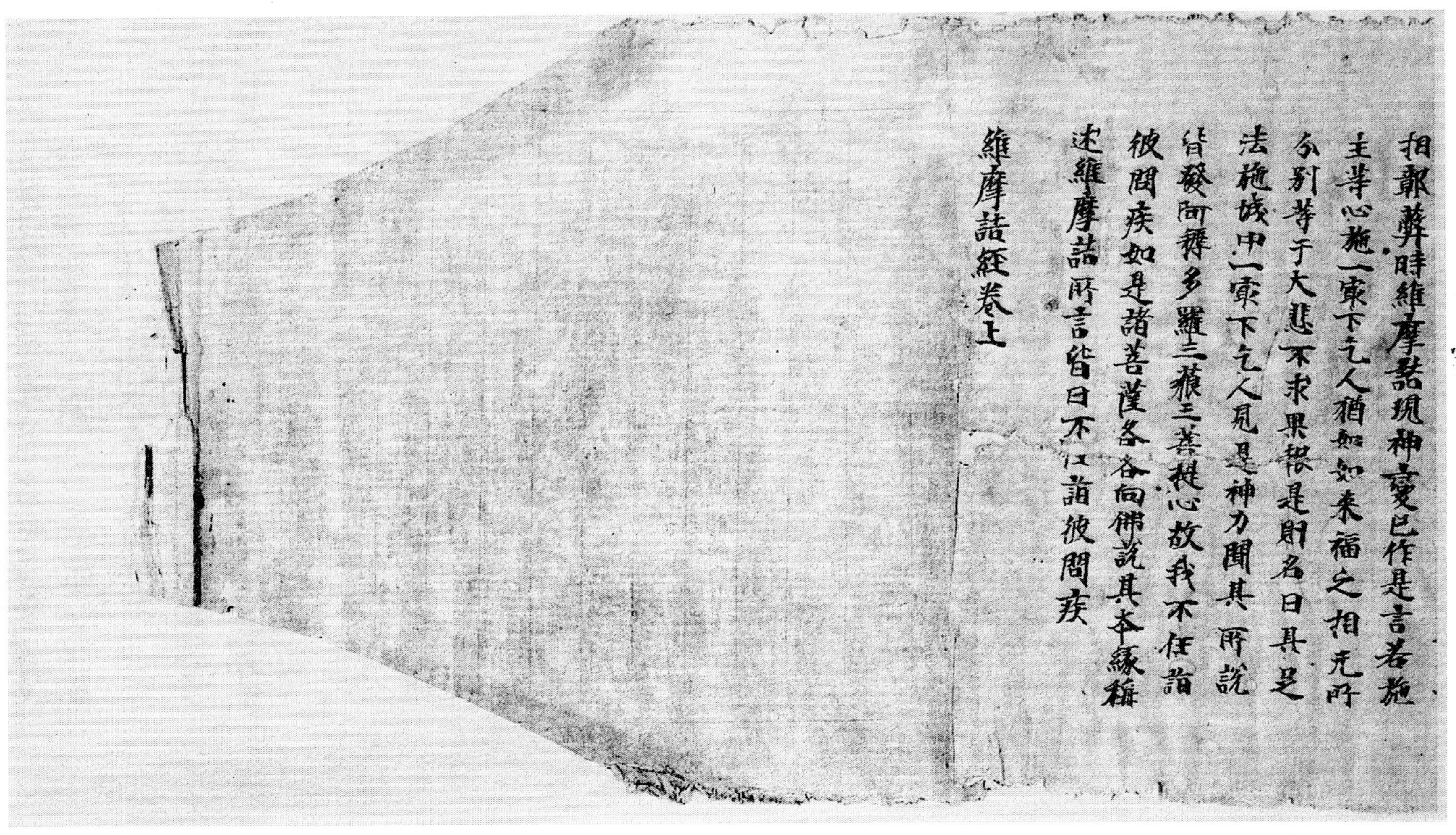

相郭薛時維摩詰現神變已作是言若施
主等心施一最下乞人猶如如來福之相无所
分別等于大悲不求果報是則名曰具足
法施城中一最下乞人見是神力聞其所說
皆發阿耨多羅三藐三菩提心故我不任詣
彼問疾如是諸菩薩各各向佛說其本緣稱
述維摩詰所言皆曰不任詣彼問疾

維摩詰經卷上

BD01588 號　維摩詰所說經卷上　（26–26）

BD01588 號背　沙州支戍兵小麥歷（擬）　（2–1）

BD01588號背　沙州支戍兵小麥歷（擬）　（2–2）

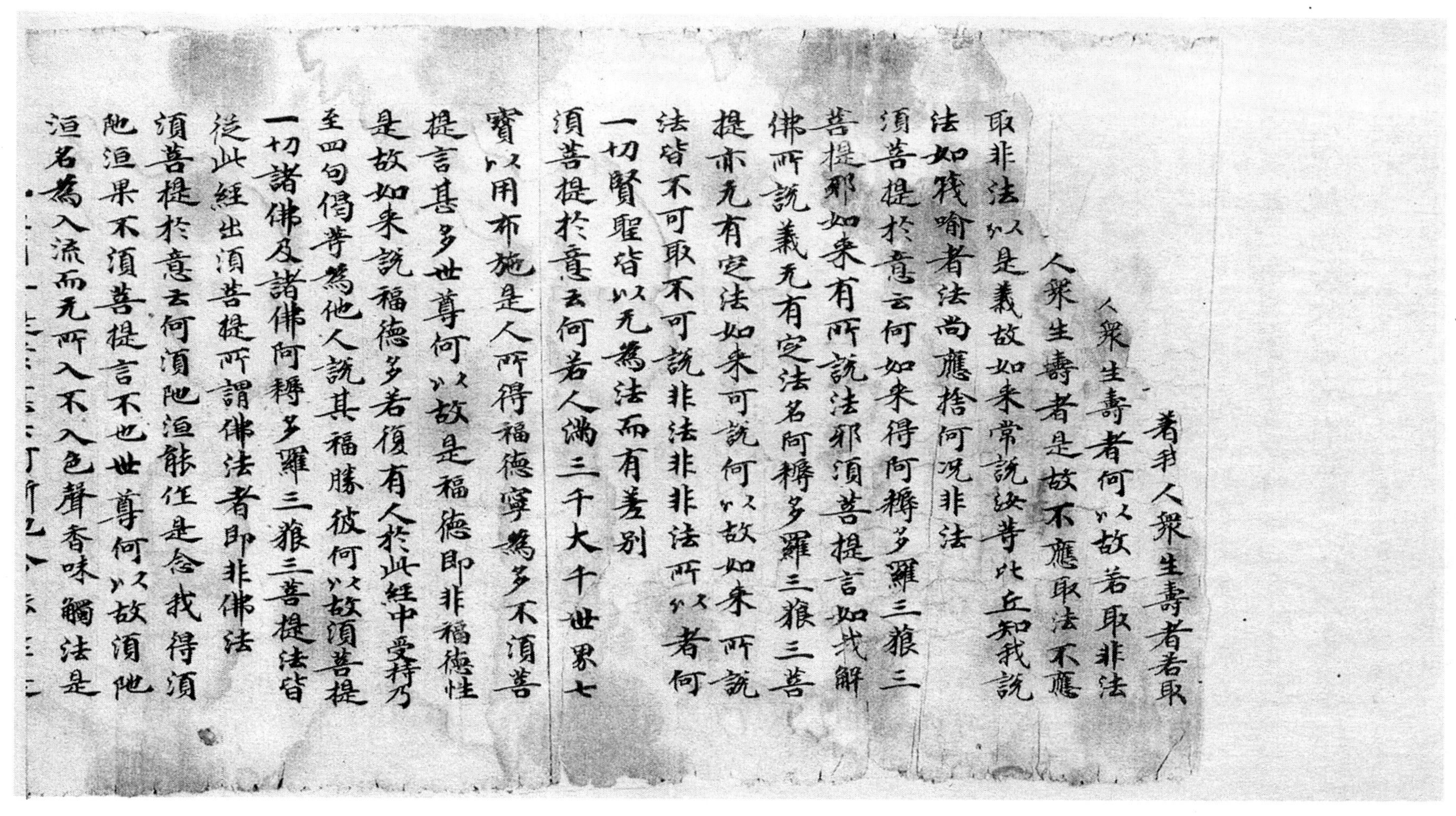
著我人衆生壽者若取
人衆生壽者何以故若取非法
人衆生壽者是故不應取法不應
取非法以是義故如來常説汝等比丘知我説
法如筏喻者法尚應捨何況非法
須菩提於意云何如來得阿耨多羅三藐三
菩提耶如來有所説法耶須菩提言如我解
佛所説義无有定法名阿耨多羅三藐三菩
提亦无有定法如來可説何以故如來所説
法皆不可取不可説非法非非法所以者何
一切賢聖皆以无爲法而有差别
須菩提於意云何若人滿三千大千世界七
寶以用布施是人所得福德寧爲多不須菩
提言甚多世尊何以故是福德即非福德性
是故如來説福德多若復有人於此經中受持乃
至四句偈等爲他人説其福勝彼何以故須菩提
一切諸佛及諸佛阿耨多羅三藐三菩提法皆
從此經出須菩提所謂佛法者即非佛法
須菩提於意云何須陁洹能作是念我得須
陁洹果不須菩提言不也世尊何以故須陁
洹名爲入流而无所入不入色聲香味觸法是

BD01589號　金剛般若波羅蜜經　（13–1）

一切諸佛及諸佛阿耨多羅三藐三菩提法皆
從此經出須菩提所謂佛法者即非佛法
須菩提於意云何須陁洹能作是念我得須
陁洹果不須菩提言不也世尊何以故須陁
洹名為入流而无所入不入色聲香味觸法是
名須陁洹須菩提於意云何斯陁含能作是
念我得斯陁含果不須菩提言不也世尊何
以故斯陁含名一往來而實无往來是名斯
陁含須菩提於意云何阿那含能作是念我
得阿那含果不須菩提言不也世尊何以故
阿那含名為不來而實无來是故名阿那含
須菩提於意云何阿羅漢能作是念我得
阿羅漢道不須菩提言不也世尊何以故實
无有法名阿羅漢世尊若阿羅漢作是念我
得阿羅漢道即為著我人衆生壽者世尊佛
說我得无諍三昧人中最為第一是第一離
欲阿羅漢我不作是念我是離欲阿羅漢世
尊我若作是念我得阿羅漢道世尊則不
說須菩提是樂阿蘭那行者以須菩提實
无所行而名須菩提是樂阿蘭那行
佛告須菩提於意云何如来昔在然燈佛所
於法有所得不世尊如来在然燈佛所於法
實无所得須菩提於意云何菩薩莊嚴佛土
不不也世尊何以故莊嚴佛土者則非莊嚴
是名莊嚴是故須菩提諸菩薩摩訶薩應如

BD01589號　金剛般若波羅蜜經　（13–2）

實无所得須菩提於意云何菩薩莊嚴佛土
不不也世尊何以故莊嚴佛土者則非莊嚴
是名莊嚴是故須菩提諸菩薩摩訶薩應如
是生清淨心不應住色生心不應住聲香味
觸法生心應无所住而生其心須菩提譬如
有人身如須弥山王於意云何是身為大不須
菩提言甚大世尊何以故佛說非身是名大
身須菩提如恒河中所有沙數如是沙等恒河
於意云何是諸恒河沙寧為多不須菩提言
甚多世尊但諸恒河尚多无數何況其沙須
菩提我今實言告汝若有善男子善女人以
七寶滿尒所恒河沙數三千大千世界以用
布施得福多不須菩提言甚多世尊佛告須
菩提若善男子善女人於此經中乃至受持
四句偈等為他人說而此福德勝前福德復
次須菩提隨說是經乃至四句偈等當知此處
一切世間天人阿脩羅皆應供養如佛塔廟
何況有人盡能受持讀誦須菩提當知是
人成就最上第一希有之法若是經典所在
之處則為有佛若尊重弟子
尒時須菩提白佛言世尊當何名此經我等
云何奉持佛告須菩提是經名為金剛般若
波羅蜜以是名字汝當奉持所以者何須菩
提佛說般若波羅蜜則非般若波羅蜜須菩
提於意云何如来有所說法不須菩提白佛
[illegible]

BD01589號　金剛般若波羅蜜經　（13–3）

波羅蜜以是名字汝當奉持所以者何須菩
提佛說般若波羅蜜則非般若波羅蜜須菩
提於意云何如來有所說法不須菩提白佛
言世尊如來无所說須菩提於意云何三千
大千世界所有微塵是為多不須菩提言甚
多世尊須菩提諸微塵如來說非微塵是名
微塵如來說世界非世界是名世界須菩提於
意云何可以卅二相見如來不不也世尊不可
以卅二相得見如來何以故如來說卅二相即
是非相是名卅二相須菩提若有善男子善女
人以恒河沙等身命布施若復有人於此經中
乃至受持四句偈等為他人說其福甚多
尒時須菩提聞說是經深解義趣涕淚悲泣
而白佛言希有世尊佛說如是甚深經典我
從昔來所得慧眼未曾得聞如是之經世尊
若復有人得聞是經信心清淨則生實相當
知是人成就第一希有功德世尊是實相者
則是非相是故如來說名實相世尊我今得聞
如是經典信解受持不足為難若當來世後
五百歲其有眾生得聞是經信解受持是人
則為第一希有何以故此人无我相人相眾
生相壽者相所以者何我相即是非相人相
眾生相壽者相即是非相何以故離一切諸相
則名諸佛
佛告須菩提如是如是若復有人得聞是經
不驚不怖不畏當知是人甚為希有何以故

BD01589號　金剛般若波羅蜜經　（13–4）

生相壽者相所以者何我相即是非相人相
眾生相壽者相即是非相何以故離一切諸相
則名諸佛
佛告須菩提如是如是若復有人得聞是經
不驚不怖不畏當知是人甚為希有何以故
須菩提如來說第一波羅蜜非第一波羅蜜
是名第一波羅蜜須菩提忍辱波羅蜜如來
說非忍辱波羅蜜何以故須菩提如我昔為
歌利王割截身體我於尒時无我相无人相
无眾生相无壽者相何以故我於往昔節節
支解時若有我相人相眾生相壽者相應生
瞋恨須菩提又念過去於五百世作忍辱仙
人於尒所世无我相无人相无眾生相无壽者
相是故須菩提菩薩應離一切相發阿耨
多羅三藐三菩提心不應住色生心不應住
聲香味觸法生心應生无所住心若心有住
則為非住是故佛說菩薩心不應住色布施
須菩提菩薩為利益一切眾生應如是布
施如來說一切諸相即是非相又說一切眾
生則非眾生須菩提如來是真語者實語者
如語者不誑語者不異語者須菩提如來所
得法此法无實无虛須菩提若菩薩心住於
法而行布施如人入闇則无所見若菩薩心不
住法而行布施如人有目日光明照見種種
色須菩提當來之世若有善男子善女人能

BD01589號　金剛般若波羅蜜經　（13–5）

法而行布施如人入闇則无所見若菩薩心不
住法而行布施如人有目日光明照見種種
色須菩提當来之世若有善男子善女人能
於此經受持讀誦則為如来以佛智慧悉知
是人悉見是人皆得成就无量无邊功德
須菩提若有善男子善女人初日分以恒河沙
等身命布施中日分復以恒河沙等身布施
後日分亦以恒河沙等身布施如是无量百
千万億劫以身布施若復有人聞此經典信
心不逆其福勝彼何况書寫受持讀誦
為人解說須菩提以要言之是經有不可思議
不可稱量无邊功德如来為發大乘者說為
發最上乘者說若有人能受持讀誦廣為人
說如来悉知是人悉見是人皆成就不可量
不可稱无有邊不可思議功德如是人等則
為荷擔如来阿耨多羅三藐三菩提何以故
須菩提若樂小法者著我見人見衆生見
壽者見則於此經不能聽受讀誦為人解說
須菩提在在處處若有此經一切世間天人
阿脩羅所應供養當知此處則為是塔皆應
恭敬作礼圍遶以諸華香而散其處
復次須菩提善男子善女人受持讀誦此經
若為人輕賤是人先世罪業應墮惡道以今
世人輕賤故先世罪業則為消滅當得阿
耨多羅三藐三菩提須菩提我念過去无量

BD01589號　金剛般若波羅蜜經　（13–6）

復次須菩提善男子善女人受持讀誦此經
若為人輕賤是人先世罪業應墮惡道以今
世人輕賤故先世罪業則為消滅當得阿
耨多羅三藐三菩提須菩提我念過去无量
阿僧祇劫於然燈佛前得值八百四千万億
那由他諸佛悉皆供養承事无空過者若復
有人於後末世能受持讀誦此經所得功德
於我所供養諸佛功德百分不及一千万億
分乃至算數譬喻所不能及須菩提若善男
子善女人於後末世有受持讀誦此經所得
功德我若具說者或有人聞心則狂亂狐疑
不信須菩提當知是經義不可思議果報亦
不可思議
尒時須菩提白佛言世尊善男子善女人發
阿耨多羅三藐三菩提心云何應住云何降
伏其心佛告須菩提善男子善女人發阿耨
多羅三藐三菩提者當生如是心我應滅度
一切衆生滅度一切衆生已而无有一衆生
實滅度者何以故若菩薩有我相人相衆生
相壽者相則非菩薩所以者何須菩提實
无有法發阿耨多羅三藐三菩提者須菩
提於意云何如来於然燈佛所有法得阿耨
多羅三藐三菩提不不也世尊如我解佛所
說義佛於然燈佛所无有法得阿耨多羅
三藐三菩提佛言如是如是須菩提實无有法

BD01589號　金剛般若波羅蜜經　（13–7）

多羅三藐三菩提不不也世尊如我解佛所
説義佛於然燈佛所无有法得阿耨多羅
三藐三菩提佛言如是如是須菩提實无有法
如来得阿耨多羅三藐三菩提須菩提若有法
如来得阿耨多羅三藐三菩提者然燈佛則
不與我受記汝於来世當得作佛号釋迦牟尼以
實无有法得阿耨多羅三藐三菩提是故
然燈佛與我受記作是言汝於来世當得作
佛号釋迦牟尼何以故如来者即諸法如義
若有人言如来得阿耨多羅三藐三菩提須
菩提實无有法佛得阿耨多羅三藐三菩提
須菩提如来所得阿耨多羅三藐三菩提於
是中无實无虚是故如来説一切法皆是佛法
須菩提所言一切法者即非一切法是故名
一切法須菩提譬如人身長大須菩提言世
尊如来説人身長大則為非大身是名大身
須菩提菩薩亦如是若作是言我當滅度
无量衆生則不名菩薩何以故須菩提无有
法名為菩薩是故佛説一切法无我无人无
衆生无壽者須菩提若菩薩作是言我當
莊嚴佛土是不名菩薩何以故如来説莊嚴
佛土者即非莊嚴是名莊嚴須菩提若菩薩
通達无我法者如来説名真是菩薩
須菩提於意云何如来有肉眼不如是世尊
如来有肉眼須菩提於意云何如来有天眼

BD01589號　金剛般若波羅蜜經　（13–8）

通達无我法者如来説名真是菩薩
須菩提於意云何如来有肉眼不如是世尊
如来有肉眼須菩提於意云何如来有天眼
不如是世尊如来有天眼須菩提於意云何
如来有慧眼不如是世尊如来有慧眼須菩
提於意云何如来有法眼不如是世尊如来
有法眼須菩提於意云何如来有佛眼不如
是世尊如来有佛眼
須菩提於意云何恒河中所有沙佛説是
沙不如是世尊如来説是沙須菩提於意云
何如一恒河中所有沙有如是等恒河是諸
恒河所有沙數佛世界如是寧為多不甚多
世尊佛告須菩提尒所國土中所有衆生若
干種心如来悉知何以故如来説諸心皆為非
心是名為心所以者何須菩提過去心不可
得現在心不可得未来心不可得
須菩提於意云何若有人滿三千大千世界
七寶以用布施是人以是因緣得福多不如
是世尊此人以是因緣得福甚多須菩提若
福德有實如来不説得福德多以福德无故
如来説得福德多
須菩提於意云何佛可以具足色身見不不
世世尊如来不應以色身見何以故如来説
具足色身即非具足色身是名具足色身
須菩提於意云何如来可以具足諸相見不

BD01589號　金剛般若波羅蜜經　（13–9）

須菩提於意云何佛可以具足色身見不不
也世尊如来不應以色身見何以故如来說
具足色身即非具足色身是名具足色身
須菩提於意云何如来可以具足諸相見不
不也世尊如来不應以具足諸相見何以故
如来說諸相具足即非具足是名諸相具足
須菩提汝等勿謂如来作是念我當有所說
法莫作是念何以故若人言如来有所說法
即為謗佛不能解我所說故須菩提說法者
无法可說是名說法
須菩提白佛言世尊佛得阿耨多羅三藐三
菩提為无所得耶如是如是須菩提我於阿
耨多羅三藐三菩提乃至无有少法可得是
名阿耨多羅三藐三菩提
復次須菩提是法平等无有高下是名阿
耨多羅三藐三菩提以无我无人无衆生无
壽者脩一切善法則得阿耨多羅三藐三菩
提須菩提所言善法者如来說非善法是名
善法須菩提若三千大千世界中所有諸須
弥山王如是等七寶聚有人持用布施若人
以此般若波羅蜜經乃至四句偈等受持為他
人說於前福德百分不及一百千万億分乃至
筭數譬喻所不能及
須菩提於意云何汝等勿謂如来作是念我
當度衆生須菩提莫作是念何以故實无有

人說於前福德百分不及一百千万億分乃至
筭數譬喻所不能及
須菩提於意云何汝等勿謂如来作是念我
當度衆生須菩提莫作是念何以故實无有
衆生如来度者若有衆生如来度者如来則
有我人衆生壽者須菩提如来說有我者則
非有我而凡夫之人以為有我須菩提凡夫
者如来說則非凡夫
須菩提於意云何可以卅二相觀如来不須
菩提言如是如是以卅二相觀如来佛言須
菩提若以卅二相觀如来者轉輪聖王則是
如来須菩提白佛言世尊如我解佛所說義
不應以卅二相觀如来尒時世尊而說偈言
若以色見我　以音聲求我　是人行邪道　不能見如来
須菩提汝若作是念如来不以具足相故得
阿耨多羅三藐三菩提須菩提莫作是念如
来不以具足相故得阿耨多羅三藐三菩提
者說諸法斷滅相莫作是念何以故發阿耨
多羅三藐三菩提者於法不說斷滅相
須菩提若菩薩以滿恒河沙等世界七寶布
施若復有人知一切法无我得成於忍此菩
薩勝前菩薩所得功德須菩提以諸菩薩不
受福德故須菩提白佛言世尊云何菩薩不
受福德須菩提菩薩所作福德不應貪著是
故說不受福德
須菩提若有人言如来若来若去若坐若卧

受福德故須菩提白佛言世尊云何菩薩不
受福德須菩提菩薩所作福德不應貪著是
故說不受福德
須菩提若有人言如來若來若去若坐若卧
是人不解我所說義何以故如來者无所從來
亦无所去故名如來
須菩提若善男子善女人以三千大千世界
碎為微塵於意云何是微塵衆寧為多不甚
多世尊何以故若是微塵衆實有者佛則不
說是微塵衆所以者何佛說微塵衆則非微
塵衆是名微塵衆世尊如來所說三千大千
世界則非世界是名世界何以故若世界實有
者則是一合相如來說一合相則非一合相是
名一合相須菩提一合相者則是不可說但
凡夫之人貪著其事
須菩提若人言佛說我見人見衆生見壽者
見須菩提於意云何是人解我所說義不世
尊是人不解如來所說義何以故世尊說我
見人見衆生見壽者見即非我見人見衆生
見壽者見是名我見人見衆生見壽者見須
菩提發阿耨多羅三藐三菩提心者於一切
法應如是知如是見如是信解不生法相須菩
提所言法相者如來說即非法相是名法
相須菩提若有人以滿无量阿僧祇世界七
寶持用布施若有善男子善女人發菩薩心
者持於此經乃至四句偈等受持讀誦為人演

BD01589號　金剛般若波羅蜜經　（13–12）

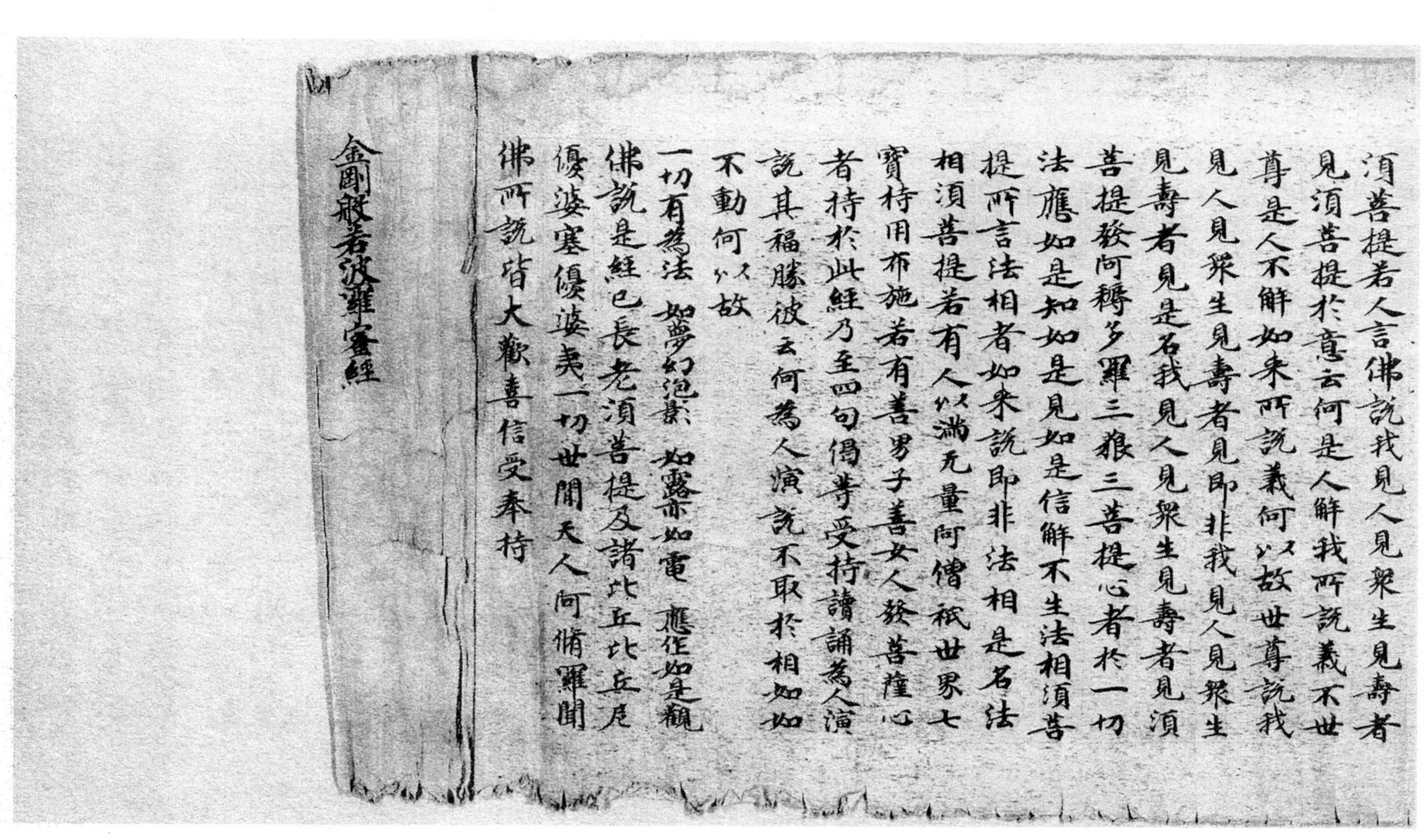

須菩提若人言佛說我見人見衆生見壽者
見須菩提於意云何是人解我所說義不世
尊是人不解如來所說義何以故世尊說我
見人見衆生見壽者見即非我見人見衆生
見壽者見是名我見人見衆生見壽者見須
菩提發阿耨多羅三藐三菩提心者於一切
法應如是知如是見如是信解不生法相須菩
提所言法相者如來說即非法相是名法
相須菩提若有人以滿无量阿僧祇世界七
寶持用布施若有善男子善女人發菩薩心
者持於此經乃至四句偈等受持讀誦為人演
說其福勝彼云何為人演說不取於相如如
不動何以故
一切有為法　如夢幻泡影　如露亦如電　應作如是觀
佛說是經已長老須菩提及諸比丘比丘尼
優婆塞優婆夷一切世間天人阿脩羅聞
佛所說皆大歡喜信受奉持

金剛般若波羅蜜經

BD01589號　金剛般若波羅蜜經　（13–13）

□念諸□□□□善付囑
諦聽當為汝說善男子善
□羅三藐三菩提心應如是住
□伏其心唯然世尊願樂欲聞
佛告須菩提諸菩薩摩訶薩應如是降
伏其心所有一切衆生之類若卵生若胎生
若濕生若化生若有色若无色若有想
若无想若非有想若非无想我皆令入
无餘涅槃而滅度之如是滅度无量无
數无邊衆生實无衆生得滅度者何以
故須菩提若菩薩有我相人相衆生
相壽者相即非菩薩
復次須菩提菩薩於法應无所住行於布
施所謂不住色布施不住聲香味觸法
布施須菩提菩薩應如是布施不住於
相何以故若菩薩不住相布施其福德
不可思量須菩提於意云何東方虛空
可思量不不也世尊須菩提南西北方四
維上下虛空可思量不不也世尊須菩提
菩薩无住相布施福德亦復如是不可量
須菩提菩薩但應如所教住須菩提於
意云何可以身相見如來不不也世尊不
可身相得見如來何以故如來所說身相
即非身相佛告須菩提凡所有相皆是

BD01590號　金剛般若波羅蜜經　（14–1）

維上下虛空可思量不不也世尊須菩提
菩薩无住相布施福德亦復如是不可量
須菩提菩薩但應如所教住須菩提於
意云何可以身相見如來不不也世尊不
可身相得見如來何以故如來所說身相
即非身相佛告須菩提凡所有相皆是
虛妄若見諸相非相則見如來
須菩提白佛言世尊頗有衆生得聞如是言
說章句生實信不佛告須菩提莫作是說如
來滅後後五百歲有持戒脩福者於此章句
能生信心以此為實當知是人不於一佛二
佛三四五佛而種善根已於無量千万佛所
種諸善根聞是章句乃至一念生淨信者須
菩提如來悉知悉見是諸衆生得如是無量
福德何以故是諸衆生無復我相人相衆生
相壽者相無法相亦無非法相何以故是諸
衆生若心取相則為著我人衆生壽者若取
法相即著我人衆生壽者何以故若取非法
相即著我人衆生壽者是故不應取法不應
取非法以是義故如來常說汝等比丘知我
說法如筏喻者法尚應捨何況非法須菩提
於意云何如來得阿耨多羅三藐三菩提耶
如來有所說法耶須菩提言如我解佛所說
義無有定法名阿耨多羅三藐三菩提亦無
有定法如來可說何以故如來所說法皆不
可取不可說非法非非法所以者何一切賢
聖皆以無為法而有差別

BD01590號　金剛般若波羅蜜經　（14–2）

如來有所說法耶須菩提言如我解佛所說
義無有定法名阿耨多羅三藐三菩提亦無
有定法如來可說何以故如來所說法皆不
可取不可說非法非非法所以者何一切賢
聖皆以無為法而有差別
須菩提於意云何若人滿三千大千世界七
寶以用布施是人所得福德寧為多不須菩
提言甚多世尊何以故是福德即非福德性
是故如來說福德多若復有人於此經中受
持乃至四句偈等為他人說其福勝彼何以
故須菩提一切諸佛及諸佛阿耨多羅三藐
三菩提法皆從此經出須菩提所謂佛法者
即非佛法
須菩提於意云何須陁洹能作是念我得須
陁洹果不須菩提言不也世尊何以故須陁
洹名為入流而無所入不入色聲香味觸法
是名須陁洹須菩提於意云何斯陁含能作
是念我得斯陁含果不須菩提言不也世尊
何以故斯陁含名一往來而實無往來是名
斯陁含須菩提於意云何阿那含能作是念
我得阿那含果不須菩提言不也世尊何以
故阿那含名為不來而實無來是故名阿那
含須菩提於意云何阿羅漢能作是念我得
阿羅漢道不須菩提言不也世尊何以故實
無有法名阿羅漢世尊若阿羅漢作是念我
得阿羅漢道即為著我人眾生壽者世尊佛

BD01590號　金剛般若波羅蜜經　（14–3）

故阿那含名為不來而實無來是故名阿那
含須菩提於意云何阿羅漢能作是念我得
阿羅漢道不須菩提言不也世尊何以故實
無有法名阿羅漢世尊若阿羅漢作是念我
得阿羅漢道即為著我人眾生壽者世尊佛
說我得無諍三昧人中最為第一是第一離
欲阿羅漢我不作是念我是離欲阿羅漢世
尊我若作是念我得阿羅漢道世尊則不說
須菩提是樂阿蘭那行者以須菩提實無所
行而名須菩提是樂阿蘭那行
佛告須菩提於意云何如來昔在然燈佛所
於法有所得不世尊如來在然燈佛所於法
實無所得須菩提於意云何菩薩莊嚴佛土
不不也世尊何以故莊嚴佛土者則非莊嚴
是名莊嚴是故須菩提諸菩薩摩訶薩應如
是生清淨心不應住色生心不應住聲香味
觸法生心應無所住而生其心須菩提譬如
有人身如須弥山王於意云何是身為大不
須菩提言甚大世尊何以故佛說非身是名
大身
須菩提如恒河中所有沙數如是沙等恒河
於意云何是諸恒河沙寧為多不須菩提言
甚多世尊但諸恒河尚多無數何況其沙須
菩提我今實言告汝若有善男子善女人以
七寶滿爾所恒河沙數三千大千世界以用
布施得福多不須菩提言甚多世尊佛告須

BD01590號　金剛般若波羅蜜經　（14–4）

甚多世尊但諸恒河尚多無數何況其沙須
菩提我今實言告汝若有善男子善女人以
七寶滿尒所恒河沙數三千大千世界以用
布施得福多不須菩提言甚多世尊佛告須
菩提若善男子善女人於此經中乃至受持
四句偈等為他人說而此福德勝前福德復
次須菩提隨說是經乃至四句偈等當知此
處一切世間天人阿脩羅皆應供養如佛塔
廟何況有人盡能受持讀誦須菩提當知是
人成就冣上第一希有之法若是經典所在
之處則為有佛若尊重弟子
尒時須菩提白佛言世尊當何名此經我等
云何奉持佛告須菩提是經名為金剛般若
波羅蜜以是名字汝當奉持所以者何須菩
提佛說般若波羅蜜則非般若波羅蜜須菩
提於意云何如來有所說法不須菩提白佛
言世尊如來無所說須菩提於意云何三千
大千世界所有微塵是為多不須菩提言甚
多世尊須菩提諸微塵如來說非微塵是名
微塵如來說世界非世界是名世界須菩提
於意云何可以三十二相見如來不不也世
尊何以故如來說三十二相即是非相是名
三十二相須菩提若有善男子善女人以恒
河沙等身命布施若復有人於此經中乃至
受持四句偈等為他人說其福甚多
尒寺頁皆是月究已重來并良惠卑良甚文

三十二相須菩提若有善男子善女人以恒
河沙等身命布施若復有人於此經中乃至
受持四句偈等為他人說其福甚多
尒時須菩提聞說是經深解義趣涕淚悲泣
而白佛言希有世尊佛說如是甚深經典我
從昔來所得慧眼未曾得聞如是之經世尊
若復有人得聞是經信心清淨則生實相當
知是人成就第一希有功德世尊是實相者
則是非相是故如來說名實相世尊我今得
聞如是經典信解受持不足為難若當來世
後五百歲其有眾生得聞是經信解受持是
人則為第一希有何以故此人無我相人相
眾生相壽者相所以者何我相即是非相人
相眾生相壽者相即是非相何以故離一切
諸相則名諸佛
佛告須菩提如是如是若復有人得聞是經
不驚不怖不畏當知是人甚為希有何以故
須菩提如來說第一波羅蜜非第一波羅蜜
是名第一波羅蜜須菩提忍辱波羅蜜如來
說非忍辱波羅蜜何以故須菩提如我昔為
歌利王割截身體我於尒時無我相無人相
無眾生相無壽者相何以故我於往昔節節
支解時若有我相人相眾生相壽者相應生
瞋恨須菩提又念過去於五百世作忍辱仙
人於尒所世無我相無人相無眾生相無壽
皆目是文頁皆是當箕年一乃目癸可辱

無衆生相無壽者相何以故我於往昔節節
支解時若有我相人相衆生相壽者相應生
瞋恨須菩提又念過去於五百世作忍辱仙
人於介所世無我相無人相無衆生相無壽
者相是故須菩提菩薩應離一切相發阿耨
多羅三藐三菩提心不應住色生心不應住
聲香味觸法生心應生無所住心若心有住
則為非住是故佛說菩薩心不應住色布施
須菩提菩薩為利益一切衆生應如是布施
如來說一切諸相即是非相又說一切衆生
則非衆生須菩提如來是真語者實語者如
語者不誑語者不異語者須菩提如來所得
法此法無實無虛須菩提若菩薩心住於法
而行布施如人入闇則無所見若菩薩心不
住法而行布施如人有目日光明照見種種
色須菩提當來之世若有善男子善女人能
於此經受持讀誦則為如來以佛智慧悉知
是人悉見是人皆得成就無量無邊功德
須菩提若有善男子善女人初日分以恒河
沙等身布施中日分復以恒河沙等身布施
後日分亦以恒河沙等身布施如是無量百
千万億劫以身布施若復有人聞此經典信
心不逆其福勝彼何況書寫受持讀誦為人
解說須菩提以要言之是經有不可思議不
可稱量無邊功德如來為發大乘者說為發
最上乘者說若有人能受持讀誦廣為人說

BD01590號　金剛般若波羅蜜經　（14–7）

心不逆其福勝彼何況書寫受持讀誦為人
解說須菩提以要言之是經有不可思議不
可稱量無邊功德如來為發大乘者說為發
最上乘者說若有人能受持讀誦廣為人說
如來悉知是人悉見是人皆得成就不可量
不可稱無有邊不可思議功德如是人等則
為荷擔如來阿耨多羅三藐三菩提何以故
須菩提若樂小法者著我見人見衆生見壽
者見則於此經不能聽受讀誦為人解說須
菩提在在處處若有此經一切世間天人阿
脩羅所應供養當知此處則為是塔皆應恭
敬作礼圍繞以諸華香而散其處
復次須菩提善男子善女人受持讀誦此經
若為人輕賤是人先世罪業應墮惡道以今
世人輕賤故先世罪業則為消滅當得阿耨
多羅三藐三菩提須菩提我念過去無量阿
僧祇劫於然燈佛前得值八百四千万億那
由他諸佛悉皆供養承事無空過者若復有
人於後末世能受持讀誦此經所得功德於
我所供養諸佛功德百分不及一千万億分
乃至筭數譬喻所不能及須菩提若善男子
善女人於後末世有受持讀誦此經所得功
德我若具說者或有人聞心則狂乱狐疑不
信須菩提當知是經義不可思議果報亦不可思議
介時須菩提白佛言世尊善男子善女人發

BD01590號　金剛般若波羅蜜經　（14–8）

德我若具說者或有人聞心則狂乱狐疑不
信須菩提當知是經義不可思議果報亦不可思議
尒時須菩提白佛言世尊善男子善女人發
阿耨多羅三藐三菩提心云何應住云何降
伏其心佛告須菩提善男子善女人發阿耨
多羅三藐三菩提者當生如是心我應滅度
一切衆生滅度一切衆生已而無有一衆生
實滅度者何以故若菩薩有我相人相衆生
相壽者相則非菩薩所以者何須菩提實無
有法發阿耨多羅三藐三菩提心者須菩提
於意云何如來於然燈佛所有法得阿耨多
羅三藐三菩提不不也世尊如我解佛所說
義佛於然燈佛所無有法得阿耨多羅三藐
三菩提佛言如是如是須菩提實無有法如
來得阿耨多羅三藐三菩提須菩提若有法
如來得阿耨多羅三藐三菩提者然燈佛則不
與我受記汝於來世當得作佛号釋迦牟尼
以實無有法得阿耨多羅三藐三菩提是故
然燈佛與我受記作是言汝於來世當得作
佛号釋迦牟尼何以故如來者即諸法如義
若有人言如來得阿耨多羅三藐三菩提須
菩提實無有法佛得阿耨多羅三藐三菩提
須菩提如來所得阿耨多羅三藐三菩提於
是中無實無虛是故如來說一切法皆是佛
法須菩提所言一切法者即非一切法是故
名一切法

BD01590號　金剛般若波羅蜜經　（14–9）

須菩提如來所得阿耨多羅三藐三菩提於
是中無實無虛是故如來說一切法皆是佛
法須菩提所言一切法者即非一切法是故
名一切法
須菩提譬如人身長大須菩提言世尊如來
說人身長大則為非大身是名大身須菩提
菩薩亦如是若作是言我當滅度無量衆生
則不名菩薩何以故須菩提實無有法名為菩
薩是故佛說一切法無我無人無衆生無壽
者須菩提若菩薩作是言我當莊嚴佛土是
不名菩薩何以故如來說莊嚴佛土者即非
莊嚴是名莊嚴須菩提若菩薩通達無我法
者如來說名真是菩薩
須菩提於意云何如來有肉眼不如是世尊
如來有肉眼須菩提於意云何如來有天眼
不如是世尊如來有天眼須菩提於意云何
如來有慧眼不如是世尊如來有慧眼須菩
提於意云何如來有法眼不如是世尊如來
有法眼須菩提於意云何如來有佛眼不如
是世尊如來有佛眼須菩提於意云何恒河
中所有沙佛說是沙不如是世尊如來說是
沙須菩提於意云何如一恒河中所有沙有
如是等恒河是諸恒河所有沙數佛世界如
是寧為多不甚多世尊佛告須菩提尒所國
土中所有衆生若干種心如來悉知何以故
如來說諸心皆為非心是名為心所以者何

BD01590號　金剛般若波羅蜜經　（14–10）

如是等恒河是諸恒河所有沙數佛世界如
是寧為多不甚多世尊佛告須菩提尒所國
土中所有衆生若干種心如來悉知何以故
如來說諸心皆為非心是名為心所以者何
須菩提過去心不可得現在心不可得未來
心不可得
須菩提於意云何若有人滿三千大千世界
七寶以用布施是人以是因緣得福多不如
是世尊此人以是因緣得福甚多須菩提若
福德有實如來不說得福德多以福德無故
如來說得福德多須菩提於意云何佛可以具
足色身見不不也世尊如來不應以具足色身見
何以故如來說具足色身即非具足色身是
名具足色身須菩提於意云何如來可以具
足諸相見不不也世尊如來不應以具足諸
相見何以故如來說諸相具足即非具足是
名諸相具足須菩提汝勿謂如來作是念我
當有所說法莫作是念何以故若人言如來
有所說法即為謗佛不能解我所說故須菩
提說法者無法可說是名說法
須菩提白佛言世尊佛得阿耨多羅三藐三
菩提為無所得邪如是如是須菩提我於阿
耨多羅三藐三菩提乃至無有少法可得是
名阿耨多羅三藐三菩提復次須菩提是法
平等無有高下是名阿耨多羅三藐三菩提
以無我無人無衆生無壽者脩一切善法則

BD01590號　金剛般若波羅蜜經　（14–11）

耨多羅三藐三菩提乃至無有少法可得是
名阿耨多羅三藐三菩提復次須菩提是法
平等無有高下是名阿耨多羅三藐三菩提
以無我無人無衆生無壽者脩一切善法則
得阿耨多羅三藐三菩提須菩提所言善法
者如來說非善法是名善法須菩提若三千
大千世界中所有諸須弥山王如是等七寶
聚有人持用布施若人以此般若波羅蜜經
乃至四句偈等受持為他人說於前福德百
分不及一百千万億分乃至筭數譬喻所不
能及須菩提於意云何汝等勿謂如來作是
念我當度衆生須菩提莫作是念何以故實
無有衆生如來度者若有衆生如來度者如
來則有我人衆生壽者須菩提如來說有我
者則非有我而凡夫之人以為有我須菩提凡
夫者如來說則非凡夫須菩提於意云何可以
三十二相觀如來不須菩提言如是如是以
三十二相觀如來佛言須菩提若以三十二
相觀如來者轉輪聖王則是如來須菩提白
佛言世尊如我解佛所說義不應以三十二
相觀如來尒時世尊而說偈言
若以色見我　以音聲求我　是人行邪道　不能見如來
須菩提汝若作是念如來不以具足相故得
阿耨多羅三藐三菩提須菩提莫作是念如
來不以具足相故得阿耨多羅三藐三菩提

BD01590號　金剛般若波羅蜜經　（14–12）

須菩提汝若作是念如來不以具足相故得
阿耨多羅三藐三菩提須菩提莫作是念如
來不以具足相故得阿耨多羅三藐三菩提
須菩提汝若作是念發阿耨多羅三藐三菩
提心者說諸法斷滅莫作是念何以故發阿
耨多羅三藐三菩提心者於法不說斷滅相
須菩提若菩薩以滿恒河沙等世界七寶布
施若復有人知一切法無我得成於忍此菩
薩勝前菩薩所得功德須菩提以諸菩薩不
受福德故須菩提白佛言世尊云何菩薩不
受福德須菩提菩薩所作福德不應貪著是
故說不受福德須菩提若有人言如來若來
若去若坐若卧是人不解我所說義何以故
如來者無所從來亦無所去故名如來須菩
提若善男子善女人以三千大千世界碎為
微塵於意云何是微塵衆寧為多不甚多世
尊何以故若是微塵衆實有者佛則不說是
微塵衆所以者何佛說微塵衆則非微塵衆
是名微塵衆世尊如來所說三千大千世界
則非世界是名世界何以故若世界實有則
是一合相如來說一合相則非一合相是名
一合相須菩提一合相者則是不可說但凡
夫之人貪著其事須菩提若人言佛說我見
人見衆生見壽者見須菩提於意云何是人
解我所說義不世尊是人不解如來所說義
何以故世尊說我見人見衆生見壽者見即

BD01590號　金剛般若波羅蜜經　（14–13）

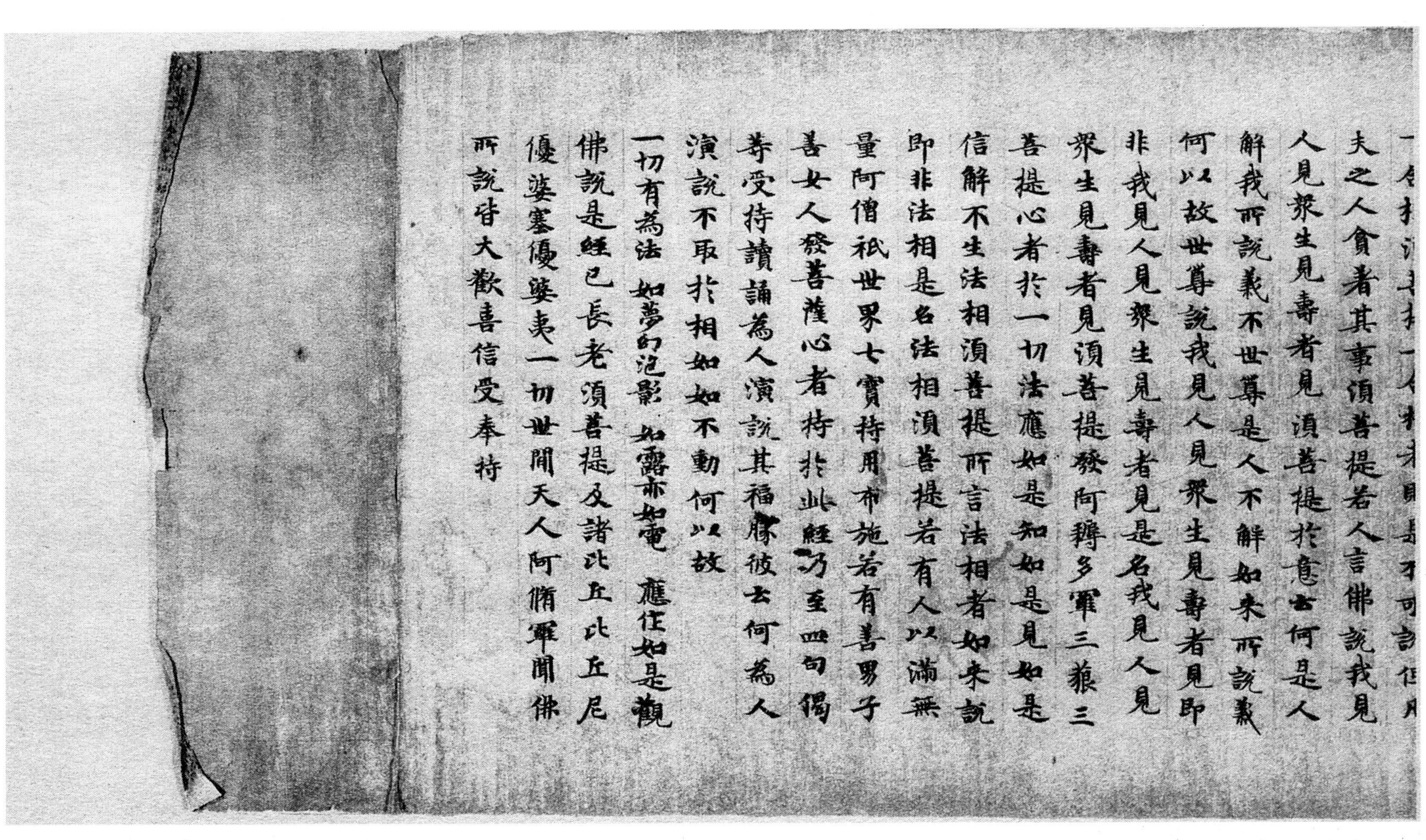
夫之人貪著其事須菩提若人言佛說我見
人見衆生見壽者見須菩提於意云何是人
解我所說義不世尊是人不解如來所說義
何以故世尊說我見人見衆生見壽者見即
非我見人見衆生見壽者見是名我見人見
衆生見壽者見須菩提發阿耨多羅三藐三
菩提心者於一切法應如是知如是見如是
信解不生法相須菩提所言法相者如來說
即非法相是名法相須菩提若有人以滿無
量阿僧祇世界七寶持用布施若有善男子
善女人發菩薩心者持於此經乃至四句偈
等受持讀誦為人演說其福勝彼云何為人
演說不取於相如如不動何以故
一切有為法　如夢幻泡影　如露亦如電　應作如是觀
佛說是經已長老須菩提及諸比丘比丘尼
優婆塞優婆夷一切世間天人阿脩羅聞佛
所說皆大歡喜信受奉持

BD01590號　金剛般若波羅蜜經　（14–14）

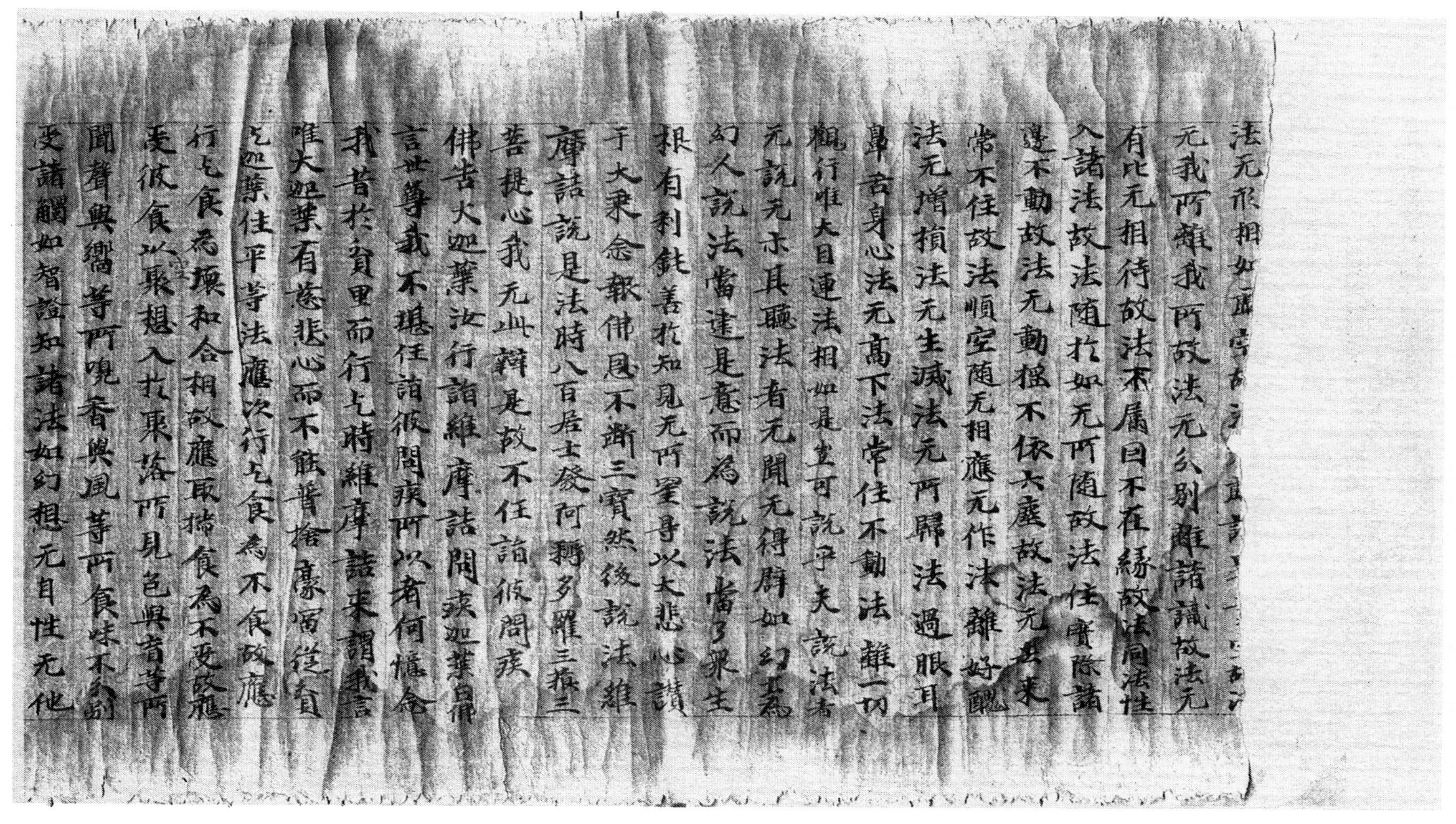

BD01591 號 維摩詰所說經卷上 （2–1）

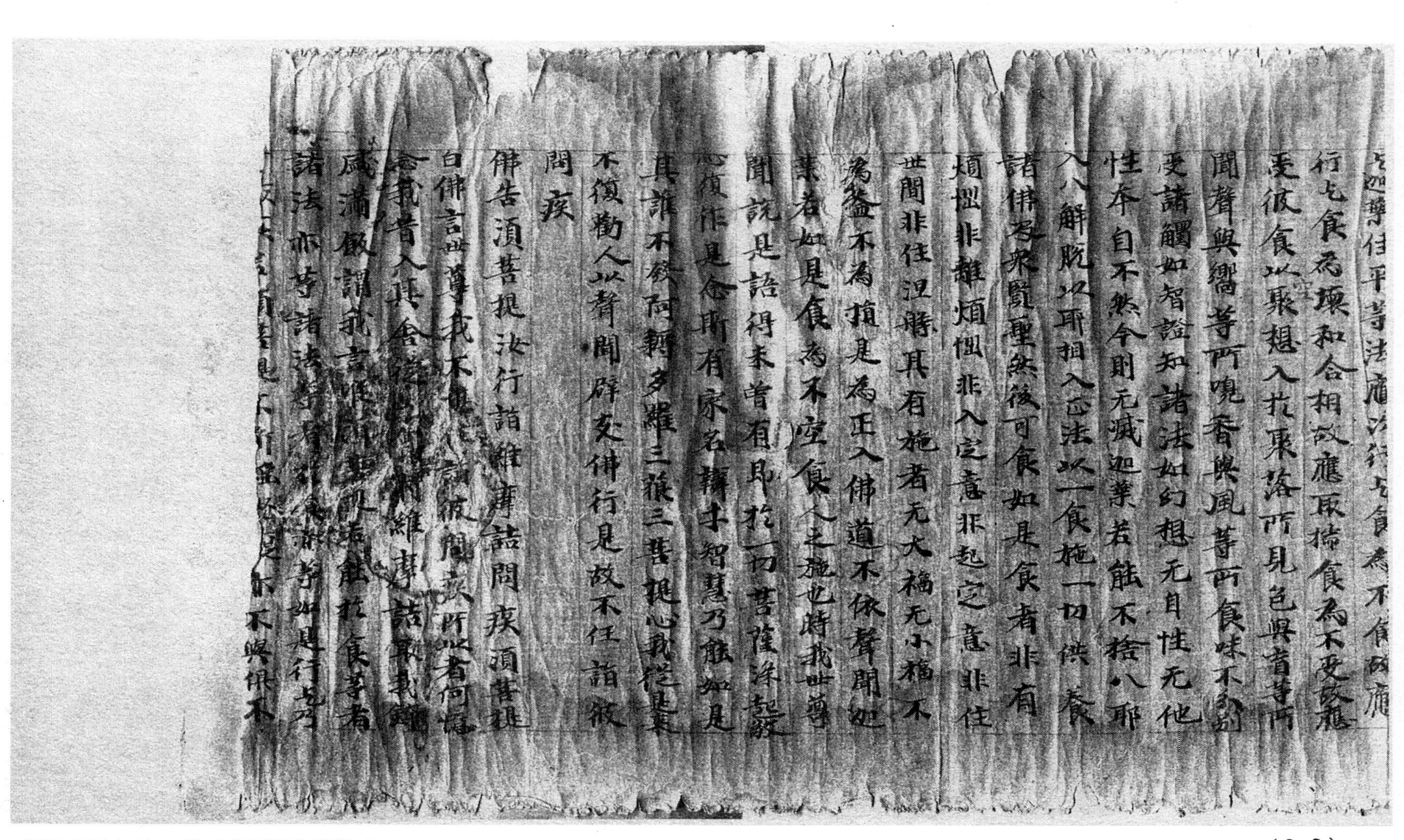

BD01591 號 維摩詰所說經卷上 （2–2）

法常念順行護持正法不惜軀命
種諸善根无有疲猒志常安住方便迴向求
法不懈說法无悋懃供諸佛故入生死而无
所畏於諸榮辱心无憂喜不輕未學敬學如
佛墮煩惱者令發正念於遠離樂不以為貴
不著己樂慶於彼樂在諸禪定如地獄想於
生死中如園觀想見來求者為善師想捨諸
所有具一切智想見毀戒人起救護想諸波
羅蜜為父母想道品之法為眷屬想發行
善根无有齊限以諸淨國嚴飾之事成己佛
土行不限施具足相好除一切惡身口意淨故生死
无數劫意而有勇聞佛无量德志而不惓以
智慧劍破煩惱賊出陰界入荷負眾生永使
解脫以大精進摧伏魔軍常求无念實相智
慧行少欲知足而不捨世間法不壞威儀而能
隨俗起神通慧引導眾生得念總持所聞不
忘善別諸根斷眾生疑以樂說辯演法无
閡淨十善道受天人福脩四无量開梵天道
勸請說法隨喜讚善得佛音聲身口意善得
佛威儀深脩善法所行轉勝以大乘教成菩
薩僧心无放逸不失眾善行如此法是名菩
薩不盡有為何謂菩薩不住无為謂脩學空

BD01592號　維摩詰所說經卷下　（2–1）

忘善別諸根斷眾生疑以樂說辯演法无
閡淨十善道受天人福脩四无量開梵天道
勸請說法隨喜讚善得佛音聲身口意善得
佛威儀深脩善法所行轉勝以大乘教成菩
薩僧心无放逸不失眾善行如此法是名菩
薩不盡有為何謂菩薩不住无為謂脩學空
不以空為證脩學无相无作不以无相无作
為證脩學无起不以无起為證觀於无常而
不猒善本觀世間苦而不猒生死觀於无我
而誨人不惓觀於寂滅而不永寂滅觀於遠
離而身心脩善觀无所歸而歸趣善法觀於
无生而以生法荷負一切觀於无漏而不斷諸
漏觀无所行而以行法教化眾生觀於空无
而不捨大悲觀正法位而不隨小乘觀諸法
虛妄无牢无人无主无相本願未滿而不虛
福德禪定智慧脩如此法是名菩薩不住
无為又具福德故不住无為具智慧故不盡
有為大慈悲故不住无為滿本願故不盡有
為集法藥故不住无為隨授藥故不盡有為知
眾生病故不住无為滅眾生病故不盡有為諸
正士菩薩已脩此法不盡有為不住无為是名
盡无盡无閡[illegible]

BD01592號　維摩詰所說經卷下　（2–2）

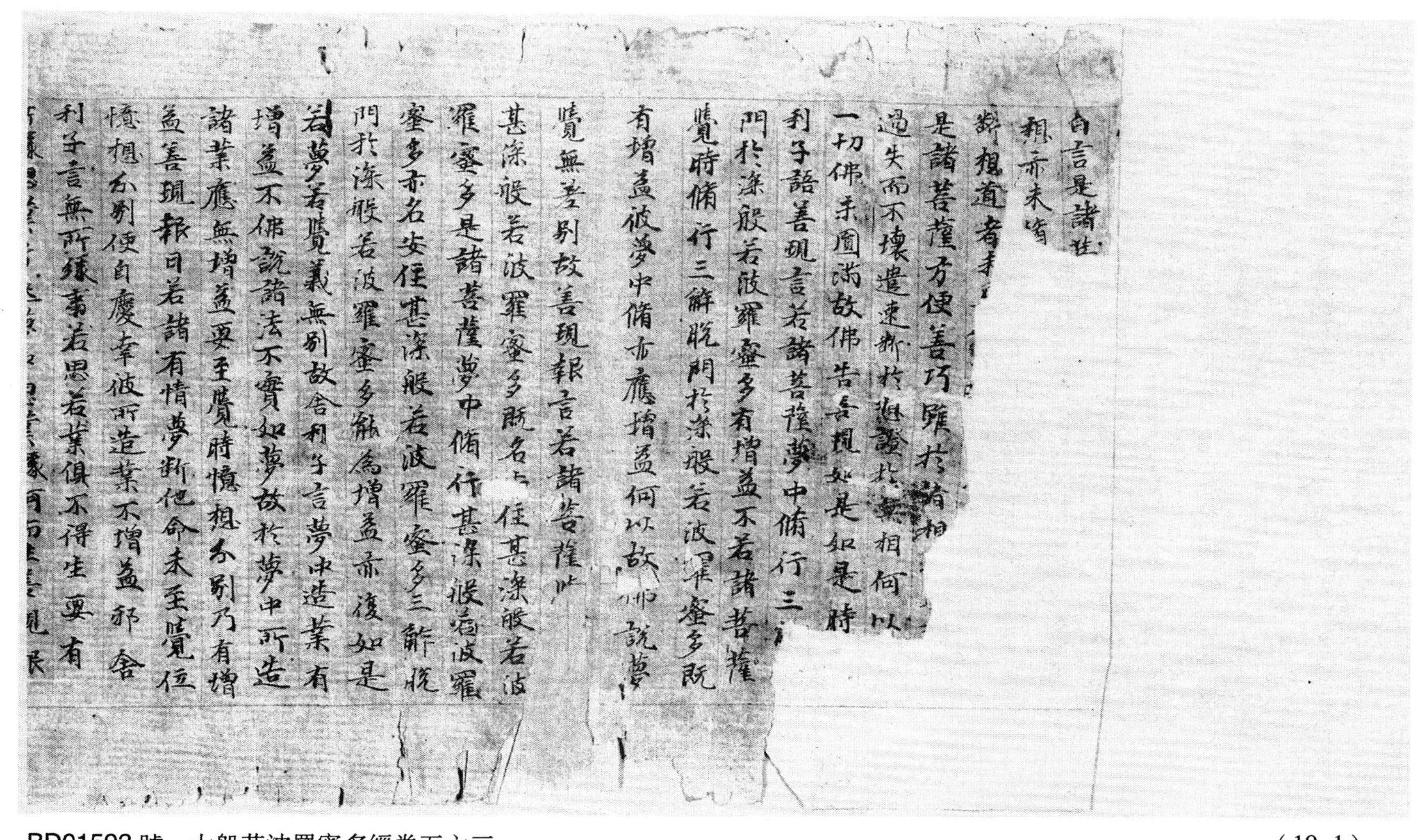
自言是諸性
相亦未皆
辯相道者未
是諸菩薩方便善巧雖於諸相
過失而不壞遣速斷於迴諍於無相何以
一切佛法圓滿故佛告善現如是如是時
利子語善現言若諸菩薩夢中脩行三
門於深般若波羅蜜多有增益不若諸菩薩
覺時脩行三解脫門於深般若波羅蜜多既
有增益彼夢中脩亦應增益何以故佛說夢
覺無差別故善現報言若諸菩薩此
甚深般若波羅蜜多既名〻住甚深般若波
羅蜜多是諸菩薩夢中脩行甚深般若波羅
蜜多亦名安住甚深般若波羅蜜多三解脫
門於深般若波羅蜜多能為增益亦復如是
若夢若覺義無別故舍利子言夢中造業有
增益不佛說諸法不實如夢故於夢中所造
諸業應無增益要至覺時憶想分別乃有增
益善現報曰若諸有情夢斷他命未至覺位
憶想分別便自慶幸彼所造業不增益邪舍
利子言無所緣事若思若業俱不得生要有

BD01593號　大般若波羅蜜多經卷五六三　（19–1）

增益不佛說諸法不實如夢故於夢中所造
諸業應無增益要至覺時憶想分別乃有增
益善現報曰若諸有情夢斷他命未至覺位
憶想分別便自慶幸彼所造業不增益邪舍
利子言無所緣事若思若業俱不得生要有
所緣思業方起夢中思業緣何而生善現報
言如是如是若夢若覺無所緣事思業不生
要有所緣思業方起何以故舍利子要於見
聞覺知諸相有覺慧轉由斯起染或復起淨
若無見聞覺知諸相無覺慧轉亦無染淨由
此故知若夢若覺有所緣事思業乃生若無
所緣思業不起時舍利子問善現言佛說所
緣皆離自性如何可說有所緣事思業乃生
若無所緣思業不起善現答言雖諸思業及
所緣事皆離自性而由自心取相分別世俗
施設說有所緣起諸思業非此所緣離心別
有時舍利子問善現言若諸菩薩夢中行施
施已迴向無上菩提是諸菩薩為實以施迴
向無上佛菩提不善現報言慈氏菩薩久已
受得大菩提記宜可請問定當為答時舍利
子如善現言恭敬請問慈氏菩薩時慈氏菩
薩詰舍利子言何等名為慈氏菩薩而謂能
答尊者所問為色邪為受想行識邪為色空
邪為受想行識空邪且色非慈氏菩薩亦不
能答尊者所問受想行識非慈氏菩薩亦不
能答尊者所問色空非慈氏菩薩亦不能答
尊者所問受想行識空非慈氏菩薩亦不能
答尊者所問我都不見有法可名慈氏菩薩

BD01593號　大般若波羅蜜多經卷五六三　（19–2）

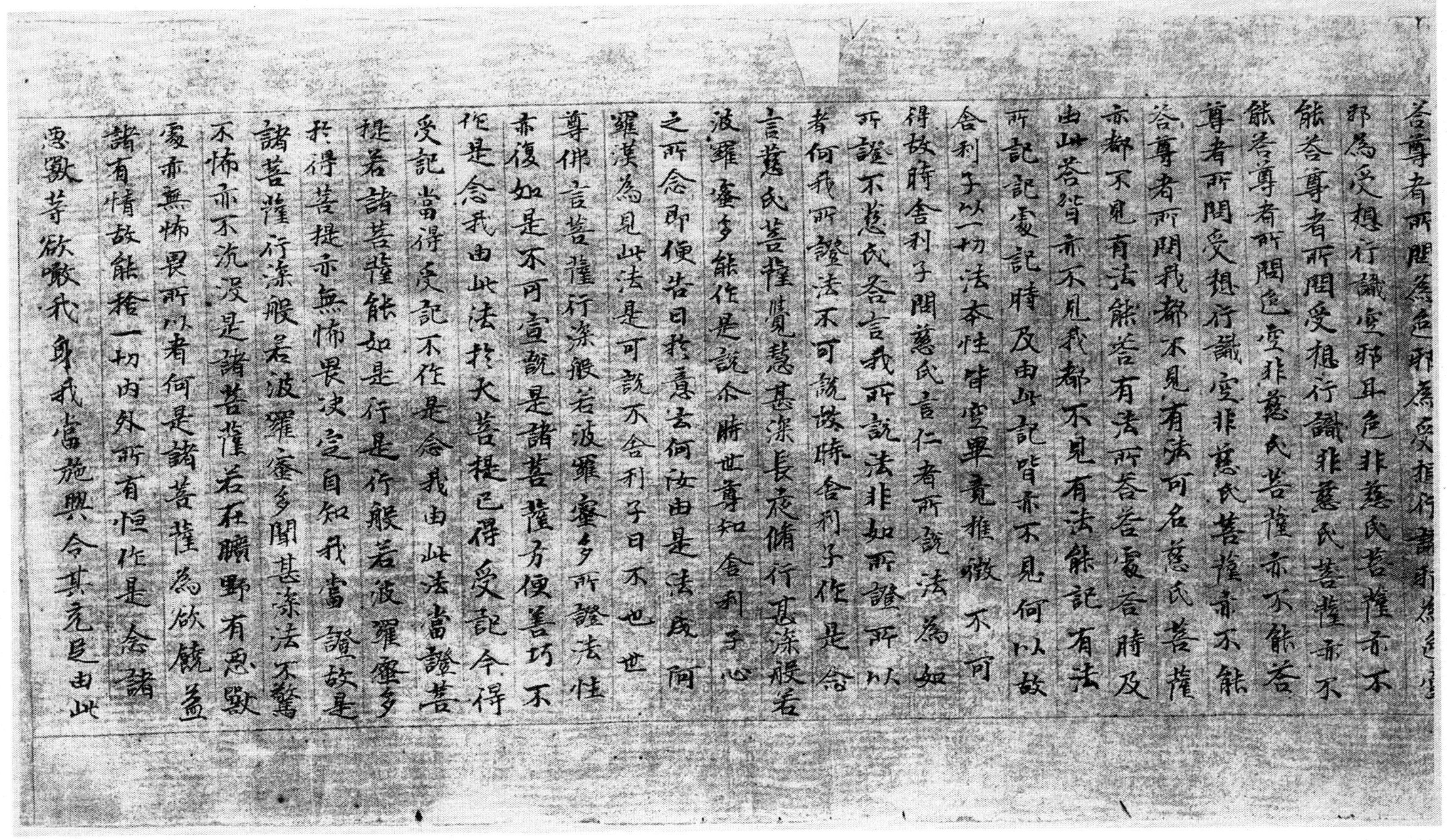

答尊者所問為色耶為受想行識耶為色空
耶為受想行識空耶耳色非慈氏菩薩亦不
能答尊者所問受想行識非慈氏菩薩亦不
能答尊者所問色空非慈氏菩薩亦不能答
尊者所問受想行識空非慈氏菩薩亦不能
答尊者所問我都不見有法可名慈氏菩薩
亦都不見有法能答有法所答答處答時及
由此答皆亦不見我都不見有法能記有法
所記記處記時及由此記皆亦不見何以故
舍利子以一切法本性皆空畢竟推徵不可
得故時舍利子問慈氏言仁者所說法為如
所證不慈氏答言我所說法非如所證所以
者何我所證法不可說故時舍利子作是念
言慈氏菩薩覺慧甚深長夜脩行甚深般若
波羅蜜多能作是說尒時世尊知舍利子心
之所念即便告曰於意云何汝由是法成阿
羅漢為見此法是可說不舍利子曰不也世
尊佛言菩薩行深般若波羅蜜多所證法性
亦復如是不可宣說是諸菩薩方便善巧不
作是念我由此法於大菩提已得受記今得
受記當得受記不作是念我由此法當證菩
提若諸菩薩能如是行是行般若波羅蜜多
於得菩提亦無怖畏決定自知我當證故是
諸菩薩行深般若波羅蜜多聞甚深法不驚
不怖亦不沈沒是諸菩薩若在曠野有惡獸
處亦無怖畏所以者何是諸菩薩為欲饒益
諸有情故能捨一切內外所有恒作是念諸
惡獸等欲噉我身我當施與令其充足由此

BD01593號　大般若波羅蜜多經卷五六三　（19–3）

不怖亦不沈沒是諸菩薩若在曠野有惡獸
處亦無怖畏所以者何是諸菩薩為欲饒益
諸有情故能捨一切內外所有恒作是念諸
惡獸等欲噉我身我當施與令其充足由此
善根令我布施波羅蜜多速得圓滿疾證無
上正等菩提我當如是勤脩正行證得無上
正等覺時我佛土中得無一切傍生餓鬼是
諸菩薩若在曠野有惡賊處亦無怖畏所以
者何是諸菩薩為欲饒益諸有情故能捨一
切內外所有樂脩諸善於身命財無所顧恡
恒作是念若諸有情欲來劫奪我諸資具或
有因斯害我身命我當於彼不生瞋恨由此
因緣令我安忍波羅蜜多速得圓滿疾證無
上正等菩提我當如是勤脩正行證得無上
正等覺時我佛土中得無一切劫害怨賊由
我佛土極清淨故亦無餘惡是諸菩薩若在
曠野無水之處亦無怖畏作是念言我當宣
說無上妙法斷諸有情渴愛之病設我由此
渴乏命終於諸有情必不捨離大悲作意施
妙法水奇哉薄福是諸有情居在如斯無水
世界我當如是勤脩正行證得無上正等覺
時我佛土中得無如是一切燋渴乏水曠野
我當方便勸諸有情脩勝福業隨所在處皆
令具足八功德水是諸菩薩處飢饉土亦無
怖畏作是念言我當精進嚴淨佛土當證無
上正等覺時我佛土中得無如是一切飢饉
諸有情類具足快樂隨意所須應念即至如

BD01593號　大般若波羅蜜多經卷五六三　（19–4）

我當方便勸諸有情脩勝福業隨所在處皆
令具足八功德水是諸菩薩處飢饉土亦無
怖畏作是念言我當精進嚴淨佛土當證無
上正等覺時我佛土中得無如是一切飢饉
諸有情類具足快樂隨意所須應念即至如
諸天上所念皆得我當發起堅猛精進令諸
有情法願滿足一切時處一切有情於一切
種資緣無乏若諸菩薩無斯怖畏定證無上
正等菩提是諸菩薩遇疾疫時亦無怖畏何
以故是諸菩薩恒審思惟無法名病亦無病
者一切皆空不應怖畏我當如是勤脩正行
證得無上正等覺時我佛土中諸有情類等
無三病精進脩行殊勝善法如佛所說常無
懈廢是諸菩薩若念菩提經久乃得亦無怖
畏所以者何前際劫數雖有無量而一心須
憶念分別積集所成後際劫數應知亦尒是
故菩薩不應於中作久遠想而生怖畏何以
故前際後際劫數短長皆一剎那心相應故
如是菩薩於可畏事能審思惟不生怖者疾
證無上正等菩提

第五分姊妹品第十八

尒時會中有一天女從座而起頂礼佛足偏
覆左肩右膝著地合掌恭敬白言世尊我於
此中亦無怖畏願當來世得作佛時亦為有
情說如斯法作是語已取妙金花恭敬至誠
散如來上佛神力故今此金花上踊虛空續
然而住尒時世尊即便微咲從面門出金色

BD01593號　大般若波羅蜜多經卷五六三　（19–5）

覆左肩右膝著地合掌恭敬白言世尊我於
此中亦無怖畏願當來世得作佛時亦為有
情說如斯法作是語已取妙金花恭敬至誠
散如來上佛神力故今此金花上踊虛空續
然而住尒時世尊即便微咲從面門出金色
光明普照十方還從頂入時阿難陁見聞是
已恭敬合掌白言世尊何因何緣現此微咲
諸佛現咲非無因緣尒時世尊告慶喜曰今
此天女於未來世當成如來應正等覺劫名
星喻佛號金花慶喜當知今此天女即是最
後所受女身捨此身已便受男身盡未來際
不復為女從此歿已生於東方不動佛國勤
脩梵行此女彼界便字金花從不動佛世界
歿已復生他方有佛世界隨所生處常不離
佛如轉輪王從一臺至一臺殿歡娛受樂
乃至命終足不履地此女亦尒從一佛國至
一佛國隨所生處常不遠離諸佛世尊乃至
菩提恒脩梵行時阿難陁竊作是念今此姊
妹當作佛時亦應如今菩薩眾會佛知其念
告慶喜言如是如是如汝所念金華菩薩當
作佛時亦為眾會宣說如是甚深般若波羅
蜜多彼會菩薩其數多少亦如我今菩薩眾
會聲聞弟子其數難知但可總說無量無數
彼佛世界惡獸惡賊飢渴病等一切皆無亦
無諸餘煩惱怖畏尒時慶喜復白佛言今此
姊妹先於何佛初發無上正等覺心種諸善
根迴向發願佛告慶喜此女過去然燈佛所

BD01593號　大般若波羅蜜多經卷五六三　（19–6）

會聲聞弟子其數難知但可總說無量無數
彼佛世界惡獸惡賊飢渴病等一切皆無亦
無諸餘煩惱怖畏尒時慶喜復白佛言今此
姊妹先於何佛初發無上正等覺心種諸善
根迴向發願佛告慶喜此女過去然燈佛所
初發大心亦以金華散彼佛上迴向發願令
得值我慶喜當知我於過去然燈佛所以五
莖華奉散彼佛迴向發願然燈如來應正等
覺知我根熟與我受記汝於來世當得作佛
號為能寂界名堪忍劫號為賢天女尒時聞
佛授我大菩提記歡喜踊躍即以金華散彼
佛上迴向發願使我來世於此菩薩得作佛
時亦如今佛現前授我大菩提記故我今者
與彼受記尒時慶喜聞佛所說歡喜踊躍白
言世尊今此姊妹久已修習大菩提心迴向
發願今得成熟佛告慶喜如是如是如汝所
說尒時善現便白佛言云何菩薩行深般若
波羅蜜多現入空定佛告善現若諸菩薩行
深般若波羅蜜多觀諸色受想行識空作此
觀時不令心亂若心不亂則如實見法雖如
實見法而不作證具壽善現復白佛言云何
菩薩雖見空法而不作證佛告善現是諸菩
薩觀法空時先作是念我應觀法諸相皆
空而於其中不應作證我為學故觀諸法空不
為證故觀諸法空今是學時非為證時是
諸菩薩未入定位攝心於境非入定時菩薩尒
時雖不退失菩提分法而不盡漏所以者何
是諸菩薩成就廣大智慧善根能自審思

薩觀法空時[illegible]
空而於其中不應作證我為學故觀諸法空不
為證故觀諸法空今是學時非為證時是
諸菩薩未入定位攝心於境非入定時菩薩尒
時雖不退失菩提分法而不盡漏所以者何
是諸菩薩成就廣大智慧善根能自審思
我於空法今時應學不應作證我應攝受甚
深般若波羅蜜多觀諸法空圓滿一切菩提分
法不應今時證於實際墮二乘地不得菩提
譬如有人勇健威猛所立堅固形皃端嚴六
十四能無不具足於餘伎術學至究竟具多
最勝功德尸羅聰慧巧言善能酬對具慈具
義有大勢力諸有所為皆能成辦善事業故
功少利多由此眾人無不敬愛有因緣故將
其父母妻子眷屬發趣他方中路經過險難
曠野其中多有惡獸怨賊眷屬小大無不驚
惶其人自恃多諸伎術威猛勇健身意泰然
安慰父母妻子眷屬勿有憂懼必令無苦疾
度曠野至安隱處彼人尒時化作種種勇銳
兵仗遇諸怨敵令彼見之自然退散故彼壯
士於曠野中惡獸怨賊無傷害意善權方便
將諸眷屬疾度曠野至安樂處諸菩薩眾亦
復如是慜生死苦諸有情類繫念安住慈悲
喜捨攝受般若波羅蜜多殊勝善根方便善
巧如佛所許持諸功德迴向無上正等菩提
雖具修空而不作證深心慜念一切有情緣
諸有情欲施安樂是諸菩薩超煩惱品亦超
魔品及二乘地雖住空定而不盡漏雖善習

巧如佛所許持諸功德迴向無上正等菩提
雖具脩空而不作證深心慈念一切有情緣
諸有情欲施安樂是諸菩薩起煩惱品亦起
魔品及二乘地雖住空定而不盡漏雖善習
空而不作證尒時菩薩住空定中雖於相不
執而不證無相如堅翅鳥飛騰虛空自在翱
翔久不墮落雖依空翫而不住空亦不為空
之所拘礙諸菩薩衆亦復如是雖學空無相
無願解脫門而不住空無相無願乃至佛法
未極圓滿終不依彼永盡諸漏如有壯夫善
閑射術欲顯己伎仰射虛空為令空中箭不
墮地復以後箭射前箭栝如是展轉經於多
時箭箭相承不令其墮若欲令墮便止後箭
尒時諸箭方頓墮落此諸菩薩亦復如是行
深般若波羅蜜多攝受殊勝方便善巧乃至
善根未極成熟終不中道證於實際若時善
根已極成熟便證實際得大菩提是故菩薩
行深般若波羅蜜多方便善巧皆應如是於
深法性審諦觀察若諸佛法未極圓滿不應
作證尒時善現便白佛言甚奇世尊希有善
逝是諸菩薩能為難事雖學深深法而不作證
佛告善現如是如是此諸菩薩誓不棄捨一
切有情能辦斯事謂諸菩薩發廣大心為脫
有情生死苦故雖數引發三解脫門而於中
道不證實際所以者何所欲度脫不應捨故
方便善巧所護持故不應中間證於實際
復次善現若諸菩薩於甚深處欲以般若波

切有情能辦斯事謂諸菩薩發廣大心為脫
有情生死苦故雖數引發三解脫門而於中
道不證實際所以者何所欲度脫不應捨故
方便善巧所護持故不應中間證於實際
復次善現若諸菩薩於甚深處欲以般若波
羅蜜多審諦觀察謂空無相無願等持三解脫
門所行之處是諸菩薩應作是念有情長
夜起有情想執有所得引生種種邪惡見趣輪
迴生死受苦無窮我為斷彼邪惡見趣應求
無上正等菩提為諸有情說深空法令斷彼
執出生死苦是故雖學空解脫門而於中間
不證實際是諸菩薩由起此念方便善巧雖
於中間不證實際而不退失慈悲喜捨四種
勝定所以者何是諸菩薩甚深般若波羅
蜜多方便善巧所攝受故倍增白法諸根漸利
力覺道支轉復增益復次善現是諸菩薩應
作是念有情長夜行諸相中起種種執由斯
輪轉受苦無窮我為斷彼諸相執故應求無
上正等菩提為諸有情說無相法令斷相執
出生死苦由斯數入無相等持是諸菩薩由
先成就方便善巧及所起念雖數現入無相
等持而於中間不證實際雖於中間不證實
際而不退失四無量定所以者何是諸 菩薩
甚深般若波羅蜜多方便善巧所攝受故倍
增白法諸根漸利力覺道支轉復增益復次
善現是諸菩薩應作是念有情長夜其心常
起常想樂想我想淨想由此引生顛倒執著

甚深般若波羅蜜多方便善巧所攝受故倍
增白法諸根漸利力覺道支轉復增益復次
善現是諸菩薩應作是念有情長夜其心常
起常想樂想我想淨想由此引生顛倒執著
輪轉生死受苦無窮我為斷彼四顛倒故應
求無上正等菩提為諸有情說無倒法謂說
生死無常無樂無我無淨唯有涅槃微妙寂
靜具足種種真實功德由斯數入無願等持
是諸菩薩由先成就方便善巧及所起念雖
數現入無願等持而諸佛法未極圓滿終不
中間證於實際雖於中間不證實際而不退
失四無量定所以者何是諸菩薩甚深般若
波羅蜜多方便善巧所攝受故倍增白法諸
根漸利力覺道支轉復增益復次善現是諸
菩薩應作是念有情長夜先已行有所得今
亦行有所得先已行有相今亦行有相先已
行顛倒今亦行顛倒先已行和合想今亦行
和合想先已行虛妄想今亦行虛妄想先已
行邪見今亦行邪見由斯輪轉受苦無窮我
為斷彼如是過失應求無上正等菩提為諸
有情說甚深法令彼過失皆永斷除不復輪
迴受生死苦速證常樂真淨涅槃是諸菩薩
由深慇念一切有情成就殊勝方便善巧甚
深般若波羅蜜多所攝受故於法法性常樂
觀察謂空無相無願無作無生無滅無性實
際是諸菩薩成就如是殊勝智見若隨無相

BD01593號　大般若波羅蜜多經卷五六三　　（19–11）

由深慇念一切有情成就殊勝方便善巧甚
深般若波羅蜜多所攝受故於法法性常樂
觀察謂空無相無願無作無生無滅無性實
際是諸菩薩成就如是殊勝智見若隨無相
無作之法或住三界俱無是處是諸菩薩成
就如是殊勝功德拔諸有情而趣圓寂不證
無上正等菩提饒益有情亦無是處復次善
現若諸菩薩欲得無上正等菩提應審請問
諸餘菩薩云何菩薩脩習一切菩提分法引
發何心能令菩薩學空無相無願無作無生
無滅無性實際而不作證然脩般若波羅蜜
多若餘菩薩得此問時作如是答諸菩薩眾
但應思惟空無相等不為顯示應念不捨一
切有情攝受殊勝方便善巧當知彼菩薩先
未蒙諸佛授與無上正等菩提不退轉記所
以者何彼諸菩薩未能闡示分別顯了不退
轉地諸菩薩眾不共法相不如實知他所詣
問不退轉地諸行狀相亦不能答尒時善現便
白佛言頗有因緣知諸菩薩不退轉不佛
告善現亦有因緣知諸菩薩是不退轉謂有
菩薩於深般若波羅蜜多若聞不聞能如實
答先所請問能如實行不退轉地諸菩薩行
由此因緣知彼菩薩是不退轉具壽善現復
白佛言以何因緣有多菩薩行菩提行少有
能作如實答者佛告善現雖多菩薩行菩提
行而少菩薩得受如是不退轉地微妙慧記
若有得受如是記者皆於此中能如實答善

BD01593號　大般若波羅蜜多經卷五六三　　（19–12）

能作如實答者佛告善現雖多菩薩行菩提
行而少菩薩得受如是不退轉地微妙慧記
若有得受如是記者皆於此中能如實答善
現當知是諸菩薩善根明利智慧深廣世間
天人阿素洛等皆不能壞大菩提心

第五分夢行品第十九

復次善現若諸菩薩乃至夢中不著三界及
二乘地亦不稱譽雖觀諸法如夢所見而於
實際能不證受是不退轉諸菩薩相復次善
現若諸菩薩夢中見佛無量百千大衆圍
繞而為說法或見自身有如是（事是）不退轉諸
菩薩相復次善現若諸菩薩夢中見佛具
諸相好常光一尋周帀照曜與無量衆踊在
虛空現大神通說正法要化（作）化士令往他方無
邊佛國作諸佛事或見自身有如是事是
不退轉諸菩薩相復次善現若諸菩薩夢見
狂賊破壞村城或見火起焚燒聚落或見惡
獸欲來害身或見怨家欲斬其首或見父母
臨當命終或見自身衆苦來逼雖見此等諸
怖畏事而不驚懼亦無憂惱從夢覺不能正
思惟三界非真皆如夢見我得無上正等覺
時當為有情說三界法一切虛妄皆如夢境
是不退轉諸菩薩相復次善現若諸菩薩乃
至夢中見有地獄傍生鬼界諸有情類便作
是念我當精勤脩菩薩行速趣無上正等菩
提我佛土中得無地獄傍生鬼界惡趣及名
從夢覺已亦作是善現當知是諸菩薩當

是念我當精勤脩菩薩行速趣無上正等菩
提我佛土中得無地獄傍生鬼界惡趣及名
從夢覺已亦作是善現當知是諸菩薩當
作佛時國土清淨定無惡趣及彼名聲是不
退轉諸菩薩相復次善現若諸菩薩夢中
見大燒地獄等諸有情類或復見燒城邑聚
落便發願言我若已受不退轉記願此大火變
為清涼若此菩薩作是願時夢中見火即為
頓滅當知已受不退轉記若此菩薩作是願
時夢中見火不為頓滅當知未受不退轉記
覺時見火燒諸城邑火隨願滅不滅亦然復
次善現若諸菩薩覺時見大火燒諸城邑便作
是念我若實有不退轉相願此大火即為頓
滅變作清涼念已發言火不頓滅然燒一里
越置一里復燒一里或燒一家越置一家復
燒一家如是展轉其火乃滅是諸菩薩當知
亦已受不退記然被燒者謗法餘殃或衰當
來謗法若相復次善現若諸菩薩見有男子
或有女人現為非人之所魅著受諸苦惱不
能遠離便作是念若諸如來知我已得清淨
意樂知我已受不退轉記已離聲聞獨覺
等地必得無上正等菩提願乘聽察我心所念
我若實能脩菩薩行疾證無上正等菩提濟
拔有情生死苦者願是男子或此女人不為
非人之所擾惱彼隨我語即當捨去是諸菩
薩作此語時若彼非人不為去者當知未受
不退轉記若彼非人即為去者當知已受不

於有情生死苦者願是男子或此女人不為
非人之所擾惱彼隨我語即當捨去是諸菩
薩作此語時若彼非人不為去者當知未受
不退轉記若彼非人即為去者當知已受不
退轉記復次善現有諸菩薩實未受得不退
轉記見有男子或有女人現為非人之所魅著
受諸苦惱不能遠離即便輕尒發誠諦言
若我已得不退轉記令此男子或此女人不
為非人之所擾惱彼隨我語速當捨去尒時
惡魔為誑惑彼即便驅逼非人令去所以者
何惡魔威力勝彼非人是故非人受魔教勑
即便捨去時彼菩薩作是念言非人令去是
吾威力所以者何非人隨我所發誓願即便
放捨男子女人無別緣故是諸菩薩既不覺
知惡魔所作謂是自力輕餘菩薩起增上慢
雖勤精進終不能得無上菩提墮二乘地數
為惡魔之所誑惑是故菩薩應善覺知諸
惡魔事脩諸善業復次善現有諸菩薩實未
受得不退轉記遠離般若波羅蜜多方便善巧
未免魔惑謂有惡魔為誑惑故方便化作種
種形像至菩薩所作如是言汝自知耶過去
諸佛已曾授汝大菩提記汝身眷屬乃至七
世名字差別我悉善知汝身生在某方某國
某城某邑某聚落中汝在某年某月某日某
時某宿相王中生如是惡魔若見菩薩稟性
柔耎諸根暗鈍便詐記言汝於先世所稟根
性已曾如是若見菩薩稟性剛強諸根明利

BD01593號　大般若波羅蜜多經卷五六三　（19–15）

世名字差別我悉善知汝身生在某方某國
某城某邑某聚落中汝在某年某月某日某
時某宿相王中生如是惡魔若見菩薩稟性
柔耎諸根暗鈍便詐記言汝於先世所稟根
性已曾如是若見菩薩稟性剛強諸根明利
便作記言汝於先世亦曾如是若見菩薩具
足種種杜多功德及餘勝行便詐記言汝於
先世亦曾如是具諸功德應自慶慰勿得自
輕時彼菩薩聞此惡魔說其過現名等功德
歡喜踊躍起增上慢陵蔑毀罵諸餘菩薩惡
魔知已復告之言汝定成就殊勝功德佛已
授汝大菩提記已有殊勝瑞相現前尒時惡
魔為擾亂故復矯化作種種形像至菩薩所
現親愛言汝今已具不退轉德應自敬重勿
輙尊人時此菩薩聞彼語已增上慢心轉復
堅固令一切智速而更遠是故菩薩欲得菩
提應善覺知諸惡魔事復次善現有諸菩薩
不善了知名字實相但聞名字妄生執著謂
有惡魔方便化作種種形像來告之言汝所
脩行願行已滿不久當證無上菩提汝成佛
時當得如是殊勝功德尊貴名号謂彼惡魔
知此菩薩長夜思願我成佛時當得如是尊
貴名号隨其思願而記說之時此菩薩遠離
般若波羅蜜多方便善巧聞魔記說作是念
言此人奇哉為我記說當得成佛尊貴名号
與我長夜思願相應由此故知我定當得成
佛名号勝過餘人如如惡魔記彼名号如是如

BD01593號　大般若波羅蜜多經卷五六三　（19–16）

般若波羅蜜多方便善巧聞魔記說作是念
言此人奇哉為我記說當得成佛尊貴名号
與我長夜思願相應由此故知我定當得成
佛名号勝過餘人如如惡魔記彼名号如是如
是憍慢轉增輕蔑諸餘實德菩薩由斯轉
遠無上菩提當墮聲聞或獨覺地是諸菩薩
或有此身親近善友至誠悔過雖經多時流
轉生死而後當證無上菩提若有此身不遇
善友至誠悔過彼定流轉生死多時愚癡顛
倒後雖精進脩諸善業而墮聲聞或獨覺地
如是憍慢輕餘菩薩罪過四重及五無間無
量倍數是故菩薩應善覺知如是記說名
号等微細魔事不應憍慢輕餘菩薩復次善
現有諸菩薩居山曠野脩遠離行時有惡魔
來至其所恭敬讚歎作如是言大士能脩真
遠離行此遠離行賢聖稱譽諸天龍神皆共
守護善現當知我不稱讚此遠離行以為真
實善現白言此遠離行若非真實餘復是何
佛告善現若諸菩薩或居城邑或居山野但
離煩惱二乘作意行深般若波羅蜜多是名
菩薩真遠離行此遠離行諸佛世尊稱讚開
許菩薩應學尒諸菩薩疾證菩提善現當
知魔所稱讚常居山野宴坐思惟猶雜煩惱二
乘作意離深般若波羅蜜多不能圓滿一切
智智有諸菩薩雖樂脩行魔所稱讚遠離
行法而心輕蔑恒居村城脩真遠離諸餘菩薩
善現當知是諸菩薩遠離般若波羅蜜多雖

BD01593號　大般若波羅蜜多經卷五六三　（19–17）

知魔所稱讚常居山野宴坐思惟猶雜煩惱二
乘作意離深般若波羅蜜多不能圓滿一切
智智有諸菩薩雖樂脩行魔所稱讚遠離
行法而心輕蔑恒居村城脩真遠離諸餘菩薩
善現當知是諸菩薩遠離般若波羅蜜多雖
經多時居深山野脩遠離行而不了知真遠離
法增長憍慢於二乘地深生樂著終不能
得無上菩提非佛世尊稱讚開許亦非菩薩
所應脩行善現當知我所稱讚諸菩薩衆
真淨遠法是諸菩薩都不成就彼於真淨遠離
行中亦不見有相似行相而諸惡魔為誑惑
彼令生憍慢輕餘菩薩來至空中歎勸讚
勸言是真淨遠離行法善現當知是諸菩薩
雖居山野而心喧雜不能脩學真遠離行有諸
菩薩雖居村城而心寂靜常能脩學真遠離
行善現當知是諸菩薩於常脩學真遠離行
諸菩薩衆輕弄毀呰如旃荼羅於不能脩真
遠離行諸菩薩衆供養尊重如佛世尊善現
當知是諸菩薩遠離般若波羅蜜多發起種
種分別執著作是念言我所脩學是真遠離
故為非人來至我所稱讚護念居城邑者身
心擾亂誰當護念稱讚敬重是諸菩薩心多
憍慢煩惱惡業晝夜增長善現當知是諸菩
薩於菩薩衆為旃荼羅玷汙菩薩摩訶薩
衆亦是天上人中大賊誑惑天人阿素洛等其
身雖服沙門法衣而心常懷怨賊意樂諸有
發趣菩薩乘者不應親近供養恭敬所以者

BD01593號　大般若波羅蜜多經卷五六三　（19–18）

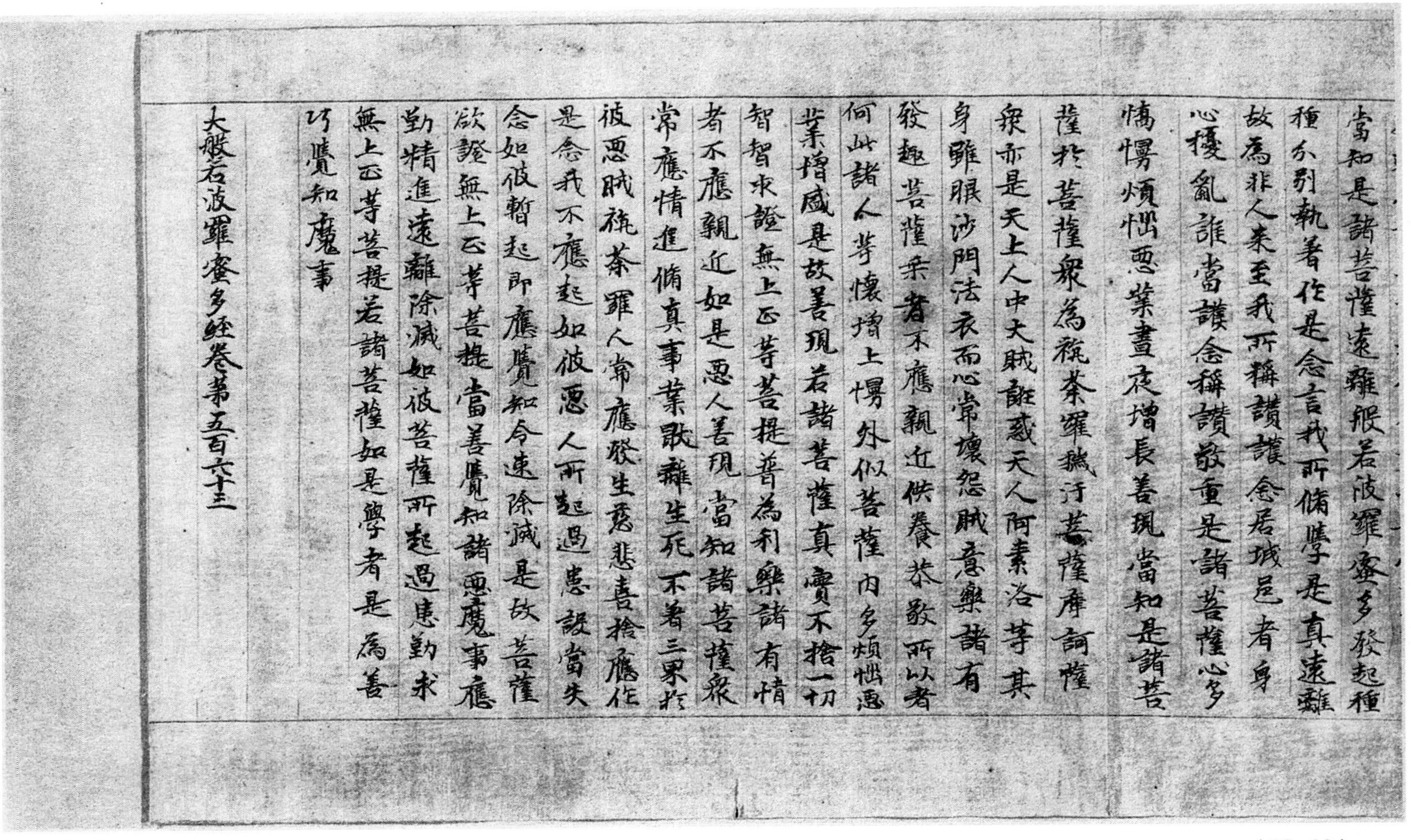

當知是諸菩薩遠離般若波羅蜜多發起種
種分別執著作是念言我所脩學是真遠離
故為非人來至我所稱讚護念居城邑者身
心擾亂誰當護念稱讚敬重是諸菩薩心多
憒閙煩惱惡業晝夜增長善現當知是諸菩
薩於菩薩衆為旃荼羅穢汙菩薩摩訶薩
衆亦是天上人中大賊誑惑天人阿素洛等其
身雖服沙門法衣而心常懷怨賊意樂諸有
發趣菩薩乘者不應親近供養恭敬所以者
何此諸人等懷增上慢外似菩薩內多煩惱惡
業增盛是故善現若諸菩薩真實不捨一切
智智求證無上正等菩提普為利樂諸有情
者不應親近如是惡人善現當知諸菩薩衆
常應精進脩真事業猒離生死不著三界於
彼惡賊旃荼羅人常應發生慈悲喜捨應作
是念我不應起如彼惡人所起過患設當失
念如彼暫起即應覺知令速除滅是故菩薩
欲證無上正等菩提當善覺知諸惡魔事應
勤精進遠離除滅如彼菩薩所起過患勤求
無上正等菩提若諸菩薩如是學者是為善
巧覺知魔事

大般若波羅蜜多經卷第五百六十三

BD01593 號　大般若波羅蜜多經卷五六三　（19–19）

助宣我法能於四衆
佛之正法而大饒益同
自捨如來無能盡其言論之辯汝等
勿謂富樓那但能護持助宣我法亦於過去
九十億諸佛所護持助宣佛之正法於彼說
法人中亦最第一又於諸佛所說空法明了
通達得四無礙智常能審諦清淨說法無有
疑惑具足菩薩神通之力隨其壽命常脩梵
行彼佛世人咸皆謂之實是聲聞而富樓
以斯方便饒益無量百千衆生又化無量阿
僧祇人令立阿耨多羅三藐三菩提為淨佛
土故常作佛事教化衆生諸比丘富樓那亦
於七佛說法人中而得第一今於[illegible]說法
人中亦為第一於賢劫中當來諸佛說法人
中亦復第一而皆護持助宣佛法亦於未來
護持助宣無量無邊諸佛之法教化饒益無
量衆生令立阿耨多羅三藐三菩提為淨佛
土故常勤精進教化衆生漸漸具足菩薩之
道過無量阿僧祇劫當於此土得阿耨多羅
三藐三菩提號曰法明如來應供正遍知明
行足善逝世間解無上士調御丈夫天人師
佛世尊其佛以恒河沙等三千大千[illegible]為
[illegible]地平如掌無有山陵谿澗

BD01594 號　妙法蓮華經卷四　（3–1）

道過无量阿僧祇劫當於此土得阿耨多羅
三藐三菩提号曰法明如來應供正遍知明
行足善逝世間解无上士調御丈夫天人師
佛世尊其佛以恒河沙等三千大千世界為
一佛土七寶為地地平如掌无有山陵谿澗
溝壑七寶臺觀充滿其中諸天宮殿近處虛
空人天交接兩得相見无諸惡道亦无女人
一切衆生皆以化生无有婬欲得大神通身
出光明飛行自在志念堅固精進智慧普皆
金色三十二相而自莊嚴其國衆生常以二
食一者法喜食二者禪悅食有无量阿僧祇
千万億那由他諸菩薩衆得大神通四无礙
智善能教化衆生之類其聲聞衆算數校計
所不能知皆得具足六通三明及八解脫其
佛國土有如是等无量功德莊嚴成就劫名
寶明國名善淨其佛壽命无量阿僧祇劫法
住甚久佛滅度後起七寶塔遍滿其國尒時
世尊欲重宣此義而說偈言

諸比丘諦聽　佛子所行道　善學方便故　不可得思議
知衆樂小法　而畏於大智　是故諸菩薩　作聲聞緣覺
以无數方便　化諸衆生類　自說是聲聞　去佛道甚遠
度脫无量衆　皆悉得成就　雖小欲懈怠　漸當令作佛
內祕菩薩行　外現是聲聞　少欲厭生死　實自淨佛土
示衆有三毒　又現邪見相　我弟子如是　方便度衆生
若我具足說　種種現化事　衆生聞是者　心則懷疑惑
今此富樓那　於昔千億佛　勤脩所行道　宣護諸佛法

BD01594號　妙法蓮華經卷四　（3–2）

諸比丘諦聽　佛子所行道　善學方便故　不可得思議
知衆樂小法　而畏於大智　是故諸菩薩　作聲聞緣覺
以无數方便　化諸衆生類　自說是聲聞　去佛道甚遠
度脫无量衆　皆悉得成就　雖小欲懈怠　漸當令作佛
內祕菩薩行　外現是聲聞　少欲厭生死　實自淨佛土
示衆有三毒　又現邪見相　我弟子如是　方便度衆生
若我具足說　種種現化事　衆生聞是者　心則懷疑惑
今此富樓那　於昔千億佛　勤脩所行道　宣護諸佛法
為求无上慧　而於諸佛所　現居弟子上　多聞有智慧
所說无所畏　能令衆歡喜　未曾有疲惓　而以助佛事
已度大神通　具四无礙智　知衆根利鈍　常說清淨法
演暢如是義　教諸千億衆　令住大乘法　而自淨佛土
未來亦供養　无量无數佛　護助宣正法　亦自淨佛土
常以諸方便　說法无所畏　度不可計衆　成就一切智
供養諸如來　護持法寶藏　其後當作佛　号名曰法明
其國名善淨　七寶所合成　劫名為寶明　菩薩衆甚多
其數无量億　皆度大神通　威德力具足　充滿其國土
聲聞亦无數　三明八解脫　得四无礙智　以是等為僧
其國諸衆生　婬欲皆已斷　純一變化生　具相莊嚴身
法喜禪悅食　更无餘食想　无有諸女人　亦无諸惡道
富樓那比丘　功德悉成滿　當得斯淨土　賢聖衆甚多

BD01594號　妙法蓮華經卷四　（3–3）

菩提汝勿謂如來作是念我當有所說法莫
作是念何以故若人言如來有所說法即為
謗佛不能解我所說故須菩提說法者无法
可說是名說法須菩提白佛言世尊佛得阿
耨多羅三藐三菩提為无所得耶如是如是
須菩提我於阿耨多羅三藐三菩提乃至无
有少法可得是名阿耨多羅三藐三菩提復
次須菩提是法平等无有高下是名阿耨多
羅三藐三菩提以无我无人无衆生无壽者
脩一切善法則得阿耨多羅三藐三菩提須
菩提所言善法者如來說非善法是名善法
須菩提若三千大千世界中所有諸須彌山王
如是等七寶聚有人持用布施若人以此般
若波羅蜜經乃至四句偈等受持讀誦為他
人說於前福德百分不及一百千萬億分
乃至筭數譬喻所不能及
須菩提於意云何汝等勿謂如來作是念我
當度衆生須菩提莫是念何以故實无有
衆生如來度者若有衆生如來度者如來則
有我人衆生壽者須菩提如來說有我者則
非有我而凡夫之人以為有我須菩提凡夫

BD01595號　金剛般若波羅蜜經　（4–1）

乃至筭數譬喻所不能及
須菩提於意云何汝等勿謂如來作是念我
當度衆生須菩提莫是念何以故實无有
衆生如來度者若有衆生如來度者如來則
有我人衆生壽者須菩提如來說有我者則
非有我而凡夫之人以為有我須菩提凡夫
者如來說則非凡夫須菩提於意云何可以
三十二相觀如來不須菩提言如是如是以
三十二相觀如來佛言須菩提若以三十二
相觀如來者轉輪聖王則是如來須菩提白
佛言世尊如我解佛所說義不應以三十二
相觀如來尒時世尊而說偈言
若以色見我以音聲求我是人行邪道不能見如來
須菩提汝若作是念如來不以具足相故得
阿耨多羅三藐三菩提須菩提莫作是念如
來不以具足相故得阿耨多羅三藐三菩提
須菩提汝若作是念發阿耨多羅三藐三菩
提者說諸法斷滅莫作是念何以故發阿耨
多羅三藐三菩提者於法不說斷滅相須菩
提若菩薩以滿恒河沙等世界七寶持用布
施若復有人知一切法无我得成於忍此菩
薩勝前菩薩所得功德須菩提以諸菩薩不
受福德故須菩提白佛言世尊云何菩薩不
受福德須菩提菩薩所作福德不應貪著是
故佛說不受福德須菩提若有人言如來若來
若去若坐若卧是人不解我所說義何以故
如來者无所從來亦无所去故名如來

BD01595號　金剛般若波羅蜜經　（4–2）

受福德故須菩提白佛言世尊云何菩薩不
受福德須菩提菩薩所作福德不應貪著是
故佛說不受福德須菩提若有人言如來若來
若去若坐若卧是人不解我所說義何以故
如來者无所從來亦无所去故名如來
須菩提若善男子善女人以三千大千世界碎
為微塵於意云何是微塵衆寧為多不甚多
世尊何以故若是微塵衆實有者佛則不說是
微塵衆所以者何佛說微塵衆則非微塵衆
是名微塵衆世尊如來所說三千大千世界
則非世界是名世界何以故若世界實有
者則是一合相如來說一合相則非一合相
是名一合相須菩提一合相者則是不可說
說但凡夫之人貪著其事須菩提若人言佛
說我見人見衆生見壽者見須菩提於意云
何是人解我所說義不不也世尊是人不解
如來所說義何以故世尊說我見人見衆生
見壽者見即非我見人見衆生見壽者見是
名我見人見衆生見壽者見須菩提發阿耨
多羅三藐三菩提心者於一切法應如是知如
是見如是信解不生法相須菩提所言法相
者如來說即非法相是名法相須菩提若有人
以滿无量阿僧祇世界七寶持用布施若有
善男子善女人發菩薩心者持於此經乃至
四句偈等受持讀誦為人演說其福勝彼云
何為人演說不取於相如如不動何以故
一切有為法　如夢幻泡影　如露亦如電　應作如是觀

BD01595號　金剛般若波羅蜜經　（4–3）

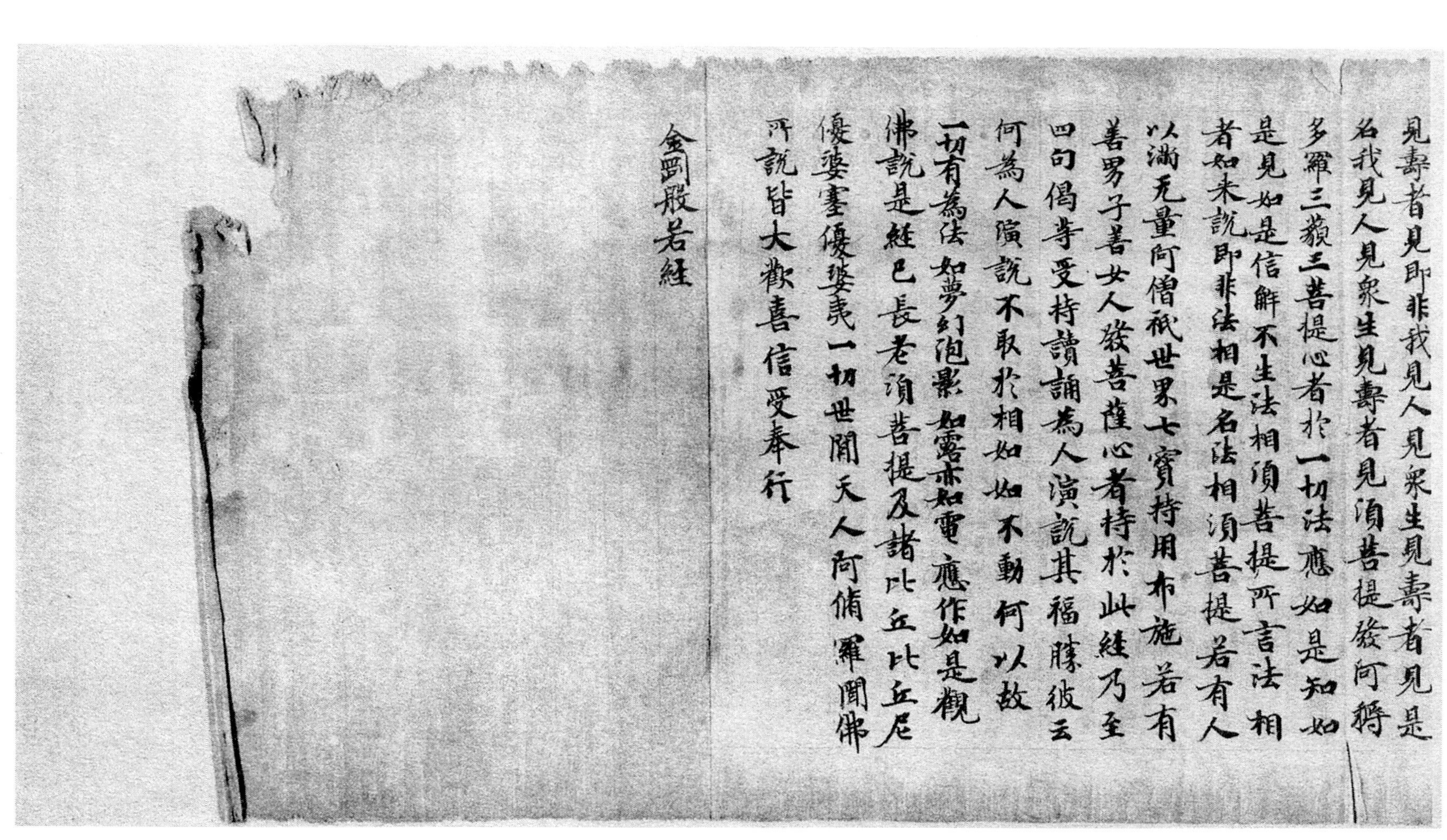

見壽者見即非我見人見衆生見壽者見是
名我見人見衆生見壽者見須菩提發阿耨
多羅三藐三菩提心者於一切法應如是知如
是見如是信解不生法相須菩提所言法相
者如來說即非法相是名法相須菩提若有人
以滿无量阿僧祇世界七寶持用布施若有
善男子善女人發菩薩心者持於此經乃至
四句偈等受持讀誦為人演說其福勝彼云
何為人演說不取於相如如不動何以故
一切有為法　如夢幻泡影　如露亦如電　應作如是觀
佛說是經已長老須菩提及諸比丘比丘尼
優婆塞優婆夷一切世間天人阿脩羅聞佛
所說皆大歡喜信受奉行

金剛般若經

BD01595號　金剛般若波羅蜜經　（4–4）

……乘……默……

仁者此諸大衆[illegible]文殊師[illegible]佛所

言勿輕未學於是維摩詰不起于坐居衆會

前化作菩薩相好光明威德殊勝蔽於衆會

而告之曰汝往上方界分度如卌二恒河沙佛

土有國名衆香佛号香積與諸菩薩方共

坐食汝往到彼如我辭曰維摩詰稽首世尊

足下致敬无量問訊起居少病少惱氣力安

不願得世尊所食之餘當於娑婆世界施作佛

事令此樂小法者得弘大道亦使如來名聲

普聞時化菩薩即於會前昇于上方舉衆

皆見其去到衆香界礼彼佛足又聞其言維

摩詰稽首世尊足下致敬无量問訊起居少

病少惱氣力安不願得世尊所食之餘欲於

娑婆世界施作佛事使此樂小法者得弘大

道亦使如來名聲普聞彼諸大士見化菩薩

嘆未曾有今此上人從何所來娑婆世界為

在何許云何名為樂小法者即以問佛佛告

之曰下方度如卌二恒河沙佛土有世界名

娑婆佛号釋迦牟尼今現在於五濁惡世為樂

小法衆生敷演道教彼有菩薩名維摩詰住

不可思議解脫為諸菩薩說法故遣化來稱

BD01596號　維摩詰所說經卷下　（20–1）

嘆未曾有今此上人從何所來娑婆世界為

在何許云何名為樂小法者即以問佛佛告

之曰下方度如卌二恒河沙佛土有世界名

娑婆佛号釋迦牟尼今現在於五濁惡世為樂

小法衆生敷演道教彼有菩薩名維摩詰住

不可思議解脫為諸菩薩說法故遣化來稱

揚我名并讚此土令彼菩薩增益功德彼菩

薩言其人何如乃作是化德力无畏神足若

斯佛言甚大一切十方皆遣化往施作佛事

饒益衆生於是香積如來以衆香鉢盛滿香

飯與化菩薩時彼九百万菩薩俱發聲言

我欲詣娑婆世界供養釋迦牟尼佛并欲見

維摩詰等諸菩薩衆佛言可往攝汝身香无令

彼諸衆生起惑著心又當捨汝本形勿使彼

國求菩薩者而自鄙恥又汝於彼莫懷輕賤

而作閡想所以者何十方國土皆如虛空又

諸佛為欲化諸樂小法者不盡現其清淨土

耶時化菩薩既受鉢飯與彼九百万菩薩俱

承佛威神及維摩詰力於彼世界忽然不現

須臾之間至維摩詰舍維摩詰即化作九百万

師子之坐嚴好如前諸菩薩皆坐其上化菩

薩以滿鉢香飯與維摩詰飯香普薰毗耶

離城及三千大千世界時毗耶離婆羅門居

士等聞是香氣身意快然嘆未曾有於是長

者主月蓋從八万四千人來入維摩詰舍見

其室中菩薩甚多諸師子坐高廣嚴好皆

大歡喜礼衆菩薩及大弟子却住一面諸地神

BD01596號　維摩詰所說經卷下　（20–2）

薩以滿鉢香飯與維摩詰飯香普熏毗耶
離城及三千大千世界時毗耶離婆羅門居
士等聞是香氣身意快然歎未曾有於是長
者主月蓋從八万四千人來入維摩詰舍見
其室中菩薩甚多諸師子坐高廣嚴好皆
大歡喜礼衆菩薩及大弟子却住一面諸地神
虛空神及欲色界諸天聞此香氣亦皆來入
維摩詰舍時維摩詰語舍利弗等諸大聲
聞仁者可食如來甘露味飯大悲所熏无以限
意食之使不消也有異聲聞念是飯少而此
大衆人人當食化菩薩曰勿以聲聞小德小
智稱量如來无量福慧四海有竭此飯无盡
使一切人食揣若須弥乃至一劫猶不能盡
所以者何无盡戒定智慧解脫解脫知見功德
具足者所食之餘終不可盡於是鉢飯悉飽
衆會猶故不賜其諸菩薩聲聞天人食此飯
者身安快樂譬如一切樂莊嚴國諸菩薩也
又諸毛孔皆出妙香亦如衆香國土諸樹之香
尒時維摩詰問衆香菩薩香積如來以何說法
彼菩薩曰我土如來无文字說但以衆香
令諸天人得入律行菩薩各各坐香樹下聞
斯妙香即獲一切德藏三昧得是三昧者菩
薩所有功德皆悉具足彼諸菩薩問維摩詰
今世尊釋迦牟尼以何說法維摩詰言此土
衆生剛强難化故佛為說剛强之語以調伏
之言是地獄是畜生是餓鬼是諸難處是愚人
生處是身邪行是身邪行報是口邪行是口

BD01596號　維摩詰所說經卷下　（20–3）

今世尊釋迦牟尼以何說法維摩詰言此土
衆生剛强難化故佛為諸剛强之語以調伏
之言是地獄是畜生是餓鬼是諸難處是愚人
生處是身邪行是身邪行報是口邪行是口
邪行報是意邪行是意邪行報是殺生是
殺生報是不與取是不與取報是邪婬是邪
婬報是妄語是妄語報是兩舌是兩舌報是
惡口是惡口報是无義語是无義語報是貪
嫉是貪嫉報是瞋惱是瞋惱報是邪見是邪
見報是慳悋是慳悋報是毀戒是毀戒報是
瞋恚是瞋恚報是懈怠是懈怠報是亂意是
亂意報是愚癡是愚癡報是結戒是持戒是
犯戒是應作是不應作是鄣閡是不鄣閡是
得罪是離罪是淨是垢是有漏是无漏是邪
道是正道是有為是无為是世間是涅槃以難
化之人心如猨猴故以若干種法制御其心
乃可調伏譬如象馬㦒悷不調加諸楚毒乃
至徹骨然後調伏如是剛强難化衆生故
以一切苦切之言乃可入律彼諸菩薩聞說
是已皆曰未曾有也如世尊釋迦牟尼佛隱
其无量自在之力乃以貧所樂法度脫衆生
斯諸菩薩亦能勞謙以无量大悲生是佛土
維摩詰言此土菩薩於諸衆生大悲堅固誠如
所言然其一世饒益衆生多於彼國百千劫
行所以者何此娑婆世界有十事善法諸餘
淨土之所无有何等為十以布施攝貧窮
以淨戒攝毀禁以忍辱攝瞋恚以精進攝懈

BD01596號　維摩詰所說經卷下　（20–4）

所言然其一世饒益衆生多於彼國百千劫
行所以者何此娑婆世界有十事善法諸餘
淨土之所无有何等為十以布施攝貧窮
以淨戒攝毀禁以忍辱攝瞋恚以精進攝懈
怠以禪定攝亂意以智慧攝愚癡說除難法
度八難者以大乘法度樂小乘者以諸善根
濟无德者常以四攝成就衆生是為十彼菩
薩曰菩薩成就幾法於此世界行无瘡疣生
于淨土維摩詰言菩薩成就八法於此世界
行无瘡疣生于淨土何等為八饒益衆生而
不望報代一切衆生受諸苦惱所作功德盡
以施之等心衆生謙下无閡於諸菩薩視之如
佛所未聞經聞之不疑不與聲聞而相違背
不嫉彼供不高己利而於其中調伏其心常
省己過不訟彼短恒以一心求諸功德是為
八維摩詰文殊師利於大衆中說是法時百
千天人皆發阿耨多羅三藐三菩提心十千
菩薩得无生法忍
菩薩行品第十一
是時佛說法於菴羅樹園其地忽然廣博嚴
事一切衆會皆作金色阿難白佛言世尊以
何因緣有此瑞應是處忽然廣博嚴事一切
衆會皆作金色佛告阿難是維摩詰文殊師
利與諸大衆恭敬圍遶發意欲來故先為此
瑞應於是維摩詰語文殊師利可共見佛與
諸菩薩礼事供養文殊師利言善哉行矣今

BD01596 號　維摩詰所說經卷下　（20–5）

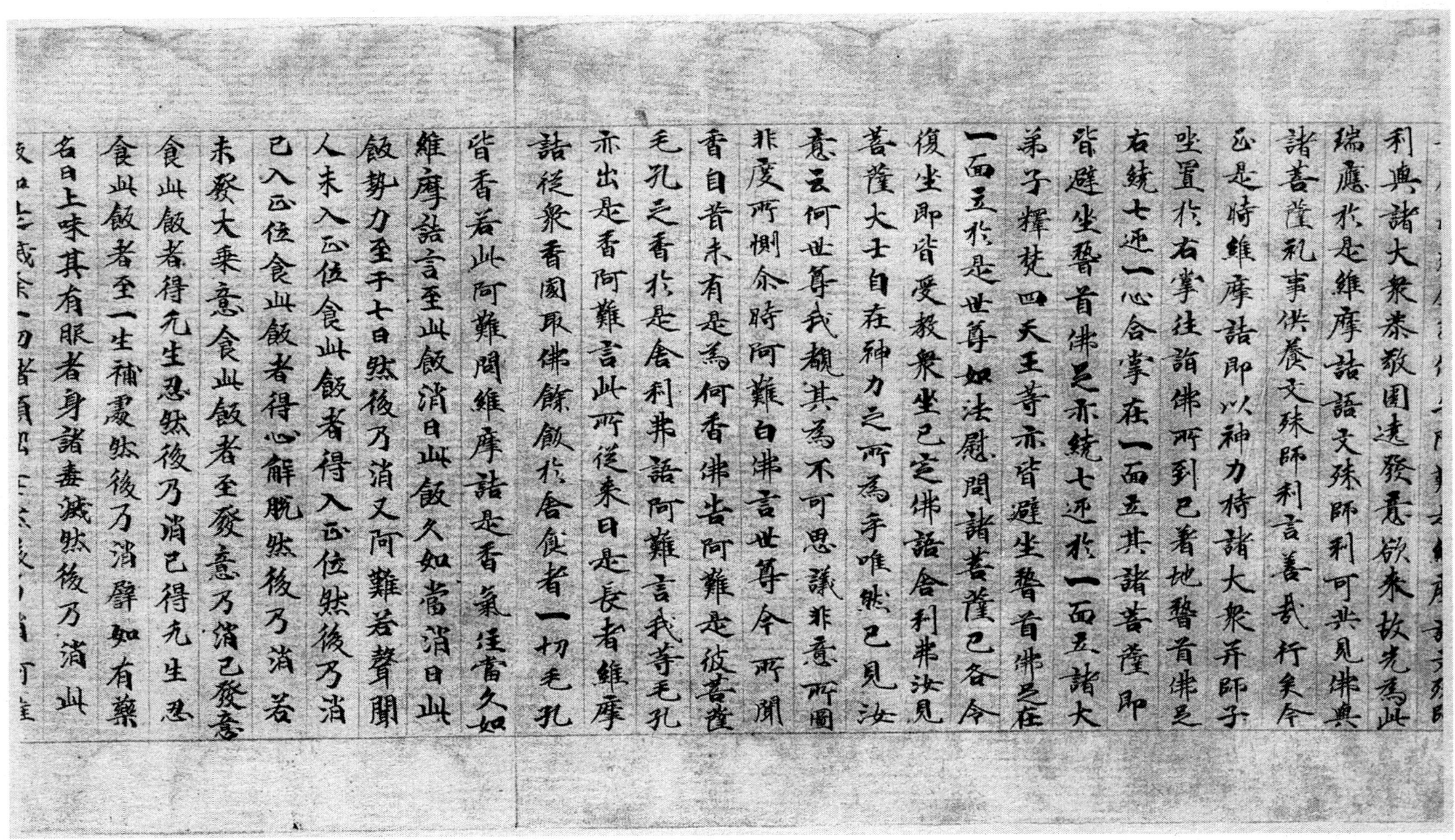

利與諸大衆恭敬圍遶發意欲來故先為此
瑞應於是維摩詰語文殊師利可共見佛與
諸菩薩礼事供養文殊師利言善哉行矣今
正是時維摩詰即以神力持諸大衆并師子
坐置於右掌往詣佛所到已著地稽首佛足
右繞七匝一心合掌在一面立其諸菩薩即
皆避坐稽首佛足亦繞七匝於一面立諸大
弟子釋梵四天王等亦皆避坐稽首佛足在
一面立於是世尊如法慰問諸菩薩已各令
復坐即皆受教衆坐已定佛語舍利弗汝見
菩薩大士自在神力之所為乎唯然已見汝
意云何世尊我覩其為不可思議非意所圖
非度所惻余時阿難白佛言世尊今所聞
香自昔未有是為何香佛告阿難是彼菩薩
毛孔之香於是舍利弗語阿難言我等毛孔
亦出是香阿難言此所從來曰是長者維摩
詰從衆香國取佛餘飯於舍食者一切毛孔
皆香若此阿難問維摩詰是香氣住當久如
維摩詰言至此飯消曰此飯久如當消曰此
飯勢力至于七日然後乃消又阿難若聲聞
人未入正位食此飯者得入正位然後乃消
已入正位食此飯者得心解脫然後乃消若
未發大乘意食此飯者至發意乃消已發意
食此飯者得无生忍然後乃消已得无生忍
食此飯者至一生補處然後乃消譬如有藥
名曰上味其有服者身諸毒滅然後乃消此

BD01596 號　維摩詰所說經卷下　（20–6）

食此飯者得无生忍然後乃消已得无生忍
食此飯者至一生補處然後乃消辟如有藥
名曰上味其有服者身諸毒滅然後乃消此
飯如是滅除一切諸煩惱毒然後乃消阿難
白佛言未曾有也世尊如此香飯能作佛事
佛言如是如是阿難或有佛土以佛光明而
作佛事有以諸菩薩而作佛事有以佛所
化人而作佛事有以菩提樹而作佛事有
以佛衣服卧具而作佛事有以飯食而作佛
事有以園林臺觀而作佛事有以卅二相八
十隨形好而作佛事有以佛身而作佛事有
以虛空而作佛事衆生應以此緣得入律行
有以夢幻影嚮鏡中像水中月熱時炎如是
等喻而作佛事有以音聲語言文字而作佛
事或有清淨佛土寂莫无言无說无示无識
无作无為而作佛事如是阿難諸佛威儀進
止諸所施為无非佛事阿難有此四魔八万四
千諸煩惱門而諸衆生為之疲勞諸佛即
以此法而作佛事是名入一切諸佛法門菩薩
入此門者若見一切淨妙佛土不以為喜不
貪不高若見一切不淨佛土不以為憂不
門不沒但於諸佛生清淨心歡喜恭敬未曾
有也諸佛如來功德平等為教化衆生故而
現佛土不同阿難汝見諸佛國土地有若干
而虛空无若干也如是見諸佛色身有若干
耳其无閡慧无若干也阿難諸佛色身威相
種姓戒定智慧解脫解脫知見力无所畏不

現佛土不同阿難汝見諸佛國土地有若干
而虛空无若干也如是見諸佛色身有若干
耳其无閡慧无若干也阿難諸佛色身威相
種姓戒定智慧解脫解脫知見力无所畏不
共之法大慈大悲威儀所行及其壽命說法
教化成就衆生淨佛國土具佛法悉皆同
等是故名為三藐三佛陁名為多陁阿伽度
名為佛陁阿難若我廣說此三句義汝以劫
壽不能盡受正使三千大千世界滿中衆生
皆如阿難多聞第一得念總持此諸人等以劫
之壽亦不能受如是阿難諸佛阿耨多羅
三藐三菩提无有限量智慧辯才不可思議
阿難白佛我從今已往不敢自謂以為多聞
佛告阿難勿起退意所以者何我說汝於聲
聞中為最多聞非謂菩薩且止阿難其有智
者不應限度諸菩薩也一切海淵尚可測量
菩薩禪定智慧總持辯才一切功德不可量也
阿難汝等捨置菩薩所行是維摩詰一時
所現神通之力一切聲聞辟支佛於百千劫
盡力變化所不能作
尒時衆香世界菩薩來者合掌白佛言世尊
我等初見此土生下劣想今自悔責捨離是
心所以者何諸佛方便不可思議為度衆生
故隨其所應現佛國異唯然世尊願賜少法
還於彼土當念如來佛告諸菩薩有盡无盡
解脫法門汝等當學何謂為盡謂有為法何
謂无盡謂无為法如菩薩者不盡有為不住

故隨其所應現佛國異唯然世尊願賜少法
還於彼土當念如來佛告諸菩薩有盡无盡
解脫法門汝等當學何謂爲盡謂有爲法何
謂无盡謂无爲法如菩薩者不盡有爲不住
无爲何謂不盡有爲謂不離大慈不捨大悲
深發一切智心而不忽忘教化衆生終不猒惓於
四攝法常念順行護持正法不惜軀命
種諸善根无有疲猒志常安住方便迴向求
法不懈說法无悋勤供諸佛故入生死而无
所畏於諸榮辱心无憂喜不輕未學敬學如
佛墮煩惱者令發正念於遠離樂不以爲貴
不著己樂慶於彼樂在諸禪定如地獄想於
生死中如園觀想見來求者爲善師想捨諸
所有具一切智想見毀戒人起救護想諸波
羅蜜爲父母想道品之法爲眷屬想發行善
根无有齊限以諸淨國嚴飾之事成己佛土
行不限施具足相好除一切惡淨身口意淨生死
无數劫意而有勇聞佛无量德志而不惓以
智慧劒破煩惱賊出陰界入荷負衆生永使
解脫以大精進摧伏魔軍常求无念實相智
慧於世間法少欲知足於出世間法求之无猒
不壞威儀而能隨俗起神通慧引導衆生
得念揔持所聞不忘善別諸根斷衆生疑以
樂說辯演法无閡淨十善道受天人福脩四
无量開梵天道勸請說法隨喜讚善得佛音
聲身口意善得佛威儀深行善法所行轉勝

樂說辯演法无閡淨十善道受天人福脩四
无量開梵天道勸請說法隨喜讚善得佛音
聲身口意善得佛威儀深行善法所行轉勝
以大乘教成菩薩僧心无放逸不失衆善行如
此法是名菩薩不盡有爲何謂菩薩不住无
爲謂脩學空不以空爲證脩學无相无作不
以无相无作爲證脩學无起不以无起爲證觀
於无常而不猒善本觀世間苦而不惡生死
觀於无我而誨人不惓觀於寂滅而不永
寂滅觀於遠離而身心脩善觀无所歸而
歸趣善法觀於无生而以生法荷負一切觀
於无漏而不斷諸漏觀无所行而以行法教
化衆生觀於空无而不捨大悲觀正法位而
不隨小乘觀諸法虛妄无牢无人无主无相
本願未滿而不虛福德禪定智慧脩如此法
是名菩薩不住无爲又具福德故不住无爲
具智慧故不盡有爲大慈悲故不住无爲滿
本願故不盡有爲集法藥故不住无爲隨授
藥故不盡有爲知衆生病故不住无爲滅衆
生病故不盡有爲諸正士菩薩已脩此法不
盡有爲不住无爲是名盡无盡解脫法門
汝等當學尒時彼諸菩薩聞說是法皆大歡
喜以衆妙華若干種色若干種香散遍三千
大千世界供養於佛及此經法并諸菩薩已稽
首佛足歎未曾有讚言釋迦牟尼佛乃能於
此善行方便言忽然不現還到彼國

喜以衆妙華若干種色若干種香散蓋三千
大千世界供養於佛及此經法并諸菩薩已稽
首佛足嘆未曾有讚言釋迦牟尼佛乃能於
此善行方便言忽然不現還到彼国
見阿閦佛品第十二
尒時世尊問維摩詰汝欲見如来為以何等
觀如来乎維摩詰言如自觀身實相觀佛
亦然我觀如来前際不来後際不去今則不住
不觀色不觀色如不觀色性不觀受想行識
不觀識如不觀識性非四大起同於虛空六
入无積眼耳鼻舌身心已過不在三界三垢
已離順三脫門三明與无明等不一相不異
相不自相不他相非无相非取相不此岸不彼
岸不中流而化衆生而觀於寂滅亦不永滅不
此不彼不在此不在彼不可以智知不可以
識識无晦无明无名无相无強无弱非淨
非穢不在方不離方非有為非无為无示无
說不施不慳不戒不犯不忍不恚不進不怠
不定不乱不智不愚不成不欺不来不去不
出不入一切言語道断非福田非不福田非應
供養非不應供養非取非捨非有相非无
相不增不減同真際等法性不可稱不可量
過諸稱量非大非小非見非聞非覺非知離衆
結縛等諸智同衆生於諸法无分别一切
无失无濁无惱无作无起无生无滅无畏无
憂无喜无猒无著无已有无當有无今有

BD01596號　維摩詰所說經卷下　（20–11）

過諸稱量非大非小非見非聞非覺非知離衆
結縛等諸智同衆生於諸法无分别一切
无失无濁无惱无作无起无生无滅无畏无
憂无喜无猒无著无已有无當有无今有
不可以一切言說分别顯示世尊如来身為若
此作如是觀以斯觀者名為正觀若他觀者名
為邪觀
尒時舍利弗問維摩詰汝於何没而来生此
維摩詰言汝所得法有没生乎舍利弗言无
没生也若諸法无没生相云何問言汝於何
没而来生此於意云何譬如幻師幻作男女
寧没生耶舍利弗言无没生也汝豈不聞佛說
諸法如幻相乎答曰如是若一切法如幻相者
云何問言汝於何没而来生此舍利弗没者
為虛誑法壞敗之相生者為虛誑法相
續之相菩薩雖没不盡善本雖生不長諸惡
是時佛告舍利弗有国名妙喜佛号不動是
維摩詰於彼国没而来生此舍利弗言未曾
有也世尊是人乃能捨清淨佛土而来樂此多
怒害處維摩詰語舍利弗於意云何日光出
時與冥合乎答曰不也日光出時則无衆冥
維摩詰言夫日何故行閻浮提答曰欲以明
照為之除冥維摩詰言菩薩如是雖生不淨
佛土為化衆生不與愚闇而共合也但滅衆
生煩惱闇耳
是時大衆渴仰欲見妙喜世界不動如来及
其菩薩聲聞之衆佛知一切衆會所念告維

BD01596號　維摩詰所說經卷下　（20–12）

佛土為化衆生不與愚闇而共合也但滅衆
生煩惱闇耳
是時大衆渴仰欲見妙喜世界不動如來及
其菩薩聲聞之衆佛知一切衆會所念告維
摩詰言善男子為此衆會現妙喜國不動如
來及諸菩薩聲聞之衆衆皆欲見於是維摩
詰心念吾當不起于坐接妙喜國鐵圍山川溪
谷江河大海泉源須彌諸山及日月星宿天
龍鬼神梵天等宮并諸菩薩聲聞之衆城
邑聚落男女大小乃至无動如來及菩提樹
諸妙蓮華能於十方作佛事者三道寶階從
閻浮提至忉利天以此寶階諸天來下悉為
礼敬无動如來聽受經法閻浮提人亦登其
階上昇忉利見彼諸天妙喜世界成就如是
无量功德上至阿迦膩吒天下至水際以
手斷取如陶家輪入此世界猶持華鬘示一
切衆作是念已入於三昧現神通力以其右
手斷取妙喜世界置於此土彼得神通菩薩
及聲聞衆并餘天人俱發聲言唯然世尊誰
取我去願見救護无動佛言非我所為是維
摩詰神力所作其餘未得神通力者不覺不
不已之往妙喜世界雖入此土而不增減於
是世界亦不迫隘如本无異
尒時釋迦牟尼佛告諸大衆汝等且觀妙喜
世界无動如來其國嚴飾菩薩行淨弟子清
白皆曰唯然已見佛言若菩薩欲得如是清

BD01596號　維摩詰所說經卷下　（20–13）

尒時釋迦牟尼佛告諸大衆汝等且觀妙喜
世界无動如來其國嚴飾菩薩行淨弟子清
白皆曰唯然已見佛言若菩薩欲得如是清
淨佛土當學无動如來所行之道現此妙喜
國時娑婆世界十四那由他人發阿耨多羅
三藐三菩提心皆願生於妙喜佛土釋迦牟
尼佛即記之曰當生彼國時妙喜世界於此
國土所應饒益其事訖已還復本處舉衆
皆見佛告舍利弗汝見此妙喜世界及无動佛
不唯然已見世尊願使一切衆生得清淨土
如无動佛獲神通力如維摩詰世尊我等
快得善利得見是人親近供養其諸衆生若
今現在若佛滅後聞此經者亦得善利况復
聞已信解受持讀誦解說如法脩行若有手
得是經典者便為已得法寶之藏若有讀誦
解釋其義如說脩行則為諸佛之所護念其
有供養如是人者當知則為供養於佛其有
書持此經卷者當知其室則有如來若聞是
經能隨喜者斯人則為取一切智若能信解
乃至一四句偈為他說者當知此人即是受
阿耨多羅三藐三菩提記
法供養品第十三
尒時釋提桓因於大衆中白佛言世尊我雖
從佛及文殊師利聞百千經未曾聞此不可
思議自在神通決定實相經典如我解佛所
說義趣若有衆生聞是經法信解受持讀誦

BD01596號　維摩詰所說經卷下　（20–14）

法供養品第十三
尒時釋提桓因於大衆中白佛言世尊我雖
從佛及文殊師利聞百千經未曾聞此不可
思議自在神通决定實相經典如我解佛所
說義趣若有衆生聞是經法信解受持讀誦
之者必得是法不疑何况如說脩行斯人則
為閉衆惡趣開諸善門常為諸佛之所護念
降伏外學摧滅魔怨脩治菩提安處道場
履踐如來所行之跡世尊若有受持讀誦如
說脩行者我當與諸眷屬供養給事所在聚
落城邑山林曠野有是經處我亦與諸眷屬
聽受法故共到其所其未信者當令生信其已
信者當為作護佛言善哉善哉天帝如汝所
說吾助尒喜此經廣說過去未來現在諸佛
不可思議阿耨多羅三藐三菩提是故天帝
若善男子善女人受持讀誦供養是經者則
為供養去來今佛天帝正使三千大千世界
如來滿中譬如甘蔗竹葦稻麻叢林若有善
男子善女人或一劫或減一劫恭敬尊重讚
歎供養奉諸所安至諸佛滅後以一一全身
舍利起七寶塔縱廣一四天下高至梵天表
剎莊嚴以一切華香瓔珞幢幡伎樂微妙第
一若一劫若減一劫而供養之於天帝意云
何其人殖福寧為多不釋提桓因言多矣世
尊彼之福德若以百千億劫說不能盡佛
告天帝當知是善男子善女人聞是不可思
議解脫經典信解受持讀誦脩行福多於彼

BD01596號　維摩詰所說經卷下　（20–15）

一若一劫若減一劫而供養之於天帝意云
何其人殖福寧為多不釋提桓因言多矣世
尊彼之福德若以百千億劫說不能盡佛
告天帝當知是善男子善女人聞是不可思
議解脫經典信解受持讀誦脩行福多於彼
所以者何諸佛菩提皆從是生菩提之相不可
限量以是因緣福不可量
佛告天帝過去無量阿僧祇劫時世有佛号
曰藥王如來應供正遍知明行足善逝世間
解无上士調御丈夫天人師佛世尊世界曰
大莊嚴劫曰莊嚴佛壽廿小劫其聲聞僧
卌六億那由他菩薩僧有十二億天帝是時
有轉輪聖王名曰寶蓋七寶具足主四天下王
有千子端政勇健能伏怨敵尒時寶蓋與
其眷屬供養藥王如來施諸所安至滿五劫
過五劫已告其千子汝等亦當如我以深心供
養於佛於是千子受父王命供養藥王如來
復滿五劫一切施安其王一子名曰月蓋獨
坐思惟寧有供養殊過此者以佛神力空中
有天曰善男子法之供養勝諸供養即問何
謂法之供養天曰汝可往問藥王如來當廣
為汝說法之供養即時月蓋王子行詣藥王
如來稽首佛足却住一面白佛言世尊諸
供養中法供養勝云何為法供養佛言善男
子法供養者諸佛所說法經一切世間難信難
受微妙難見清淨无染非但分別思惟之所
能得菩薩法藏所攝陀羅尼印印之至不退

BD01596號　維摩詰所說經卷下　（20–16）

供養中法供養勝云何為法供養佛言善男
子法供養者諸佛所說法經一切世間難信難
受微妙難見清淨无染非但分別思惟之所
能得菩薩法藏所攝陁羅尼印印之至不退
轉成就六度善分別義順菩提法衆經之上
入大慈悲離衆魔事及諸邪見順因緣法无
我无人無衆生无壽命空无相无作无起能令
衆生坐於道場而轉法輪諸天龍神乾闥婆等
所共嘆譽能令衆生入佛法藏攝諸賢聖一
切智慧說衆菩薩所行之道依於諸法實相
之義明宣无常苦空无我寂滅能救一切毀
禁衆生諸魔外道及貪著者能使怖畏諸
佛賢聖所共稱嘆背生死苦示涅槃樂十方
三世諸佛所說若聞如是等經信解受持讀
誦以方便力為諸衆生分別解說顯示分明守
護法故是名法之供養又於諸法如說脩行
隨順十二因緣離諸邪見得无生忍決定无我
无有衆生而於因緣果報无違无諍離諸
我所依於義不依語依於智不依識依了義
經不依不了義經依於法不依人隨順法相
无所入无所歸无明畢竟滅故諸行亦畢竟
滅乃至生畢竟滅故老死亦畢竟滅作如是
觀十二因緣无有盡相不復起見是名最上
法之供養
佛告天帝王子月蓋從藥王佛聞如是法得
柔順忍即解寶衣嚴身之具以供養佛白佛
言世尊如來滅後我當行法供養守護正法

滅乃至生畢竟滅故老死亦畢竟滅作如是
觀十二因緣无有盡相不復起見是名最上
法之供養
佛告天帝王子月蓋從藥王佛聞如是法得
柔順忍即解寶衣嚴身之具以供養佛白佛
言世尊如來滅後我當行法供養守護正法
願以威神加哀建立令我得降魔怨脩菩薩
行佛知其深心所念而語之曰汝於末後守
護法城天帝時王子月蓋見法清淨聞佛授
記以信出家脩集善法精進不久得五神通
通菩薩道得陁羅尼无斷辯才於佛滅後以
其所得神通揔持辯才之力滿十小劫藥王
如來所轉法輪隨而分布月蓋比丘以守護法
勤行精進即於此身化百万億人於阿耨
多羅三藐三菩提立不退轉十四那由他人
深發聲聞辟支佛心无量衆生得生天上天
帝時王寶蓋豈異人乎今現得佛號寶炎如
來其王千子即賢劫中千佛是也從迦羅鳩
孫大為始得佛最後如來號曰樓至月蓋比
丘則我身是如是天帝當知此要以法供養
於諸供養為上為最第一无比是故天帝當
以法之供養供養於佛
囑累品第十四
於是佛告弥勒菩薩言弥勒我今以是无量
億阿僧祇劫所集阿耨多羅三藐三菩提付
囑於汝如是輩經於佛滅後末世之中汝等
當以神力廣宣流布於閻浮提无令斷絕所

囑累品第十四
於是佛告弥勒菩薩言弥勒我今以是无量
億阿僧祇劫所集阿耨多羅三藐三菩提付
囑於汝如是輩經於佛滅後末世之中汝等
當以神力廣宣流布於閻浮提无令斷絕所
以者何未來世中當有善男子善女人及天
龍鬼神乹闥婆羅剎等發阿耨多羅三藐
三菩提心樂於大法若使不聞如是等經則失
善利如此輩人聞是等經必多信樂發希有
心當以頂受隨諸衆生所應得利而為廣
說弥勒當知菩薩有二相何謂為二一者好
於雜句文飾之事二者不畏深義如實能入若
好雜句文飾事者當知是為新學菩薩若於
如是无染无著甚深經典无有恐畏能入其
中聞已心淨受持讀誦如說脩行當知是為
久脩道行弥勒復有二法名新學者不能決
定於其深法何等為二一者所未聞深經聞
之驚怖生疑不能隨順毀謗不信而作是言
我初不聞從何所來二者若有護持解說如
是深經者不肯親近供養恭敬或時於中說
其過惡有此二法當知是新學菩薩為自毀
傷不能於深法中調伏其心弥勒復有二法
菩薩雖信解深法猶自毀傷而不能得无
生法忍何等為二一者輕慢新學菩薩而不教
誨二者雖解深法而取相分別是為二法弥
勒菩薩聞說是已白佛言世尊未曾有也如
佛所說我當遠離如斯之惡奉持如來无數

BD01596號　維摩詰所說經卷下　（20–19）

生法忍何等為二一者輕慢新學菩薩而不教
誨二者雖解深法而取相分別是為二法弥
勒菩薩聞說是已白佛言世尊未曾有也如
佛所說我當遠離如斯之惡奉持如來无數
阿僧祇劫所集阿耨多羅三藐三菩提法若
未來世善男子善女人求大乘者當令手得
如是等經與其念力使受持讀誦為他廣說
世尊若後末世有能受持讀誦為他說者當
知是弥勒神力之所建立佛言善哉善哉弥勒
如汝所說佛助尒喜於是一切菩薩合掌
白佛我等亦於如來滅後十方國土廣宣
流布阿耨多羅三藐三菩提復當開導諸說
法者令得是經
尒時四天王白佛言世尊在在處處城邑聚落
山林曠野有是經卷讀誦解說者我當
率諸官屬為聽法故往詣其所擁護其人面
百由旬令无伺求得其便者是時佛告阿難受
持是經廣宣流布阿難言唯我已受持要者
世尊當何名斯經佛言阿難是經名為維摩
詰所說亦名不可思議解脫法門如是受持
佛說是經已長者維摩詰文殊師利舍利弗
阿難等及諸天人阿脩羅一切大衆聞佛所
說皆大歡喜

維摩詰經卷下

BD01596號　維摩詰所說經卷下　（20–20）

……佛八菩薩咒經
次礼十八方諸大菩薩
南无滅衆生病菩薩
南无療一切衆生病菩薩
南无歡喜菩薩　南无嚴意菩薩
南无常厭菩薩　南无普照菩薩
南无月明菩薩　南无寶慧菩薩
南无轉女身菩薩　南无雷音菩薩
南无不虛見菩薩　南无一切法自在菩薩
南无善賢菩薩　南无文殊師利菩薩
南无正法菩薩　南无善化菩薩
南无善慧菩薩　南无普眼菩薩
南无普光菩薩　南无普觀察菩薩
南无普照菩薩　南无普幢菩薩
南无普覺菩薩　南无棄諸蓋菩薩
南无普明菩薩　南无離憂菩薩
南无義意菩薩　南无寶勝菩薩
南无華上菩薩　南无德喜菩薩
南无善住意菩薩
南无跋陁波羅菩薩

BD01597號　佛名經（十六卷本）卷五　（6–1）

南无普覺菩薩　南无棄諸蓋菩薩
南无普明菩薩　南无離憂菩薩
南无義意菩薩　南无寶勝菩薩
南无華上菩薩　南无德喜菩薩
南无善住意菩薩
南无跋陁波羅菩薩
南无罽那那羅菩薩
南无導師菩薩
南无那羅達菩薩
南无星德菩薩
南无水天菩薩
南无主天菩薩　南无大意菩薩
南无益意菩薩
歸命如是等无量无邊菩薩
次礼聲聞緣覺一切賢聖
南无舍利弗　南无大目揵連
南无大迦葉　南无須菩提
南无富樓那　南无摩訶迦旃延
南无阿那律　南无優波離
南无羅睺羅　南无阿難
礼三寶已次復懺悔
如上所說已懺悔於三寶間輕重諸罪其
餘諸惡今當次第更復懺悔至心[illegible]

BD01597號　佛名經（十六卷本）卷五　（6–2）

南无羅睺羅　南无阿難
礼三寶已次復懺悔
如上所說已懺悔於三寶間輕重諸罪其
餘諸惡今當次第更復懺悔經中佛說
作罪二者作已能悔又云有二種白法能
為衆生滅除衆障一者慙二者愧慙者
自不作惡愧者所不令他作有慙愧者
可名為人若不慙愧與諸禽獸不相異也是
故弟子今日慙愧歸依佛
南无東方寶莊嚴佛
南无南方旃檀德佛
南无西方梵音王佛
南无北方寶智作佛
南无東南方師子相佛
南无西南方寶蓋照空王佛
南无西北方歡喜進佛
南无東北方摩尼清淨佛
南无下方寶香勝王佛
南无上方大名稱佛
如是十方盡虛空界一切三寶
弟子等无始以來至於今日或信邪倒見宰
煞衆生解奏魍魅魍魎鬼神欲希延年

如是十方盡虛空界一切三寶
弟子等无始以來至於今日或信邪倒見宰
煞衆生解奏魍魅魍魎鬼神欲希延年
終不能得或妄言見鬼假稱神語如是
等罪今日慙愧皆悉懺悔
又復无始以來至於今日或行動傲誕自
高自大或持種姓輕慢一切以貴輕賤用強
陵弱或飲酒鬪乱不避親踈惛醉終日不
識尊卑如是等罪今悉懺悔
或貪嗜飲食无有期度或食生鱠或噉五辛
薰穢經像排突清衆縱心肆意不知限撿踈
遠善人押近惡友如是等罪今悉懺悔
或貢高矯假偃蹇自用[illegible]不識人
情自是非他希望僥倖如是等罪今悉懺悔
或臨財无讓不廉不恥屠肉沽酒欺誑自活或
出入息利計時賣日聚積[illegible]貪求无猒受
人供養不慙不愧不或无戒德空納信施如是
等罪今悉懺悔
或撾奴撲婢駈使僮吏不問飢渴不問寒暑
駈使役日或撥徹橋梁杜絕行路如是等
罪今悉至誠皆悉懺悔
或放逸自恣无記散乱樗蒲圍碁羣會

駈使役終日或撥徹橋梁杜絶行路如是等
罪今悉至誠皆悉懺悔
或放逸自恣无記散乱摴蒱圍碁羣會
屯飲食酒肉更相饒賤无趣談話論說天
下從年竟歲空喪天日初中後夜誦不脩懈
怠隨懶尸卧終日於六念處心不經理見他
勝事便生嫉妬心懷塗毒偏起煩惱致使
諸惡搖風吹罪薪火常以熾然无有休息三
業微善一切俱焚善法既盡為一闡提墮大
地獄无有出期是故弟子等今日至到稽顙
向十方一切三寶懺悔上来所有一切衆罪若輕
若重若麁若細若自作若教他作若隨喜
作若以勢力逼迫令作如是乃至讚歎行惡
法者今日至誠發露懺悔願皆消滅
願弟子等承是懺悔一切諸惡所生功德生
生世世慈和忠孝謙卑忍辱知廉識耻先
意問訊脩良貞謹清潔義讓遠離惡友
常遇善緣守攝六根儆護三業捍勞忍
苦心不退没立菩提志荷負衆生作礼拜

佛名經卷第五

BD01597號　佛名經（十六卷本）卷五　（6–5）

地獄无有出期是故弟子等今日至到稽顙
向十方一切三寶懺悔上来所有一切衆罪若輕
若重若麁若細若自作若教他作若隨喜
作若以勢力逼迫令作如是乃至讚歎行惡
法者今日至誠發露懺悔願皆消滅
願弟子等承是懺悔一切諸惡所生功德生
生世世慈和忠孝謙卑忍辱知廉識耻先
意問訊脩良貞謹清潔義讓遠離惡友
常遇善緣守攝六根儆護三業捍勞忍
苦心不退没立菩提志荷負衆生作礼拜

佛名經卷第五

BD01597號　佛名經（十六卷本）卷五　（6–6）

佛說延壽經
尒時延壽菩薩在娑羅雙樹間臨欲涅槃時有
四衆比丘比丘尼優婆塞優婆夷等皆來集
會有一菩薩名曰延壽胡跪合掌前白佛
言世尊我等四衆皆來集會奉請如來莫
入涅槃惟願如來哀受我等勸請令住
一劫莫入涅槃
尒時世尊告延壽菩薩汝當諦聽諦聽吾
當為汝分別解說吾從成佛以來經今四十
九年教化衆生上至飛鳥下至蜈蚣蠢動含
識有形无形四足二足多足无足胎卵濕化
如是等衆生盡令過善知識而登正覺與
我无異吾今欲入涅槃本為波旬所請波
旬告我言瞿曇三界衆生盡受生死瞿曇
今日若住一劫違我本願
尒時我受波旬所請而入涅槃我為波旬豈
是諸佛延壽菩薩白佛言世尊波旬外道
生毒害心請佛涅槃擬為三界之主一切衆
生盡令入魔網无有休息從生死至生死從
煩惱至煩惱常與魔為眷屬不遇正法又
死入地獄千劫万劫常无光明刀輪鑊湯銅鈋
鐵狗牛頭獄卒手執鋒刃利如霜雪終朝竟
日共相撓擾恐怖无極无處藏隱不聞父母
三寶名字一日之中千生万死從地獄出復受

BD01598 號 1　延壽命經（大本）　　（5–1）

[illegible]道
生毒害心請佛涅槃擬為三界之主一切衆
生盡令入魔網无有休息從生死至生死從
煩惱至煩惱常與魔為眷屬不遇正法又
死入地獄千劫万劫常无光明刀輪鑊湯銅鈋
鐵狗牛頭獄卒手執鋒刃利如霜雪終朝竟
日共相撓擾恐怖无極无處藏隱不聞父母
三寶名字一日之中千生万死從地獄出復受
種種諸惡畜生或作駱駝牛或生驢中身
常負重常困飢渴若生人中貧窮下賤被人
所使衣不蓋形食不充口或有富貴而无男
女或有貧窮而多子息或有衆惡病著床
痿黃困篤連年累月形消肉盡惡瘡膿血
遍體常流人使惡賤或受盲聾瘖瘂或百
歲如不死受大苦羸或三十富貴而忽早亡如
是橫羅其殃並入魔網惟願如來令住一劫莫
受波旬所請
佛告延壽菩薩善男子我滅度後若有衆生
受如是種種惡報但寫延壽經受經一卷兩卷
乃至百卷譬如一人有力不如十人之力十人之
不如百人之力若人書寫延壽經者所得功
德亦復如是但寫延壽經散轉與人受持讀
誦我當救護譬如慈母為生一子子若有病
慈母亦病子若病愈慈母亦愈善男子一切
衆生皆是吾子若善男子善願之者吾當
歸金色辟以摩其頂隨其本願无不獲果
尒時延壽菩薩以偈讚曰
世尊妙相真金色　八十種好恚莊嚴
四十九年大慈父　波旬无故請涅槃
[illegible]

BD01598 號 1　延壽命經（大本）　　（5–2）

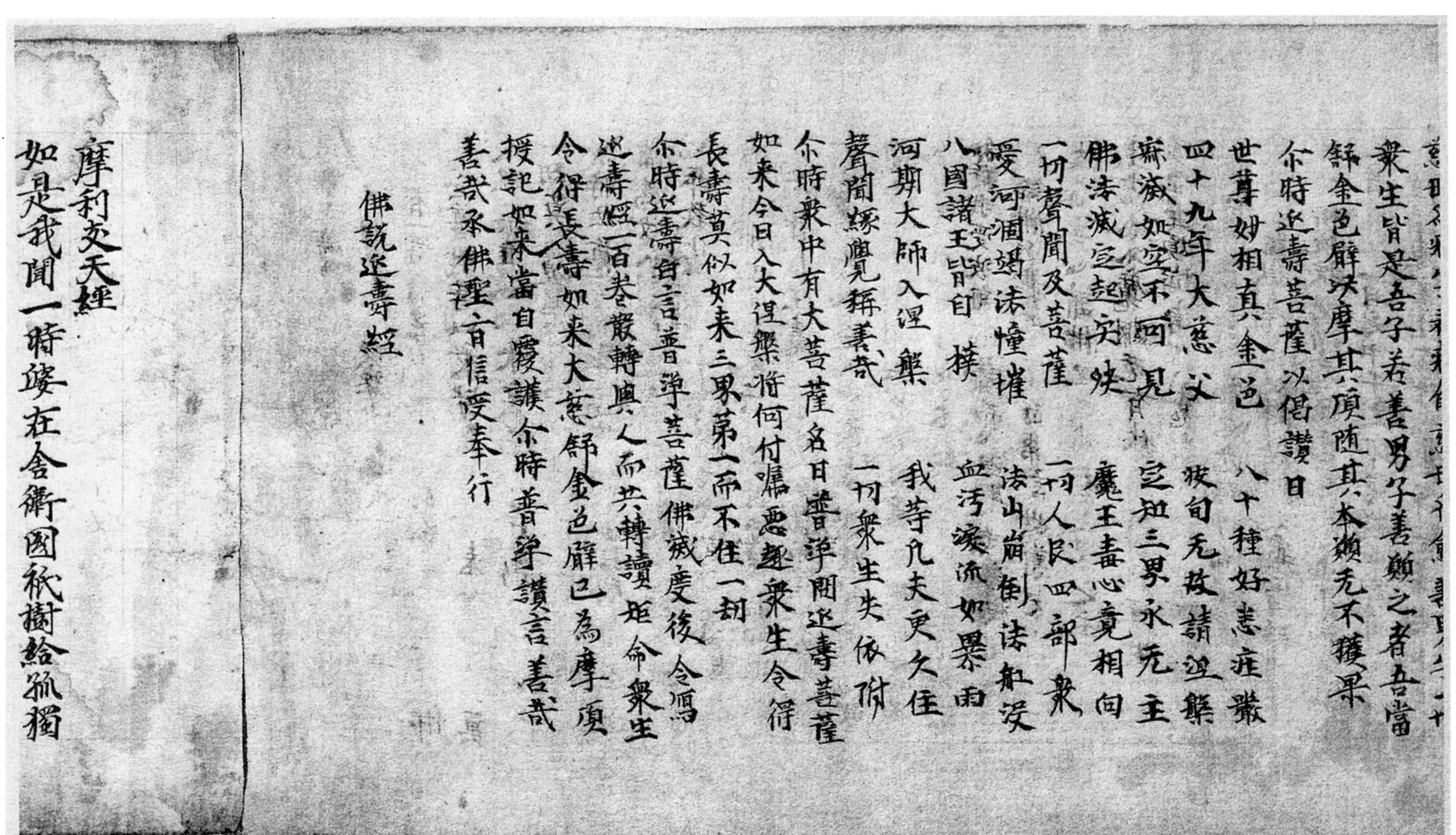
[illegible]
衆生皆是吾子若善男子善女之者吾當
歸金色辟以摩其頂隨其本願无不獲果
尒時延壽菩薩以偈讚曰
世尊妙相真金色　八十種好悉莊嚴
四十九年大慈父　波旬无故請涅槃
寂滅如空不可見　亡知三界永无主
佛法滅亡起兇[illegible]　魔王毒心竟相向
一切聲聞及菩薩　一切人民四部衆
愛河涸竭法幢摧　法山崩倒法船沒
八國諸王皆自撲　血汙流[illegible]如[illegible]雨
河斯大師入涅槃　我等凡夫更久住
聲聞緣覺稱善哉　一切衆生失依附
尒時衆中有大菩薩名曰普淨問延壽菩薩
如來今日入大涅槃將何付囑惡趣衆生令得
長壽莫似如來三界第一而不住一劫
尒時延壽告言普淨菩薩佛滅度後令寫
延壽經一百卷轉讀與人而共轉讀拒命衆生
令得長壽如來大慈歸金色辟已為摩頂
授記如來當自擁護尒時普淨讚言善哉
善哉承佛聖旨信受奉行
佛說延壽經
摩利支天經
如是我聞一時婆在舍衛國祇樹給孤獨

BD01598號1　延壽命經（大本）　（5–3）

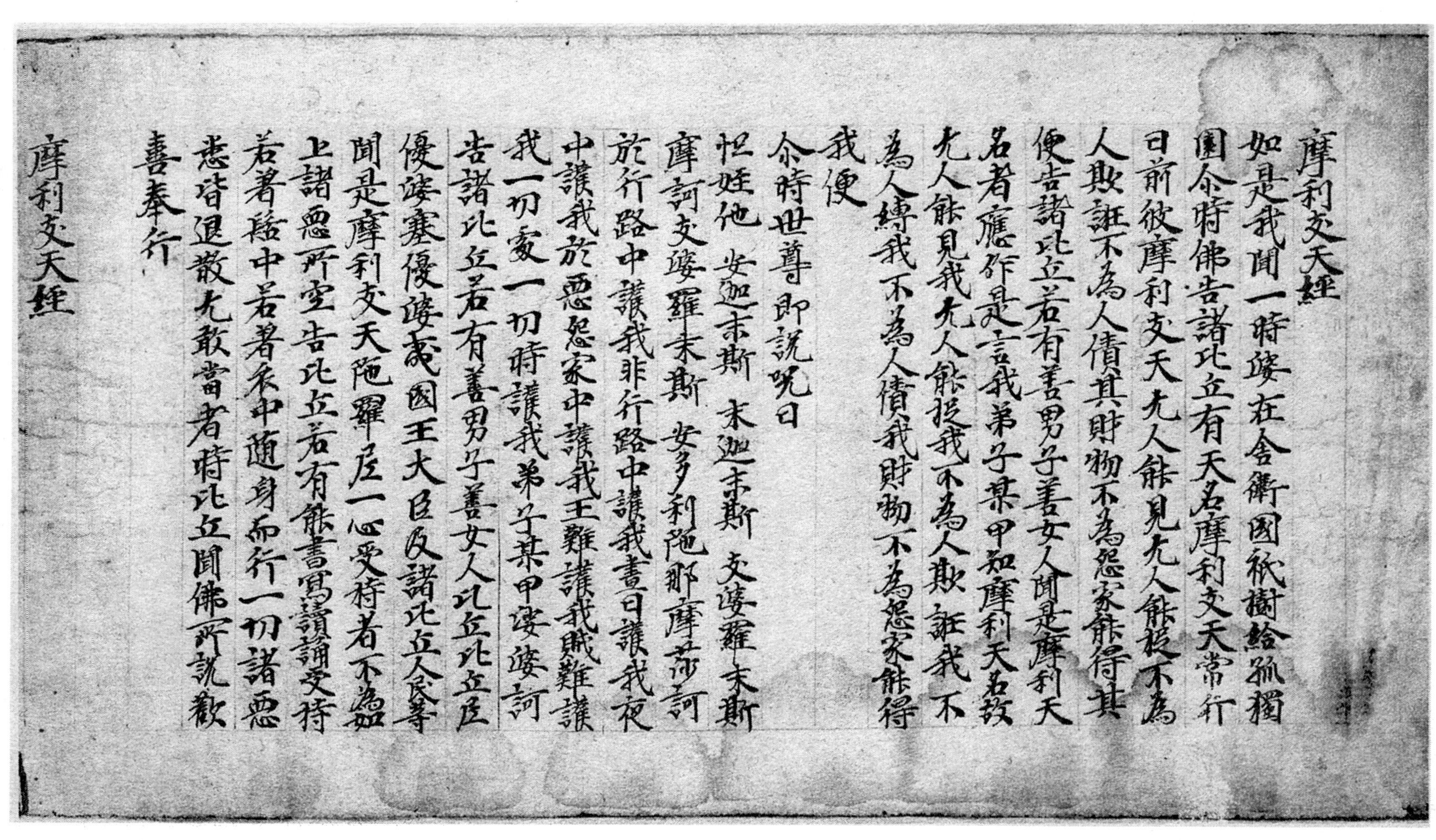
摩利支天經
如是我聞一時婆在舍衛國祇樹給孤獨
園尒時佛告諸比丘有天名摩利支天常行
日前彼摩利支天无人能見无人能捉不為
人欺誑不為人債其財物不為怨家能得其
便若諸比丘若有善男子善女人聞是摩利天
名者應作是言我弟子某甲知摩利天名故
无人能見我无人能捉我不為人欺誑我不
為人縛我不為人債我財物不為怨家能得
我便
尒時世尊即說呪曰
怛姪他　安迦末斯　末迦末斯　支婆羅　末斯
摩訶支婆羅末斯　安多利陁那　摩訶
於行路中護我非行路中護我晝日護我夜
中護我於惡怨家中護我王難護我賊難護
我一切處一切時護我弟子某甲娑婆訶
告諸比丘若有善男子善女人比丘比丘尼
優婆塞優婆夷國王大臣及諸比丘人民等
聞是摩利支天陁羅尼一心受持者不為
上諸惡所害告比丘若有能書寫讀誦受持
若著髻中若著衣中隨身而行一切諸惡
悉皆退散无敢當者時比丘聞佛所說歡
喜奉行
摩利支天經

BD01598號2　摩利支天陀羅尼咒經（異本）　（5–4）

名者應作是言我弟子某甲知摩利天若說
无人能見我无人能捉我不為人欺誑我不
為人縛我不為人債我財物不為怨家能得
我便
尒時世尊即說呪曰
怛姪他 安迦末斯 末迦末斯 支婆羅末斯
摩訶支婆羅末斯 安多利陁那摩莎訶
於行路中護我非行路中護我晝日護我夜
中護我於惡怨家中護我王難護我賊難護
我一切處一切時護我弟子某甲娑婆訶
告諸比丘若有善男子善女人比丘比丘尼
優婆塞優婆夷國王大臣及諸比丘人民等
聞是摩利支天陁羅尼一心受持者不為
上諸惡所害告比丘若有能書寫讀誦受持
若著髻中若著衣中隨身而行一切諸惡
悉皆退散无敢當者時比丘聞佛所說歡
喜奉行

摩利支天經

BD01598 號 2　摩利支天陀羅尼咒經（異本）　（5–5）

者非凡夫非學非无學不在生死不在涅槃
所以者何佛出世故名為遠離一切動念戲論
尒時長老舍利弗謂諸比丘言汝今得正智為
已利耶五百比丘言長老舍利弗我等今者
得諸煩惱不可作而作舍利弗言何故說此
諸比丘言知諸煩惱實相故言得諸煩惱涅
槃是无作性我等已證故說不可作而作舍利
弗言善哉善哉汝等今者住於福田能消
供養諸比丘言大師世尊尚不能消諸供養
何況我等舍利弗言何故說此諸比丘言世
尊知見法性性常淨故於是思益梵天白佛
言世尊誰應受供養佛告梵天不為世法之
所牽者世尊誰能消供養佛言於法无所取
者世尊誰為世間福田佛言不壞菩提性者
世尊誰為眾生善知識佛言於一切眾生不
捨慈心者世尊誰知報佛恩佛言不斷佛種
者世尊誰能供養佛佛言能通達无生際者
世尊誰能親近於佛佛言乃至失命因緣不毀
禁者世尊誰能恭敬於佛佛言善覆六根者
世尊誰名財富佛言成就七財者世尊誰名

BD01599 號　思益梵天所問經卷一　（5–1）

捨慈心者世尊誰知報佛恩佛言不斷佛種者世尊誰能供養佛佛言能通達无生際者世尊誰能親近於佛佛言乃至失命因緣不毀禁者世尊誰能恭敬於佛佛言善覆六根者世尊誰名財富佛言成就七財者世尊誰名知足佛言得出世間智慧者世尊誰為遠離佛言於三界中无所願者世尊誰為具足佛言能斷一切諸結使者世尊誰為樂人佛言无貪著者世尊誰无貪著佛言知見五陰者世尊誰度欲河佛言能捨六入者世尊誰住彼岸佛言能知諸道平等者世尊何謂菩薩能為施主佛言菩薩能教衆生一切智心世尊何謂菩薩能奉禁戒佛言常能不捨菩提之心世尊何謂菩薩能行忍辱佛言見心相念念滅世尊何謂菩薩能行精進佛言求心相不可得世尊何謂菩薩能行禪定佛言除身心麤相世尊何謂菩薩能行智慧佛言於一切法无有戲論世尊何謂菩薩能行慈心佛言不生衆生想世尊何謂菩薩能行悲心佛言不生法想世尊何謂菩薩能行喜心佛言不生我想世尊何謂菩薩能行捨心佛言不生彼我想世尊何謂菩薩安住於信佛言信解心淨无有濁法世尊何謂菩薩安住於空佛言不著一切語言世尊何謂菩薩名為有慙佛言知見內法世尊何謂菩薩名為有愧佛言捨於

BD01599 號　思益梵天所問經卷一　（5–2）

生我想世尊何謂菩薩能行捨心佛言不生彼我想世尊何謂菩薩安住於信佛言信解心淨无有濁法世尊何謂菩薩安住於空佛言不著一切語言世尊何謂菩薩名為有慙佛言知見內法世尊何謂菩薩名為有愧佛言捨於外法世尊何謂名為菩薩遍行佛言能淨身口意業尒時世尊而說偈言

若身淨无惡　口淨常實語　心淨常行慈　是菩薩遍行
行慈无貪著　觀不淨无恚　行捨而不癡　是菩薩遍行
若在聚空野　及與處大衆　威儀終不轉　是菩薩遍行
知法名為佛　知離名為法　知无為名僧　是菩薩遍行
知多欲所行　知恚癡所行　善知轉此行　是菩薩遍行
不依止欲界　不住色无色　行如是禪定　是菩薩遍行
信解諸法空　及无相无作　而不盡諸漏　是菩薩遍行
善知聲聞乘　及辟支佛乘　通達於佛乘　是菩薩遍行
明解於諸法　不起道非道　憎愛心无異　是菩薩遍行
於過去未來　及與現在世　一切无分別　是菩薩遍行

尒時思益梵天白佛言世尊何謂菩薩過世間法通達世間法通達世間法已度衆生於世間法行於世間不壞世間尒時世尊以偈荅曰

說五陰是世　世間所依止　依止於五陰　不脫世間法
菩薩有智慧　知世間實性　所謂五陰如　世間法不染
利衰及毀譽　稱譏與苦樂　如此之八法　常牽於世間
大智慧菩薩　散滅世間法　見世壞敗相　處之而不動

BD01599 號　思益梵天所問經卷一　（5–3）

說五陰是世　世間所依止　依止於五陰　不脫世間法
菩薩有智慧　知世間實性　所謂五陰如　世間法不染
利衰及毀譽　稱譏與苦樂　如此之八法　常牽於世間
大智慧菩薩　散滅世間法　見世壞敗相　處之而不動
得利心不高　失利心不下　其心堅不動　譬如須彌山
利衰及毀譽　稱譏與苦樂　於此世八法　其心常平等
知世間虛妄　皆從顛倒起　如是之人等　不行世間道
世間所有道　菩薩皆識知　故能於世間　度衆生苦惱
雖行於世間　如蓮華不染　亦不壞世間　通達法性故
世間行世間　不知是世間　菩薩行世間　明了世間相
世間虛空相　虛空亦无相　菩薩知如是　不染於世間
如所知世間　隨智而演說　知世間性故　亦不壞世間
五陰无自性　是即世間法　若人不知是　常住於世間
若見知五陰　无生亦无滅　是人行世間　而不依世間
凡夫不知法　於世起諍訟　是實是不實　住是二相中
我常不與世　起於諍訟事　世間之實相　悉已了知故
諸佛所說法　皆悉无諍訟　知世平等故　非實非虛妄
若佛法決定　有實有虛妄　是即爲貪着　與外道无異
而今實義中　无實无虛妄　是故我常說　出世法无二
若人知世間　如是之實性　於實於虛妄　不取此惡見
如是知世相　清淨如虛空　是大名稱人　照世間如日
若人見世間　如我之所見　如斯之人等　能見十方佛
諸法從緣生　自无有定性　若知此因緣　則達法實相
若知法實相　是則知空相　若能知空相　則爲見導師
若有人得聞　如是世間相　雖行於世間　而不住世間

BD01599號　思益梵天所問經卷一　（5-4）

雖行於世間　如蓮華不染　亦不壞世間　通達法性故
世間行世間　不知是世間　菩薩行世間　明了世間相
世間虛空相　虛空亦无相　菩薩知如是　不染於世間
如所知世間　隨智而演說　知世間性故　亦不壞世間
五陰无自性　是即世間法　若人不知是　常住於世間
若見知五陰　无生亦无滅　是人行世間　而不依世間
凡夫不知法　於世起諍訟　是實是不實　住是二相中
我常不與世　起於諍訟事　世間之實相　悉已了知故
諸佛所說法　皆悉无諍訟　知世平等故　非實非虛妄
若佛法決定　有實有虛妄　是即爲貪着　與外道无異
而今實義中　无實无虛妄　是故我常說　出世法无二
若人知世間　如是之實性　於實於虛妄　不取此惡見
如是知世相　清淨如虛空　是大名稱人　照世間如日
若人見世間　如我之所見　如斯之人等　能見十方佛
諸法從緣生　自无有定性　若知此因緣　則達法實相
若知法實相　是則知空相　若能知空相　則爲見導師
若有人得聞　如是世間相　雖行於世間　而不住世間
依止諸見人　不能及此事　云何行世間　而不依世間
若佛滅度後　有樂是法者　佛則於其人　常現於法身
若人解達此　則守護我法　亦爲供養我　亦是世導師

BD01599號　思益梵天所問經卷一　（5-5）

演其義時維摩詰來謂我言唯迦旃延无以
生滅心行説實相法迦旃延諸法畢竟不生
不滅是无常義五受陰通達空无所起是苦
義諸法究竟无所有是空義於我无我而不二
是无我義法本不然今則无滅是寂滅義説
是法時彼諸比丘心得解脱故我不任詣彼
問疾
佛告阿那律汝行詣維摩詰問疾阿那律白
佛言世尊我不堪任詣彼問疾所以者何憶念
我昔於一處經行時有梵王名曰嚴浄與万
梵俱放浄光明來詣我所稽首作礼問我
言幾何阿那律天眼所見我即答言仁者吾
見此釋迦牟尼佛土三千大千世界如觀掌
中阿摩勒菓時維摩詰來謂我言唯阿那律
天眼為作相耶无作相耶假使作相則與外
道五通等若无作相即是无為不應有見世
尊我時嘿然彼諸梵聞其言得未曾有即為
作礼而問曰世孰有真天眼者維摩詰言有
佛世尊得真天眼常在三昧悉見諸佛國不
以二相於是嚴浄梵王及其眷屬五百梵天
皆發阿耨多羅三藐三菩提心礼維摩詰
足已忽然不現故我不任詣彼問疾

BD01600 號　維摩詰所說經卷上　（2–1）

道五通等若无作相即是无為不應有見世
尊我時嘿然彼諸梵聞其言得未曾有即為
作礼而問曰世孰有真天眼者維摩詰言有
佛世尊得真天眼常在三昧悉見諸佛國不
以二相於是嚴浄梵王及其眷屬五百梵天
皆發阿耨多羅三藐三菩提心礼維摩詰
足已忽然不現故我不任詣彼問疾
佛告優波離汝行詣維摩詰問疾優波離
白佛言世尊我不堪任詣彼問疾所以者何憶念
昔者有二比丘犯律行以為恥不敢問佛來
問我言唯優波離我等犯律誠以為恥不
敢問佛願解疑悔得免斯咎我即為其如法
解説時維摩詰來謂我言唯優波離无重增
此二比丘罪當直除滅勿擾其心所以者何彼
罪性不在内不在外不在中間如佛所説心
垢故衆生垢心浄故衆生浄心亦不在内不
在外不在中間如其心然罪垢亦然諸法
亦然不出於如如優波離以心相得解脱時
寧有垢不我言不也維摩詰言一切衆生心
相无垢亦復如是唯優波離妄想是垢无妄
想是浄顛倒是垢无顛是浄取我是垢不取
我是浄優波離一切法生滅不住如幻如電
諸法不相待乃至一念不住諸法皆妄見

BD01600 號　維摩詰所說經卷上　（2–2）

著 錄 凡 例

本目錄採用條目式著錄法。諸條目意義如下：

1.1　著錄編號。用漢語拼音首字“BD”表示，意為“北京圖書館藏敦煌遺書”，簡稱“北敦號”。文獻寫在背面者，標註為“背”。一件遺書上抄有多個文獻者，用數字 1、2、3 等標示小號。一號中包括幾件遺書，且遺書形態各自獨立者，用字母 A、B、C 等區別。

1.2　著錄分類號。本條記目錄暫不分類，該項空缺。

1.3　著錄文獻的名稱、卷本、卷次。

1.4　著錄千字文編號。

1.5　著錄縮微膠卷號。

2.1　著錄遺書的總體數據。包括長度、寬度、紙數、正面抄寫總行數與每行字數、背面抄寫總行數與每行字數。如該遺書首尾有殘破，則對殘破部分單獨度量，用加號加在總長度上。凡屬這種情況，長度用括弧標註。

2.2　著錄每紙數據。包括每紙長度及抄寫行數或界欄數。

2.3　著錄遺書的外觀。包括：（1）裝幀形式。（2）首尾存況。（3）護首、軸、軸頭、天竿、縹帶，經名是書寫還是貼簽，有無經名號，扉頁、扉畫。（4）卷面殘破情況及其位置。（5）尾部情況。（6）有無附加物（蟲繭、油污、線繩及其他）。（7）有無裱補及其年代。（8）界欄。（9）修整。（10）其他需要交待的問題。

2.4　著錄一件遺書抄寫多個文獻的情況。

3.1　著錄文獻首部文字與對照本核對的結果。

3.2　著錄文獻尾部文字與對照本核對的結果。

3.3　著錄錄文。

3.4　著錄對文獻的說明。

4.1　著錄文獻首題。

4.2　著錄文獻尾題。

5　著錄本文獻與對照本的不同之處。

6.1　著錄本遺書首部可與另一遺書綴接的編號。

6.2　著錄本遺書尾部可與另一遺書綴接的編號。

7.1　著錄題記、題名、勘記等。

7.2　著錄印章。

7.3　著錄雜寫。

7.4　著錄護首及扉頁的內容。

8　著錄年代。

9.1　著錄字體。如有武周新字、合體字、避諱字等，予以說明。

9.2　著錄卷面二次加工的情況。包括句讀、點標、科分、間隔號、行間加行、行間加字、硃筆、墨塗、倒乙、刪除、兑廢等。

10　著錄敦煌遺書發現後，近現代人所加內容，裝裱、題記、印章等。

11　備註。著錄揭裱互見、圖版本出處及其他需要說明的問題。

上述諸條，有則著錄，無則空缺。

為避文繁，上述著錄中出現的各種參考、對照文獻，暫且不列版本說明。全目結束時，將統一編制本條記目錄出現的各種參考書目。

本條記目錄為農曆年份標註其公曆紀年時，未經行歲頭年末之換算，請讀者使用時注意自行換算。

條 記 目 錄

BD01495—BD01600

1.1 BD01495 號
1.3 灌頂章句拔除過罪生死得度經
1.4 寒 095
1.5 250:7484
2.1 (5.4+494.7)×25.7 厘米; 10 紙; 277 行, 行 17 字。
2.2 01: 5.4+39.6, 25; 02: 50.5, 28; 03: 50.6, 28;
04: 50.6, 28; 05: 50.7, 28; 06: 50.6, 28;
07: 50.5, 28; 08: 50.6, 28; 09: 50.6, 28;
10: 50.4, 28。
2.3 卷軸裝。首殘尾脫。首紙黴變, 尾紙上邊有殘損, 接縫處有開裂。卷尾背有多處烏糞污漬。有烏絲欄。
3.1 首 3 行上下殘→大正 1331, 21/532C10~12。
3.2 尾殘→21/536A6。
8 7~8 世紀。唐寫本。
9.1 楷書。
11 圖版:《敦煌寶藏》, 106/426A~432B。

1.1 BD01496 號
1.3 金剛般若波羅蜜經
1.4 寒 096
1.5 094:4324
2.1 (1.1+75.1+2.5)×26.4 厘米; 3 紙; 44 行, 行 17 字。
2.2 01: 1.1+23.1, 14; 02: 43.1, 24;
03: 8.9+2.5, 06。
2.3 卷軸裝。首尾均殘。紙變色。有烏絲欄。
3.1 首行殘→大正 235, 8/751B26。
3.2 尾 2 行上殘→8/752A22。
5 與《大正藏》本對照, 本件缺冥司偈, 參見大正 235, 8/751C16~C19。
8 8 世紀。唐寫本。
9.1 楷書。
11 圖版:《敦煌寶藏》, 82/654B~655B。

1.1 BD01497 號
1.3 金剛般若波羅蜜經
1.4 寒 097
1.5 094:4285
2.1 (2.6+61.8+1.4)×26.3 厘米; 2 紙; 37 行, 行 17 字。
2.2 01: 2.6+14.2, 09; 02: 47.6+1.4, 28。
2.3 卷軸裝。首尾均殘。卷下邊有水漬。有烏絲欄。
3.1 首殘→大正 235, 8/751B8。
3.2 尾殘→8/751C23。
5 與《大正藏》對照, 本卷缺冥司偈, 參見大正 235, 8/751C16~19。
8 8~9 世紀。吐蕃統治時期寫本。
9.1 楷書。
11 圖版:《敦煌寶藏》, 82/583B~584A。

1.1 BD01498 號
1.3 妙法蓮華經卷一
1.4 寒 098
1.5 105:4532
2.1 (18.8+685.3+141.7)×26.1 厘米; 18 紙; 470 行, 行 17 字。
2.2 01: 18.8+12.3, 18; 02: 49.5, 28; 03: 50.5, 28;
04: 50.1, 28; 05: 50.4, 28; 06: 50.3, 28;
07: 50.5, 28; 08: 50.6, 28; 09: 50.5, 28;
10: 50.5, 28; 11: 50.5, 28; 12: 50.5, 28;
13: 50.5, 28; 14: 50.6, 28;
15: 18+32.3, 28; 16: 50.1, 28; 17: 50.3, 28;
18: 09.0, 04。
2.3 卷軸裝。首尾均殘。卷中下部油污變色、有黴變, 前 11 紙多有破損, 卷後部黴爛殘缺。有烏絲欄。已修整。
3.1 首 11 行殘→大正 262, 9/2B1~12。
3.2 尾 64 行上殘→9/9A9~10B20。
8 7~8 世紀。唐寫本。

9.1　楷書。
11　圖版：《敦煌寶藏》，84/165A～178A。

1.1　BD01499 號
1.3　大般若波羅蜜多經卷三五八
1.4　寒 099
1.5　084:2982
2.1　（13.5＋240.7＋2）×26.3 厘米；7 紙；158 行，行 17 字。
2.2　01：13.5＋13.5，17；　02：45.8，28；　03：45.0，28；
04：45.3，28；　05：45.6，28；　06：45.5，28；
07：02.0，01。
2.3　卷軸裝。首尾均殘。卷首殘破嚴重。有烏絲欄。
3.1　首 9 行殘→大正 220，6/842A29～B8。
3.2　尾行下殘→6/844A15。
6.1　首→
6.2　尾→BD01386 號。
7.1　第 1 紙背面有勘記“三百五十八”、“三十六袟，八”2 行。“三十六袟”是本文獻所屬袟次，“八”，是袟内卷次。
8　8～9 世紀。吐蕃統治時期寫本。
9.1　楷書。
11　圖版：《敦煌寶藏》，76/20A～23A。

1.1　BD01500 號
1.3　四分比丘尼戒本
1.4　寒 100
1.5　157:6913
2.1　（25＋962）×26.5 厘米；23 紙；607 行，行 19 字。
2.2　01：25＋14，23；　02：42.0，23；　03：46.0，28；
04：46.0，28；　05：46.0，28；　06：45.5，28；
07：46.0，28；　08：45.5，28；　09：45.5，28；
10：45.5，28；　11：46.0，28；　12：46.0，28；
13：46.0，28；　14：46.0，28；　15：46.0，28；
16：45.5，28；　17：46.0，28；　18：46.0，28；
19：18.0，11；　20：14.5，10；　21：46.5，32；
22：47.0，32；　23：46.5，28。
2.3　卷軸裝。首殘尾全。首紙殘破，卷前部下邊油污。有烏絲欄。
3.1　首紙 15 行下殘→大正 1431，22/1031A7。
3.2　尾全→22/1041A18。
4.2　四分尼戒本（尾）。
7.1　尾端有題記“比丘常秘寫”。
8　8～9 世紀。吐蕃統治時期寫本。
9.1　楷書。
9.2　有行間校加字，有校改。有刪節、倒乙符號。
11　圖版：《敦煌寶藏》，102/516B～529A。

1.1　BD01501 號
1.3　金剛般若波羅蜜經
1.4　來 001
1.5　094:3982
2.1　（33.3＋35.3）×26.5 厘米；10 紙；232 行，行 17 字。
2.2　01：03.3，02；　02：30＋14.5，28；　03：45.0，28；
04：44.5，28；　05：43.5，28；　06：45.5，28；
07：45.0，28；　08：45.0，28；　09：45.0，28；
10：25.0，06。
2.3　卷軸裝。首殘尾全。經黄紙。卷面殘破缺損嚴重，卷尾上下有蟲繭。背有古代裱補。有烏絲欄。
3.1　首 21 行下殘→大正 235，8/749C17～750A10。
3.2　尾全→8/752C3。
4.2　金剛般若波羅蜜經（尾）。
8　7～8 世紀。唐寫本。
9.1　楷書。
11　圖版：《敦煌寶藏》，81/392B～397A。

1.1　BD01502 號
1.3　妙法蓮華經卷三
1.4　來 002
1.5　105:5134
2.1　117.5×25.8 厘米；3 紙；68 行，行 17 字。
2.2　01：48.5，28；　02：48.4，28；　03：20.6，12。
2.3　卷軸裝。首脱尾殘。經黄紙。有烏絲欄。
3.1　首殘→大正 262，9/22B19。
3.2　尾行殘→9/23B17～18。
6.2　尾→BD01698 號。
8　7～8 世紀。唐寫本。
9.1　楷書。
11　圖版：《敦煌寶藏》，89/137A～136B。

1.1　BD01503 號
1.3　思益梵天所問經卷一
1.4　來 003
1.5　043:0409
2.1　147.6×26.5 厘米；3 紙；84 行，行 17 字。
2.2　01：48.9，28；　02：48.7，28；　03：50.0，28。
2.3　卷軸裝。首尾均脱。有烏絲欄。
3.1　首斷→大正 586，15/36A19。
3.2　尾斷→15/37A20。
6.1　首→BD01661 號。
6.2　尾→BD01599 號。
8　8～9 世紀。吐蕃統治時期寫本。
9.1　楷書。
11　圖版：《敦煌寶藏》，58/626A～628A。

1.1　BD01504 號

1.3 妙法蓮華經卷三
1.4 來 004
1.5 105:5108
2.1 49.7×25.7 厘米；1 紙；29 行，行 17 字。
2.3 卷軸裝。首斷尾脫。卷面有水漬，紙張變色。有烏絲欄。
3.1 首殘→大正 262，9/22A11。
3.2 尾殘→9/22B21。
8 8～9 世紀。吐蕃統治時期寫本。
9.1 楷書。
11 圖版：《敦煌寶藏》，89/36A～B。

1.1 BD01505 號
1.3 金光明最勝王經卷八
1.4 來 005
1.5 083:1883
2.1 168.5×26.5 厘米；4 紙；103 行，行 17 字。
2.2 01：42.5，26； 02：42.0，26； 03：42.0，26；
04：42.0，25。
2.3 卷軸裝。首殘尾脫。有烏絲欄。
3.1 首殘→大正 665，16/440A8。
3.2 尾殘→16/441B3。
6.2 尾→BD01417 號。
8 8～9 世紀。吐蕃統治時期寫本。
9.1 楷書。
11 圖版：《敦煌寶藏》，70/475B～477B。

1.1 BD01506 號
1.3 大般若波羅蜜多經卷一一三
1.4 來 006
1.5 084:2307
2.1 （1.2＋84.6）×25.4 厘米；3 紙；56 行，行 17 字。
2.2 01：1.2＋31.5，20； 02：46.3，28；
03：6.8＋6.3，08。
2.3 卷軸裝。首尾均殘。第 2 紙有殘裂。有烏絲欄。
3.1 首行殘→大正 220，5/623B6。
3.2 尾 4 行下殘→5/624A1～4。
6.1 首→BD01545 號。
6.2 尾→BD01617 號。
8 8～9 世紀。吐蕃統治時期寫本。
9.1 楷書。有武周新字"正"，使用周遍。
11 圖版：《敦煌寶藏》，72/601A～602A。

1.1 BD01507 號
1.3 妙法蓮華經卷四
1.4 來 007
1.5 105:5313
2.1 （19＋897.8）×27 厘米；20 紙；519 行，行 17 字。
2.2 01：19＋18.3，21； 02：47.2，26； 03：47.0，26；
04：47.0，27； 05：46.0，27； 06：47.0，27；
07：46.5，27； 08：46.5，27； 09：46.5，27；
10：46.5，27； 11：46.5，27； 12：46.6，27；
13：46.5，27； 14：46.5，27； 15：46.5，27；
16：46.5，27； 17：46.5，27； 18：46.7，27；
19：46.7，27； 20：40.0，14。
2.3 卷軸裝。首殘尾全。卷首上下殘破，第 3 紙有鳥糞，有殘洞；卷面有等距離水漬、黴斑，紙張變色。有燕尾。有烏絲欄。
3.1 首 11 行下殘→大正 262，9/29C2～13。
3.2 尾全→9/37A2。
4.2 妙法蓮華經卷第四（尾）。
8 8 世紀。唐寫本。
9.1 楷書。
11 圖版：《敦煌寶藏》，90/577A～588B。

1.1 BD01508 號
1.3 金剛般若波羅蜜經
1.4 來 008
1.5 094:4367
2.1 50.3×25.3 厘米；1 紙；28 行，行 17 字。
2.3 卷軸裝。首尾均脫。經黄紙。有烏絲欄。
3.1 首殘→大正 235，8/752A2。
3.2 尾殘→8/752B5。
8 7～8 世紀。唐寫本。
9.1 楷書。
11 圖版：《敦煌寶藏》，83/65A～B。

1.1 BD01509 號
1.3 大般若波羅蜜多經卷一一三
1.4 來 009
1.5 084:2303
2.1 （34＋31＋1.6）×25 厘米；2 紙；41 行，行 17 字。
2.2 01：32.0，19； 02：2＋31＋1.6，22。
2.3 卷軸裝。首尾均殘。全卷破損嚴重，卷下部有殘缺殘洞，卷面多污漬。有烏絲欄。
3.1 首 20 行下殘→大正 220，5/621C10～622A1。
3.2 尾行下殘→5/622A22。
6.2 尾→BD01656 號。
8 8～9 世紀。吐蕃統治時期寫本。
9.1 楷書。
11 圖版：《敦煌寶藏》，72/597B～598A。

1.1 BD01510 號
1.3 無量壽宗要經
1.4 來 010
1.5 275:7726

2.1　204×31.5 厘米；5 紙；137 行，行 30 餘字。
2.2　01：42.5，28；　02：41.0，29；　03：42.5，29；
　　04：42.5，29；　05：35.5，22。
2.3　卷軸裝。首尾均全。首紙上下邊殘破，中間有横撕裂，卷面油污，接縫處有開裂。背有古代裱補。有烏絲欄。
3.1　首全→大正 936，19/82A3。
3.2　尾全→19/84C29。
4.1　大乘無量壽經（首）。
4.2　佛說無量壽宗要經（尾）。
8　8～9 世紀。吐蕃統治時期寫本。
9.1　楷書。
11　圖版：《敦煌寶藏》，107/436B～439A。

1.1　BD01511 號
1.3　金光明最勝王經卷八
1.4　來 011
1.5　083:1896
2.1　138.3×26 厘米；4 紙；76 行，行 18 字。
2.2　01：43.0，26；　02：42.0，26；　03：42.0，24；
　　04：11.3，拖尾。
2.3　卷軸裝。首斷尾全。尾有原軸，兩端鑲蓮蓬形軸頭，嵌螺鈿花瓣。有烏絲欄。
3.1　首殘→大正 665，16/442B5。
3.2　尾全→16/444A9。
4.2　金光明最勝王經卷第八（尾）。
8　8～9 世紀。吐蕃統治時期寫本。
9.1　楷書。“國”爲武周新字，使用周遍。
9.2　有行間校加字。
11　圖版：《敦煌寶藏》，70/507A～508B。

1.1　BD01512 號
1.3　金剛般若波羅蜜經
1.4　來 012
1.5　094:3731
2.1　(8+471.8)×27 厘米；12 紙；282 行，行 17 字。
2.2　01：8+32，24；　02：39.8，24；　03：40.0，24；
　　04：40.0，24；　05：40.0，24；　06：40.0，24；
　　07：40.0，24；　08：40.0，24；　09：40.0，24；
　　10：40.0，24；　11：40.0，25；　12：40.0，17。
2.3　卷軸裝。首殘尾全。卷首有殘洞、破裂。有燕尾。有烏絲欄。已修整。
3.1　首 5 行上、中殘→大正 235，8/749A14～19。
3.2　尾全→8/752C3。
4.2　金剛般若波羅蜜經（尾）。
8　7～8 世紀。唐寫本。
9.1　楷書。
11　圖版：《敦煌寶藏》，80/69B～75B。

1.1　BD01513 號
1.3　大般若波羅蜜多經卷一一三
1.4　來 013
1.5　084:2305
2.1　48×25.3 厘米；1 紙；28 行，行 17 字。
2.3　卷軸裝。首殘尾脱。卷面多水漬，有横向撕裂。有烏絲欄。
3.1　首殘→大正 220，5/622B27。
3.2　尾殘→5/622C27。
6.1　首→BD01656 號。
6.2　尾→BD01545 號。
8　8～9 世紀。吐蕃統治時期寫本。
9.1　楷書。
11　圖版：《敦煌寶藏》，72/599B。

1.1　BD01514 號
1.3　大般若波羅蜜多經卷四九七
1.4　來 014
1.5　084:3243
2.1　48.5×25.5 厘米；1 紙；28 行，行 17 字。
2.3　卷軸裝。首尾均脱。有烏絲欄。
3.1　首殘→大正 220，7/527C27。
3.2　尾殘→7/528A26。
7.1　卷背有勘記：“第四百九十七卷。”
8　8～9 世紀。吐蕃統治時期寫本。
9.1　楷書。
11　圖版：《敦煌寶藏》，77/37A。

1.1　BD01515 號
1.3　大般若波羅蜜多經（兑廢稿）卷二九四
1.4　來 015
1.5　084:2807
2.1　46.3×27.7 厘米；1 紙；26 行，行 17 字。
2.3　卷軸裝。首尾均脱。上邊殘缺。尾有餘空。有烏絲欄。
3.1　首殘→大正 220，6/497C24。
3.2　尾殘→6/498A21。
8　8～9 世紀。吐蕃統治時期寫本。
9.1　楷書。
9.2　上邊有 1 個“兑”字。
11　圖版：《敦煌寶藏》，75/162B。

1.1　BD01516 號
1.3　佛名經（十六卷本）卷九
1.4　來 016
1.5　063:0697
2.1　(7+652.5)×26.7 厘米；17 紙；376 行，行 17 字。
2.2　01：7+16，13；　02：41.0，24；　03：41.0，24；
　　04：41.0，24；　05：40.7，24；　06：41.0，24；

07：41.0，24；　08：41.0，24；　09：41.0，24；
10：41.0，24；　11：40.5，24；　12：41.0，24；
13：40.8，24；　14：41.0，24；　15：41.0，24；
16：41.0，24；　17：22.5，03。
2.3　卷軸裝。首殘尾全。首紙下部殘破，卷面有等距離水漬。背有古代裱補，裱補紙有字，向内粘貼，難以辨認。有燕尾。有烏絲欄。
3.1　首4行上中殘→《七寺古逸經典研究叢書》，3/第452頁地288行。
3.2　尾全→《七寺古逸經典研究叢書》，3/第480頁第654行。
4.2　佛名經卷第九（尾）。
5　與七寺本對照，文字略有出入。
8　8世紀。唐寫本。
9.1　楷書。
9.2　有倒乙。
11　圖版：《敦煌寶藏》，61/372A～380B。

1.1　BD01517號
1.3　金光明最勝王經卷三
1.4　來017
1.5　083:1607
2.1　（17.2＋515.2＋6.2）×25.8厘米；13紙；336行，行17字。
2.2　01：17.2＋23.7，26；　02：44.1，28；　03：44.4，28；
04：44.2，28；　05：44.1，28；　06：43.9，28；
07：44.1，28；　08：43.8，28；　09：43.8，28；
10：43.8，28；　11：44.0，28；　12：42.8，28；
13：8.5＋6.2，02。
2.3　卷軸裝。首尾均殘。卷下部殘缺嚴重，卷面油污。卷首尾背有古代裱補。有燕尾。有烏絲欄。已修整。
3.1　首11行上下殘→大正665，16/413C9～22。
3.2　尾全→16/417C16。
4.1　□…□最勝王經（首）。
4.2　金光明最勝王卷第三（尾）。
8　8～9世紀。吐蕃統治時期寫本。
9.1　楷書。
9.2　有行間校加字。
11　圖版：《敦煌寶藏》，68/596B～603A。

1.1　BD01518號
1.3　思益梵天所問經卷一
1.4　來018
1.5　043:0406
2.1　（4＋193.5＋2）×26.5厘米；6紙；116行，行17字。
2.2　01：04.0，03；　02：48.5，28；　03：48.5，28；
04：48.5，28；　05：48.0，28；　06：02.0，01。
2.3　卷軸裝。首尾均殘。卷首有破洞，卷下邊殘破，多水漬。卷中脱落殘片1小塊。有烏絲欄。
3.1　首2行下殘→大正586，15/33B22～24。
3.2　尾行上中殘→15/35A7～8。
5　與《大正藏》本比較，分段略有不同。
6.2　尾→BD01661號。
8　8～9世紀。吐蕃統治時期寫本。
9.1　楷書。似木筆書寫。
11　圖版：《敦煌寶藏》，58/599B～602A。

1.1　BD01519號
1.3　大般涅槃經（北本）卷四
1.4　來019
1.5　115:6314
2.1　（1.5＋534.1）×26.3厘米；11紙；285行，行17字。
2.2　01：1.5＋36，21；　02：52.0，28；　03：52.0，28；
04：51.5，28；　05：51.8，28；　06：51.9，28；
07：51.7，28；　08：51.8，28；　09：51.7，28；
10：51.7，28；　11：32.0，12。
2.3　卷軸裝。首殘尾全。首尾兩紙多處殘損，上下邊略殘，卷尾上下有蟲繭。有燕尾。有上下邊欄。
3.1　首行上下殘→大正374，12/387A7。
3.2　尾全→12/390B8。
4.2　大般涅槃經卷第四（尾）。
8　6世紀。南北朝寫本。
9.1　楷書。
11　圖版：《敦煌寶藏》，98/76B～83A。

1.1　BD01520號
1.3　金剛般若波羅蜜經
1.4　來020
1.5　094:4317
2.1　（24＋93）×23厘米；2紙；68行，行17字。
2.2　01：24＋49，42；　02：44.0，26。
2.3　卷軸裝。首脱尾殘。首紙殘破嚴重。有折疊欄。已修整。
3.1　首14行上下殘→大正235，8/751B10～24。
3.2　尾殘→8/752B2。
5　與《大正藏》本對照，本件缺冥司偈，參見大正235，8/751C16～C19。末段文字次序錯亂。
8　9～10世紀。歸義軍時期寫本。
9.1　楷書。
9.2　有倒乙。
11　圖版：《敦煌寶藏》，82/641B～643A。

1.1　BD01521號
1.3　妙法蓮華經卷二
1.4　來021
1.5　105:4925

2.1　(1.8＋93.5)×25.4 厘米；2 紙；56 行，行 16 字（偈）。
2.2　01：1.8＋45.9，28；　02：47.6，28。
2.3　卷軸裝。首殘尾脱。經黄紙。首紙前端有殘裂，卷面污染變色。有烏絲欄。
3.1　首行殘→大正 262，9/14A15。
3.2　尾殘→9/15A2。
8　7～8 世紀。唐寫本。
9.1　楷書。
11　圖版：《敦煌寶藏》，87/244B～245B。

1.1　BD01522 號
1.3　大般若波羅蜜多經卷四五
1.4　來 022
1.5　084:2117
2.1　99.3×26.3 厘米；3 紙；59 行，行 17 字。
2.2　01：06.7，03；　02：46.3，28；　03：46.3，28。
2.3　卷軸裝。首殘尾脱。有烏絲欄。
3.1　首殘→大正 220，5/253A15。
3.2　尾殘→5/253C16。
6.1　首→BD01571 號。
6.2　尾→BD01767 號。
8　8～9 世紀。吐蕃統治時期寫本。
9.1　楷書。
11　圖版：《敦煌寶藏》，72/27A～28A。

1.1　BD01523 號
1.3　妙法蓮華經卷四
1.4　來 023
1.5　105:5285
2.1　46.8×25.7 厘米；1 紙；27 行，行 17 字。
2.3　卷軸裝。首全尾脱。有烏絲欄。
3.1　首全→大正 262，9/27B12。
3.2　尾殘→9/27C15。
4.1　妙法蓮華經五百弟子受記品第八，四（首）。
5　與《大正藏》本對照，分段不同。
8　8～9 世紀。吐蕃統治時期寫本。
9.1　楷書。
9.2　有行間校加字。
11　圖版：《敦煌寶藏》，90/475A～B。

1.1　BD01524 號
1.3　金剛般若波羅蜜經
1.4　來 024
1.5　094:3872
2.1　(12.5＋440.2)×25.5 厘米；9 紙；247 行，行 17 字。
2.2　01：12.5＋30.5，24；　02：51.5，28；　03：51.5，28；
04：51.5，28；　05：51.0，28；　06：51.5，28；
07：51.0，28；　08：51.2，28；　09：50.5，27。
2.3　卷軸裝。首殘尾全。卷首殘破嚴重，接縫處有開裂，第 1、2 紙及第 4、5 紙脱斷爲兩截。背有古代裱補，裱補紙上有字。有烏絲欄，欄綫甚細。
3.1　首 7 行下殘→大正 235，8/749B24～C2。
3.2　尾全→8/752C2。
7.3　卷尾背裱補紙上有文字。
一塊作："□…□弘（？）戒（？）□…□/。"
另一塊作："□…□受寄准行程□…□/□…□此律/。" 應為殘文書。
8　7～8 世紀。唐寫本。
9.1　楷書。
11　圖版：《敦煌寶藏》，80/12B～18A。

1.1　BD01525 號
1.3　大般若波羅蜜多經卷一九三
1.4　來 025
1.5　084:2479
2.1　(50.6＋1.3)×26.8 厘米；2 紙；29 行，行 17 字。
2.2　01：47.0，26；　02：3.6＋1.3，03。
2.3　卷軸裝。首全尾殘。首紙有殘洞，下邊有等距殘缺。有烏絲欄。
3.1　首全→大正 220，5/1033B13。
3.2　尾行下殘→5/1033C15。
4.1　大般若波羅蜜多經卷第一百九十三，/初分難信解品第卅四之十二，三藏法師玄奘奉詔譯/（首）。
7.1　第 1 紙背有墨書"廿"、硃書"三"；前者是本文獻所屬袟次，後者為袟内卷次。另有墨書"勘了"。卷尾背面有"第四袟全"。
8　8～9 世紀。吐蕃統治時期寫本。
9.1　楷書。
11　圖版：《敦煌寶藏》，73/434B～435A。

1.1　BD01526 號
1.3　維摩詰所説經卷中
1.4　來 026
1.5　070:1183
2.1　(2＋105＋1.5)×25.5 厘米；4 紙；64 行，行 17 字。
2.2　01：2＋11，07；　02：47.0，28；　03：47.0，28；
04：01.5，01。
2.3　卷軸裝。首尾均殘。通卷有水漬。有烏絲欄。
3.1　首行中殘→大正 475，14/547B26。
3.2　尾行上下殘→14/548B6～7。
6.1　首→BD01384 號。
6.2　尾→BD01762 號。
8　7～8 世紀。唐寫本。
9.1　楷書。

11　圖版：《敦煌寶藏》，65/618A～619A。

1.1　BD01527 號
1.3　金剛般若波羅蜜經
1.4　來 027
1.5　094:4181
2.1　256×25 厘米；6 紙；140 行，行 17 字。
2.2　01：49.0，28；　02：49.0，28；　03：48.5，28；
04：48.5，28；　05：49.0，27；　06：12.0，01。
2.3　卷軸裝。首脫尾全。首紙有殘洞，卷面殘裂多處，接縫處有開裂，卷下邊油污，紙張變硬發脆，尾有蟲繭。有烏絲欄。
3.1　首殘→大正 235，8/750C20。
3.2　尾全→8/752C3。
4.2　金剛般若波羅蜜經（尾）。
8　9 世紀。吐蕃統治時期寫本。
9.1　楷書。
11　圖版：《敦煌寶藏》，82/327B～330B。

1.1　BD01528 號
1.3　金光明最勝王經卷九
1.4　來 028
1.5　083:1904
2.1　（2.1＋645.2＋7.2）×27.5 厘米；15 紙；385 行，行 17 字。
2.2　01：2.1＋20.5，13；　02：47.6，28；　03：47.5，28；
04：47.5，28；　05：47.4，28；　06：47.5，28；
07：47.7，28；　08：47.5，28；　09：47.5，28；
10：47.7，28；　11：47.5，28；　12：47.7，28；
13：47.5，28；　14：47.5，28；
15：6.6＋7.2，08。
2.3　卷軸裝。首尾均殘。卷尾油污。有烏絲欄。
3.1　首行下殘→大正 665，16/444A28。
3.2　尾 4 行下殘→16/450A26～28。
7.3　卷尾背有墨筆塗畫。
8　9 世紀。吐蕃統治時期寫本。
9.1　楷書。
9.2　有刮改。
11　圖版：《敦煌寶藏》，70/563B～571B。

1.1　BD01529 號
1.3　金剛般若波羅蜜經
1.4　來 029
1.5　094:3930
2.1　（9.1＋93.8＋13.5）×25.5 厘米；4 紙；65 行，行 17 字。
2.2　01：06.5，03；　02：2.6＋46.8，28；　03：47＋2，28；
04：11.5，06。
2.3　卷軸裝。首尾均殘。卷面有等距離殘洞，上邊有等距殘損。有烏絲欄。
3.1　首 4 行上中殘→大正 235，8/749C16～19。
3.2　尾 7 行上殘→8/750B19～27。
8　9 世紀。歸義軍時期寫本。
9.1　楷書。
11　圖版：《敦煌寶藏》，81/235B～237A。

1.1　BD01530 號
1.3　金剛般若波羅蜜經
1.4　來 030
1.5　094:4383
2.1　94.2×26.4 厘米；3 紙；39 行，行 17 字。
2.2　01：40.3，16；　02：42.9，23；　03：11.0，拖尾。
2.3　卷軸裝。首殘尾全。卷面多污漬變色。有燕尾。有烏絲欄。
3.1　首殘→大正 235，8/752A21。
3.2　尾全→8/752C3。
4.2　金剛般若波羅蜜經一卷（尾）。
8　8～9 世紀。吐蕃統治時期寫本。
9.1　楷書。
11　圖版：《敦煌寶藏》，83/87B～88B。

1.1　BD01531 號
1.3　妙法蓮華經（八卷本）卷六
1.4　來 031
1.5　105:5629
2.1　384.9×26.7 厘米；10 紙；220 行，行 17 字。
2.2　01：43.0，24；　02：42.9，24；　03：42.8，24；
04：42.9，24；　05：42.7，24；　06：42.8，24；
07：41.1，23；　08：42.2，24；　09：42.7，24；
10：1.8＋7，05。
2.3　卷軸裝。首脫尾殘。卷面有殘洞及殘裂，卷尾殘破嚴重，通卷多水漬及黴斑。有烏絲欄。
3.1　首殘→大正 262，9/45B26。
3.2　尾 4 行下殘→9/49A15～20。
5　與《大正藏》本對照分卷不同，相當於《大正藏》本卷五分別功德品第十七中部開始至卷六法師功德品第十九中部。故知應為八卷本。
8　8 世紀。唐寫本。
9.1　楷書。
11　圖版：《敦煌寶藏》，93/426B～432A。

1.1　BD01532 號
1.3　金剛般若波羅蜜經
1.4　來 032
1.5　094:3712
2.1　（6.3＋448.9）×26 厘米；11 紙；280 行，行 17 字。
2.2　01：6.3＋32.3，24；　02：45.7，28；　03：45.7，28；

04：45.0，28；　05：45.0，28；　06：45.2，28；
07：45.3，28；　08：45.1，28；　09：45.1，28；
10：38.0，24；　11：16.5，08。
2.3　卷軸裝。首殘尾全。首紙上下殘破，接縫處有開裂，第 10、11 紙脱爲兩截。後 7 紙與前 4 紙紙色不同。有烏絲欄。
3.1　首 4 行上殘→大正 235，8/749A21～25。
3.2　尾全→8/752C3。
4.2　金剛般若波羅蜜經（尾）。
8　8～9 世紀。吐蕃統治時期寫本。
9.1　楷書。
9.2　有行間校加字。
11　圖版：《敦煌寶藏》，79/650B～656A。

1.1　BD01533 號
1.3　妙法蓮華經卷四
1.4　來 033
1.5　105:5355
2.1　(1.1+94.4+1.4)×26.4 厘米；3 紙；55 行，行 17 字。
2.2　01：1.1+19.2，11；　02：47.7，27；
03：27.5+1.4，17。
2.3　卷軸裝。首尾均殘。有烏絲欄。
3.1　首殘→大正 262，9/31B13。
3.2　尾殘→9/32A18～19。
6.1　首→BD01778 號。
6.2　尾→BD01779 號。
8　7～8 世紀。唐寫本。
9.1　楷書。
11　圖版：《敦煌寶藏》，91/122B～124A。

1.1　BD01534 號
1.3　大方便佛報恩經卷一
1.4　來 034
1.5　052:0448
2.1　(3+302.5)×25.8 厘米；7 紙；181 行，行 17 字。
2.2　01：3+18.5，13；　02：47.3，28；　03：47.3，28；
04：47.5，28；　05：47.3，28；　06：47.3，28；
07：47.3，28。
2.3　卷軸裝。首殘尾脱。卷首殘破嚴重。有烏絲欄。
3.1　首 3 行上中殘→大正 156，3/124B6～8。
3.2　尾脱→3/126B19。
6.2　尾→BD02189 號。
8　8～9 世紀。吐蕃統治時期寫本。
9.1　楷書。有武周新字，“國”字使用周遍。
9.3　有刮改。
11　圖版：《敦煌寶藏》，59/202B～206B。

1.1　BD01535 號
1.3　妙法蓮華經（八卷本）卷五
1.4　來 035
1.5　105:5428
2.1　(10.7+114.5+2)×26.7 厘米；3 紙；77 行，行 17 字。
2.2　01：10.7+24.5，21；　02：46.0，28；　03：44+2，28。
2.3　卷軸裝。首尾均殘。經黄紙。卷面有污漬、黴爛。有烏絲欄。
3.1　首 6 行下殘→大正 262，9/36A13～20。
3.2　尾行殘→9/37B4。
5　與《大正藏》本對照，分卷不同，相當於卷四勸持品第十三後部至卷五安樂行品第十四前部。故知為八卷本。
8　7～8 世紀。唐寫本。
9.1　楷書。
11　圖版：《敦煌寶藏》，91/458A～459B。

1.1　BD01536 號
1.3　思益梵天所問經卷一
1.4　來 036
1.5　043:0411
2.1　150.7×26.5 厘米；3 紙；87 行，行 17 字。
2.2　01：50.5，29；　02：50.2，29；　03：50.0，29。
2.3　卷軸裝。首尾均脱。卷面污染變色。有烏絲欄。
3.1　首脱→大正 586，15/38C1。
3.2　尾脱→15/39C10。
5　與《大正藏》本對照，本件不分品。
6.1　首→BD01599 號。
6.2　尾→BD01486 號。
8　8～9 世紀。吐蕃統治時期寫本。
9.1　楷書。
11　圖版：《敦煌寶藏》，58/633B～635B。

1.1　BD01537 號
1.3　金剛般若波羅蜜經
1.4　來 037
1.5　094:4286
2.1　(2.3+172.2)×28 厘米；2 紙；95 行，行 17 字。
2.2　01：2.3+86.4，53；　02：85.8，42。
2.3　卷軸裝。首殘尾全。有燕尾。有烏絲欄。
3.1　首行上殘→大正 235，8/751B10。
3.2　尾全→8/752C3。
4.2　金剛般若波羅蜜經（尾）。
8　7～8 世紀。唐寫本。
9.1　楷書。
11　圖版：《敦煌寶藏》，82/584B～586B。

1.1　BD01538 號
1.3　金光明最勝王經卷六

1.4 來 038
1.5 083:1790
2.1 (7.1+458.8)×26.3 厘米；11 紙；264 行，行 17 字。
2.2 01：02.0，01； 02：5.1+42.7，28； 03：47.7，28；
04：47.8，28； 05：48.0，28； 06：48.0，28；
07：47.8，28； 08：47.8，28； 09：47.9，28；
10：47.8，28； 11：33.3，11。
2.3 卷軸裝。首殘尾全。紙質硬細。卷首殘缺。有烏絲欄。
3.1 首 4 行中殘→大正 665，16/429B21～25。
3.2 尾全→16/432C10。
4.2 金光明經卷第六（尾）。
5 尾附音義。
8 8～9 世紀。吐蕃統治時期寫本。
9.1 楷書。
9.2 有刮改。
11 圖版：《敦煌寶藏》，70/93A～99A。

1.1 BD01539 號
1.3 金剛般若波羅蜜經
1.4 來 039
1.5 094:4083
2.1 (2+290.5)×25.5 厘米；8 紙；174 行，行 17 字。
2.2 01：2+8，06； 02：44.5，28； 03：44.0，28；
04：44.0，28； 05：44.0，28； 06：44.0，28；
07：44.5，27； 08：17.5，01。
2.3 卷軸裝。首殘尾全。卷面油污，接縫處有開裂，尾紙有碎裂破損。有燕尾。有烏絲欄。已修整。
3.1 首行下殘→大正 235，8/750B14～15。
3.2 尾全→8/752C3。
4.2 金剛般若波羅蜜經（尾）。
8 9 世紀。歸義軍時期寫本。
9.1 楷書。
9.2 偶有斷句。
11 圖版：《敦煌寶藏》，82/64A～67B。

1.1 BD01540 號
1.3 金剛般若波羅蜜經
1.4 來 040
1.5 094:4125
2.1 37.5×25 厘米；1 紙；22 行，行 17 字。
2.3 卷軸裝。首殘尾脱。卷面有等距離殘洞。有烏絲欄。
3.1 首 1 行下殘→大正 235，8/750B26～27。
3.2 尾殘→8/750C20。
8 8～9 世紀。吐蕃統治時期寫本。
9.1 楷書。
11 圖版：《敦煌寶藏》，82/173A。

1.1 BD01541 號
1.3 賢愚經（異卷）卷一〇
1.4 來 041
1.5 422:8599
2.1 (1.5+806.9+3.7)×27.2 厘米；19 紙；509 行，行 17 字。
2.2 01：1.5+26，18； 02：44.0，28； 03：45.0，28；
04：44.7，28； 05：44.9，28； 06：44.7，28；
07：44.8，28； 08：44.7，28； 09：44.7，28；
10：44.7，28； 11：44.7，28； 12：44.7，28；
13：44.5，28； 14：44.7，28； 15：44.7，24；
16：44.7，28； 17：44.7，28； 18：45.5，28；
19：20.5+3.7，15。
2.3 卷軸裝。首尾均殘。卷首、卷尾殘破嚴重。第 15 紙錯抄廢棄，第 16 紙經文接續第 14 紙。有烏絲欄。
3.4 説明：

本文獻抄錄《賢愚經》之“摩訶令奴緣”（後部分）、“善求惡求緣”（全文）、及“善事太子入海緣”（前部分）等三個故事。三個故事排列的次序與《思溪藏》、《普寧藏》、《嘉興藏》相同，與《大正藏》本不同。但三個故事的品目序號，則與《遼大字藏》相同，與其他諸藏均不同。今依《思溪藏》等三藏，暫定其為卷十，而將它與《大正藏》本的文本對照著錄如下：

第 1～19 行，4/416A19～B9；

第 20 行：善求惡求卌一；

第 21 行～71 行，4/416B10～417A6；

第 72 行：善事太子入海卌二；

第 73 行～505 行，4/410A9～415A20。

其中第 382 行到 406 行爲錯抄後廢棄的經文，參見 4/413C29～414A25。

8 7～8 世紀。唐寫本。
9.1 楷書。“愍”字缺末筆避諱。有武周新字“臣”、“月”、“正”、“人”，使用不周遍。
11 圖版：《敦煌寶藏》，110/660A～670A。

1.1 BD01542 號
1.3 金剛般若波羅蜜經
1.4 來 042
1.5 094:4090
2.1 (4+258.4)×27 厘米；6 紙；153 行，行 17 字。
2.2 01：4+41，27； 02：49.0，30； 03：48.6，30；
04：49.0，30； 05：48.8，30； 06：22.0，06。
2.3 卷軸裝。首殘尾全。卷尾有蟲繭。有烏絲欄。
3.1 首 2 行上殘→大正 235，8/750B18。
3.2 尾全→8/752C3。
4.2 金剛般若波羅蜜經（尾）。
8 9～10 世紀。歸義軍時期寫本。
9.1 楷書。

9.2 有倒乙符號。
11 圖版:《敦煌寶藏》,82/93A~96A。

1.1 BD01543 號
1.3 妙法蓮華經卷二
1.4 來 043
1.5 105:4704
2.1 1063.8×25 厘米;24 紙;594 行,行 17 字。
2.2 01:21.2,護首; 02:09.0,05; 03:37.2,22;
04:48.3,28; 05:49.1,28; 06:48.8,28;
07:49.2,28; 08:49.0,28; 09:49.0,28;
10:49.2,28; 11:49.2,28; 12:49.1,28;
13:49.1,28; 14:49.1,28; 15:49.1,28;
16:49.1,28; 17:48.9,28; 18:49.0,28;
19:49.0,28; 20:49.1,28; 21:49.2,28;
22:49.3,28; 23:49.0,28; 24:15.6,07。
2.3 卷軸裝。首尾均全。有護首,有竹製天竿及穿縹帶之孔洞,護首有經名及經名號。護首及第 2 紙為後配。背有古代裱補。有烏絲欄。
3.1 首全→大正 262,9/10B24。
3.2 尾全→9/19A12。
4.1 妙法蓮華經譬喻品第三,卷第二(首)。
4.2 妙法蓮華經卷第二(尾)。
7.4 護首有經名“妙法蓮華經卷第二”。
8 8 世紀。唐寫本。
9.1 楷書。
9.2 有刮改。
11 圖版:《敦煌寶藏》,85/319B~333B。

1.1 BD01544 號
1.3 妙法蓮華經卷四
1.4 來 044
1.5 105:5322
2.1 (2+188.7)×26.3 厘米;5 紙;113 行,行 17 字。
2.2 01:02.0,01; 02:47.5,28; 03:47.0,28;
04:47.2,28; 05:47.0,28。
2.3 卷軸裝。首殘尾脫。卷面有殘洞及殘裂。有烏絲欄。
3.1 首 1 行下殘→大正 262,9/30A5~6。
3.2 尾殘→9/31C5。
8 8~9 世紀。吐蕃統治時期寫本。
9.1 楷書。
11 圖版:《敦煌寶藏》,90/653A~655B。

1.1 BD01545 號
1.3 大般若波羅蜜多經卷一一三
1.4 來 045
1.5 084:2306
2.1 (59.5+1.4)×25.4 厘米;2 紙;37 行,行 17 字。
2.2 01:46.5,28; 02:13+1.4,09。
2.3 卷軸裝。首脫尾殘。卷上部有水漬。有烏絲欄。
3.1 首殘→大正 220,5/622C27。
3.2 尾行上殘→5/623B6。
6.1 首→BD01513 號。
6.2 尾→BD01506 號。
8 8~9 世紀。吐蕃統治時期寫本。
9.1 楷書。
11 圖版:《敦煌寶藏》,72/600。

1.1 BD01546 號
1.3 金剛般若波羅蜜經
1.4 來 046
1.5 094:3587
2.1 73×26 厘米;2 紙;47 行,行 17 字。
2.2 01:29.0,19; 02:44.0,28。
2.3 卷軸裝。首殘尾斷。首紙破裂嚴重,卷面有紅色污點。背有古代裱補,裱補紙上有文字。有烏絲欄。已修整。
3.1 首行下殘→大正 235,8/748C27。
3.2 尾行殘→8/749B20。
7.3 卷背有雜寫:“佛”、“佛說閻羅王授”、“大般若波羅蜜□”、“無量”、“至皆”。
8 8~9 世紀。吐蕃統治時期寫本。
9.1 楷書。
9.2 段末有圈點。
11 圖版:《敦煌寶藏》,79/13B~14B。

1.1 BD01547 號
1.3 無量壽宗要經
1.4 來 047
1.5 275:7980
2.1 170.5×31.5 厘米;4 紙;108 行,行 30 餘字。
2.2 01:43.0,29; 02:42.5,29; 03:42.5,29;
04:42.5,21。
2.3 卷軸裝。首脫尾全。卷首上下邊有殘裂,中間有殘洞;卷面有水漬。有烏絲欄。
3.1 首殘→大正 936,19/82B26。
3.2 尾全→19/84C29。
4.2 無量壽宗要經一卷(尾)。
5 與《大正藏》本比較有闕文,參照大正 936,19/82C9~15。
7.1 尾題後有題名“唐再”。
7.3 第 1 紙背面有雜寫“天台山中”、“神”。
8 8~9 世紀。吐蕃統治時期寫本。
9.1 行楷。
11 圖版:《敦煌寶藏》,108/431A~433A。

1.1 BD01548 號
1.3 金光明最勝王經卷九
1.4 來 048
1.5 083:1943
2.1 (1.8+72.6+1.5)×25.7 厘米；3 紙；48 行，行 17 字。
2.2 01：1.8+5.1，04；　02：44.0，28；
　03：23.5+1.5，16。
2.3 卷軸裝。首尾均殘。有烏絲欄。
3.1 首行上下殘→大正 665，16/448A21～22。
3.2 尾行上下殘→16/449A5～6。
8 8～9 世紀。吐蕃統治時期寫本。
9.1 楷書。
11 圖版：《敦煌寶藏》，71/68A～68B。

1.1 BD01549 號
1.3 大般若波羅蜜多經卷四五
1.4 來 049
1.5 084:2115
2.1 (112.6+1.3)×26.3 厘米；3 紙；69 行，行 17 字。
2.2 01：46.5，28；　02：46.4，28；　03：19.7+1.3，13。
2.3 卷軸裝。首脫尾殘。上下邊有破損。有烏絲欄。
3.1 首殘→大正 220，5/251B21。
3.2 尾行上下殘→5/252B2～3。
6.2 尾→BD01571 號。
8 8～9 世紀。吐蕃統治時期寫本。
9.1 楷書。
11 圖版：《敦煌寶藏》，72/24A～25A。

1.1 BD01550 號
1.3 大般若波羅蜜多經卷二七
1.4 來 050
1.5 084:2075
2.1 313.5×26.1 厘米；7 紙；189 行，行 17 字。
2.2 01：45.4，28；　02：45.0，28；　03：45.0，28；
　04：44.6，28；　05：44.5，28；　06：44.5，28；
　07：44.5，21。
2.3 卷軸裝。首脫尾全。有燕尾。有烏絲欄。
3.1 首殘→大正 220，5/151B19。
3.2 尾全→5/153C4。
4.2 大般若波羅蜜多經卷第廿七（尾）。
6.1 首→BD01449 號。
8 8～9 世紀。吐蕃統治時期寫本。
9.1 楷書。
11 圖版：《敦煌寶藏》，71/576A～580A。

1.1 BD01551 號
1.3 金剛般若波羅蜜經
1.4 來 051
1.5 094:3817
2.1 (121.8+2.5)×26 厘米；3 紙；正面 79 行，行 17 字。背面 3 行，行字不等。
2.2 01：44.8，28；　02：44.5，28；　03：32.5+2.5，23。
2.3 卷軸裝。首脫尾殘。首紙下方有豎裂，卷面油污。背有古代裱補。有烏絲欄。
2.4 本遺書包括 2 個文獻：(一)《金剛般若波羅蜜經》，79 行，抄寫在正面，今編為 BD01551 號。(二)《觀無量壽佛經》，3 行，抄寫在卷背裱補紙上，今編為 BD01551 號背。
3.1 首殘→大正 235，8/749B20。
3.2 尾 2 行上殘→8/750B13～15。
8 8～9 世紀。吐蕃統治時期寫本。
9.1 楷書。
11 圖版：《敦煌寶藏》，80/445B～447B。

1.1 BD01551 號背
1.3 觀無量壽佛經
1.4 來 051
1.5 094:3817
2.4 本遺書由 2 個文獻組成，本號為第 2 個，3 行，抄寫在背面裱補紙上。餘參見 BD01551 號之第 2 項、第 11 項。
3.1 首殘→大正 365，12/344B8。
3.2 尾殘→12/344B11。
8 7～8 世紀。唐寫本。
9.1 楷書。

1.1 BD01552 號
1.3 金光明最勝王經卷七
1.4 來 052
1.5 083:1855
2.1 (4+341.9)×26.5 厘米；8 紙；191 行，行 17 字。
2.2 01：4+13.5，10；　02：47.5，28；　03：46.6，28；
　04：46.3，28；　05：47.5，28；　06：47.0，28；
　07：47.0，28；　08：46.5，13。
2.3 卷軸裝。首殘尾全。卷首下邊有等距離殘缺，後半部下邊殘缺。有燕尾。有烏絲欄。
3.1 首 2 行上下殘→大正 665，16/435B13～14。
3.2 尾全→大正 665，16/437C13。
4.2 金光明經卷第七（尾）。
8 8～9 世紀。吐蕃統治時期寫本。
9.1 楷書。
11 圖版：《敦煌寶藏》，70/331B～336A。

1.1 BD01553 號
1.3 妙法蓮華經卷五
1.4 來 053

1.5　105:6156
2.1　(7+59.5)×26.5 厘米；2 紙；38 行，行 17 字。
2.2　01：7+13.5，12；　02：46.0，26。
2.3　卷軸裝。首殘尾脫。通卷碎損。背有古代裱補。有烏絲欄。
3.1　首 4 行上下殘→大正 262，9/38A2～5。
3.2　尾殘→9/38B17。
8　7～8 世紀。唐寫本。
9.1　楷書。
11　圖版：《敦煌寶藏》，97/141B～142A。

1.1　BD01554 號
1.3　四分律比丘戒本
1.4　來 054
1.5　156:6825
2.1　(6+274)×25.8 厘米；6 紙；165 行，行 17 字。
2.2　01：6+37，25；　02：47.5，28；　03：47.5，28；
04：47.5，28；　05：47.5，28；　06：47.0，28。
2.3　卷軸裝。首殘尾脫。卷首下部殘損，脫落 1 塊殘片；接縫處有開裂；卷面油污，紙張變硬變脆。有烏絲欄。
3.1　首 4 行下殘→大正 1429，22/1015A18～26。
3.2　尾殘→22/1017B10。
4.1　四分戒本（首）。
7.1　卷背兩紙接縫處有“神寂”簽名 3 個。卷背又有題記“紹◇戒本”。
8　7～8 世紀。唐寫本。
9.1　楷書。
9.2　有行間校加字。
11　圖版：《敦煌寶藏》，102/111B～115A。

1.1　BD01555 號
1.3　金剛般若波羅蜜經
1.4　來 055
1.5　094:4017
2.1　185.3×26.5 厘米；5 紙；105 行，行 17 字。
2.2　01：15.8，09；　02：42.3，24；　03：42.5，24；
04：42.7，24；　05：42.0，24。
2.3　卷軸裝。首尾均脫。卷上部有水漬黴變，接縫處有開裂。有烏絲欄。
3.1　首殘→大正 235，8/750A19。
3.2　尾殘→8/751B12。
8　7～8 世紀。唐寫本。
9.1　楷書。
11　圖版：《敦煌寶藏》，81/516A～518A。

1.1　BD01556 號
1.3　無量壽宗要經
1.4　來 056
1.5　275:8148
2.1　(4.5+61+3)×31 厘米；3 紙；47 行，行 30 餘字。
2.2　01：4.5+6，07；　02：42.0，29；　03：13+3，11。
2.3　卷軸裝。首尾均殘。通卷上下邊有撕裂殘損，中間有撕裂。背有古代裱補。有烏絲欄。
3.1　首 3 行上下殘→大正 936，19/83C6～11。
3.2　尾 2 行中下殘→19/84C6。
8　8～9 世紀。吐蕃統治時期寫本。
9.1　行楷。
11　圖版：《敦煌寶藏》，109/142A～B。

1.1　BD01557 號
1.3　大般若波羅蜜多經卷二九八
1.4　來 057
1.5　084:2824
2.1　495.5×26.7 厘米；12 紙；300 行，行 17 字。
2.2　01：47.0，26；　02：46.5，28；　03：46.7，25；
04：26.8，28；　05：46.6，28；　06：46.9，28；
07：46.7，28；　08：46.7，28；　09：46.6，25；
10：46.6，28；　11：46.6，28；　12：01.8，素紙。
2.3　卷軸裝。首全尾缺。卷首上下邊殘破。第 3、9 紙末 3 行未抄。第 12 紙無字。有烏絲欄。
3.1　首全→大正 220，6/514B10。
3.2　尾殘→6/517A26。
4.1　大般若波羅蜜多經卷第二百九十八，/初分難聞功德品第卅九之二/（首）。
5　與《大正藏》對照，第 3 紙漏抄經文 1 行，故第 4 紙重抄，文與第 2 紙相連。第 9 紙錯抄經文，第 10 紙重抄，文與第 8 紙相連。
6.2　尾→BD01375 號。
8　8～9 世紀。吐蕃統治時期寫本。
9.1　楷書。
11　圖版：《敦煌寶藏》，75/178A～184B。

1.1　BD01558 號
1.3　維摩詰所說經卷中
1.4　來 058
1.5　070:1121
2.1　(7+87.5+3.5)×25 厘米；3 紙；58 行，行 17 字。
2.2　01：7+40.5，28；　02：47.0，28；　03：03.5，02。
2.3　卷軸裝。首脫尾殘。經黃紙。卷首殘破，上部有水漬。有烏絲欄。
3.1　首 4 行下殘→大正 475，14/544C25～29。
3.2　尾 2 行上殘→14/545B26～28。
8　7～8 世紀。唐寫本。
9.1　楷書。
11　圖版：《敦煌寶藏》，65/382B～383B。

1.1　BD01559號
1.3　藥師瑠璃光如來本願功德經
1.4　來059
1.5　030:0290
2.1　（148.4+10）×25厘米；4紙；88行，行17字。
2.2　01：50.9，28；　02：50.5，28；　03：47+3，28；
04：07.0，04。
2.3　卷軸裝。首尾均殘。經黄紙。卷首髒污變黑，通卷黴變，卷尾殘破嚴重。有2殘片脱落，可綴接。有烏絲欄。已修整。
3.1　首殘→大正450，14/405C12。
3.2　尾6行上下殘→14/406C11~17。
8　7~8世紀。唐寫本。
9.1　楷書。
11　圖版：《敦煌寶藏》，57/636B~638B。

1.1　BD01560號
1.3　妙法蓮華經卷七
1.4　來060
1.5　105:6128
2.1　（63.5+4）×26厘米；2紙；43行，行17字。
2.2　01：50.0，28；　02：13.5+4，15。
2.3　卷軸裝。首脱尾殘。首紙下邊有撕裂。有烏絲欄。
3.1　首殘→大正626，9/60C25。
3.2　尾2行上殘→9/61B10~12。
6.2　尾→BD01756號。
8　9~10世紀。歸義軍時期寫本。
9.1　楷書。
11　圖版：《敦煌寶藏》，97/91A~92A。

1.1　BD01561號
1.3　維摩詰所說經卷上
1.4　來061
1.5　070:0873
2.1　（7+771.5+6）×24.5厘米；17紙；449行，行17字。
2.2　01：7+41.5，28；　02：48.5，28；　03：49.0，28；
04：49.0，28；　05：49.0，28；　06：49.0，28；
07：49.0，28；　08：48.5，28；　09：49.0，28；
10：49.0，28；　11：49.0，28；　12：49.0，28；
13：49.0，28；　14：49.0，28；　15：49.0，28；
16：45+4，28；　17：02.0，01。
2.3　卷軸裝。首脱尾殘。卷首殘破，卷面黴變，卷中多處破損。有烏絲欄。已修整。
3.1　首4行中殘→大正475，14/538B3~7。
3.2　尾3行下殘→14/543C22~24。
8　9~10世紀。歸義軍時期寫本。
9.1　楷書。
9.2　有行間校加字。
11　圖版：《敦煌寶藏》，63/322B~333A。

1.1　BD01562號
1.3　妙法蓮華經卷七
1.4　來062
1.5　105:6018
2.1　（13.5+65.5）×25.5厘米；2紙；46行，行17字。
2.2　01：13.5+25.5，23；　02：40.0，23。
2.3　卷軸裝。首殘尾斷。卷中有等距離殘破。有烏絲欄。已修整。
3.1　首8行中上殘→大正262，9/57A6~14。
3.2　尾殘→9/57B27。
7.3　卷背有雜寫，似梵文種子字。
8　9~10世紀。歸義軍時期寫本。
9.1　楷書。
11　圖版：《敦煌寶藏》，96/328B~329B。

1.1　BD01563號
1.3　金剛般若波羅蜜經
1.4　來063
1.5　094:3852
2.1　（2.2+37）×25厘米；1紙；22行，行17字。
2.3　卷軸裝。首殘尾脱。經黄紙。通卷殘破。有烏絲欄。已修整。
3.1　首1行中殘→大正235，8/749B26~27。
3.2　尾殘→8/749C20。
8　7~8世紀。唐寫本。
9.1　楷書。
11　圖版：《敦煌寶藏》，80/597A。

1.1　BD01564號
1.3　普賢菩薩說證明經
1.4　來064
1.5　259:7664
2.1　（1.6+60.3）×26.5厘米；2紙；34行，行17~18字。
2.2　01：1.6+9.3，06；　02：51.0，28；
2.3　卷軸裝。首殘尾脱。經黄紙。卷面有等距離黴斑，接縫處有開裂。有烏絲欄。
3.1　首行上殘→大正2879，85/1364A7。
3.2　尾殘→85/1364B12
6.1　首→BD01660號。
8　7~8世紀。唐寫本。
9.1　楷書。
11　圖版：《敦煌寶藏》，107/239B~240A。

1.1　BD01565號
1.3　大般涅槃經（北本）卷二四

1.4 來 065
1.5 115:6442
2.1 （68+1.5）×27.1 厘米；2 紙；35 行，行 17 字。
2.2 01：34.5，17； 02：33.5+1.5，18。
2.3 卷軸裝。首尾均殘。尾紙殘缺。有烏絲欄。
3.1 首殘→大正 374，12/509A1。
3.2 尾 1 行下殘→12/509B7。
8 7~8 世紀。唐寫本。
9.1 楷書。
9.2 有點去符號。
11 圖版：《敦煌寶藏》，99/206B~207A。

1.1 BD01566 號
1.3 維摩詰所說經卷上
1.4 來 066
1.5 070:0970
2.1 （6.5+65.5+2.5）×25 厘米；2 紙；45 行，行 17 字。
2.2 01：6.5+32.5，25； 02：33+2.5，20。
2.3 卷軸裝。首尾均殘。通卷殘破嚴重。有烏絲欄。已修整。
3.1 首 5 行上下殘→大正 475，14/539A8~13。
3.2 尾行中上殘→14/539B25~26。
6.2 尾→BD01442 號。
8 8~9 世紀。吐蕃統治時期寫本。
9.1 楷書。
9.2 下邊有校加字。
11 圖版：《敦煌寶藏》，64/194A~195A。

1.1 BD01567 號
1.3 妙法蓮華經卷二
1.4 來 067
1.5 105:4703
2.1 （5.3+980.2）×25.2 厘米；22 紙；582 行，行 17 字。
2.2 01：05.3，03； 02：46.9，28； 03：46.8，28；
04：46.8，28； 05：46.7，28； 06：46.8，28；
07：47.0，28； 08：46.6，28； 09：46.8，28；
10：46.7，28； 11：47.0，28； 12：46.7，28；
13：46.8，28； 14：46.6，28； 15：46.8，28；
16：46.9，28； 17：46.8，28； 18：46.5，28；
19：46.8，28； 20：46.8，28； 21：46.6，28；
22：44.8，19。
2.3 卷軸裝。首殘尾全。卷尾有原軸，軸頭塗深棕色漆。卷背有古代裱補。有烏絲欄。
3.1 首 3 行上下殘→大正 262，9/11A4~8。
3.2 尾全→9/19A12。
4.2 妙法蓮華經卷第二（尾）。
8 9~10 世紀。歸義軍時期寫本。
9.1 楷書。
9.2 有行間加行。有刮改。
11 圖版：《敦煌寶藏》，85/306A~319A。

1.1 BD01568 號
1.3 維摩詰所說經卷中
1.4 來 068
1.5 070:1198
2.1 290.5×25.5 厘米；7 紙；163 行，行 17 字。
2.2 01：39.5，23； 02：47.5，28； 03：47.5，28；
04：47.5，28； 05：47.5，28； 06：47.5，28；
07：13.5，拖尾。
2.3 卷軸裝。首殘尾全。經黃紙。通卷水漬變色，拖尾係後補，有殘裂。有烏絲欄。
3.1 首殘→大正 475，14/549B15。
3.2 尾全→14/551C27。
4.2 維摩詰經卷第二（尾）。
8 7~8 世紀。唐寫本。
9.1 楷書。
11 圖版：《敦煌寶藏》，65/647A~651A。

1.1 BD01569 號
1.3 勝天王般若波羅蜜經卷四
1.4 來 069
1.5 091:3491
2.1 152.6×25.9 厘米；3 紙；84 行，行 17 字。
2.2 01：51.0，28； 02：51.0，28； 03：50.6，28。
2.3 卷軸裝。首尾均脫。尾紙上有殘洞。有烏絲欄。
3.1 首殘→大正 231，8/708A2。
3.2 尾殘→8/708C28。
6.1 首→BD01718 號。
8 7~8 世紀。唐寫本。
9.1 楷書。
9.2 有硃筆校改。
11 圖版：《敦煌寶藏》，78/265A~266B。

1.1 BD01570 號
1.3 維摩詰所說經卷下
1.4 來 070
1.5 070:1288
2.1 （2+53+1.5）×26 厘米；2 紙；32 行，行 17 字。
2.2 01：2+38.5，23； 02：14.5+1.5，09。
2.3 卷軸裝。首尾均殘。通卷中間有等距離腐蝕殘洞。有烏絲欄。
3.1 首行上殘→大正 475，14/555C16。
3.2 尾行中下殘→14/556A19~20。
6.2 尾→BD01637 號。
8 8~9 世紀。吐蕃統治時期寫本。

9.1 楷書。
11 圖版:《敦煌寶藏》,66/427A ~427B。

1.1 BD01571 號
1.3 大般若波羅蜜多經卷四五
1.4 來 071
1.5 084:2116
2.1 (111.2 +1.2) ×26.3 厘米;3 紙;68 行,行 17 字。
2.2 01:26.0,15; 02:46.2,28; 03:39 +1.2,25。
2.3 卷軸裝。首尾均殘。有烏絲欄。
3.1 首殘→大正 220,5/252B3。
3.2 尾殘→5/253A15。
6.1 首→BD01549 號。
6.2 尾→BD01522 號。
8 7 ~8 世紀。唐寫本。
9.1 楷書。
11 圖版:《敦煌寶藏》,72/25B ~26B。

1.1 BD01572 號
1.3 妙法蓮華經卷三
1.4 來 072
1.5 105:5111
2.1 (3 +130.3 +6.3) ×25.8 厘米;3 紙;80 行,行 17 字。
2.2 01:3 +42.7,26; 02:48.0,28;
03:39.6 +6.3,26。
2.3 卷軸裝。首尾均殘。經黄紙。通卷有等距火灼殘洞。有烏絲欄。
3.1 首行中殘→大正 262,9/20B28 ~29。
3.2 尾 3 行上殘→9/21B29 ~ C3。
6.1 首→BD01731 號。
8 7 ~8 世紀。唐寫本。
9.1 楷書。
11 圖版:《敦煌寶藏》,89/39A ~41A。

1.1 BD01573 號
1.3 天地八陽神咒經
1.4 來 073
1.5 256:7634
2.1 304.7 ×25.5 厘米;6 紙;148 行,行 17 字。
2.2 01:50.2,28; 02:50.7,28; 03:50.6,28;
04:51.0,28; 05:51.0,28; 06:51.2,08。
2.3 卷軸裝。首脱尾全。首紙殘破,卷面有殘洞。有烏絲欄。
3.1 首殘→大正 2897,85/1423A20。
3.2 尾全→85/1425B1。
4.2 佛説八陽經一卷(尾)。
8 9 ~10 世紀。歸義軍時期寫本。
9.1 楷書。
11 圖版:《敦煌寶藏》,107/179A ~182B。

1.1 BD01574 號
1.3 無量壽宗要經
1.4 來 074
1.5 275:8149
2.1 87 ×31 厘米;2 紙;56 行,行 30 餘字。
2.2 01:43.5,28; 02:43.5,28。
2.3 卷軸裝。首尾均脱。通卷有等距離殘洞,第 1、2 紙接縫處上部開裂。有烏絲欄。已修整。
3.1 首殘→大正 936,19/82C4。
3.2 尾殘→19/84A26。
8 8 ~9 世紀。吐蕃統治時期寫本。
9.1 行楷。
11 圖版:《敦煌寶藏》,109/143A ~144A。

1.1 BD01575 號
1.3 大般涅槃經(北本)卷二〇
1.4 來 075
1.5 115:6408
2.1 (10 +787.4) ×25.6 厘米;18 紙;462 行,行 17 字。
2.2 01:10 +35,24; 02:46.0,27; 03:46.0,27;
04:46.0,27; 05:46.0,27; 06:46.2,27;
07:46.2,27; 08:46.2,27; 09:46.0,27;
10:46.2,27; 11:46.5,27; 12:46.5,27;
13:46.5,27; 14:46.5,27; 15:46.6,27;
16:46.5,27; 17:46.0,27; 18:12.5,06。
2.3 卷軸裝。首殘尾全。首紙殘破,卷后部有殘裂。背有古代裱補。有烏絲欄。
3.1 首 4 行上殘→大正 374,12/480B29 ~ C3。
3.2 尾全→12/486A13。
4.1 □…□二十(首)。
4.2 大般涅槃經卷第卄(尾)。
8 7 ~8 世紀。唐寫本。
9.1 楷書。
11 圖版:《敦煌寶藏》,99/11B ~22A。

1.1 BD01576 號
1.3 佛名經(十二卷本)卷二
1.4 來 076
1.5 062:0558
2.1 (93.5 +1.5) ×27.2 厘米;3 紙;48 行,行 17 字。
2.2 01:30.0,15; 02:49.5,25; 03:14 +1.5,08。
2.3 卷軸裝。首尾均殘。有烏絲欄。
3.1 首殘→大正 440,14/120C16;
3.2 尾 1 行上中殘→14/121B12。
5 與《大正藏》本對照,文字略有參差。

6.2 尾→BD01687 號。
8 9～10 世紀。歸義軍時期寫本。
9.1 楷書。
11 圖版:《敦煌寶藏》, 60/67A～68A。

1.1 BD01577 號
1.3 金剛般若波羅蜜經
1.4 來 077
1.5 094:4076
2.1 (8.5+297.1)×25.7 厘米; 8 紙; 180 行, 行 17 字。
2.2 01: 8.5+13.7, 12; 02: 47.5, 28; 03: 39.2, 24; 04: 39.3, 24; 05: 39.5, 24; 06: 39.4, 24; 07: 39.5, 24; 08: 39.0, 20。
2.3 卷軸裝。首殘尾全。首紙左下部殘損, 卷面油污變色, 卷尾有蟲繭。首 2 紙與後 6 紙紙質不同。有烏絲欄。
3.1 首 4 行上下殘→大正 235, 8/750B9～12。
3.2 尾全→8/752C3。
4.2 金剛般若波羅蜜經 (尾)。
8 9～10 世紀。歸義軍時期寫本。
9.1 楷書。
11 圖版:《敦煌寶藏》, 82/40B～44A。

1.1 BD01578 號
1.3 大般涅槃經 (北本) 卷二四
1.4 來 078
1.5 115:6432
2.1 (3.5+67)×27.1 厘米; 3 紙; 43 行, 行 17 字。
2.2 01: 3.5+9, 15; 02: 43.5, 20; 03: 14.5, 08。
2.3 卷軸裝。首尾均殘。首紙下部殘缺。有烏絲欄。
3.1 首 2 行下殘→大正 374, 12/505B2～4。
3.2 尾殘→12/505C16。
6.1 首→BD01802 號。
6.2 尾→BD01582 號。
8 7～8 世紀。唐寫本。
9.1 楷書。
11 圖版:《敦煌寶藏》, 99/186B～187B。

1.1 BD01579 號
1.3 維摩詰所說經卷中
1.4 來 079
1.5 070:1122
2.1 (14.5+51+7)×26 厘米; 2 紙; 41 行, 行 17 字。
2.2 01: 14.5+9, 13; 02: 42+7, 28。
2.3 卷軸裝。首殘尾脫。通卷殘破嚴重, 卷中脫落殘片, 已綴接。有烏絲欄。已修整。
3.1 首 8 行下殘→大正 475, 14/544B11～21。
3.2 尾殘→14/544C27。
8 9～10 世紀。歸義軍時期寫本。
9.1 楷書。
9.2 有刮改。
11 圖版:《敦煌寶藏》, 65/384A～384B。

1.1 BD01580 號
1.3 金剛般若波羅蜜經
1.4 來 080
1.5 094:4155
2.1 79×24 厘米; 2 紙; 49 行, 行 17 字。
2.2 01: 34.5, 21; 02: 44.5, 28。
2.3 卷軸裝。首殘尾斷。首紙上部脫落殘片, 已綴接。兩紙均有破裂。有烏絲欄, 甚淡。已修整。
3.1 首 1 行上殘→大正 235, 8/750C11～12。
3.2 尾殘→8/751B4。
8 7～8 世紀。唐寫本。
9.1 楷書。
11 圖版:《敦煌寶藏》, 82/256B～257B。

1.1 BD01581 號
1.3 大般若波羅蜜多經卷四五六
1.4 來 081
1.5 084:3157
2.1 (3.5+782.3)×25.9 厘米; 18 紙; 465 行, 行 17 字。
2.2 01: 03.5, 護首; 02: 45.0, 26; 03: 46.9, 28; 04: 47.0, 28; 05: 46.7, 28; 06: 46.7, 28; 07: 46.7, 28; 08: 46.2, 28; 09: 46.8, 28; 10: 46.9, 28; 11: 46.9, 28; 12: 46.9, 28; 13: 46.7, 28; 14: 46.9, 28; 15: 46.8, 28; 16: 46.9, 28; 17: 46.8, 28; 18: 35.5, 19。
2.3 卷軸裝。首尾均全。有護首, 殘破不全; 卷端脫落 1 塊殘片; 第 2 紙有殘裂, 接縫處有開裂。背有古代裱補。有烏絲欄。
3.1 首全→大正 220, 7/300B17。
3.2 尾全→7/306A1。
4.1 大般若波羅蜜多經卷第四百五十六, /第二分同性品第六十二之二, 三藏法師玄奘奉詔譯/ (首)。
4.2 大般若波羅蜜多經卷第四百五十六 (尾)。
7.1 卷端背面有勘記: "四百五十六, 卌六袟。" "卌六袟" 是本文獻所屬袟次。
8 8～9 世紀。吐蕃統治時期寫本。
9.1 楷書。
9.2 有刮改、校改。
11 圖版:《敦煌寶藏》, 76/510A～520A。

1.1 BD01582 號
1.3 大般涅槃經 (北本) 卷二四
1.4 來 082

1.5　115:6433
2.1　88×27.1 厘米；3 紙；44 行，行 17 字。
2.2　01：29.0，14；　02：44.0，22；　03：15.0，08。
2.3　卷軸裝。首尾均殘。有烏絲欄。
3.1　首殘→大正 374，12/505C16。
3.2　尾殘→12/506B3。
6.1　首→BD01578 號。
6.2　尾→BD01645 號。
8　7～8 世紀。唐寫本。
9.1　楷書。
11　圖版：《敦煌寶藏》，99/188A～189A。

1.1　BD01583 號
1.3　金光明最勝王經卷一
1.4　來 083
1.5　083:1488
2.1　（5.5＋214）×26.5 厘米；6 紙；正面 124 行，行 17 字。背面行數、字數不詳。
2.2　01：5.5＋22，16；　02：46.5，27；　03：47.0，27；
04：45.0，27；　05：43.5，26；　06：10.0，01。
2.3　卷軸裝。首殘尾全。全卷殘碎。背有古代裱補。有燕尾。有烏絲欄。已修整。
2.4　本遺書包括 2 個文獻：（一）《金光明最勝王經》卷一，124 行，抄寫在正面，今編為 BD01583 號。（二）《檢校工部尚書兼將作監柳晟狀》（擬），行數不詳，抄寫在背面裱補紙上，今編為 BD01583 號背。
3.1　首 3 行下殘→大正 665，16/406C7～12。
3.2　尾全→16/408A28。
4.2　金光最勝王經卷第一（尾）。
8　8～9 世紀。吐蕃統治時期寫本。
9.1　楷書。
11　圖版：《敦煌寶藏》，68/90B～93A。

1.1　BD01583 號背
1.3　檢校工部尚書兼將作監柳晟狀（擬）
1.4　來 083
1.5　083:1488
2.4　本遺書由 2 個文獻組成，本號為第 2 個，行數不詳，抄寫在背面古代裱補紙上。餘參見 BD01583 號之第 2 項、第 11 項。
3.4　說明：

背面多古代裱補紙，不少裱補紙上有字，行文疏朗。從這些文字看，原文獻應為官文書，但因剪得較碎，難以卒讀。現將可辨識者錄文如下：

一、□…□錫（?）殊□…□/□…□名□…□/

二、□…□覺□…□/□…□定之□…□/□…□僧（增?）感□…□/

三、□…□關中之□…□/□…□可汗□…□/

四、□…□梨□…□/

五、□…□子，菓子壹□…□/□…□蒙/

六、□…□新□…□/□…□方知□…□/□…□報□…□/□…□狀陳□…□/

七、□…□戴□…□/

八、□…□校工部尚書兼（?）將作監□…□/

九、□…□春始□…□/□…□真□…□/□…□唯□…□/

十、□…□順化□…□/

此外尚有殘字痕多塊。

據《冊府元龜》卷九六五，（元和）三年五月，以回鶻騰里野合俱祿毗伽可汗卒，命使冊九姓回鶻可汗為愛登里囉汩沒密施合毗伽保義可汗。以前山南西道節度使柳晟為檢校工部尚書兼將作監，持節充使。

本文獻或與此有關。

8　808 年。唐寫本。
9.1　楷書。

1.1　BD01584 號
1.3　金剛般若波羅蜜經
1.4　來 084
1.5　094:4342
2.1　（2＋126.5）厘米；4 紙；70 行，行 17 字。
2.2　01：2＋38，23；　02：40.0，23；　03：40.5，23；
04：08.0，01。
2.3　卷軸裝。首殘尾全。卷面有水漬，變色嚴重。有燕尾。有烏絲欄。
3.1　首行中殘→大正 235，8/751C9～10。
3.2　尾全→235，8/752C3。
4.2　金剛般若經（尾）。
5　與《大正藏》本對照，本卷經文無冥司偈，文參見大正 235，8/751C16～19。
8　9～10 世紀。歸義軍時期寫本。
9.1　楷書。
11　圖版：《敦煌寶藏》，83/20A～21B。

1.1　BD01585 號
1.3　大般若波羅蜜多經卷八
1.4　來 085
1.5　084:2027
2.1　538.4×26.5 厘米；14 紙；312 行，行 17 字。
2.2　01：410，24；　02：41.0，24；　03：41.0，24；
04：41.2，24；　05：41.4，24；　06：41.4，24；
07：41.3，24；　08：41.2，24；　09：41.3，24；
10：41.2，24；　11：41.0，24；　12：41.0，24；
13：41.0，23；　14：03.4，01。
2.3　卷軸裝。首脫尾全。第 10 紙有殘洞，第 14 紙紙與以前各紙不同。背有古代裱補。有烏絲欄。

3.1　首殘→大正 220，5/41B20。
3.2　尾全→5/45A13。
4.2　大般若波羅蜜經卷第八（尾）。
8　7～8 世紀。唐寫本。
9.1　楷書。
11　圖版：《敦煌寶藏》，76/396B～403B。

1.1　BD01586 號
1.3　維摩詰所說經卷下
1.4　來 086
1.5　070:1277
2.1　（1.5+65.5+3.5）×26 厘米；2 紙；40 行，行 17 字。
2.2　01：1.5+27，16；　02：38.5+3.5，24。
2.3　卷軸裝。首尾均殘。卷面有水漬，紙張變色。有烏絲欄。
3.1　首行中下殘→大正 475，14/553B18～19。
3.2　尾 2 行中上殘→14/553C29～554A2。
8　8～9 世紀。吐蕃統治時期寫本。
9.1　楷書。
11　圖版：《敦煌寶藏》，66/394B～395A。

1.1　BD01587 號
1.3　觀世音經
1.4　來 087
1.5　111:6264
2.1　118.6×24.9 厘米；3 紙；54 行，行 17 字。
2.2　01：22.2，12；　02：48.8，28；　03：47.6，14。
2.3　卷軸裝。首殘尾全。上下邊殘破，卷尾有蟲繭。有燕尾。有烏絲欄。
3.1　首殘→大正 262，9/57B14。
3.2　尾全→9/58B7。
4.2　觀世音經（尾）。
8　7～8 世紀。唐寫本。
9.1　楷書。
9.2　有行間校加字。
11　圖版：《敦煌寶藏》，97/495B～497A。

1.1　BD01588 號
1.3　維摩詰所說經卷上
1.4　來 088
1.5　070:0874
2.1　930.5×26 厘米；20 紙；正面 518 行，行 15～19 字。背面 5 行，行字不等。
2.2　01：29.5，16；　02：49.5，28；　03：49.0，28；
04：49.0，28；　05：49.0，28；　06：49.0，28；
07：49.0，28；　08：50.0，28；　09：49.5，29；
10：49.5，28；　11：50.0，28；　12：49.5，28；
13：49.5，28；　14：49.5，28；　15：49.5，28；
16：49.5，28；　17：49.5，28；　18：49.5，28；
19：45.0，25；　20：16.0，拖尾。
2.3　卷軸裝。首斷尾全。卷面有等距離火灼殘洞，有油污，接縫處有開裂。背有多塊古代裱補，兩面抄寫，紙質、字體相同。裱補紙上向外之文字爲《沙州支戍兵小麥歷》，向内粘貼的文字難以辨認。
2.4　本遺書包括 2 個文獻：（一）《維摩詰所說經卷上》，518 行，抄寫在正面，今編為 BD01588 號。（二）《沙州支戍兵小麥歷》，5 行，抄寫在背面 2 塊裱補紙上，今編為 BD01588 號背。
3.1　首殘→大正 475，14/537C17。
3.2　尾全→14/544A19。
4.2　維摩詰經卷上（尾）。
8　7～8 世紀。唐寫本。
9.1　楷書。
11　圖版：《敦煌寶藏》，63/333B～346A。

1.1　BD01588 號背
1.3　沙州支戍兵小麥歷（擬）
1.4　來 088
1.5　070:0874
2.4　本遺書由 2 個文獻組成，本號為第 2 個，5 行，抄寫在背面的 2 塊古代裱補紙上。餘參見 BD01588 號之第 2 項、第 11 項。
3.4　說明：
該文獻抄寫在背面的兩塊古代裱補紙上。該紙兩面抄寫，向裏的一面文字難以釋讀，向外的一面錄文如下：
一、
（前殘）
右被州八月廾□…□/
貳拾壹碩貳㪷伍勝貳合小麥□…□/
肆人使□…□/
（錄文完）
二、
（前殘）
右被州九月六日給典汜禮□/
伍碩柒㪷玖勝陸合給南硤戍兵周神威等陸人口/
（錄文完）
7.2　第二個殘片下部鈐有 5.3×5.3 陽文硃印："沙州/之印/"。
8　7～8 世紀。唐寫本。
9.1　楷書。

1.1　BD01589 號
1.3　金剛般若波羅蜜經
1.4　來 089
1.5　094:4409
2.1　（5.4+471）×24.5 厘米；11 紙；265 行，行 17 字。
2.2　01：5.4+15.5，12；　02：50.0，28；　03：50.0，28；
04：50.0，28；　05：50.0，28；　06：50.0，28；

07：50.0，28；　08：50.0，28；　09：50.0，28；
10：50.0，28；　11：05.5，01。
2.3　卷軸裝。首殘尾全。經黄紙。卷首 3 行碎損，卷背有蟲繭。背有古代裱補。有烏絲欄。
3.1　首 3 行上殘→大正 235，8/749B7～9。
3.2　尾全→8/752C3。
4.2　金剛般若波羅蜜經（尾）。
5　與《大正藏》本對照，本卷經文無冥司偈，參見大正 235，8/751C16～19。
8　7～8 世紀。唐寫本。
9.1　楷書。
11　圖版：《敦煌寶藏》，83/122A～128A。

1.1　BD01590 號
1.3　金剛般若波羅蜜經
1.4　來 090
1.5　094:3596
2.1　（8+518.5）×26 厘米；13 紙；297 行，行 17 字。
2.2　01：8+5.5，9；　02：27.6，16；　03：35.5，21；
04：48.0，28；　05：49.5，28；　06：49.5，28；
07：49.3，28；　08：49.3，28；　09：49.2，28；
10：48.9，28；　11：49.2，28；　12：49.0，27；
13：08.0，拖尾。
2.3　卷軸裝。首殘尾全。第 1、2 紙與通卷紙質、紙色不同，係歸義軍時期後補。第 11 紙有殘洞及豎裂，接縫處有開裂。背有古代裱補。有烏絲欄。已修整。
3.1　首 5 行上殘→大正 235，8/749A1～5。
3.2　尾全→8/752C2。
8　7～8 世紀。唐寫本。
9.1　楷書。前 2 紙與通卷紙質字體不同。
9.2　有行間校加字。
11　從該件上揭下古代裱補紙 5 塊，今編爲 BD16100 號（有字 1 塊）、BD16101 號（無字 4 塊）。
圖版：《敦煌寶藏》，79/48B～55B。

1.1　BD01591 號
1.3　維摩詰所說經卷上
1.4　來 091
1.5　070:1009
2.1　（1.5+66+2）×26 厘米；2 紙；42 行，行 17 字。
2.2　01：1.5+44.5，28；　02：21.5+2，14。
2.3　卷軸裝。首尾均殘。背有古代裱補。有烏絲欄。
3.1　首行下殘→大正 475，14/540A8～9。
3.2　尾行上殘→14/540B23～24。
8　8～9 世紀。吐蕃統治時期寫本。
9.1　楷書。
11　圖版：《敦煌寶藏》，64/380A～380B。

1.1　BD01592 號
1.3　維摩詰所說經卷下
1.4　來 092
1.5　070:1278
2.1　（1.5+63+2）×26 厘米；2 紙；38 行，行 17 字。
2.2　01：1.5+44，26；　02：19+2，12。
2.3　卷軸裝。首尾均殘。通卷變色，上邊有撕裂。有烏絲欄。
3.1　首行上下殘→大正 475，14/554B8～9。
3.2　尾行中下殘→14/554C21。
8　8～9 世紀。吐蕃統治時期寫本。
9.1　楷書。
11　圖版：《敦煌寶藏》，66/395B～396A。

1.1　BD01593 號
1.3　大般若波羅蜜多經卷五六三
1.4　來 093
1.5　084:3353
2.1　（11.2+686.2）×26.2 厘米；16 紙；419 行，行 17 字。
2.2　01：11.2+5.7，10；　02：46.5，28；　03：46.2，28；
04：47.1，28；　05：46.2，28；　06：45.7，28；
07：46.4，28；　08：46.2，28；　09：46.4，28；
10：46.3，28；　11：46.5，28；　12：46.4，28；
13：46.3，28；　14：46.4，28；　15：46.3，28；
16：31.6，17。
2.3　卷軸裝。首殘尾全。卷首有殘洞及殘損。第 8 至尾紙紙質與前不同。背面有古代裱補。有烏絲欄。
3.1　首 7 行下殘→大正 220，7/905B12～19。
3.2　尾全→7/910A24。
4.2　大般若波羅蜜多經卷第五百六十三（尾）。
8　8～9 世紀。吐蕃統治時期寫本。
9.1　楷書。
9.2　有行間校加字。有刮改。
11　圖版：《敦煌寶藏》，77/342A～351A。

1.1　BD01594 號
1.3　妙法蓮華經卷四
1.4　來 094
1.5　105:5294
2.1　（5+94.5）×26 厘米；3 紙；57 行，行 17 字。
2.2　01：5+19，14；　02：47.3，27；　03：28.2，16。
2.3　卷軸裝。首尾均殘。卷面多殘洞，有破裂。背有古代裱補。有烏絲欄。
3.1　首 3 行中上殘→大正 262，9/27B29～C1。
3.2　尾殘→9/28B21。
8　7～8 世紀。唐寫本。
9.1　楷書。
11　圖版：《敦煌寶藏》，90/490B～491B。

1.1　BD01595 號
1.3　金剛般若波羅蜜經
1.4　來 095
1.5　094:4347
2.1　122×25 厘米；4 紙；68 行，行 17 字。
2.2　01：08.0，10；　02：47.5，28；　03：50.0，29；　04：16.5，01。
2.3　卷軸裝。首斷尾全。經黄紙。接縫處有開裂。有烏絲欄。
3.1　首殘→大正 235，8/751C11。
3.2　尾全→8/752C3。
4.2　金剛般若經（尾）。
5　與《大正藏》本對照，本卷經文有漏抄處，缺文見大正 8/751C16～19。
8　7～8 世紀。唐寫本。
9.1　楷書。
11　圖版：《敦煌寶藏》，83/29B～31A。

1.1　BD01596 號
1.3　維摩詰所說經卷下
1.4　來 096
1.5　070:1231
2.1　（3+743.5）×26 厘米；17 紙；443 行，行 17 字。
2.2　01：3+15.5，10；　02：47.0，28；　03：47.0，28；　04：47.0，28；　05：47.0，28；　06：47.0，28；　07：47.0，28；　08：47.0，28；　09：47.0，28；　10：47.0，28；　11：47.0，28；　12：47.0，28；　13：47.0，28；　14：47.0，28；　15：47.0，28；　16：47.0，28；　17：23.0，13。
2.3　卷軸裝。首殘尾全。有烏絲欄。
3.1　首行中殘→大正 475，14/552A21～22。
3.2　尾全→14/557B26。
4.2　維摩詰經卷下（尾）。
8　8～9 世紀。吐蕃統治時期寫本。
9.1　楷書。
9.2　有刮改。
11　圖版：《敦煌寶藏》，66/184B～193B。

1.1　BD01597 號
1.3　佛名經（十六卷本）卷五
1.4　來 097
1.5　063:0645
2.1　（2+196.2）×29.2 厘米；5 紙；91 行，行 17 字。
2.2　01：02.0，01；　02：46.5，23；　03：50.0，25；　04：50.2，25；　05：49.5，17。
2.3　卷軸裝。首殘尾全。有烏絲欄。
3.1　首行上下殘→《七寺古逸經典研究叢書》，3/第 261 頁第 569 行；
3.2　尾全→《七寺古逸經典研究叢書》，3/第 267 頁第 647 行。
4.2　佛名經卷第五（尾）。
6.1　首→BD01380 號。
8　9～10 世紀。歸義軍時期寫本。
9.1　楷書。
11　圖版：《敦煌寶藏》，60/641A～643B。

1.1　BD01598 號 1
1.3　延壽命經（大本）
1.4　來 098
1.5　284:8241
2.1　137×26 厘米；3 紙；85 行，行 17 字。
2.2　01：50.0，32；　02：49.5，29；　03：37.5，24。
2.3　卷軸裝。首尾均全。首紙有殘洞、殘裂。第 3 紙與前 2 紙紙質不同。
2.4　本遺書包括 2 個文獻：（一）《延壽命經》，61 行，今編為 BD01598 號 1。（二）《摩利支天陀羅尼咒經》（異本），24 行，今編為 BD01598 號 2。
3.1　首全→大正 2888，85/1404A27。
3.2　尾全→85/1404C28。
4.1　佛說延壽經（首）。
4.2　佛說延壽經（尾）。
5　與《大正藏》本對照，文字略有不同。
8　8～9 世紀。吐蕃統治時期寫本。
9.1　楷書。
11　圖版：《敦煌寶藏》，109/395B～397A。

1.1　BD01598 號 2
1.3　摩利支天陀羅尼咒經（異本）
1.4　來 098
1.5　284:8241
2.4　本遺書由 2 個文獻組成，本號為第 2 個，24 行。餘參見 BD01598 號 1 之第 2 項、第 11 項。
3.4　說明：
　　本文獻首尾均全。與《大正藏》本相比，本件文字差異較大，當爲異本。
4.1　摩利支天經（首）
4.2　摩利支天經（尾）。
8　8～9 世紀。吐蕃統治時期寫本。
9.1　楷書。

1.1　BD01599 號
1.3　思益梵天所問經卷一
1.4　來 099
1.5　043:0412
2.1　150.4×26.5 厘米；3 紙；84 行，行 17 字。
2.2　01：50.5，28；　02：50.4，28；　03：49.5，28。

2.3　卷軸裝。首尾皆脫。有烏絲欄。
3.1　首殘→大正 586，15/37A20。
3.2　尾殘→15/38B29。
5　與《大正藏》本比較，該件不分段。
6.1　首→BD01503 號。
6.2　尾→BD01536 號。
8　8～9 世紀。吐蕃統治時期寫本。
9.1　楷書。
11　圖版：《敦煌寶藏》，58/636A～638A。

1.1　BD01600 號
1.3　維摩詰所說經卷上
1.4　來 100
1.5　070:1010
2.1　（1+59.5+2）×26 厘米；2 紙；38 行，行 17 字。
2.2　01：1+38，24；　02：21.5+2，14。
2.3　卷軸裝。首尾均殘。背有古代裱補，文字粘向內，不能辨識。有烏絲欄。
3.1　首行殘→大正 475，14/541A16～17。
3.2　尾行中殘→14/541B26～27。
8　8～9 世紀。吐蕃統治時期寫本。
9.1　楷書。
9.2　有硃筆校改。
11　圖版：《敦煌寶藏》，64/381。

新舊編號對照表

一、千字文號與北敦號、縮微膠卷號對照表

千字文號	北敦號	縮微膠卷號
寒 095	BD01495 號	250：7484
寒 096	BD01496 號	094：4324
寒 097	BD01497 號	094：4285
寒 098	BD01498 號	105：4532
寒 099	BD01499 號	084：2982
寒 100	BD01500 號	157：6913
來 001	BD01501 號	094：3982
來 002	BD01502 號	105：5134
來 003	BD01503 號	043：0409
來 004	BD01504 號	105：5108
來 005	BD01505 號	083：1883
來 006	BD01506 號	084：2307
來 007	BD01507 號	105：5313
來 008	BD01508 號	094：4367
來 009	BD01509 號	084：2303
來 010	BD01510 號	275：7726
來 011	BD01511 號	083：1896
來 012	BD01512 號	094：3731
來 013	BD01513 號	084：2305
來 014	BD01514 號	084：3243
來 015	BD01515 號	084：2807
來 016	BD01516 號	063：0697
來 017	BD01517 號	083：1607
來 018	BD01518 號	043：0406
來 019	BD01519 號	115：6314
來 020	BD01520 號	094：4317
來 021	BD01521 號	105：4925
來 022	BD01522 號	084：2117
來 023	BD01523 號	105：5285
來 024	BD01524 號	094：3872
來 025	BD01525 號	084：2479
來 026	BD01526 號	070：1183
來 027	BD01527 號	094：4181
來 028	BD01528 號	083：1904
來 029	BD01529 號	094：3930
來 030	BD01530 號	094：4383
來 031	BD01531 號	105：5629
來 032	BD01532 號	094：3712
來 033	BD01533 號	105：5355
來 034	BD01534 號	052：0448
來 035	BD01535 號	105：5428
來 036	BD01536 號	043：0411
來 037	BD01537 號	094：4286
來 038	BD01538 號	083：1790
來 039	BD01539 號	094：4083
來 040	BD01540 號	094：4125
來 041	BD01541 號	422：8599
來 042	BD01542 號	094：4090
來 043	BD01543 號	105：4704
來 044	BD01544 號	105：5322
來 045	BD01545 號	084：2306
來 046	BD01546 號	094：3587
來 047	BD01547 號	275：7980
來 048	BD01548 號	083：1943
來 049	BD01549 號	084：2115
來 050	BD01550 號	084：2075
來 051	BD01551 號	094：3817
來 051	BD01551 號背	094：3817
來 052	BD01552 號	083：1855
來 053	BD01553 號	105：6156
來 054	BD01554 號	156：6825
來 055	BD01555 號	094：4017
來 056	BD01556 號	275：8148
來 057	BD01557 號	084：2824
來 058	BD01558 號	070：1121
來 059	BD01559 號	030：0290
來 060	BD01560 號	105：6128
來 061	BD01561 號	070：0873

來 062	BD01562 號	105：6018	來 083	BD01583 號	083：1488
來 063	BD01563 號	094：3852	來 083	BD01583 號背	083：1488
來 064	BD01564 號	259：7664	來 084	BD01584 號	094：4342
來 065	BD01565 號	115：6442	來 085	BD01585 號	084：2027
來 066	BD01566 號	070：0970	來 086	BD01586 號	070：1277
來 067	BD01567 號	105：4703	來 087	BD01587 號	111：6264
來 068	BD01568 號	070：1198	來 088	BD01588 號	070：0874
來 069	BD01569 號	091：3491	來 088	BD01588 號背	070：0874
來 070	BD01570 號	070：1288	來 089	BD01589 號	094：4409
來 071	BD01571 號	084：2116	來 090	BD01590 號	094：3596
來 072	BD01572 號	105：5111	來 091	BD01591 號	070：1009
來 073	BD01573 號	256：7634	來 092	BD01592 號	070：1278
來 074	BD01574 號	275：8149	來 093	BD01593 號	084：3353
來 075	BD01575 號	115：6408	來 094	BD01594 號	105：5294
來 076	BD01576 號	062：0558	來 095	BD01595 號	094：4347
來 077	BD01577 號	094：4076	來 096	BD01596 號	070：1231
來 078	BD01578 號	115：6432	來 097	BD01597 號	063：0645
來 079	BD01579 號	070：1122	來 098	BD01598 號 1	284：8241
來 080	BD01580 號	094：4155	來 098	BD01598 號 2	284：8241
來 081	BD01581 號	084：3157	來 099	BD01599 號	043：0412
來 082	BD01582 號	115：6433	來 100	BD01600 號	070：1010

二、縮微膠卷號與北敦號、千字文號對照表

縮微膠卷號	北敦號	千字文號	縮微膠卷號	北敦號	千字文號
030：0290	BD01559 號	來 059	070：1277	BD01586 號	來 086
043：0406	BD01518 號	來 018	070：1278	BD01592 號	來 092
043：0409	BD01503 號	來 003	070：1288	BD01570 號	來 070
043：0411	BD01536 號	來 036	083：1488	BD01583 號	來 083
043：0412	BD01599 號	來 099	083：1488	BD01583 號背	來 083
052：0448	BD01534 號	來 034	083：1607	BD01517 號	來 017
062：0558	BD01576 號	來 076	083：1790	BD01538 號	來 038
063：0645	BD01597 號	來 097	083：1855	BD01552 號	來 052
063：0697	BD01516 號	來 016	083：1883	BD01505 號	來 005
070：0873	BD01561 號	來 061	083：1896	BD01511 號	來 011
070：0874	BD01588 號	來 088	083：1904	BD01528 號	來 028
070：0874	BD01588 號背	來 088	083：1943	BD01548 號	來 048
070：0970	BD01566 號	來 066	084：2027	BD01585 號	來 085
070：1009	BD01591 號	來 091	084：2075	BD01550 號	來 050
070：1010	BD01600 號	來 100	084：2115	BD01549 號	來 049
070：1121	BD01558 號	來 058	084：2116	BD01571 號	來 071
070：1122	BD01579 號	來 079	084：2117	BD01522 號	來 022
070：1183	BD01526 號	來 026	084：2303	BD01509 號	來 009
070：1198	BD01568 號	來 068	084：2305	BD01513 號	來 013
070：1231	BD01596 號	來 096	084：2306	BD01545 號	來 045

084：2307	BD01506 號	來 006	105：4532	BD01498 號	寒 098
084：2479	BD01525 號	來 025	105：4703	BD01567 號	來 067
084：2807	BD01515 號	來 015	105：4704	BD01543 號	來 043
084：2824	BD01557 號	來 057	105：4925	BD01521 號	來 021
084：2982	BD01499 號	寒 099	105：5108	BD01504 號	來 004
084：3157	BD01581 號	來 081	105：5111	BD01572 號	來 072
084：3243	BD01514 號	來 014	105：5134	BD01502 號	來 002
084：3353	BD01593 號	來 093	105：5285	BD01523 號	來 023
091：3491	BD01569 號	來 069	105：5294	BD01594 號	來 094
094：3587	BD01546 號	來 046	105：5313	BD01507 號	來 007
094：3596	BD01590 號	來 090	105：5322	BD01544 號	來 044
094：3712	BD01532 號	來 032	105：5355	BD01533 號	來 033
094：3731	BD01512 號	來 012	105：5428	BD01535 號	來 035
094：3817	BD01551 號	來 051	105：5629	BD01531 號	來 031
094：3817	BD01551 號背	來 051	105：6018	BD01562 號	來 062
094：3852	BD01563 號	來 063	105：6128	BD01560 號	來 060
094：3872	BD01524 號	來 024	105：6156	BD01553 號	來 053
094：3930	BD01529 號	來 029	111：6264	BD01587 號	來 087
094：3982	BD01501 號	來 001	115：6314	BD01519 號	來 019
094：4017	BD01555 號	來 055	115：6408	BD01575 號	來 075
094：4076	BD01577 號	來 077	115：6432	BD01578 號	來 078
094：4083	BD01539 號	來 039	115：6433	BD01582 號	來 082
094：4090	BD01542 號	來 042	115：6442	BD01565 號	來 065
094：4125	BD01540 號	來 040	156：6825	BD01554 號	來 054
094：4155	BD01580 號	來 080	157：6913	BD01500 號	寒 100
094：4181	BD01527 號	來 027	250：7484	BD01495 號	寒 095
094：4285	BD01497 號	寒 097	256：7634	BD01573 號	來 073
094：4286	BD01537 號	來 037	259：7664	BD01564 號	來 064
094：4317	BD01520 號	來 020	275：7726	BD01510 號	來 010
094：4324	BD01496 號	寒 096	275：7980	BD01547 號	來 047
094：4342	BD01584 號	來 084	275：8148	BD01556 號	來 056
094：4347	BD01595 號	來 095	275：8149	BD01574 號	來 074
094：4367	BD01508 號	來 008	284：8241	BD01598 號 1	來 098
094：4383	BD01530 號	來 030	284：8241	BD01598 號 2	來 098
094：4409	BD01589 號	來 089	422：8599	BD01541 號	來 041